여러분의 합격을 응원하는
해커스경찰의 특별 예택!

FREE 경찰 형사법 **특강**

해커스경찰(police.Hackers.com) 접속 후 로그인 ▶ 상단의 [무료강좌 → 경찰 무료강의] 클릭하여 이용

 해커스경찰 온라인 단과강의 **20% 할인쿠폰**

64DA4E354CDF8VET

해커스경찰(police.Hackers.com) 접속 후 로그인 ▶ 상단의 [내강의실] 클릭 ▶

[쿠폰/포인트] 클릭 ▶ 쿠폰번호 입력 후 이용

* 등록 후 7일간 사용 가능(ID당 1회에 한해 등록 가능)

합격예측 **온라인 모의고사 응시권 + 해설강의 수강권**

6F49785CCC3EDL9P

해커스경찰(police.Hackers.com) 접속 후 로그인 ▶ 상단의 [내강의실] 클릭 ▶

[쿠폰/포인트] 클릭 ▶ 쿠폰번호 입력 후 이용

* ID당 1회에 한해 등록 가능

쿠폰 이용 관련 문의 **1588-4055**

단기 합격을 위한
해커스경찰 커리큘럼

입문

탄탄한 기본기와 핵심 개념 완성!

누구나 이해하기 쉬운 개념 설명과 풍부한 예시로 부담없이 쌩기초 다지기

TIP 베이스가 있다면 **기본 단계**부터!

▼

기본+심화

필수 개념 학습으로 이론 완성!

반드시 알아야 할 기본 개념과 문제풀이 전략을 학습하고
심화 개념 학습으로 고득점을 위한 응용력 다지기

▼

기출+예상 문제풀이

문제풀이로 집중 학습하고 실력 업그레이드!

기출문제의 유형과 출제 의도를 이해하고 최신 출제 경향을 반영한
예상문제를 풀어보며 본인의 취약영역을 파악 및 보완하기

▼

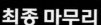
동형문제풀이

동형모의고사로 실전력 강화!

실제 시험과 같은 형태의 실전모의고사를 풀어보며 실전감각 극대화

▼

최종 마무리

시험 직전 실전 시뮬레이션!

각 과목별 시험에 출제되는 내용들을 최종 점검하며 실전 완성

PASS

**단계별 교재 확인 및
수강신청은 여기서!**

police.Hackers.com

해커스경찰 **합격생**이 말하는
경찰 단기 합격 비법!

해커스경찰과 함께라면
다음 합격의 주인공은 바로 여러분입니다.

완전 노베이스로 시작,
8개월 만에 인천청 합격!

강*혁 합격생

형사법 부족한 부분은 모의고사로 채우기!

기본부터 기출문제집과 같이 병행해서 좋았던 것 같습니다. 그리고 1차 시험 보기 전까지 심화 강의를 끝냈는데 **개인적으로 심화강의 추천**드립니다. 안정적인 실력이 아니라 생각해서 기출 후 **전범위 모의고사에서 부족한 부분들을 많이 채워** 나간 것 같습니다.

법 계열 전공,
1년 이내 대구청 합격!

배*성 합격생

외우기 힘든 경찰학, 방법은 회독과 복습!

경찰학의 경우 양이 워낙 방대하고 휘발성이 강한 과목이라고 생각합니다. (중략) 지속적으로 **회독**을 하였으며, **모의고사를 통해서 틀린 부분을 복습**하고 그 범위를 **다시 한 번 책**으로 돌아가서 봤습니다.

이과 계열 전공,
6개월 만에 인천청 합격!

서*범 합격생

법 과목 공부법은 기본과 기출 회독!

법 과목만큼은 **인강을 반복**해서 듣고 **기출을 반복**해서 읽고 풀었습니다. 익숙해질 필요가 있다고 생각해서 **회독에 더 집중**했었습니다. 익숙해진 이후로는 **오답도 챙기면서 공부**했습니다.

"갓대환 유튜브 명강의 모두보기!"

01 [경찰공무원] 시험 당일 실력 발휘를 못한다면?

02 증거재판주의 총정리!

03 경찰공무원 형사법 ㅣ 기본VS심화 어떤 것을 들어야 하나요?

04 6개월 단기 합격생은 이렇게 했습니다.

05 친족상도례

06 형사법 고소불가분

해커스경찰

갓대환
형사법
기출총정리

1권 | 형법총론

ᴛʜ 해커스경찰

형법 + 형소법 출제 문향과 비중표

	Essential ★	Core ★★	Superlative ★★★
형법 총론	143(23.8%)	269(44.8%)	189(31.4%)
형법 각론	164(26.2%)	285(45.6%)	176(28.2%)
형법 합계	307(25.0%)	554(45.2%)	365(29.8%)
수사 · 증거	191(29.9%)	276(43.2%)	172(26.9%)
공판	159(26.2%)	268(44.2%)	179(29.5%)
형사소송법 합계	350(28.1%)	544(43.7%)	351(28.2%)

경찰채용, 경찰승진, 경찰간부, 국가직, 법원직 학생들을 위한 기출 필독서입니다(경찰채용, 경찰간부는 기출총정리 교재를 보면 되고, 경찰승진, 국가직 법원직 학생들은 형법 기출1200제와 형사소송법 기출1000제 교재를 구매하면 됩니다).

특히 경찰채용과 경찰간부 시험이 2022년도부터 형사법으로 바뀌면서 문제의 경향이 바뀌었습니다. 단순히 기존의 기출을 반복하는 것이 아니라 기출 + 심화 다시 말해 변호사시험 스타일의 사례형 문제가 추가되었습니다. 그래서 기존 기출문제집에 형소법 수사 · 증거편에 변호사시험 사례형을 집중적으로 추가했으며, 형법과 형소법이 결합된 종합사례형은 수사·증거편 뒤에 추가해서 사례형을 강화하기 위한 노력을 했습니다.

이 책은 기출문제집 한 권으로 형법과 형사소송법을 과목으로 하는 모든 객관식 시험을 대비할 수 있다는 장점이 있습니다. 따라서 경찰채용을 준비하는 학생뿐만 아니라 국가직 7/9급, 법원직, 경찰승진, 경찰간부, 해양경찰, 해경승진, 5급 승진시험 변호사, 법원행시, 군무원을 준비하는 학생에게 가장 필요한 책입니다.

이번 2025년판 형사법 기출총정리는 형법 1,226문제(총론 601문제, 각론 625문제)와 형사소송법 639문제(수사와 증거)로 구성되어 있으며, 최근 실시된 2024년 1·2차 경찰채용, 법학특채, 2024년 해경채용, 해경승진, 해경간부, 2025년 경찰간부, 2024년 국가 9급, 2024년 법원직9급, 2024년 변호사, 2024년 법원행시 등을 반영한 교재입니다. 아울러 친족상도례 헌법불합치와 수사준칙 개정된 내용과 통비법 개정된 내용을 반영한 교재입니다.

이 책의 장점은,

1. 최근 어려워지고 있는 형사법 시험 경향에 맞춰 난도를 7급 기준으로 높였으며, 조합형/사례형까지 반영하였습니다.

2. 전반적으로 형법총론의 비중을 높여 학설문제, 조문문제의 반영비율을 높였습니다.

3. 한 문제로 두 번 공부할 수 있도록, 오답지문/정답지문 구별 없이 모든 지문에 해설을 달아서 문제를 풀다가 다시 기본서를 찾아보는 시간을 줄일 수 있도록 하였습니다.

4. 해설지문도 단순히 정답해설지문만 나열한 것이 아니라, 해설지문 중 중요한 내용에 굵은 글씨 및 색글자로 처리하여 해설지문을 다 읽지 않아도 지문의 쟁점을 쉽게 알 수 있도록 하였습니다.

5. 문제 배열 순서도 단원별로 쉬운 문제부터 시작해서 어려운 문제를 풀 수 있도록 배열하였습니다. 문제를 순서대로 풀다 보면 앞에서 푼 문제의 쟁점을 이해하고, 뒷부분의 어려운 문제(조합형 또는 개수형 문제)를 저절로 풀 수 있도록 신경 써서 배열하였습니다.

6. 모든 문제를 난도별로 구분했습니다. 가장 중요하면서 쉬운 문제를 Essential ★, 보통의 문제를 Core ★★, 가장 어려운 문제를 Superlative ★★★로 구별했습니다. 따라서 처음 공부하는 학생들은 Essential ★ → Core ★★ → Superlative ★★★ 순으로 공부하시면 됩니다.

7. 2025년판의 가장 특징적인 부분은 형법 + 형소법의 형사법 종합사례형을 추가하였으며, 이 부분은 QR코드로 보면 해설강의를 볼 수 있도록 신경을 썼습니다.

이 책이 출간되도록 도와주신 모든 분들께 고마움을 전합니다.

2024년 9월

김대환

차례

형사법 형법총론

제 1 편

형법의 기초이론

제1편 형법의 기초이론

001 죄형법정주의에 관한 설명으로 가장 적절하지 않은 것은? (다툼이 있으면 판례에 의함)

24 경찰채용 [Essential ★]

① 형법 제62조의2 제1항에 따라 형의 집행유예시 부과할 수 있는 보호관찰은 형벌이 아니라 보안처분의 성격을 갖는 것으로서 재판시의 규정에 의하여 보호관찰을 받을 것을 명할 수 있다고 해석하는 것은 형벌불소급의 원칙에 반하지 않는다.

② 도로교통법 제43조(무면허운전 등의 금지)를 위반하여 운전면허를 받지 아니하고 자동차를 운전하는 행위를 대상으로 하는 「교통사고처리 특례법」 제3조 제2항 단서 제7호를 운전면허 취소사실을 알지 못하고 자동차를 운전하는 경우도 포함하는 것으로 해석하는 것은 유추해석 금지의 원칙에 반하지 않는다.

③ 「가정폭력범죄의 처벌 등에 관한 특례법」이 정한 보호처분 중 하나인 사회봉사명령은 보안처분의 성격을 가지나, 이는 가정폭력범죄행위에 대하여 형사처벌 대신 부과되는 것으로서 원칙적으로 형벌불소급의 원칙에 따라 행위시법을 적용함이 상당하다.

④ 군형법 제64조 제3항 상관명예훼손죄에 대해 형법 제310조(위법성의 조각)와 같은 규정을 별도로 두지 않았다고 하더라도 법규범의 체계, 입법 의도와 목적 등에 비추어 정당하다고 평가되는 한도 내에서 그와 유사한 사안에 관한 법규범을 적용할 수 있다고 할 것이므로 형법 제310조는 군형법 제64조 제3항의 행위에 대해 유추적용된다고 보아야 한다.

해설

② [×] 도로교통법위반(무면허운전)죄는 도로교통법 제43조를 위반하여 운전면허를 받지 아니하고 자동차를 운전하는 경우에 성립하는 범죄로, 유효한 운전면허가 없음을 알면서도 자동차를 운전하는 경우에만 성립하는 고의범이다. 「교통사고처리 특례법」 제3조 제2항 단서 제7호는 도로교통법위반(무면허운전)죄와 동일하게 도로교통법 제43조를 위반하여 운전면허를 받지 아니하고 자동차를 운전하는 행위를 대상으로 교통사고 처벌 특례를 적용하지 않도록 하고 있다. 따라서 위 단서 제7호에서 말하는 **'도로교통법 제43조를 위반'한 행위는 도로교통법위반(무면허운전)죄와 마찬가지로 유효한 운전면허가 없음을 알면서도 자동차를 운전하는 경우만을 의미한다.**(대법원 2023. 6. 29. 2021도17733 사다리차 운전자 교통사고 사건) 운전면허취소사실을 알지 못하고 자동차를 운전하는 경우는 제7호에 포함되지 않는다.

① [○] 보호관찰은 형벌이 아니라 보안처분의 성격을 갖는 것으로서 과거의 불법에 대한 책임에 기초하고 있는 제재가 아니라 장래의 위험성으로부터 행위자를 보호하고 사회를 방위하기 위한 합목적적인 조치이므로, 그에 관하여 반드시 행위 이전에 규정되어 있어야 하는 것은 아니며 재판시의 규정에 의하여 보호관찰을 받을 것을 명할 수 있다고 보아야 할 것이고, 이와 같은 해석이 형벌불소급의 원칙 내지 죄형법정주의에 위배되는 것이라고 볼 수 없다.(대법원 1997. 6. 13. 97도703 보호관찰 소급적용 사건)

③ [○] 가폭법상 사회봉사명령은 가정폭력범죄행위에 대하여 형사처벌 대신 부과되는 것으로서 가정폭력범죄를 범한 자에게 의무적 노동을 부과하고 여가시간을 박탈하여 실질적으로는 신체적 자유를 제한하게 되므로 이에 대하여는 원칙적으로 형벌불소급의 원칙에 따라 행위시법을 적용함이 상당하다.(대법원 2008. 7. 24. 2008 어4 사회봉사 200시간 사건)

④ [○] 군형법은 제64조 제3항에서 '공연히 사실을 적시하여 상관의 명예를 훼손한 경우'에 대해 형법 제307조 제1항의 사실적시에 의한 명예훼손죄보다 형을 높여 처벌하도록 하면서 이에 대해 형법 제310조와 같이 공공의 이익에 관한 때에는 처벌하지 아니한다는 규정을 별도로 두지 않았다. 그러나 입법에도 불구하고 입법자가 의도하지 않았던 규율의 공백이 있는 사안에 대하여 법규범의 체계, 입법 의도와 목적 등에 비추어 정당하다고 평가되는 한도 내에서 그와 유사한 사안에 관한 법규범을 적용할 수 있다고 할 것인바, 형법 제307조 제1항의 행위에 대한 위법성조각사유를 규정한 형법 제310조는 군형법 제64조 제3항의 행위에 대해 유추적용된다. (대법원 2024. 4. 16. 2023도13333 성희롱으로 검찰조사를 받고 있다 사건)

002 죄형법정주의에 관한 설명으로 가장 적절하지 않은 것은? (다툼이 있으면 판례에 의함)

24 경찰채용 [Core ★★]

① '여러 사람의 눈에 뜨이는 곳에서 공공연하게 알몸을 지나치게 내놓거나 가려야 할 곳을 내놓아 다른 사람에게 부끄러운 느낌이나 불쾌감을 준 사람'을 처벌하는 구「경범죄 처벌법」제3조 제1항 제33호는 죄형법정주의에 위배된다.

② 「아동·청소년의 성보호에 관한 법률」상 공개명령 제도에 대해서는 소급입법금지의 원칙이 적용되지 않는다.

③ 어린이집 대표자를 변경하였음에도 변경인가를 받지 않은 채 어린이집을 운영한 행위에 대해 설치인가를 받지 않고 사실상 어린이집의 형태로 운영하는 행위 등을 처벌하는 규정인「영유아 보육법」제54조 제4항 제1호를 적용하는 것은 죄형법정주의에 위배된다.

④ 구「공공기관의 운영에 관한 법률」제53조가 공기업의 임직원으로서 공무원이 아닌 사람을 형법 제129조의 적용에서는 공무원으로 본다고 규정하면서도 구체적인 공기업 지정과 관련하여 하위규범인 기획재정부장관의 고시에 의하도록 규정한 것은 죄형법정주의에 위배된다.

해설

④ [×] 구체적인 공기업의 지정에 관하여는 그 하위규범인 기획재정부장관의 고시에 의하도록 규정하였다 하더라도 **죄형법정주의에 위배되거나 위임입법의 한계를 일탈한 것으로 볼 수 없다.**(대법원 2013. 6. 13. 2013 도1685 한수원 직원 수뢰사건)

정답 | 001 ② 002 ④

① [○] 심판대상조항은 알몸을 '지나치게 내놓는' 것이 무엇인지 그 판단 기준을 제시하지 않아 무엇이 지나친 알몸노출행위인지 판단하기 쉽지 않고, '가려야 할 곳'의 의미도 알기 어렵다. 심판대상조항 중 '부끄러운 느낌이나 불쾌감'은 사람마다 달리 평가될 수밖에 없고 노출되었을 때 부끄러운 느낌이나 불쾌감을 주는 신체부위도 사람마다 달라 '부끄러운 느낌이나 불쾌감'을 통하여 '지나치게'와 '가려야 할 곳' 의미를 확정하기도 곤란하다. 심판대상조항은 '선량한 성도덕과 성풍속'을 보호하기 위한 규정인데, 이러한 성도덕과 성풍속이 무엇인지 대단히 불분명하므로 심판대상조항의 의미를 그 입법목적을 고려하여 밝히는 것에도 한계가 있다. 대법원은 '신체노출행위가 단순히 다른 사람에게 부끄러운 느낌이나 불쾌감을 주는 정도에 불과한 경우 심판대상조항에 해당한다.'라고 판시하나 이를 통해서도 '가려야 할 곳', '지나치게'의 의미를 구체화 할 수 없다. 심판대상조항의 불명확성을 해소하기 위해 노출이 허용되지 않는 신체부위를 예시적으로 열거하거나 구체적으로 특정하여 분명하게 규정하는 것이 입법기술상 불가능하거나 현저히 곤란하지도 않다. 예컨대 이른바 '바바리맨'의 성기노출행위를 규제할 필요가 있다면 노출이 금지되는 신체부위를 '성기'로 명확히 특정하면 될 것이다. 따라서 **심판대상조항은 죄형법정주의의 명확성원칙에 위배된다.**(헌법재판소 2016. 11. 24. 2016헌가3 아파트 공원 일광욕 사건) 헌법재판소의 위헌결정으로 과다노출죄의 구성요건이 아래와 같이 변경되었다.

경범죄 처벌법(2017. 10. 24. 법률 제14908호로 일부개정되기 전의 것)
제3조【경범죄의 종류】 ① 다음 각 호의 어느 하나에 해당하는 사람은 10만원 이하의 벌금, 구류 또는 과료의 형으로 처벌한다. 33. (과다노출) 여러 사람의 눈에 뜨이는 곳에서 공공연하게 <u>알몸을 지나치게 내놓거나 가려야 할 곳을 내놓아</u> 다른 사람에게 부끄러운 느낌이나 불쾌감을 준 사람

경범죄 처벌법(2017. 10. 24. 법률 제14908호로 일부개정된 것)
제3조【경범죄의 종류】 ① 다음 각 호의 어느 하나에 해당하는 사람은 10만원 이하의 벌금, 구류 또는 과료의 형으로 처벌한다. 33. (과다노출) 공개된 장소에서 공공연하게 <u>성기·엉덩이 등 신체의 주요한 부위를 노출하여</u> 다른 사람에게 부끄러운 느낌이나 불쾌감을 준 사람

② [○] 아청법상 공개명령 제도는 범죄행위를 한 자에 대한 응보 등을 목적으로 그 책임을 추궁하는 사후적 처분인 형벌과 구별되어 그 본질을 달리하는 것으로서 형벌에 관한 소급입법금지의 원칙이 그대로 적용되지 않으므로 공개명령 제도가 시행된 2010. 1. 1. 이전에 범한 범죄에도 공개명령 제도를 적용하도록 아청법이 개정되었다고 하더라도 그것이 소급입법금지의 원칙에 반한다고 볼 수 없다.(대법원 2011. 3. 24. 2010도14393 아청법 공개명령 사건)

③ [○] 어린이집 대표자를 변경하고도 변경인가를 받지 않은 채 어린이집을 운영한 행위에 대하여 설치인가를 받지 않고 사실상 어린이집의 형태로 운영한 행위 등을 처벌하는 규정인 영유아보육법 제54조 제4항 제1호를 적용하거나 유추적용할 수 없다.(대법원 2022. 12. 1. 2021도6860 어린이집 대표자 변경사건)

003 죄형법정주의에 관한 설명으로 가장 적절하지 않은 것은? (다툼이 있으면 판례에 의함)

23 경찰채용 [Essential ★]

① 형법 제349조(부당이득)에서 정하는 '현저하게 부당한 이익'은 그 비교기준이 되는 정당한 이익 내지는 원래의 급부가치는 무엇인지에 대한 규정이 없어 일반 국민들로서는 해당 법률 조항으로는 어느 정도가 정당한 이익인지를 예측하기 어렵고, 수사기관으로서도 객관적이고 구속적인 해석 및 집행의 기준을 제공받지 못하므로 자의적·선별적인 법집행에로 이끌리기 쉬워 해당 법률조항은 죄형법정주의의 명확성의 원칙에 반한다.

② 형법 제207조(통화의 위조 등) 제3항에 규정된 '외국에서 통용된다'고 함은 그 외국에서 강제통용력을 가지는 것을 의미하는 것이므로 일반적인 관점에서 통용할 것이라고 오인할 가능성이 있다고 하여 외국에서 통용되지 아니하는, 즉 강제통용력을 가지지 아니하는 지폐까지 형법 제207조 제3항의 외국에서 통용하는 지폐에 포함시키면 이는 유추해석 내지 확장해석하여 적용하는 것이 되어 죄형법정주의의 원칙에 위배된다.

③ 형사처벌에 관한 위임입법은 특히 긴급한 필요가 있거나 미리 법률로써 자세히 정할 수 없는 부득이한 사정이 있는 경우에 한하여 수권법률(위임법률)이 구성요건의 점에서는 처벌대상인 행위가 어떠한 것인지 이를 예측할 수 있을 정도로 구체적으로 정하고, 형벌의 점에서는 형벌의 종류 및 그 상한과 폭을 명확히 규정하는 것을 전제로 허용된다.

④ 「가정폭력범죄의 처벌 등에 관한 특례법」이 정한 보호처분 중의 하나인 사회봉사명령은 가정폭력범죄행위에 대하여 형사처벌 대신 부과되는 것으로서 가정폭력범죄를 범한 자에게 의무적 노동을 부과하고 여가시간을 박탈하여 실질적으로는 신체적 자유를 제한하게 되므로 이에 대하여는 원칙적으로 형벌불소급의 원칙에 따라 행위시법을 적용함이 상당하다.

해설

① [×] '궁박'이나 '현저하게 부당한 이익'이라는 개념도 형법상의 '지려천박', '기망', '임무에 위배' 등과 같이 범죄구성요건을 형성하는 개념 중 구체적 사안에 있어서 일정한 해석을 통하여 적용할 수 있는 일반적, 규범적 개념의 하나로서 '궁박한 상태를 이용하여 현저하게 부당한 이익을 취득'하였는지 여부는 사회통념 또는 건전한 상식에 따라 거래 당사자의 신분과 상호간의 관계, 피해자가 처한 상황의 절박성의 정도, 계약의 체결을 둘러싼 협상과정 및 피해자의 이익, 피해자가 그 거래를 통해 추구하고자 한 목적을 달성하기 위한 다른 적절한 대안의 존재 여부 등 제반상황을 종합한다면 합리적으로 판단할 수 있다고 할 것이므로 이 사건 법률조항(형법 제349조 제1항)이 지니는 약간의 불명확성은 법관의 통상적인 해석 작용에 의하여 충분히 보완될 수 있고 건전한 상식과 통상적인 법감정을 가진 일반인이라면 금지되는 행위가 무엇인지를 예측할 수 있으므로 이 사건 법률조항은 죄형법정주의에서 요구되는 명확성의 원칙에 위배되지 아니한다.(헌법재판소 2006. 7. 27. 2005헌바19)

② [○] 외국에서 통용하지 아니하는, 즉 강제통용력을 가지지 아니하는 지폐는 그것이 비록 일반인의 관점에서 **통용할 것이라고 오인할 가능성이 있다고 하더라도 형법 제207조 제3항에서 정한 외국에서 '통용하는' 외국의 지폐에 해당한다고 할 수 없다.**(대법원 2004. 5. 14. 2003도3487 10만달러 100만달러 사건)

③ [○] 사회현상의 복잡다기화와 국회의 전문적·기술적 능력의 한계 및 시간적 적응능력의 한계로 인하여 형사처벌에 관련된 모든 법규를 예외 없이 형식적 의미의 법률에 의하여 규정한다는 것은 사실상 불가능할 뿐만 아니라 실제에 적합하지도 아니하기 때문에, 특히 긴급한 필요가 있거나 미리 법률로써 자세히 정할 수 없는 부득이한 사정이 있는 경우에 한하여 위임법률이 구성요건의 점에서는 처벌대상인 행위가 어떠한 것인지 이를 예측할 수 있을 정도로 구체적으로 정하고, 형벌의 점에서는 형벌의 종류 및 그 상한과 폭을 명확히 규정하는 것을 전제로 위임입법이 허용되며, 이러한 위임입법은 죄형법정주의에 반하지 않는다.(대법원 2013. 3. 28. 2012도16383 퍼시픽랜드 돌고래쇼 사건)

④ [○] (1) **가폭법상 사회봉사명령**은 가정폭력범죄행위에 대하여 형사처벌 대신 부과되는 것으로서 가정폭력범죄를 범한 자에게 의무적 노동을 부과하고 여가시간을 박탈하여 실질적으로는 신체적 자유를 제한하게 되므로 이에 대하여는 원칙적으로 **형벌불소급의 원칙에 따라 행위시법을 적용함**이 상당하다. (2) 법원이 가정폭력행위자에게 사회봉사명령을 부과하면서, 행위시법상 사회봉사명령 부과시간의 상한인 100시간을 초과하여 상한을 200시간으로 올린 신법을 적용한 것은 위법하다.(대법원 2008. 7. 24. 2008어4 사회봉사 200시간 사건)

004 죄형법정주의에 대한 설명으로 옳은 것은? (다툼이 있으면 판례에 의함)   24 경대편입 [Core ★★]

① 「대통령기록물 관리에 관한 법률」 제30조 제2항에 의하여 처벌되는 동법 제14조의 대통령기록물을 손상·은닉·멸실 또는 유출하거나 국외로 반출하는 행위를 금지하는 규정에서 유출이 금지되는 대통령기록물에 원본 문서나 전자파일 이외에 그 사본이나 추가 출력물이 포함된다고 해석하는 것은 죄형법정주의에 반하지 않는다.

② 유기징역형에 대한 임의적 감경을 할 때에는 형법 제55조 제1항 제3호에서 정한 것과 같이 장기와 단기를 모두 2분의 1로 감경하는 것 외에 장기 또는 단기 중 어느 하나만을 2분의 1로 감경하거나 2분의 1보다 넓은 범위의 감경을 하더라도 죄형법정주의에 반하지 않는다.

③ 한국환경공단이 환경부장관의 위탁을 받아 건설폐기물 인계·인수에 관한 내용 등의 전산처리를 위한 전자정보처리프로그램인 올바로시스템을 구축·운영하고 있는 경우 그 업무를 수행하는 한국환경공단 임직원을 공전자기록의 작성권한자인 공무원으로 보거나 한국환경공단을 공무소로 보는 것은 죄형법정주의에 반하지 않는다.

④ 형법 제207조 제3항 외국통화위조죄의 '외국에서 통용하는 지폐'에 일반인의 관점에서 통용할 것이라고 오인할 가능성이 있는 지폐까지 포함시키면 죄형법정주의에 반한다.

⑤ 형법 제232조의2 사전자기록위작죄에서 정한 '위작'의 포섭 범위에 권한 있는 사람이 그 권한을 남용하여 허위의 정보를 입력함으로써 시스템 설치·운영 주체의 의사에 반하는 전자기록을 생성하는 행위를 포함한다고 보는 것은 죄형법정주의에 반한다.

해설

④ [○] 외국에서 통용하지 아니하는, 즉 강제통용력을 가지지 아니하는 지폐는 그것이 비록 일반인의 관점에서 **통용할 것이라고 오인할 가능성이 있다고 하더라도** 형법 제207조 제3항에서 정한 외국에서 '**통용하는**' 외국의 지폐에 해당한다고 할 수 없다.(대법원 2004. 5. 14. 2003도3487 10만달러 100만달러 사건)

① [×] 대통령기록물법 제30조 제2항 제1호, 제14조에 의해 유출이 금지되는 **대통령기록물에 원본 문서나 전자파일 이외에 그 사본이나 추가 출력물까지 포함된다고 해석하는 것은 죄형법정주의 원칙상 허용되지 아니한다.**(대법원 2021. 1. 14. 2016도7104 조응천 공직기강비서관 사건)

② [×] 유기징역형에 대한 법률상 감경을 하면서 형법 제55조 제1항 제3호에서 정한 것과 같이 장기와 단기를 모두 2분의 1로 감경하는 것이 아닌 장기 또는 단기 중 어느 하나만을 2분의 1로 감경하는 방식이나 2분의 1보다 넓은 범위의 감경을 하는 방식 등은 **죄형법정주의 원칙상 허용될 수 없다.**(대법원 2021. 1. 21. 2018도5475 손습 임의적 감경 새로운 해석론 사건)

③ [×] 한국환경공단이 환경부장관의 위탁을 받아 건설폐기물 인계·인수에 관한 내용 등의 전산처리를 위한 전자정보처리 프로그램인 올바로시스템을 구축·운영하고 있다고 하더라도 그 업무를 수행하는 **한국환경공단 임직원을 공전자기록의 작성권한자인 공무원으로 보거나 한국환경공단을 공무소로 볼 수는 없다.** 이는 한국환경공단 또는 그 임직원이 환경부장관으로부터 위탁받은 업무와 관련하여 직무상 작성한 문서를 공문서로 볼 수 없는 것과 마찬가지이다.(대법원 2020. 3. 12. 2016도19170 한국환경공단 올바로시스템 사건)

⑤ [×] 사전자기록등위작죄에서 정한 '위작'의 포섭 범위에 권한 있는 사람이 그 권한을 남용하여 허위의 정보를 입력함으로써 시스템 설치·운영 주체의 의사에 반하는 전자기록을 생성하는 행위를 포함하는 것으로 보더라도 이러한 해석이 '위작'이란 낱말이 가지는 문언의 가능한 의미를 벗어났다거나 피고인에게 불리한 유추해석 또는 확장해석을 한 것이라고 볼 수 없다.(대법원 2020. 8. 27. 2019도11294 손습 가상화폐거래량 허위입력 사건)

005 형법의 기본개념에 관한 설명 중 가장 적절하지 않은 것은?

□□□ 23 경찰채용 [Core ★★]

① 형법은 형벌이라는 수단을 통하여 주로 '법익을 보호하는 기능'을 하며, '법익'이란 법률을 통해 보호할 가치 있는 이익을 의미한다.

② 형법은 법규범으로 법공동체의 평화를 유지하기 위하여 부과된 것으로서 강제력이 수반되기 때문에 신중하게 규정되어야 한다.

③ 형법은 일반 국민에게 일정한 행위를 금지하거나 일정한 행위를 명령함으로써 행위의 준칙을 제시하는 행위규범이며, 법관을 수명자로 하여 법관에게 형벌권 행사의 한계를 설정함으로써 사법(司法)작용을 규제하는 재판규범이기도 하다.

④ 형법은 보호적 기능과 보장적 기능을 모두 가지며, 어느 한 기능을 강조하면 다른 한 기능도 함께 강화되는 상호 비례관계에 있다.

해설

④ [×] 형법은 보호적 기능이란 ① 지문에서 말하는 기능을 말하고, 보장적 기능이란 국가가 행사하는 형벌권의 한계를 명확하게 규정하여 자의적인 형벌로부터 국민의 인권을 보장하는 기능을 말한다.(대법원 2018. 7. 24. 2018도3443 자전거 전도 사건 참고) 어느 한 기능을 강조하면 다른 한 기능은 소홀해지게 되므로 **양자는 상호 반비례관계에 있다.**

①②③ [○] 통설의 입장으로 옳은 설명이다.

006
□□□ 죄형법정주의에 대한 설명으로 옳지 않은 것은? (다툼이 있으면 판례에 의함) 22 국가7급 [Core ★★]

① 노역장유치는 그 실질이 신체의 자유를 박탈하는 것으로서 징역형과 유사한 형벌적 성격을 가지고 있으므로 형벌불소급의 원칙의 적용대상이 된다.

② 아동·청소년의 성보호에 관한 법률에 정한 공개명령 제도는 형벌과 구별되어 그 본질을 달리 하는 것으로서 형벌에 관한 소급입법금지의 원칙이 그대로 적용되지 않는다.

③ 집행유예 시에 명할 수 있는 보호관찰(형법 제62조의2 제1항)이 범죄행위 이전에 규정되어 있지 않았으나 재판 시에 신설되어 있어 이를 근거로 보호관찰을 받을 것을 명한 것은 형벌불소급의 원칙에 위반된다.

④ 가정폭력범죄의 처벌 등에 관한 특례법상 사회봉사명령에 대하여는 원칙적으로 형벌불소급의 원칙에 따라 행위시법을 적용함이 상당하다.

해설

③ [×] 보호관찰은 형벌이 아니라 보안처분의 성격을 갖는 것으로서 과거의 불법에 대한 책임에 기초하고 있는 제재가 아니라 장래의 위험성으로부터 행위자를 보호하고 사회를 방위하기 위한 합목적적인 조치이므로, 그에 관하여 반드시 행위 이전에 규정되어 있어야 하는 것은 아니며 **재판시의 규정에 의하여 보호관찰을 받을 것을 명할 수 있다고 보아야 할 것이고, 이와 같은 해석이 형벌불소급의 원칙 내지 죄형법정주의에 위배되는 것이라고 볼 수 없다.**(대법원 1997. 6. 13. 97도703 보호관찰 소급적용 사건)

① [○] 노역장유치는 벌금형에 부수적으로 부과되는 환형처분으로서 그 실질은 신체의 자유를 박탈하여 징역형과 유사한 형벌적 성격을 가지고 있으므로 **형벌불소급원칙의 적용대상이 된다.**(헌법재판소 2017. 10. 26. 2015헌바239, 2016헌바177 노역장유치 하한 가중 위헌소원사건)

② [○] **아청법상 공개명령 제도는** 범죄행위를 한 자에 대한 응보 등을 목적으로 그 책임을 추궁하는 사후적처분 인 형벌과 구별되어 그 본질을 달리하는 것으로서 형벌에 관한 **소급입법금지의 원칙이 그대로 적용되지 않으 므로** 공개명령 제도가 시행된 2010. 1. 1. 이전에 범한 범죄에도 공개명령 제도를 적용하도록 아청법이 개정 되었다고 하더라도 그것이 소급입법금지의 원칙에 반한다고 볼 수 없다.(대법원 2011. 3. 24. 2010도14393 **아청법 공개명령 사건**)

④ [○] (1) **가폭법상 사회봉사명령은** 가정폭력범죄행위에 대하여 형사처벌 대신 부과되는 것으로서 가정폭력 범 죄를 범한 자에게 의무적 노동을 부과하고 여가시간을 박탈하여 실질적으로는 신체적 자유를 제한하게 되므로

이에 대하여는 원칙적으로 **형벌불소급의 원칙**에 따라 행위시법을 적용함이 상당하다. (2) 법원이 가정폭력행위자에게 사회봉사명령을 부과하면서, 행위시법상 사회봉사명령 부과시간의 상한인 100시간을 초과하여 상한을 200시간으로 올린 신법을 적용한 것은 위법하다.(대법원 2008. 7. 24. 2008어4 사회봉사200시간 사건)

007 죄형법정주의에 대한 설명으로 옳은 것은? (다툼이 있으면 판례에 의함)   23 경찰간부 [Core ★★]

□□□

① 헌법재판소의 헌법재판은 법정이 아닌 심판정에서 이루어지므로 법정소동죄 등을 규정한 형법 제138조에서의 '법원의 재판'에 헌법재판소의 심판이 포함된다고 해석하는 것은 피고인에게 불리한 확장해석임과 동시에 유추해석이다.

② 행위시에 없던 보호관찰규정이 재판시에 신설되어 법원이 이를 근거로 보호관찰을 명할 경우 형벌불소급의 원칙 또는 죄형법정주의에 위배된다.

③ 처벌법규의 구성요건은 명확하여야 하므로 처벌법규의 구성요건이 다소 광범위하여 어떤 범위에서는 법관의 보충적인 해석을 필요로 하는 개념을 사용한다면 이는 헌법이 요구하는 처벌법규의 명확성 원칙에 배치된다.

④ 형을 종전보다 가볍게 형벌법규를 개정을 하면서 개정된 법의 시행 전의 범죄에 대하여 종전의 형벌법규를 적용하도록 부칙에 정하는 것은 형벌불소급의 원칙이나 신법우선주의에 반하지 아니한다.

해설

④ [O] 형을 종전보다 가볍게 형벌법규를 개정을 하면서 개정된 법의 시행 전의 범죄에 대하여 종전의 형벌법규를 적용하도록 부칙에 정하는 것은 **형벌불소급의 원칙이나 신법우선주의에 반하지 아니한다.**(대법원 2013. 7 .11. 2011도15056 **자본시장법 제정 사건**)

① [×] 법정 · 국회회의장모욕죄에 관한 형법 제138조에서의 **'법원의 재판'에 헌법재판소의 심판이 포함된다고 보는 해석론**은 문언이 가지는 가능한 의미의 범위 안에서 그 입법 취지와 목적 등을 고려하여 문언의 논리적 의미를 분명히 밝히는 체계적 해석에 해당할 뿐 **피고인에게 불리한 확장해석이나 유추해석이 아니다.**(대법원 2021. 8. 26. 2020도12017 **통합진보당 해산심판 소동사건**)

② [×] 보호관찰은 형벌이 아니라 보안처분의 성격을 갖는 것으로서 과거의 불법에 대한 책임에 기초하고 있는 제재가 아니라 장래의 위험성으로부터 행위자를 보호하고 사회를 방위하기 위한 합목적적인 조치이므로, 그에 관하여 반드시 행위 이전에 규정되어 있어야 하는 것은 아니며 **재판시의 규정에 의하여 보호관찰을 받을 것을 명할 수 있다고 보아야 할 것이고, 이와 같은 해석이 형벌불소급의 원칙 내지 죄형법정주의에 위배되는 것이라고 볼 수 없다.**(대법원 1997. 6. 13. 97도703 **보호관찰 소급적용 사건**)

③ [×] 처벌법규의 구성요건이 명확하여야 한다고 하여 모든 구성요건을 단순한 서술적 개념으로 규정하여야 하는 것은 아니고, **다소 광범위하여 법관의 보충적인 해석을 필요로 하는 개념을 사용하였다고 하더라도** 통상의 해석방법에 의하여 건전한 상식과 통상적인 법감정을 가진 사람이면 **당해 처벌법규의 보호법익과 금지된 행위 및 처벌의 종류와 정도를 알 수 있도록 규정하였다면** 처벌법규의 명확성에 배치되는 것이 아니다. (대법원 2014. 1. 29. 2013도12939)

008 형벌법규의 해석에 대한 설명으로 옳지 않은 것은? (다툼이 있으면 판례에 의함)

□□□

19 국가9급 [Essential ★]

① 정보통신망에 의하여 처리·보관 또는 전송되는 타인의 정보를 훼손하거나 타인의 비밀을 침해·도용 또는 누설하는 행위를 처벌하는 정보통신망 이용촉진 및 정보보호 등에 관한 법률 제71조 제1항 제11호의 '타인'에는 이미 사망한 자도 포함된다.

② '주간에' 사람의 주거 등에 침입하여 '야간에' 타인의 재물을 절취한 경우에는 야간주거침입절도죄(형법 제330조)로 처벌할 수 없다.

③ 형벌법규의 해석에서도 법률문언의 통상적인 의미를 벗어나지 않는 한 그 법률의 입법취지와 목적, 입법연혁 등을 고려한 목적론적 해석이 배제되는 것은 아니다.

④ 상관모욕죄(군형법 제64조 제1항)에서 '상관'에는 명령복종 관계가 없는 상위 계급자와 상위 서열자는 포함되지 않으며, 상관은 직무수행 중일 것을 요한다.

해설

④ [×] 군형법 제48조, 제52조의2에서 규정한 상관에 대한 폭행·협박·상해의 죄와 제64조 제1항에서 규정한 상관모욕죄는 모두 상관의 신체, 명예 등의 개인적 법익뿐만 아니라 군 조직의 위계질서 및 통수체계유지도 보호법익으로 하는 점 등에 비추어 보면, 이들 죄에서의 **상관에는 명령복종 관계가 없는 경우의 상위 계급자와 상위 서열자도 포함되고, 상관이 반드시 직무수행 중일 것을 요하지 아니한다고 봄이 타당하다.**(대법원 2015. 9. 24. 2015도11286 **남사병 여간호장교** 사건)

① [○] 정보통신망에 의하여 처리·보관 또는 전송되는 타인의 정보를 훼손하거나 타인의 비밀을 침해·도용 또는 누설하는 행위를 금지·처벌하는 규정인 정보통신망법 제49조 및 제62조 제6호의 '타인'에는 생존하는 **개인뿐만 아니라 이미 사망한 자도 포함된다.**(대법원 2007. 6. 14. 2007도2162 사망자 주민번호 전송사건)

② [○] 형법은 야간에 이루어지는 주거침입행위의 위험성에 주목하여 그러한 행위를 수반한 절도를 야간주거침입절도죄로 중하게 처벌하고 있는 것으로 보아야 하고, 따라서 **주거침입이 주간에 이루어진 경우에는 야간주거침입절도죄가 성립하지 않는다고** 해석하는 것이 타당하다.(대법원 2011. 4. 14. 2011도300 장안동 모텔절도사건)

③ [○] 형벌법규의 해석은 엄격하여야 하고, 명문의 형벌법규의 의미를 피고인에게 불리한 방향으로 지나치게 확장해석하거나 유추해석하는 것은 죄형법정주의의 원칙에 어긋나는 것으로서 허용되지 아니하나, 형벌법규의 해석에서도 법률문언의 통상적인 의미를 벗어나지 않는 한 그 법률의 입법취지와 목적, 입법연혁 등을 고려한 **목적론적 해석이 배제되는 것은 아니다.**(대법원 2018. 7. 24. 2018도3443 자전거 전도사건)

009 죄형법정주의에 대한 설명으로 옳은 것만을 모두 고르면? (다툼이 있으면 판례에 의함)

> ㉠ 형법상 내란선동죄에서 '선동'은 단지 언어적인 표현행위일 뿐이므로 그 행위에 대한 평가 여하에 따라서는 적용범위가 무한히 확장될 가능성이 있어 죄형법정주의 원칙에 반한다.
> ㉡ 형사처벌에 관련된 모든 법규를 예외 없이 형식적 의미의 법률에 의하여 규정한다는 것은 사실상 불가능할 뿐만 아니라 실제에 적합하지도 않다.
> ㉢ 위임명령에 규정될 내용 및 범위의 기본사항은 구체적이고 분명하게 규정되어 있어야 하므로, 법률이나 상위명령으로부터 위임명령에 규정될 내용의 대강만을 예측할 수 있는 경우에는 죄형법정주의 원칙에 반한다.
> ㉣ 형벌법규의 의미를 피고인에게 불리한 방향으로 지나치게 확장해석하거나 유추해석하는 것은 죄형법정주의 원칙에 반한다.

① ㉠㉡   ② ㉠㉢
③ ㉡㉣   ④ ㉢㉣

해설

③ ㉡㉣ 2 항목이 옳다.

㉠ [×] 내란선동이라 함은 내란이 실행되는 것을 목표로 하여 피선동자들에게 내란행위를 결의, 실행하도록 충동하고 격려하는 일체의 행위를 말한다. 내란선동은 주로 언동, 문서, 도화 등에 의한 표현행위의 단계에서 문제되는 것이므로 **내란선동죄의 구성요건을 해석함에 있어서는** 국민의 기본권인 표현의 자유가 위축되거나 그 본질이 침해되지 아니하도록 **죄형법정주의의 기본정신에 따라 엄격하게 해석하여야 한다.**(대법원 2015. 1. 22. 2014도10978 술승 이석기 의원 사건) '선동'의 의미를 엄격하게 해석한다는 전제하에 내란선동죄는 죄형법정주의에 위반되지 아니한다.

㉡ [O] **형사처벌에 관련된 모든 법규를 예외 없이 형식적 의미의 법률에 의하여 규정한다는 것은 사실상 불가능할 뿐만 아니라 실제에 적합하지도 아니하다.** 그로 인하여 특히 긴급한 필요가 있거나 미리 법률로써 자세히 정할 수 없는 부득이한 사정이 있는 경우에 한하여 위임법률이 구성요건의 점에서는 처벌대상인 행위가 어떠한 것인지 이를 예측할 수 있을 정도로 구체적으로 정하고, 형벌의 점에서는 형벌의 종류 및 그 상한과 폭을 명확히 규정 하는 것을 전제로 위임입법이 허용되며, 이러한 위임입법은 죄형법정주의에 반하지 않는다.(대법원 2019. 7. 25. 2018도7989)

㉢ [×] 위임명령은 법률이나 상위명령에서 구체적으로 범위를 정한 개별적인 위임이 있을 때에 가능하다. 구체적인 위임의 범위는 위임명령에 규정될 내용 및 범위의 기본사항이 구체적으로 규정되어 있어서 **누구라도 당해 법률이나 상위명령으로부터 위임명령에 규정될 내용의 대강을 예측할 수 있어야 한다.**(대법원 2020. 3. 12. 2019도11381 국제조세정법시행령 괄호 규정 사건) 법률이나 상위명령으로부터 위임명령에 규정될 내용의 대강을 예측할 수 있다면 죄형법정주의 위반되지 아니한다.

㉣ [O] 형벌법규의 해석은 엄격하여야 하고, 명문의 형벌법규의 의미를 피고인에게 불리한 방향으로 지나치게 **확장해석하거나 유추해석하는 것은 죄형법정주의의 원칙에 어긋나는 것으로서 허용되지 아니한다.**(대법원 2020. 12. 24. 2018도17378 투자일임업 사건)

010

□□□

죄형법정주의에 대한 설명으로 가장 적절하지 않은 것은? (다툼이 있으면 판례에 의함)

21 경찰채용 변형 [Core ★★]

① 게임산업진흥에 관한 법률 제28조 제3호에서 게임물 관련 사업자에 대하여 '경품 등의 제공을 통한 사행성 조장'을 원칙적으로 금지하면서 제공이 허용되는 경품의 종류·지급기준·제공방법 등에 관한 구체적인 내용을 하위법령에 위임한 것은 경품의 환전이나 재매입등의 우려가 없는 등 사행성을 제거할 수 있는 방법이 될 것이라는 예측이 불가능하여 포괄위임금지의 원칙에 반한다.

② 폭력행위등 처벌에 관한 법률 제4조 제1항에서 규정하고 있는 범죄단체 구성원으로서의 '활동'은 명확성의 원칙에 반하지 아니한다.

③ 어떤 단체가 특정 후보자를 지지·추천하는지 여부를 공직선거법 제250조 제1항에서 규정한 허위사실공표죄의 '경력등'에 관한 사실에 해당한다고 해석하는 것은 죄형법정주의에 반한다.

④ 도로교통법(2018. 12. 24. 법률 제16037호로 개정되어 2019. 6. 25. 시행된 것) 제148조의2 제1항에서 정한 '제44조 제1항 또는 제2항을 2회 이상 위반한 사람'에 개정된 도로교통법이 시행된 2019. 6. 25. 이전에 구 도로교통법 제44조 제1항 또는 제2항을 위반한 전과가 포함된다고 해석하는 것은 형벌불소급의 원칙에 반하지 아니한다.

해설

① [×] 게임산업법 및 동법 제28조 제3호(이하 '이 사건 의무조항'이라 한다)의 입법목적, 관련 조항들을 유기적·체계적으로 종합하여 해석해 보면, 대통령령으로 정해질 경품의 종류는 완구류·문구류 및 이와 유사한 것들이고, 현금을 비롯한 상품권 및 유가증권과 같은 환가성이 높은 물건, 청소년에게 유해한 영향을 끼치는 물건이 제외될 것이라는 점이 어렵지 않게 예측된다. 또한 이 사건 의무조항이 위임하는 '경품의 지급기준'에 관하여 대통령령으로 정하여질 내용은 게임물의 사행화는 억제하되 게임이용자의 흥미는 유발시킬 있는 정도의 최소한의 금액이 그 기준이 되고, '경품의 제공방법'은 경품의 환전이나 재매입 등의 우려가 없는 등 사행성을 제거할 수 있는 방법이 될 것이라는 점에 대한 대강의 예측이 가능하다. 따라서 이 사건 의무조항은 **죄형법정주의 내지 포괄위임금지원칙에 위배되지 아니한다.**(헌법재판소 2020. 12. 23. 2017헌바463 **인형 경품 사건**)

② [O] '활동'이라는 다소 광범위하고 추상적이어서 법관의 보충적인 해석을 필요로 하는 개념을 사용하고 있더라도, 그 의미내용은 건전한 상식과 통상적인 법감정을 가진 사람을 기준으로 하여 합리적으로 파악될 수 있다고 판단되고, 대법원 판결 등에 의하여 그에 관한 구체적이고 종합적인 해석기준이 제시되고 있어 법집행기관이 자의적으로 확대하여 해석할 염려도 없다고 볼 것이므로 폭처법 제4조 제1항 중 **활동** 부분은 **죄형법정주의의 명확성의 원칙에 위배된다고 할 수 없다.**(헌법재판소 2011. 4. 28. 2009헌바56 **청하위생파 사건**)

③ [O] 공직선거법 제250조 제1항의 규정에 비추어 보면, 그중 '경력'은 후보자의 행동이나 사적(事跡) 등과 같이 후보자의 실적과 능력으로 인식되어 선거인의 공정한 판단에 영향을 미치는 사항을 말한다. 따라서 **어떤 단체가 특정 후보자를 지지·추천하는지 여부는 후보자의 행동이나 사적(事跡) 등에 관한 사항이라고 볼 수 없어 위에서 말하는 '경력'에 관한 사실에 포함되지 아니한다.**(대법원 2011. 6. 9. 2011도3717 **이재명후보 지지사건**)

④ [O] 도로교통법(2018. 12. 24. 법률 제16037호로 개정되어 2019. 6. 25. 시행된 것) 제148조의2 제1항은 도로교통법 제44조 제1항 또는 제2항을 2회 이상 위반한 사람을 2년 이상 5년 이하의 징역이나 1,000만원 이상 2,000만원 이하의 벌금에 처하도록 정하고 있는데, 도로교통법 제44조 제1항 또는 제2항을 2회 이상 위반한 사람에 개정된 도로교통법이 시행된 2019. 6. 25. 이전에 구 도로교통법 제44조 제1항 또는 제2항을 위반한 전과가 포함된다. 이와 같이 해석하더라도 **형벌불소급의 원칙이나 일사부재리의 원칙에 위배되지 않는다.**(대법원 2020. 8. 20. 2020도7154 **음주운전 이진아웃 사건**)

011

다음 중 죄형법정주의에 관한 설명으로 옳은 것은 모두 몇 개인가? (다툼이 있으면 판례에 의함)

21 해경간부 [Superlative ★★★]

- ⊙ 구 「어선법 시행규칙」에서 어선검사증서에 기재할 사항을 구체적으로 규정하면서 기재할 사항에 총 톤수를 포함시킨 것은 법의 위임에 따른 것으로서 위임입법의 한계를 벗어났다고 보기 어렵다.
- ⓒ 국내에 있는 불특정 또는 다수인에게 무상으로 의약품을 양도하는 수여행위도 구 「약사법」 제44조 제1항의 '판매'에 포함된다고 해석하는 것은 유추해석금지의 원칙에 위반된다.
- ⓒ 「유해화학물질관리법」 제35조 제1항에서 금지하는 환각물질을 구체적으로 명확하게 규정하지 아니하고, 다만 그 성질에 관하여 '흥분·환각 또는 마취의 작용을 일으키는 유해화학물질로서 대통령령이 정하는 물질'로 그 한계를 설정하여 놓고 같은 법 시행령 제22조에서 이를 구체적으로 규정하게 하고, 같은 법 제35조 제1항의 '섭취 또는 흡입'이라고만 규정하고 그 섭취 기준을 따로 정하지 않은 것은 죄형법정주의에 반한다.
- ⓔ 법률을 해석할 때 체계적·논리적 해석방법을 사용할 수 있으나, 문언 자체가 비교적 명확한 개념으로 구성되어 있다면 원칙적으로 이러한 해석방법은 활용할 필요가 없거나 제한될 수밖에 없다.
- ⓜ 구 「도시 및 주거환경정비법」 제69조 제1항 제6호에서 정한 "관리처분계획의 수립"에 경미한 사항이 아닌 관리처분계획의 주요 부분을 실질적으로 변경하는 것이 포함된다고 해석하는 것은 명확성의 원칙에 위반된다.
- ⓑ 「형법」 제258조의2 특수상해죄의 신설로 「형법」 제262조, 제261조의 특수폭행치상죄에 대하여 그 문언상 특수상해죄의 예에 의하여 처벌하는 것이 가능하게 되었다는 이유만으로 「형법」 제258조의2 제1항의 예에 따라 처벌하는 것은 죄형법정주의원칙에 반한다.

① 1개 　　② 2개 　　③ 3개 　　④ 4개

해설

- ③ ⊙ⓔⓑ 3 항목이 옳다.
- ⊙ [○] 구 「어선법 시행규칙」에서 어선검사증서에 기재할 사항을 구체적으로 규정하면서 기재할 사항에 총 톤수를 포함시킨 것은 법의 위임에 따른 것으로서 **위임입법의 한계를 벗어났다고 보기 어렵다.**(대법원 2018. 6. 28. 2017도13426)
- ⓒ [×] 국내에 있는 불특정 또는 다수인에게 **무상으로 의약품을 양도하는 수여행위도** 구 약사법 제44조 제1항의 '판매'에 포함된다고 보는 것이 체계적이고 논리적인 해석이라 할 것이고 그와 같은 해석이 죄형법정주의에 위배된다고 볼 수는 없다.(대법원 2011. 10. 13. 2011도6287 **타미플루 구매사건**) 약사법 제2조 제1호는 "약사(藥事)란 의약품·의약외품의 제조·조제·감정·보관·수입·판매(수여를 포함한다)와 그 밖의 약학기술에 관련된 사항을 말한다"라고 규정하고 있다.

ⓒ [×] 유해화학물질관리법 제35조 제1항에서 금지하는 환각물질을 구체적으로 명확하게 규정하지 아니하고 다만 그 성질에 관하여 '흥분·환각 또는 마취의 작용을 일으키는 유해화학물질로서 대통령령이 정하는 물질'로 그 한계를 설정하여 놓고, 같은 법 시행령 제22조에서 이를 구체적으로 규정하게 한 취지는 **과학기술의 급격한 발전으로 말미암아 흥분·환각 또는 마취의 작용을 일으키는 유해화학물질이 수시로 생겨나기 때문에 이에 신속하게 대처하려는 데에 있으므로, 위임의 한계를 벗어난 것으로 볼 수 없고,** 한편 그러한 환각물질은 누구에게나 그 섭취 또는 흡입행위 자체가 금지됨이 마땅하므로, 일반적으로 술을 마시는 행위자체가 금지된 것이 아니라 주취상태에서의 자동차 운전행위만이 금지되는 도로교통법상의 주취상태를 판정하는 혈중알코올 농도와 같이 그 섭취 기준을 따로 정할 필요가 있다고 할 수 없으므로, 같은 법 제35조 제1항의 '**섭취 또는 흡입**'의 개념이 추상적이고 불명확하다거나 지나치게 광범위하다고 볼 수도 없다.(대법원 2000. 10. 27. 2000도4187)

ⓔ [○] 법률을 해석할 때 입법 취지와 목적, 제·개정 연혁, 법질서 전체와의 조화, 다른 법령과의 관계 등을 고려하는 **체계적·논리적 해석방법을 사용할 수 있으나, 문언 자체가 비교적 명확한 개념으로 구성되어 있다면 원칙적으로 이러한 해석방법은 활용할 필요가 없거나 제한될 수밖에 없다.** 죄형법정주의 원칙이 적용되는 형벌법규의 해석에서는 더욱 그러하다.(대법원 2021. 1. 21. 2018도5475 **全合 임의적 감경 새로운 해석론 사건**)

ⓜ [×] 도시 및 주거환경정비법 제69조 제1항 제6호에서 정한 '**관리처분계획의 수립**'에는 경미한 사항이 아닌 **관리처분계획의 주요 부분을 실질적으로 변경하는 것이 포함된다고 해석함이 타당하고,** 이러한 해석이 죄형 법정주의 내지 형벌법규 명확성의 원칙을 위반하였다고 보기 어렵다.(대법원 2019. 9. 25. 2016도1306 **관리처분계획 변경 사건**)

ⓑ [○] 형법 제258조의2 특수상해죄의 신설로 형법 제262조, 제261조의 특수폭행치상죄에 대하여 **형법 제258조의2 제1항의 예에 따라 처벌할 수 있다고 한다면,** 종래에 벌금형을 선택할 수 있었던 경미한 사안에 대하여도 일률적으로 징역형을 선고해야 하므로 형벌체계상의 정당성과 균형을 갖추기 위함이라는 2016. 1. 6. 형법 개정의 취지와 목적에 맞지 않고 또한 형의 경중과 행위자의 책임, 즉 형벌 사이에 비례성을 갖추어야 한다는 형사법상의 책임원칙에 반할 우려도 있으며, 법원이 해석으로 특수폭행치상에 대한 가중규정을 신설한 것과 같은 결과가 되어 **죄형법정주의원칙에도 반하는 결과가 된다.**(대법원 2018. 7. 24. 2018도3443 **자전거 전도 사건**)

012 죄형법정주의에 관한 다음 설명 중 가장 적절하지 않은 것은? (다툼이 있으면 판례에 의함)

14 경찰채용 [Essential ★]

① 성문법률주의란 범죄와 형벌은 성문의 법률로 규정되어야 한다는 원칙을 말하며 여기서의 법률은 형식적 의미의 법률을 의미한다.

② 특히 긴급한 필요가 있거나 미리 법률로써 자세히 정할 수 없는 부득이한 사정이 있는 경우에 한하여 수권법률(위임법률)이 구성요건의 점에서는 처벌대상인 행위가 어떠한 것인지 이를 예측할 수 있을 정도로 구체적으로 정하고, 형벌의 점에서는 형벌의 종류 및 그 상한과 폭을 명확히 규정하는 것을 전제로 위임입법이 허용된다.

③ 일반적으로 법률의 위임에 의하여 효력을 갖는 법규명령의 경우 구법에 위임의 근거가 없어 무효였더라도 사후에 법 개정으로 위임의 근거가 부여되면 그때부터는 유효한 법규명령이 된다.

④ 「특정범죄 가중처벌 등에 관한 법률」의 위임을 받은 동법 시행령에서 농업협동조합중앙회를 '정부관리기업체'의 하나로 규정한 경우 위임입법의 한계를 벗어난 것이다.

해설

④ [×] 농업협동조합법 등 관련 법령의 내용을 종합해 볼 때, 농업협동조합중앙회는 특가법 제4조 제1항 제2호에서 정한 '정부관리기업체'에 해당한다고 보기에 충분하므로, 위 법률 제4조 제1항의 위임을 받은 특가법시행령 제2조 제48호가 농업협동조합중앙회를 정부관리기업체의 하나로 규정한 것이 **위임입법의 한계를 벗어난 것으로 위헌·위법이라고 할 수 없다.**(대법원 2008. 4. 11. 2007도8373 **정몽구 회장 사건**)

① [○] '법률이 없으면 범죄도 없고 형벌도 없다'라는 말로 표현되는 죄형법정주의는 법치주의, 국민주권 및 권력분립의 원리에 입각한 것으로서 일차적으로 무엇이 범죄이며 그에 대한 형벌이 어떠한 것인가는 반드시 국민의 대표로 구성된 입법부가 제정한 성문의 법률로써 정하여야 한다는 원칙이고, 헌법도 제12조 제1항 후단에 '법률과 적법한 절차에 의하지 아니하고는 처벌을 받지 아니한다'라고 규정하여 죄형법정주의를 천명하고 있는바, 여기서 말하는 **'법률'이란 입법부에서 제정한 형식적 의미의 법률을 의미한다.**(헌법재판소 1998. 3. 26. 96헌가20)

② [○] 사회현상의 복잡다기화와 국회의 전문적·기술적 능력의 한계 및 시간적 적응능력의 한계로 인하여 형사처벌에 관련된 모든 법규를 예외 없이 형식적 의미의 법률에 의하여 규정한다는 것은 사실상 불가능할 뿐만 아니라 실제에 적합하지도 아니하기 때문에, 특히 긴급한 필요가 있거나 미리 법률로써 자세히 정할 수 없는 부득이한 사정이 있는 경우에 한하여 위임법률이 구성요건의 점에서는 처벌대상인 행위가 어떠한 것인지 이를 예측할 수 있을 정도로 구체적으로 정하고, 형벌의 점에서는 **형벌의 종류 및 그 상한과 폭을 명확히 규정하는 것을 전제로 위임입법이 허용**되며, 이러한 위임입법은 죄형법정주의에 반하지 않는다.(대법원 2013. 3. 28. 2012도16383 **퍼시픽랜드 돌고래쇼 사건**)

③ [○] 법률의 위임에 의하여 효력을 갖는 법규명령의 경우, 구법에 위임의 근거가 없어 무효였더라도 **사후에 법개정으로 위임의 근거가 부여되면 그때부터는 유효한 법규명령이 되**나, 반대로 구법의 위임에 의한 유효한 법규명령이 법개정으로 위임의 근거가 없어지게 되면 그때부터 무효인 법규명령이 되므로, 어떤 법령의 위임근거 유무에 따른 유효 여부를 심사하려면 법개정의 전·후에 걸쳐 모두 심사하여야만 그 법규명령의 시기에 따른 유효·무효를 판단할 수 있다.(대법원 1995. 6. 30. 93추83 **경상북도 조례 사건**)

013 죄형법정주의 원칙에 비추어 허용될 수 없는 해석에 해당하지 않는 것은? (다툼이 있으면 판례에 □□□ 의함)

21 법원행시 [Core ★★]

① 구 도로교통법(2019. 12. 24. 개정되기 전의 것) 제154조 제2호는 '원동기장치자전거를 운전할 수 있는 운전면허를 받지 아니하고 원동기장치자전거를 운전한 사람'을 처벌하였는데, '운전면허를 받았으나 그 후 면허의 효력이 정지된 경우'를 '운전면허를 받지 아니한 것'에 포함된다고 해석하는 것

② 성폭력범죄의 처벌 등에 관한 특례법 제14조 제1항은 '카메라나 그 밖에 이와 유사한 기능을 갖춘 기계장치를 이용하여 성적 욕망 또는 수치심을 유발할 수 있는 사람의 신체를 촬영대상자의 의사에 반하여 촬영한 자'를 처벌하고 있는데, '다른 사람의 신체 이미지가 담긴 영상'을 촬영한 경우를 '사람의 신체'를 촬영한 것에 포함된다고 해석하는 것

③ 형법 제155조 제1항은 '타인의 형사사건 또는 징계사건에 관한 증거를 인멸, 은닉, 위조 또는 변조하거나 위조 또는 변조한 증거를 사용한 자'를 처벌하고 있는데, '증거 자체에는 아무런 허위가 없으나 그 증거가 허위 주장과 결합하여 허위 사실을 증명하게 되는 경우(돈을 송금하였다가 되돌려받는 방법으로 송금자료를 만들어 피해 변제의 증거로 제출한 경우)'를 '증거위조'에 포함된다고 해석하는 것

④ 구 약사법(2007. 10. 17. 개정되기 전의 것) 제44조 제1항은 "약국 개설자가 아니면 의약품을 판매하거나 또는 판매 목적으로 취득할 수 없다."고 규정하고 있는데, '국내에 있는 불특정 또는 다수인에게 무상으로 의약품을 양도하는 수여 행위'를 '판매'에 포함된다고 해석하는 것

⑤ 공직선거법 제250조 제1항 허위사실공표죄에서 '경력등'이란 후보자의 '경력·학력·학위·상벌'을 말하는데(같은 법 제64조 제5항), '어떤 단체가 특정 후보자를 지지·추천하는지 여부'를 '경력'에 포함된다고 해석하는 것

해설

④ [×] 국내에 있는 불특정 또는 다수인에게 **무상으로 의약품을 양도하는 수여행위도** 구 약사법 제44조 제1항의 '**판매**'에 포함된다고 보는 것이 체계적이고 논리적인 해석이라 할 것이고 그와 같은 해석이 죄형법정주의에 위배된다고 볼 수는 없다.(대법원 2011. 10. 13. 2011도6287 타미플루 구매사건)

① [○] '**운전면허를 받지 아니하고**'라는 법률문언의 통상적인 의미에 '**운전면허를 받았으나 그 후 운전면허의 효력이 정지된 경우**'가 당연히 포함된다고는 해석할 수 없다.(대법원 2011. 8. 25. 2011도7725 오토바이 면허정지 사건)

② [○] 다른 사람의 신체 그 자체를 직접 촬영하는 행위만 성폭법 제14조 제1항에서 규정하고 있는 '다른 사람의 신체를 촬영하는 행위'에 해당하고, 다른 사람의 신체 이미지가 담긴 영상을 촬영하는 행위는 이에 해당하지 않는다.(대법원 2018. 8. 30. 2017도3443 성관계 파일재생 모니터 촬영사건)

③ [○] 변호사인 甲이 乙 명의 은행 계좌에서 X회사 명의 은행 계좌에 금원을 송금하고 다시 되돌려 받는 행위를 반복한 후 그중 송금자료만을 발급받아 이를 3억 5,000만원을 변제하였다는 허위 주장과 함께 법원에 제출한 행위는 형법상 증거위조죄의 보호법익인 사법기능을 저해할 위험성이 있지만, 甲이 제출한 입금확인증 등은

제1편

형법의 기초이론

> 금융기관이 금융거래에 관한 사실을 증명하기 위해 작성한 문서로서 그 내용이나 작성명의 등에 아무런 허위가 없는 이상 이를 증거의 '위조'에 해당한다고 볼 수 없고, 나아가 '위조한 증거를 사용'한 행위에 해당한다고 볼 수도 없다.(대법원 2021. 1. 28. 2020도2642 허위 입금확인증 사건)
>
> ⑤ [○] 공직선거법 제250조 제1항의 규정한 '경력'은 후보자의 행동이나 사적(事蹟) 등과 같이 후보자의 실적과 능력으로 인식되어 선거인의 공정한 판단에 영향을 미치는 사항을 말하므로 어떤 단체가 특정 후보자를 지지 · 추천하는지 여부는 '경력'에 관한 사실에 포함되지 아니한다.(대법원 2011. 6. 9. 2011도3717 이재명 후보 지지사건) (同旨 대법원 2011. 3. 10. 2010도16942 김연식 후보 지지사건)

014 죄형법정주의에 대한 설명으로 가장 적절하지 않은 것은? (다툼이 있으면 판례에 의함)

□□□

18 경찰승진 [Core ★★]

① 「군형법」 제64조 제1항의 상관면전모욕죄의 구성요건은 '상관을 그 면전에서 모욕하는' 것인데, 여기에서 '면전에서'라 함은 얼굴을 마주 대한 상태를 의미하는 것임이 분명하므로, 전화를 통하여 통화하는 것을 면전에서의 대화라고는 할 수 없다.

② 행위 당시의 판례에 의하면 처벌대상이 되지 아니하는 것으로 해석되었던 행위를 판례의 변경에 따라 확인된 내용의 형법 조항에 근거하여 처벌한다고 하여 그것이 헌법상 평등의 원칙과 형벌불소급의 원칙에 반한다고 할 수는 없다.

③ 개정 「형사소송법」 시행 당시 공소시효가 완성되지 아니한 범죄에 대한 공소시효가 위 법률이 개정되면서 신설된 제253조 제3항에 의하여 피고인이 외국에 있는 기간 동안 정지된 경우, 공소제기시에 공소시효의 기간은 경과되지 아니하였다.

④ 「유해화학물질관리법」 제35조 제1항에서 금지하는 환각물질을 구체적으로 명확하게 규정하지 아니하고 다만 그 성질에 관하여 '흥분 · 환각 또는 마취의 작용을 일으키는 유해화학 물질로서 대통령령이 정하는 물질'로 그 한계를 설정하여 놓고 같은 법 시행령 제22조에서 이를 구체적으로 규정하게 하고, 같은 법 제35조 제1항의 '섭취 또는 흡입'이라고만 규정하고 그 섭취 기준을 따로 정하지 않은 것은 죄형법정주의에 반한다.

해설

④ [×] 유해화학물질관리법 제35조 제1항에서 금지하는 환각물질을 구체적으로 명확하게 규정하지 아니하고 다만 그 성질에 관하여 '흥분·환각 또는 마취의 작용을 일으키는 유해화학물질로서 대통령령이 정하는 물질'로 그 한계를 설정하여 놓고, 같은 법 시행령 제22조에서 이를 구체적으로 규정하게 한 취지는 **과학기술의 급격한 발전으로 말미암아 흥분·환각 또는 마취의 작용을 일으키는 유해화학물질이 수시로 생겨나기 때문에 이에 신속하게 대처하려는 데에 있으므로, 위임의 한계를 벗어난 것으로 볼 수 없고,** 한편 그러한 환각물질은 누구에게나 그 섭취 또는 흡입행위 자체가 금지됨이 마땅하므로, 일반적으로 술을 마시는 행위자체가 금지된 것이 아니라 주취상태에서의 자동차 운전행위만이 금지되는 도로교통법상의 주취상태를 판정하는 혈중알코올농도와 같이 그 섭취 기준을 따로 정할 필요가 있다고 할 수 없으므로, 같은 법 제35조 제1항의 **'섭취 또는 흡입'의 개념이 추상적이고 불명확하다거나 지나치게 광범위하다고 볼 수도 없다.**(대법원 2000. 10. 27. 2000도4187)

① [○] 군형법 제64조 제1항의 상관면전모욕죄의 구성요건은 '상관을 그 면전에서 모욕하는' 것인데, 여기에서 '면전에서'라 함은 얼굴을 마주 대한 상태를 의미하는 것임이 분명하므로 **전화를 통하여 통화하는 것을 면전에서의 대화라고는 할 수 없다.**(대법원 2002. 12. 27. 2002도2539 상관 전화모욕 사건)

② [○] 행위 당시의 판례에 의하면 처벌대상이 되지 아니하는 것으로 해석되었던 행위를 판례의 변경에 따라 확인된 내용의 형법 조항에 근거하여 처벌한다고 하여 그것이 헌법상 평등의 원칙과 **형벌불소급의 원칙에 반한다고 할 수는 없다.**(대법원 1999. 9. 17. 97도3349)

③ [○] (1) 형사소송법은 1995. 12. 29. 법률 제5054호로 개정되면서 시효의 정지와 효력에 관한 제253조에 제3항으로 '범인이 형사처분을 면할 목적으로 국외에 있는 경우 그 기간 동안 공소시효는 정지된다'는 규정을 신설하고, 그 부칙 제1항은 시행일에 관하여 '이 법은 1997. 1. 1.부터 시행한다'고 규정하고, 제2항은 경과조치로서 '이 법은 이 법 시행 당시 법원 또는 검찰에 계속된 사건에 대하여 적용한다. 다만, 이 법 시행 전 종전의 규정에 의하여 행한 소송행위의 효력에는 영향을 미치지 아니한다'고 규정하고 있는데, 이와 같은 부칙 제2항은 형사절차가 개시된 후 종결되기 전에 형사소송법이 개정된 경우 신법과 구법 중 어느 법을 적용할 것인지에 관한 입법례 중 이른바 혼합주의를 채택하여 구법 당시 진행된 소송행위의 효력은 그대로 인정하되 신법 시행 후의 소송절차에 대하여는 신법을 적용한다는 취지에서 규정된 것으로서, 위 개정 법률 시행 당시 법원 또는 검찰에 계속된 사건이 아닌 경우에 위 개정 법률이 적용되지 않는다는 것은 아니며, 위 개정 법률은 그 시행일인 1997. 1. 1.부터 적용되는 것이다. (2) 피고인은 형사처분을 면할 목적으로 1997. 12. 28. 출국하였다가 2002. 10. 9. 입국한 사실을 엿볼 수 있으므로, 위 개정 **법률시행 당시 공소시효가 완성되지 아니한 외국환관리법위반죄에 대한 공소시효는 위 개정 법률에 의하여 피고인이 외국에 있는 기간 동안 정지되었다고 보아야 한다.**(대법원 2003. 11. 27. 2003도4327)

015 죄형법정주의와 형법의 적용범위에 대한 설명으로 옳은 것만을 모두 고르면? (다툼이 있으면 판례에 의함)

21 국가7급 [Superlative ★★★]

ⓐ 구 의료법 제87조 제1항 제2호, 제27조 제1항은 대한민국 영역 외에서 의료행위를 하려는 사람에게까지 보건복지부장관의 면허를 받을 의무를 부과하고 나아가 이를 위반한 자를 처벌하는 규정이라고 보기 어려우므로 내국인이 대한민국 영역 외에서 의료행위를 하는 경우에는 구 의료법 제87조 제1항 제2호, 제27조 제1항의 구성요건해당성이 없다.

ⓛ 형법 제125조의 구성요건 중 '그 직무를 행함에 당하여'라 함을 '경찰 등이 그 직무를 행하는 기회'라는 뜻으로 해석한다면, 이런 해석은 다소 포괄적이며 불명확하여 처벌범위를 자의적으로 확장시킨다고 볼 여지가 있어 죄형법정주의의 명확성 원칙에 위반된다.

ⓒ 한국환경공단법 등이 한국환경공단 임직원을 형법 제129조(수뢰·사전수뢰) 내지 제132조(알선수뢰)의 적용에 있어 공무원으로 본다고 규정하고 있으므로 그들 또는 그들이 직무를 행하는 한국환경공단을 형법 제227조의2(공전자기록위작·변작)에 정한 공무원 또는 공무소에 해당한다고 보는 것은 죄형법정주의의 원칙에 반하지 않는다.

ⓔ 의료법 제41조가 "환자의 진료 등에 필요한 당직의료인을 두어야 한다."라고 규정하고 있을 뿐인데도, 이 사건 시행령 조항은 그 당직의료인의 수와 자격 등 배치기준을 규정하고 이를 위반하면 의료법 제90조에 의한 처벌의 대상이 되도록 함으로써 법률의 명시적인 위임 범위를 벗어나 처벌의 대상을 확장했으므로 죄형법정주의의 원칙에 어긋난다.

① ㉠㉡   ② ㉠㉣   ③ ㉡㉢   ④ ㉠㉢㉣

해설

② ㉠㉣ 2 항목이 옳다.

㉠ [○] 의료법 제87조 제1항 제2호, 제27조 제1항이 대한민국 영역 외에서 의료행위를 하려는 사람에게까지 보건복지부장관의 면허를 받을 의무를 부과하고 나아가 이를 위반한 자를 처벌하는 규정이라고 보기는 어려우므로 내국인이 대한민국 영역 외에서 의료행위를 하는 경우에는 의료법 제87조 제1항 제2호, 제27조 제1항의 **구성요건해당성이 없다.**(대법원 2020. 4. 29. 2019도19130 돌팔이 베트남 시술 사건)

㉡ [×] '경찰에 관한 직무를 행하는 자 또는 이를 보조하는 자'에 형사소송법상의 사법경찰관과 사법경찰리가 포함되고, '폭행'은 사람의 신체에 대한 물리적 유형력의 행사를 뜻하는 것으로 명확하게 해석된다.

또한 '형사피의자'는 형사소송법상의 피의자를 뜻하는 것임이 분명하고, '기타 사람'도 형사피의자를 제외한 피고인과 참고인, 증인 등과 같이 수사 또는 재판에서 심문이나 조사의 대상이 되는 모든 사람을 뜻한다고 충분히 이해된다. '**그 직무를 행함에 당하여'라 함**은 '경찰 등이 그 직무를 행하는 기회'라는 뜻으로 해석되는바, 이런 해석이 다소 포괄적이라도 경찰 등의 직무와 폭행 사이에 객관적 관련성을 요구하는 것으로 해석되므로 **그 내용이 불명확하여 처벌범위를 자의적으로 확장시킨다고 볼 수도 없다.** 경찰관 직무집행법 및 관련 법령에 따른 정당한 유형력 행사는 정당행위가 되어 처벌받지 아니하고, 판례도 축적되어 있어 형법 제125조에 따라 처벌되는 행위와 정당한 유형력행사의 구별이 가능하다. 따라서 형법 제125조는 죄형법정주의의 명확성 원칙에 위반되지 않는다.(헌법재판소 2015. 3. 26. 2013헌바140)

ⓒ [×] 한국환경공단이 환경부장관의 위탁을 받아 건설폐기물 인계·인수에 관한 내용 등의 전산처리를 위한 전자정보처리 프로그램인 올바로시스템을 구축·운영하고 있다고 하더라도, 그 업무를 수행하는 **한국환경공단 임직원을 공전자기록의 작성권한자인 공무원으로 보거나 한국환경공단을 공무소로 볼 수는 없다.** 이는 한국 **환경공단 또는 그 임직원**이 환경부장관으로부터 위탁받은 업무와 관련하여 **직무상 작성한 문서를 공문서로 볼 수 없는 것과 마찬가지이다.**(대법원 2020. 3. 12. 2016도19170 **한국환경공단 올바로시스템 사건**)

ⓔ [○] 의료법 제41조는 "각종 병원에는 응급환자와 입원환자의 진료 등에 필요한 당직의료인을 두어야 한다." 라고 규정하는 한편, 제90조에서 제41조를 위반한 사람에 대한 처벌규정을 두었다. 이와 같이 의료법 제41조 는 각종 병원에 응급환자와 입원환자의 진료 등에 필요한 당직의료인을 두어야 한다고만 규정하고 있을 뿐, 각종 병원에 두어야 하는 당직의료인의 수와 자격에 아무런 제한을 두고 있지 않고 이를 하위법령에 위임하고 있지도 않다. 그런데도 의료법 시행령 제18조 제1항(이하 '시행령 조항'이라 한다)은 "법 제41조에 따라 각종 병원에 두어야 하는 당직의료인의 수는 입원환자 200명까지는 의사·치과의사 또는 한의사의 경우에는 1명, 간호사의 경우에는 2명을 두되, 입원환자 200명을 초과하는 200명마다 의사·치과의사 또는 한의사의 경우 에는 1명, 간호사의 경우에는 2명을 추가한 인원 수로 한다."라고 규정하고 있다. 의료법 제41조가 "환자의 진료 등에 필요한 당직의료인을 두어야 한다."라고 규정하고 있을 뿐인데도 시행령 조항은 당직의료인의 수와 자격 등 배치기준을 규정하고 이를 위반하면 **의료법 제90조에 의한 처벌의 대상이 되도록 함으로써 형사처벌 의 대상을 신설 또는 확장하였다. 그러므로 시행령 조항은 위임입법의 한계를 벗어난 것으로서 무효이다.**(대법 원 2017. 2. 16. 2015도16014 **순승 야간 당직의사 없는 병원 사건Ⅰ**)

016 다음 <보기> 중 죄형법정주의에 관한 설명으로 옳은 것은 모두 몇 개인가? (다툼이 있으면 판례
□□□ 에 의함)

22 해경승진 [Core ★★]

> ㉠ 구 「어선법 시행규칙」에서 어선검사증서에 기재할 사항을 구체적으로 규정하면서 기재할 사 항에 총 톤수를 포함시킨 것은 법의 위임에 따른 것으로서 위임입법의 한계를 벗어났다고 보기 어렵다.
> ㉡ 법률을 해석할 때 체계적·논리적 해석방법을 사용할 수 있으나 문언 자체가 비교적 명확한 개념 으로 구성되어 있다면 원칙적으로 이러한 해석 방법은 활용 필요가 없거나 제한될 수밖에 없다.
> ㉢ 국내에 있는 불특정 또는 다수인에게 무상으로 의약품을 양도하는 수여행위도 구 「약사법」 제44조 제1항의 '판매'에 포함된다고 보는 것이 체계적이고 논리적인 해석이다.
> ㉣ 구성요건에 대한 확장적 유추해석은 금지되지만 위법성 및 책임의 조각사유나 소추조건 또는 처벌조각사유인 형면제 사유에 관하여 그 범위를 제한적으로 유추해석하는 것은 허용된다.

① 1개   ② 2개   ③ 3개   ④ 4개

해설

③ ㉠㉡㉢ 3 항목이 옳다.
㉠ [○] 구 「어선법 시행규칙」에서 어선검사증서에 기재할 사항을 구체적으로 규정하면서 기재할 사항에 총 톤수를 포함시킨 것은 법의 위임에 따른 것으로서 위임입법의 한계를 벗어났다고 보기 어렵다.(대법원 2018. 6. 28. 2017도13426)
㉡ [○] 법률을 해석할 때 체계적·논리적 해석방법을 사용할 수 있으나 문언 자체가 비교적 명확한 개념으로 구성되어 있다면 원칙적으로 이러한 해석 방법은 활용 필요가 없거나 제한될 수밖에 없다.(대법원 2017. 12. 21. 2015도8335 全合 조현아 땅콩회항 사건)
㉢ [○] 국내에 있는 불특정 또는 다수인에게 무상으로 의약품을 양도하는 수여행위도 구 「약사법」 제44조 제1항의 '판매'에 포함된다고 보는 것이 체계적이고 논리적인 해석이다.(대법원 2011. 10. 13. 2011도6287 타미플루 구매사건)
㉣ [×] 위법성 및 책임의 조각사유나 소추조건 또는 처벌조각사유인 형면제 사유에 관하여 그 범위를 제한적으로 유추적용하게 되면 행위자의 가벌성의 범위는 확대되어 행위자에게 불리하게 되는바, 이는 가능한 문언의 의미를 넘어 범죄구성요건을 유추적용하는 것과 같은 결과가 초래되므로 죄형법정주의의 파생원칙인 유추해석금지의 원칙에 위반하여 허용될 수 없다.(대법원 1997. 3. 20. 96도1167 全合 공직선거법 자수 사건)

017 죄형법정주의에 대한 설명으로 옳은 것은? (다툼이 있으면 판례에 의함)　17 국가9급 [Core ★★]
□□□
① 형벌법규를 하위법령에 위임할 때 처벌법규의 기본사항에 관하여 구체적 기준이나 범위를 정함이 없이 포괄적으로 하위법령에 위임하였다면 명확성의 원칙에 위배되어 죄형법정주의에 반한다.
② 구성요건에 대한 확장적 유추해석은 금지되지만 위법성 및 책임의 조각사유나 소추조건 또는 처벌조각사유인 형면제 사유에 관하여 그 범위를 제한적으로 유추해석하는 것은 허용된다.
③ 죄형법정주의의 핵심적 내용의 하나인 소급처벌금지의 원칙은 대법원 양형위원회가 설정한 양형기준에도 적용되므로, 그 양형기준이 발효하기 전에 이미 공소가 제기된 범죄에 대하여는 그 양형기준을 참고하여 형을 양정할 수 없다.
④ 보안처분 중 신상정보공개명령, 위치추적전자장치부착명령에는 소급처벌금지의 원칙이 적용된다.

해설

① [○] 형벌법규를 하위법령에 위임할 때 처벌법규의 기본사항에 관하여 구체적 기준이나 범위를 정함이 없이 포괄적으로 하위법령에 위임하였다면 명확성의 원칙에 위배되어 죄형법정주의에 반한다.(헌법재판소 2000. 7. 20. 99헌가15)

---

② [×] 위법성 및 책임의 조각사유나 소추조건 또는 처벌조각사유인 형면제 사유에 관하여 그 범위를 제한적으로 유추적용하게 되면 행위자의 가벌성의 범위는 확대되어 행위자에게 불리하게 되는바, 이는 가능한 문언의 의미를 넘어 범죄구성요건을 유추적용하는 것과 같은 결과가 초래되므로 죄형법정주의의 파생원칙인 유추해석금지의 원칙에 위반하여 허용될 수 없다.(대법원 1997. 3. 20. 96도1167 全合 공직선거법 자수 사건)

③ [×] 법관이 형을 양정함에 있어서 참고할 수 있는 자료에 달리 제한이 있는 것도 아닌 터에 법원이 **양형기준이 발효하기 전에 공소가 제기된 범죄에 관하여 형을 양정함에 있어서 양형기준을 참고자료로 삼았다고 하여** 피고인에게 불리한 법률을 소급하여 적용한 위법이 있다고 할 수 없다.(대법원 2009. 12. 10. 2009도11448 양형기준 소급적용 사건)

④ [×] (1) 신상정보 공개·고지명령은 형벌과는 구분되는 비형벌적 보안처분으로서 어떠한 형벌적 효과나 신체의 자유를 박탈하는 효과를 가져오지 아니하므로 소급처벌금지원칙이 적용되지 아니한다.(헌법재판소 2016. 12. 29. 2015헌바196 성폭법 부칙 제7조 제1항 위헌소원사건) (同旨 대법원 2011. 3. 24. 2010도14393)
(2) 전자장치 부착명령은 전통적 의미의 형벌이 아닐 뿐 아니라 의무적 노동의 부과나 여가시간의 박탈을 내용으로 하지 않고 전자장치의 부착을 통해서 피부착자의 행동 자체를 통제하는 것도 아니라는 점에서 처벌적인 효과를 나타낸다고 보기 어려워 부착명령은 형벌과 구별되는 비형벌적 보안처분으로서 **소급효금지원칙이 적용되지 아니한다.**(헌법재판소 2012. 12. 27. 2010헌가82 전자발찌 소급적용 사건) (同旨 대법원 2010. 12. 23. 2010도11996)

---

018 위임입법에 관한 설명으로 가장 적절하지 않은 것은? (다툼이 있으면 판례에 의함)

□□□
24 경찰승진 [Core ★★]

① 형사처벌에 관련된 모든 법규를 예외 없이 형식적 의미의 법률에 의하여 규정한다는 것은 사실상 불가능할 뿐만 아니라 실제에 적합하지도 않으므로 구성요건의 실질적 내용을 단체협약에 모두 위임하는 것도 허용된다.

② 법률의 시행령은 모법인 법률의 위임 없이 법률이 규정한 개인의 권리·의무에 관한 내용을 변경·보충하거나 법률에서 규정하지 아니한 새로운 내용을 규정할 수 없고, 특히 법률의 시행령이 형사처벌에 관한 사항을 규정하면서 법률의 명시적인 위임 범위를 벗어나 처벌의 대상을 확장하는 것은 위임입법의 한계를 벗어난 것으로서 무효이다.

③ 일반적으로 법률의 위임에 의하여 효력을 갖는 법규명령의 경우 구법에 위임의 근거가 없어 무효였더라도 사후에 법개정으로 위임의 근거가 부여되면 그때부터는 유효한 법규명령이 된다.

④ 처벌법규의 구성요건 부분에 관한 기본사항에서 보다 구체적인 기준이나 범위를 정함이 없이 또는 그 대강이 확정되지 않은 상태에서 그 내용인 규범의 실질을 모두 하위법령에 포괄적으로 위임하는 것은 죄형법정주의 원칙에 반한다.

해설

① [×] (전문) 사회현상의 복잡다기화와 국회의 전문적·기술적 능력의 한계 및 시간적 적응능력의 한계로 인하여 형사처벌에 관련된 모든 법규를 예외 없이 형식적 의미의 법률에 의하여 규정한다는 것은 사실상 불가능할 뿐만 아니라 실제에 적합하지도 않다.(대법원 2013. 3. 28. 2012도16383 퍼시픽랜드 돌고래쇼 사건) (후문) 노동조합법(1986. 12. 31. 법률 제3925호로 최종 개정되었다가 1996. 12. 31. 법률 제5244호로 공포된 노동조합및노동관계조정법의 시행으로 폐지된 것) 제46조의3은 그 구성요건을 "단체협약에 ~ 위반한 자"라고만 규정함으로써 범죄구성요건의 외피(外皮)만 설정하였을 뿐 구성요건의 실질적 내용을 직접 규정하지 아니하고 모두 단체협약에 위임하고 있어 죄형법정주의의 기본적 요청인 **법률주의에 위배**되고 그 구성요건도 지나치게 애매하고 광범위하여 죄형법정주의의 명확성의 원칙에 위배된다.(헌법재판소 1998. 3. 26. 96헌가20 한일이화 단체협약 사건)

② [○] 법률의 시행령은 모법인 법률의 위임 없이 법률이 규정한 개인의 권리의무에 관한 내용을 변경·보충하거나 법률에서 규정하지 아니한 새로운 내용을 규정할 수 없고, 특히 법률의 시행령이 형사처벌에 관한 사항을 규정하면서 **법률의 명시적인 위임범위를 벗어나 그 처벌의 대상을 확장하는 것은 죄형법정주의의 원칙에도 어긋나는 것이므로 그러한 시행령은 위임입법의 한계를 벗어난 것으로서 무효**이다.(대법원 2017. 2. 16. 2015도16014 숙습 야간 당직의사 없는 병원 사건Ⅰ)

③ [○] 법률의 위임에 의하여 효력을 갖는 법규명령의 경우 구법에 위임의 근거가 없어 무효였더라도 **사후에 법개정으로 위임의 근거가 부여되면 그때부터는 유효한 법규명령이 되나**, 반대로 구법의 위임에 의한 유효한 법규명령이 법개정으로 위임의 근거가 없어지게 되면 그때부터 무효인 법규명령이 되므로 어떤 법령의 위임 근거 유무에 따른 유효 여부를 심사하려면 법개정의 전·후에 걸쳐 모두 심사하여야만 그 법규명령의 시기에 따른 유효·무효를 판단할 수 있다.(대법원 1995. 6. 30. 93추83 경상북도 조례 사건)

④ [○] 형벌법규를 하위법령에 위임할 때 처벌법규의 기본사항에 관하여 구체적 기준이나 범위를 정함이 없이 **포괄적으로 하위법령에 위임하였다면 명확성의 원칙에 위배되어 죄형법정주의에 반한다.**(헌법재판소 2000. 7. 20. 99헌가15 약국관리에 필요한 사항 사건)

정답 | 018 ①

019

죄형법정주의에 관한 설명 중 옳고 그름의 표시(○, ×)가 바르게 된 것은? (다툼이 있으면 판례에 의함)

17 경찰승진 [Essential ★]

□□□

⊙ '약국개설자가 아니면 의약품을 판매하거나 판매 목적으로 취득할 수 없다'고 규정한 구 약사법 제44조 제1항의 '판매'에 무상으로 의약품을 양도하는 '수여'를 포함시키는 해석은 죄형법정주의에 위배되지 아니한다.

ⓛ 2011. 1. 1. 이전에 아동·청소년 대상 성폭력범죄를 범하고 아직 유죄판결이 확정되지 아니한 자에 대하여는 판결과 동시에 고지명령을 선고할 수 있는 근거를 따로 두고 있지 아니하므로, 2011. 1. 1. 이후 '아동·청소년 대상 성폭력범죄를 저지른 자'에 대하여만 판결과 동시에 고지명령을 선고할 수 있다고 보아야 한다.

ⓒ 도로교통법 제43조 '운전면허를 받지 아니하고'라는 법률문언의 의미에 '운전면허를 받았으나 그 후 운전면허의 효력이 정지된 경우'가 당연히 포함된다고 해석할 수 없다.

ⓔ 국내 특정 지역의 수삼과 다른 지역의 수삼으로 만든 홍삼을 주원료로 하여 특정 지역에서 제조한 홍삼절편의 제품명이나 제조·판매자명에 특정 지역의 명칭을 사용한 행위를 '원산지를 혼동하게 할 우려가 있는 표시를 하는 행위'라고 해석하는 것은 죄형법정주의에 위배된다.

① ⊙ ○ ⓛ ○ ⓒ ○ ⓔ ○   ② ⊙ ○ ⓛ × ⓒ ○ ⓔ ×

③ ⊙ ○ ⓛ × ⓒ × ⓔ ○   ④ ⊙ × ⓛ ○ ⓒ ○ ⓔ ×

해설

① 이 지문이 옳은 연결이다.

⊙ [○] 국내에 있는 불특정 또는 다수인에게 **무상으로 의약품을 양도하는 수여행위**도 구 약사법 제44조 제1항의 '판매'에 **포함된다**고 보는 것이 체계적이고 논리적인 해석이다.(대법원 2011. 10. 13. 2011도6287 **타미플루 구매사건**)

ⓛ [○] (1) 아청법(2010. 4. 15. 법률 제10260호로 개정된 것)은 고지명령 제도에 관한 제38조의2, 제38조의3을 신설하였는데, 그 법률 부칙 제1조는 "이 법은 공포한 날부터 시행한다. 다만 제31조의2, 제38조의2 및 제38조의3의 개정규정은 2011년 1월 1일부터 시행한다"고 규정하였으며, 부칙 제4조는 "제38조의2 및 제38조의3의 개정규정은 같은 개정규정 시행 후 최초로 아동·청소년 대상 성범죄를 범하여 고지명령을 선고받은 고지대상자부터 적용한다"고 정하였다. (2) 아청법(2012. 12. 18. 법률 제11572호로 전부 개정되어 2013. 6. 19. 시행된 것) 역시 부칙 제8조 제1항이 "제50조 제1항, 제51조의 개정규정은 2008년 4월 16일부터 2010년 12월 31일 사이에 제2조 제2호의 개정규정의 아동·청소년 대상 성범죄를 범하고 유죄판결이 확정되어 종전의 규정에 따라 공개명령을 받은 사람에 대하여도 적용하되, 공개기간이 종료된 자는 제외한다"고 규정하고, 제2항은 "이 경우 검사는 여성가족부장관의 요청을 받아 제1항에 규정된 사람에 대하여 제1심판결을 한 법원에 고지명령을 청구한다"고 정하고 있을 뿐, 2011. 1. 1. 이전에 아동·청소년 대상 성폭력범죄를 범하고 아직 유죄판결이 확정되지 아니한 자에 대하여는 위와 같이 일정한 요건 아래 그 유죄판결 확정 후 고지명령을 청구하는 절차 이외에 곧바로 판결과 동시에 고지명령을 선고할 수 있는 근거를 따로 두고 있지 아니하다. (3) 따라서 법률 제11572호 아청법이 시행된 뒤에도 여전히 법률 제10260호 아청법 부칙 규정이 정한 대로 2011. 1. 1. 이후 **'아동·청소년 대상 성폭력범죄를 저지른 자'**에 대하여만 판결과 동시에 고지명령을 선고할 수 있다.(대법원 2014. 2. 13. 2013도14349)

ⓒ [O] '운전면허를 받지 아니하고'라는 법률문언의 통상적인 의미에 '운전면허를 받았으나 그 후 운전면허의 효력이 정지된 경우'가 당연히 포함된다고는 해석할 수 없다.(대법원 2011. 8. 25. 2011도7725 오토바이 면허정지 사건)

ⓔ [O] 국내 특정 지역의 수삼과 다른 지역의 수삼으로 만든 홍삼을 주원료로 하여 그 특정 지역에서 제조한 홍삼절편의 제품명이나 제조·판매자명에 그 특정 지역의 명칭을 사용하였다고 하더라도 이를 곧바로 '원산지를 혼동하게 할 우려가 있는 표시를 하는 행위'라고 보기는 어렵다.(대법원 2015. 4. 9. 2014도14191 강화홍삼절편사건)

020 죄형법정주의에 대한 설명 중 적절하지 않은 것을 모두 고른 것은? (다툼이 있으면 판례에 의함)

ⓐ 결혼중개업법 제10조의2 제4항에 의하여 대통령령에 규정하도록 위임된 '신상정보의 제공시기'를 이용자와 상대방의 만남 이전으로 규정한 결혼중개업법 시행령 제3조의2 제3항은 위임입법의 한계를 벗어나 죄형법정주의 원칙에 반한다.

ⓑ 대통령기록물 관리에 관한 법률 제30조 제2항 제1호, 제14조에 의해 유출이 금지되는 대통령기록물에 원본 문서나 전자파일 이외에 그 사본이나 추가 출력물까지 포함된다고 해석하는 것은 죄형법정주의 원칙에 반한다.

ⓒ 고농도 니코틴 용액에 프로필렌글리콜(Propylene Glycol)과 식물성 글리세린(Vegetable Glycerin)과 같은 희석액, 소비자의 기호에 맞는 향료를 일정한 비율로 첨가하여 전자장치를 이용해 흡입할 수 있는 니코틴 용액을 만든 것을 담배의 제조행위라고 보는 것은 유추해석금지원칙에 반한다.

ⓓ 형법 제55조 제1항은 형벌의 종류에 따라 법률상 감경의 방법을 규정하고 있는데, 유기징역형에 대한 법률상 감경을 하면서 형법 제55조 제1항 제3호에서 정한 것과 같이 장기와 단기를 모두 2분의 1로 감경하는 것이 아닌 장기 또는 단기 중 어느 하나만을 2분의 1로 감경하는 방식이나 2분의 1보다 넓은 범위의 감경을 하는 방식은 죄형법정주의원칙에 반한다.

ⓔ 단순한 목적론적 축소해석에 그치는 것이 아니라, 형면제사유에 대한 제한적 유추를 통하여 처벌범위를 실정법 이상으로 확대하는 것은 유추해석금지의 원칙에 반한다.

① 1개   ② 2개   ③ 3개   ④ 4개

해설

② ⓐⓓ 2 항목이 옳지 않다.

㉠ [×] 결혼중개업법 제10조의2 제4항에 의하여 대통령령에 규정하도록 위임된 '신상정보의 제공 시기'는 적어도 이용자와 상대방의 만남 이전이 될 것임을 충분히 예측할 수 있으므로, 결혼중개업법 시행령 제3조의2 제3항이 결혼중개업법 제10조의2 제4항에서 위임한 범위를 일탈하여 **위임입법의 한계를 벗어났다고 볼 수 없다**.(대법원 2019. 7. 25. 2018도7989)

㉡ [O] 대통령기록물법 제30조 제2항 제1호, 제14조에 의해 유출이 금지되는 대통령기록물에 원본 문서나 전자파일 이외에 그 사본이나 추가 출력물까지 포함된다고 해석하는 것은 죄형법정주의 원칙상 허용되지 아니한다.(대법원 2021. 1. 14. 2016도7104 공직기강비서관 사건)

㉢ [×] 전자장치를 이용하여 호흡기를 통하여 체내에 흡입함으로써 흡연과 같은 효과를 낼 수 있도록 만든 니코틴이 포함된 용액은 연초의 잎에서 추출한 니코틴을 그 원료로 하는 한 증기로 흡입하기에 적합하게 제조한 것이어서 **그 자체로 담배사업법 제2조의 '담배'에 해당한다**.(대법원 2018. 9. 28. 2018도9828 전자담배 액상 제조사건)

㉣ [O] 유기징역형에 대한 법률상 감경을 하면서 형법 제55조 제1항 제3호에서 정한 것과 같이 장기와 단기를 모두 2분의 1로 감경하는 것이 아닌 장기 또는 단기 중 어느 하나만을 2분의 1로 감경하는 방식이나 **2분의 1보다 넓은 범위의 감경을 하는 방식** 등은 죄형법정주의 원칙상 허용될 수 없다.(대법원 2021. 1. 21. 2018도5475 全合 임의적 감경 새로운 해석론 사건)

㉤ [O] 위법성 및 책임의 조각사유나 소추조건 또는 처벌조각사유인 형면제 사유에 관하여 그 범위를 제한적으로 유추적용하게 되면 행위자의 가벌성의 범위는 확대되어 행위자에게 불리하게 되는바, 이는 가능한 문언의 의미를 넘어 범죄구성요건을 유추적용하는 것과 같은 결과가 초래되므로 죄형법정주의의 파생원칙인 **유추해석금지의 원칙에 위반하여 허용될 수 없다**.(대법원 1997. 3. 20. 96도1167 全合 공직선거법 자수사건)

021

죄형법정주의에 대한 설명으로 옳지 않은 것은 모두 몇 개인가? (다툼이 있으면 판례에 의함)

□□□

20 경찰간부 [Core ★★]

㉠ 항공보안법 제42조(항공기 항로변경죄)의 '항로'에 항공기가 지상에서 이동하는 경로도 포함된다고 해석하는 것은 죄형법정주의에 반한다.

㉡ 보호관찰은 형벌이 아니라 보안처분의 성격을 갖는 것으로서, 과거의 불법에 대한 책임에 기초하고 있는 제재가 아니라 장래의 위험성으로부터 행위자를 보호하고 사회를 방위하기 위한 합목적적인 조치이므로, 소급효금지원칙이 적용되지 아니한다.

㉢ 형벌법규에 대한 체계적·논리적 해석방법은 그 규정의 본질적 내용에 가장 접근한 해석을 위한 것으로서 죄형법정주의의 원칙에 부합한다.

㉣ 약사법 제5조 제3항에서 면허증의 대여를 금지한 취지는 약사자격이 없는 자가 타인의 면허증을 빌려 영업을 하게 될 경우 국민의 건강에 위험이 초래된다는데 있다 할 것이므로, 약사자격이 있는 자에게 빌려주는 행위까지 금지되는 것으로 보는 것은 유추해석에 해당한다.

㉤ 의료법 제41조는 "각종 병원에는 응급환자와 입원환자의 진료 등에 필요한 당직의료인을 두어야 한다."라고 규정하고 있을 뿐인데도 시행령에 당직의료인의 수와 자격 등 배치기준을 규정하고 이를 위반하면 의료법 제90조에 의한 처벌의 대상이 되도록 한 것은 위임입법의 한계를 벗어난 것으로 죄형법정주의에 반한다.

⊕ 노역장유치는 그 실질이 신체의 자유를 박탈하는 것으로서 징역형과 유사한 형벌적 성격을 가지므로 형벌불소급원칙의 적용대상이 된다.

① 1개 ② 2개

③ 3개 ④ 4개

해설

① ㉣ 항목만 옳지 않다.

㉠ [○] 지상의 항공기가 이동할 때 '운항 중'이 된다는 이유만으로 그때 다니는 **지상의 길까지 '항로'로 해석하는 것은 문언의 가능한 의미를 벗어난다.**(대법원 2017. 12. 21. 2015도8335 숲습 **조현아 땅콩회항 사건**)

㉡ [○] 보호관찰은 형벌이 아니라 보안처분의 성격을 갖는 것으로서 과거의 불법에 대한 책임에 기초하고 있는 제재가 아니라 장래의 위험성으로부터 행위자를 보호하고 사회를 방위하기 위한 합목적적인 조치이므로, 그에 관하여 반드시 행위 이전에 규정되어 있어야 하는 것은 아니며 **재판시의 규정에 의하여 보호관찰을 받을 것을 명할 수 있다**고 보아야 할 것이고, 이와 같은 해석이 형벌불소급의 원칙 내지 죄형법정주의에 위배되는 것이라고 볼 수 없다.(대법원 1997. 6. 13. 97도703 **보호관찰 소급적용 사건**)

㉢ [○] 형벌법규의 해석에서도 문언의 가능한 의미 안에서 입법 취지와 목적 등을 고려한 법률 규정의 체계적 연관성에 따라 문언의 논리적 의미를 분명히 밝히는 **체계적·논리적 해석방법**은 규정의 본질적 내용에 가장 접근한 해석을 위한 것으로서 **죄형법정주의의 원칙에 부합한다.**(대법원 2018. 10. 25. 2016도11429 **미국군무원 수뢰사건**)

㉣ [×] **약사면허증 대여의 상대방, 즉 차용인이 무자격자인 경우는 물론이요 자격 있는 약사인 경우에도,** 그 대여 이후 면허증 차용인에 의하여 대여인 명의로 개설된 약국 등 업소에서 대여인이 직접 약사로서의 업무를 행하지 아니한 채 차용인에게 약국의 운영을 일임하고 말았다면 **약사면허증을 대여한 데 해당한다.**(대법원 2003. 6. 24. 2002도6829 **약사면허증 대여사건**)

㉤ [○] 의료법 제41조가 "환자의 진료 등에 필요한 당직의료인을 두어야 한다."라고 규정하고 있을 뿐인데도 의료법 시행령 제18조 제1항(이하 '이 사건 시행령 조항'이라 한다)은 그 당직의료인의 수와 자격 등 배치기준을 규정하고 이를 위반하면 의료법 제90조에 의한 처벌의 대상이 되도록 함으로써 형사처벌의 대상을 신설 또는 확장하였는바, 이 사건 시행령 조항은 위임입법의 한계를 벗어난 것으로서 무효라고 할 것이다.(대법원 2017. 2. 16. 2015도16014 숲습 **야간 당직의사 없는 병원 사건 I**)

㉥ [○] **노역장유치는 벌금형에 부수적으로 부과되는 환형처분으로서, 그 실질은 신체의 자유를 박탈하여 징역형과 유사한 형벌적 성격을 가지고 있으므로, 형벌불소급원칙의 적용대상이 된다.** 따라서 법률 개정으로 동일한 벌금형을 선고받은 사람에게 노역장유치기간이 장기화되는 등 불이익이 가중된 때에는, 범죄행위시의 법률에 따라 유치기간을 정하여 선고하여야 한다.(헌법재판소 2017. 10. 26. 2015헌바239, 2016헌바177 **노역장유치 하한 가중 위헌소원사건**)

022 소급효금지의 원칙에 관한 다음 설명 중 옳지 않은 것은 몇 개인가? (다툼이 있으면 판례에 의함)
□□□
18 경찰간부 [Superlative ★★★]

> ㉠ 「게임산업진흥에 관한 법률 시행령」 제18조의3의 시행일 이전에 위 시행령 조항 각 호에 규정
> 된 게임머니를 환전, 환전 알선, 재매입한 영업행위를 처벌하는 것은 형벌법규의 소급효금지
> 의 원칙에 위배된다.
> ㉡ 구성요건이 신설된 상습강제추행죄가 시행되기 이전의 범행을 상습강제추행죄로는 처벌할
> 수 없고 행위시법에 기초하여 강제추행죄로 처벌할 수 있을 뿐이다.
> ㉢ 공개명령 제도가 시행된 2010. 1. 1. 이전에 범한 범죄에도 공개명령 제도를 적용하도록 「아
> 동·청소년의 성보호에 관한 법률」이 2010. 7. 23. 개정되었다면 소급입법금지의 원칙에 반
> 한다.
> ㉣ 「도로교통법」 제148조의2 제1항 제1호에서 정하고 있는 '「도로교통법」 제44조 제1항을 2회
> 이상 위반한' 것에 개정된 「도로교통법」이 시행된 2011. 12. 9. 이전에 구 「도로교통법」 제44
> 조 제1항을 위반한 음주운전 전과까지 포함되는 것으로 해석하는 것이 형벌불소급의 원칙에
> 위배된다고 할 수 없다.
> ㉤ 대법원 양형위원회가 설정한 '양형기준'이 발효하기 전에 공소가 제기된 범죄에 관하여 형을
> 양정함에 있어서 위 양형기준을 참고자료로 삼은 것은 법률을 소급하여 적용한 위법이 있다.

① 1개   ② 2개   ③ 3개   ④ 4개

해설

② ㉢㉤ 2 항목이 옳지 않다.

㉠ [O] 게임법 시행령 제18조의3의 시행일 이전에 행해진 게임머니를 환전, 환전 알선, 재매입한 영업행위를
처벌하는 것은 형벌법규의 소급효금지 원칙에 위배된다.(대법원 2009. 4. 23. 2008도11017 게임머니 판매
사건)

㉡ [O] 피고인이 신설된 구성요건인 상습강제추행죄 시행 전에 ⓐ, ⓑ의 강제추행을 하고, 시행 후에 ⓒ, ⓓ,
ⓔ의 강제추행을 하였는데, 검사가 ⓐ부터 ⓔ를 포괄하여 상습강제추행죄로 공소제기한 경우, 법원은 ⓒ, ⓓ,
ⓔ 부분만을 상습강제추행죄로 처벌할 수 있을 뿐, ⓐ, ⓑ는 **상습강제추행죄로 처벌할 수 없고 강제추행죄로
만 처벌할 수 있으나** 만약 ⓐ, ⓑ에 대하여 피해자의 고소가 없으면 공소기각판결을 선고하여야 한다는 취지
의 판례이다.(대법원 2016. 1. 28. 2015도15669 상습강제추행죄 신설 사건)

㉢ [×] 아청법상 공개명령 제도는 범죄행위를 한 자에 대한 응보 등을 목적으로 그 책임을 추궁하는 사후적
처분인 형벌과 구별되어 그 본질을 달리하는 것으로서 형벌에 관한 소급입법금지의 원칙이 그대로 적용되지
않으므로, **공개명령 제도가 시행된 2010. 1. 1. 이전에 범한 범죄에도 공개명령 제도를 적용하도록 아청법
이 개정되었다고 하더라도 그것이 소급입법금지의 원칙에 반한다고 볼 수 없다.**(대법원 2011. 3. 24. 2010
도14393)

㉣ [O] 도로교통법 제148조의2 제1항 제1호에서 정하고 있는 '도로교통법 제44조 제1항을 2회 이상 위반한'
것에 개정된 도로교통법이 시행된 2011. 12. 9. 이전에 **구 도로교통법(2011. 6. 8. 법률 제10790호로 개
정되기 전의 것) 제44조 제1항을 위반한 음주운전 전과까지 포함되는 것으로 해석하는 것이 형벌불소급의
원칙이나 일사부재리의 원칙 또는 비례의 원칙에 위배된다고 할 수 없다.**(대법원 2012. 11. 29. 2012도
10269 음주운전 삼진아웃사건 I)

◎ [×] 법관이 형을 양정함에 있어서 참고할 수 있는 자료에 달리 제한이 있는 것도 아닌 터에 법원이 **양형기준**이 발효하기 전에 공소가 제기된 범죄에 관하여 형을 양정함에 있어서 양형기준을 참고자료로 삼았다고하여 피고인에게 불리한 법률을 소급하여 적용한 위법이 있다고 할 수 없다.(대법원 2009. 12. 10. 2009도11448 양형기준 소급적용 사건)

023 죄형법정주의에 대한 설명으로 가장 적절하지 않은 것은? (다툼이 있으면 판례에 의함)

17 경찰채용 [Essential ★]

① 구성요건이 신설된 상습강제추행죄가 시행되기 이전의 범행은 상습강제추행죄로는 처벌할 수 없고 행위시법에 기초하여 강제추행죄로 처벌할 수 있을 뿐이며, 이 경우 그 소추요건도 상습강제추행죄에 관한 것이 아니라 강제추행죄에 관한 것이 구비되어야 한다.

② 허위로 신고한 사실이 무고행위 당시 형사처분의 대상이 될 수 있었던 경우에는 무고죄는 기수에 이르고, 이후 그러한 사실이 형사범죄가 되지 않는 것으로 판례가 변경되었더라도 특별한 사정이 없는 한 이미 성립한 무고죄에는 영향을 미치지 않는다.

③ 가정폭력범죄의 처벌 등에 관한 특례법상 사회봉사명령을 부과하면서, 행위시법상 사회봉사명령 부과시간의 상한인 100시간을 초과하여 상한을 200시간으로 올린 신법을 적용한 것은 위법하다.

④ 「외국환거래법」 제30조가 규정하는 몰수·추징의 대상은 범인이 해당 행위로 인하여 취득한 외국환 기타 지급수단 등을 뜻하고, 이는 범인이 외국환거래법에서 규제하는 행위로 인하여 취득한 외국환 등이 있을 때 이를 몰수하거나 추징한다는 취지이나, 여기서 취득이란 해당 범죄행위로 인하여 결과적으로 이를 취득한 때를 말한다고 제한적으로 해석할 필요는 없다.

해설

④ [×] 외국환거래법 제30조가 규정하는 몰수·추징의 대상은 범인이 해당 행위로 인하여 취득한 외국환 기타 지급수단 등을 뜻하고, 이는 범인이 외국환거래법에서 규제하는 행위로 인하여 취득한 외국환 등이 있을 때 이를 몰수하거나 추징한다는 취지로서, 여기서 **취득이란 해당 범죄행위로 인하여 결과적으로 이를 취득한 때를 말한다고 제한적으로 해석함이 타당**하다.(대법원 2017. 5. 31. 2013도8389)

① [○] 피고인이 신설된 구성요건인 상습강제추행죄 시행 전에 ⓐ, ⓑ의 강제추행을 하고, 시행 후에 ⓒ, ⓓ, ⓔ의 강제추행을 하였는데, 검사가 ⓐ부터 ⓔ를 포괄하여 상습강제추행죄로 공소제기한 경우, 법원은 ⓒ, ⓓ, ⓔ 부분만을 상습강제추행죄로 처벌할 수 있을 뿐, ⓐ, ⓑ는 **상습강제추행죄로 처벌할 수 없고 강제추행죄로만 처벌할 수 있으나** 만약 ⓐ, ⓑ에 대하여 피해자의 고소가 없으면 공소기각판결을 선고하여야 한다는 취지의 판례이다.(대법원 2016. 1. 28. 2015도15669 상습강제추행죄 신설 사건)

② [○] 허위로 신고한 사실이 무고행위 당시 형사처분의 대상이 될 수 있었던 경우에는 국가의 형사사법권의 적정한 행사를 그르치게 할 위험과 부당하게 처벌받지 않을 개인의 법적 안정성이 침해될 위험이 이미 발생하였으므로 무고죄는 기수에 이르고, 이후 그러한 사실이 형사범죄가 되지 않는 것으로 **판례가 변경되었다고 하더라도** 특별한 사정이 없는 한 이미 성립한 무고죄에는 영향을 미치지 않는다.(대법원 2017. 5. 30. 2015도15398 고소 후 판례변경 사건)

③ [○] (1) 가폭법상 **사회봉사명령**은 가정폭력범죄행위에 대하여 형사처벌 대신 부과되는 것으로서 가정폭력범죄를 범한 자에게 의무적 노동을 부과하고 여가시간을 박탈하여 실질적으로는 신체적 자유를 제한하게 되므로 이에 대하여는 원칙적으로 형벌불소급의 원칙에 따라 행위시법을 적용함이 상당하다. (2) 법원이 가정폭력행위자에게 사회봉사명령을 부과하면서, 행위시법상 사회봉사명령 부과시간의 상한인 100시간을 초과하여 상한을 200시간으로 올린 신법을 적용한 것은 위법하다.(대법원 2008. 7. 24. 2008어4 사회봉사 200시간 사건)

024

죄형법정주의에 관한 설명 중 가장 옳은 것은? (다툼이 있으면 판례에 의함) 19 경찰간부 [Essential ★]

① 성문법률주의란 범죄와 형벌은 성문의 법률로 규정되어야 한다는 원칙을 말하며 여기서의 법률은 형식적 의미의 법률을 의미한다.

② '기업구매전용카드'를 이용하여 물품의 판매 등 방법으로 자금을 융통한 경우에 여신전문금융업법 상 '신용카드'의 이용에 해당한다.

③ 구 식품위생법 제11조 제2항이 과대광고 등의 범위 및 기타 필요한 사항을 보건복지부령에 위임하고 있는 것은 과대광고 등으로 인한 형사처벌에 관한 내용을 법률이 아닌 시행령에 규정하고 있다고 판단되므로 위임입법의 한계를 벗어난 것으로 죄형법정주의에 반한다.

④ 구 특정 범죄자에 대한 위치추적 전자장치 부착 등에 관한 법률(2012. 12. 18. 개정되기 전의 것) 제5조 제1항 제3호는, 검사가 전자장치 부착명령을 법원에 청구할 수 있는 경우 중의 하나로 '성폭력범죄를 2회 이상 범하여(유죄의 확정판결을 받은 경우를 포함한다) 그 습벽이 인정된 때'라고 규정하고 있는바, 피부착명령청구자가 소년법에 의한 보호처분을 받은 전력이 이에 해당한다고 보더라도 죄형법정주의에 위배되지 않는다.

해설

① [○] '법률이 없으면 범죄도 없고 형벌도 없다'라는 말로 표현되는 죄형법정주의는 법치주의, 국민주권 및 권력분립의 원리에 입각한 것으로서 일차적으로 무엇이 범죄이며 그에 대한 형벌이 어떠한 것인가는 반드시 국민의 대표로 구성된 입법부가 제정한 성문의 법률로써 정하여야 한다는 원칙이고, 헌법도 제12조 제1항 후단에 '법률과 적법한 절차에 의하지 아니하고는 처벌을 받지 아니한다'라고 규정하여 죄형법정주의를 천명하고 있는바, 여기서 말하는 '**법률**'이란 입법부에서 제정한 형식적 의미의 법률을 의미한다.(헌법재판소 1998. 3. 26. 96헌가20)

② [×] 피고인이 '기업구매전용카드'를 이용하여 물품판매 또는 용역제공을 가장하여 거래하는 방법으로 자금을 융통하였다고 하여 구 여신전문금융업법 제70조 제2항 제2호 (가)목에서 정한 '**신용카드에 의한 거래**'로 보기

어렵다.(대법원 2013. 7. 26. 2012도4438 **기업구매카드 사건Ⅱ**) 기업구매전용카드는 일반적인 신용카드처럼 실물 카드가 발급되는 것이 아니라 구매회사가 그 카드거래계약에 의한 대금결제를 할 수 있도록 하는 카드번 호만을 부여하는 형태의 지급결제수단이다.

③ [×] 식품위생법 제11조 제2항이 과대광고 등의 범위 및 기타 필요한 사항을 보건복지부령에 위임하고 있는 것은 과대광고 등으로 인한 형사처벌에 관련된 법규의 내용을 빠짐없이 형식적 의미의 법률에 의하여 규정한다 는 것은 사실상 불가능하다는 고려에서 비롯된 것이므로 **위임입법의 한계나 죄형법정주의에 위반된 것이라고 볼 수는 없다.**(대법원 2002. 11. 26. 2002도2998)

④ [×] (1) 피부착명령청구자가 소년보호처분을 받은 전력이 있다고 하더라도 이는 유죄의 확정판결을 받은 경 우에 해당하지 아니함이 명백하므로 **피부착명령청구자가 2회 이상 성폭력범죄를 범하였는지를 판단할 때 소년보호처분을 받은 전력을 고려할 것이 아니다.** (2) 피부착명령청구자가 피고사건 범죄사실인 강간상해죄 를 1회 범한 것 외에 과거에 성폭력범죄로 소년보호처분을 받은 사실이 있다는 사유만으로는 '성폭력범죄를 2회 이상 범한 경우'에 해당하지 않는다.(대법원 2012. 3. 22. 2011도15057 순습 **보호처분과 전자발찌 사건**)

025 다음 판례 중 유추해석금지 원칙에 위반되는 것은 모두 몇 개인가? 17 경찰간부 [Superlative ★★★]

□□□

> ㉠ 공직선거 및 선거부정방지법의 자수를 범행발각 전에 자수한 경우로 한정해석한 경우
> ㉡ 타인에 의해 이미 생성된 주민등록번호를 단순히 사용한 것을 허위의 주민등록번호를 생성하 여 자기 또는 다른 사람의 재물이나 재산상의 이익을 위해 사용한 것으로 보는 경우
> ㉢ 친고죄에 관한 고소의 주관적 불가분원칙을 규정하고 있는 형사소송법 제233조가 공정거래 위원회의 고발에도 유추적용된다고 해석하는 경우
> ㉣ '지방세에 관한 범칙행위에 대하여는 조세범처벌법령을 준용한다'고 규정하고 있는 지방세법 제84조 제1항의 '조세범처벌법령'에 특정범죄가중처벌 등에 관한 법률도 포함된다고 해석하 는 경우

① 1개　　　　　　　　　　　　② 2개

③ 3개　　　　　　　　　　　　④ 4개

해설

④ 모든 항목이 유추해석금지의 원칙에 위반된다.

㉠ (1) 공직선거법 제262조의 '자수'를 '범행발각 전에 자수한 경우'로 한정하는 풀이는 '자수'라는 단어가 통상 관용적으로 사용되는 용례에서 갖는 개념 외에 '범행발각 전'이라는 또다른 개념을 추가하는 것으로서 결국은 언어의 가능한 의미를 넘어선 것이라 할 것이므로 (2) 원심이, **공직선거법 제262조의 자수를 범행발각 전에 한 것에 한정되는 것으로 해석하여 피고인의 자진출두 및 범죄신고 행위가 자수에 해당하지 아니한다고 판**

단한 것은 죄형법정주의의 파생원칙인 유추해석금지의 원칙에 위반하고 공직선거법 제262조의 자수에 관한 법리를 오해하여 판결의 결과에 영향을 미친 위법을 저지른 것이라고 할 것이다.(대법원 1997. 3. 20. 96도1167 숲合 공직선거법 자수 사건)

ⓛ 피고인이 허위의 주민등록번호를 생성하여 사용한 것이 아니라 **타인에 의하여 이미 생성된 주민등록번호를 단순히 사용한 것에 불과하다면**, 이러한 행위는 '허위의 주민등록번호를 생성하여' 자기 또는 다른 사람의 재물이나 재산상의 이익을 위하여 이를 사용한 자를 처벌하는 **주민등록법 제21조 제2항 제3호에 해당하지 아니한다.**(대법원 2004. 2. 27. 2003도6535)

ⓒ 친고죄에 관한 **고소의 주관적 불가분원칙을 규정하고 있는 형사소송법 제233조가 공정거래위원회의 고발에도 유추적용된다고 해석한다면** 이는 공정거래위원회의 고발이 없는 행위자에 대해서까지 형사처벌의 범위를 확장하는 것으로서 **허용될 수 없다.**(대법원 2010. 9. 30. 2008도4762 합성수지 담합 사건)

ⓔ 특가법은 제1조에서 '이 법은 형법·관세법·조세범처벌법·산림법 및 마약법에 규정된 특정범죄에 대한 가중처벌 등을 규정함으로써~'고 규정할 뿐, 지방세법 위반죄를 가중처벌 대상에 포함시키지 않고 있으므로 **지방세법 제84조 제1항의 '조세범처벌법령'에 특가법도 포함된다고 해석하는 것은 허용되지 않는다.**(대법원 2008. 3. 27. 2007도7561)

026 죄형법정주의에 관한 설명 중 옳지 않은 것은? (다툼이 있으면 판례에 의함) 17 변호사 [Core ★★]

□□□

① 블로그 등 사적 인터넷 게시공간의 운영자가 게시공간에 게시된 이적표현물인 타인의 글을 삭제할 권한이 있는데도 이를 삭제하지 않고 그대로 둔 경우, 그 운영자의 행위를 「국가보안법」 제7조 제5항의 '소지'로 보는 것은 유추해석금지원칙에 반한다.

② 구 「특정 범죄자에 대한 위치추적 전자장치 부착 등에 관한 법률」 제5조 제1항 제3호에서 부착명령청구 요건으로 정한 '성폭력범죄를 2회 이상 범하여(유죄의 확정판결을 받은 경우를 포함한다)'에 「소년법」에 의한 보호처분을 받은 전력'이 포함된다고 보는 것은 유추해석금지원칙에 반하지 않는다.

③ 「가정폭력범죄의 처벌 등에 관한 특례법」이 정한 사회봉사명령은 형사처벌 대신 부과되는 것으로서 가정폭력범죄를 범한 자에게 의무적 노동을 부과하고 여가시간을 박탈하여 실질적으로 신체적 자유를 제한하게 되므로, 이에 대해서는 형벌불소급원칙이 적용된다.

④ 구 「청소년의 성보호에 관한 법률」 제16조의 반의사불벌죄의 경우 성범죄의 피해자인 청소년에게 의사능력이 있는 이상, 그 청소년의 처벌희망 의사표시의 철회에 법정대리인의 동의가 필요하다고 보는 것은 유추해석금지원칙에 반한다.

⑤ 「도로교통법」 제154조 제2호의 '원동기장치자전거면허를 받지 아니하고'라는 법률문언의 통상적인 의미에는 '운전면허를 받았으나 그 후 운전면허의 효력이 정지된 경우'가 포함된다고 해석할 수 없다.

해설

② [×] 피부착명령청구자가 소년법에 의한 보호처분을 받은 전력이 있다고 하더라도, 이는 유죄의 확정판결을 받은 경우에 해당하지 아니함이 명백하므로 **피부착명령청구자가 2회 이상 성폭력범죄를 범하였는지를 판단함에 있어 그 소년보호처분을 받은 전력을 고려할 것이 아니다.**(대법원 2012. 3. 22. 2011도15057 **소급 보호처분과 전자발찌 사건**)

① [○] 블로그, 미니 홈페이지, 카페 등의 이름으로 개설된 사적 인터넷 게시공간의 운영자가 게시된 타인의 글을 삭제할 권한이 있음에도 이를 삭제하지 아니하고 그대로 두었다고 하더라도 그 운영자가 그 타인의 글을 국가보안법 제7조 제5항에서 규정하는 바와 같이 '소지'하였다고 볼 수 없다.(대법원 2012. 1. 27. 2010도8336 **다음카페 사이버한국방위사령부 사건**)

③ [○] (1) 가폭법상 **사회봉사명령**은 가정폭력범죄행위에 대하여 형사처벌 대신 부과되는 것으로서 가정폭력범죄를 범한 자에게 의무적 노동을 부과하고 여가시간을 박탈하여 실질적으로는 신체적 자유를 제한하게 되므로 이에 대하여는 원칙적으로 **형벌불소급의 원칙에 따라 행위시법을 적용함이 상당하다.** (2) 법원이 가정폭력행위자에게 사회봉사명령을 부과하면서, 행위시법상 사회봉사명령 부과시간의 상한인 100시간을 초과하여 상한을 200시간으로 올린 신법을 적용한 것은 위법하다.(대법원 2008. 7. 24. 2008어4 **사회봉사 200시간 사건**)

④ [○] 반의사불벌죄에 있어 명문의 근거 없이 처벌을 희망하지 않는다는 의사표시에 피해자의 법정대리인의 **동의가 필요하다고 보는 것은** 유추해석에 의하여 소극적 소송조건의 요건을 제한하고 피고인 또는 피의자에 대한 처벌가능성의 범위를 확대하는 결과가 되어 죄형법정주의 내지 거기에서 파생된 **유추해석금지의 원칙에도 반한다.**(대법원 2009. 11.19. 2009도6058 **소급 14세 가출녀 강간사건**)

⑤ [○] '운전면허를 받지 아니하고'라는 법률문언의 통상적인 의미에 '운전면허를 받았으나 그 후 운전면허의 **효력이 정지된 경우'가 당연히 포함된다고는 해석할 수 없다.**(대법원 2011. 8. 25. 2011도7725 **오토바이 면허정지사건**)

027 죄형법정주의에 대한 설명으로 옳지 않은 것은? (다툼이 있으면 판례에 의함)

24 국가9급 [Superlative ★★★]

① 의료법인 명의로 개설된 의료기관의 개설자격 위반 여부를 판단할 때 비의료인의 주도적 자금 출연 내지 주도적 관여 사정만을 근거로 비의료인이 실질적으로 의료기관을 개설·운영하였다고 판단하였다면 이는 허용되는 행위와 허용되지 않는 행위를 구별할 수 있는 기준에 따라 판단한 것으로서 죄형법정주의 원칙에 반하지 않는다.

② 범죄의 성립과 처벌에 관하여 규정한 형벌법규 자체 또는 그로부터 수권 내지 위임을 받은 법령의 변경에 따라 범죄를 구성하지 아니하게 되거나 형이 가벼워진 경우에는 종전 법령이 범죄로 정하여 처벌한 것이 부당하였다거나 과형이 과중하였다는 반성적 고려에 따라 변경된 것인지 여부를 따지지 않고 원칙적으로 형법 제1조 제2항이 적용된다.

③ 가정폭력범죄의 처벌 등에 관한 특례법이 정한 보호처분 중 하나인 사회봉사명령은 가정폭력 범죄행위에 대하여 형사처벌 대신 부과되는 것으로서, 가정폭력범죄를 범한 자에게 의무적 노동을 부과하고 여가시간을 박탈하여 실질적으로는 신체적 자유를 제한하게 되므로 이에 대하여는 원칙적으로 형벌불소급의 원칙에 따라 행위시법을 적용함이 상당하다.

④ 유기징역형에 대한 법률상 감경을 하면서 형법 제55조 제1항 제3호에서 정한 것과 같이 장기와 단기를 모두 2분의 1로 감경하는 것이 아닌 장기 또는 단기 중 어느 하나만을 2분의 1로 감경하는 방식이나 2분의 1보다 넓은 범위의 감경을 하는 방식 등은 죄형법정주의 원칙상 허용될 수 없다.

해설

① [×] 의료법인 명의로 개설된 의료기관의 경우 의료인의 자격이 없는 일반인(이하 '비의료인'이라 한다)의 주도적 출연 내지 주도적 관여만을 근거로 비의료인이 의료기관을 개설·운영한 것으로 평가하기 어렵다. 비의료인이 의료기관의 개설·운영 등에 필요한 자금 전부 또는 대부분을 의료법인에 출연하거나 의료법인 임원의 지위에서 의료기관의 개설·운영에 주도적으로 관여하는 것은 의료법인의 본질적 특성에 기초한 것으로서 의료법인의 의료기관 개설·운영을 허용한 의료법에 근거하여 비의료인에게 허용된 행위이다. **비의료인의 주도적 자금 출연 내지 주도적 관여 사정만을 근거로 비의료인이 실질적으로 의료기관을 개설·운영하였다고 판단할 경우 허용되는 행위와 허용되지 않는 행위의 구별이 불명확해져 죄형법정주의 원칙에 반할 수 있다.** 따라서 의료법인 명의로 개설된 의료기관을 실질적으로 비의료인이 개설·운영하였다고 판단하려면 비의료인이 의료법인 명의 의료기관의 개설·운영에 주도적으로 관여하였다는 점을 기본으로 하여, 비의료인이 외형상 형태만을 갖추고 있는 의료법인을 탈법적인 수단으로 악용하여 적법한 의료기관 개설·운영으로 가장하였다는 사정이 인정되어야 한다.(대법원 2023. 7. 17. 2017도1807 全合 **의료법인 개설 병원 사건**)

② [○] 범죄 후 법률이 변경되어 그 행위가 범죄를 구성하지 아니하게 되거나 형이 구법보다 가벼워진 경우에는 신법에 따라야 하고(형법 제1조 제2항), 범죄 후의 법령 개폐로 형이 폐지되었을 때는 판결로써 면소의 선고를 하여야 한다(형사소송법 제326조 제4호). 이러한 형법 제1조 제2항과 형사소송법 제326조 제4호의 규정은 입법자가 법령의 변경 이후에도 종전 법령 위반행위에 대한 형사처벌을 유지한다는 내용의 경과규정을 따로 두지 않는 한 그대로 적용되어야 한다. 따라서 범죄의 성립과 처벌에 관하여 규정한 형벌법규 자체 또는 그로부터 수권 내지 위임을 받은 법령의 변경에 따라 범죄를 구성하지 아니하게 되거나 형이 가벼워진 경우에는 종전

법령이 범죄로 정하여 처벌한 것이 부당하였다거나 과형이 과중하였다는 반성적 고려에 따라 변경된 것인지 여부를 따지지 않고 원칙적으로 형법 제1조 제2항과 형사소송법 제326조 제4호가 적용된다. 형벌법규가 대통령령, 총리령, 부령과 같은 법규명령이 아닌 고시 등 행정규칙·행정명령, 조례 등(이하 '고시 등 규정'이라고 한다)에 구성요건의 일부를 수권 내지 위임한 경우에도 이러한 고시 등 규정이 위임입법의 한계를 벗어나지 않는 한 형벌법규와 결합하여 법령을 보충하는 기능을 하는 것이므로 그 변경에 따라 범죄를 구성하지 아니하게 되거나 형이 가벼워졌다면 마찬가지로 형법 제1조 제2항과 형사소송법 제326조 제4호가 적용된다.(대법원 2022. 12. 22. 2020도16420 全合 동기설 폐기 사건)

③ [○] (1) **가폭법상 사회봉사명령**은 가정폭력범죄행위에 대하여 형사처벌 대신 부과되는 것으로서 가정폭력범죄를 범한 자에게 의무적 노동을 부과하고 여가시간을 박탈하여 실질적으로는 신체적 자유를 제한하게 되므로 이에 대하여는 원칙적으로 **형벌불소급의 원칙에 따라 행위시법을 적용함이 상당하다.** (2) 법원이 가정폭력행위자에게 사회봉사명령을 부과하면서, 행위시법상 사회봉사명령 부과시간의 상한인 100시간을 초과하여 상한을 200시간으로 올린 신법을 적용한 것은 위법하다.(대법원 2008. 7. 24. 2008어4 사회봉사 200시간 사건)

④ [○] 유기징역형에 대한 법률상 감경을 하면서 형법 제55조 제1항 제3호에서 정한 것과 같이 장기와 단기를 모두 2분의 1로 감경하는 것이 아닌 장기 또는 단기 중 어느 하나만을 2분의 1로 감경하는 방식이나 **2분의 1보다 넓은 범위의 감경을 하는 방식 등은 죄형법정주의 원칙상 허용될 수 없다.**(대법원 2021. 1. 21. 2018도5475 全合 임의적 감경 새로운 해석론 사건)

---

028 **유추해석(적용)금지원칙에 위반되는 경우만을 모두 고른 것은? (다툼이 있으면 판례에 의함)**

16 국가9급 [Core ★★]

⊙ 구 음반·비디오물 및 게임물에 관한 법률 이 금지하는 '문화관광부장관이 정하여 고시하는 방법에 의하지 아니하고 경품을 제공하는 행위'에 게임제공업자가 제공된 경품을 재매입하는 행위가 해당한다고 보는 경우

ⓛ 국가보안법 제7조 제1항, 제5항의 '소지'에 '블로그' 등의 이름으로 개설된 사적 인터넷 게시공간의 운영자가 사적 인터넷 게시공간에 게시된 타인의 글을 삭제하지 아니하고 그대로 둔 행위를 '소지'에 해당한다고 보는 경우

ⓒ 정보통신망 이용촉진 및 정보보호 등에 관한 법률에서 금지하는 '정보통신망에 의하여 처리·보관 또는 전송되는 타인의 정보를 훼손하는 등의 행위'에서 '타인'을 생존하는 개인뿐만 아니라 이미 사망한 자도 포함된다고 보는 경우

ⓡ 구 형법 제347조의2의 컴퓨터등사용사기죄의 '부정한 명령을 입력하는 행위'에 타인의 인적사항을 도용하여 타인 명의로 발급받은 신용카드의 번호와 그 비밀번호를 인터넷 사이트에 입력함으로써 재산상 이익을 취득한 행위가 해당한다고 보는 경우

① ⊙ⓛ   ② ⓛⓡ   ③ ⊙ⓛⓡ   ④ ⊙ⓒ ⓡ

정답 | 027 ①   028 ①

해설

① ㉠㉢ 2 항목이 죄형법정주의 파생원칙인 유추해석금지의 원칙에 위반된다.

㉠ '제공된 경품을 재매입하는 행위'를 구 음비법 제50조 제3호 소정의 제32조 제3호에서 금지하는 '문화관광부장관이 정하여 고시하는 방법에 의하지 아니하고 **경품을 제공하는 행위**'에 해당한다고 **볼 수 없다.**(대법원 2007. 6. 28. 2007도873)

㉡ 블로그, 미니 홈페이지, 카페 등의 이름으로 개설된 사적 인터넷 게시공간의 **운영자가 게시된 타인의 글을 삭제할 권한이 있음에도 이를 삭제하지 아니하고 그대로 두었다고 하더라도** 그 운영자가 그 타인의 글을 국가보안법 제7조 제5항에서 규정하는 바와 같이 '**소지**'하였다고 볼 수 없다.(대법원 2012. 1. 27. 2010도8336 다음카페 사이버한국방위사령부 사건)

㉢ 정보통신망에 의하여 처리·보관 또는 전송되는 타인의 정보를 훼손하거나 타인의 비밀을 침해·도용 또는 누설하는 행위를 금지·처벌하는 규정인 정보통신망법 제49조 및 제62조 제6호의 '타인'에는 생존하는 개인뿐만 아니라 이미 사망한 자도 포함된다.(대법원 2007. 6. 14. 2007도2162 사망자 주민번호 전송사건)

㉣ (1) 권한 없는 자에 의한 명령 입력행위를 '명령을 부정하게 입력하는 행위' 또는 '**부정한 명령을 입력하는 행위**'에 포함된다고 해석하는 것이 그 문언의 통상적인 의미를 벗어나는 것이라고 할 수도 없다. (2) 피고인 甲이 인터넷사이트 한국신용정보 주식회사에 A 명의로 접속하여 그의 신용정보 조회를 하면서 마치 A인 것처럼 자신이 부정발급받은 A 명의의 삼성스카이패스 카드의 카드번호와 비밀번호 등을 입력하고 그 사용료 2,000원을 지급하도록 부정한 명령을 입력하여 정보처리를 하게 하고 그 금액 상당의 재산상 이익을 취득한 경우 컴퓨터등사용사기죄가 성립한다.(대법원 2003. 1. 10. 2002도2363 신용정보 조회사건)

029 유추해석(적용)금지의 원칙에 관한 설명 중 가장 적절하지 않은 것은? (다툼이 있으면 판례에 의함)

22 경찰채용 [Essential ★]

① 위법성조각사유처럼 피고인에게 유리한 규정의 범위를 제한적으로 유추적용하게 되면 행위자의 가벌성의 범위가 확대되므로 이는 가능한 문언의 의미를 넘어 범죄구성요건을 유추적용하는 것과 같은 결과가 초래되어 허용될 수 없다.

② 형벌법규의 적용대상이 행정법규가 규정한 사항을 내용으로 하는 경우 그 행정법규를 해석함에 있어서는 유추해석 금지의 원칙이 적용되지 아니한다.

③ 유추해석은 피고인에게 유리한 경우에는 가능한 것이나 문리를 넘어서는 이러한 해석은 그렇게 해석하지 아니하면 그 결과가 현저히 형평과 정의에 반하거나 심각한 불합리가 초래되는 경우에 한하여 가능하다.

④ 「공직선거법」 제262조의 '자수'를 통상 관용적으로 사용되는 용례에서 갖는 개념 외에 '범행 발각 전'이라는 또 다른 개념을 추가하는 것은 형 면제 사유에 대한 제한적 유추를 통해 처벌 범위를 실정법 이상으로 확대하게 되어 유추해석 금지의 원칙에 반한다.

해설

② [×] 형벌법규의 해석은 엄격하여야 하고, 명문규정의 의미를 피고인에게 불리한 방향으로 지나치게 확장해석하거나 유추해석하는 것은 죄형법정주의의 원칙에 어긋나는 것으로서 허용되지 않으며, 이러한 법해석의 원리는 그 형벌법규의 적용대상이 행정법규가 규정한 사항을 내용으로 하고 있는 경우에 그 행정법규의 규정을 해석하는 데에도 마찬가지로 적용된다.(대법원 2021. 11. 25. 2021도10981 미승인 입주자 모집 사건)

① [○] 위법성조각사유처럼 피고인에게 유리한 규정의 범위를 제한적으로 유추적용하게 되면 행위자의 가벌성의 범위가 확대되므로 이는 가능한 문언의 의미를 넘어 범죄구성요건을 유추적용하는 것과 같은 결과가 초래되어 허용될 수 없다.(대법원 1997. 3. 20. 96도1167 全合 공직선거법 자수 사건)

③ [○] 유추해석은 피고인에게 유리한 경우에는 가능한 것이나 문리를 넘어서는 이러한 해석은 그렇게 해석하지 아니하면 그 결과가 현저히 형평과 정의에 반하거나 심각한 불합리가 초래되는 경우에 한하여 가능하다.(대법원 2004. 11. 11. 2004도4049 공직선거법 조문 사건)

④ [○] 「공직선거법」 제262조의 '자수'를 통상 관용적으로 사용되는 용례에서 갖는 개념 외에 '범행 발각전'이라는 또 다른 개념을 추가하는 것은 형 면제 사유에 대한 제한적 유추를 통해 처벌범위를 실정법 이상으로 확대하게 되어 유추해석 금지의 원칙에 반한다.(대법원 1997. 3. 20. 96도1167 全合 공직선거법 자수 사건)

030 죄형법정주의에 대한 다음 설명 중 옳은 것은 모두 몇 개인가? (다툼이 있으면 판례에 의함)

□□□
16 경찰채용 [Core ★★]

㉠ 의사가 환자와 대면하지 아니하고 전화나 화상 등을 이용하여 환자의 용태를 스스로 듣고 판단하여 처방전 등을 발급한 행위는 구 의료법상 '직접 진찰한 의사'가 아닌 자가 처방전 등을 발급한 경우에 해당한다.

㉡ 「특정 범죄자에 대한 보호관찰 및 위치추적 전자장치 부착 등에 관한 법률」 제5조 제1항 제3호는 검사가 전자장치 부착명령을 법원에 청구할 수 있는 경우 중의 하나로 '성폭력 범죄를 2회 이상 범하여(유죄의 확정판결을 받은 경우를 포함한다) 그 습벽이 인정된 때'라고 규정하고 있는데, 피부착명령청구자가 2회 이상 성폭력범죄를 범하였는지를 판단할 때 소년보호처분을 받은 전력을 고려하는 것은 죄형법정주의에 위반되므로 허용되지 아니한다.

㉢ 형법(1953. 9. 18. 법률 제293호로 제정된 것) 제125조(폭행, 가혹행위) 중 '경찰에 관한 직무를 행하는 자 또는 이를 보조하는 자가 그 직무를 행함에 당하여 형사피의자 또는 기타 사람에 대하여 폭행을 가한 때'와 관련된 부분은 죄형법정주의의 명확성의 원칙에 위반된다.

㉣ '아동의 덕성을 심히 해할 우려가 있는 도서, 간행물, 광고물, 기타의 내용물의 제작 등의 행위'를 금지하고 이를 위반하는 자를 처벌하는 구 아동복지법 제18조 제11호, 제34조 제4호는 명확성의 원칙에 반한다.

---

① 1개　　　　② 2개　　　　③ 3개　　　　④ 4개

해설

② ⓛⓔ 2 항목이 옳다.

ⓐ [×] 의료법 제17조 제1항[개정법 제18조 제1항]은 스스로 진찰을 하지 않고 처방전을 발급하는 행위를 금지하는 규정일 뿐 대면진찰을 하지 않았거나 충분한 진찰을 하지 않은 상태에서 처방전을 발급하는 행위 일반을 금지하는 조항이 아니다. 따라서 **전화 진찰을 하였다는 사정만으로 '자신이 진찰'하거나 '직접 진찰'을 한 것이 아니라고 볼 수는 없다.**(대법원 2013. 4. 11. 2010도1388 전화진찰 사건Ⅰ)

ⓑ [○] 피부착명령청구자가 소년법에 의한 보호처분을 받은 전력이 있다고 하더라도, 이는 유죄의 확정판결을 받은 경우에 해당하지 아니함이 명백하므로 피부착명령청구자가 **2회 이상 성폭력범죄를 범하였는지를 판단함에 있어 그 소년보호처분을 받은 전력을 고려할 것이 아니다.**(대법원 2012. 3. 22. 2011도15057 솔수 보호처분과 전자발찌 사건)

ⓒ [×] '경찰에 관한 직무를 행하는 자 또는 이를 보조하는 자'에 형사소송법상의 사법경찰관과 사법경찰리가 포함되고, '폭행'은 사람의 신체에 대한 물리적 유형력의 행사를 뜻하는 것으로 명확하게 해석된다.
또한 '형사피의자'는 형사소송법상의 피의자를 뜻하는 것임이 분명하고, '기타 사람'도 형사피의자를 제외한 피고인과 참고인, 증인 등과 같이 수사 또는 재판에서 심문이나 조사의 대상이 되는 모든 사람을 뜻한다고 충분히 이해된다. '그 직무를 행함에 당하여'라 함은 '경찰 등이 그 직무를 행하는 기회'라는 뜻으로 해석되는바, 이런 해석이 다소 포괄적이라도 경찰 등의 직무와 폭행 사이에 객관적 관련성을 요구하는 것으로 해석되므로 그 내용이 불명확하여 처벌범위를 자의적으로 확장시킨다고 볼 수도 없다. 경찰관 직무집행법 및 관련 법령에 따른 정당한 유형력 행사는 정당행위가 되어 처벌받지 아니하고, 판례도 축적되어 있어 형법 제125조에 따라 처벌되는 행위와 정당한 유형력행사의 구별이 가능하다. 따라서 **형법 제125조는 죄형법정주의의 명확성원칙에 위반되지 않는다.**(헌법재판소 2015. 3. 26. 2013헌바140)

ⓓ [○] 아동복지법 조항의 "어질고 너그러운 품성"을 뜻하는 '덕성'이라는 개념은 도덕이나 윤리가 품성으로 인격화된 것을 의미한다 할 것인바, 도덕이나 윤리는 국민 개개인마다 역사인식이나 종교관, 가치규범에 따라 자율적인 구속력을 지닌 내면적인 당위(當爲)로서 일의적으로 확정된 의미를 가진다고 보기 어려우므로 그 적용범위의 한계가 명확하다고 할 수 없고, 이에 덧붙인 "심히 해할 우려"라는 요소까지 고려하면 과연 무엇을 기준으로 그 덕성을 심히 해하는 경우와 다소 해하기는 하지만 심히 해하는 정도에까지 이르지 못하는 경우를 나눌 수 있을지 알 수 없으며, 나아가 심히 해하는 정도에까지 이르지 못하는 경우 중에서도 심히 해하지는 않을까 하는 우려가 인정되는 경우와 그러한 우려가 인정되지 않는 경우를 다시 나누는 것도 어렵다. 그러므로, 이 사건 아동복지법 조항 역시 법관의 보충적인 해석을 통하여도 그 규범내용이 확정될 수 없는 모호하고 막연한 개념을 사용함으로써 그 적용범위를 법집행기관의 자의적인 판단에 맡기고 있으므로, 죄형법정주의에서 파생된 명확성의 원칙에 위배된다.(헌법재판소 2002. 2. 28. 99헌가8)

031 죄형법정주의에 관한 다음 설명 중 옳은 것은 모두 몇 개인가? (다툼이 있으면 판례에 의함)

⬚⬚⬚

> ㉠ 가정폭력범죄의 처벌 등에 관한 특례법상 사회봉사명령을 부과하면서, 행위시법상 사회봉사명령 부과시간의 상한인 100시간을 초과하여 상한을 200시간으로 올린 신법을 적용한 것은 위법하다.
>
> ㉡ 군사기밀 보호법 제11조가 군사기밀 탐지·수집행위의 법정형을 10년 이하의 징역으로 규정하고 있는 것과 달리 국가보안법 제4조 제1항 제2호 (나)목의 법정형이 사형·무기 또는 7년 이상의 징역으로 규정되어 있다는 등의 사정만으로 위 조항이 지나치게 무거운 형벌을 규정하여 책임주의 원칙에 반한다거나 법정형이 형벌체계상 균형을 상실하여 평등원칙에 위배되는 조항이라고 할 수 없으며, 법관의 양형 판단 및 결정권을 중대하게 침해하는 것이라고 볼 수도 없다.
>
> ㉢ 대법원 양형위원회가 설정한 '양형기준'이 발효하기 전에 공소가 제기된 범죄에 대하여 위 '양형기준'을 참고하여 형을 양정한 사안에서, 피고인에게 불리한 법률을 소급하여 적용한 위법이 있다고 할 수 없다.
>
> ㉣ 형벌법규의 해석에서 위법성 및 책임의 조각사유나 소추조건 또는 처벌조각사유인 형면제 사유에 관하여 그 범위를 제한적으로 유추적용하게 되면 행위자의 가벌성의 범위는 축소된다.

① 1개　　　　　　② 2개　　　　　　③ 3개　　　　　　④ 4개

해설

③ ㉠㉡㉢ 3 항목이 옳다.

㉠ [○] (1) **가폭법상 사회봉사명령**은 가정폭력범죄행위에 대하여 **형사처벌 대신 부과되는 것**으로서 가정폭력범죄를 범한 자에게 의무적 노동을 부과하고 여가시간을 박탈하여 실질적으로는 신체적 자유를 제한하게 되므로 이에 대하여는 원칙적으로 형벌불소급의 원칙에 따라 **행위시법을 적용함이 상당하다**. (2) 법원이 가정폭력행위자에게 사회봉사명령을 부과하면서, 행위시법상 사회봉사명령 부과시간의 상한인 100시간을 초과하여 상한을 200시간으로 올린 신법을 적용한 것은 위법하다.(대법원 2008. 7. 24. **2008어4 사회봉사 200시간 사건**)

㉡ [○] 군사기밀 보호법 제11조가 군사기밀 탐지·수집행위의 법정형을 10년 이하의 징역으로 규정하고 있는 것과 달리 이 사건 처벌규정인 **국가보안법 제4조 제1항 제2호 나목의 법정형이 사형·무기 또는 7년 이상의 징역**으로 규정되어 있다는 등의 사정만으로 위 조항이 지나치게 무거운 형벌을 규정하여 책임주의 원칙에 반한다거나 법정형이 형벌체계상 균형을 상실하여 평등원칙에 위배되는 조항이라고 할 수 없으며, **법관의 양형 판단 및 결정권**을 중대하게 침해하는 것이라고 볼 수도 없다.(대법원 2013. 7. 26. 2013도2511 **왕재산 간첩단 사건**)

㉢ [○] 법관이 형을 양정함에 있어서 참고할 수 있는 자료에 달리 제한이 있는 것도 아닌 터에 법원이 **양형기준**이 발효하기 전에 공소가 제기된 범죄에 관하여 형을 양정함에 있어서 양형기준을 참고자료로 삼았다고 하여 피고인에게 불리한 법률을 소급하여 적용한 위법이 있다고 할 수 없다.(대법원 2009. 12. 10. 2009도11448 **양형기준 소급적용 사건**)

정답 | 031 ③

ⓔ [×] 위법성 및 책임의 조각사유나 소추조건 또는 처벌조각사유인 형면제 사유에 관하여 그 범위를 제한적으로 유추적용하게 되면 행위자의 가벌성의 범위는 확대되어 행위자에게 불리하게 되는바, 이는 가능한 문언의 의미를 넘어 범죄구성요건을 유추적용하는 것과 같은 결과가 초래되므로 죄형법정주의의 파생원칙인 유추해석금지의 원칙에 위반하여 허용될 수 없다.(대법원 1997. 3. 20. 96도1167 슨슴 공직선거법 자수 사건)

032 죄형법정주의에 관한 설명 중 가장 적절하지 않은 것은? (다툼이 있으면 판례에 의함)
□□□
23 경찰채용 [Core ★★]

① 구 「정보통신망 이용촉진 및 정보보호 등에 관한 법률」에서 규정하는 '불안감'은 평가적·정서적 판단을 요하는 규범적 구성요건요소이고, '불안감'이란 개념이 사전적으로 '마음이 편하지 아니하고 조마조마한 느낌'이라고 풀이되고 있어 이를 불명확하다고 볼 수는 없으므로 위 규정 자체가 죄형법정주의에 반한다고 볼 수 없다.

② 형벌법규의 위임은 특히 긴급한 필요가 있거나 미리 법률로써 자세히 정할 수 없는 부득이한 사정이 있는 경우로 한정되어야 하며, 이러한 경우에도 위임법률에서 범죄의 구성요건은 처벌대상행위가 어떠한 것일 것이라고 예측할 수 있을 정도로 구체적으로 정하여야 하며, 형벌의 종류 및 그 상한과 폭을 명백히 규정하여야 한다.

③ 구 「근로기준법」에서 임금·퇴직금 청산기일의 연장합의의 한도에 관하여 아무런 제한을 두고 있지 아니함에도 불구하고, 같은 법 시행령에서 기일연장을 3월 이내로 제한한 것은 죄형법정주의의 원칙에 위배된다.

④ 「게임산업진흥에 관한 법률」 제32조 제1항 제7호의 '환전'의 의미를 '게임결과물을 수령하고 돈을 교부하는 행위'뿐만 아니라 '게임결과물을 교부하고 돈을 수령하는 행위'도 포함되는 것으로 해석하는 것은 죄형법정주의에 위배된다.

해설

④ [×] 「게임산업진흥에 관한 법률」 제32조 제1항 제7호의 **'환전'에**는 '게임결과물을 수령하고 돈을 교부하는 행위'뿐만 아니라 '게임결과물을 교부하고 돈을 수령하는 행위'도 포함된다.(대법원 2012. 12. 13. 2012도11505 게임머니 환전사건)

① [○] '불안감'은 평가적·정서적 판단을 요하는 규범적 구성요건요소이고, '불안감'이란 개념이 사전적으로 '마음이 편하지 아니하고 조마조마한 느낌'이라고 풀이되고 있어 이를 불명확하다고 볼 수는 없으므로 죄형법정주의 및 여기에서 파생된 **명확성의 원칙에** 반한다고 볼 수 없다.(대법원 2008. 12. 24. 2008도9581 **불안감** 사건)

② [○] 사회현상의 복잡다기화와 국회의 전문적·기술적 능력의 한계 및 시간적 적응능력의 한계로 인하여 형사처벌에 관련된 모든 법규를 예외 없이 형식적 의미의 법률에 의하여 규정한다는 것은 사실상 불가능할 뿐만 아니라 실제에 적합하지도 아니하기 때문에, 특히 긴급한 필요가 있거나 미리 법률로써 자세히 정할 수 없는 부득이한 사정이 있는 경우에 한하여 위임법률이 구성요건의 점에서는 처벌대상인 행위가 어떠한 것인지 이를

예측할 수 있을 정도로 구체적으로 정하고, **형벌의 점에서는 형벌의 종류 및 그 상한과 폭을 명확히 규정하는 것을 전제로 위임입법이 허용되며, 이러한 위임입법은 죄형법정주의에 반하지 않는다.**(대법원 2013. 3. 28. 2012도16383 퍼시픽랜드 돌고래쇼 사건)

③ [○] 근로기준법 제30조 단서에서 임금·퇴직금 청산기일의 연장합의의 한도에 관하여 아무런 제한을 두고 있지 아니함에도 불구하고, 시행령 제12조에 의하여 법 제30조 단서에 따른 기일연장을 3월 이내로 제한한 것은 시행령 제12조가 법 제30조 단서의 내용을 변경하고 법 제109조와 결합하여 형사처벌의 대상을 확장하는 결과가 된다 할 것인바, 이와 같이 법률이 정한 형사처벌의 대상을 확장하는 내용의 법규는 법률이나 법률의 구체적 위임에 의한 명령 등에 의하지 않으면 아니 된다고 할 것이므로, 결국 모법의 위임에 의하지 아니한 시행령 제12조는 죄형법정주의의 원칙에 위배되고 위임입법의 한계를 벗어난 것으로서 무효라고 할 것이다. (대법원 1998. 10. 15. 98도1759 숭습 근로기준법시행령 기일연장 사건)

---

033 죄형법정주의에 대한 설명으로 옳은 것만을 모두 고른 것은? (다툼이 있으면 판례에 의함)

□□□
17 국가7급 [Superlative ★★★]

> ㉠ 위치추적 전자장치의 부착명령은 보안처분적 성격을 가지므로 구 「특정 범죄자에 대한 위치추적 전자장치부착 등에 관한 법률」을 개정하여 부착명령 기간을 연장하면서 개정법 시행 전에 저지른 범죄에 대하여도 적용하도록 한 것은 소급입법금지의 원칙에 위반되지 아니한다.
>
> ㉡ 「공공기관의 운영에 관한 법률」 제53조가 공공기관의 임직원으로서 공무원이 아닌 사람은 「형법」 제129조의 적용에서는 이를 공무원으로 본다고 규정하고, 동법 제4조 제1항에서 구체적인 공공기관은 기획재정부장관이 지정할 수 있도록 규정한 것은 죄형법정주의에 위반되지 아니한다.
>
> ㉢ 「국가공무원법」 제66조(집단 행위의 금지) 제1항에서 '공무 외의 일을 위한 집단행위'로 포괄적이고 광범위하게 규정하고 있는 것은 명확성의 원칙에 반한다.
>
> ㉣ 「형법」이나 「국가보안법」의 '자수'에는 범행이 발각되고 지명수배된 후의 자진출두도 포함되는 것으로 해석하고 있으므로 「공직선거법」의 '자수'를 '범행발각 전에 자수한 경우'로 한정하는 해석은 유추해석금지의 원칙에 위반된다.

① ㉠㉣

② ㉡㉢

③ ㉠㉡㉣

④ ㉠㉡㉢㉣

해설

③ ㉠㉡㉣ 3 항목이 옳다.

㉠ [○] 전자감시제도는 범죄행위를 한 자에 대한 응보를 주된 목적으로 그 책임을 추궁하는 사후적 처분인 형벌과 구별되어 그 본질을 달리하는 것으로서 형벌에 관한 소급입법금지의 원칙이 그대로 적용되지 않으므로, 위치추적전자장치부착법이 개정되어 부착명령 기간을 연장하도록 규정하고 있더라도 그것이 소급입법금지의 원칙에 반한다고 볼 수 없다.(대법원 2010. 12. 23. 2010도11996)

㉡ [○] 공공기관의 사업 내용이나 범위 등이 계속적으로 변동할 수밖에 없는 현실, 국회가 공공기관의 재정상태와 직원 수의 변동, 수입액 등을 예측하기 어렵고 그러한 변화에 대응하여 그때마다 법률을 개정하는 것도 용이하지 아니한 점 등을 감안할 때 공무원 의제규정의 적용을 받는 공기업 등의 정의규정을 법률이 아닌 시행령이나 고시 등 그 하위규범에서 정하는 것에 부득이한 측면이 있는 것이고, 법 및 그 시행령상 '시장형 공기업'의 경우 자산규모가 2조원 이상으로 직원 정원이 50인 이상인 공공기관으로서 총수입액 중 자체 수입액이 85% 이상인 기업을 의미하는 것으로 명시적으로 규정되어 있어서 법령에서 비교적 구체적으로 요건과 범위를 정하여 공공기관 유형의 지정 권한을 기획재정부장관에게 위임하고 있는 것으로 볼 수 있으며, 특히 종래 '기타 공공기관'으로 지정되어 있다가 기획재정부장관 고시에 의하여 '시장형 공기업'으로 지정된 기관의 임직원은 고시를 통하여 그 기관이 '시장형 공기업'으로 지정되었는지 여부를 확인할 수 있고, 시장형 공기업의 임직원이라는 의미가 불명확하다고 볼 수도 없는 점 등에 비추어 보면, 공공기관의 운영에 관한 법률 제53조가 공기업의 임직원으로서 공무원이 아닌 사람은 형법 제129조의 적용에 있어서는 이를 공무원으로 본다고 규정하고 있을 뿐 구체적인 공기업의 지정에 관하여는 그 하위규범인 기획재정부장관의 고시에 의하도록 규정하였다 하더라도 죄형법정주의에 위반되거나 위임입법의 한계를 일탈한 것으로 볼 수 없다.(대법원 2013. 6. 13. 2013도1685 한수원 직원 수뢰사건)

㉢ [×] '공무 이외의 일을 위한 집단행위'는 적어도 건전한 상식과 통상적인 법감정을 가진 사람에게는 그 적용대상자들이 누구이며 구체적으로 어떠한 행위들이 금지되고 있는가를 미리 알려주고 그들이 불이익 처분을 받는 일을 하지 않도록 상당한 주의·경고를 하고 있는 것으로 볼 수 있으므로 죄형법정주의의 원칙에서 요구되는 명확성의 원칙에 의한 판단기준에 위배된다고 할 수 없다.(헌법재판소 2007. 8. 30. 2003헌바51)

㉣ [○] 형의 필요적 면제사유인 공직선거법 제262조의 '자수한 때'를 '범행발각 전에 자수한 때'로 한정하여 해석할 수는 없다.(대법원 1997. 3. 20. 96도1167 全合 공직선거법 자수 사건)

034 죄형법정주의와 관련하여 위임입법에 대한 설명으로 옳은 것은? (다툼이 있으면 판례에 의함)

□□□
23 국가9급 [Core ★★]

① 조례의 제정권자인 지방의회는 선거를 통해서 그 지역적인 민주적 정당성을 지니고 있는 주민의 대표기관이므로 지방의회가 조례로써 주민의 권리 또는 의무에 관한 사항이나 벌칙을 정할 때에 법률의 위임을 받지 않아도 된다.

② 지방자치법에 따르면 지방자치단체는 조례를 위반한 행위에 대하여 조례로써 1천만원 이하의 벌금을 정하여 부과할 수 있다.

③ 구 결혼중개업의 관리에 관한 법률이 형사처벌의 대상인 신상정보 제공의무와 관련하여 단지 "신상정보의 제공 시기 및 절차, 입증방법 등에 필요한 사항은 대통령령으로 정한다."라고만 규정하고 있는데, 동법 시행령이 '이용자와 상대방의 만남 이전'에 신상정보를 제공할 의무를 부과하고 있다면 이는 위임입법의 한계를 일탈한 것이다.

④ 구 전기통신사업법 이 형사처벌 대상인 금지의 대상을 '공공의 안녕질서 또는 미풍양속을 해하는 내용의 통신'으로 규정하면서 "공공의 안녕질서 또는 미풍양속을 해하는 것으로 인정되는 통신의 대상은 대통령령으로 정한다."라고 규정한 것은 포괄위임 입법금지원칙에 위배된다.

해설

④ [○] 전기통신사업법 제53조 제2항은 "제1항의 규정에 의한 공공의 안녕질서 또는 미풍양속을 해하는 것으로 인정되는 통신의 대상 등은 대통령령으로 정한다"고 규정하고 있는바 이는 포괄위임입법금지원칙에 위배된다. 왜냐하면 '공공의 안녕질서'나 '미풍양속'의 개념은 대단히 추상적이고 불명확하여 수범자인 국민으로 하여금 어떤 내용들이 대통령령에 정하여질지 그 기준과 대강을 예측할 수도 없게 되어 있고, 행정입법자에게도 적정한 지침을 제공하지 못함으로써 그로 인한 행정입법을 제대로 통제하는 기능을 수행하지 못한다. 그리하여 행정입법자는 다분히 자신이 판단하는 또는 원하는 '안녕질서', '미풍양속'의 관념에 따라 헌법적으로 보호받아야 할 표현까지 얼마든지 규제대상으로 삼을 수 있게 되어 있다. 이는 위 조항의 위임에 의하여 제정된 전기통신사업법시행령 제16조 제2호와 제3호가 전기통신사업법 제53조 제1항에 못지 않게 불명확하고 광범위하게 통신을 규제하고 있는 점에서 더욱 명백하게 드러난다.(헌법재판소 2002. 6. 27. 99헌마480 **서해안 총격전, 어썰프다 김대중** 사건)

① [×] 지방자치단체는 법령의 범위에서 그 사무에 관하여 조례를 제정할 수 있다. 다만, **주민의 권리 제한 또는 의무 부과에 관한 사항이나 벌칙을 정할 때에는 법률의 위임이 있어야 한다**.(지방자치법 제28조 제1항)

② [×] 지방자치단체는 조례를 위반한 행위에 대하여 조례로써 1천만원 이하의 **과태료를 정할 수 있다**.(지방자치법 제34조 제1항)

③ [×] 결혼중개업법과 같은 법 시행령의 규정 내용과 체계에다가 국제결혼중개업자를 통한 국제결혼의 특수성과 실태 등을 관련 법리에 비추어 살펴보면, 결혼중개업법 제10조의2 제4항에 의하여 대통령령에 규정하도록 위임된 '신상정보의 제공 시기'는 적어도 이용자와 상대방의 만남 이전이 될 것임을 충분히 예측할 수 있으므로 결혼중개업법 시행령 제3조의2 제3항이 결혼중개업법 제10조의2 제4항에서 위임한 범위를 일탈하여 위임입법의 한계를 벗어났다고 볼 수 없다.(대법원 2019. 7. 25. 2018도7989 **국제결혼 신상정보 제공의무 위반사건**)

035 다음은 죄형법정주의를 설명한 것이다. 옳지 않은 것은 모두 몇 개인가? (다툼이 있으면 판례에
□□□ 의함)

14 경찰채용 [Superlative ★★★]

> ㉠ 식품위생법 제11조 제2항이 과대광고 등의 범위 및 기타 필요한 사항을 보건복지부령에 위임
> 하고 있는 것은, 과대광고 등으로 인한 형사처벌에 관한 내용을 법률이 아닌 시행령에 규정하
> 고 있다고 판단되므로 위임입법의 한계를 벗어난 것으로 죄형법정주의에 반한다.
> ㉡ 군형법 제64조 제1항의 상관면전모욕죄의 구성요건의 해석에 있어 '전화통화'를 면전에서의
> 대화라고 해석하여 처벌하는 것은 유추해석에 해당되어 죄형법정주의에 반한다.
> ㉢ 공공기관의 운영에 관한 법률 제53조가 공기업의 임직원으로서 공무원이 아닌 사람은 형법
> 제129조의 적용에서는 이를 공무원으로 본다고 규정하고 있을 뿐 구체적인 공기업의 지정에
> 관하여는 하위규범인 기획재정부장관의 고시에 의하도록 규정한 것은 위임입법의 한계를 일
> 탈한 것으로서 죄형법정주의에 반한다.
> ㉣ 자신의 뇌물수수 혐의에 대한 결백을 주장하기 위하여 제3자로부터 사건 관련자들이 주고받
> 은 이메일 출력물을 교부받아 징계위원회에 제출한 행위를 '정보통신망에 의하여 처리·보관
> 또는 전송되는 타인의 비밀'인 이메일의 내용을 '누설하는 행위'에 해당한다고 보는 것은 죄형
> 법정주의 원칙에 반하는 확장해석이라고 할 수 없다.
> ㉤ 청소년의 성보호에 관한 법률 제16조에 규정된 반의사불벌죄에서 피해자인 청소년에게 의사
> 능력이 있음에도 그 처벌을 희망하지 않는다는 의사표시 또는 처벌희망 의사표시의 철회에
> 명문의 근거 없이 법정대리인의 동의가 필요하다고 보는 것은 죄형법정주의 내지 유추해석금
> 지의 원칙에 위배된다.

① 0개   ② 1개   ③ 2개   ④ 3개

해설

③ ㉠㉢ 2 항목이 옳지 않다.

㉠ [×] 식품위생법 제11조 제2항이 과대광고 등의 범위 및 기타 필요한 사항을 보건복지부령에 위임하고 있는
것은 과대광고 등으로 인한 형사처벌에 관련된 법규의 내용을 빠짐없이 형식적 의미의 법률에 의하여 규정한다
는 것은 사실상 불가능하다는 고려에서 비롯된 것이므로 **위임입법의 한계나 죄형법정주의에 위반된 것이라고
볼 수는 없다.**(대법원 2002. 11. 26. 2002도2998)

㉡ [○] 군형법 제64조 제1항의 상관면전모욕죄의 구성요건은 '**상관을 그 면전에서 모욕하는**' 것인데, 여기에서
'면전에서'라 함은 얼굴을 마주 대한 상태를 의미하는 것임이 분명하므로 전화를 통하여 통화하는 것을 면전에
서의 대화라고는 **할 수 없다.**(대법원 2002. 12. 27. 2002도2539 상관 전화모욕 사건)

㉢ [×] 공공기관의 사업 내용이나 범위 등이 계속적으로 변동할 수밖에 없는 현실, 국회가 공공기관의 재정상태
와 직원 수의 변동, 수입액 등을 예측하기 어렵고 그러한 변화에 대응하여 그때마다 법률을 개정하는 것도 용이
하지 아니한 점 등을 감안할 때 공무원 의제규정의 적용을 받는 공기업 등의 정의규정을 법률이 아닌 시행령이
나 고시 등 그 하위규범에서 정하는 것에 부득이한 측면이 있는 것이고, 법 및 그 시행령상 '시장형 공기업'의
경우 자산규모가 2조원 이상으로 직원 정원이 50인 이상인 공공기관으로서 총수입액 중 자체수입액이 85%
이상인 기업을 의미하는 것으로 명시적으로 규정되어 있어서 법령에서 비교적 구체적으로 요건과 범위를 정하
여 공공기관 유형의 지정 권한을 기획재정부장관에게 위임하고 있는 것으로 볼 수 있으며, 특히 종래 '기타공공
기관'으로 지정되어 있다가 기획재정부장관 고시에 의하여 '시장형 공기업'으로 지정된 기관의 임직원은 고시를

통하여 그 기관이 '시장형 공기업'으로 지정되었는지 여부를 확인할 수 있고, 시장형 공기업의 임직원이라는 의미가 불명확하다고 볼 수도 없는 점 등에 비추어 보면, 공공기관의 운영에 관한 법률 제53조가 공기업의 임직원으로서 공무원이 아닌 사람은 형법 제129조의 적용에 있어서는 이를 공무원으로 본다고 규정하고 있을 뿐 **구체적인 공기업의 지정에 관하여는 그 하위규범인 기획재정부장관의 고시에 의하도록 규정하였다 하더라도 죄형법정주의에 위반되거나 위임입법의 한계를 일탈한 것으로 볼 수 없다.**(대법원 2013. 6. 13. 2013도1685 한수원 직원 수뢰사건)

ⓔ [O] 피고인이 자신의 뇌물수수 혐의에 대한 결백을 주장하기 위하여 제3자로부터 사건 관련자들이 주고받은 이메일 출력물을 교부받아 징계위원회에 제출한 경우, 이메일 출력물 그 자체는 정보통신망에 의하여 처리·보관 또는 전송되는 타인의 비밀에 해당하지 않지만, 이를 징계위원회에 제출하는 행위는 정보통신망에 의하여 처리·보관 또는 전송되는 타인의 비밀인 이메일의 내용을 '누설하는 행위'에 해당한다.(대법원 2008. 4. 24. 2006도8644 상사비리 제보사건)

ⓜ [O] 반의사불벌죄에 있어 명문의 근거 없이 처벌을 희망하지 않는다는 의사표시에 피해자의 법정대리인의 동의가 필요하다고 보는 것은 유추해석에 의하여 소극적 소송조건의 요건을 제한하고 피고인 또는 피의자에 대한 처벌가능성의 범위를 확대하는 결과가 되어 죄형법정주의 내지 거기에서 파생된 유추해석금지의 원칙에도 반한다.(대법원 2009. 11. 19. 2009도6058 숙승 14세 가출녀 강간사건)

036
죄형법정주의에 관한 다음 설명 중 옳고 그름의 표시(○, ×)가 바르게 된 것은? (다툼이 있으면 판례에 의함)

15 경찰채용 [Essential ★]

> ㉠ 견인료납부를 요구하는 교통관리직원을 승용차 앞범퍼 부분으로 들이받아 폭행한 행위를 폭력행위 등 처벌에 관한 법률 제3조 제1항의 '위험한 물건을 휴대한' 행위로 처벌하는 것은 유추해석금지원칙에 반하지 않는다.
>
> ㉡ 행위 당시의 판례에 의하면 처벌대상이 되지 아니하는 것으로 해석되었던 행위를 재판시에 해석을 달리하여 처벌할 수 있다.
>
> ㉢ 폭력행위 등 처벌에 관한 법률 제4조 제1항에서 규정하고 있는 범죄단체 구성원으로서의 '활동'의 개념은 추상적이고 포괄적이므로 명확성의 원칙에 반한다.
>
> ㉣ 인터넷 화상채팅을 통하여 실시간으로 전송받은 피해자의 유방, 음부 등 신체부위 영상을 휴대전화의 카메라로 촬영하였다면 성폭력범죄의 처벌 등에 관한 특례법상 다른 사람의 신체를 촬영한 행위에 해당한다.
>
> ㉤ 가축분뇨 배출시설을 설치한 자가 설치 당시에 신고대상자가 아니었다면 그 후 법령의 개정에 따라 그 시설이 신고대상에 해당하게 되었더라도, 가축분뇨의 관리 및 이용에 관한 법률상 신고대상자인 '배출시설을 설치하고자 하는 자'에 해당한다고 볼 수 없다.

① ㉠ O ㉡ O ㉢ × ㉣ × ㉤ O
② ㉠ O ㉡ O ㉢ O ㉣ × ㉤ O
③ ㉠ × ㉡ O ㉢ × ㉣ O ㉤ ×
④ ㉠ O ㉡ × ㉢ × ㉣ × ㉤ O

해설

① 이 지문이 옳은 연결이다.

㉠ [○] 피고인이 견인료납부를 요구하면서 승용차의 앞을 가로막고 있는 교통관리직원의 다리 부분을 승용차 앞 범퍼 부분으로 들이받고 약 1m 정도 진행하여 동인을 땅바닥에 넘어뜨려 폭행한 경우, **위험한 물건인 자동차를 이용하여 피해자를 폭행한 것에 해당한다.**(대법원 1997. 5. 30. 97도597 **견인료 사건**)

㉡ [○] 행위 당시의 판례에 의하면 처벌대상이 되지 아니하는 것으로 해석되었던 행위를 판례의 변경에 따라 확인된 내용의 형법 조항에 근거하여 처벌한다고 하여 형벌불소급의 원칙에 반한다고 할 수는 없다.(대법원 1999. 9. 17. 97도3349 **판례변경 처벌 사건**)

㉢ [×] '활동'이라는 다소 광범위하고 추상적이어서 법관의 보충적인 해석을 필요로 하는 개념을 사용하고 있더라도, 그 의미내용은 건전한 상식과 통상적인 법감정을 가진 사람을 기준으로 하여 합리적으로 파악될 수 있다고 판단되고, 대법원 판결 등에 의하여 그에 관한 구체적이고 종합적인 해석기준이 제시되고 있어 법집행기관이 자의적으로 확대하여 해석할 염려도 없다고 볼 것이므로 폭처법 제4조 제1항 중 '**활동**'부분은 **죄형법정주의의 명확성의 원칙에 위배된다고 할 수 없다.**(헌법재판소 2011. 4. 28. 2009헌바56 **청하위 생파 사건**) (同旨 대법원 2008. 5. 29. 2008도1857 **국제피제이파 사건**)

㉣ [×] 다른 사람의 **신체 이미지가 담긴 영상을** 성폭법 제13조 제1항[개정법 제14조 제1항] '**다른 사람의 신체**'에 포함된다고 해석하는 것은 법률문언의 통상적인 의미를 벗어나는 것이므로 **죄형법정주의 원칙상 허용될 수 없다.**(대법원 2013. 6. 27. 2013도4279 **여중생 알몸영상 촬영사건**)

㉤ [○] 이미 배출시설을 설치한 자는 그 설치 당시에 신고대상자가 아니었다면 그 후 법령의 개정에 따라 신고대상에 해당하게 되었다고 하더라도 가축분뇨법 제11조 제3항에서 규정하고 있는 신고대상자인 '배출시설을 설치하고자 하는 자'에 해당한다고 볼 수는 없다.(대법원 2015. 7. 23. 2014도15510)

037 「형법」상 적정성의 원칙에 관한 설명 중 옳지 않은 것을 모두 고르면? (다툼이 있으면 판례에 의□□□ 함)

23 경대편입 [Superlative ★★★]

㉠ 「청소년의 성보호에 관한 법률」 제10조 제4항이 위계 또는 위력을 사용하여 여자 청소년을 간음한 자에 대한 법정형을 여자 청소년을 강간한 자에 대한 법정형과 동일하게 정하였다면 이는 형벌체계상의 균형을 잃은 자의적인 입법이다.

㉡ 음주운전 금지규정을 2회 이상 위반한 사람을 2년 이상 5년 이하의 징역이나 1천만원 이상 2천만원 이하의 벌금에 처하도록 한 구 「도로교통법」 제148조의2 제1항은 음주운전 금지규정을 반복하여 위반하는 사람에 대한 처벌을 강화하기 위한 규정인데, 가중요건이 되는 과거 위반행위와 처벌대상이 되는 재범 음주운전행위 사이에 아무런 시간적 제한을 두지 않아 책임과 형벌 간의 비례원칙에 위반된다.

㉢ 상관살해죄에 대하여 법정형으로 사형만을 규정하고 있는 「군형법」(1962. 1. 20. 법률 제1003호로 제정된 것) 제53조 제1항은 범죄의 중대성 정도에 비하여 심각하게 불균형적인 과중한 형벌을 규정함으로써 죄질과 그에 따른 행위자의 책임 사이에 비례관계가 준수되지 않아 형벌체계상 정당성을 상실한 것이다.

ⓒ 「형법」(1995. 12. 19. 법률 제5057호로 개정된 것) 제332조 중 절도죄(제329조)에 관한 부분은 상습절도의 형을 기본범죄에 정한 형의 2분의 1까지 가중한다고 정하고 있는바, 이는 법정형과 선고형 모두 가중하는 것으로 형벌에 관한 입법재량이나 형성의 자유를 현저히 일탈하여 책임과 형벌의 비례원칙에 위반된다.

ⓜ 「성폭력범죄의 처벌 및 피해자 보호 등에 관한 법률」 제5조 제2항이 특수강도죄를 범한 자가 강간죄를 범한 경우와 강제추행죄를 범한 경우를 구별하지 않고 법정형을 동일하게 규정한 것은 특수강도죄를 범하고 강간죄를 범한 자와 강제추행죄를 범한 자를 합리적 이유 없이 차별한 것으로 형벌과 책임간의 비례성의 원칙, 형벌의 체계 정당성, 평등의 원칙 등에 어긋나 공정한 재판을 받을 권리를 침해한다.

① ㉠㉡㉢   ② ㉡㉢㉣   ③ ㉢㉣㉤

④ ㉠㉣㉤   ⑤ ㉡㉢㉤

해설

④ ㉠㉣㉤ 3 항목이 옳지 않다.

㉠ [×] 여자 청소년은 성인에 비하여 정신적, 육체적으로 성숙하지 아니한 상태에 있어 여자 청소년에 대하여는 형법상의 강간죄가 요구하는 정도의 폭행·협박을 사용하지 않고 위계 또는 위력만으로도 간음죄를 범할 수 있고, 실제 그러한 범죄가 빈번하게 발생하고 있으며, 실무상 여자 청소년에 대한 간음죄의 구체적인 사안에 있어서 그 간음의 수단이 형법상의 강간죄가 요구하는 정도의 폭행·협박인지, 위계 또는 위력에 불과한지를 구분하기가 쉽지 아니하므로 위계 또는 위력을 사용하여 여자 청소년을 간음한 자를 여자 청소년을 강간한 자와 동일하게 처벌하여야 할 형사정책적인 필요성이 있는 점, 위계 또는 위력이란 그 범위가 매우 넓기 때문에 강간죄가 요구하는 정도의 폭행, 협박에 비하여 그 피해가 상대적으로 경미하고 불법의 정도도 낮은 경우가 많지만, 구체적인 사안에 따라서는 강간죄가 요구하는 정도의 폭행, 협박이 사용된 경우보다 죄질이 나쁘고 중대한 경우도 있을 수 있고, 위계 또는 위력에 의한 간음죄라 하여도 범행의 동기와 범행 당시의 정황 및 보호법익에 대한 침해의 정도 등을 고려할 때 강간죄보다 무겁게 처벌하거나 동일하게 처벌하여야 할 필요가 있는 경우도 실무상 흔히 있어 위계 또는 위력에 의한 간음죄를 강간죄에 비하여 가볍게 처벌하는 것이 구체적인 경우에 있어서 오히려 불균형인 처벌결과를 가져올 염려가 없지 않은 점 등을 종합하여 보면, 위계 또는 위력을 사용하여 여자 청소년을 간음한 자에 대한 비난가능성의 정도가 여자 청소년을 강간한 자에 비하여 반드시 가볍다고 단정할 수 없으므로 **청소년의 성보호에 관한 법률 제10조 제4항이 위계 또는 위력을 사용하여 여자 청소년을 간음한 자에 대한 법정형을 여자 청소년을 강간한 자에 대한 법정형과 동일하게 정하였다고 하여 이를 두고 형벌체계상의 균형을 잃은 자의적인 입법이라고 할 수는 없다.**(대법원 2007. 8. 23. 2007도4818)

ⓒ [○] (1) 심판대상조항(구 도로교통법 제148조의2 제1항 중 '제44조 제1항을 2회 이상 위반한 사람'에 관한 부분)은 음주운전 금지규정을 반복하여 위반하는 사람에 대한 처벌을 강화하기 위한 규정인데, 그 구성요건을 '제44조 제1항을 2회 이상 위반'한 경우로 정하여 가중요건이 되는 과거 음주운전 금지규정 위반행위와 처벌대상이 되는 재범 음주운전 금지규정 위반행위 사이에 아무런 시간적 제한이 없고, 과거 위반행위가 형의 선고나 유죄의 확정판결을 받은 전과일 것을 요구하지도 않는다. 그런데 과거 위반행위가 예컨대 10년 이상 전에 발생한 것이라면 처벌대상이 되는 재범 음주운전이 준법정신이 현저히 부족한 상태에서 이루어진 반규범적 행위라거나 사회구성원에 대한 생명·신체 등을 '반복적으로' 위협하는 행위라고 평가하기 어려워 이를 일반적

음주운전 금지규정 위반행위와 구별하여 가중처벌할 필요성이 있다고 보기 어렵다. 범죄 전력이 있음에도 다시 범행한 경우 재범인 후범에 대하여 가중된 행위책임을 인정할 수 있다고 하더라도 전범을 이유로 아무런 시간 적 제한 없이 무제한 후범을 가중처벌하는 예는 찾기 어렵고, 공소시효나 형의 실효를 인정하는 취지에도 부합 하지 않으므로 **심판대상조항은** 예컨대 10년 이상의 세월이 지난 과거 위반행위를 근거로 재범으로 분류되는 음주운전 행위자에 대해서는 책임에 비해 과도한 형벌을 규정하고 있다고 하지 않을 수 없다. (2) 도로교통법 제44조 제1항을 2회 이상 위반한 경우라고 하더라도 죄질을 일률적으로 평가할 수 없고 과거 위반 전력, 혈중 알코올농도 수준, 운전한 차량의 종류에 비추어, 교통안전 등 보호법익에 미치는 위험 정도가 비교적 낮은 유형 의 재범 음주운전행위가 있다. 그런데 심판대상조항은 법정형의 하한을 징역 2년, 벌금 1천만원으로 정하여 그와 같이 비난가능성이 상대적으로 낮고 죄질이 비교적 가벼운 행위까지 지나치게 엄히 처벌하도록 하고 있으 므로 책임과 형벌 사이의 비례성을 인정하기 어렵다. (3) 반복적 음주운전에 대한 강한 처벌이 국민일반의 법 감정에 부합할 수는 있으나, 결국에는 중벌에 대한 면역성과 무감각이 생기게 되어 법의 권위를 실추시키고 법질서의 안정을 해할 수 있으므로 재범 음주운전을 예방하기 위한 조치로서 형벌 강화는 최후의 수단이 되어 야 한다. 심판대상조항은 음주치료나 음주운전 방지장치 도입과 같은 비형벌적 수단에 대한 충분한 고려 없이 과거 위반 전력 등과 관련하여 아무런 제한도 두지 않고 죄질이 비교적 가벼운 유형의 재범 음주운전 행위에 대해서까지 일률적으로 가중처벌하도록 하고 있으므로 **형벌 본래의 기능에 필요한 정도를 현저히 일탈하는 과도한 법정형을 정한 것이다.** 그러므로 심판대상조항은 책임과 형벌 간의 비례원칙에 위반된다.(헌법재판소 2021. 11. 25. 2019헌바446, 2020헌가17, 2021헌바77 음주 재범규정 위헌법률심판 사건)

ⓒ [○] '상관을 살해한 자는 사형에 처한다'라는 군형법 제53조 제1항은 죄질과 그에 따른 행위자의 책임 사이에 비례관계가 준수되지 않아 **실질적 법치국가의 이념에 어긋나고 형벌체계상 정당성을 상실한 것이다.**(헌법재판 소 2007. 11. 29. 2006헌가13 **상관살해조항 위헌사건**)

ⓓ [×] 상습범은 범행의 반복을 통해 높은 사회불안을 야기하고, 이를 방치할 경우 범행의 수법이 발전하고 대담 해져 더 큰 강력범죄로 발전할 위험성이 있어 비난가능성이 크므로 일반범죄에 비해 가중처벌할 필요가 있다. 심판대상조항(형법 제332조 중 제329조에 관한 부분)은 상습절도의 형을 기본범죄에 정한 형의 2분의 1까지 가중한다고 정하고 있으나 이는 법정형의 범위를 넓히는 것일 뿐 선고형을 2분의 1 가중하는 것이 아니고, 법관은 구체적 사실관계를 기초로 행위에 상응하는 책임을 물을 수 있으며, 절도죄의 법정형은 하한이 정해져 있지 아니하여 사안에 따라 집행유예의 선고도 할 수 있다. 따라서 **심판대상조항이 형벌에 관한 입법재량이나 형성의 자유를 현저히 일탈하여 책임과 형벌의 비례원칙에 위배된다고 할 수 없다.**(헌법재판소 2016. 10. 27. 2016헌바31)

ⓔ [×] 강제추행이란 성욕을 만족시키거나 성욕을 자극하기 위하여 상대방의 성적 수치심이나 혐오감을 불러일 으키는 성기삽입 외의 일체의 행위를 말하는 것으로서 그 범위가 매우 넓기 때문에 강간의 경우에 비해 그 피해가 상대적으로 경미하고 불법의 정도도 낮은 경우가 많지만, 경우에 따라서 강간의 경우보다 죄질이 나쁘 고 피해가 중대한 경우도 얼마든지 있을 수 있다. 또한 통상적인 추행행위라고 하더라도 범행의 동기와 범행 당시의 정황 및 보호법익에 대한 침해의 정도 등을 고려할 때 강간보다 무겁게 처벌하거나 적어도 동일하게 처벌하여야 할 필요가 있는 경우도 있으므로 강간과 강제추행을 일률적으로 구분하여 강간에 비해 강제추행을 가볍게 처벌하는 것은 구체적인 경우에 있어 오히려 불균형적인 처벌결과를 가져올 염려가 있다. 따라서 특수 강도를 저지른 자가 피해자를 강제추행한 경우에 대한 비난가능성의 정도가 피해자를 강간한 경우에 비하여 반드시 가볍다고 단정할 수는 없고 오히려 구체적인 추행행위의 태양에 따라서는 강간의 경우보다도 더 무거운 처벌을 하여야 할 필요도 있다. 따라서 **성폭법 제5조 제2항이 양 죄의 법정형을 동일하게 정하였다고 하여 이를 두고 형벌체계상의 균형을 잃은 자의적인 입법이라고 할 수는 없으므로 성폭법 제5조 제2항 부분이 평등원칙에 위반된다고 할 수도 없다.**(헌법재판소 2010. 7. 29. 2009헌바350)

038 다음 중 죄형법정주의에 대한 설명으로 가장 옳지 않은 것은? (다툼이 있으면 판례에 의함)

24 해경승진 [Essential ★]

① 죄를 지어 외국에서 형의 전부 또는 일부가 집행된 사람에 대해서는 그 집행된 형의 전부 또는 일부를 선고하는 형에 산입한다.

② 국가형벌권의 자의적인 행사로부터 개인의 자유와 권리를 보호하기 위하여 원칙적으로 법률로 범죄와 형벌을 정하여야 한다.

③ 종전보다 가벼운 형으로 형벌법규를 개정하면서 개정된 법의 시행 전의 범죄에 대해서 종전의 형벌법규를 적용하도록 그 부칙에 규정하는 것은 형벌불소급원칙에 반한다.

④ 개정 형법의 시행 이전에 죄를 범한 자에 대하여 개정 형법에 따라 보호관찰을 명할 경우 형벌불소급원칙 또는 죄형법정주의에 위배되지 않는다.

해설

③ [×] 형법 제1조 제2항 및 제8조에 의하면, 범죄 후 법률의 변경에 의하여 형이 구법보다 가벼운 때에는 원칙적으로 신법에 따라야 하지만, **신법에 경과규정을 두어 이러한 신법의 적용을 배제하는 것도 허용되는 것으로서** 형벌법규의 형을 종전보다 가볍게 개정하면서 그 부칙에서 개정된 법의 시행 전의 범죄에 대하여는 종전의 형벌법규를 적용하도록 규정한다 하여 **형벌불소급의 원칙이나 신법우선의 원칙에 반한다고 할 수 없다.** (대법원 2013. 7. 11. 2011도15056 **자본시장법 제정 사건**)

① [○] 죄를 지어 외국에서 형의 전부 또는 일부가 집행된 사람에 대해서는 그 집행된 형의 전부 또는 일부를 선고하는 형에 산입한다.(제7조)

② [○] 죄형법정주의는 국가형벌권의 자의적인 행사로부터 개인의 자유와 권리를 보호하기 위하여 범죄와 형벌을 법률로 정할 것을 요구한다.(대법원 2022. 7. 14. 2021도16578 **폐차인수증명서 사건**)

④ [○] **보호관찰은** 형벌이 아니라 보안처분의 성격을 갖는 것으로서 과거의 불법에 대한 책임에 기초하고 있는 제재가 아니라 장래의 위험성으로부터 행위자를 보호하고 사회를 방위하기 위한 합목적적인 조치이므로, 그에 관하여 반드시 행위 이전에 규정되어 있어야 하는 것은 아니며 재판시의 규정에 의하여 보호관찰을 받을 것을 명할 수 있다고 보아야 할 것이고, 이와 같은 해석이 **형벌불소급의 원칙 내지 죄형법정주의에 위배되는 것이라고 볼 수 없다.**(대법원 1997. 6. 13. 97도703 **보호관찰 소급적용 사건**)

제2절 | 형법의 적용범위

I 시간적 적용범위

039 형법의 시간적 적용 범위에 관한 설명 중 옳은 것은? (다툼이 있으면 판례에 의함)

☐☐☐

23 변호사 [Core ★★]

① 형법 제1조 제1항 "범죄의 성립과 처벌은 행위시의 법률에 따른다."라고 할 때의 '행위시'라 함은 범죄행위 종료시를 의미하므로 구법 시행시 행위가 종료하였으나 결과는 신법 시행시에 발생한 경우에는 신법이 적용된다.

② 상습강제추행죄가 시행되기 이전에 범해진 강제추행행위는 습벽에 의한 것이라도 상습강제추행죄로 처벌할 수 없고 강제추행죄로 처벌할 수 있을 뿐이다.

③ 범죄 후 법률의 변경이 있더라도 형이 중하게 변경되는 경우나 형의 변경이 없는 경우에는 행위시법을 적용하여서는 안 된다.

④ 헌법재판소가 형벌법규에 대해 위헌결정을 한 경우 당해 법조를 적용하여 기소한 피고사건은 범죄 후의 법령개폐로 형이 폐지되었을 때에 해당하므로 면소의 선고를 하여야 한다.

⑤ 형을 종전보다 가볍게 형벌법규를 개정하면서 그 부칙으로 개정된 법의 시행 전의 범죄에 대하여 종전의 형벌법규를 적용하도록 개정하는 경우 신법우선주의에 반한다.

해설

② [○] 포괄일죄에 관한 기존 처벌법규에 대하여 그 표현이나 형량과 관련한 개정을 하는 경우가 아니라 애초에 죄가 되지 아니하던 행위를 구성요건의 신설로 포괄일죄의 처벌대상으로 삼는 경우에는 신설된 포괄일죄 처벌법규가 시행되기 이전의 행위에 대하여는 **신설된 법규를 적용하여 처벌할 수 없다.** 이는 신설된 처벌법규가 상습범을 처벌하는 구성요건인 경우에도 마찬가지라고 할 것이므로, 구성요건이 신설된 상습강제추행죄가 시행되기 이전의 범행은 **상습강제추행죄로는 처벌할 수 없고 행위시법에 기초하여 강제추행죄로 처벌할 수 있을 뿐이며,** 이 경우 그 소추요건도 상습강제추행죄에 관한 것이 아니라 강제추행죄에 관한 것이구비되어야 한다.(대법원 2016. 1. 28. 2015도15669 상습강제추행죄 신설 사건)

① [×] 범죄의 성립과 처벌은 행위시의 법률에 의한다고 할 때의 **'행위시'라 함은 '범죄행위의 종료시'를 의미한다.**(대법원 1994. 5. 10. 94도563 변호사법 개정 사건)

  ※ 공소시효의 기산점에 관하여 규정하는 형사소송법 제252조 제1항의 '범죄행위'는 당해 범죄행위의 결과까지도 포함하는 취지로 해석함이 상당하다.(대법원 2003. 9. 26. 2002도3924 경주 기림사 사건)

③ [×] 범죄 후 법률의 변경이 있더라도 형이 중하게 변경되는 경우나 형의 변경이 없는 경우에는 **형법 제1조 제1항에 따라 행위시법을 적용하여야 한다.**(대법원 2020. 11. 12. 2016도8627 인천국제공항 피켓시위 사건)

④ [×] **위헌결정**으로 인하여 형벌에 관한 법률 또는 법률조항이 소급하여 그 효력을 상실한 경우에는 당해 조항을 적용하여 공소가 제기된 피고사건은 범죄로 되지 아니한 때에 해당한다고 할 것이어서 법원은 그 피고사건에 대하여 형사소송법 제325조 전단에 따라 **무죄를 선고하여야 한다.**(대법원 2011. 9. 29. 2009도12515)

⑤ [×] 형법 제1조 제2항 및 제8조에 의하면, 범죄 후 법률의 변경에 의하여 형이 구법보다 가벼운 때에는 원칙적으로 신법에 따라야 하지만, **신법에 경과규정을 두어 이러한 신법의 적용을 배제하는 것도 허용되는 것으**

로서 형벌법규의 형을 종전보다 가볍게 개정하면서 그 부칙에서 개정된 법의 시행 전의 범죄에 대하여는 종전의 형벌법규를 적용하도록 규정한다 하여 **형벌불소급의 원칙이나 신법우선의 원칙에 반한다고 할 수 없다.**
(대법원 2013. 7. 11. 2011도15056 자본시장법 제정 사건)

040 형법의 시간적 적용범위에 관한 설명으로 가장 적절하지 않은 것은? (다툼이 있으면 판례에 의함)

□□□
23 경찰채용 [Core ★★]

① 범죄의 성립과 처벌에 관하여 규정한 형벌법규 자체 또는 그로부터 수권 내지 위임을 받은 법령의 변경에 따라 범죄를 구성하지 아니하게 되거나 형이 가벼워진 경우에는 종전 법령이 범죄로 정하여 처벌한 것이 부당하였다거나 과형이 과중하였다는 반성적 고려에 따라 변경된 것인지 여부를 따지지 않고 원칙적으로 형법 제1조 제2항이 적용된다.

② 형벌법규가 대통령령, 총리령, 부령과 같은 법규명령이 아닌 고시 등 행정규칙·행정명령, 조례 등에 구성요건의 일부를 수권 내지 위임한 경우에도 이러한 고시 등 규정이 위임입법의 한계를 벗어나지 않는 한 형벌법규와 결합하여 법령을 보충하는 기능을 하는 것이므로 그 변경에 따라 범죄를 구성하지 아니하게 되거나 형이 가벼워졌다면 형법 제1조 제2항이 적용된다.

③ 형벌법규 자체 또는 그로부터 수권 내지 위임을 받은 법령이 아닌 다른 법령이 변경된 경우 형법 제1조 제2항을 적용하려면, 해당 형벌법규에 따른 범죄의 성립 및 처벌과 직접적으로 관련된 형사법적 관점의 변화를 주된 근거로 하는 법령의 변경에 해당하여야 한다.

④ 법령이 개정 내지 폐지된 경우가 아니라 스스로 유효기간을 구체적인 일자나 기간으로 특정하여 효력의 상실을 예정하고 있던 법령이 그 유효기간을 경과함으로써 더 이상 효력을 갖지 않게 된 경우도 형법 제1조 제2항에서 말하는 법령의 변경에 해당한다.

해설

④ [×] 한편 법령이 개정 내지 폐지된 경우가 아니라 스스로 유효기간을 구체적인 일자나 기간으로 특정하여 효력의 상실을 예정하고 있던 법령이 그 유효기간을 경과함으로써 더 이상 효력을 갖지 않게 된 경우도 형법 제1조 제2항과 형사소송법 제326조 제4호에서 말하는 법령의 변경에 해당한다고 볼 수 없다.(대법원 2022. 12. 22. 2020도16420 솔솜 동기설 폐기 사건)

① [○] 범죄 후 법률이 변경되어 그 행위가 범죄를 구성하지 아니하게 되거나 형이 구법보다 가벼워진 경우에는 신법에 따라야 하고(형법 제1조 제2항), 범죄 후의 법령 개폐로 형이 폐지되었을 때는 판결로써 면소의 선고를 하여야 한다(형사소송법 제326조 제4호). 이러한 형법 제1조 제2항과 형사소송법 제326조 제4호의 규정은

입법자가 법령의 변경 이후에도 종전 법령 위반행위에 대한 형사처벌을 유지한다는 내용의 경과규정을 따로 두지 않는 한 그대로 적용되어야 한다. 따라서 범죄의 성립과 처벌에 관하여 규정한 형벌법규 자체 또는 그로부터 수권 내지 위임을 받은 법령의 변경에 따라 범죄를 구성하지 아니하게 되거나 형이 가벼워진 경우에는 종전 법령이 범죄로 정하여 처벌한 것이 부당하였다거나 과형이 과중하였다는 **반성적 고려에 따라 변경된 것인지 여부를 따지지 않고 원칙적으로 형법 제1조 제2항과 형사소송법 제326조 제4호가 적용된다.**(대법원 2022. 12. 22. 2020도16420 全合 동기설 폐기 사건)

② [○] 형벌법규가 대통령령, 총리령, 부령과 같은 법규명령이 아닌 고시 등 행정규칙·행정명령·조례 등(이하 '고시 등 규정'이라고 한다)에 구성요건의 일부를 수권 내지 위임한 경우에도 이러한 고시 등 규정이 위임입법의 한계를 벗어나지 않는 한 형벌법규와 결합하여 법령을 보충하는 기능을 하는 것이므로 그 변경에 따라 **범죄를 구성하지 아니하게 되거나 형이 가벼워졌다면 마찬가지로 형법 제1조 제2항과 형사소송법 제326조 제4호가 적용된다.**(대법원 2022. 12. 22. 2020도16420 全合 동기설 폐기 사건)

③ [○] 그러나 해당 형벌법규 자체 또는 그로부터 수권 내지 위임을 받은 법령이 아닌 다른 법령이 변경된 경우 형법 제1조 제2항과 형사소송법 제326조 제4호를 적용하려면, 해당 형벌법규에 따른 범죄의 성립 및 처벌과 직접적으로 관련된 **형사법적 관점의 변화를 주된 근거로 하는 법령의 변경**에 해당하여야 하므로 이와 관련이 없는 법령의 변경으로 인하여 해당 형벌법규의 가벌성에 영향을 미치게 되는 경우에는 형법 제1조 제2항과 형사소송법 제326조 제4호가 적용되지 않는다.(대법원 2022. 12. 22. 2020도16420 全合 동기설 폐기 사건)

041

□□□

다음 사례에 대한 설명으로 옳지 않은 것은? (다툼이 있으면 판례에 의함) 25 경찰간부 [Core ★★]

> 한국인 유학생 甲은 일본 지하철에서 일본인 여성의 치마 속 신체를 휴대전화로 몰래 촬영하여 보관하고 있던 중 「성폭력범죄의 처벌 등에 관한 특례법」이 개정되었다. 개정된 법률은 구법보다 법정형이 가벼워진 대신 신상정보 공개명령과 공소시효를 10년으로 연장하는 특례조항이 신설되었고, 부칙에서는 법 시행 전 행위에 대해서도 신법을 적용하도록 하였다.

① 甲에 대해서는 형법 제3조에 의하여 우리 형법이 적용된다.

② 법정형과 관련하여 구법이 반성적 고려에 따라 법정형이 변경되었다면 甲에게는 개정 후 법정형이 적용되지만 반성적 고려에 따라 변경된 것이 아니라면 개정 전 법정형이 적용된다.

③ 甲의 범죄행위에 대한 공소시효가 완료되지 않은 상태에서 신법이 시행된 경우 甲에게 신법을 적용하더라도 죄형법정주의에 위반되지 않는다.

④ 신상정보 공개명령제도는 일종의 보안처분이기 때문에 甲에게 개정된 법률을 소급적용하더라도 소급효금지의 원칙에 반하지 않는다.

해설

② [×] 범죄의 성립과 처벌에 관하여 규정한 형벌법규 자체 또는 그로부터 수권 내지 위임을 받은 법령의 변경에 따라 범죄를 구성하지 아니하게 되거나 형이 가벼워진 경우에는 종전 법령이 범죄로 정하여 처벌한 것이 부당하였다거나 과형이 과중하였다는 반성적 고려에 따라 변경된 것인지 여부를 따지지 않고 원칙적으로 형법 제1조 제2항과 형사소송법 제326조 제4호가 적용된다.(대법원 2023. 2. 23. 2022도4610 변호사법위반 후 법무사법 개정사건)

① [○] 본법은 대한민국영역외에서 죄를 범한 **내국인에게 적용한다.**(제3조) 속인주의에 의하여 甲에게는 우리 형법이 적용된다.

③ [○] (1) 공소시효가 아직 완성되지 않은 경우 진행 중인 공소시효를 연장하는 법률은, 공익이 개인의 신뢰보호이익에 우선하는 경우에는 헌법상 정당화될 수 있다. (2) 공소시효가 이미 완성된 경우 그 공소시효를 연장하는 법률은, 공익적 필요는 심히 중대한 반면에 개인의 신뢰를 보호하여야 할 필요가 상대적으로 적어 개인의 신뢰이익을 관철하는 것이 객관적으로 정당화될 수 없는 경우에는 예외적으로 허용될 수 있다.(헌법재판소 1996. 2. 16. 96헌가2 5·18특별법 위헌제청 사건) 부진정소급입법으로 공익이 사익보다 크므로 정당화될 수 있다.

④ [○] 신상정보 공개·고지명령은 형벌과는 구분되는 비형벌적 보안처분으로서 어떠한 형벌적 효과나 신체의 자유를 박탈하는 효과를 가져오지 아니하므로 소급처벌금지원칙이 적용되지 아니한다. 그렇다면, 2012. 12. 18. 개정된 성폭력처벌법 시행 당시 신상정보 공개·고지명령의 대상에 포함되지 않았던 사람들을 동법 부칙 제7조 제1항에 의하여 이후 소급하여 신상정보 공개·고지명령의 대상이 되도록 하였더라도 소급처벌금지원칙에 위배되는 것은 아니다.(헌법재판소 2016. 12. 29. 2015헌바196 성폭력처벌법 부칙 제7조 제1항 위헌소원 사건)

정답 | 041 ②

042 재판시법주의에 관한 다음 설명 중 옳은 것은 모두 몇 개인가? (다툼이 있으면 판례에 의함)
□□□

23 법원행시 [Superlative ★★★]

> ㉠ 대법원은 종래 형벌법규 제정의 이유가 된 법률이념의 변경에 따라 종래의 처벌 자체가 부당하였다거나 또는 과형이 과중하였다는 반성적 고려에서 법령을 변경하였을 경우가 아니라 그때그때의 특수한 필요에 대처하기 위하여 법령을 변경한 것에 불과한 때에는 재판시법주의에 관한 형법 제1조 제2항을 적용하지 않는다는 태도를 취한 바 있다.
>
> ㉡ 스스로 유효기간을 구체적인 일자나 기간으로 특정하여 효력의 상실을 예정하고 있던 법령이 그 유효기간을 경과함으로써 더 이상 효력을 갖지 않게 된 경우나 형사처벌에 관한 규범적 가치판단의 요소가 배제된 극히 기술적인 규율의 변경 등에 따라 간접적인 영향을 받는 것에 불과한 경우에는 형법 제1조 제2항이나 형사소송법 제326조 제4호에서 말하는 법령의 변경에 해당한다고 볼 수 없다.
>
> ㉢ 피고인에게 유리하게 형벌법규를 개정하면서 부칙에서 신법 시행 전의 범죄에 대하여는 종전 형벌법규를 적용하도록 규정한다고 하여 헌법상의 형벌불소급의 원칙이나 신법우선주의에 반한다고 할 수 없으므로 범죄 후 피고인에게 유리하게 법령이 변경된 경우라도 입법자는 경과규정을 둠으로써 재판시법의 적용을 배제하고 행위시법을 적용하도록 할 수 있다.
>
> ㉣ 형법 제1조 제2항과 형사소송법 제326조 제4호에서 말하는 법령의 변경은 해당 형벌법규에 따른 범죄의 성립 및 처벌과 직접 관련된 것이어야 하고, 이는 결국 해당 형벌법규의 가벌성에 관한 형사법적 관점의 변화를 전제로 한 법령의 변경을 의미한다.

① 없음   ② 1개   ③ 2개
④ 3개   ⑤ 4개

해설

> ⑤ 모든 항목이 옳다.
> ㉠ [○] 대법원은 종래 형벌법규 제정의 이유가 된 법률이념의 변경에 따라 종래의 처벌 자체가 부당하였다거나 또는 과형이 과중하였다는 반성적 고려에서 법령을 변경하였을 경우가 아니라 그때그때의 특수한 필요에 대처하기 위하여 법령을 변경한 것에 불과한 때에는 재판시법주의에 관한 형법 제1조 제2항을 적용하지 않는다는 태도를 취한 바 있다.(대법원 2022. 12. 22. 2020도16420 全合 동기설 폐기 사건)
> ㉡ [○] 스스로 유효기간을 구체적인 일자나 기간으로 특정하여 효력의 상실을 예정하고 있던 법령이 그 유효기간을 경과함으로써 더 이상 효력을 갖지 않게 된 경우나 형사처벌에 관한 규범적 가치판단의 요소가 배제된 극히 기술적인 규율의 변경 등에 따라 간접적인 영향을 받는 것에 불과한 경우에는 형법 제1조 제2항이나 형사소송법 제326조 제4호에서 말하는 **법령의 변경에 해당한다고 볼 수 없다.**(대법원 2022. 12. 22. 2020도16420 全合 동기설 폐기 사건)
> ㉢ [○] 피고인에게 유리하게 형벌법규를 개정하면서 부칙에서 신법 시행 전의 범죄에 대하여는 종전 형벌법규를 적용하도록 규정한다고 하여 헌법상의 형벌불소급의 원칙이나 신법우선주의에 반한다고 할 수 없으므로 범죄 후 피고인에게 유리하게 법령이 변경된 경우라도 **입법자는 경과규정을 둠으로써 재판시 법의 적용을 배제하고 행위시법을 적용하도록 할 수 있다.**(대법원 2022. 12. 22. 2020도16420 全合 동기설 폐기 사건)

⊜ [○] 형법 제1조 제2항과 형사소송법 제326조 제4호에서 말하는 법령의 변경은 해당 형벌법규에 따른 범죄의 성립 및 처벌과 직접 관련된 것이어야 하고, 이는 결국 해당 형벌법규의 가벌성에 관한 형사법적 관점의 변화를 전제로 한 법령의 변경을 의미한다.(대법원 2022. 12. 22. 2020도16420 全合 동기설 폐기 사건)

043

형법 제1조 제2항에 대한 설명으로 옳지 않은 것은? (다툼이 있으면 판례에 의함)

23 국가9급 [Essential ★]

① 범죄 후 법률의 변경이 있더라도 형의 변경이 없는 경우에는 형법 제1조 제1항에 따라 행위시법을 적용해야 한다.

② 형의 경중의 비교는 원칙적으로 법정형을 표준으로 하고, 처단형이나 선고형에 의할 것은 아니다.

③ 범죄 후 형벌법규의 위임을 받은 법령의 변경에 따라 범죄를 구성하지 아니하게 된 경우 종전 법령이 범죄로 정하여 처벌한 것이 부당하였다는 반성적 고려에 따라 변경된 경우에 한하여 형법 제1조 제2항이 적용된다.

④ 행위시 양벌규정에는 법인에 대한 면책규정이 없었으나 법률 개정으로 면책규정이 추가된 경우 법원은 형법 제1조 제2항에 따라 피고인에게 개정된 양벌규정을 적용해야 한다.

해설

③ [×] 범죄 후 법률이 변경되어 그 행위가 범죄를 구성하지 아니하게 되거나 형이 구법보다 가벼워진 경우에는 신법에 따라야 하고(형법 제1조 제2항), 범죄 후의 법령 개폐로 형이 폐지되었을 때는 판결로써 면소의 선고를 하여야 한다(형사소송법 제326조 제4호). 이러한 형법 제1조 제2항과 형사소송법 제326조 제4호의 규정은 입법자가 법령의 변경 이후에도 종전 법령 위반행위에 대한 형사처벌을 유지한다는 내용의 경과규정을 따로 두지 않는 한 그대로 적용되어야 한다. 따라서 범죄의 성립과 처벌에 관하여 규정한 형벌법규 자체 또는 그로부터 수권 내지 위임을 받은 법령의 변경에 따라 범죄를 구성하지 아니하게 되거나 형이 가벼워진 경우에는 **종전 법령이 범죄로 정하여 처벌한 것이 부당하였다거나 과형이 과중하였다는 반성적 고려에 따라 변경된 것인지 여부를 따지지 않고 원칙적으로 형법 제1조 제2항과 형사소송법 제326조 제4호가 적용된다.**(대법원 2023. 2. 23. 2022도6434 **변호사법위반 후 법무사법 개정사건**)

① [○] 범죄 후 법률의 변경이 있더라도 형이 중하게 변경되는 경우나 형의 변경이 없는 경우에는 형법 제1조 제1항에 따라 행위시법을 적용하여야 한다.(대법원 2020. 11. 12. 2016도8627 **인천국제공항 피켓시위 사건**)

② [○] 형의 경중의 비교는 원칙적으로 법정형을 표준으로 할 것이고 처단형이나 선고형에 의할 것이 아니다.(대법원 1992. 11. 13. 92도2194 **외국환관리법 개정 사건**)

④ [○] 양벌규정이 개정되어 법인에 대한 면책규정이 추가된 것은 형법 제1조 제2항에서 정한 '범죄 후 법률의 변경에 의하여 그 행위가 범죄를 구성하지 아니하거나 형이 구법보다 경한 경우'에 해당한다.(대법원 2012. 5. 9. 2011도11264 **솔로몬신용정보 사건**)

044

법률의 변경에 의해 구법과 신법의 형의 경중에 차이가 있는 경우에 관한 다음 설명 중 가장 옳은 것은? (다툼이 있으면 판례에 의함)

12 경찰채용 [Essential ★]

① 사람을 불법하게 감금하고 있는 중에 감금죄의 법정형을 무겁게 하는 법개정이 행해져서 시행된 경우에는 구법이 적용된다.

② 강도죄를 범한 후 강도죄의 법정형을 가볍게 하는 법개정이 행해져서 시행된 후에 다시 그 법정형을 무겁게 하는 법개정이 행해져서 시행된 경우, 두 번째 법개정에 의한 법정형이 행위 시의 법정형보다도 가벼운 때에는 최신법인 두 번째 개정법이 적용된다.

③ 강간죄를 범한 후 강간죄에 관해서 징역형 자체는 변경되지 않고 벌금형이 선택형으로 추가되는 법개정이 행해져서 시행된 경우에는 신법이 적용된다.

④ 甲과 乙이 피해자 A로부터 금원을 사취할 것을 공모한 다음 우선 甲이 A를 기망한 후에 사기죄의 법정형을 가볍게 하는 법개정이 행해져서 시행되었고, 그 후에 계속해서 乙이 甲의 기망행위에 의해 착오에 빠진 A로부터 금원을 교부받은 경우에 甲에게는 구법이 적용되고 乙에게는 신법이 적용된다.

해설

③ [O] 사문서위조죄 및 동행사죄에 있어 형법이 개정되면서 벌금형이 선택적으로 추가된 경우 형이 가볍게 변경된 것이다.(대법원 1996. 7. 26. 96도1158 형법 개정 사건) 지문의 경우 형법 제1조 제2항에 의하여 형이 경한 **신법이** 적용된다.

① [×] 범죄의 성립과 처벌은 행위시의 법률에 의한다고 할 때의 '행위시'라 함은 '범죄행위의 종료시'를 의미한다.(대법원 1994. 5. 10. 94도563 변호사법 개정 사건) 지문의 경우 감금행위 종료시의 법인 법정형이 무거운 **신법이** 적용된다.

② [×] (수차례 법령변경이 있는 경우) 가장 형이 경한 법규정을 적용하여 심판하여야 한다.(대법원 2012. 9. 13. 2012도7760 특강법 수회 개정사건) 지문의 경우 가장 형이 경한 **첫 번째 개정법이** 적용된다.

④ [×] 범죄의 성립과 처벌은 행위시의 법률에 의한다고 할 때의 '행위시'라 함은 '범죄행위의 종료시'를 의미한다.(대법원 1994. 5. 10. 94도563 변호사법 개정 사건) 지문의 경우 乙의 사기행위 종료시에 공동정범인 甲의 행위도 종료하므로 甲, 乙 모두 행위종료시의 법인 법정형이 가벼운 **신법이** 적용된다.

Ⅱ 장소적 · 인적 적용범위

045 형법의 적용범위에 관한 다음 설명 중 가장 옳지 않은 것은? (다툼이 있으면 판례에 의함)

☐☐☐   17 법원9급 [Superlative ★★★]

① 외국인도 대한민국 영역 내에서 죄를 범하였다면 형법이 적용된다.

② 내국인은 대한민국 영역 외에서 죄를 범한 경우에도 형법이 적용된다.

③ 외국인이 대한민국 영역 외에서 위조유가증권행사죄, 위조공문서행사죄, 위조사문서행사 죄를 범한 경우에도 형법이 적용된다.

④ 외국인이 대한민국 영역 외에서 대한민국 국민의 법익이 직접적으로 침해되는 결과를 야기하는 죄를 범한 경우에도 형법이 적용된다.

해설

> ③ [×] 외국인이 대한민국 영역 외에서 위조유가증권행사죄나 위조공문서행사죄를 범한 경우에는 형법이 적용되지만, **위조사문서행사죄를 범한 경우에는 형법이 적용되지 아니한다.**(제5조 제5호 · 제6호)
> ① [○] 본법은 대한민국 영역 내에서 죄를 범한 내국인과 외국인에게 적용한다.(제2조)
> ② [○] 본법은 대한민국 영역 외에서 죄를 범한 내국인에게 적용한다.(제3조)
> ④ [○] 형법 제5조, 제6조의 각 규정에 의하면, 외국인이 외국에서 죄를 범한 경우에는 형법 제5조 제1호 내지 제7호에 열거된 죄를 범한 때와 형법 제5조 제1호 내지 제7호에 열거된 죄 이외에 대한민국 또는 대한민국 국민에 대하여 죄를 범한 때에만 대한민국 형법이 적용되어 우리나라에 재판권이 있게 되고, 여기서 '대한민국 또는 대한민국 국민에 대하여 죄를 범한 때'란 대한민국 또는 대한민국 국민의 **법익이 직접적으로 침해되는 결과를 야기하는 죄를 범한 경우를 의미한다.**(대법원 2011. 8. 25. 2011도6507 캐나다 교포사기사건)

046 형법의 적용범위에 관한 설명 중 옳은 것은? (다툼이 있으면 판례에 의함) 21 변호사 [Essential ★]
□□□

① 북한에서 행하여진 범죄에 대해서는 대한민국 형법이 적용되지 않는다.

② 도박죄를 처벌하지 않는 외국 카지노에서 대한민국 국민이 도박을 한 경우 대한민국 형법이 적용되지 않는다.

③ 「형법」 제6조 본문에서 정한 '대한민국 또는 대한민국 국민에 대하여 죄를 범한 때'란 대한민국 또는 대한민국 국민의 법익이 직접적으로 침해되는 결과를 야기하는 죄를 범한 경우를 의미한다.

④ 우리 형법은 외국에서 형의 전부 또는 일부의 집행을 받은 자에 대하여 임의적으로 형의 산입 여부를 정할 수 있도록 하고 있다.

⑤ 중국인이 중국에 소재하고 있는 대한민국 영사관 내에서 여권발급신청서 1장을 위조하여 제출한 경우 대한민국 형법이 적용된다.

해설

③ [○] 외국인이 외국에서 죄를 범한 경우에는 형법 제5조 제1호 내지 제7호에 열거된 죄를 범한 때와 형법 제5조 제1호 내지 제7호에 열거된 죄 이외에 대한민국 또는 대한민국 국민에 대하여 죄를 범한 때에만 대한민국 형법이 적용되어 우리나라에 재판권이 있게 되고, 여기서 '대한민국 또는 대한민국 국민에 대하여 죄를 범한 때'라 함은 대한민국 또는 대한민국 국민의 법익이 직접적으로 침해되는 결과를 야기하는 죄를 범한 경우를 의미한다.(대법원 2011. 8. 25. 2011도6507 캐나다 교포 사기사건)

① [×] 헌법 제3조는 '대한민국의 영토는 한반도와 그 부속도서로 한다'고 규정하고 있어 **북한도 대한민국의 영토에 속한다.**(대법원 1997. 11. 20. 97도2021 손습 캐나다 범민련중앙위원 사건) 북한에서 행하여진 범죄에 대해서도 형법 제3조에 의하여 대한민국 형법이 적용된다.

② [×] 형법 제3조는 속인주의를 규정하고 있고 또한 국가 정책적 견지에서 도박죄의 보호법익보다 좀 더 높은 국가이익을 위하여 예외적으로 내국인의 출입을 허용하는 폐광지역개발지원에관한특별법 등에 따라 카지노에 출입하는 것은 법령에 의한 행위로 위법성이 조각된다고 할 것이나, **도박죄를 처벌하지 않는 외국 카지노에서의 도박이라는 사정만으로 (내국인인 피고인에 대하여) 그 위법성이 조각된다고 할 수 없다.**(대법원 2017. 4. 13. 2017도953 100억 원정도박 사건) 도박죄를 처벌하지 않는 외국 카지노에서 대한민국 국민이 도박을 한 경우에도 대한민국 형법이 적용된다.

④ [×] 죄를 지어 외국에서 형의 전부 또는 일부가 집행된 사람에 대해서는 그 **집행된 형의 전부 또는 일부를 선고하는 형에 산입한다.**(형법 제7조) 임의적이 아니라 필요적으로 형의 전부 또는 일부를 산입하여야 한다.

⑤ [×] 중국 북경시에 소재한 대한민국 **영사관 내부는 여전히 중국의 영토에 속할 뿐** 이를 대한민국의 영토로서 그 영역에 해당한다고 볼 수 없을 뿐 아니라, 사문서위조죄가 형법 제6조의 대한민국 또는 대한민국 국민에 대하여 범한 죄에 해당하지 아니함은 명백하므로 피고인에 대한 재판권이 없다.(대법원 2006. 9. 22. 2006도5010 북경 한국영사관 사건)

047 형법의 적용에 대한 설명으로 옳지 않은 것은? (다툼이 있으면 판례에 의함)

21 국가9급 [Essential ★]

① 도박죄를 처벌하지 않는 외국의 카지노에서 우리나라 국민이 도박을 한 경우 우리나라 형법이 적용된다.

② 외국인이 외국에 소재한 우리나라 영사관 내에서 외국인 명의의 사문서를 위조한 경우 우리나라 형법이 적용되지 않는다.

③ 외국인이 우리나라 공무원에게 알선한다는 명목으로 금품을 수수한 행위의 장소가 우리나라라면 금품수수의 명목이 된 알선행위의 장소가 외국인 경우에도 우리나라 형법이 적용된다.

④ 외국의 영공을 지나고 있는 우리나라 국적기 안에서 외국인이 다른 외국인을 상해한 경우 우리나라 형법이 적용되지 않는다.

해설

④ [×] 형법은 대한민국 영역 외에 있는 **대한민국의 선박 또는 항공기 내에서 죄를 범한 외국인에게 적용한다.** (제4조) 우리나라 국적기 안에서 외국인이 다른 외국인을 상해한 경우 그 외국인에 대하여 대한민국 형법이 적용된다.

① [○] 형법 제3조는 속인주의를 규정하고 있고 또한 국가 정책적 견지에서 도박죄의 보호법익보다 좀 더 높은 국가이익을 위하여 예외적으로 내국인의 출입을 허용하는 폐광지역 개발 지원에 관한 특별법 등에 따라 카지노에 출입하는 것은 법령에 의한 행위로 위법성이 조각된다고 할 것이나, 도박죄를 처벌하지 않는 외국 카지노에서의 도박이라는 사정만으로 (내국인인 피고인에 대하여) 그 위법성이 조각된다고 할 수 없다.(대법원 2017. 4. 13. 2017도953 100억 원정도박 사건)

② [○] 중국 북경시에 소재한 대한민국 영사관 내부는 여전히 **중국의 영토에 속할 뿐** 이를 대한민국의 영토로서 그 영역에 해당한다고 볼 수 없을 뿐 아니라, 사문서위조죄가 형법 제6조의 대한민국 또는 대한민국 국민에 대하여 범한 죄에 해당하지 아니함은 명백하다.(대법원 2006. 9. 22. 2006도5010)

③ [○] 외국인이 대한민국 공무원에게 알선한다는 명목으로 금품을 수수하는 행위가 대한민국 영역 내에서 이루어진 이상 비록 금품수수의 명목이 된 알선행위를 하는 장소가 대한민국 영역 외라 하더라도 형법 제2조에 의하여 대한민국의 형벌법규인 변호사법 제90조 제1호[개정법 제111조 제1항]가 적용되어야 한다.(대법원 2000. 4. 21. 99도3403 美국적 변호사 사건)

048

□□□

다음 설명 중 가장 옳지 않은 것은? (다툼이 있으면 판례에 의함)　　　18 법원행시 [Core ★★]

① 형법 제239조 제1항의 사인위조죄는 형법 제6조의 대한민국 또는 대한민국 국민에 대하여 범한 죄에 해당하지 않으므로 중국 국적자가 중국에서 대한민국 국적 주식회사의 인장을 위조한 경우에는 외국인의 국외범으로서 그에 대하여 재판권이 없다.

② 형법 제2조(국내범)를 적용함에 있어서 공모공동정범의 경우 공모지도 범죄지로 보아야 한다.

③ 형법 제7조의 문언상 외국에서 유죄판결에 의하여 형의 전부 또는 일부가 집행된 사람이 아니라 단순히 미결구금되었다가 무죄판결을 받은 사람에 대하여 위 법조를 직접 적용할 수 없지만, 유추적용을 통하여 그 미결구금일수의 전부 또는 일부를 국내에서 선고하는 형에 산입하여야 한다.

④ 내국 법인의 대표자인 외국인이 그 내국 법인이 외국에 설립한 특수목적법인에 위탁해 둔 자금을 정해진 목적과 용도 외에 임의로 사용한 데 따른 횡령죄의 피해자는 당해 금전을 위탁한 내국 법인이라고 보아야 한다. 따라서 그 행위가 외국에서 이루어진 경우에도 행위지의 법률에 의하여 범죄를 구성하지 아니하거나 소추 또는 형의 집행을 면제할 경우가 아니라면 그 외국인에 대해서도 우리 형법이 적용되어(형법 제6조), 우리 법원에 재판권이 있다.

⑤ 형법은 대한민국 영역 외에서 국기에 관한 죄, 통화에 관한 죄를 범한 외국인에게도 적용된다.

해설

③ [×] 형사사건으로 외국 법원에 기소되었다가 무죄판결을 받은 사람은, 설령 그가 무죄판결을 받기까지 상당 기간 미결구금되었더라도 이를 유죄판결에 의하여 형이 실제로 집행된 것으로 볼 수는 없으므로 '외국에서 형의 전부 또는 일부가 집행된 사람'에 해당한다고 볼 수 없고, 그 미결구금 기간은 형법 제7조에 의한 산입의 대상이 될 수 없다. 또한 **외국에서 형이 집행된 것이 아니라 단지 미결구금되었다가 무죄판결을 받은 사람의 미결구금일수를 형법 제7조의 유추적용에 의하여** 그가 국내에서 같은 행위로 인하여 **선고받는 형에 산입하여야 한다는 것은 허용되기 어렵다.**(대법원 2017. 8. 24. 2017도5977 슨슨 필리핀 5년 미결구금 사건)

① [○] 형법 제239조 제1항의 **사인위조죄는** 형법 제6조의 대한민국 또는 대한민국국민에 대하여 범한 죄에 해당하지 아니하므로 중국 국적자가 중국에서 대한민국 국적 주식회사의 인장을 위조한 경우에는 외국인의 국외범으로서 그에 대하여 **재판권이 없다.**(대법원 2002. 11. 26. 2002도4929)

② [○] 형법 제2조(속지주의)를 적용함에 있어서 공모공동정범의 경우 **'공모지'도 범죄지로 보아야 한다.**(대법원 1998. 11. 27. 98도2734 히로뽕 3㎏ 수입 공모사건)

④ [○] 내국 법인의 대표자인 외국인이 내국 법인이 외국에 설립한 특수목적법인에 위탁해 둔 자금을 정해진 목적과 용도 외에 임의로 사용한 데 따른 횡령죄의 피해자는 당해 금전을 위탁한 내국 법인이므로, 그 행위가 외국에서 이루어진 경우에도 행위지의 법률에 의하여 범죄를 구성하지 아니하거나 소추 또는 형의 집행을 면제할 경우가 아니라면 그 외국인에 대해서도 **우리 형법이 적용되어**(형법 제6조), 우리 법원에 재판권이 있다.(대법원 2017. 3. 22. 2016도17465 파이시티 사건)

⑤ [○] 형법은 대한민국 영역 외에서 **국기에 관한 죄, 통화에 관한 죄를 범한 외국인에게도 적용된다.**(제5조 제3호·제4호)

049

형법의 적용범위에 관한 설명으로 적절한 것은 모두 몇 개인가? (다툼이 있으면 판례에 의함)

20 경찰채용 [Core ★★]

⊙ 형법 제7조에서 규정하고 있는 '외국에서 형의 전부 또는 일부가 집행된 사람'이란 '외국 법원의 유죄판결에 의하여 자유형이나 벌금형 등의 전부 또는 일부가 실제로 집행된 사람'을 말한다.

⊙ 형법의 적용에 관하여 같은 법 제2조는 대한민국 영역 내에서 죄를 범한 내국인과 외국인에게 적용한다고 규정하고 있으며, 같은 법 제6조 본문은 대한민국 영역 외에서 대한민국 또는 대한민국 국민에 대하여 같은 법 제5조에 기재한 이외의 죄를 범한 외국인에게 적용한다고 규정하고 있는바, 중국 북경시에 소재한 대한민국 영사관 내부는 여전히 중국의 영토에 속할 뿐 이를 대한민국의 영토로서 그 영역에 해당한다고 볼 수 없다.

⊙ 독일인이 독일 내에서 북한의 지령을 받아 베를린 주재 북한이익대표부를 방문하고 그곳에서 북한공작원을 만난 행위는 외국인의 국외범에 해당하여, 형법 제5조와 제6조에서 정한 요건에 해당하지 않는 이상 우리 형법으로 처벌할 수 없다.

⊙ 형사사건으로 외국 법원에 기소되었다가 무죄판결을 받은 사람은, 설령 그가 무죄판결을 받기까지 상당 기간 미결구금되었더라도 이를 유죄판결에 의하여 형이 실제로 집행된 것으로 볼 수는 없으므로 '외국에서 형의 전부 또는 일부가 집행된 사람'에 해당한다고 볼 수 없다.

---

① 1개   ② 2개

③ 3개   ④ 4개

해설

④ 모든 항목이 옳다.

⊙ [○] 형법 제7조의 취지는, 피고인이 외국에서 형사처벌을 과하는 확정판결을 받았더라도 그 외국 판결은 우리나라 법원을 기속할 수 없고 우리나라에서는 기판력도 없어 일사부재리의 원칙이 적용되지 않으므로, 피고인이 동일한 행위에 관하여 우리나라 형벌법규에 따라 다시 처벌받는 경우에 생길 수 있는 실질적인 불이익을 완화하려는 것이다. 그런데 여기서 '외국에서 형의 전부 또는 일부가 집행된 사람'이란 문언과 취지에 비추어 '**외국 법원의 유죄판결에 의하여 자유형이나 벌금형 등 형의 전부 또는 일부가 실제로 집행된 사람**'을 말한다고 해석하여야 한다.(대법원 2017. 8. 24. 2017도5977 全合 필리핀 5년 미결구금 사건)

⊙ [○] 중국 북경시에 소재한 대한민국 영사관 내부는 여전히 중국의 영토에 속할 뿐 이를 대한민국의 영토로서 그 영역에 해당한다고 볼 수 없을 뿐 아니라, 사문서위조죄가 형법 제6조의 대한민국 또는 대한민국 국민에 대하여 범한 죄에 해당하지 아니함은 명백하므로 피고인에 대한 재판권이 없다(형법이 적용되지 아니한다).(대법원 2006. 9. 22. 2006도5010 북경 한국영사관 사건)

⊙ [○] (1) 독일인이 독일 내에서 북한의 지령을 받아 베를린 주재 북한이익대표부를 방문하고 그곳에서 북한공작원을 만났다면 각 구성요건상 범죄지는 모두 독일이므로 이는 외국인의 국외범에 해당하여, 형법 제5조와 제6조에서 정한 요건에 해당하지 않는 이상 국가보안법 제6조 제2항, 제8조 제1항을 적용하여 처벌할 수 없다.

---

(2) 독일 국적을 취득함에 따라 대한민국 국적을 상실한 피고인이 독일 내에서 북한의 지령을 받아 베를린 주재 북한이익대표부를 방문하고 그곳에서 북한공작원을 만난 행위는 외국인의 국외범에 해당한다는 이유로 무죄를 선고한 원심은 정당하다.(대법원 2008. 4. 17. 2004도4899 숲승 **송두율 교수 사건**)

㉣ [○] 형사사건으로 외국 법원에 기소되었다가 무죄판결을 받은 사람은, 설령 그가 무죄판결을 받기까지 상당 기간 미결구금되었더라도 이를 유죄판결에 의하여 형이 실제로 집행된 것으로 볼 수는 없으므로, '외국에서 형의 전부 또는 일부가 집행된 사람'에 해당한다고 볼 수 없고, 그 미결구금 기간은 형법 제7조에 의한 산입의 대상이 될 수 없다.(대법원 2017. 8. 24. 2017도5977 숲승 **필리핀 5년 미결구금 사건**)

050 형법의 적용범위에 관한 설명으로 가장 적절한 것은? (다툼이 있으면 판례에 의함)

□□□

24 경찰채용 [Core ★★]

① 범죄에 의하여 외국에서 형의 전부 또는 일부의 집행을 받은 자에 대하여는 형을 감경 또는 면제할 수 있다.

② 법령 제정 당시부터 또는 폐지 이전에 스스로 유효기간을 구체적인 일자나 기간으로 특정하여 효력의 상실을 예정하고 있던 법령이 그 유효기간을 경과함으로써 더 이상 효력을 갖지 않게 된 경우 그 유효기간 경과 전에 행해진 법령 위반행위의 가벌성은 소멸하므로 더 이상 행위자를 처벌할 수 없게 된다.

③ 재판이 확정된 후 법률이 변경되어 그 행위가 범죄를 구성하지 아니하게 되거나 형이 구법보다 가벼워진 경우 형의 집행을 면제한다.

④ 캐나다 시민권자인 甲이 투자금을 교부받더라도 선물시장에 투자하여 운용할 의사나 능력이 없음에도 캐나다에서 그곳에 거주하는 대한민국 국민 A를 기망하여 직접 투자금을 수령한 경우 甲의 행위가 캐나다 법률에 의해 범죄를 구성하고 그에 대한 소추나 형의 집행이 면제되지 않는 경우에만 우리 형법이 적용된다.

해설

④ [○] 캐나다 시민권자인 피고인이 캐나다에 거주하는 대한민국 국민을 기망하여 캐나다에서 직접 또는 현지 은행계좌로 투자금을 수령한 경우 이는 외국인이 대한민국 영역 외에서 대한민국 국민에 대하여 범죄를 저지른 경우에 해당하므로 법원은 **이 행위가 캐나다 법률에 의하여 범죄를 구성하는지 여부 및 소추 또는 형의 집행이 면제되는지 여부를 심리하여 행위지의 법률에 의하여 범죄를 구성하고 그에 대한 소추나 형의 집행이 면제되지 않는 경우에 한하여 우리 형법을 적용하여야 한다.**(대법원 2011. 8. 25. 2011도6507 **캐나다 교포 사기 사건**)

① [×] 죄를 지어 외국에서 형의 전부 또는 일부가 집행된 사람에 대해서는 그 **집행된 형의 전부 또는 일부를 선고하는 형에 산입한다.**(제7조)

② [×] 법령이 개정 내지 폐지된 경우가 아니라 스스로 유효기간을 구체적인 일자나 기간으로 특정하여 효력의 상실을 예정하고 있던 법령이 그 유효기간을 경과함으로써 더 이상 효력을 갖지 않게 된 경우도 **형법 제1조 제2항과 형사소송법 제326조 제4호에서 말하는 법령의 변경에 해당한다고 볼 수 없다.**(대법원 2022. 12. 22. 2020도16420 全合 **동기설 폐기 사건**) 유효기간 경과 전에 행해진 법령 위반행위의 가벌성은 소멸하지 않으므로 그 행위자를 처벌할 수 있다.

③ [×] 재판이 확정된 후 법률이 변경되어 **그 행위가 범죄를 구성하지 아니하게 된 경우에는** 형의 집행을 면제한다.(제1조 제3항) 형이 구법보다 가벼워진 경우에는 선고된 형을 그대로 집행한다.

051 □□□ **형법의 적용범위에 관한 설명이다. 아래 설명 중 옳은 것은 모두 몇 개인가? (다툼이 있으면 판례에 의함)**

22 경찰간부 [Superlative ★★★]

㉠ 형법 제7조 '외국에서 형의 전부 또는 일부가 집행된 사람'의 규정은 무죄판결을 받기 이전 미결구금된 경우도 포함하여 해석하여야 하고 그 미결구금의 기간은 형법 제7조에 의한 산입의 대상이 된다.

㉡ 외국인이 대한민국 공무원에게 알선한다는 명목으로 금품을 수수한 행위가 대한민국 영역 내에서 이루어졌으나 금품수수의 명목이 된 알선행위의 장소가 대한민국 영역 외인 경우에는 대한민국의 형벌법규를 적용할 수 없다.

㉢ 내국 법인의 대표자인 외국인이 내국 법인이 외국에 설립한 특수목적법인에 위탁해 둔 자금을 정해진 목적과 용도 외에 임의로 사용한 데 따른 횡령행위에는 행위지의 법률에 의하여 범죄를 구성하지 아니하거나 소추 또는 형의 집행을 면제할 경우가 아니라면 우리 형법이 적용된다.

㉣ 외국인이 중국 북경시 소재 대한민국 영사관 내에서 여권발급신청서를 위조한 경우 외국인의 국외범에 해당하기 때문에 대한민국 형법을 적용할 수 없다.

㉤ 범죄행위시와 재판시 사이에 여러 차례 법령이 개정되어 형의 변경이 있는 때에는 당사자가 신청하는 경우에 한하여 그 전부의 법령을 비교하여 가장 형이 가벼운 법령을 적용한다.

① 1개 ② 2개
③ 3개 ④ 4개

정답 | 050 ④ 051 ②

해설

② ㉢㉣ 2 항목이 옳다.

㉠ [×] 형사사건으로 외국 법원에 기소되었다가 무죄판결을 받은 사람은, 설령 그가 무죄판결을 받기까지 상당 기간 미결구금되었더라도 이를 유죄판결에 의하여 형이 실제로 집행된 것으로 볼 수는 없으므로 '외국에서 형의 전부 또는 일부가 집행된 사람'에 해당한다고 볼 수 없고, 그 미결구금 기간은 형법 제7조에 의한 산입의 대상이 될 수 없다. 또한 외국에서 형이 집행된 것이 아니라 단지 미결구금되었다가 무죄판결을 받은 사람의 미결구금일수를 형법 제7조의 유추적용에 의하여 그가 국내에서 같은 행위로 인하여 선고받는 형에 산입하여야 한다는 것은 허용되기 어렵다.(대법원 2017. 8. 24. 2017도5977 全合 필리핀 5년 미결구금 사건)

㉡ [×] 외국인이 대한민국 공무원에게 알선한다는 명목으로 금품을 수수하는 행위가 대한민국 영역 내에서 이루어진 이상 비록 금품수수의 명목이 된 알선행위를 하는 장소가 대한민국 영역 외라 하더라도 형법 제2조에 의하여 대한민국의 형벌법규인 구 변호사법 제90조 제1호[현재 제111조 제1항]가 적용되어야 한다.(대법원 2000. 4. 21. 99도3403 美국적 변호사 사건)

㉢ [○] 내국 법인의 대표자인 외국인이 내국 법인이 외국에 설립한 특수목적법인에 위탁해 둔 자금을 정해진 목적과 용도 외에 임의로 사용한 데 따른 횡령죄의 피해자는 당해 금전을 위탁한 내국 법인이므로, 그 행위가 외국에서 이루어진 경우에도 행위지의 법률에 의하여 범죄를 구성하지 아니하거나 소추 또는 형의 집행을 면제할 경우가 아니라면 그 외국인에 대해서도 우리 형법이 적용되어(형법 제6조), 우리 법원에 재판권이 있다.(대법원 2017. 3. 22. 2016도17465 파이시티 사건)

㉣ [○] (1) 중국 북경시에 소재한 대한민국 영사관 내부는 여전히 중국의 영토에 속할 뿐 이를 대한민국의 영토로서 그 영역에 해당한다고 볼 수 없을 뿐 아니라 사문서위조죄가 형법 제6조의 대한민국 또는 대한민국 국민에 대하여 범한 죄에 해당하지 아니함은 명백하다. (2) 따라서 원심이 내국인이 아닌 피고인이 위 영사관 내에서 A 명의의 여권발급신청서 1장을 위조하였다는 취지의 공소사실에 대하여 외국인의 국외범에 해당한다는 이유로 피고인에 대한 재판권이 없다고 판단한 것은 옳다.(대법원 2006. 9. 22. 2006도5010 북경한국영사관 사건)

㉤ [×] 범죄행위 시와 재판 시 사이에 여러 차례 법령이 개정되어 형의 변경이 있는 경우에는 이 점에 관한 당사자의 주장이 없더라도 형법 제1조 제2항에 의하여 직권으로 그 전부의 법령을 비교하여 그중 가장 형이 가벼운 법령을 적용하여야 한다.(대법원 2012. 9. 13. 2012도7760 특강법 수회 개정 사건)

052 형법의 적용범위에 대한 설명으로 옳은 것만을 모두 고른 것은? (다툼이 있으면 판례에 의함)

16 국가9급 [Essential ★]

> ㉠ 속지주의 원칙에서 범죄지의 결정기준은 범죄 결과 발생지뿐만 아니라 구성요건적실행행위가 이루어진 곳도 포함된다.
> ㉡ 외국인이 독일에서 북한의 지령을 받아 베를린 주재 북한이익대표부를 방문하여 북한공작원을 만나 반국가단체를 이롭게 한 행위에 대하여 우리나라 형법이 적용된다.
> ㉢ 한반도의 평시상태에서 미군의 군속 중 '통상적으로 대한민국에 거주하고 있는 자'는 '대한민국과 아메리카합중국 간의 상호방위조약 제4조에 의한 시설과 구역 및 대한민국에서의 합중국 군대의 지위에 관한 협정'(SOFA)이 적용되는 군속의 개념에서 배제되므로 우리나라 법원에 재판권이 있다.
> ㉣ 대한민국 영역 외에서 형법 제289조 제1항의 구성요건인 사람을 매매한 행위를 한 외국인에 대해서는 우리나라 형법이 적용된다.

① ㉠㉢　　　　② ㉡㉢　　　　③ ㉠㉡㉣　　　　④ ㉠㉢㉣

해설

> ④ ㉠㉢㉣ 3 항목이 옳다.
> ㉠ [○] 통설의 입장이다.
> ㉡ [×] (1) 독일인이 독일 내에서 북한의 지령을 받아 베를린 주재 북한이익대표부를 방문하고 그곳에서 북한공작원을 만났다면 각 구성요건상 범죄지는 모두 독일이므로 이는 **외국인의 국외범**에 해당하여, 형법 제5조와 제6조에서 정한 요건에 해당하지 않는 이상 **국가보안법 제6조 제2항, 제8조 제1항을 적용하여 처벌할 수 없다.** (2) 독일 국적을 취득함에 따라 대한민국 국적을 상실한 피고인이 독일 내에서 북한의 지령을 받아 베를린 주재 북한이익대표부를 방문하고 그곳에서 북한공작원을 만난 행위는 외국인의 국외범에 해당한다는 이유로 무죄를 선고한 원심은 정당하다.(대법원 2008. 4. 17. 2004도4899 송승율 교수 사건)
> ㉢ [○] (1) 협정 제22조(형사재판권) 제4항은 '본조의 전기 제 규정은 합중국 군 당국이 대한민국의 국민인 자 또는 대한민국에 통상적으로 거주하고 있는 자에 대하여 재판권을 행사할 권리를 가진다는 것을 뜻하지 아니한다'고 규정하고 있다. 위 조항들에 의하면, 미합중국 군대의 군속 중 통상적으로 대한민국에 거주하고 있는 자는 협정이 적용되는 군속의 개념에서 배제되므로 그에 대하여는 대한민국의 형사재판권 등에 관하여 협정에서 정한 조항이 적용될 여지가 없다(협정에서 정한 미합중국 군대의 군속에 관한 형사재판권 관련 조항이 적용될 수 없다). (2) 협정 제22조 제1항에 관한 합의의사록에서는 '합중국 법률의 현 상태에서 합중국 군 당국은 평화시에는 군속 및 가족에 대하여 유효한 형사재판권을 가지지 아니한다'고 정하고 있다. 위 조항들을 종합하면, 한반도의 평시상태에서 미합중국 군 당국은 미합중국 군대의 군속에 대하여 형사재판권을 가지지 않으므로 대한민국은 협정 제22조 제1항 (나)에 따라 **미합중국 군대의 군속이 대한민국 영역 안에서 저지른 범죄로서 대한민국 법령에 의하여 처벌할 수 있는 범죄에 대한 형사재판권을 바로 행사할 수 있다.**(대법원 2006. 5. 11. 2005도798 미군부대 배급직원 사건)
> ㉣ [○] 제287조부터 제292조까지 및 제294조는 대한민국 영역 밖에서 죄를 범한 외국인에게도 적용한다.(제296조의2)

정답 | 052 ④

053

☐☐☐

형법의 적용범위에 관한 설명으로 가장 적절하지 않은 것은? (다툼이 있으면 판례에 의함)

24 경찰채용 [Core ★★]

① 법무사 등록증 대여를 처벌하는 법무사법 제72조 제1항에 더하여 2017. 12. 12. 동법 제72조 제2항의 몰수·추징 조항이 뒤늦게 신설되었다면, 2014. 1.경부터 2018. 4. 9.경까지 법무사 등록증 대여 금지를 위반하여 취득한 이익 전부를 추징하더라도 형벌법규의 소급효금지원칙에 반하지 않는다.

② 유사수신약정 체결 및 출자금 수수 행위가 대한민국 영역 내에서 이루어진 이상 비록 인터넷 홈페이지를 개설한 장소나 출자금을 최종적으로 수령한 장소가 대한민국 영역 외라 하더라도 성명·국적 불상의 회사 운영자들에게 형법 제2조(국내범), 제8조(총칙의 적용)에 따라 대한민국의 형벌법규인 유사수신행위법이 적용된다.

③ 미합중국 군대의 군속 중 통상적으로 대한민국에 거주하고 있는 자는 SOFA 협정이 적용되는 군속의 개념에서 배제되므로 10년 넘게 대한민국에 머물면서 한국인 아내와 결혼하여 가정을 마련하고 직장생활을 하는 등 생활근거지를 대한민국에 두고 있었던 미합중국 국적의 甲이 저지른 범죄에 대해 대한민국의 형사재판권을 행사할 수 있다.

④ 대한민국 영역 밖에서 형법 제287조의 미성년자 약취·유인죄를 범한 외국인에게도 대한민국 형법이 적용된다.

해설

① [×] 2017. 12. 12. 법률 제15151호로 개정된 법무사법(이하 '개정된 법무사법'이라 한다)에는 제72조 제2항이 신설되어 등록증을 다른 사람에게 빌려준 법무사, 법무사의 등록증을 빌린 사람 등이 취득한 금품이나 그 밖의 이익은 몰수하고 이를 몰수할 수 없을 때에는 그 가액을 추징한다고 규정하고 있고, 부칙 제2조는 "제72조 제2항의 개정규정은 이 법 시행 후 최초로 법무사 등록증을 다른 사람에게 빌려준 경우부터 적용한다."라고 규정하고 있다. 위와 같이 개정된 법무사법 제72조 제2항, 부칙 제2조, 헌법 제13조 제1항 전단과 형법 제1조 제1항에서 정한 형벌법규의 소급효 금지 원칙에 비추어 보면, 법무사가 등록증을 다른 사람에게 빌려주거나 법무사의 등록증을 빌린 행위가 개정된 법무사법 시행 이전부터 계속되어 온 경우에는 **개정된 법무사법이 시행된 이후의 행위로 취득한 금품 그 밖의 이익만이 개정된 법무사법 제72조 제2항에 따른 몰수나 추징의 대상이 된다.**(대법원 2020. 10. 15. 2020도7307 법무사 등록증 대여사건)

② [○] 유사수신행위의 일부인 유사수신약정 체결 및 위 약정에 따른 **출자금을 수수하는 행위가 대한민국 영역 내에서 이루어진 이상** 비록 인터넷 홈페이지를 개설한 장소나 출자금을 최종적으로 수령한 장소가 대한민국 영역 외라 하더라도 대한민국 영역 내에서 죄를 범한 것이므로 공소외 회사의 불상의 운영자들에 대하여도 형법 제2조, 제8조에 따라 **대한민국의 형벌법규인 유사수신행위법 제3조, 제2조 제1호가 적용된다.**(대법원 2020. 7. 9. 2018도5519 광고팩 판매 사건)

③ [○] (1) 협정 제22조(형사재판권) 제4항은 '본조의 전기 제 규정은 합중국 군 당국이 대한민국의 국민인 자 또는 대한민국에 통상적으로 거주하고 있는 자에 대하여 재판권을 행사할 권리를 가진다는 것을 뜻하지 아니한다'고 규정하고 있다. 위 조항들에 의하면, 미합중국 군대의 군속 중 통상적으로 대한민국에 거주하고 있는 자는 협정이 적용되는 군속의 개념에서 배제되므로 그에 대하여는 대한민국의 형사재판권 등에 관하여 협정에서 정한 조항이 적용될 여지가 없다(협정에서 정한 미합중국 군대의 군속에 관한 형사재판권 관련 조항이 적용될 수 없다). (2) 협정 제22조 제1항에 관한 합의의사록에서는 '합중국 법률의 현 상태에서 합중국 군 당국은

> 평화시에는 군속 및 가족에 대하여 유효한 형사재판권을 가지지 아니한다'고 정하고 있다. 위 조항들을 종합하면, 한반도의 평시상태에서 미합중국 군 당국은 미합중국 군대의 군속에 대하여 형사재판권을 가지지 않으므로 대한민국은 협정 제22조 제1항 (나)에 따라 미합중국 군대의 군속이 대한민국 영역 안에서 저지른 범죄로서 대한민국 법령에 의하여 처벌할 수 있는 범죄에 대한 형사재판권을 바로 행사할 수 있다.(대법원 2006. 5. 11. 2005도798 미군부대 배급직원 사건)
>
> ④ [○] 제287조부터 제292조까지 및 제294조는 대한민국 영역 밖에서 죄를 범한 외국인에게도 적용한다.(제296조의2) 미성년자를 약취 또는 유인한 사람은 10년 이하의 징역에 처한다.(제287조) 미성년자 약취·유인죄에 세계주의 적용이 있다.

054

「형법」의 적용범위에 대한 설명으로 가장 적절하지 않은 것은? (다툼이 있으면 판례에 의함)

21 경찰채용 [Essential ★]

① 외국인이 대한민국 공무원에게 알선한다는 명목으로 금품을 수수하는 행위가 대한민국 영역 내에서 이루어진 이상, 비록 금품수수의 명목이 된 알선행위를 하는 장소가 대한민국 영역 외라 하더라도 대한민국 영역 내에서 죄를 범한 것이라고 하여야 한다.

② 대한민국 영역 외에서 외국인이 우리나라의 공문서를 위조한 경우, 그 행위가 행위지의 법률에 의하여 범죄를 구성하지 않는다면 우리나라 「형법」을 적용할 수 없다.

③ 내국 법인의 대표자인 외국인이 내국 법인이 외국에 설립한 특수목적법인에 위탁해 둔 자금을 정해진 목적과 용도 외에 임의로 사용하여 횡령한 경우, 그 행위가 외국에서 이루어졌다고 하더라도 행위지의 법률에 의하여 범죄를 구성하지 아니하거나 소추 또는 형의 집행을 면제할 경우가 아니라면 그 외국인에 대해서도 우리나라 「형법」이 적용된다.

④ 형사사건으로 외국 법원에 기소되었다가 무죄판결을 받은 사람은, 설령 그가 무죄판결을 받기까지 상당 기간 미결구금되었더라도 이를 유죄판결에 의하여 형이 실제로 집행된 것으로 볼 수는 없으므로 '외국에서 형의 전부 또는 일부가 집행된 사람'에 해당한다고 볼 수 없고, 그 미결구금 기간은 「형법」 제7조에 의한 산입의 대상이 될 수 없다.

해설

> ② [×] 대한민국 영역 외에서 외국인이 우리나라의 공문서를 위조한 경우 그 행위가 행위지의 법률에 의하여 범죄를 구성하는지 여부를 불문하고 우리나라 형법을 적용할 수 있다.(제5조 제6호, 제225조)
>
> ① [○] 외국인이 대한민국 공무원에게 알선한다는 명목으로 금품을 수수하는 행위가 대한민국 영역 내에서 이루어진 이상 비록 금품수수의 명목이 된 알선행위를 하는 장소가 대한민국 영역 외라 하더라도 형법 제2조에

> 의하여 대한민국의 형벌법규인 변호사법 제90조 제1호[개정법 제111조 제1항]가 적용되어야 한다.(대법원 2000. 4. 21. 99도3403 美국적 변호사 사건)
>
> ③ [O] 내국 법인의 대표자인 외국인이 내국 법인이 외국에 설립한 특수목적법인에 위탁해 둔 자금을 정해진 목적과 용도 외에 임의로 사용한 데 따른 횡령죄의 피해자는 당해 금전을 위탁한 내국 법인이므로, 그 행위가 외국에서 이루어진 경우에도 행위지의 법률에 의하여 범죄를 구성하지 아니하거나 소추 또는 형의 집행을 면제할 경우가 아니라면 그 외국인에 대해서도 우리 형법이 적용되어(형법 제6조), 우리 법원에 재판권이 있다.(대법원 2017. 3. 22. 2016도17465 파이시티 사건)
>
> ④ [O] 형사사건으로 외국 법원에 기소되었다가 무죄판결을 받은 사람은, 설령 그가 무죄판결을 받기까지 상당 기간 미결구금되었더라도 이를 유죄판결에 의하여 형이 실제로 집행된 것으로 볼 수는 없으므로, '외국에서 형의 전부 또는 일부가 집행된 사람'에 해당한다고 볼 수 없고, 그 미결구금 기간은 형법 제7조에 의한 산입의 대상이 될 수 없다. 또한 외국에서 형이 집행된 것이 아니라 단지 **미결구금되었다가 무죄판결을 받은 사람의 미결구금일수를 형법 제7조의 유추적용에 의하여 그가 국내에서 같은 행위로 인하여 선고받는 형에 산입하여야 한다는 것은 허용되기 어렵다.**(대법원 2017. 8. 24. 2017도5977 쏜슴 필리핀 5년 미결구금 사건)

055 형법의 적용범위에 대한 설명으로 가장 적절하지 않은 것은? (다툼이 있으면 판례에 의함)

□□□

21 경찰승진 [Essential ★]

① 한국인이 외국에서 죄를 지어 현지 법률에 따라 형의 전부 또는 일부의 집행을 받은 때에는 대한민국 법원은 그 집행된 형의 전부 또는 일부를 선고하는 형에 반드시 산입하여야 한다.

② 범죄행위시와 재판시 사이에 여러 차례 법령이 개정되어 형의 변경이 있는 경우에는 그 전부의 법령을 비교하여 그중 가장 형이 가벼운 법령을 적용하여야 한다.

③ 범죄행위는 범죄의사가 외부적으로 표현된 상태로서 주관적·내부적인 의사와 객관적·외부적인 표현(동작)을 그 요소로 하는 것이므로 공모공동정범의 공모지는 「형법」 제2조(국내범)가 적용되는 범죄지로 볼 수 없다.

④ 형법총칙은 다른 법령에 정한 죄에 적용되지만, 그 법령에 특별한 규정이 있는 때에는 예외로 한다.

해설

> ③ [×] 형법 제2조(속지주의)를 적용함에 있어서 공모공동정범의 경우 '공모지'도 범죄지로 보아야 한다.(대법원 1998. 11. 27. 98도2734 히로뽕 3kg 수입 공모사건)
>
> ① [O] 죄를 지어 외국에서 형의 전부 또는 일부가 집행된 사람에 대해서는 그 **집행된 형의 전부 또는 일부를 선고하는 형에 산입한다.**(제7조)
>
> ② [O] 범죄행위시와 재판시 사이에 여러 차례 법령이 개정되어 형의 변경이 있는 경우에는 형법 제1조 제2항에 의하여 그 전부의 법령을 비교하여 그중 **가장 형이 가벼운 법령을 적용하여야 한다.**(대법원 2012. 9. 13. 2012도7760 특강법 수회 개정 사건)
>
> ④ [O] 본법 총칙은 **타법령에 정한 죄에 적용한다.** 단, 그 법령에 특별한 규정이 있는 때에는 예외로 한다.(제8조)

056 다음 설명 중 옳지 않은 것은 모두 몇 개인가? (다툼이 있으면 판례에 의함)

> ⊙ 대한민국 국적의 甲이 일본에서 안마시술업소를 운영하면서 안마사 자격 인정을 받지 아니한 종업원들을 고용하여 안마를 하게 한 경우 그 종업원들의 안마행위가 의료법 제88조 제4호, 제82조 제1항의 구성요건에 해당한다고 볼 수 없으므로 이들을 고용한 甲도 양벌규정에 따라 처벌할 수 없다.
>
> ⓛ 필리핀에서 카지노의 외국인 출입이 허용되어 있으므로 필리핀에서 도박을 한 대한민국 국적의 乙에게 대한민국 형법이 당연히 적용된다고 볼 수는 없다.
>
> ⓒ 중국 국적자가 중국에서 대한민국 국적 주식회사의 인장을 위조한 경우 형법 제5조(외국인의 국외범)의 규정에 따라 사인위조죄로 처벌된다.
>
> ⓔ 내국 법인의 대표자인 외국인이 외국에서 내국 법인이 그 외국에 설립한 특수목적법인에 위탁해 둔 자금을 정해진 목적과 용도 외에 임의로 사용한 경우 그 행위가 행위지의 법률에 의하여 범죄를 구성하지 아니하거나 소추 또는 형의 집행을 면제할 경우가 아니라면 그 외국인에 대하여도 대한민국 법원에 재판권이 있다.
>
> ⓜ 형법 제5조에서 외국인의 국외범으로 규정한 죄는 내란의 죄, 외환의 죄, 국기에 관한 죄, 통화에 관한 죄, 유가증권, 우표와 인지에 관한 죄, 문서에 관한 죄 중 제225조 내지 제230조, 인장에 관한 죄 중 제238조뿐이다.

① 없음   ② 1개

③ 2개   ④ 3개

⑤ 4개

해설

> ③ ⓛⓒ 2 항목이 옳지 않다.
>
> ⊙ [O] 의료법 제88조 제3호는 제82조 제1항에 따른 안마사 자격인정을 받지 아니하고 영리를 목적으로 안마를 한 사람을 처벌하도록 규정하고 있다. 그런데 의료법 제82조 제1항에 따른 안마사의 자격은 우리나라 시·도지사의 자격인정에 의하여 부여되는 것으로서 안마사를 시·도지사의 자격인정을 받은 시각장애인으로 제한하는 위 규정의 목적이 시각장애인에게 안마업을 독점시킴으로써 그들의 생계를 지원하고 직업활동에 참여할 수 있는 기회를 제공하려는 데 있음을 고려하면, 대한민국 영역 외에서 안마업을 하려는 사람에게까지 시·도지사의 자격인정을 받아야 할 의무가 있다고 보기는 어렵다. 따라서 **내국인이 대한민국 영역 외에서 안마업을 하는 경우에는 위와 같은 의무위반을 처벌하는 의료법 제88조 제3호의 구성요건 해당성이 없다.**(대법원 2018. 2. 8. 2014도10051 도쿄 안마시술소 사건)
>
> ⓛ [×] 필리핀국에서 카지노의 외국인 출입이 허용되어 있다 하여도 형법 제3조에 따라 (내국인인) 피고인에게 우리나라 형법이 당연히 적용된다.(대법원 2001. 9. 25. 99도3337 필리핀 도박사건)

ⓒ [×] 사인위조죄는 형법 제6조의 대한민국 또는 대한민국 국민에 대하여 범한 죄에 해당하지 아니하므로 중국 국적자가 중국에서 대한민국 국적 주식회사의 인장을 위조한 경우에는 **외국인의 국외범으로서 그에 대하여 재판권이 없다.**(대법원 2002. 11. 26. 2002도4929 한국 회사 인장 위조사건)

ⓔ [○] 내국 법인의 대표자인 외국인이 내국 법인이 외국에 설립한 특수목적법인에 위탁해 둔 자금을 정해진 목적과 용도 외에 임의로 사용한 데 따른 횡령죄의 피해자는 당해 금전을 위탁한 내국 법인이므로 그 행위가 외국에서 이루어진 경우에도 행위지의 법률에 의하여 범죄를 구성하지 아니하거나 소추 또는 형의 집행을 면 제할 경우가 아니라면 그 외국인에 대해서도 우리 형법이 적용되어(형법 제6조), 우리 법원에 재판권이 있다. (대법원 2017. 3. 22. 2016도17465 파이시티 사건)

ⓕ [○] 제5조

형법(2024. 8. 8. 법률 제19582로 일부개정된 것)
제5조【외국인의 국외범】본법은 대한민국영역외에서 다음에 기재한 죄를 범한 외국인에게 적용한다. 　1. 내란의 죄 　2. 외환의 죄 　3. 국기에 관한 죄 　4. 통화에 관한 죄 　5. 유가증권, 우표와 인지에 관한 죄 　6. 문서에 관한 죄 중 제225조 내지 제230조 　7. 인장에 관한 죄 중 제238조

제 2편

범죄론

제1장 구성요건론

001 「형법」상 친고죄를 모두 고른 것은?   18 경찰채용 [Core ★★]

☐☐☐

> ㉠ 업무상비밀누설죄   ㉡ 과실치상죄
> ㉢ 존속협박죄   ㉣ 비밀침해죄
> ㉤ 업무방해죄   ㉥ 사자의 명예훼손죄
> ㉦ 출판물 등에 의한 명예훼손죄   ㉧ 외국원수에 대한 폭행죄

① ㉠㉡㉤   ② ㉡㉢㉣㉦

③ ㉢㉥㉧   ④ ㉠㉣㉥

해설

> ④ ㉠㉣㉥ 3개 범죄가 친고죄이다.(㉠㉣ 제318조 ㉥ 제312조 제1항)
> ㉡㉢㉦㉧ 4개 범죄는 반의사불벌죄이다.(㉡ 제266조 ㉢ 제283조 ㉦ 제312조 제2항 ㉧ 제110조)
> ㉤ 이는 친고죄나 반의사불벌죄가 아니다.

002 친고죄에 대한 설명으로 옳지 않은 것은? (다툼이 있으면 판례에 의함)   20 국가9급 [Essential ★]

☐☐☐

① 형법 제317조의 업무상비밀누설죄는 친고죄이다.

② 친고죄의 고소는 절차법적 개념인 소추조건에 해당한다.

③ 양벌규정이 적용되는 친고죄의 공소제기에는 직접행위자 외에 양벌규정으로 처벌받는 자에 대한 별도의 고소를 요한다.

④ 사기죄의 행위자와 피해자가 사돈지간인 경우, 공소제기에 피해자의 고소를 요하지 않는다.

해설

③ [×] 저작권법 제103조의 양벌규정은 직접 위법행위를 한 자 이외에 아무런 조건이나 면책조항 없이 그 업무의 주체 등을 당연하게 처벌하도록 되어 있는 규정으로서 당해 위법행위와 별개의 범죄를 규정한 것이라고는 할 수 없으므로 친고죄의 경우에 있어서도 행위자의 범죄에 대한 고소가 있으면 족하고 나아가 양벌규정에 의하여 처벌받는 자에 대하여 별도의 고소를 요한다고 할 수는 없다.(대법원 1996. 3. 12. 94도2423 양벌규정 고소 사건)

① [○] **업무상비밀누설죄, 비밀침해죄**는 친고죄이다.(제317조, 제318조)

② [○] 친고죄의 고소는 범죄와 형벌에 관한 실체법적 개념이 아니라, 절차법적 개념으로 이를 **소추조건** 또는 **소송조건**이라고 한다.

④ [○] (1) 민법 제767조는 '배우자, 혈족 및 인척을 친족으로 한다'고 규정하고 있고, 민법 제769조는 혈족의 배우자, 배우자의 혈족, 배우자의 혈족의 배우자만을 인척으로 규정하고 있을 뿐, 구 민법 제769조에서 인척으로 규정하였던 '혈족의 배우자의 혈족'을 인척에 포함시키지 않고 있다. (2) 피고인의 딸과 피해자의 아들이 혼인관계에 있어 피고인과 피해자가 사돈지간이라고 하더라도 이를 민법상 친족으로 볼 수 없다.(대법원 2011. 4. 28. 2011도2170 사돈 사기 사건)

003 다음 <보기> 중 형법상 친고죄인 것은 모두 몇 개인가?　　　22 해경간부 [Core ★★]

㉠ 사자명예훼손죄	㉡ 업무상비밀누설죄
㉢ 과실치상죄	㉣ 비밀침해죄
㉤ 모욕죄	㉥ 출판물 등에 의한 명예훼손죄
㉦ 외국사절모욕죄	㉧ 존속협박죄

① 1개　　　　　　　　　　　② 2개

③ 3개　　　　　　　　　　　④ 4개

해설

④ ㉠㉡㉣㉤ 4개 범죄는 친고죄이다.(㉠㉤ 제308조, 제311조, 제312조 제1항 ㉡㉣ 제316조부터 제318조) ㉢㉥㉦㉧ 4개 범죄는 반의사불벌죄이다.(㉢ 제266조 제1항 · 제2항 ㉥ 제309조, 제312조 제2항 ㉦ 제108조 제2항, 제110조 ㉧ 제283조 제2항 · 제3항)

정답 | 001 ④　　002 ③　　003 ④

004 다음 <보기> 중 형법상 친고죄인 것으로 옳은 것을 모두 고른 것은?   23 해경승진 [Core ★★]

□□□

> ㉠ 사자명예훼손죄   ㉡ 업무상비밀누설죄
> ㉢ 출판물등에의한명예훼손죄   ㉣ 비밀침해죄
> ㉤ 외국사절모욕죄

① ㉠㉡㉢   ② ㉠㉡㉣
③ ㉠㉡㉣㉤   ④ ㉠㉢㉣㉤

해설

> ② ㉠㉡㉣ 3개 범죄는 **친고죄**이다.(㉠ 제308조, 제312조 제1항 ㉡㉣ 제316조부터 제318조)
> ㉢㉤ 2개 범죄는 반의사불벌죄이다.(㉢ 제309조, 제312조 제2항 ㉤ 제108조 제2항, 제110조)

005 국기와 국교에 관한 죄 중에서 반의사불벌죄가 아닌 것만 모은 것은?   13 경찰간부 [Superlative ★★★]

□□□

> ㉠ 국기 · 국장 모독죄   ㉡ 국기 · 국장 비방죄
> ㉢ 외국원수폭행죄   ㉣ 외국원수모욕죄
> ㉤ 외국사절폭행죄   ㉥ 외국사절모욕죄
> ㉦ 외국국기 · 국장모독죄

① ㉠㉡   ② ㉡㉦
③ ㉢㉤   ④ ㉣㉥

해설

> ① ㉠㉡ 2개 범죄는 반의사불벌죄가 아니다.
> ㉢㉣㉤㉥㉦ 모두 반의사불벌죄이다.(제110조)

006 다음 <보기> 중 현행법상 반의사불벌죄로 규정되어 있는 것은 모두 몇 개인가?

21 해경채용 [Core ★★]

> ㉠ 비밀침해죄 ㉡ 외국원수폭행죄
> ㉢ 외국원수모욕죄 ㉣ 외국사절폭행죄
> ㉤ 외국사절모욕죄 ㉥ 외국국기·국장모독죄
> ㉦ 출판물 등에 의한 명예훼손죄

① 3개 ② 4개
③ 5개 ④ 6개

해설

④ ㉡㉢㉣㉤㉥㉦ 6개 범죄가 반의사불벌죄이다.(㉡㉢㉣㉤㉥ 제107조부터 제110조 ㉦ 제309조, 제312조 제 2항)
㉠ 범죄는 친고죄이다.(제316조, 제318조)

007 다음 중 현행법상 반의사불벌죄로 규정되어 있는 것은 모두 몇 개인가? 19 경찰간부 [Core ★★]

> ㉠ 업무방해죄 ㉡ 비밀침해죄
> ㉢ 업무상과실치상죄 ㉣ 특수폭행죄
> ㉤ 출판물등에의한명예훼손죄 ㉥ 외국국기·국장모독죄

① 1개 ② 2개
③ 3개 ④ 4개

해설

② ㉤㉥ 2개 범죄가 반의사불벌죄이다.(㉤ 제312조 제2항 ㉥ 제110조)
㉡ 범죄는 친고죄이고(제316조, 제318조), ㉠㉢㉣ 3개 범죄는 친고죄나 반의사불벌죄가 아니다.

008 (가)와 (나)에 관한 다음 설명 중 옳고 그름의 표시(○, ×)가 바르게 된 것은? (다툼이 있으면 판
□□□ 례에 의함)

23 경찰채용 [Superlative ★★★]

> (가) 구성요건적 실행행위에 의해 법익의 침해가 발생하여 범죄가 기수에 이르고 범죄행위도 종
>   료되지만 법익침해 상태는 기수 이후에도 존속되는 범죄
> (나) 범죄가 기수에 이른 후에도 범죄행위와 법익침해 상태가 범행 종료시까지 계속되는 범죄

> ㉠ (가)의 경우 기수 이후 법익침해 상태가 계속되는 시점에도 공범성립이 가능하다.
> ㉡ (나)의 공소시효는 기수시부터가 아니라 범죄종료시로부터 진행하므로 범죄가 종료한 때로부
>   터 공소시효가 진행된다.
> ㉢ (가)와 (나)의 경우 정당방위는 기수시까지 가능하다.
> ㉣ (가)는 범죄의 기수시기와 종료시기가 일치하지만, (나)는 범죄의 기수시기와 종료시기가 일
>   치하지 않고 분리된다.

① ㉠ ○ ㉡ × ㉢ ○ ㉣ ○   ② ㉠ ○ ㉡ × ㉢ ○ ㉣ ×
③ ㉠ × ㉡ ○ ㉢ × ㉣ ○   ④ ㉠ × ㉡ ○ ㉢ × ㉣ ×

해설

③ 이 지문이 옳은 연결이다.
(가) 이는 **즉시범 또는 상태범**을 말하고(예를 들어 살인죄), (나) 이는 **계속범**을 말한다(예를 들어 감금죄).
(가) 즉시범 또는 상태범은 범죄의 기수에 이름과 동시에 바로 종료되는 범죄로서 ㉣ 기수시기와 종료시기가 일치
한다.
㉠ [×] (가)의 경우 **기수에 이른 후에는 공범이 성립할 수 없다.**
㉡ [○] (나)의 경우 공소시효는 **종료시부터 기산한다.**
㉢ [×] (가)의 경우 정당방위는 기수시까지 가능하다. (나)의 경우 **정당방위는 종료시까지 가능하다.**
㉣ [○] (가)의 경우 범죄의 기수시기와 종료시기가 일치하지만, (나)의 경우 범죄의 기수시기와 종료시기가 일치
하지 않는다.

009 다음 중 목적범에 해당하는 것을 모두 고른 것은?

12 법원9급 [Core ★★]

> ㉠ 모해위증죄(형법 제152조 제2항)
> ㉡ 무고죄(형법 제156조)
> ㉢ 공정증서원본부실기재죄(형법 제228조 제1항)
> ㉣ 사문서부정행사죄(형법 제236조)
> ㉤ 도박개장죄(형법 제247조)

① ㉡㉢㉣   ② ㉠㉡㉤   ③ ㉡㉣㉤   ④ ㉠㉢㉣

해설

> ② ㉠㉡㉤ 3 항목이 목적범에 해당한다.
> ㉠ 피고인, 피의자 또는 징계혐의자를 모해할 **목적**이 필요하다.(제152조 제2항)
> ㉡ 타인으로 하여금 형사처분 또는 징계처분을 받게 할 **목적**이 필요하다.(제156조)
> ㉢㉣ 특별한 목적을 요하지 아니한다.(제228조 제1항, 제236조)
> ㉤ 영리의 **목적**이 필요하다.(제247조)

010 다음 중 고의 외에 별도로 목적을 요구하는 목적범에 해당하는 범죄를 모두 고른 것은?

24 법원행시 [Superlative ★★★]

> ㉠ 모해위증죄   ㉡ 위계에 의한 업무방해죄
> ㉢ 무고죄   ㉣ 허위사실 적시에 의한 명예훼손죄
> ㉤ 유가증권위조죄

① ㉠㉡㉢   ② ㉠㉢㉣   ③ ㉡㉢㉤
④ ㉠㉢㉤   ⑤ ㉡㉣㉤

해설

> ④ ㉠㉢㉤ 3 항목이 목적범에 해당한다.
> ㉠ 모해위증죄는 형사사건 또는 징계사건에 관하여 피고인, 피의자 또는 징계혐의자를 모해할 목적으로 위증죄를 범하는 경우에 성립한다.(제152조 제2항)

정답 | 008 ③   009 ②   010 ④

ⓛ 위계에 의한 업무방해죄는 위계로써 사람의 업무를 방해하는 경우에 성립한다.(제314조 제1항)
ⓒ 무고죄는 **타인으로 하여금 형사처분 또는 징계처분을 받게 할 목적으로** 공무소 또는 공무원에 대하여 허위의 사실을 신고하는 경우에 성립한다.(제156조)
ⓔ 허위사실 적시에 의한 명예훼손죄는 공연히 허위의 사실을 적시하여 사람의 명예를 훼손하는 경우에 성립한다.(제309조 제2항)
ⓜ 유가증권위조죄는 **행사할 목적으로** 유가증권을 위조하는 경우에 성립한다.(제214조 제1항)

011 범죄의 종류에 대한 설명 중 가장 적절한 것은? (다툼이 있으면 판례에 의함)

23 경찰승진 [Essential ★]

① 명예훼손죄의 구성요건이 결과발생을 요구하는 침해범의 형태로 규정되어 있기 때문에 적시된 사실로 인하여 특정인의 사회적 평가를 침해할 위험만으로는 부족하고 침해의 결과 발생이 필요하다.

② 일반교통방해죄는 구체적 위험범이므로 교통방해의 결과가 현실적으로 발생하여야 하며, 교통방해행위로 인하여 교통이 현저히 곤란한 상태가 발생하면 미수가 된다.

③ 구 「국가공무원법」 제84조, 제65조 제1항에서 규정하는 공무원이 정당 그 밖의 정치단체에 가입한 죄는 공무원이 정당 등에 가입함으로써 즉시 성립하고 그와 동시에 완성되는 즉시범이므로 그 범죄성립과 동시에 공소시효가 진행한다.

④ 체포죄는 즉시범으로서 반드시 체포의 행위에 확실히 사람의 신체의 자유를 구속한다고 인정할 수 있을 정도의 시간적 계속성이 있을 필요는 없다.

해설

③ [○] 구 「국가공무원법」 제84조, 제65조 제1항에서 규정하는 공무원이 정당 그 밖의 정치단체에 가입한 죄는 공무원이 정당 등에 가입함으로써 즉시 성립하고 그와 동시에 완성되는 **즉시범이므로** 그 범죄성립과 동시에 공소시효가 진행한다.(대법원 2014. 5. 16. 2012도12867 **민노당 가입 교사들 사건**)

① [×] (1) **명예훼손죄는 추상적 위험범으로** 불특정 또는 다수인이 적시된 사실을 실제 인식하지 못하였다고 하더라도 인식할 수 있는 상태에 놓인 것으로도 명예가 훼손된 것으로 보아야 한다.(대법원 2020. 12. 30. 2015도15619 **캐디 명예훼손 사건**) (2) 명예훼손죄 규정이 '명예를 훼손한'이라고 규정되어 있음에도 **이를 침해범이 아니라 추상적 위험범으로 보는 것은** 명예훼손이 갖는 행위반가치와 결과반가치의 특수성에 있다. 즉 명예훼손죄의 보호법익인 명예에 대한 침해가 객관적으로 확인될 수 없고 이를 증명할 수도 없기 때문이다.(대법원 2020. 11. 19. 2020도5813 솔슴 **징역 살다온 전과자다 사건**)

② [×] **일반교통방해죄는 이른바 추상적 위험범으로서** 교통이 불가능하거나 또는 현저히 곤란한 상태가 발생하면 바로 기수가 되고 교통방해의 결과가 현실적으로 발생하여야 하는 것은 아니다.(대법원 2019. 4. 23. 2017도1056)

④ [×] **체포죄는 계속범으로서** 체포의 행위에 확실히 사람의 신체의 자유를 구속한다고 인정할 수 있을 정도의 시간적 계속이 있어야 기수에 이르고, 신체의 자유에 대한 구속이 그와 같은 정도에 이르지 못하고 일시적인 것으로 그친 경우에는 체포죄의 미수범이 성립할 뿐이다.(대법원 2020. 3. 27. 2016도18713)

---

012 범죄의 종류에 대한 설명 중 가장 적절한 것은? (다툼이 있으면 판례에 의함)

20 경찰승진 [Essential ★]

① 협박죄는 사람의 의사결정의 자유를 침해하는 침해범으로서 해악의 고지가 상대방에게 도달하여 상대방이 그 의미를 인식하고 나아가 현실적으로 공포심을 일으켰을 때에 비로소 기수가 된다.

② 배임죄의 '손해를 가한 때'란 그 문언상 '손해를 현실적으로 발생하게 한 때'만을 의미하고 실해발생의 위험은 이에 해당하지 않으므로 침해범으로 보아야 한다.

③ 일반교통방해죄는 추상적 위험범으로서 교통이 불가능하거나 또는 현저히 곤란한 상태가 발생하면 바로 기수가 되고 교통방해의 결과가 현실적으로 발생하여야 하는 것은 아니다.

④ 일정한 신분을 가진 자만이 행위주체가 되는 신분범으로 허위공문서작성죄, 공문서위조죄 등이 있다.

해설

③ [○] 일반교통방해죄는 이른바 **추상적 위험범**으로서 교통이 불가능하거나 또는 현저히 곤란한 상태가 발생하면 바로 기수가 되고 교통방해의 결과가 현실적으로 발생하여야 하는 것은 아니다.(대법원 2019. 4. 23. 2017도1056)

① [×] (1) 협박죄는 사람의 의사결정의 자유를 보호법익으로 하는 **위험범이라 봄이 상당하다.** (2) 협박죄가 성립하려면 고지된 해악의 내용이 일반적으로 사람으로 하여금 공포심을 일으키게 하기에 충분한 것이어야 할 것이지만 상대방이 그에 의하여 현실적으로 공포심을 일으킬 것까지 요구되는 것은 아니며, 그와 같은 정도의 **해악을 고지함으로써 상대방이 그 의미를 인식한 이상 상대방이 현실적으로 공포심을 일으켰는지 여부와 관계없이** 그로써 구성요건은 충족되어 **협박죄의 기수에 이른다.**(대법원 2007. 9. 28. 2007도606 全合 **정보과 형사 협박사건**)

② [×] (1) 배임죄에 있어서 **'재산상의 손해를 가한 때'라** 함은 현실적인 손해를 가한 경우뿐만 아니라 **재산상 실해 발생의 위험을 초래한 경우도 포함되고**, 일단 손해의 위험성을 발생시킨 이상 사후에 피해가 회복되었다 하여도 배임죄의 성립에 영향을 주는 것은 아니다.(대법원 2017. 3. 22. 2016도17465 **파이시티 사건**) (2) **배임죄는** 현실적인 재산상 손해액이 확정될 필요까지는 없고 단지 재산상 권리의 실행을 불가능하게 할 염려 있는 상태 또는 손해발생의 위험이 있는 경우에 바로 성립되는 **위태범이다.**(대법원 2000. 4. 11. 99도334 **백미 외상거래 사건**)

④ [×] 허위공문서작성죄는 그 주체가 문서를 작성할 권한이 있는 공무원으로 제한되므로 진정신분범이지만, 공문서위조죄는 그 주체에 아무런 제한이 없으므로 **신분범이 아니다.**

013 다음 중 가장 옳지 않은 것은? (다툼이 있으면 판례에 의함)
21 해경간부 [Essential ★]

① 중상해죄, 중유기죄, 중손괴죄, 중감금죄는 구성요건의 충족을 위해 구체적 위험의 발생을 요구하는 범죄이다.

② 계속범은 기수 이후에도 그 범죄에 대한 공범과 정당방위의 성립이 가능하다.

③ 범인도피죄는 위험범으로서 현실적으로 형사사법의 작용을 방해하는 결과를 초래할 것을 요하지 아니하나, 도피하게 하는 행위는 은닉행위에 비견될 정도로 수사기관의 발견·체포를 곤란하게 하는 행위, 즉 직접 범인을 도피시키는 행위 또는 도피를 직접적으로 용이하게 하는 행위에 한정된다.

④ 직무유기죄는 작위의무를 수행하지 아니하는 위법한 부작위상태가 계속되는 한 가벌적 위법상태는 계속 존재하고 있다고 할 것이므로 즉시범이라고 할 수 없다.

해설

① [×] 중상해죄나 중유기죄는 '생명에 대한 위험발생'을, 중손괴죄는 '생명 또는 신체에 대하여 위험발생'을 범죄구성요건으로 하지만(제258조, 제271조, 제368조), **중감금죄는 사람을 감금하여 가혹한 행위를 가한 경우에 성립한다.**(제277조)

② [○] **계속범은** 범죄의 기수에 이른 이후에도 법익침해가 계속되는 동안에는 종료되지 않고 계속되는 범죄로서, 범죄의 기수시기와 종료시기가 일치하지 않는다(기수에 **이른 이후에도 종료시까지 공범이 성립할 수 있고 정당방위도 할 수 있으며** 또한 공소시효는 종료시부터 기산한다).

③ [○] **범인도피죄는 위험범으로서** 현실적으로 형사사법의 작용을 방해하는 결과를 초래할 필요는 없으나, 적어도 함께 규정되어 있는 은닉행위에 비견될 정도로 수사기관으로 하여금 범인의 발견·체포를 곤란하게 하는 행위, 즉 직접 범인을 도피시키는 행위 또는 도피를 **직접적으로 용이하게 하는 행위에 한정된다.**(대법원 2013. 1. 10. 2012도13999 진술번복 게임장 바지사장 사건)

④ [○] **직무유기죄는** 그 직무를 수행하여야 하는 작위의무의 존재와 그에 대한 위반을 전제로 하고 있는바, 그 작위의무를 수행하지 아니함으로써 구성요건에 해당하는 사실이 있었고 그 후에도 계속하여 그 작위의무를 수행하지 아니하는 위법한 부작위상태가 계속되는 한 가벌적 위법상태는 계속 존재하고 있다고 할 것이며 형법 제122조 후단은 이를 전체적으로 보아 일죄로 처벌하는 취지로 해석되므로 이를 **즉시범이라고 할 수 없다.**(대법원 1997. 8. 29. 97도675 **교통사고 미입건 사건**)

014 위험범에 관한 설명으로 옳지 않은 것을 모두 고른 것은? (다툼이 있으면 판례에 의함)

24 경찰간부 [Superlative ★★★]

- ㉠ 형법 제230조의 공문서부정행사죄는 공무원 또는 공무소의 문서 또는 도화를 부정행사함으로써 성립하는 죄로 추상적 위험범에 해당한다.
- ㉡ 형법 제185조의 일반교통방해죄는 육로, 수로 또는 교량을 손괴 또는 불통하게 하거나 기타 방법으로 교통을 방해함으로써 성립하는 죄로 구체적 위험범에 해당한다.
- ㉢ 형법 제158조의 장례식방해죄는 장례식을 방해함으로써 성립하는 죄로 구체적 위험범에 해당한다.
- ㉣ 형법 제307조의 명예훼손죄는 공연히 사실 또는 허위의 사실을 적시하여 사람의 명예를 훼손함으로써 성립하는 죄로 추상적 위험범에 해당한다.

① ㉠㉡
② ㉠㉣
③ ㉡㉢
④ ㉢㉣

해설

③ ㉡㉢ 2 항목이 옳지 않다.

- ㉠ [○] 공문서부정행사죄는 공문서의 사용에 대한 공공의 신용을 보호법익으로 하는 범죄로서 **추상적 위험범**이다.(대법원 2022. 10. 14. 2020도13344 국가유공자증 사건)
- ㉡ [×] **일반교통방해죄는 이른바 추상적 위험범으로서** 교통이 불가능하거나 또는 현저히 곤란한 상태가 발생하면 바로 기수가 되고 교통방해의 결과가 현실적으로 발생하여야 하는 것은 아니다.(대법원 2019. 4. 23. 2017도1056)
- ㉢ [×] **장례식방해죄는** 장례식의 평온과 공중의 추모감정을 보호법익으로 하는 **이른바 추상적 위험범으로서** 범인의 행위로 인하여 장례식이 현실적으로 저지 내지 방해되었다고 하는 결과의 발생까지 요하지 않는다.(대법원 2013. 2. 14. 2010도13450 노무현 전대통령 영결식 소란사건)
- ㉣ [○] 명예훼손죄는 **추상적 위험범**으로 불특정 또는 다수인이 적시된 사실을 실제 인식하지 못하였다고 하더라도 인식할 수 있는 상태에 놓인 것으로도 명예가 훼손된 것으로 보아야 한다.(대법원 2020. 12. 30. 2015도15619 캐디 명예훼손 사건)

015
□□□
형법상 범죄와 그 범죄의 유형을 바르게 연결한 것은? (다툼이 있으면 판례에 의함)

21 국가9급 [Core ★★]

① 배임죄 - 침해범

② 범인도피죄 - 즉시범

③ 모해위증죄 - 부진정신분범

④ 일반교통방해죄 - 구체적 위험범

해설

③ [O] 형법 제152조 제1항과 제2항은 위증을 한 범인이 형사사건의 피고인 등을 '**모해할 목적**'을 가지고 있었는가 아니면 그러한 목적이 없었는가 하는 범인의 특수한 상태의 차이에 따라 범인에게 과할 형의 경중을 구별하고 있으므로 이는 바로 **형법 제33조 단서 소정의 '신분관계로 인하여 형의 경중이 있는 경우'에 해당한다.** (대법원 1994. 12. 23. 93도1002 **모해위증교사 사건**) 판례에 의할 때 모해위증죄는 부진정신분범이다.

① [×] **배임죄는** 현실적인 재산상 손해액이 확정될 필요까지는 없고 단지 재산상 권리의 실행을 불가능하게 할 염려 있는 상태 또는 손해발생의 위험이 있는 경우에 바로 성립되는 **위태범이다.**(대법원 2000. 4. 11. 99도334 **백미 외상거래 사건**) 위태범은 위험범을 말한다.

② [×] **범인도피죄는** 범인을 도피하게 함으로써 기수에 이르지만 **범인도피행위가 계속되는 동안에는 범죄행위도 계속되고 행위가 끝날 때 비로소 범죄행위가 종료된다.**(대법원 2017. 3. 15. 2015도1456 **조폭 도피 경찰관 사건**) 범인도피죄는 계속범이다.

④ [×] **일반교통방해죄는 추상적 위험범이므로** 교통이 불가능하거나 현저히 곤란한 상태가 발생하면 바로 기수가 되고 교통방해의 결과가 현실적으로 발생하여야 하는 것은 아니다.(대법원 2019. 1. 10. 2016도19464 **민변 권영국 변호사 사건**)

016 범죄유형에 대한 설명으로 옳지 않은 것은? (다툼이 있으면 판례에 의함) 20 국가9급 [Core ★★]

① 내란죄는 다수인이 한 지방의 평온을 해할 정도의 폭동을 하였을 때 이미 그 구성요건이 완전히 충족된다고 할 것이어서 상태범으로 봄이 상당하다.

② 폭력행위 등 처벌에 관한 법률 제4조 소정의 '단체 등의 조직'죄는 같은 법에 규정된 범죄를 목적으로 한 단체 또는 집단을 구성함으로써 즉시 성립하고 그와 동시에 완성되는 즉시범이지 계속범이 아니다.

③ 직무유기죄는 직무를 수행하지 아니하는 위법한 부작위상태가 계속되는 한 가벌적 위법 상태가 계속 존재한다고 할 것이므로 즉시범이라고 할 수 없다.

④ 군형법 제79조에 규정된 무단이탈죄는 허가 없이 근무장소 또는 지정장소를 일시 이탈한 기간 동안 행위가 지속된다는 점에서 계속범에 해당한다.

해설

④ [×] 군형법 제79조에 규정된 무단이탈죄는 **즉시범으로서** 허가없이 근무장소 또는 지정장소를 일시 이탈함과 동시에 완성되고 그 후의 사정인 이탈 기간의 장단 등은 무단이탈죄의 성립에 아무런 영향이 없다.(대법원 1983. 11. 8. 83도2450 **4시간 무단이탈 사건**)

① [○] 내란죄는 국토를 참절하거나 국헌을 문란할 목적으로 폭동한 행위로서, 다수인이 결합하여 위와 같은 목적으로 한 지방의 평온을 해할 정도의 폭행·협박행위를 하면 기수가 되고, 그 목적의 달성 여부는 이와 무관한 것으로 해석되므로, 다수인이 한 지방의 평온을 해할 정도의 폭동을 하였을 때 이미 내란의 구성요건은 완전히 충족된다고 할 것이어서 **상태범으로** 봄이 상당하다.(대법원 1997. 4. 17. 96도3376 소송 **신군부 내란사건**)

② [○] 폭력행위 등 처벌에 관한 법률 제4조에서 정한 단체 등의 구성죄는 같은 법에 규정된 범죄를 목적으로 한 단체 또는 집단을 구성함으로써 즉시 성립·완성되는 **즉시범**이므로 범죄성립과 동시에 공소시효가 진행된다.(대법원 2013. 10. 17. 2013도6401 **당진석구파 사건**)

③ [○] 직무유기죄는 그 직무를 수행하여야 하는 작위의무의 존재와 그에 대한 위반을 전제로 하고 있는바, 그 작위의무를 수행하지 아니함으로써 구성요건에 해당하는 사실이 있었고 그 후에도 계속하여 그 작위의무를 수행하지 아니하는 위법한 부작위상태가 계속되는 한 가벌적 **위법상태는 계속 존재**하고 있다고 할 것이며 형법 제122조 후단은 이를 전체적으로 보아 일죄로 처벌하는 취지로 해석되므로 이를 즉시범이라고 **할 수 없다.**(대법원 1997. 8. 29. 97도675 **교통사고 미입건 사건**)

017
□□□

S회사의 대표이사인 甲은 전임 대표이사가 A와 B에게 회사소유의 상가를 분양하여 대금전액을 완납받았음을 알면서도 乙과 공모하여 이중분양하기로 하고 乙에게 위 상가의 소유권이전등기를 해 주었다. 甲과 乙의 죄책에 대한 설명으로 옳지 않은 것은? (다툼이 있으면 판례에 의함)

13 국가9급 [Superlative ★★★]

① 배임죄에 있어서 타인의 사무를 처리할 의무의 주체가 법인이 되는 경우라도 법인은 사법상의 의무주체가 될 뿐 범죄능력이 없다.

② 법인이 처리할 의무를 지는 타인의 사무에 관하여는 법인이 배임죄의 주체가 될 수 없고 그 법인을 대표하여 사무를 처리하는 자연인인 대표기관이 배임죄의 주체가 된다.

③ 형법은 배임죄에 관하여 양벌규정을 두고 있으므로 대표이사 甲 이외에 S회사에 대해서도 벌금형을 부과할 수 있다.

④ 乙이 상가가 A와 B에 매도된 사실을 알고 있으면서 甲과 공모하여 자기명의로 소유권이전등기를 경료함으로써 甲의 배임행위에 적극 가담한 경우 乙은 배임죄의 공동정범으로 처벌될 수 있다.

해설

③ [×] 형법은 배임죄에 관하여 양벌규정을 두고 않으므로 S회사에 대하여 **벌금형을 부과할 수 없다.**

①② [○] (1) 배임죄에 있어서 타인의 사무를 처리할 의무의 주체가 법인이 되는 경우라도 **법인은 다만 사법상의 의무 주체가 될 뿐 범죄능력이 없는 것**이며, 그 타인의 사무는 법인을 대표하는 자연인인 대표기관의 의사결정에 따른 대표행위에 의하여 실현될 수밖에 없어 그 대표기관은 마땅히 법인이 타인에 대하여 부담하고 있는 의무 내용대로 사무를 처리할 임무가 있다 할 것이므로 (2) 법인이 처리할 의무를 지는 타인의 사무에 관하여는 법인이 배임죄의 주체가 될 수 없고 그 법인을 대표하여 사무를 처리하는 자연인인 대표기관이 바로 타인의 사무를 처리하는 자, 즉 배임죄의 주체가 된다.(대법원 1984. 10. 10. 82도2595 全合 상가 이중분양사건)

④ [○] 배임죄의 실행으로 인하여 이익을 얻게 되는 수익자 또는 그와 밀접한 관련이 있는 제3자를 배임의 실행행위자와 공동정범으로 인정하기 위하여는 실행행위자의 행위가 피해자 본인에 대한 배임행위에 해당한다는 것을 알면서도 소극적으로 그 배임행위에 편승하여 이익을 취득한 것만으로는 부족하고, 실행행위자의 배임행위를 교사하거나 또는 배임행위의 전 과정에 관여하는 등으로 배임행위에 **적극 가담할 것을 필요로 한다.**(대법원 2017. 3. 22. 2016도17465 파이시티 사건) 甲의 배임행위에 乙이 적극 가담하였으므로 乙을 배임죄의 공동정범으로 처벌할 수 있다.

018 행위의 주체에 관한 설명으로 가장 적절한 것은? (다툼이 있으면 판례에 의함)

☐☐☐

24 경찰승진 [Core ★★]

① 주식회사의 주식이 사실상 1인의 주주에 귀속하는 1인회사의 경우에는 회사와 주주를 동일한 인격체라고 볼 수 있으므로 1인회사는 양벌규정에 따른 책임을 부담하지 않는다.

② 양벌규정에 의하여 법인이 처벌받는 경우라도 법인의 사용인들이 범죄행위를 공모한 후 일방 법인의 사용인이 그 실행행위에 직접 가담하지 아니하고 다른 공모자인 타법인의 사용인만이 분담실행한 경우라면 그 법인은 공동정범의 죄책을 면한다.

③ 양벌규정 중 법인의 대표자 관련 부분은 대표자의 책임을 요건으로 하여 법인을 처벌하는 것이지 그 대표자의 처벌까지 전제조건이 되는 것은 아니므로 법인의 대표이사가 선행사건 확정 판결로 면소판결을 선고받았더라도 해당 법인을 양벌규정으로 처벌할 수 있다.

④ 회사 대표자의 위반행위에 대하여 징역형의 형량을 정상참작감경하고 병과하는 벌금형에 대하여 선고유예를 한 이상 양벌규정에 따라 그 회사를 처단함에 있어서도 같은 조치를 취하여야 한다.

해설

③ [○] 정보통신망법 제75조 및 영화비디오법 제97조는 법인의 대표자 등이 그 법인의 업무에 관하여 각 법규 위반행위를 하면 그 행위자를 벌하는 외에 그 법인에게도 해당 조문의 벌금을 과하는 양벌규정을 두고 있다. 위와 같이 양벌규정을 따로 둔 취지는 법인은 기관을 통하여 행위하므로 법인의 대표자의 행위로 인한 법률효과와 이익은 법인에게 귀속되어야 하고, 법인 대표자의 범죄행위에 대하여는 법인 자신이 책임을 져야 하는바, 법인 대표자의 법규위반행위에 대한 법인의 책임은 법인 자신의 법규위반행위로 평가될 수 있는 행위에 대한 법인의 직접책임이기 때문이다. 따라서 대표자의 고의에 의한 위반행위에 대하여는 법인 자신의 고의에 의한 책임을, 대표자의 과실에 의한 위반행위에 대하여는 법인 자신의 과실에 의한 책임을 져야 한다. 이처럼 양벌규 정 중 법인의 대표자 관련 부분은 대표자의 책임을 요건으로 하여 법인을 처벌하는 것이지 그 **대표자의 처벌까지 전제조건이 되는 것은 아니다.**(대법원 2022. 11. 17. 2021도701 대표면소 법인유죄 사건) 법인의 대표이사 가 선행사건 확정판결로 면소판결을 선고받았더라도 해당 법인을 양벌규정으로 처벌할 수 있다.

① [×] **주식회사의 주식이 사실상 1인의 주주에 귀속하는 1인회사의 경우에도 회사와 주주는 별개의 인격체로 서** 1인 회사의 재산이 곧바로 1인주주의 소유라고 할 수 없기 때문에 **양벌규정에 따른 책임에 관하여 달리 볼 수 없다.**(대법원 2018. 4. 12. 2013도6962 L경제연구소 물량잠그기 사건)

② [×] 양벌규정에 의하여 법인이 처벌받는 경우에 법인의 사용인들이 범죄행위를 공모한 후 일방법인의 사용인 이 그 실행행위에 직접 가담하지 아니하고 **다른 공모자인 타법인의 사용인만이 분담실행한 경우에도 그 법인 은 공동정범의 죄책을 면할 수 없다.**(대법원 1983. 3. 22. 81도2545 공기조절 및 건조장치 수입사건)

④ [×] 회사 대표자의 위반행위에 대하여 징역형의 형량을 작량감경하고 병과하는 벌금형에 대하여 선고유예를 한 이상 **양벌규정에 따라 그 회사를 처단함에 있어서도 같은 조치를 취하여야 한다는 논지는 독자적인 견해 에 지나지 아니하여 받아들일 수 없다.**(대법원 1995. 12. 12. 95도1893 가짜 동규자차 사건)

019

☐☐☐ 법인의 범죄능력과 양벌규정에 대한 설명 중 가장 적절한 것은? (다툼이 있으면 판례에 의함)

20 경찰승진 [Core ★★]

① 합병으로 인하여 소멸한 법인이 그 종업원 등의 위법행위에 대해 양벌규정에 따라 부담하던 형사책임은 합병으로 인하여 존속하는 법인에 승계된다.

② 양벌규정에 의해서 법인 또는 영업주를 처벌하는 경우 그 처벌은 직접 법률을 위반한 행위자에 대한 처벌에 종속하므로 행위자에 대한 처벌은 법인 또는 개인에 대한 처벌의 전제조건이 된다.

③ 회사 대표자의 위반행위에 대하여 징역형의 형량을 작량감경하고 병과하는 벌금형에 대하여 선고유예를 하였다면 양벌규정에 따라 그 회사를 처단함에 있어서도 같은 조치를 취하여야 한다.

④ 지입차주가 세무관서에 독립된 사업자등록을 하고 지입된 차량을 직접 운행·관리하면서 그 명의로 운송계약을 체결하였다고 하더라도, 지입차주는 객관적으로나 외형상으로나 그 차량의 소유자인 지입회사와의 위탁계약에 의하여 그 위임을 받아 운행·관리를 대행하는 지위에 있는 자로서 구 도로법 제100조 제1항에서 정한 대리인·사용인 그 밖의 종업원에 해당한다.

해설

④ [○] 지입제 형식의 운송사업에 있어 사업장의 근로자와의 관계에 있어서도 지입차량의 소유자이자 대외적인 경영주체에 해당하는 지입회사가 직접 근로관계에 대한 책임을 지는 사용자라고 보아야 하므로, 비록 **지입회사가 지입차량의 운전자를 직접 고용하여 지휘·감독을 한 바 없다** 하더라도 객관적으로 지입차량의 운전자를 지휘·감독할 관계에 있는 사용자로서 그 지휘·감독의 소홀에 따른 책임을 진다.(대법원 2009. 9. 24. 2009도5302 지입회사만 처벌 사건)

① [×] 합병으로 인하여 소멸한 법인이 그 종업원 등의 위법행위에 대해 양벌규정에 따라 부담하던 형사책임은 그 성질상 이전을 허용하지 않는 것으로서 **합병으로 인하여 존속하는 법인에 승계되지 않는다.**(대법원 2015. 12. 24. 2015도13946 낙동강하구둑 입찰담합 사건)

② [×] 양벌규정에 의한 **영업주의 처벌은 금지위반행위자인 종업원의 처벌에 종속하는 것이 아니라** 독립하여 그 자신의 종업원에 대한 선임감독상의 과실로 인하여 처벌되는 것이므로 **종업원의 범죄성립이나 처벌이 영업주 처벌의 전제조건이 될 필요는 없다.**(대법원 2006. 2. 24. 2005도7673 여행사 직원 사건)

③ [×] 회사 대표자의 위반행위에 대하여 징역형의 형량을 작량감경하고 병과하는 벌금형에 대하여 선고유예를 한 이상 양벌규정에 따라 그 회사를 처단함에 있어서도 같은 조치를 취하여야 한다는 논지는 독자적인 견해에 지나지 아니하여 받아들일 수 없다.(대법원 1995. 12. 12. 95도1893 가짜 동규자차 사건)

020 법인의 처벌 등에 관한 다음 설명 중 옳지 않은 것은 모두 몇 개인가? (다툼이 있으면 판례에 의함)

21 법원행시 [Superlative ★★★]

> ㉠ 법인을 처벌하는 양벌규정이 있는 경우에 예외적으로 법인에게도 범죄능력을 인정할 수 있다.
> ㉡ 지방자치단체 소속 공무원이 기관위임사무를 수행하는 중 위반행위를 한 경우 지방자치단체도 양벌규정에 따른 처벌대상이 된다.
> ㉢ 1인 회사의 경우도 자본시장과 금융투자업에 관한 법률에 따른 양벌규정에 기한 책임을 부담한다.
> ㉣ 회사가 해산 및 청산등기 전에 재산형에 해당하는 사건으로 기소되었으나 그 후 청산종결의 등기가 경료되었다면 위 회사는 형사소송법상 당사자능력을 상실하게 된다.
> ㉤ 조세범처벌법에 따른 고발의 구비 여부는 양벌규정에 의하여 처벌받는 자연인인 행위자와 법인에 대하여 개별적으로 논하여야 한다.

① 없음 ② 1개 ③ 2개
④ 3개 ⑤ 4개

해설

④ ㉠㉡㉣ 3 항목이 옳지 않다.

㉠ [×] (1) **법인은** 사법상의 권리의무의 주체가 될 수 있음은 별론으로 하더라도 법률에 명문의 규정이 없는 한 **그 범죄능력은 없고** 그 법인의 업무는 법인을 대표하는 자연인인 대표기관의 의사결정에 따른 대표행위에 의하여 실현될 수밖에 없다.(대법원 2007. 10. 26. 2006도7280 법인소유 자동차 사건) (2) **자연인이 법인의 기관으로서 범죄행위를 한 경우에도** 행위자인 자연인이 그 범죄행위에 대한 형사책임을 지는 것이고, 다만 법률이 그 목적을 달성하기 위하여 특별히 규정하고 있는 경우에만 그 행위자를 벌하는 외에 법률효과가 귀속되는 법인에 대하여도 벌금형을 과할 수 있다.(대법원 2018. 8. 1. 2015도10388 의료기기 지식iN 광고사건) 법인을 처벌하는 양벌규정이 있는 경우에도 법인의 범죄능력을 인정할 수는 없다. 양벌규정은 법인 등의 처벌을 통하여 벌칙조항의 실효성을 확보하는 데 있는 것이지 법인 등의 범죄능력을 인정하기 때문에 그런 것은 아니다.

㉡ [×] (1) **국가가 본래 그의 사무의 일부를 지방자치단체의 장에게 위임하여 처리하게 하는 기관위임사무의 경우 지방자치단체는 국가기관의 일부로 볼 수 있고** (2) 지방자치단체가 그 고유의 자치사무를 처리하는 경우 지방자치단체는 국가기관의 일부가 아니라 국가기관과는 별도의 독립한 공법인으로서 양벌규정에 의한 처벌대상이 되는 법인에 해당한다.(대법원 2009. 6. 11. 2008도6530 부산시 항만순찰 사건)

㉢ [○] 주식회사의 주식이 사실상 1인의 주주에 귀속하는 **1인회사의 경우에도** 회사와 주주는 별개의 인격체로서, 1인 회사의 재산이 곧바로 1인주주의 소유라고 할 수 없기 때문에 **양벌규정에 따른 책임에 관하여 달리 볼 수 없다.**(대법원 2018. 4. 12. 2013도6962 L경제연구소 불량참그기 사건)

㉣ [×] 법인에 대한 청산종결 등기가 되었더라도 청산사무가 종결되지 않는 한 그 범위 내에서는 청산법인으로 존속한다. **법인의 해산 또는 청산종결 등기 이전에 업무나 재산에 관한 위반행위가 있는 경우에는** 청산종결 등기가 된 이후 위반행위에 대한 수사가 개시되거나 공소가 제기되더라도 그에 따른 수사나 재판을 받는 일은 법인의 청산사무에 포함되므로 그 사건이 종결될 때까지 법인의 청산사무는 종료되지 않고 형사소송법상 당**사자능력도 그대로 존속한다.**(대법원 2021. 6. 30. 2018도14261 무등록 투자일임업 사건)

◎ [○] 조세범처벌법에 의하여 하는 고발에 있어서는 이른바 고소·고발 불가분의 원칙이 적용되지 아니하므로 고발의 구비 여부는 양벌규정에 의하여 처벌받는 **자연인인 행위자와 법인에 대하여 개별적으로 논하여야 한다.**(대법원 2004. 9. 24. 2004도4066)

021 □□□ 법인의 범죄능력과 양벌규정에 관한 설명으로 가장 옳지 않은 것은? (다툼이 있으면 판례에 의함)

20 해경승진 [Core ★★]

① 합병으로 인하여 소멸한 법인이 그 종업원 등의 위법행위에 대해 양벌규정에 따라 부담하던 형사책임은 합병으로 인하여 존속하는 법인에 승계되지 않는다.

② 지방자치단체가 국가로부터 위임받은 사무를 처리하는 경우에도 지방자치단체는 국가기관과는 별도의 독립한 공법인이므로 양벌규정에 의한 처벌대상이 되는 법인에 해당한다.

③ 형벌의 자기책임원칙에 비추어 볼 때 양벌규정은 법인이 사용인 등에 의하여 위반행위가 발생한 그 업무와 관련하여 상당한 주의 또는 관리감독 의무를 게을리 한 때에 한하여 적용된다.

④ 양벌규정에 의해 자연인과 법인을 함께 처벌하는 경우 행위자에 대하여 부과하는 형량을 작량감경하더라도 법인을 처벌함에 있어서는 작량감경을 하지 않아도 된다.

해설

② [×] (1) 국가가 본래 그의 사무의 일부를 지방자치단체의 장에게 위임하여 처리하게 하는 **기관위임사무의 경우 지방자치단체는 국가기관의 일부로 볼 수 있고** (2) 지방자치단체가 그 고유의 자치사무를 처리하는 경우 지방자치단체는 국가기관의 일부가 아니라 국가기관과는 별도의 독립한 공법인으로서 양벌규정에 의한 처벌대상이 되는 법인에 해당한다.(대법원 2009. 6. 11. 2008도6530 부산시 항만순찰 사건)

① [○] 합병으로 인하여 소멸한 법인이 그 종업원 등의 위법행위에 대해 양벌규정에 따라 부담하던 형사책임은 그 성질상 이전을 허용하지 않는 것으로서 **합병으로 인하여 존속하는 법인에 승계되지 않는다.**(대법원 2015. 12. 24. 2015도13946 낙동강하구둑 입찰담합 사건)

③ [○] 형벌의 자기책임원칙에 비추어 볼 때 양벌규정은 법인이 사용인 등에 의하여 위반행위가 발생한 그 업무와 관련하여 **상당한 주의 또는 관리감독 의무를 게을리한 때에 한하여 적용된다**고 봄이 상당하고, 구체적인 사안에서 법인이 상당한 주의 또는 관리감독 의무를 게을리하였는지 여부는 당해 위반행위와 관련된 모든 사정, 즉 당해 법률의 입법 취지, 처벌조항 위반으로 예상되는 법익 침해의 정도, 그 위반행위에 관하여 양벌규정을 마련한 취지 등은 물론 위반행위의 구체적인 모습과 그로 인하여 실제 야기된 피해 또는 결과의 정도, 법인의 영업 규모 및 행위자에 대한 감독가능성 또는 구체적인 지휘감독 관계, 법인이 위반 행위 방지를 위하여 실제 행한 조치 등을 전체적으로 종합하여 판단하여야 한다.(대법원 2011. 7. 14. 2009도5516 개발제한구역 내 비닐하우스 설치사건)

④ [○] 회사 대표자의 위반행위에 대하여 징역형의 형량을 작량감경하고 병과하는 벌금형에 대하여 선고유예를 한 이상 양벌규정에 따라 그 회사를 처단함에 있어서도 같은 조치를 취하여야 한다는 논지는 독자적인 견해에 지나지 아니하여 받아들일 수 없다.(대법원 1995. 12. 12. 95도1893 가짜 동규자차 사건)

022 양벌규정에 대한 설명으로 옳지 않은 것은? (다툼이 있으면 판례에 의함)

☐☐☐
23 국가7급 [Superlative ★★★]

① 양벌규정 중 법인 대표자의 법규위반행위에 대한 법인의 책임은 법인 자신의 법규위반행위로 평가될 수 있는 행위에 대한 법인의 직접 책임이지만, 대표자의 고의·과실에 의한 위반행위에 대하여는 법인도 고의·과실책임을 부담하므로 법인의 처벌은 그 대표자의 처벌을 요건으로 한다.

② 양벌규정에서 법인처벌의 요건으로 규정된 '법인의 업무에 관하여' 행한 것으로 보기 위해서는 객관적으로 법인의 업무를 위하여 하는 것으로 인정할 수 있는 행위가 있어야 하고, 주관적으로는 피용자 등이 법인의 업무를 위하여 한다는 의사를 가지고 행위하여야 한다.

③ 구 건축법(1991. 5. 31. 법률 제4381호로 개정되어 1992. 6. 1. 시행되기 전의 것) 제54조 내지 제56조의 벌칙규정과 같이 법률의 벌칙규정에서 그 적용대상자를 일정한 업무주로 한정한 경우에 업무주가 아니면서 그 업무를 실제로 집행하는 자가 그 벌칙규정의 위반행위를 하였다면 실제로 업무를 집행하는 자는 그 벌칙규정을 적용대상으로 하고 있는 양벌규정에 의해 처벌된다.

④ 지방자치단체가 그 고유의 자치사무를 처리하는 경우 지방자치단체는 국가기관의 일부가 아니라 국가기관과는 별도의 독립한 공법인으로서 양벌규정에 의한 처벌대상이 되는 법인에 해당한다.

해설

① [×] 정보통신망법 제75조 및 영화비디오법 제97조는 법인의 대표자 등이 그 법인의 업무에 관하여 각 법규위반행위를 하면 그 행위자를 벌하는 외에 그 법인에게도 해당 조문의 벌금을 과하는 양벌규정을 두고 있다. 위와 같이 양벌규정을 따로 둔 취지는 법인은 기관을 통하여 행위하므로 법인의 대표자의 행위로 인한 법률효과와 이익은 법인에게 귀속되어야 하고, 법인 대표자의 범죄행위에 대하여는 법인 자신이 책임을 져야 하는바, 법인 대표자의 법규위반행위에 대한 법인의 책임은 법인 자신의 법규위반행위로 평가될 수 있는 행위에 대한 법인의 직접책임이기 때문이다. 따라서 대표자의 고의에 의한 위반행위에 대하여는 법인 자신의 고의에 의한 책임을, 대표자의 과실에 의한 위반행위에 대하여는 법인 자신의 과실에 의한 책임을 져야 한다. 이처럼 **양벌규정 중 법인의 대표자 관련 부분은 대표자의 책임을 요건으로 하여 법인을 처벌하는 것이지 그 대표자의 처벌까지 전제조건이 되는 것은 아니다.**(대법원 2022. 11. 17. 2021도701 대표면소 법인유죄 사건)

② [○] (1) 신용정보법 제34조[24년 현재 제51조]에 법인을 처벌하기 위한 요건으로서 규정한 '법인의 업무에 관하여' 행한 것으로 보기 위해서는 객관적으로 **법인의 업무를 위하여 하는 것으로 인정할 수 있는 행위가 있어야 하고, 주관적으로는 피용자 등이 법인의 업무를 위하여 한다는 의사를 가지고 행위함을 요한다.** (2) 신용카드회사에서 신용카드회원모집업무를 담당하는 직원이 대행업체를 통하여 카드회원을 모집하면서 신용카드 가맹점 업주의 개인신용정보를 대행업체에게 제공한 경우 신용카드회사는 양벌규정에 의한 책임을 면할 수 없다.(대법원 2006. 6. 15. 2004도1639 가맹점 신용정보 제공사건)

③ [○] 구 건축법 제54조 내지 제56조의 벌칙규정에서 그 적용대상자를 건축주, 공사감리자, 공사시공자 등 일정한 업무주로 한정한 경우에 있어서, 같은 법 제57조의 양벌규정은 업무주가 아니면서 당해 업무를 실제로 집행하는 자가 있는 때에 위 벌칙규정의 실효성을 확보하기 위하여 그 적용대상자를 당해 업무를 실제로 집행하는 자에게까지 확장함으로써 그러한 자가 당해 업무집행과 관련하여 위 벌칙규정의 위반행위를 한 경우 위 양벌규정에 의하여 처벌할 수 있도록 한 행위자의 처벌규정임과 동시에 그 위반행위의 이익귀속주체인 업무주에 대한 처벌규정이다.(대법원 1999. 7. 15. 95도2870 숯숯 기우뚱 아파트 사건)

④ [○] 국가가 본래 그의 사무의 일부를 지방자치단체의 장에게 위임하여 처리하게 하는 기관위임사무의 경우 지방자치단체는 국가기관의 일부로 볼 수 있고 지방자치단체가 그 고유의 자치사무를 처리하는 경우 지방자치단체는 국가기관의 일부가 아니라 국가기관과는 별도의 독립한 공법인으로서 양벌규정에 의한 처벌대상이 되는 법인에 해당한다.(대법원 2009. 6. 11. 2008도6530 부산시 항만순찰 사건)

023 양벌규정에 대한 다음 설명 중 가장 적절하지 않은 것은? (다툼이 있으면 판례에 의함)

□□□
16 경찰채용 [Core ★★]

① 합병으로 인하여 소멸한 법인이 그 종업원 등의 위법행위에 대해 양벌규정에 따라 부담하던 형사책임은 그 성질상 이전을 허용하지 않는 것으로서 합병으로 인하여 존속하는 법인에 승계되지 않는다.

② 회사 대표자의 위반행위에 대하여 징역형의 형량을 작량감경하고 병과하는 벌금형에 대하여 선고유예를 한 이상 양벌규정에 따라 그 회사를 처단함에 있어서도 같은 조치를 취하여야 한다.

③ 형벌의 자기책임원칙에 비추어 보면, 종업원의 위반행위가 발생한 그 업무와 관련하여 법인이 상당한 주의 또는 관리감독 의무를 게을리한 때에 한하여 양벌규정을 적용한다.

④ 양벌규정에 의하여 법인이 처벌받는 경우, 법인에게 자수감경에 관한 형법 제52조 제1항의 규정을 적용하기 위해서는 법인의 이사 기타 대표자가 수사책임이 있는 관서에 자수한 경우에 한하고, 그 위반행위를 한 직원 또는 사용인이 자수한 것만으로는 위 규정에 의하여 형을 감경할 수 없다.

해설

② [×] 회사 대표자의 위반행위에 대하여 징역형의 형량을 작량감경하고 병과하는 벌금형에 대하여 선고유예를 한 이상 양벌규정에 따라 **그 회사를 처단함에 있어서도 같은 조치를 취하여야 한다는 논지**는 독자적인 견해에 지나지 아니하여 **받아들일 수 없다.**(대법원 1995. 12. 12. 95도1893 가짜 동규자차 사건)

① [○] 양벌규정에 의한 법인의 처벌은 어디까지나 형벌의 일종으로서 행정적 제재처분이나 민사상 불법행위책임과는 성격을 달리하는 점, 형사소송법 제328조가 '피고인인 법인이 존속하지 아니하게 되었을 때'를 공소기각결정의 사유로 규정하고 있는 것은 형사책임이 승계되지 않음을 전제로 한 것이라고 볼 수 있는 점 등에 비추어 보면, 법인이 형사처벌을 면탈하기 위한 방편으로 합병제도 등을 남용하는 경우 이를 처벌하거나 형사책임을 승계시킬 수 있는 근거규정을 특별히 두고 있지 않은 현행법하에서는 합병으로 인하여 소멸한 법인이

그 종업원 등의 위법행위에 대해 **양벌규정에 따라 부담하던 형사책임**은 그 성질상 이전을 허용하지 않는 것으로서 **합병으로 인하여 존속하는 법인에 승계되지 않는다.**(대법원 2015. 12. 24. 2015도13946 낙동강하구둑 입찰담합 사건)

③ [○] 형벌의 자기책임원칙에 비추어 볼 때 양벌규정은 법인이 사용인 등에 의하여 위반행위가 발생한 그 업무와 관련하여 **상당한 주의 또는 관리감독 의무를 게을리한 때에 한하여 적용**된다고 봄이 상당하다.(대법원 2011. 7. 14. 2009도5516 개발제한구역내 비닐하우스 설치사건)

④ [○] 양벌규정에 의하여 법인이 처벌받는 경우 법인에게 **자수감경에 관한 형법 규정을 적용하기 위하여는 법인의 이사 기타 대표자가 수사책임이 있는 관서에 자수한 경우에 한하고** 그 위반행위를 한 직원 또는 사용인이 자수한 것만으로는 형을 감경할 수 없다.(대법원 1995. 7. 25. 95도391)

024 법인의 형사책임에 대한 설명으로 옳지 않은 것은? (다툼이 있으면 판례에 의함)

① 법인이 설립되기 이전에 자연인이 한 행위에 대하여는 특별한 근거규정이 없는 한 양벌규정을 적용하여 법인을 처벌할 수 없다.

② 양벌규정에 의한 영업주의 처벌은 금지위반 행위자인 종업원의 처벌에 종속하는 것이 아니므로 종업원의 범죄성립이나 처벌이 영업주 처벌의 전제조건이 될 필요는 없다.

③ 친고죄에 대하여 양벌규정이 적용되는 경우, 행위자의 범죄에 대한 고소가 있으면 족하고 나아가 양벌규정에 의하여 처벌받는 법인에 대하여 별도의 고소를 요하는 것은 아니다.

④ 법인 직원의 위반행위로 인해 법인이 처벌받는 경우, 그 위반 행위를 한 직원이 자수하였다면 법인의 이사 기타 대표자가 자수하지 않았다 하더라도 해당 법인에게 자수감경에 관한 형법 제52조 제1항의 규정을 적용할 수 있다.

해설

④ [×] 양벌규정에 의하여 법인이 처벌받는 경우 법인에게 자수감경에 관한 형법 규정을 적용하기 위하여는 법인의 이사 기타 대표자가 수사책임이 있는 관서에 자수한 경우에 한하고 그 위반행위를 한 **직원 또는 사용인이 자수한 것만으로는 형을 감경할 수 없다.**(대법원 1995. 7. 25. 95도391)

① [○] 법인이 설립되기 이전의 행위에 대하여는 법인에게 어떠한 선임감독상의 과실이 있다고 할 수 없으므로, 특별한 근거규정이 없는 한 법인이 설립되기 이전에 **자연인이 한 행위에 대하여 양벌규정을 적용하여 법인을 처벌할 수는 없다.**(대법원 2018. 8. 1. 2015도10388 의료기기 지식iN 광고사건)

② [○] 양벌규정에 의한 영업주의 처벌은 금지위반행위자인 종업원의 처벌에 종속하는 것이 아니라 독립하여 그 자신의 종업원에 대한 선임감독상의 과실로 인하여 처벌되는 것이므로 종업원의 **범죄성립이나 처벌이 영업주 처벌의 전제조건이 될 필요는 없다.**(대법원 2006. 2. 24. 2005도7673 여행사 직원 사건)

③ [O] 저작권법 제103조의 양벌규정은 직접 위법행위를 한 자 이외에 아무런 조건이나 면책조항 없이 그 업무의 주체 등을 당연하게 처벌하도록 되어 있는 규정으로서 당해 위법행위와 별개의 범죄를 규정한 것이라고는 할 수 없으므로 친고죄의 경우에 있어서도 행위자의 범죄에 대한 고소가 있으면 족하고 나아가 양벌규정에 의하여 처벌받는 자에 대하여 **별도의 고소를 요한다고 할 수는 없다.**(대법원 1996. 3. 12. 94도2423 **양벌규정 고소 사건**)

025 법인의 형사책임에 관한 설명 중 가장 적절하지 않은 것은? (다툼이 있으면 판례에 의함)

□□□

22 경찰채용 [Core ★★]

① 법인격 없는 사단과 같은 단체는 법인과 마찬가지로 사법상의 권리의무의 주체가 될 수 있음은 별론으로 하더라도 법률에 명문의 규정이 없는 한 그 범죄능력은 없다.

② 양벌규정에 의해 법인이 처벌되는 경우 공모한 수인의 사용인 가운데 A, B법인의 사용인은 직접 실행행위에 가담하지 않고 C법인의 사용인만 실행행위를 분담한 경우에도 A, B 법인은 C법인과 공동정범이 될 수 있다.

③ 양벌규정에 따라 사용자인 법인 또는 개인을 처벌하기 위해서는 형벌의 자기책임 원칙에 비추어 위반행위가 발생한 그 업무와 관련하여 사용자인 법인 또는 개인이 상당한 주의 또는 감독의무를 게을리한 과실이 있어야 한다.

④ 판례는 양벌규정의 적용대상자를 업무주가 아니면서 당해 업무를 실제 집행하는 자에게까지 확장하고 있어, 법인격 없는 공공기관도 「개인정보 보호법」상 양벌규정에 의해 처벌될 수 있고, 해당 업무를 실제로 담당하는 소속 공무원도 양벌규정에 의해 처벌받을 수 있다.

해설

④ [×] 개인정보 보호법은 제2조 제5호·제6호에서 공공기관 중 법인격이 없는 '중앙행정기관 및 그 소속기관' 등을 개인정보처리자 중 하나로 규정하고 있으면서도 양벌규정에 의하여 처벌되는 **개인정보처리자로는 같은 법 제74조 제2항에서 '법인 또는 개인'만을 규정하고 있을 뿐**이고, 법인격 없는 공공기관에 대하여도 위 양벌규정을 적용할 것인지 여부에 대하여는 명문의 규정을 두고 있지 않으므로 죄형법정주의의 원칙상 **'법인격 없는 공공기관'을 위 양벌규정에 의하여 처벌할 수 없고 그 경우 행위자 역시 위 양벌규정으로 처벌할 수 없다.**(대법원 2021. 10. 28. 2020도1942 **경찰관 채무자 주소조회 사건**)

① [O] 법인격 없는 사단과 같은 단체는 법인과 마찬가지로 사법상의 권리의무의 주체가 될 수 있음은 별론으로 하더라도 **법률에 명문의 규정이 없는 한 그 범죄능력은 없다.**(대법원 2017. 4. 7. 2016도21283 **교회 대안학교 설립 사건**)

② [O] 양벌규정에 의하여 법인이 처벌받는 경우에 법인의 사용인들이 범죄행위를 공모한 후 일방법인의 사용인이 그 실행행위에 직접 가담하지 아니하고 다른 공모자인 타법인의 사용인만이 분담실행한 경우에도 그 법인은 공동정범의 죄책을 면할 수 없다.(대법원 1983. 3. 22. 81도2545)

③ [O] 양벌규정에 따라 사용자인 법인 또는 개인을 처벌하기 위해서는 형벌의 자기책임 원칙에 비추어 위반행위가 발생한 그 업무와 관련하여 사용자인 법인 또는 개인이 **상당한 주의 또는 감독의무를 게을리한 과실이 있어야 한다.**(대법원 2021. 9. 30. 2019도3595 한남더힐아파트 사건)

---

026 양벌규정에 관한 설명으로 옳지 않은 것은? (다툼이 있으면 판례에 의함) 15 경찰간부 [Core ★★]
□□□
① 종업원이 법인의 업무에 관하여 위반행위를 한 경우 법인도 처벌하는 양벌조항은 위반행위가 발생한 업무와 관련하여 법인이 상당한 주의 또는 관리감독의무를 게을리한 때에 한하여 적용된다.

② 종업원의 위반행위에 대하여 법인이 선임감독상의 주의의무를 다한 경우까지도 법인에게 형벌을 부과하는 것은 법치국가원리 및 책임주의원칙에 위반된다.

③ 지방자치단체라도 국가로부터 위임받은 기관위임사무가 아니라 그 고유의 자치사무를 처리하는 경우에는 국가기관의 일부가 아니라 국가기관과는 별도로 독립한 공법인으로서 양벌규정에 의한 처벌대상이 되는 법인에 해당한다.

④ 영업주의 과실을 별도로 규정하지 않은 양벌규정을 합헌적 법률해석을 통해 선임감독상의 과실 있는 영업주만을 처벌하는 규정으로 보게 되면, 영업주를 종업원과 동일한 법정형으로 처벌하는 것은 책임주의에 반하지 않는다.

해설

④ [×] 보건법 제6조는 문언상 종업원의 범죄에 아무런 귀책사유가 없는 영업주에 대해서도 그 처벌가능성을 열어두고 있을 뿐만 아니라, 가사 이 법률조항을 종업원에 대한 선임감독상의 과실 있는 영업주만을 처벌하는 규정으로 보더라도, **과실밖에 없는 영업주를 고의의 본범(종업원)과 동일하게 '무기 또는 2년 이상의 징역형'이라는 법정형으로 처벌하는 것은** 그 책임의 정도에 비해 지나치게 무거운 법정형을 규정하는 것이므로, 두 가지 점을 모두 고려하면 **형벌에 관한 책임원칙에 반한다.**(헌법재판소 2007. 11. 29. 2005헌가10)

① [O] 형벌의 자기책임원칙에 비추어 볼 때 양벌규정은 법인이 사용인 등에 의하여 위반행위가 발생한 그 업무와 관련하여 **상당한 주의 또는 관리감독 의무를 게을리한 때에 한하여 적용된다고 봄이 상당하다.**(대법원 2011. 7. 14. 2009도5516 개발제한구역내 비닐하우스 설치사건)

② [O] '법인의 대리인 · 사용인 기타의 종업원이 그 법인의 업무에 관하여 ~ 위반행위를 한 때에는 그 행위자를 벌하는 외에 그 법인에 대하여도 각 해당 조의 벌금형을 과한다'라는 구 도로법 제86조는 아무런 비난받을 만한 행위를 하지 않은 자에 대하여 다른 사람의 범죄행위를 이유로 처벌하는 것으로서 형벌에 관한 책임주의에 반한다.(헌법재판소 2009. 7. 30. 2008헌가17)

③ [O] (1) 국가가 본래 그의 사무의 일부를 지방자치단체의 장에게 위임하여 처리하게 하는 기관위임사무의 경우 지방자치단체는 국가기관의 일부로 볼 수 있고 (2) **지방자치단체가 그 고유의 자치사무를 처리하는 경우 지방자치단체는 국가기관의 일부가 아니라 국가기관과는 별도의 독립한 공법인으로서 양벌규정에 의한 처벌대상이 되는 법인에 해당한다.**(대법원 2009. 6. 11. 2008도6530 부산시 항만순찰 사건)

제3절 ㅣ 행위와 결과(인과관계)

027 인과관계에 관한 다음 설명 중 가장 적절하지 않은 것은? (다툼이 있으면 판례에 의함)

15 경찰채용 [Core ★★]

① 어떤 행위라도 죄의 요소되는 위험발생에 연결되지 아니한 때에는 그 결과로 인하여 벌하지 아니한다.

② 과실범에서는 미수가 성립될 여지가 없으므로 인과관계를 논할 실익이 없다.

③ 甲이 주먹으로 피해자의 복부를 1회 강타하였는데, 이로 인하여 피해자는 장파열이 되어 병원에 입원하였다. 그런데 의사 乙의 과실에 의한 수술지연이 공동원인이 되어 피해자가 사망한 경우 甲의 상해행위와 피해자의 사망 사이에는 인과관계가 인정된다.

④ 甲은 부동산 대지에 대한 전매사실을 숨기고 지주명의로 위장하여 학교법인 乙과 대지에 관한 매매계약을 체결하였으나 그 이행에 아무런 영향이 없었다. 이 경우 피고인들의 위 기망행위와 위 법인의 처분행위 사이에는 인과관계가 없다.

해설

② [×] 고의범이든 과실범이든 행위와 결과 사이에 인과관계가 인정되면 처벌될 수 있으나, 인과관계가 인정되지 않으면 처벌되지 않거나 미수범으로 처벌될 뿐이다. 고의범은 물론 과실범에서도 여전히 **인과관계를 논할 실익이 있다.**(제17조)

① [○] 어떤 행위라도 죄의 요소되는 위험발생에 연결되지 아니한 때에는 그 **결과로 인하여 벌하지 아니한다.**(제17조)

③ [○] 피고인이 주먹으로 피해자의 **복부를 1회 강타하여 장파열로 인한 복막염으로 사망케 하였다면**, 비록 의사의 수술지연 등 과실이 피해자의 사망의 공동원인이 되었다 하더라도 피고인의 행위가 사망의 결과에 대한 유력한 원인이 된 이상 그 폭력행위와 치사의 결과간에는 **인과관계가 있다** 할 것이어서 피고인은 폭행치사의 죄책을 면할 수 없다.(대법원 1984. 6. 26. 84도831)

④ [○] 피고인이 전매사실을 숨기고 지주명의로 위장하여 대지에 관한 매매계약을 체결하였으나 그 **이행에 아무런 영향이 없었다면 사기죄는 성립하지 아니한다.**(대법원 1985. 5. 14. 84도2751)

028 다음 중 인과관계에 대한 설명으로 가장 옳지 않은 것은? (다툼이 있으면 판례에 의함)

24 해경승진 [Superlative ★★★]

① 형법 제17조는 '어떤 행위라도 죄의 요소되는 위험발생에 연결되지 아니한 때에는 그 행위로 인하여 벌하지 아니한다.'라고 규정하고 있다.

② 폭행 또는 협박으로 타인의 재물을 강취하려는 행위와 이에 극도의 흥분을 느끼고 공포심에 사로잡혀 이를 피하려다 상해에 이르게 된 사실과는 상당인과관계가 인정된다.

③ 甲의 선행행위 후 피해자 乙의 과실이 개입되어 결과가 발생하더라도 그와 같은 사실이 통상적으로 예견할 수 있는 것이라면 甲의 선행행위와 결과 사이에는 인과관계가 인정된다.

④ 甲은 선단 책임선의 선장으로서 종선의 선장에게 조업상의 지시만 할 수 있을 뿐 선박 안전관리는 각 선박의 선장이 책임지도록 되어 있었던 경우 甲이 풍랑 중에 종선에 조업 지시를 하였다는 것만으로는 종선의 풍랑으로 인한 매몰사고와의 사이에 인과관계가 성립할 수 없다.

해설

① [×] 어떤 행위라도 죄의 요소되는 위험발생에 연결되지 아니한 때에는 **그 결과로** 인하여 벌하지 아니한다.(제17조)

② [○] 폭행 또는 협박으로 타인의 재물을 강취하려는 행위와 이에 극도의 흥분을 느끼고 공포심에 사로잡혀 이를 피하려다 상해에 이르게 된 사실과는 상당인과관계가 있다 할 것이고 이 경우 강취 행위자가 상해의 결과의 발생을 예견할 수 있었다면 이를 **강도치상죄로** 다스릴 수 있다.(대법원 1996. 7. 12. 96도1142 **도박돈 강취사건**)

③ [○] 살인의 실행행위가 피해자의 사망이라는 결과를 발생하게 한 유일한 원인이거나 직접적인 원인이어야만 되는 것은 아니므로 살인의 실행행위와 피해자의 사망과의 사이에 **다른 사실이 개재되어 그 사실이 치사의 직접적인 원인이 되었다고 하더라도** 그와 같은 사실이 통상 예견할 수 있는 것에 지나지 않는다면 살인의 실행행위와 피해자의 사망과의 사이에 인과관계가 있는 것으로 보아야 한다.(대법원 1994. 3. 22. 93도3612 **김밥콜라 사건**)

④ [○] 피고인이 선단(船團)의 책임선인 제1봉림호의 선장으로 조업중이었다 하더라도 피고인으로서는 종선(從船)의 선장에게 조업상의 지시만 할 수 있을 뿐 선박의 안전관리는 각 선박의 선장이 책임지도록 되어 있었다면 그 같은 상황하에서 피고인이 풍랑중에 종선에 조업지시를 하였다는 것만으로는 종선의 풍랑으로 인한 매몰사고와의 사이에 인과관계가 성립할 수 없다.(대법원 1989. 9. 12. 89도1084 **제1봉림호 사건**)

029

□□□

甲의 행위와 乙의 사망 사이에 인과관계가 인정되는 경우를 모두 고르면? (다툼이 있으면 판례에 의함)

13 국가7급 [Core ★★]

> ㉠ 甲이 운행하던 자동차에 치여 반대차선의 1차선상에 넘어진 도로횡단자 乙이 그 직후 반대차
> 선을 운행하던 화물차에 역과되어 사망한 경우
> ㉡ 甲이 주먹으로 乙의 복부를 1회 힘껏 때린 결과 장파열을 일으켜 병원에 입원한 乙이 의사의
> 수술지연으로 결국 복막염으로 사망한 경우
> ㉢ 甲이 야간에 2차선의 굽은 도로 위에 미등 및 차폭등을 켜지 않은 채 화물차를 주차시켜 놓은
> 후에 그것을 미처 보지 못한 乙이 운전하던 오토바이가 그 화물차에 추돌하여 乙이 사망한
> 경우
> ㉣ 甲이 입힌 자상(刺傷)으로 인하여 급성신부전증이 발생되어 치료를 받게 된 乙이 음식과 수분
> 의 섭취를 억제해야 하는 사실을 모르고 콜라와 김밥 등을 함부로 먹은 탓에 패혈증 등 합병증
> 이 발생하여 사망한 경우

① ㉠㉢

② ㉡㉣

③ ㉠㉡㉢

④ ㉠㉡㉢㉣

해설

> ④ 모든 항목의 경우 인과관계가 인정된다.
> ㉠ 피고인이 운행하던 **자동차로 도로를 횡단하던 피해자를 충격하여** 피해자로 하여금 반대차선의 **1차선상에
> 넘어지게 하여** 피해자가 반대차선을 운행하던 **자동차에 역과(轢過)되어 사망하게 하였다면** 피고인은 그와
> 같은 사고를 충분히 예견할 수 있었고 또한 피고인의 과실과 피해자의 사망사이에는 **인과관계가 있다고** 할
> 것이다.(대법원 1988. 11. 8. 88도928 피고인 먼저 꽝 사건Ⅰ)
> ㉡ 피고인이 주먹으로 피해자의 **복부를 1회 강타하여** 장파열로 인한 **복막염으로 사망케 하였다면**, 비록 의사의
> 수술지연 등 과실이 피해자의 사망의 공동원인이 되었다 하더라도 피고인의 행위가 사망의 결과에 대한 유력한
> 원인이 된 이상 그 폭력행위와 치사의 결과간에는 **인과관계가 있다** 할 것이어서 피고인은 폭행치사의 죄책을
> 면할 수 없다.(대법원 1984. 6. 26. 84도831)
> ㉢ 야간에 2차선의 굽은 도로 상에 미등과 차폭등을 켜지 않은 채 화물차를 주차시켜 놓음으로써 오토바이가
> 추돌하여 오토바이 운전자가 사망하게 된 경우, 화물차 운전자의 주차행위와 피해자의 **사망 사이에 인과관계
> 가 없다고 할 수 없다.**(대법원 1996. 12. 20. 96도2030 미등과 차폭등 사건)
> ㉣ 피해자는 피고인들의 범행으로 입은 자상(刺傷)으로 인하여 급성신부전증이 발생하였는데, 피해자가 이와 같
> 은 사실을 모르고 **콜라와 김밥 등을 함부로 먹은 탓으로** 체내에 수분저류가 발생하여 합병증(폐렴, 범발성
> 혈액응고장애 등)이 유발됨으로써 사망하게 된 경우, 피고인들의 범행과 피해자 **사망 사이에는 인과관계가
> 인정된다.**(대법원 1994. 3. 22. 93도3612 콜라김밥 사건)

030

인과관계에 관한 설명 중 가장 적절하지 않은 것은? (다툼이 있으면 판례에 의함)

15 경찰승진 [Essential ★]

① 폭행 또는 협박으로 타인의 재물을 강취하려는 행위와 이에 극도의 흥분을 느끼고 공포심에 사로잡혀 이를 피하려다 상해에 이르게 된 사실과는 상당인과관계가 인정된다.

② 운전자가 상당한 거리에서 보행자의 무단횡단을 미리 예상할 수 없는 야간에 고속도로를 무단횡단하는 보행자를 충격하여 사망에 이르게 한 운전자의 과실과 사고 사이에는 상당 인과관계가 인정되지 않는다.

③ 선행차량에 이어 피고인 운전차량이 피해자를 연속하여 역과하는 과정에서 피해자가 사망한 경우 피고인 운전차량의 역과와 피해자의 사망 사이에 인과관계가 인정된다.

④ 강간을 당한 피해자가 집에 돌아가 음독자살하기에 이른 원인이 강간을 당함으로 인하여 생긴 수치심과 장래에 대한 절망감 등에 있었다면 그 자살행위가 바로 강간행위로 인하여 생긴 당연한 결과라고 볼 수 있으므로 강간을 한 피고인을 강간치사죄로 처벌할 수 있다.

해설

④ [×] 강간을 당한 피해자가 집에 돌아가 음독자살하기에 이른 원인이 강간을 당함으로 인하여 생긴 수치심과 장래에 대한 절망감 등에 있었다 하더라도 그 자살행위가 바로 강간행위로 인하여 생긴 당연의 결과라고 볼 수는 없으므로 **강간행위와 피해자의 자살행위 사이에는 인과관계를 인정할 수 없다.**(대법원 1982. 11. 23. 82도1446 강간피해자 자살사건)

① [O] **폭행 또는 협박으로 타인의 재물을 강취하려는 행위와 이에 극도의 흥분을 느끼고 공포심에 사로잡혀 이를 피하려다 상해에 이르게 된 사실과는 상당인과관계가 있다** 할 것이고 이 경우 강취 행위자가 상해의 결과의 발생을 예견할 수 있었다면 이를 강도치상죄로 다스릴 수 있다.(대법원 1996. 7. 12. 96도1142 도박돈 강취사건)

② [O] 피고인이 1차로에서 2차로로 진로를 변경하여 고속버스를 추월한 직후에, 피해자 등이 30~40m 전방에서 **고속도로를 무단횡단**하기 위하여 2차로로 갑자기 뛰어들어 피해자 등을 충격하게 된 경우, 피고인이 피해자 등의 무단횡단을 미리 예상할 수 있었다고 할 수 없고, 피고인에게 고속버스와의 안전거리를 확보하지 아니한 채 진행하다가 고속버스의 우측으로 제한최고속도를 시속 20km 초과하여 추월한 잘못이 있더라도, 피고인의 위와 같은 잘못과 사고결과와의 사이에 **상당인과관계가 있다고 할 수도 없다.**(대법원 2000. 9. 5. 2000도2671)

③ [O] (1) 앞차를 뒤따라 진행하는 차량의 운전사는 앞차에 의하여 전방의 시야가 가리는 관계상 앞차의 어떠한 돌발적인 운전 또는 사고에 의하여서라도 자기 차량에 연쇄적인 사고가 일어나지 않도록 앞차와의 충분한 안전거리를 유지하고 진로 전방 좌우를 잘 살펴 진로의 안전을 확인하면서 진행할 주의의무가 있다. (2) 피고인이 차량을 운전하고 편도 2차선 도로 중 2차로를 시속 약 60km의 속도로 선행 차량과 약 30m가량의 간격을 유지한 채 진행하다가 **선행차량에 역과(轢過)된 채 진행 도로상에 누워있는 피해자를 뒤늦게 발견하고 급제동을 할 겨를도 없이 이를 그대로 역과하여 피해자가 사망한 경우,** 사고에 관하여 피고인에게 업무상 과실이 없다고 할 수 없고 피고인 차량의 역과와 피해자의 사망 사이에 **인과관계가 인정된다.**(대법원 2001. 12. 11. 2001도5005 피고인 나중에 팡 사건 I)

031

□□□

인과관계에 대한 설명으로 옳지 않은 것은? (다툼이 있으면 판례에 의함) 24 국가9급 [Core ★★]

① 방조범이 성립하려면 방조행위가 정범의 범죄실현과 밀접한 관련이 있고 정범으로 하여금 구체적 위험을 실현시키거나 범죄결과를 발생시킬 가능성을 높이는 등으로 현실적 기여를 하였다고 평가할 수 있는 인과관계가 필요하다.

② 실화죄에 있어서 공동의 과실이 경합되어 화재가 발생하여 적어도 각 과실이 화재의 발생에 대하여 하나의 조건이 된 경우라도 원인된 행위가 밝혀지지 않았다면 그 원인을 제공한 사람들은 실화죄의 미수로 불가벌에 해당한다.

③ 정범의 실행행위 중에 이를 용이하게 하는 경우뿐만 아니라 정범의 실행착수 전에 장래의 실행행위를 예상하고 이를 용이하게 하는 경우에도 방조행위로서 정범의 실행행위에 대한 인과관계를 인정할 수 있다.

④ 교사자가 전화로 범행을 만류하는 취지의 말을 한 것만으로는 교사자의 교사행위와 정범의 실행행위 사이에 인과관계가 단절되었다거나 교사자가 공범관계에서 이탈한 것으로 볼 수 없다.

해설

② [×] 실화죄에 있어서 공동의 과실이 경합되어 화재가 발생한 경우 적어도 각 과실이 화재의 발생에 대하여 하나의 조건이 된 이상은 그 **공동적 원인을 제공한 사람들은 각자 실화죄의 책임을 면할 수 없다.**(대법원 2023. 3. 9. 2022도16120 분리수거장 담배꽁초 사건)

① [○] **방조범은** 정범에 종속하여 성립하는 범죄이므로 방조행위와 정범의 범죄 실현 사이에는 **인과관계가 필요하다.** 방조범이 성립하려면 방조행위가 정범의 범죄 실현과 밀접한 관련이 있고 정범으로 하여금 구체적 위험을 실현시키거나 범죄 결과를 발생시킬 기회를 높이는 등으로 정범의 범죄 실현에 현실적인 기여를 하였다고 평가할 수 있어야 한다. 정범의 범죄 실현과 밀접한 관련이 없는 행위를 도와준 데 지나지 않는 경우에는 방조범이 성립하지 않는다.(대법원 2023. 6. 29. 2017도9835 조명탑 농성 지원사건)

③ [○] 종범은 정범의 실행행위 중에 이를 방조하는 경우뿐만 아니라 **실행 착수 전에 장래의 실행행위를 예상하고 이를 용이하게 하는 행위를 하여 방조한 경우에도 성립한다.**(대법원 2018. 9. 13. 2018도7658 인천 초등생 살인사건)

④ [○] 甲이 乙에게 피해자 A의 불륜관계를 이용하여 공갈할 것을 교사하였고, 이에 乙이 A를 미행하여 불륜현장을 촬영한 후 甲에게 이를 알렸으나, 甲이 乙에게 "그동안의 수고비를 줄 테니 촬영한 동영상을 넘기고 A를 공갈하는 것을 단념하라"라고 수차례 만류하였음에도 乙은 甲의 제안을 거절하고 촬영한 동영상을 A의 핸드폰에 전송하고 "현금을 주지 않으면 동영상을 유포하겠다"고 겁을 주어 A로부터 500만원을 교부받은 경우 (甲이 범행을 만류하는 취지의 말을 한 것만으로는 甲의 교사행위와 乙의 실행행위 사이에 인과관계가 단절되었다거나 甲이 공범관계에서 이탈한 것으로 볼 수 없으므로) **甲은 공갈죄의 교사범이 성립한다.**(대법원 2012. 11. 15. 2012도7407 하나은행 노조위원장 공갈사건)

032 인과관계에 관한 설명으로 가장 적절하지 않은 것은? (다툼이 있으면 판례에 의함)

19 경찰채용 [Essential ★]

① 조건설은 인과관계 판단의 출발점을 제시한다는 의의가 있으나, 인과관계의 범위가 무한히 확장될 우려가 있다는 비판을 받고 있다.

② 공장에서 동료 사이에 말다툼을 하던 중 피고인이 피해자에게 상당한 힘을 가하여 넘어뜨린 것이 아니라, 피고인의 삿대질을 피하려고 뒷걸음치던 피해자가 장애물에 걸려 넘어져 두개골절로 사망한 경우 피고인에게 폭행치사죄의 책임을 물을 수 없다.

③ 자동차가 횡단보도에 먼저 진입한 경우로서 그대로 진행하더라도 보행자의 횡단을 방해하거나 통행에 아무런 위험을 초래하지 아니할 상황이라면 보행자 신호가 녹색으로 바뀐 경우라도 그대로 진행할 수 있다고 보아야 하므로, 피고인이 운전하는 차량이 이미 횡단보도에 먼저 진입한 뒤에 보행자 신호가 녹색으로 바뀌었고, 바뀐 신호만을 보고 횡단보도에 진입한 피해자를 피고인이 그대로 충격하여 피해자에게 상해를 입힌 경우에는 피고인의 과실과 피해자가 입은 상해 사이에는 상당인과관계가 인정되지 않는다.

④ 피고인이 고속도로 2차로를 따라 자동차를 운전하다가 1차로를 진행하던 甲의 차량 앞에 급하게 끼어든 후 곧바로 정차하여, 甲의 차량 및 이를 뒤따르던 차량 두 대는 연이어 급제동하여 정차하였으나, 그 뒤를 따라오던 乙의 차량이 앞의 차량들을 연쇄적으로 추돌케하여 乙이 사망하고 나머지 차량 운전자 등 피해자들이 상해를 입은 경우, 피고인의 정차 행위와 사상의 결과 발생 사이에 상당인과관계가 인정된다.

해설

③ [×] (1) 모든 차의 운전자는 신호기의 지시에 따라 횡단보도를 횡단하는 보행자가 있을 때에는 횡단보도에의 진입 선후를 불문하고 일시정지하는 등의 조치를 취함으로써 보행자의 통행이 방해되지 아니하도록 하여야 한다. 다만 자동차가 횡단보도에 먼저 진입한 경우로서 그대로 진행하더라도 보행자의 횡단을 방해하거나 통행에 아무런 위험을 초래하지 아니할 상황이라면 그대로 진행할 수 있다. (2) 원심은, 피고인이 횡단보도의 보행자 신호가 녹색 등화로 바뀌었음에도 횡단보도 위에서 일시정지를 하지 아니한 업무상 과실로 피해자를 충격하여 피해자에게 상해를 입혔고, 위와 같은 **피고인의 과실과 피해자가 입은 상해 사이에 상당인과관계도 인정된다는 이유**를 들어, 피고인이 도로교통법 제27조 제1항에서 정한 '횡단보도에서의 보행자 보호의무'를 위반하여 사고가 발생한 것으로 보기는 어렵다고 보아 **공소기각 판결**을 선고한 제1심판결을 파기하여 제1심법원에 환송하였는바, 원심의 위와 같은 판단은 수긍할 수 있다.(대법원 2017. 3. 15. 2016도17442)

① [O] 조건설은 절대적 제약공식을 적용하여 행위와 결과 사이에 그 행위가 없었다면 결과가 발생하지 않았다고 볼 수 있는 관계가 있으면 인과관계가 인정된다고 보는 견해이다. 조건설은 인과관계 판단의 출발점을 제시한다는 의의가 있으나(인과관계에 관한 다른 학설인 원인설, 상당인과관계설, 합법칙적 조건설 등은 모두 조건설에서 출발한 것이다), 인과관계의 범위가 무한히 확장될 우려가 있다는 비판을 받고 있다.

② [O] 피고인이 삿대질하는 것을 피하고자 피해자 자신이 두어걸음 뒷걸음치다가 회전 중이던 십자형 스빙기계 철받침대에 걸려 넘어진 정도라면, 당시 바닥에 위와 같은 장애물이 있어서 뒷걸음치면 장애물에 걸려 넘어질 수 있다는 것까지는 예견할 수 있었다고 하더라도 머리를 바닥에 부딪쳐 **두개골절로 사망**한다는 것은 예견하

기 어려운 결과라고 하지 않을 수 없으므로 폭행치사죄의 책임을 물을 수 없다.(대법원 1990. 9. 25. 90도1596 삿대질 사건)
④ [O] 편도 2차로의 고속도로 1차로 한가운데에 정차한 피고인은 고속도로를 주행하는 다른 차량 운전자들이 제한속도 준수나 안전거리 확보 등의 주의의무를 완전하게 다하지 않을 수도 있다는 점을 알았거나 충분히 알 수 있었으므로, 피고인의 정차 행위와 사상의 결과 발생 사이에 상당인과관계가 있고, 사상의 결과 발생에 대한 예견가능성도 인정되므로 교통방해치사상죄가 성립한다.(대법원 2014. 7. 24. 2014도6206 고속도로 급제동 정차사건)

033

인과관계에 대한 설명 중 옳은 것만을 모두 고른 것은? (다툼이 있으면 판례에 의함)

23 경찰간부 [Superlative ★★★]

> ㉠ 과실범의 독립행위가 경합하여 결과발생의 원인된 행위가 판명되지 아니한 때에는 각 행위자를 미수범으로 처벌한다.
> ㉡ '그러한 행위가 없었더라면 그러한 결과도 발생하지 않았을 것'이라는 자연과학적 인과관계를 판단의 척도로 삼는 조건설은 각 조건들을 결과에 대한 동등한 원인으로 간주하여 인과관계의 범위가 지나치게 확장된다는 비판을 받는다.
> ㉢ 어느 행위로부터 어느 결과가 발생하는 것이 경험칙상 상당하다고 판단될 때 인과관계가 인정되는 상당인과관계설은 인과관계를 일상적인 생활경험으로 제한하여 형사처벌의 확장을 방지하는 장점이 있으나 '상당성'의 판단이 모호하여 법적 안정성을 해칠 우려가 있다는 비판을 받는다.
> ㉣ 甲에 의한 선행 교통사고와 乙에 의한 후행 교통사고로 A가 사망하였으나 사망의 원인된 행위가 밝혀지지 않은 경우 乙의 과실과 A의 사망 간에 인과관계가 인정되기 위해서는 乙이 주의의무를 게을리하지 않았다면 A가 사망하지 않았을 것이라는 사실이 증명되어야 하고, 그 증명책임은 乙에게 있다.

① ㉠   ② ㉡㉢   ③ ㉠㉡㉢   ④ ㉡㉢㉣

해설

② ㉡㉢ 2 항목이 옳다.
㉠ [×] 형법에는 **과실범의 미수를 처벌하는 규정이 없다.**
㉡ [O] 조건설의 내용과 그에 대한 비판으로 옳은 설명이다.
㉢ [O] 상당인과관계설의 내용과 그에 대한 비판으로 옳은 설명이다.
㉣ [×] 선행 교통사고와 후행 교통사고 중 어느 쪽이 원인이 되어 피해자가 사망에 이르게 되었는지 밝혀지지 않은 경우 후행 교통사고를 일으킨 사람의 과실과 피해자의 사망 사이에 인과관계가 인정되기 위해서는 **후행 교통사고를 일으킨 사람이 주의의무를 게을리하지 않았다면 피해자가 사망에 이르지 않았을 것이라는 사실이 입증되어야 하고, 그 입증책임은 검사에게 있다.**(대법원 2007. 10. 26. 2005도8822 선행사고 후행사고사건)

034 인과관계에 대한 설명으로 옳지 않은 것은? (다툼이 있으면 판례에 의함)   14 국가9급 [Essential ★]

① 甲이 열차건널목 앞에서 일단멈춤 의무를 위반하여 차를 몰아 건너다 열차 좌측 모서리를 들이받고 20미터쯤 열차에 끌려 튕겨나가자, 자동차 왼쪽에서 열차가 지나가기를 기다리던 乙이 이 광경을 보고 놀라 넘어지면서 상해를 입은 경우, 甲의 위반행위와 乙의 상해 사이에는 인과관계가 인정된다.

② 甲이 'ㅏ'자형 삼거리를 녹색등화에 따라 직진하던 중 신호를 위반하여 좌회전하던 乙의 차량과 충돌하였다면, 甲이 사고 지점 통과시 제한속도를 위반하였다 하여도 그러한 잘못과 교통사고 사이에 인과관계가 있다고 볼 수 없다.

③ 甲이 乙과 윤락행위 도중 시비 끝에 乙을 이불로 덮어씌우고 폭행한 후 이불 속에 들어있는 乙을 두고 나가다가 탁자 위의 乙의 가방 안에서 우발적으로 현금을 가져간 경우 甲의 폭행행위와 재물취거 사이에는 강도죄 성립에 필요한 인과관계가 인정된다.

④ 한의사인 甲이 乙에게 문진하여 12일 전에도 봉침을 맞고도 별다른 이상반응이 없었다는 답변을 듣고 알레르기 반응검사를 생략한 채 환부에 봉침시술을 하였다가 乙이 시술 직후 쇼크 반응 등의 상해를 입은 경우, 甲의 반응검사 미시행과 乙의 상해 사이에는 인과관계가 인정되지 않는다.

해설

③ [×] 피고인의 재물 취거행위가 피해자가 이불 속에 들어가 있어 이를 전혀 인식하지 못한 가운데 이루어진데다가 그 원인이 되었던 피고인의 피해자에 대한 폭행행위도 그와는 전혀 무관한 윤락행위 도중의 시비끝에 발생하게 된 것이므로, 비록 재물의 취득이 폭행 직후에 이루어지긴 했지만 폭행이 피해자의 재물탈취를 위한 피해자의 반항억압의 수단으로 이루어졌다고 단정할 수 없어 **양자 사이에 인과관계가 존재한다고 보기 어렵다.**(대법원 2009. 1. 30. 2008도10308 과격한 성교 사건)

① [○] 자동차의 운전자가 주의의무를 게을리하여 **열차건널목**을 그대로 건너는 바람에 자동차가 열차좌측 모서리와 충돌하여 20여m쯤 열차 진행방향으로 끌려가면서 튕겨나갔고 피해자는 타고가던 자전거에서 내려 자동차 왼쪽에서 열차가 지나가기를 기다리고 있다가 **충돌사고로 놀라 넘어져 상처를 입었다면** 비록 자동차와 피해자가 직접 충돌하지는 아니하였더라도 자동차운전자의 과실과 피해자가 입은 상처 사이에는 **상당한 인과관계가 있다.**(대법원 1989. 9. 12. 89도866)

② [○] (ㅏ)자형 삼거리의 교차로를 녹색등화에 따라 직진하는 차량의 운전자는 특별한 사정이 없는 한 다른 차량들도 교통법규를 준수하고 충돌을 피하기 위하여 적절한 조치를 취할 것으로 믿고 운전하면 족하고, **대향차선 위의 다른 차량이 신호를 위반하고 직진하는 자기 차량의 앞을 가로질러 좌회전할 경우까지 예상하여** 그에 따른 사고발생을 미리 방지하기 위한 주의의무는 없고, 직진차량 운전자가 사고지점을 통과할 무렵 제한속도를 위반하여 과속운전한 잘못이 있었다 하더라도 그러한 잘못과 교통사고의 발생과의 사이에 상당인과관계가 있다고 볼 수 없다.(대법원 1993. 1. 15. 92도2579)

④ [○] 한의사인 피고인이 피해자에게 문진하여 과거 봉침을 맞고도 별다른 이상반응이 없었다는 답변을 듣고 알레르기 반응검사(skin test)를 생략한 채 환부인 목 부위에 봉침시술을 하였는데, 피해자가 시술직후 아나필락시 쇼크반응을 나타내는 등 상해를 입은 경우, 피고인에게 과거 알레르기 반응검사 및 약 **12일 전 봉침시술**에서도 이상반응이 없었던 피해자를 상대로 다시 알레르기 반응검사를 실시할 의무가 있다고 보기는 어렵고, 설령 그러한 의무가 있다고 하더라도 알레르기 반응검사를 하지 않은 과실과 피해자의 상해 사이에 상당인과관계를 인정하기 어렵다.(대법원 2011. 4. 14. 2010도10104 봉침 사건)

035

□□□

인과관계에 관한 설명으로 가장 적절하지 않은 것은? (다툼이 있으면 판례에 의함)

24 경찰채용 [Essential ★]

① "ㅏ"자형 삼거리에서 제한 속도를 위반하여 과속운전을 한 직진차량 운전자가 대향차선에서 신호를 위반하여 좌회전을 하는 차량과 교차로 통과시 서로 충돌하여 사고가 발생하였다면 다른 특별한 사정이 없는 한 제한 속도를 위반하여 과속운전한 운전자의 잘못과 교통사고의 발생 사이에 상당인과관계가 있다고 볼 수 없다.

② 한국철도공사의 야간 업무에 사용되는 조명탑을 노동조합원 甲이 위법하게 점거하여 위력에 의한 업무방해죄가 성립하였고, 다른 노동조합원 乙 등이 그 조명탑 아래에서 지지 발언을 하며 음식물을 제공하는 행위를 하였지만, 乙 등의 행위가 표현의 자유·일반적 행동의 자유나 단결권의 보호 영역을 벗어났다고 볼 수 없다면 乙 등의 조력행위와 甲의 업무방해죄의 실현 사이에 인과관계를 인정하기 어려우므로 乙 등에게 업무방해방조죄가 성립하지 않는다.

③ 의료과오사건에서 수술을 마친 후 의사가 복막염에 대한 진단과 처치를 지연하는 등의 과실로 환자가 제때 필요한 조치를 받지 못해 사망하였다고 할지라도 환자가 의사의 입원 지시 및 금식지시를 무시하고 귀가한 사정이 있다면 의사의 과실과 환자 사망사이의 인과관계는 단절된다.

④ 거동범에 해당하는 진정부작위범과는 달리 부진정부작위범은 결과범에 해당하므로 사회적으로 기대되는 작위의무를 다하였으면 결과가 발생하지 않았을 것이라는 관계가 인정될 때 그 부작위와 결과 사이에 인과관계가 인정된다.

해설

③ [×] 의사인 피고인의 수술 후 복막염에 대한 진단과 처치 지연 등의 과실로 피해자가 제때 필요한 조치를 받지 못하였다면 피해자의 사망과 피고인의 과실 사이에는 인과관계가 인정되고, 비록 피해자가 피고인의 지시를 일부 따르지 않거나 퇴원한 적이 있더라도 그러한 사정만으로는 **피고인의 과실과 피해자의 사망 사이에 인과관계가 단절된다고 볼 수 없다.**(대법원 2018. 5. 11. 2018도2844 신해철 집도의 사건)

① [○] (ㅏ)자형 삼거리의 교차로를 녹색등화에 따라 직진하는 차량의 운전자는 특별한 사정이 없는 한 다른 차량들도 교통법규를 준수하고 충돌을 피하기 위하여 적절한 조치를 취할 것으로 믿고 운전하면 족하고, 대향차선 위의 다른 차량이 신호를 위반하고 직진하는 자기 차량의 앞을 가로질러 좌회전할 경우까지 예상하여 그에 따른 사고발생을 미리 방지하기 위한 주의의무는 없고, 직진차량 운전자가 사고지점을 통과할 무렵 **제한속도를 위반하여 과속운전한 잘못이 있었다** 하더라도 그러한 잘못과 교통사고의 발생과의 사이에 상당인과관계가 있다고 볼 수 없다.(대법원 1993. 1. 15. 92도2579 무단좌회전 오토바이 사건)

② [○] 피고인들의 행위가 전체적으로 보아 조명탑 점거에 일부 도움이 된 측면이 있었다고 하더라도 조명탑 본연의 기능을 사용할 수 없게 함으로써 야간 입환 업무를 방해한다는 정범들의 범죄에 대한 지원행위 또는 그 법익 침해를 강화·증대시키는 행위로서 정범들의 범죄 실현과 밀접한 관련이 있는 행위에 해당한다고 단정하기 어렵다. 따라서 피고인들의 **행위는 방조범의 성립을 인정할 정도로 업무방해 행위와 인과관계가 있다고 볼 수 없다.**(대법원 2023. 6. 29. 2017도9835 조명탑 농성 지원사건)

④ [○] 선박침몰 등과 같은 조난사고로 승객이나 다른 승무원들이 스스로 생명에 대한 위협에 대처할 수 없는 급박한 상황이 발생한 경우에는 선박의 운항을 지배하고 있는 선장이나 갑판 또는 선내에서 구체적인 구조행위

를 지배하고 있는 선원들은 적극적인 구호활동을 통해 보호능력이 없는 승객이나 다른 승무원의 사망 결과를 방지하여야 할 작위의무가 있다 할 것이므로 법익침해의 태양과 정도 등에 따라 요구되는 개별적·구체적인 구호의무를 이행함으로써 사망의 결과를 쉽게 방지할 수 있음에도 그에 이르는 사태의 핵심적 경과를 그대로 방관하여 사망의 결과를 초래하였다면 그 부작위는 작위에 의한 살인행위와 동등한 형법적 가치를 가진다고 할 것이고, 이와 같이 작위의무를 이행하였다면 그 결과가 발생하지 않았을 것이라는 관계가 인정될 경우에는 그 작위를 하지 않은 부작위와 사망의 결과 사이에 인과관계가 있는 것으로 보아야 한다.(대법원 2015. 11. 12. 2015도6809 全合 세월호 사건)

036 인과관계에 대한 설명으로 옳지 않은 것은? (다툼이 있으면 판례에 의함) 21 경찰간부 [Essential ★]

① 甲이 A의 뺨을 1회 때리고 오른손으로 목을 쳐 A가 뒤로 넘어지면서 머리 부분에 손상을 입은 후 병원에서 입원치료를 받다가 합병증으로 사망하였다면 甲의 범행과 A의 사망 사이에 인과관계가 인정된다.

② 수술 후 복막염에 대한 진단과 처치 지연 등 담당의사 甲의 과실이 있어 A가 제때 필요한 조치를 받지 못한 경우, A가 甲의 지시를 일부 따르지 않거나 퇴원한 사실은 A의 사망과 甲의 과실 사이의 인과관계를 단절한다.

③ 甲이 자동차를 운전하다 횡단보도를 걷던 보행자 A를 들이받아 그 충격으로 횡단보도 밖에서 A와 동행하던 B가 밀려 넘어져 상해를 입은 경우, 구 도로교통법 제27조 제1항에 따른 주의의무를 위반하여 운전한 甲의 업무상과실과 B의 상해 사이에는 인과관계가 인정될 수 있다.

④ 한의사인 甲이 A를 문진하여 과거 봉침을 맞고도 별다른 이상반응이 없었다는 답변을 듣고 알레르기 반응검사를 생략한 채 환부에 봉침 시술을 하였는데 A가 시술 후 상해를 입은 경우, 甲이 알레르기 반응검사를 하지 않은 과실과 A의 상해 사이에 상당인과관계를 인정하기 어렵다.

해설

② [×] 의사인 피고인의 수술 후 복막염에 대한 진단과 처치 지연 등의 과실로 피해자가 제때 필요한 조치를 받지 못하였다면 피해자의 사망과 피고인의 과실 사이에는 인과관계가 인정되고, **비록 피해자가 피고인의 지시를 일부 따르지 않거나 퇴원한 적이 있더라도 그러한 사정만으로는 피고인의 과실과 피해자의 사망 사이에 인과관계가 단절된다고 볼 수 없다.**(대법원 2018. 5. 11. 2018도2844 신해철 집도의 사건)

① [○] 사람을 아스팔트 도로 바닥에 넘어뜨려 머리를 강하게 부딪치게 하는 경우 두개골 골절, 뇌출혈 등으로 인하여 사망에 이르게 할 수 있는데, 피고인이 피해자의 뺨을 1회 때리고 오른손으로 피해자의 목을 쳐 피해자로 하여금 그대로 뒤로 넘어지면서 머리를 땅바닥에 부딪치게 하여 피해자에게 두개골 골절, 외상성 지주막하

출혈, 외상성 경막하 출혈 등의 상해를 가하였다면 (피고인의 범행이 피해자를 사망하게 한 직접적인 원인이 된 것은 아니지만 그 범행으로 인하여 피해자에게 두개골 골절, 외상성 지주막하 출혈, 외상성 경막하 출혈 등의 상해가 발생하였고, 이를 치료하는 과정에서 피해자의 직접사인이 된 합병증인 폐렴, 패혈증이 유발된 이상, 비록 그 직접사인의 유발에 피해자의 기왕의 간경화 등 질환이 영향을 미쳤다고 하더라도 피고인의 범행 과 피해자의 사망과의 사이에 인과관계의 존재를 부정할 수는 없고) **사망의 결과에 대한 예견가능성이 있었다고 볼 여지가 충분하다.**(대법원 2012. 3. 15. 2011도17648 아스팔트 두개골 골절사건)

③ [○] (1) 운전자가 횡단보도에서의 보행자에 대한 보호의무를 위반하고 이로 인하여 상해의 결과가 발생하면 그 운전자의 행위는 교통사고처리 특례법 제3조 제2항 단서 제6호에 해당하게 될 것인바, 이때 횡단보도 보행 자에 대한 운전자의 업무상 주의의무 위반행위와 그 상해의 결과 사이에 직접적인 원인관계가 존재하는 한 위 상해가 횡단보도 보행자 아닌 제3자에게 발생한 경우라 해도 단서 제6호에 해당함에는 지장이 없다. (2) 피고인이 횡단보도를 걷던 보행자 A를 들이받아 그 충격으로 횡단보도 밖에서 A와 동행하던 B를 밀려 넘어져 상해를 입은 경우, 위 사고는 피고인이 횡단보도 보행자 A에 대하여 도로교통법 제27조 제1항에 따른 주의의 무를 위반하여 운전한 업무상 과실로 야기되었고, **B의 상해는 이를 직접적인 원인으로 하여 발생하였으므로** 피고인의 행위는 교통사고처리 특례법 제3조 제2항 단서 제6호에서 정한 횡단보도 보행자 보호의무의 위반행 위에 해당한다.(대법원 2011. 4. 28. 2009도12671 횡단보도 밖 보행자 사건)

④ [○] 한의사인 피고인이 피해자에게 문진하여 과거 봉침을 맞고도 별다른 이상반응이 없었다는 답변을 듣고 알레르기 반응검사(skin test)를 생략한 채 환부인 목 부위에 봉침시술을 하였는데, 피해자가 시술직후 아나필 락시 쇼크반응을 나타내는 등 상해를 입은 경우, 피고인에게 과거 알레르기 반응검사 및 약 12일 전 봉침시술 에서도 이상반응이 없었던 피해자를 상대로 다시 알레르기 반응검사를 실시할 의무가 있다고 보기는 어렵고, 설령 그러한 의무가 있다고 하더라도 알레르기 반응검사를 하지 않은 과실과 피해자의 상해 사이에 **상당인과관 계를 인정하기 어렵다.**(대법원 2011. 4. 14. 2010도10104 봉침 사건)

037 인과관계 등에 관한 다음 설명 중 가장 옳지 않은 것은? (다툼이 있으면 판례에 의함)

□□□
15 법원9급 [Core ★★]

① 피고인이 피해자를 유인하여 호텔 객실에 감금한 후 강간하려 하자 피해자가 완강히 반항하던 중 예약된 대실시간이 끝나감에 따라 피고인이 대실시간 연장을 위하여 프론트에 전화를 하는 사이 피해자가 객실 창문을 통해 탈출하려다가 지상에 추락하여 사망한 경우, 피고인의 강간 미수행위와 피해자의 사망 사이에 상당인과관계가 인정된다.

② 피고인이 공모자 甲과 빈 가게로 알고 있던 범행장소에서의 절도를 공모한 다음, 甲이 가게에 침입하여 물건을 절취하는 동안 피고인이 밖에서 망을 보던 중 예기치 않았던 인기척 소리가 나서 도주해 버린 이후 甲이 피해자에게 붙들리자 체포를 면탈한 목적으로 폭행을 가하여 상 해를 입힌 경우, 피고인에 대하여 준강도상해죄의 공동책임을 지울 수 없다.

③ 피고인이 좌회전 금지구역에서 좌회전하는데 50미터 후방에서 따라오던 후행차량이 중앙선 을 넘어 피고인 운전차량의 좌측으로 돌진하여 사고가 발생한 경우, 피고인이 좌회전 금지구 역에서 좌회전한 행위와 사고발생 사이에 상당인과관계가 인정된다.

④ 선행 교통사고와 후행 교통사고 중 어느 쪽이 원인이 되어 피해자가 사망에 이르게 되었는지 밝혀지지 않은 경우, 후행 교통사고를 일으킨 사람의 과실과 피해자의 사망 사이에 인과관계가 인정되기 위해서는 후행 교통사고를 일으킨 사람이 주의의무를 게을리하지 않았다면 피해자가 사망에 이르지 않았을 것이라는 사실이 증명되어야 한다.

해설

③ [×] 피고인이 좌회전 금지구역에서 좌회전한 것은 잘못이나 이러한 경우에도 피고인으로서는 50여m 후방에서 따라오던 후행차량이 중앙선을 넘어 피고인 운전차량의 좌측으로 돌진하는 등 극히 비정상적인 방법으로 진행할 것까지를 예상하여 사고발생 방지조치를 취하여야 할 업무상 주의의무가 있다고 할 수는 없고, 따라서 좌회전 금지구역에서 좌회전한 행위와 사고발생 사이에 **상당인과관계가 인정되지 아니한다.**(대법원 1996. 5. 28. 95도1200)

① [○] 피고인이 자신이 경영하는 **속셈학원의 강사**로 피해자를 채용하고 학습교재를 설명하겠다는 구실로 유인하여 호텔 객실에 감금한 후 강간하려 하자, 피해자가 완강히 반항하던 중 피고인이 대실시간 연장을 위해 전화하는 사이에 객실 창문을 통해 탈출하려다가 지상에 추락하여 사망한 경우 피고인의 **강간미수행위와 피해자의 사망과의 사이에 상당인과관계가 있으므로** 강간치사죄가 성립한다.(대법원 1995. 5. 12. 95도425 **속셈학원 원장** 사건)

② [○] 피고인이 공모자 甲과 빈 가게로 알고 있던 범행장소에서의 절도를 공모한 다음, 甲이 가게에 침입하여 물건을 절취하는 동안 피고인이 밖에서 **망을 보던 중** 예기치 않았던 인기척 소리가 나서 도주해 버린 이후 甲이 피해자에게 붙들리자 체포를 면탈할 목적으로 폭행을 가하여 상해를 입힌 경우, 피고인에 대하여 **준강도상해죄의 공동책임을 지울 수 없다.**(대법원 1984. 2. 28. 83도3321 **담배가게** 사건)

④ [○] 선행 교통사고와 후행 교통사고 중 어느 쪽이 원인이 되어 피해자가 사망에 이르게 되었는지 밝혀지지 않은 경우 후행 교통사고를 일으킨 사람의 과실과 피해자의 사망 사이에 인과관계가 인정되기 위해서는 **후행 교통사고를 일으킨 사람이 주의의무를 게을리하지 않았다면 피해자가 사망에 이르지 않았을 것이라는 사실이 입증되어야 하고, 그 입증책임은 검사에게 있다.**(대법원 2007. 10. 26. 2005도8822 선행사고 후행사고 사건)

038 □□□ 인과관계에 관한 견해 <보기1>과 그 내용 <보기2> 및 이에 대한 비판 <보기3>이 바르게 연결된 것은?

22 변호사 [Superlative ★★★]

〈보기1〉

가. 행위와 결과 사이에 그 행위가 없었더라면 결과가 발생하지 않았다고 볼 수 있는 모든 조건에 대하여 인과관계가 인정된다는 견해

나. 행위가 시간적으로 뒤따르는 외계의 변화에 연결되고 외계변화가 행위와 합법칙적으로 결합되어 구성요건적 결과로 실현되었을 때에 인과관계가 인정된다는 견해

다. 결과발생을 위해 경험칙상 상당한 조건만이 원인이 되고 이 경우 인과관계가 인정된다는 견해

〈보기2〉

A. 사실적 측면과 규범적 측면을 모두 고려하여 행위와 결과 사이의 높은 가능성이라는 개연성 관계를 판단한다.

B. 행위와 결과 간의 전개과정이 이미 확립되어 있는 자연과학적 인과법칙에 부합하는가를 심사하여 인과관계를 판단한다.

C. 중요한 원인과 중요하지 않은 원인을 구별하지 않고 모든 조건을 동일한 원인으로 파악한다.

〈보기3〉

a. 당대의 지식수준에서 알려진 법칙적 관계의 내용이 명확하게 제시되어 있지 않고, 인과관계를 인정하는 범위가 너무 넓어 결과책임을 제한하려는 형법의 목적을 실현하는 데에 문제가 있다.

b. 단독으로 동일한 결과를 발생시킬 수 있는 수개의 조건이 결합하여 결과가 발생한 경우에 행위자의 책임을 인정해야 함에도 인과관계를 부인하게 되는 불합리한 결과가 발생한다.

c. 인과관계와 결과귀속을 혼동한 잘못이 있을 뿐 아니라 인과관계의 판단척도가 모호하여 법적 안정성을 해칠 우려가 있다.

---

① 가 – A – b, 나 – B – a, 다 – C – c
② 가 – B – b, 나 – C – a, 다 – A – c
③ 가 – C – b, 나 – A – a, 다 – B – c
④ 가 – C – b, 나 – B – a, 다 – A – c
⑤ 가 – C – c, 나 – B – b, 다 – A – a

해설

④ 이 지문이 옳은 연결이다.
가. 조건설(C – b) 나. 합법칙적 조건설(B – a) 다. 상당인과관계설(A – c)이다.

039 인과관계에 대한 설명으로 옳은 것만을 모두 고르면? (다툼이 있으면 판례에 의함)

> ㉠ 부작위범에 있어서 작위의무를 이행하였다면 결과가 발생하지 않았을 것이라는 관계가 인정될 경우 부작위와 그 결과 사이에 인과관계가 있다.
> ㉡ 사기죄는 타인을 기망하여 착오에 빠뜨리고 처분행위를 유발하여 재물을 교부받거나 재산상 이익을 얻음으로써 성립하는 것으로, 기망행위와 상대방의 착오 및 재물의 교부 또는 재산상 이익의 공여 사이에 순차적인 인과관계가 있어야 한다.
> ㉢ 의사가 설명의무를 위반한 채 의료행위를 하였다가 환자에게 상해의 결과가 발생한 경우, 의사에게 업무상과실로 인한 형사책임을 지우기 위해서는 의사의 설명의무 위반과 환자의 상해 사이에 상당인과관계가 존재하여야 한다.
> ㉣ 선행 교통사고와 후행 교통사고 중 어느 쪽이 원인이 되어 피해자가 사망에 이르게 되었는지 밝혀지지 않은 경우, 후행 교통사고를 일으킨 사람의 과실과 피해자의 사망 사이에 인과관계가 인정되기 위해서는 후행 교통사고를 일으킨 사람이 주의의무를 게을리하지 않았다면 피해자가 사망에 이르지 않았을 것이라는 사실이 입증되어야 한다.

① ㉠㉢
② ㉠㉡㉣
③ ㉡㉢㉣
④ ㉠㉡㉢㉣

해설

④ 모든 항목이 옳다.

㉠ [O] 작위의무를 이행하였다면 그 결과가 발생하지 않았을 것이라는 관계가 인정될 경우에는 그 작위를 하지 않은 **부작위와 사망의 결과 사이에 인과관계가 있는** 것으로 보아야 한다.(대법원 2015. 11. 12. 2015도6809 全合 세월호 사건)

㉡ [O] 사기죄는 타인을 기망하여 착오에 빠뜨리고 처분행위를 유발하여 재물을 교부받거나 재산상 이익을 얻음으로써 성립하는 것으로, 기망행위와 상대방의 착오 및 재물의 교부 또는 재산상 이익의 공여 사이에 순차적인 **인과관계가 있어야** 한다.(대법원 2017. 12. 5. 2017도14423)

㉢ [O] 의사가 설명의무를 위반한 채 의료행위를 하였다가 환자에게 상해 또는 사망의 결과가 발생한 경우 의사에게 업무상 과실로 인한 형사책임을 지우기 위해서는 **의사의 설명의무 위반과 환자의 상해 또는 사망 사이에 상당인과관계가** 존재하여야 한다.(대법원 2015. 6. 24. 2014도11315 간경변증환자 화상치료 수술사건)

㉣ [O] 선행 교통사고와 후행 교통사고 중 어느 쪽이 원인이 되어 피해자가 사망에 이르게 되었는지 밝혀지지 않은 경우 후행 교통사고를 일으킨 사람의 과실과 피해자의 사망 사이에 인과관계가 인정되기 위해서는 후행 교통사고를 일으킨 사람이 주의의무를 게을리하지 않았다면 피해자가 사망에 이르지 않았을 것이라는 사실이 입증되어야 하고, 그 **입증책임은 검사에게 있다.**(대법원 2007. 10. 26. 2005도8822 선행사고 후행사고 사건)

040

□□□ 다음은 인과관계에 대한 설명이다. 바르지 못한 것은? (다툼이 있으면 판례에 의함)

12 경찰간부 [Essential ★]

① 어떤 행위라도 죄의 요소되는 위험발생에 연결되지 아니한 때에는 그 결과로 인하여 벌하지 아니한다.

② 소아외과 의사가 5세의 급성 림프구성 백혈병 환자의 항암치료를 위하여 쇄골하 정맥에 중심 정맥도관을 삽입하는 수술을 하는 과정에서 환자의 우측 쇄골하 부위를 주사바늘로 10여 차례 찔러 환자가 우축 쇄골하 혈관 및 흉막 관통상에 기인한 외상성 혈흉으로 인한 순환혈액량 감소성 쇼크로 사망한 경우, 담당 소아의과 의사에게 형법 제268조의 업무상 과실이 인정된다.

③ 피해자가 피고인의 범행으로 자상을 입고 자상이 급성신부전증으로 발전하였는데, 급성신부전증을 치료할 때에는 음식과 수분의 섭취를 억제하여야 함에도, 이와 같은 사실을 모르고 콜라와 김밥 등을 함부로 먹은 탓으로 체내에 수분저류가 발생하여 합병증이 유발됨으로써 사망하게 된 경우에도 피고인의 범행과 피해자의 사망과의 사이에는 인과관계가 있다.

④ 한의사인 피고인이 피해자에게 문진하여 과거 봉침(蜂針)을 맞고도 별다른 이상 반응이 없었다는 답변을 듣고 알레르기 반응검사를 생략한 채 환부에 봉침시술을 하였는데, 피해자가 위 시술 직후 쇼크반응을 나타내는 등 상해를 입은 경우, 피고인이 알레르기 반응검사를 하지 않은 과실과 피해자의 상해 사이에 상당인과관계를 인정하기 어렵다.

해설

② [×] (1) 의사는 진료를 행함에 있어 환자의 상황과 당시의 의료수준 그리고 자기의 지식경험에 따라 적절하다고 판단되는 진료방법을 선택할 상당한 범위의 재량을 가진다고 할 것이고, 그것이 합리적인 범위를 벗어난 것이 아닌 한 진료의 결과를 놓고 그중 어느 하나만이 정당하고 이와 다른 조치를 취한 것은 과실이 있다고 말할 수는 없다. (2) 피고인의 그와 같은 진료방법의 선택이 **합리적인 재량의 범위를 벗어난 것이라고 단정할 수는 없다고 할 것이다.**(대법원 2008. 8. 11. 2008도3090 쇄골하 중심정맥도관 삽입사건)

① [○] 어떤 행위라도 죄의 요소되는 위험발생에 연결되지 아니한 때에는 그 결과로 인하여 **벌하지 아니한다.**(제17조)

③ [○] 피해자는 피고인들의 범행으로 입은 자상(刺傷)으로 인하여 급성신부전증이 발생하였는데, 피해자가 이와 같은 사실을 모르고 **콜라와 김밥** 등을 함부로 먹은 탓으로 체내에 수분저류가 발생하여 합병증(폐렴, 범발성 혈액응고장애 등)이 유발됨으로써 사망하게 된 경우, 피고인들의 범행과 피해자 사망 사이에는 **인과관계가 인정된다.**(대법원 1994. 3. 22. 93도3612 콜라김밥 사건)

④ [○] 한의사인 피고인이 피해자에게 문진하여 과거 봉침을 맞고도 별다른 이상반응이 없었다는 답변을 듣고 알레르기 반응검사(skin test)를 생략한 채 환부인 목 부위에 봉침시술을 하였는데, 피해자가 시술직후 아나필락시 쇼크반응을 나타내는 등 상해를 입은 경우, 피고인에게 과거 알레르기 반응검사 및 약 **12일** 전 봉침시술에서도 이상반응이 없었던 **피해자를 상대로 다시 알레르기 반응검사를 실시할 의무가 있다고 보기는 어렵고,** 설령 그러한 의무가 있다고 하더라도 알레르기 반응검사를 하지 않은 과실과 피해자의 상해 사이에 **상당인과관계를 인정하기 어렵다.**(대법원 2011. 4. 14. 2010도10104 봉침 사건)

041

인과관계에 대한 설명이다. 아래 ㉠부터 ㉣까지의 설명 중 옳고 그름의 표시(○, ×)가 바르게 된 것은? (다툼이 있으면 판례에 의함)

21 경찰승진 [Core ★★]

㉠ 행위가 결과를 발생하게 한 유일하거나 직접적인 원인이 된 경우만이 아니라, 그 행위와 결과 사이에 피해자나 제3자의 과실 등 다른 사실이 개재된 때에도 그와 같은 사실이 통상 예견될 수 있는 것이라면 상당인과관계를 인정할 수 있다.

㉡ 피고인이 자동차를 운전하다 횡단보도를 걷던 보행자 甲을 들이받아 그 충격으로 횡단보도 밖에서 甲과 동행하던 피해자 乙이 밀려 넘어져 상해를 입은 경우, 피고인의 운전과 乙의 상해 사이에는 인과관계가 부정된다.

㉢ 「아동·청소년의 성보호에 관한 법률」 제7조 제5항의 미성년자에 대한 위계간음죄에 있어 위계와 간음행위 사이의 인과관계를 판단함에 있어서는 일반적·평균적 판단능력을 갖춘 성인 또는 충분한 보호와 교육을 받은 또래의 시각에서 인과관계를 판단하여야 하며, 구체적인 범행상황에 놓인 피해자의 입장과 관점을 고려할 것은 아니다.

㉣ 강간을 당한 피해자가 집에 돌아가 음독자살하기에 이르는 원인이 강간을 당함으로 인하여 생긴 수치심과 장래에 대한 절망감 등에 있었다면 그 자살행위가 바로 강간행위로 인하여 생긴 당연의 결과라고 볼 수 있으므로 강간행위와 피해자의 자살행위 사이에 인과관계를 인정할 수 있다.

① ㉠ ○ ㉡ ○ ㉢ × ㉣ ○
② ㉠ ○ ㉡ × ㉢ ○ ㉣ ×
③ ㉠ ○ ㉡ × ㉢ × ㉣ ×
④ ㉠ × ㉡ ○ ㉢ ○ ㉣ ○

해설

③ 이 지문이 옳은 연결이다.

㉠ [○] 교통방해치사상죄는 결과적 가중범이므로, 위 죄가 성립하려면 교통방해 행위와 사상의 결과 사이에 상당인과관계가 있어야 하고 행위시에 결과의 발생을 예견할 수 있어야 한다. 그리고 교통방해 행위가 피해자의 사상이라는 결과를 발생하게 한 유일하거나 **직접적인 원인이 된 경우만이 아니라, 그 행위와 결과 사이에 피해자나 제3자의 과실 등 다른 사실이 개재된 때에도 그와 같은 사실이 통상 예견될 수 있는 것이라면 상당인과관계를 인정할 수 있다.**(대법원 2014. 7. 24. 2014도6206 고속도로 급제동 정차사건)

㉡ [×] 사고는, 피고인이 횡단보도 보행자 甲에 대하여 도로교통법 제27조 제1항에 따른 주의의무를 위반하여 운전한 업무상 과실로 야기되었고, **乙의 상해는 이를 직접적인 원인으로 하여 발생하였으므로** 피고인의 행위는 교통사고처리특례법 제3조 제2항 단서 제6호에서 정한 **횡단보도 보행자 보호의무의 위반행위에 해당한다.**(대법원 2011. 4. 28. 2009도12671 횡단보도 밖 보행자 사건) 피고인은 교통사고처리특례법위반의 죄책을 진다.

㉢ [×] 위계에 의한 간음죄가 보호대상으로 삼는 아동·청소년, 미성년자, 심신미약자, 피보호자·피감독자, 장애인 등의 성적 자기결정 능력은 그 나이, 성장과정, 환경, 지능 내지 정신기능 장애의 정도 등에 따라 개인별로 차이가 있으므로 간음행위와 인과관계가 있는 위계에 해당하는지 여부를 판단함에 있어서는 **구체적인 범행**

상황에 놓인 피해자의 입장과 관점이 충분히 고려되어야 하고, 일반적·평균적 판단능력을 갖춘 성인 또는 충분한 보호와 교육을 받은 또래의 시각에서 인과관계를 쉽사리 부정하여서는 안 된다.(대법원 2020. 8. 27. 2015도9436 술술 선배랑 한번 해라 사건)
ㄹ [×] 강간을 당한 피해자가 집에 돌아가 음독자살하기에 이른 원인이 강간을 당함으로 인하여 생긴 수치심과 장래에 대한 절망감 등에 있었다 하더라도 그 자살행위가 바로 강간행위로 인하여 생긴 당연의 결과라고 볼 수는 없으므로 **강간행위와 피해자의 자살행위 사이에는 인과관계를 인정할 수 없다.**(대법원 1982. 11. 23. 82도1446 강간피해자 자살사건)

042

☐☐☐

인과관계에 대한 설명이다. 옳은 것만으로 묶인 것은? (다툼이 있으면 판례에 의함)

22 경찰간부 [Core ★★]

> ㉠ 부작위에 의한 살인의 경우 작위의무를 이행하였다면 결과가 발생하지 않았을 것이라는 관계가 인정될 경우에는 부작위와 사망의 결과 사이에 인과관계가 인정된다.
> ㉡ 甲이 乙에게 반항을 억압하기에 충분한 정도의 폭행 또는 협박을 가하여 乙이 재물 취거의 사실을 알지 못하는 사이에 그 틈을 이용하여 甲이 우발적으로 乙의 재물을 취거한 경우 위 폭행 또는 협박에 의한 반항억압의 상태가 전체적·실질적으로 단일한 재물탈취의 범의의 실현행위로 평가할 수 있는 경우가 아니면 강도죄는 성립되지 않는다.
> ㉢ 甲이 차를 세워두고 열쇠를 끼워놓은 채 내린 이후 조수석에 있던 어린이 乙이 시동열쇠를 돌리고 악셀레이터 페달을 밟아 차량을 진행하여 사고가 난 경우 甲의 과실은 사고 발생에 간접적인 원인이기 때문에 사고의 결과와 인과관계가 있다고 볼 수 없다.
> ㉣ 살인의 실행행위가 피해자의 사망이라는 결과를 발생하게 한 유일한 원인 혹은 직접적인 원인이어야 하므로, 살인의 실행행위와 피해자 사망과의 사이에 통상 예견할 수 있는 다른 사실이 개재되어 그 사실이 치사의 직접적인 원인이 된 경우에는 살인의 실행행위와 피해자의 사망과의 사이에 인과관계는 부정된다.
> ㉤ 의사 甲의 수술 후 복막염에 대한 진단과 처치 지연 등의 과실로 乙이 제때 필요한 조치를 받지 못하였다면 乙의 사망과 甲의 과실 사이에는 일반적으로 인과관계가 인정되나, 乙이 甲의 지시를 일부 따르지 않거나 퇴원한 적이 있는 경우에는 인과관계가 단절된다.

① ㉠㉡ ② ㉠㉢

③ ㉡㉤ ④ ㉢㉣

해설

① ㉠㉡ 2 항목이 옳다.

㉠ [O] 선박침몰 등과 같은 조난사고로 승객이나 다른 승무원들이 스스로 생명에 대한 위협에 대처할 수 없는 급박한 상황이 발생한 경우에는 선박의 운항을 지배하고 있는 선장이나 갑판 또는 선내에서 구체적인 구조행위를 지배하고 있는 선원들은 적극적인 구호활동을 통해 보호능력이 없는 승객이나 다른 승무원의 사망 결과를 방지하여야 할 작위의무가 있다 할 것이므로, 법익침해의 태양과 정도 등에 따라 요구되는 개별적·구체적인 구호의무를 이행함으로써 사망의 결과를 쉽게 방지할 수 있음에도 그에 이르는 사태의 핵심적 경과를 그대로 방관하여 사망의 결과를 초래하였다면, 그 부작위는 작위에 의한 살인행위와 동등한 형법적 가치를 가진다고 할 것이고, 이와 같이 작위의무를 이행하였다면 그 결과가 발생하지 않았을 것이라는 관계가 인정될 경우에는 그 작위를 하지 않은 **부작위와 사망의 결과 사이에 인과관계가 있는 것으로 보아야 한다.**(대법원 2015. 11. 12. 2015도6809 숙승 세월호 사건)

㉡ [O] 피고인이 모텔에서 주점 도우미인 피해자와 성관계를 하던 중에 피해자가 성교행위가 너무 과격하다는 이유로 성교를 중단하는 바람에 말다툼이 벌어져 화가 난 피고인이 피해자에 대한 폭행을 시작하면서 피해자가 이불을 뒤집어쓴 후에도 계속해서 주먹과 발로 피해자를 구타한 후 이불 속에 들어 있는 피해자를 두고 옷을 입고 방을 나가다가 탁자 위의 피해자 손가방 안에서 현금 20만원 등이 든 키홀더를 **우발적으로 가져간 경우** 피고인의 재물 취거행위가 피해자가 전혀 인식하지 못한 가운데 이루어진데다가 그 원인이 되었던 폭행행위도 그와는 전혀 무관한 윤락행위 도중의 시비 끝에 발생하게 된 것이므로 **강도죄의 성립을 인정하기에 부족하다.**(대법원 2009. 1. 30. 2008도10308 과격한 성교 사건)

㉢ [×] 운전자가 차를 세워 시동을 끄고 1단 기어가 들어가 있는 상태에서 시동열쇠를 끼워놓은 채 **11세 남짓한 어린이를 조수석에 남겨두고 차에서 내려온 동안 동인이 시동열쇠를 돌리며 악셀러레이터 페달을 밟아 차량이 진행하여 사고가 발생한 경우,** 운전자로서는 어린이를 먼저 하차시키던가 운전기기를 만지지 않도록 주의를 주거나 손브레이크를 채운 뒤 시동열쇠를 빼는 등 사고를 미리 막을 수 있는 제반조치를 취할 업무상 주의의무가 있다 할 것이어서 이를 게을리 한 **과실은 사고결과와 법률상의 인과관계가 있다고 봄이 상당하다.**(대법원 1986. 7. 8. 86도1048 조수석 아들 사건)

㉣ [×] 살인의 실행행위가 피해자의 사망이라는 결과를 발생하게 한 유일한 원인이거나 직접적인 원인이어야만 되는 것은 아니므로 **살인의 실행행위와 피해자의 사망과의 사이에 다른 사실이 개재되어 그 사실이 치사의 직접적인 원인이 되었다고 하더라도** 그와 같은 사실이 통상 예견할 수 있는 것에 지나지 않는다면 살인의 실행행위와 피해자의 사망과의 사이에 **인과관계가 있는 것으로 보아야 한다.**(대법원 1994. 3. 22. 93도 3612 김밥콜라 사건)

㉤ [×] 의사인 피고인의 수술 후 복막염에 대한 진단과 처치 지연 등의 과실로 피해자가 제때 필요한 조치를 받지 못하였다면 피해자의 사망과 피고인의 과실 사이에는 인과관계가 인정되고, **비록 피해자가 피고인의 지시를 일부 따르지 않거나 퇴원한 적이 있더라도 그러한 사정만으로는 피고인의 과실과 피해자의 사망 사이에 인과관계가 단절된다고 볼 수 없다.**(대법원 2018. 5. 11. 2018도2844 신해철 집도의 사건)

정답 | 042 ①

043

□□□

인과관계에 관한 다음 설명 중 옳은 것을 모두 고른 것은? (다툼이 있으면 판례에 의함)

22 법원행시 [Core ★★]

ⓐ 피고인이 피해자의 멱살을 잡아 흔들고 주먹으로 가슴과 얼굴을 1회씩 구타하고 멱살을 붙들고 넘어뜨리는 등 신체 여러 부위에 표피박탈, 피하출혈 등의 외상이 생길 정도로 심하게 폭행을 가함으로써 평소에 오른쪽관상동맥폐쇄 및 심실의 허혈성심근섬유화증세 등의 심장질환을 앓고 있던 피해자의 심장에 더욱 부담을 주어 나쁜 영향을 초래하도록 하였다면, 비록 피해자가 관상동맥부전과 허혈성심근경색 등으로 사망하였더라도 피고인의 폭행의 방법, 부위나 정도 등에 비추어 피고인의 폭행과 피해자의 사망 간에 상당인과관계가 있었다고 볼 수 있다.

ⓑ 피고인이 아파트 안방에서 안방 문에 못질을 하여 동거하던 피해자가 술집에 나갈 수 없게 감금하고, 피해자를 때리고 옷을 벗기는 등 가혹한 행위를 하여 피해자가 이를 피하기 위하여 창문을 통해 밖으로 뛰어 내리려 하자 피고인이 이를 제지한 후, 피고인이 거실로 나오는 사이에 피해자가 갑자기 안방 창문을 통하여 알몸으로 아파트 아래 잔디밭에 뛰어 내리다가 다발성 실질 장기파열상 등을 입고 사망한 경우 피고인의 중 감금행위와 피해자의 사망 사이에는 인과관계가 있어 피고인은 중감금치사죄의 죄책을 진다.

ⓒ 피고인이 피해자를 2회에 걸쳐 두 손으로 힘껏 밀어 땅바닥에 넘어뜨려 피해자가 그 충격으로 인한 쇼크성 심장마비로 사망한 경우 피해자에게 그 당시 심관성동맥경화 및 심근섬유화 증세 등의 심장질환의 지병이 있었고, 음주로 만취된 상태였으며 그것이 피해자의 사망에 영향을 주었다면 피고인의 폭행과 피해자의 사망 사이에 상당인과관계는 인정되지 않는다.

ⓓ 피고인이 제왕절개수술 후 대량출혈이 있었던 피해자를 전원 조치하였으나 전원을 받은 병원 의료진의 조치가 다소 미흡하여 도착 후 약 1시간 20분이 지나 수혈이 시작되었으나 과다출혈 등으로 피해자가 사망한 사안에서, 비록 피고인에게 전원 조치를 지체한 과실이 있기는 하나 피고인의 위와 같은 과실과 피해자의 사망사이에 인과관계가 있다고 할 수 없다.

ⓔ 피고인의 택시가 차량 신호등이 적색 등화임에도 횡단보도 앞 정지선 직전에 정지하지 않고 상당한 속도로 정지선을 넘어 횡단보도에 진입하였고, 횡단보도에 들어선 이후 차량신호등이 녹색 등화로 바뀌자 교차로로 계속 직진하여 교차로에 진입하자마자 교차로를 거의 통과하였던 피해자의 승용차 오른쪽 뒤 문짝을 피고인 택시 앞 범퍼 부분으로 충돌하여 피해자에게 상해를 입게 하였다면 피고인의 신호위반행위가 교통사고 발생의 직접적인 원인이라고 보아야 한다.

① ⓐ

② ⓐⓔ

③ ⓐⓑⓒ

④ ⓐⓑⓔ

⑤ ⓐⓑⓒⓓ

해설

④ ㉠㉡㉤ 3 항목이 옳다.

㉠ [○] 피고인이 피해자의 멱살을 잡아 흔들고 주먹으로 가슴과 얼굴을 1회씩 구타하고 멱살을 붙들고 넘어뜨리는 등 신체 여러 부위에 표피박탈, 피하출혈 등의 외상이 생길 정도로 **심하게 폭행**을 가함으로써 평소에 오른쪽 관상동맥폐쇄 및 심실의 허혈성심근섬유화증세 등의 심장질환을 앓고 있던 피해자의 심장에 더욱 부담을 주어 나쁜 영향을 초래하도록 하였다면, 비록 피해자가 관상동맥부전과 허혈성심근경색 등으로 사망하였더라도 피고인의 폭행과 피해자의 사망과 간에 **상당인과관계가 있었다고 볼 수 있다.**(대법원 1989. 10. 13. 89도556)

㉡ [○] 피고인이 아파트 안방에서 안방문에 못질을 하여 동거하던 피해자가 술집에 나갈 수 없게 감금하고, 피해자를 때리고 옷을 벗기는 등 가혹한 행위를 하여 피해자가 이를 피하기 위하여 창문을 통해 밖으로 뛰어 내리려 하자 피고인이 이를 제지한 후, 피고인이 거실로 나오는 사이에 갑자기 안방 창문을 통하여 알몸으로 아파트 아래 잔디밭에 뛰어 내리다가 다발성 실질장기파열상 등을 입고 사망한 경우 피고인의 중감금행위와 피해자의 사망 사이에는 **인과관계가 있어 피고인은 중감금치사죄의 죄책을 진다.**(대법원 1991. 10. 25. 91도2085 북문파 두목 사건)

㉢ [×] 피고인이 피해자를 2회에 걸쳐 두 손으로 **힘껏 밀어** 땅바닥에 넘어뜨리는 폭행을 가함으로써 그 충격으로 인한 쇼크성 심장마비로 사망케 하였다면 비록 피해자에게 그 당시 심관성동맥경화 및 심근섬유화증세의 심장질환의 지병이 있었고 음주로 만취된 상태였으며 그것이 피해자가 사망함에 있어 영향을 주었다고 해서 **피고인의 폭행과 피해자의 사망 간에 상당인과관계가 없다고 할 수 없다.**(대법원 1986. 9. 9. 85도2433)

㉣ [×] 피고인의 전원지체 등의 과실(전원을 지체하여 피해자로 하여금 신속한 수혈 등의 조치를 받지 못하게 한 과실과 피해자가 고혈압환자이고 수술 후 대량출혈이 있었던 사정을 설명하지 않은 과실)로 피해자에 대한 신속한 수혈 등의 조치가 지연된 이상 피해자의 사망과 피고인의 과실 사이에는 **인과관계를 부정하기 어렵다.**(대법원 2010. 4. 29. 2009도7070 뒤늦은 전원 사건)

㉤ [○] 택시 운전자인 피고인 甲의 택시가 차량 신호등이 적색 등화임에도 횡단보도 앞 정지선 직전에 정지하지 않고 상당한 속도로 정지선을 넘어 횡단보도에 진입하였고, **횡단보도에 들어선 이후 차량 신호등이 녹색 등화로 바뀌자** 교차로로 계속 직진하여 교차로에 진입하자마자 교차로를 거의 통과하였던 A의 승용차 오른쪽 뒤 문짝 부분을 甲 택시 앞 범퍼 부분으로 충돌한 경우 甲이 적색 등화에 따라 정지선 직전에 정지하였더라면 교통사고는 발생하지 않았을 것임이 분명하여 甲의 신호위반행위는 **교통사고 발생의 직접적인 원인이 되었다고 보아야 한다.**(대법원 2012. 3. 15. 2011도17117)

044

☐☐☐ 인과관계에 대한 설명 중 옳은 것을 모두 고른 것은? (다툼이 있으면 판례에 의함)

19 경찰승진 [Core ★★]

⊙ 피고인이 고속도로 2차로를 따라 자동차를 운전하다가 1차로를 진행하던 甲의 차량 앞에 급하게 끼어든 후 곧바로 정차하여, 甲의 차량 및 이를 뒤따르던 차량 두 대는 연이어 급정차하였으나, 그 뒤를 따라오던 乙의 차량이 앞의 차량들을 연쇄적으로 추돌케 하여 乙을 사망에 이르게 하고 나머지 차량 운전자 등 피해자들에게 상해를 입힌 경우, 피고인의 정차 행위와 피해자 사상의 결과 발생 사이에 상당인과관계가 있다.

ⓛ 한의사인 피고인이 피해자에게 문진하여 과거 봉침(蜂針)을 맞고도 별다른 이상반응이 없었다는 답변을 듣고 알레르기 반응검사를 생략한 채 환부에 봉침시술을 하였는데, 피해자가 위 시술 직후 쇼크반응을 나타내는 등 상해를 입은 경우, 피고인이 알레르기 반응검사를 하지 않은 과실과 피해자의 상해 사이에 상당인과관계를 인정하기 어렵다.

ⓒ 피고인은 결혼을 전제로 교제하던 甲의 임신 사실을 알고 수회에 걸쳐 낙태를 권유하였다가 거절당하였음에도 계속 甲에게 출산 여부는 알아서 하되 아이에 대한 친권을 행사할 의사가 없다고 하면서 낙태할 병원을 물색해 주기도 하였는데, 그 후 甲은 피고인에게 알리지 않고 자신이 알아본 병원에서 낙태시술을 받은 경우, 피고인의 낙태 교사행위와 甲의 낙태행위 사이에는 인과관계가 인정되지 않는다.

ⓔ 의사인 피고인이 제왕절개수술 후 대량출혈이 있었던 피해자를 전원(轉院) 조치하였으나 전원받는 병원 의료진에게 피해자가 고혈압환자이고 제왕절개수술 후 대량출혈이 있었던 사정을 설명하지 않아 전원받는 병원 의료진의 조치가 다소 미흡하여 도착 후 약 1시간 20분이 지나 수혈이 시작된 경우, 피고인의 전원지체 등의 과실로 신속한 수혈 등의 조치가 지연된 이상 피해자의 사망과 피고인의 과실 사이에 인과관계가 인정된다.

ⓜ 피고인이 자동차를 운전하다 횡단보도를 건너던 보행자 甲을 들이받아 그 충격으로 횡단보도 밖에서 甲과 동행하던 피해자 乙이 밀려 넘어져 상해를 입은 경우, 피고인의 구「도로교통법」제27조 제1항에 따른 주의의무를 위반하여 운전한 업무상 과실과 乙의 상해 사이에는 인과관계가 인정될 수 없다.

① ⊙ⓛⓒ

② ⊙ⓛⓔ

③ ⊙ⓒⓜ

④ ⓛⓔⓜ

해설

② ⊙ⓛⓔ 3 항목이 옳다.

⊙ [O] 편도 2차로의 고속도로 1차로 한가운데에 정차한 피고인은 고속도로를 주행하는 다른 차량 운전자들이 제한속도 준수나 안전거리 확보 등의 주의의무를 완전하게 다하지 않을 수도 있다는 점을 알았거나 충분히 알 수 있었으므로, 피고인의 정차 행위와 사상의 결과 발생 사이에 **상당인과관계가 있고**, 사상의 결과 발생에 대한 예견가능성도 인정되므로 교통방해치사상죄가 성립한다.(대법원 2014. 7. 24. 2014도6206 고속도로 급제동 정차사건)

ⓒ [○] 한의사인 피고인이 피해자에게 문진하여 과거 봉침을 맞고도 별다른 이상반응이 없었다는 답변을 듣고 부작용에 대한 충분한 사전 설명 없이 환부인 목 부위에 봉침시술을 하였는데, 피해자가 시술 직후 쇼크반응을 나타내는 등 상해를 입은 경우, 피고인이 봉침시술에 앞서 설명의무를 다하였더라도 피해자가 반드시 봉침시술을 거부하였을 것이라고 볼 수 없다면 피고인의 설명의무 위반과 피해자의 상해 사이에 **상당인과관계를 인정하기 어렵다.**(대법원 2011. 4. 14. 2010도10104 봉침 사건)

ⓒ [×] 피고인이 甲이 아이를 임신한 사실을 알게 되자 수차례 낙태를 권유하였고 甲이 아이를 낳겠다고 하자 '출산 여부는 알아서 하되 결혼은 하지 않겠다'고 통보한 뒤에도 낙태를 할 병원을 물색해 주기도 하여, 甲이 이로 인하여 낙태를 결의·실행한 경우 (甲이 당초 아이를 낳을 것처럼 말한 사실이 있다는 사정만으로 피고인의 낙태교사행위와 甲의 낙태결의 사이에 인과관계가 단절되는 것은 아니므로) 낙태교사죄가 성립한다. (대법원 2013. 9. 12. 2012도2744 약혼녀 낙태강요 사건)

ⓔ [○] 의사인 피고인의 **전원(轉院)지체 등의 과실**(전원을 지체하여 피해자로 하여금 신속한 수혈 등의 조치를 받지 못하게 한 과실과 피해자가 고혈압환자이고 수술 후 대량출혈이 있었던 사정을 설명하지 않은 과실)로 피해자에 대한 신속한 수혈 등의 조치가 지연된 이상 피해자의 사망과 피고인의 과실 사이에는 **인과관계를 부정하기 어렵다.**(대법원 2010. 4. 29. 2009도7070 뒤늦은 전원 사건)

ⓜ [×] 사고는, 피고인이 횡단보도 보행자 甲에 대하여 도로교통법 제27조 제1항에 따른 주의의무를 위반하여 운전한 업무상 과실로 야기되었고, 乙의 상해는 이를 직접적인 원인으로 하여 발생하였으므로 피고인의 행위는 교통사고처리 특례법 제3조 제2항 단서 제6호에서 정한 **횡단보도 보행자 보호의무의 위반행위에 해당한다.**(대법원 2011. 4. 28. 2009도12671 횡단보도 밖 보행자 사건) 피고인은 교통사고처리특례법위반의 죄책을 진다.

045

인과관계에 대한 설명 중 옳지 않은 것을 모두 고른 것은? (다툼이 있으면 판례에 의함)

18 경찰채용 [Core ★★]

⊙ 甲은 선단 책임선의 선장으로서 종선의 선장에게 조업상의 지시만 할 수 있을 뿐 선박의 안전 관리는 각 선박의 선장이 책임지도록 되어 있었던 경우, 甲이 풍랑 중에 종선에 조업지시를 한 것과 종선의 풍랑으로 인한 매몰사고와의 사이에 인과관계를 인정할 수 있다.

ⓛ 전문적으로 대출을 취급하면서 차용인에 대한 체계적인 신용조사를 행하는 금융기관이 금원을 대출한 경우에는, 비록 대출 신청 당시 차용인에게 변제기 안에 대출금을 변제할 능력이 없었고, 차용인에게 대출을 하게 되면 부실채권으로 될 것임이 예상됨에도, 자체 신용조사 결과에는 관계없이 '변제기 안에 대출금을 변제하겠다.'는 취지의 차용인의 말만을 그대로 믿고 대출하였다고 하더라도, 차용인의 이러한 기망행위와 금융기관의 대출행위 사이에 인과 관계를 인정할 수는 없다.

ⓒ 甲은 부동산 대지에 대한 전매사실을 숨기고 지주명의로 위장하여 乙과 대지에 관한 매매계약을 체결하였으나 그 이행에 아무런 영향이 없었던 경우, 乙이 전매사실을 알았더라면 매매계약을 맺지 않았으리라는 등 특별한 사정이 없는 한 甲의 위 기망행위와 위 乙의 처분행위 사이에는 인과관계를 인정할 수 없다.

ⓔ 초지조성공사를 도급받은 수급인 甲이 불경운작업(산불작업)의 하도급을 乙에게 준 이후에 계속하여 그 작업을 감독하지 아니하였는데 乙이 산림실화를 낸 경우, 수급인 甲이 감독하지 아니한 과실과 산림실화 사이에는 인과관계가 인정된다.

ⓜ 살인의 실행행위가 피해자의 사망이라는 결과를 발생하게 한 유일한 원인이어야 하는 것은 아니나 직접적인 원인일 것을 요하므로 살인의 실행행위와 피해자의 사망과의 사이에 통상 예견할 수 있는 다른 사실이 개재되어 그 사실이 치사의 직접적인 원인이 되었다면 살인의 실행행위와 피해자의 사망과의 사이에 인과관계가 있는 것으로 볼 수 없다.

① ⊙ⓛⓔ

② ⊙ⓔⓜ

③ ⓛⓒⓔ

④ ⓛⓒⓜ

해설

② ⊙ⓔⓜ 3 항목이 옳지 않다.

⊙ [×] 피고인이 선단(船團)의 책임선인 제1봉림호의 선장으로 조업중이었다 하더라도 피고인으로서는 종선(從船)의 선장에게 조업상의 지시만 할 수 있을 뿐 **선박의 안전관리는 각 선박의 선장이 책임지도록 되어 있었 다면** 그 같은 상황하에서 **피고인이 풍랑중에 종선에 조업지시를 하였다는 것만으로는 종선의 풍랑으로 인한 매몰사고와의 사이에 인과관계가 성립할 수 없다.**(대법원 1989. 9. 12. 89도1084 제1봉림호 사건)

ⓛ [○] 일반 사인이나 회사가 금원을 대여한 경우와는 달리 전문적으로 대출을 취급하면서 차용인에 대한 체계 적인 신용조사를 행하는 금융기관이 금원을 대출한 경우에는, 비록 대출 신청 당시 차용인에게 변제기 안에 대출금을 변제할 능력이 없었고, 금융기관으로서 자체 신용조사 결과에는 관계없이 '변제기 안에 대출금을 변 제하겠다'는 취지의 차용인 말만을 그대로 믿고 대출하였다고 하더라도 차용인의 이러한 기망행위와 금융기관 의 대출행위 사이에 **인과관계를 인정할 수는 없다.**(대법원 2000. 6. 27. 2000도1155 경기은행 부도사건)

ⓒ [○] 피고인이 전매사실을 숨기고 지주명의로 위장하여 대지에 관한 매매계약을 체결하였으나 그 **이행에 아무런 영향이 없었다면 사기죄는 성립하지 아니한다.**(대법원 1985. 5. 14. 84도2751)

ⓔ [×] 초지조성공사를 도급받은 수급인이 불경운작업(산불작업)을 하도급을 준 이후에 계속하여 그 작업을 감독하지 아니한 잘못이 있다 하더라도 이는 **도급자에 대한 도급계약상의 책임이지 하수급인의 과실로 인하여 발생한 산림실화에 상당인과관계가 있는 과실이라고는 할 수 없다.**(대법원 1987. 4. 28. 87도297 산불작업 사건)

ⓜ [×] 살인의 실행행위가 피해자의 사망이라는 결과를 발생하게 한 유일한 원인이거나 직접적인 원인이어야만 되는 것은 아니므로, 살인의 실행행위와 피해자의 사망과의 사이에 다른 사실이 개재되어 그 사실이 치사의 **직접적인 원인이 되었다고 하더라도** 그와 같은 사실이 통상 예견할 수 있는 것에 지나지 않는다면 **살인의 실행행위와 피해자의 사망과의 사이에 인과관계가 있는 것으로 보아야 한다.**(대법원 1994. 3. 22. 93도3612 김밥콜라 사건)

046 인과관계에 관한 다음 설명 중 가장 적절하지 않은 것은? (다툼이 있으면 판례에 의함)

□□□
13 경찰승진 [Essential ★]

① 운전자가 차를 세워 시동을 끄고 1단 기어가 들어가 있는 상태에서 시동열쇠를 끼워 놓은 채 11세 남짓한 어린이를 조수석에 남겨두고 차에서 내려온 동안 동인이 시동열쇠를 돌리며 악셀레이터 페달을 밟아 차량이 진행하여 사고가 발생한 경우, 운전자의 과실은 사고결과와 인과관계가 없다.

② 파도수영장에서 물놀이하던 초등학교 6학년생이 수영장 안에 엎어져 있는 것을 수영장 안전요원이 발견하여 인공호흡을 실시한 뒤 의료기관에 후송하였으나 후송 도중 사망한 사고에 있어서 그 사망원인이 구체적으로 밝혀지지 아니한 경우, 수영장 안전요원과 수영장 관리책임자에게 업무상 주의의무를 게을리 한 과실이 있다거나 그 주의의무 위반으로 인하여 피해자가 사망하였다고 볼 수 없다.

③ 피고인이 자동차를 운전하다 횡단보도를 걷던 보행자 甲을 들이받아 그 충격으로 횡단보도 밖에서 甲과 동행하던 피해자 乙이 밀려 넘어져 상해를 입은 경우, 피고인의 (구) 도로교통법 제27조 제1항에 따른 주의의무를 위반하여 운전한 업무상 과실과 乙의 상해 사이에는 인과관계가 인정된다.

④ 선행과 후행 교통사고 중 어느 쪽이 원인이 되어 피해자가 사망에 이르게 되었는지 밝혀지지 않은 경우, 후행 교통사고를 일으킨 사람의 과실과 피해자의 사망 사이에 인과관계가 인정되기 위해서는 후행 교통사고를 일으킨 사람이 주의의무를 게을리하지 않았다면 피해자가 사망에 이르지 않았을 것이라는 사실이 증명되어야 한다.

해설

① [×] 운전자로서는 어린이를 먼저 하차시키던가 운전기기를 만지지 않도록 주의를 주거나 손브레이크를 채운 뒤 시동열쇠를 빼는 등 사고를 미리 막을 수 있는 제반조치를 취할 업무상 주의의무가 있다 할 것이어서 이를 게을리 한 과실은 사고결과와 **법률상의 인과관계가 있다고 봄이 상당하다.**(대법원 1986. 7. 8. 86도1048 조수석 아들 사건)

② [○] 파도수영장에서 물놀이하던 **초등학교 6학년생이 수영장 안에 엎어져있는 것을 수영장 안전요원이 발견**하여 인공호흡을 실시한 뒤 의료기관에 후송하였으나 후송 도중 사망한 사고에 있어서 그 사망원인이 구체적으로 밝혀지지 아니한 경우, **수영장 안전요원과 수영장 관리책임자에게 업무상 주의의무를 게을리 한 과실이 있다거나 그 주의의무 위반으로 인하여 피해자가 사망하였다고 볼 수 없다.**(대법원 2002. 4. 9. 2001도6601 설악워터피아 사건)

③ [○] 피고인이 자동차를 운전하다 횡단보도를 걷던 보행자 甲을 들이받아 그 충격으로 甲과 함께 가던 乙이 甲에 의해 밀려 넘어져 상해를 입은 경우, 횡단보도 보행자에 대한 운전자의 업무상 주의의무 위반행위와 그 상해의 결과 사이에 직접적인 원인관계가 존재하는 한 위 상해가 횡단보도 보행자 아닌 제3자에게 발생한 경우라 해도 교통사고처리 특례법 제3조 제2항 제6호(횡단보도에서의 보행자 보호의무를 위반하여 운전)에 해당함에는 지장이 없다.(대법원 2011. 4. 28. 2009도12671 횡단보도 밖 보행자 사건)

④ [○] 선행 교통사고와 후행 교통사고 중 어느 쪽이 원인이 되어 피해자가 사망에 이르게 되었는지 밝혀지지 않은 경우 후행 교통사고를 일으킨 사람의 과실과 피해자의 사망 사이에 인과관계가 인정되기 위해서는 **후행 교통사고를 일으킨 사람이 주의의무를 게을리하지 않았다면 피해자가 사망에 이르지 않았을 것이라는 사실이 입증되어야 하고, 그 입증책임은 검사에게 있다.**(대법원 2007. 10. 26. 2005도8822 선행사고 후행사고 사건)

047 주관적 불법요소에 대한 설명으로 옳지 않은 것은? (다툼이 있으면 판례에 의함)

□□□
17 국가9급 [Superlative ★★★]

① 고의는 일반적 주관적 불법요소로서 인적 행위불법의 핵심적 요소에 해당한다.

② 목적범에서 '목적'은 범죄성립을 위하여 고의 외에 요구되는 초과주관적 위법요소이다.

③ 사문서위조죄는 행위자가 '행사할 목적'으로 사문서를 위조할 것을 규정하고 있으므로 여기서의 목적은 일반적 주관적 불법요소에 해당한다.

④ 불법영득의사는 과실범에서는 있을 수 없고 고의범에서만 있을 수 있는 특수한 주관적 불법요소(초과 주관적 구성요건요소)에 해당한다.

해설

③ [×] 사문서위조죄에 있어 '행사할 목적'은 초과주관적 구성요건요소에 해당한다.
①②④ [○] 일반적 주관적 구성요건요소(고의)와 초과주관적 구성요건요소(목적, 불법영득의사)에 관한 옳은 설명이다.

048

□□□

주관적 구성요건에 대한 설명 중 가장 적절한 것은? (다툼이 있으면 판례에 의함)

23 경찰승진 [Essential ★]

① 친족상도례가 적용되는 범죄에 있어서 '친족관계'와 특수폭행죄에 있어서 '위험한 물건을 휴대한다는 사실'은 고의의 인식 대상이다.

② 내란선동죄에서 국헌문란의 목적은 고의 외에 요구되는 초과주관적 위법요소로서 엄격한 증명사항에 속하므로 미필적 인식만으로는 부족하고, 적극적 의욕이나 확정적 인식이어야 한다.

③ 방조범은 정범의 실행을 방조한다는 이른바 방조의 고의와 정범의 행위가 구성요건에 해당하는 행위인 점에 대한 정범의 고의가 있어야 하며, 정범의 고의는 범죄의 미필적 인식 또는 예견만으로는 부족하고 정범에 의하여 실현되는 범죄의 구체적 내용을 인식하여야 한다.

④ 미필적 고의에서 행위자가 범죄사실이 발생할 가능성을 용인하고 있었는지의 여부는 행위자의 진술에 의존하지 아니하고 외부에 나타난 행위의 형태와 행위의 상황 등 구체적인 사정을 기초로 하여 일반인이라면 당해 범죄사실이 발생할 가능성을 어떻게 평가할 것인가를 고려하면서 행위자의 입장에서 그 심리상태를 추인하여야 한다.

해설

④ [○] 미필적 고의에서 행위자가 범죄사실이 발생할 가능성을 용인하고 있었는지의 여부는 행위자의 진술에 의존하지 아니하고 외부에 나타난 행위의 형태와 행위의 상황 등 구체적인 사정을 기초로 하여 일반인이라면 당해 범죄사실이 발생할 가능성을 어떻게 평가할 것인가를 고려하면서 **행위자의 입장에서 그 심리상태를 추인하여야 한다.**(대법원 2004. 5. 14. 2004도74 대구지하철 방화사건)

① [×] 친족상도례가 적용되는 범죄에 있어서 **'친족관계'는 객관적 구성요건요소가 아니므로 고의의 인식대상이 아니다.** 그에 비하여 특수폭행죄에 있어서 '위험한 물건을 휴대한다는 사실'은 객관적 구성요건요소이므로 고의의 인식대상이다.

② [×] 내란선동죄에 있어 '국헌문란의 목적'은 범죄 성립을 위하여 고의 외에 요구되는 초과주관적 위법요소로서 엄격한 증명사항에 속하나 **확정적 인식임을 요하지 아니하며 다만 미필적 인식이 있으면 족하다.**(대법원 2015. 1. 22. 2014도10978 全合 이석기 의원 사건)

③ [×] 방조범의 경우에 정범의 고의는 정범에 의하여 실현되는 범죄의 구체적 내용을 인식할 것을 요하는 것은 아니고 **미필적 인식 또는 예견으로 족하다.**(대법원 2012. 6. 28. 2012도2628 에이스일렉트로닉스 사건)

049 주관적 구성요건요소에 대한 설명으로 옳지 않은 것은? (다툼이 있으면 판례에 의함)

19 5급승진 [Core ★★]

① 절도죄에서 타인의 물건을 자기에게 취득할 것이 허용된 동일한 물건으로 오인하고 가져온 경우에는 범죄사실에 대한 인식이 있다고 할 수 없으므로 범죄가 성립하지 않는다.

② 방조범은 정범의 실행을 방조한다는 이른바 방조의 고의 이외에도 정범의 행위가 구성요건에 해당하는 행위라는 점에 대한 정범의 고의를 요한다.

③ 내란죄에서 국헌문란의 '목적'은 범죄성립을 위하여 고의 외에 요구되는 초과주관적 구성요건요소로서 엄격한 증명사항에 속하므로 확정적 인식을 요한다.

④ 의료과오사건에 있어서 의사의 과실유무는 같은 업무에 종사하는 일반적인 의사의 주의 정도를 표준으로 판단하여야 하며, 이때 사고 당시의 의학의 수준, 의료환경과 조건, 의료행위의 특수성 등을 고려하여야 한다.

⑤ 부진정 부작위범의 고의는 법익침해의 결과발생을 방지할 법적 작위의무를 가지고 있는 사람이 의무를 이행함으로써 결과발생을 쉽게 방지할 수 있었음을 예견하고도 결과발생을 용인하고 이를 방관한 채 의무를 이행하지 아니한다는 인식을 하면 족하다.

해설

③ [×] 국헌문란의 목적은 범죄 성립을 위하여 고의 외에 요구되는 초과주관적 위법요소로서 엄격한 증명사항에 속하나, **확정적 인식임을 요하지 아니하며, 다만 미필적 인식이 있으면 족하다.**(대법원 2015. 1. 22. 2014도10978 全合 이석기 의원 사건)

① [○] 절도죄에 있어서 재물의 타인성을 오신하여 그 재물이 자기에게 취득(빌린 것)할 것이 허용된 **동일한 물건으로 오인하고 가져온 경우에는 범죄사실에 대한 인식이 있다고 할 수 없으므로 범의가 조각되어 절도죄가 성립하지 아니한다.**(대법원 1983. 9. 13. 83도1762 평원닭집 고양이 사건)

② [○] 형법상 방조행위는 정범이 범행을 한다는 정을 알면서 그 실행행위를 용이하게 하는 직접·간접의 행위를 말하므로 방조범은 정범의 실행을 방조한다는 이른바 **방조의 고의와 정범의 행위가 구성요건에 해당하는 행위인 점에 대한 정범의 고의가 있어야 한다.**(대법원 2018. 9. 13. 2018도7658 인천 초등생 살인사건)

④ [○] 의료과오사건에 있어서 의사의 과실을 인정하려면 결과 발생을 예견·회피할 수 있었는데도 이를 하지 못한 점을 인정할 수 있어야 하고, 과실의 유무는 같은 업무에 종사하는 일반적인 의사의 주의 정도를 표준으로 판단하여야 하며, 이때 사고 당시의 의학의 수준, 의료환경과 조건, 의료행위의 특수성 등을 고려하여야 한다.(대법원 2015. 6. 24. 2014도11315 간경변증환자 화상치료 수술사건)

⑤ [○] 부진정 부작위범의 고의는 반드시 구성요건적 결과발생에 대한 목적이나 계획적인 범행 의도가 있어야 하는 것은 아니고 법익침해의 결과발생을 방지할 법적 작위의무를 가지고 있는 자가 그 의무를 이행함으로써 그 결과발생을 쉽게 방지할 수 있었음을 예견하고도 결과발생을 용인하고 이를 방관한 채 그 의무를 이행하지 아니한다는 인식을 하면 족하며, 이러한 작위의무자의 예견 또는 인식 등은 확정적인 경우는 물론 불확정적인 경우이더라도 미필적 고의로 인정될 수 있다.(대법원 2015. 11. 12. 2015도6809 全合 세월호 사건)

050 범죄의 주관적 요소에 관한 설명 중 가장 적절하지 않은 것은? (다툼이 있으면 판례에 의함)

□□□

22 경찰채용 [Core ★★]

① 고의의 본질에 관한 용인설(인용설)에 따르면 구성요건적 결과를 용인하는 의사만으로도 고의가 인정되어 미필적 고의는 고의에 포함되나, 인식 있는 과실은 고의에 포함되지 않는다.

② 회사의 노동조합 홍보이사가 노조 사무실에서 '새벽 6호'라는 책자를 집에 가져와 보관하고 있다가 「국가보안법」 제7조 제5항의 이적표현물소지죄로 체포된 경우 그 홍보이사에게 목적범인 이적표현물소지죄가 성립하기 위해서는 이적행위를 하려는 목적의 확정적 인식이 있어야 한다.

③ 살인예비죄가 성립하기 위해서는 살인죄를 범할 목적 외에도 살인준비에 관한 고의가 있어야 한다.

④ 피고인이 범죄구성요건의 주관적 요소인 고의를 부인하는 경우 그 범의 자체를 객관적으로 증명할 수 없으므로 사물의 성질상 범의와 상당한 관련성 있는 간접사실 또는 정황사실을 증명하는 방법으로 이를 입증할 수밖에 없다.

해설

② [×] 국가보안법 제7조 제5항에서의 목적은 제1항 내지 제4항의 행위에 대한 **적극적 의욕이나 확정적 인식까지는 필요없고 미필적 인식으로 족한 것이므로** 피고인이 표현물의 내용이 객관적으로 보아 반국가단체인 북한의 대남선전, 선동 등의 활동에 동조하는 등의 이적성을 담고 있는 것임을 인식하고, 나아가 그와 같은 이적행위가 될지도 모른다는 미필적 인식이 있으면 위 조항의 구성요건은 충족되는 것이다.(대법원 1992. 3. 31. 90도2033 솔슴 노조 홍보부장 사건)

① [○] 용인설에 의할 때 범죄사실의 인식 외에 결과발생을 용인하는 내심의 의사가 있으면 고의가 성립된다. ※ 고의의 일종인 미필적 고의는 범죄사실의 발생 가능성에 대한 인식이 있고 나아가 범죄사실이 **발생할 위험을 용인하는 내심의 의사가 있어야 한다.**(대법원 2019. 3. 28. 2018도16002 솔슴 만취한 것으로 오해 사건)

③ [○] 살인예비죄가 성립하기 위해서는 **살인죄를 범할 목적 외에도 살인준비에 관한 고의가 있어야 한다.**(대법원 2009. 10. 29. 2009도7150 실패한 살인교사 사건)

④ 범죄구성요건의 주관적 요소인 고의를 부인하는 경우 그 범의 자체를 객관적으로 증명할 수 없으므로 사물의 성질상 범의와 상당한 관련성 있는 **간접사실 또는 정황사실을 증명하는 방법으로 이를 입증할 수밖에 없다.**(대법원 2022. 5. 12. 2020도18062 약국 도우미 사건)

051 구성요건적 고의의 인식대상에 관한 다음 기술 중 옳은 것은 모두 몇 개인가?

□□□

12 경찰간부 [Superlative ★★★]

> ㉠ 구성요건적 고의의 인식대상은 객관적 구성요건요소이며, 진정신분범에서의 신분은 고의의 인식대상이 아니다
>
> ㉡ 친족상도례가 적용되기 위하여는 친족관계가 객관적으로 존재해야 하고, 행위자가 이를 인식해야 한다.
>
> ㉢ 존속살해죄에서의 '직계존속' 상습도박죄에서의 '상습성' 강도죄에서의 '폭행·협박'은 구성요건적 고의의 인식대상이다.
>
> ㉣ 결과적 가중범에서 발생된 '중한 결과', 추상적 위험범의 행위 객체에 대한 '위험', '주관적 위법요소'는 고의의 인식대상이 아니다.

① 없음 ② 1개 ③ 2개 ④ 3개

해설

㉣ ㉢ 항목만이 옳다.
㉠ [×] 진정신분범에서의 신분은 객관적 구성요건요소이므로 고의의 인식대상이다.
㉡ [×] 친족상도례에 있어 친족관계의 존부는 고의의 인식대상이 아니다.
㉢ [×] 존속살해죄에서의 '직계존속'이나 강도죄에서의 '폭행·협박'은 고의의 인식대상이지만, 상습도박죄에서의 '상습성'은 고의의 인식대상이 아니다.
㉣ [○] 통설의 입장으로 옳다.

052 다음 중 고의의 인식대상을 모두 고른 것은?

□□□

20 경찰승진 [Superlative ★★★]

> ㉠ 수뢰죄에 있어서 공무원이라는 신분
> ㉡ 사전수뢰죄에 있어서 공무원 또는 중재인이 된 사실
> ㉢ 친족상도례가 적용되는 범죄에 있어서 친족관계
> ㉣ 특수폭행죄에 있어서 위험한 물건을 휴대한다는 사실
> ㉤ 친고죄에 있어서 피해자의 고소

① ㉠㉣ ② ㉡㉢ ③ ㉠㉣㉤ ④ ㉡㉢㉤

정답 | 050 ② 051 ② 052 ①

해설

① ㉠㉢ 이들은 **객관적 구성요건요소이므로** 고의의 인식대상이다(㉠ 주체 ㉢ 행위 또는 방법).
㉡㉢㉣ 이들은 **객관적 구성요건요소가 아니므로** 고의의 인식대상이 아니다.

053 미필적 고의에 대한 설명으로 옳은 것만을 모두 고르면? (다툼이 있으면 판례에 의함)

□□□
23 국가9급 [Core ★★]

㉠ "결과가 발생할지도 몰라. 하지만 그래도 할 수 없지."라고 생각했으면 미필적 고의가 인정되지만, "결과가 발생할지도 몰라. 그러나 괜찮을 거야."라고 생각한 경우는 인식 없는 과실에 해당한다.

㉡ 경찰관이 차량 약 30cm 전방에 서서 교통차단의 이유를 설명하고 있는데 운전자가 신경질적으로 갑자기 좌회전하여 우측 앞 범퍼 부분으로 해당 경찰관의 무릎을 들이받은 경우 이는 경찰관을 충격한다는 결과의 발생을 용인하는 내심의 의사가 있었다고 봄이 경험칙상 당연하다.

㉢ 대구지하철 화재 사고 현장을 수습하기 위한 청소 작업이 한참 진행되고 있는 시간 중에 실종자 유족들로부터 이의제기가 있었음에도 즉각 청소작업을 중단하도록 지시하지 않고 수사기관과 협의하거나 확인하지 않은 경우 그러한 청소작업으로 인한 증거인멸의 결과가 발생할 가능성을 용인하는 내심의 의사가 있었다고 단정하기는 어렵다.

㉣ 행위자가 범죄사실이 발생할 가능성을 용인하고 있었는지는 행위자의 진술에 의존하지 않고 외부에 나타난 행위의 형태와 행위의 상황 등 구체적인 사정을 기초로 일반인이라면 범죄사실이 발생할 가능성을 어떻게 평가할 것인지를 고려하면서 객관적 제3자의 입장에서 그 심리상태를 추인하여야 한다.

① ㉠㉡   ② ㉠㉣   ③ ㉡㉢   ④ ㉡㉢㉣

해설

③ ㉡㉢ 2 항목이 옳다.
㉠㉣ [×] 고의의 일종인 미필적 고의는 중대한 과실과는 달리 범죄사실의 발생 가능성에 대한 인식이 있고 나아가 범죄사실이 발생할 위험을 용인하는 내심의 의사가 있어야 한다. 행위자가 범죄사실이 발생할 가능성을 용인하고 있었는지 여부는 행위자의 진술에 의존하지 않고 외부에 나타난 행위의 형태와 행위의 상황 등 구체적인 사정을 기초로 일반인이라면 해당 범죄사실이 발생할 가능성을 어떻게 평가할 것인지를 고려하면서 **행위자의 입장에서 그 심리상태를 추인하여야 한다.**(대법원 2018. 1. 25. 2017도13628 가습기살균제 사건Ⅱ) ㉠은 인식 없는 과실이 아니라 인식 있는 과실에 해당한다.
㉡ [○] 의무경찰이 직진하여 오는 택시의 운전자에게 좌회전 지시를 하였음에도 택시의 운전자가 계속 직진하여 와서 택시를 세우고는 항의하므로 그 의무경찰이 택시 약 30cm 전방에 서서 이유를 설명하고 있는데, 운전자가 신경질적으로 갑자기 좌회전하는 바람에 택시 우측 앞 범퍼부분으로 의무경찰의 무릎을 들이받은 경우 택시 운전자에게는 불과 30cm 앞에서 서 있던 의무경찰을 충격하리라는 사실을 쉽게 알고도 이러한 결과발생을

용인하는 내심의 의사, 즉 **미필적 고의가 있었다**고 봄이 경험칙상 당연하다.(대법원 1995. 1. 24. 94도1949 **신경질적인 좌회전 사건**)

© [○] 대구지하철화재 사고 현장을 수습하기 위한 청소 작업이 한참 진행되고 있는 시간 중에 실종자 유족들로 부터 이의제기가 있었음에도 대구지하철공사 사장이 즉각 청소 작업을 중단하도록 지시하지 아니하였고 수사 기관과 협의하거나 확인하지 아니하였다고 하여도 (사고 현장을 청소하기 전에 이미 국립과학수사연구소의 현 장감식이 두 차례 이뤄졌고, 수사기관이 참석한 통합방위협의회 회의에서도 진행중인 청소를 중단해야 한다는 의견이 없었던 점 등에 비추어) 위 사장에게 그러한 **청소 작업으로 인하여 증거인멸의 결과가 발생할 가능성을 용인하는 내심의 의사까지 있었다고 단정하기는 어렵다.**(대법원 2004. 5. 14. 2004도74 **대구지하철 방화사건**)

---

054 고의에 관한 설명으로 옳지 않은 것을 모두 고른 것은? (다툼이 있으면 판례에 의함)

22 경찰채용 [Core ★★]

㉠ 행정상의 단속을 주안으로 하는 법규라 하더라도 명문규정이 있거나 해석상 과실범도 벌할 뜻이 명확한 경우를 제외하고는 형법의 원칙에 따라 고의가 있어야 벌할 수 있다.

㉡ 형법 제167조 제1항의 일반물건방화죄에서 '공공의 위험 발생'은 고의의 인식 대상이 아니다.

㉢ 형법 제136조 제1항의 공무집행방해죄에 있어서의 범의는 상대방이 직무를 집행하는 공무원 이라는 사실과 이에 대하여 폭행 또는 협박을 한다는 인식 그리고 그 직무집행을 방해할 의사 를 내용으로 한다.

㉣ 방조범은 2중의 고의를 필요로 하므로 정범이 정하는 범죄의 일시, 장소, 객체 등을 구체적으 로 인식하여야 하며, 나아가 정범이 누구인지 확정적으로 인식해야 한다.

㉤ 친족상도례가 적용되기 위하여는 친족관계가 객관적으로 존재하여야 하나, 행위자가 이를 인식할 필요는 없다.

① ㉠㉡㉢
② ㉠㉣㉤
③ ㉡㉢㉣
④ ㉢㉣㉤

해설

③ ㉡㉢㉣ 3 항목이 옳지 않다.

㉠ [○] 행정상의 단속을 주안으로 하는 법규라 하더라도 명문규정이 있거나 해석상 과실범도 벌할 뜻이 명확한 경우를 제외하고는 **형법의 원칙에 따라 고의가 있어야 벌할 수 있다.**(대법원 2010. 2. 11. 2009도9807 **발한 실 사건**)

㉡ [×] 형법 제167조 제1항의 일반물건방화죄에 있어 '공공의 위험 발생'은 객관적 구성요건요소로서 **고의의 인식대상이 된다.**

© [×] 공무집행방해죄에 있어서의 범의는 상대방이 직무를 집행하는 공무원이라는 사실 그리고 이에 대하여 폭행 또는 협박을 한다는 사실을 인식하는 것을 그 내용으로 하고, 그 **직무집행을 방해할 의사를 필요로 하지 않는다.**(대법원 2012. 5. 24. 2010도11381 망원 송전탑 + 이화여대 사건)

② [×] 저작권법이 보호하는 복제권·전송권의 침해를 방조하는 행위란 정범의 복제권·전송권 침해를 용이하게 해주는 직접·간접의 모든 행위로서, **정범의 복제권·전송권 침해행위가 실행되는 일시, 장소, 객체 등을 구체적으로 인식할 필요가 없으며, 나아가 정범이 누구인지 확정적으로 인식할 필요도 없다.**(대법원 2013. 9. 26. 2011도1435 파일공유사이트 사건)

◎ [○] 친족상도례가 적용되기 위해서는 친족관계가 객관적으로 존재하면 족하고, **행위자가 이를 인식해야 할 필요는 없다.**

055 다음 중 고의에 대한 설명으로 가장 옳지 않은 것은? (다툼이 있으면 판례에 의함)

21 해경승진 [Essential ★]

① 죄의 성립요소인 사실을 인식하지 못한 행위는 벌하지 아니한다. 단, 법률에 특별한 규정이 있는 경우에는 예외로 한다.

② 심야시간에 20대 후반의 남자가 인터넷 채팅을 통하여 만난 가출 청소년들과 함께 찜질방에 입장하면서 위 청소년들의 오빠로 행세하자 그를 위 청소년들의 보호자로 오인하여 청소년들을 입장시킨 경우, 종업원에게는 그에 관한 미필적 인식이 있다고 볼 수 없다.

③ "사고장소에서 무엇인가 딱딱한 물체를 충돌한 느낌을 받았다."는 피고인의 제1심 법정에서의 신빙성이 있는 진술에 비추어 볼 때, 피고인에게는 미필적으로나마 사고의 발생사실을 알고 도주할 의사가 있었다고 할 수 있다.

④ 어부인 피고인들이 어로저지선을 넘어 어업을 하면서 납치되어 가도 좋다고 생각하고 어로저지선을 넘어 어로작업을 한 것이 아니더라도, 북괴집단의 구성원들과 회합이 있을 것이라는 미필적 고의가 인정된다.

해설

④ [×] 어부인 피고인들이 어로저지선을 넘어 어업을 하였다고 하더라도 북괴경비정이 출현하는 경우 납치되어 가더라도 좋다고 생각하면서 어로저지선을 넘어서 어로작업을 한 것이 아니라면 **북괴집단의 구성원들과 회합이 있을 것이라는 미필적 고의가 있었다고 단정할 수 없다.**(대법원 1975. 1. 28. 73도2207 복성호사건)

① [○] 죄의 성립요소인 사실을 인식하지 못한 행위는 벌하지 아니한다. 단, 법률에 특별한 규정이 있는 경우에는 예외로 한다.(제13조)

② [○] 객관적으로 성명불상남이 청소년들에 대하여 보호자에 해당하지 않는다고 의심할 만한 사정을 찾아보기 어려운 이상 찜질방 종업원에게 이들의 관계를 확인할 의무가 있었다고 보기도 어려우며, 달리 찜질방 종업원에게 성명불상남이 청소년들의 보호자가 아니라는 점에 대한 미필적 인식이 있었음을 인정할 만한 자료도 없다.(대법원 2009. 3. 26. 2008도12065 찜질방 오빠 행세 사건)

③ [○] 피고인은 사고 당시 무엇인가의 물체를 충격하였다는 점을 알았고, 피고인이 차에서 내려서 직접 확인 하였더라면 쉽게 사고사실을 알 수 있었는데도 그러한 조치를 취하지 아니한 채 별일 아닌 것으로 생각하고 그대 로 사고현장을 이탈한 것이므로 피고인에게는 **미필적으로라도 사고의 발생사실을 알고 도주할 의사가 있었다 고 보아야 한다.**(대법원 2000. 3. 28. 99도5023)

056 다음 <보기> 중 고의에 대한 설명으로 옳은 것은 모두 몇 개인가? (다툼이 있으면 판례에 의함)

22 해경승진 [Core ★★]

> ㉠ 피고인이 고의를 부인하는 경우에는 그 내심과 상당한 관련이 있는 간접사실을 증명하는 방법 에 의하여 이를 입증할 수 있다.
> ㉡ 공무원이 여러 차례의 출장반복의 번거로움을 회피하고 민원사무를 신속히 처리한다는 방침 에 따라 사전에 출장조사한 다음 출장조사 내용이 변동이 없다는 확신하에 출장복명서를 작성 하고, 다만 그 출장일자를 작성일자로 기재한 것이라면 허위공문서작성의 범의가 있었다고 볼 수 없다.
> ㉢ 상해죄의 성립에는 상해의 원인인 폭행에 대한 인식이 있으면 충분하고 상해를 가할 의사의 존재까지는 필요하지 않다.
> ㉣ 수뢰죄에 있어서 공무원이라는 신분, 특수폭행죄에 있어서 위험한 물건을 휴대한다는 사실은 객관적 구성요건요소이므로 고의의 인식대상이다.

① 1개   ② 2개   ③ 3개   ④ 4개

해설

④ 모든 항목이 옳다.

㉠ [○] 피고인이 일정한 사정의 인식 여부와 같은 내심의 사실에 관하여 이를 부인하는 경우에는 이러한 주관적 요소로 되는 사실은 사물의 성질상 그 내심과 상당한 관련이 있는 **간접사실 또는 정황사실을 증명하는 방법에 의하여 이를 입증할 수밖에 없다.**(대법원 2012. 8. 30. 2012도7377 **12세 가출녀 강간사건**)

㉡ [○] 공무원이 여러 차례의 출장반복의 번거로움을 회피하고 민원사무를 신속히 처리한다는 방침에 따라 사전 에 출장조사한 다음 출장조사 내용이 변동이 없다는 확신하에 출장복명서를 작성하고 다만 그 출장일자를 작성 일자로 기재한 것이라면 허위공문서작성의 범의가 있었다고 **볼 수 없다.**(대법원 2001. 1. 5. 99도4101 **제주 영농보조금 편법지급사건**)

㉢ [○] 상해죄의 성립에는 상해의 원인인 폭행에 대한 인식이 있으면 충분하고 **상해를 가할 의사의 존재까지는 필요하지 않다.**(대법원 2000. 7. 4. 99도4341 **인천 신흥동 뺑소니사건**)

㉣ [○] 모두 객관적 구성요건요소이므로 **고의의 인식대상이다.**

057 고의에 관한 설명으로 가장 적절한 것은? (다툼이 있으면 판례에 의함)
□□□

24 경찰채용 [Superlative ★★★]

① 목적적 범죄체계론에 따르면 고의는 책임의 요소이다.

② 고의가 성립하기 위해서는 행위자가 모든 객관적 구성요건에 해당하는 사실을 인식해야 하기에 상습도박죄에 있어서 상습성은 고의의 인식 대상이다.

③ 고의의 본질에 관한 학설 중 행위자가 결과발생의 가능성을 인식하기만 하면 고의가 성립한다고 보는 견해에 따르면 인식 있는 과실도 고의로 인정될 수 있다.

④ 방조범은 정범의 실행을 방조한다는 방조의 고의와 정범의 행위가 구성요건에 해당하는 행위인 점에 대한 정범의 고의가 있어야 하고, 방조범에 있어서 정범의 고의는 정범에 의하여 실현되는 범죄의 구체적 내용까지 인식할 것을 요한다.

해설

① [○] **목적적 범죄체계론**은 의사를 행위로 요소로 보기 때문에 이에 따르면 **고의는 구성요건요소이다.**
② [×] 상습도박죄에 있어 상습성은 **고의의 인식대상이 아니다.**
③ [×] 지문과 같은 **인식설(認識說)**에 의하면 '**인식 있는 과실**'도 고의로 인정될 수 있다.
④ [×] 방조범은 정범의 실행을 방조한다는 이른바 방조의 고의와 정범의 행위가 구성요건에 해당하는 행위인 점에 대한 정범의 고의가 있어야 한다. 방조범의 경우에 정범의 고의는 정범에 의하여 실현되는 범죄의 구체적 내용을 인식할 것을 요하는 것은 아니고 **미필적 인식 또는 예견으로 족하다.**(대법원 2012. 6. 28. 2012도2628 에이스일렉트로닉스 사건)

058 목적범에 대한 설명으로 옳지 않은 것은? (다툼이 있으면 판례에 의함)
□□□

24 국가9급 [Superlative ★★★]

① 목적범에서의 고의와 목적은 그 어느 것이나 행위자의 내부적·심리적 요소에 해당한다.

② 전자금융거래법 제6조 제3항 제3호의 '범죄에 이용할 목적'은 초과주관적 위법요소로서 목적의 대상이 되는 범죄의 구체적인 내용까지 인식하여야 하는 것은 아니다.

③ 목적범이 성립하기 위해서는 당해 목적에 대하여 적극적 의욕이나 확정적 인식이 필요하며 단지 미필적 인식이 있는 것만으로는 족하지 않다.

④ 목적범에서의 고의도 구성요건의 객관적 요소에 해당하는 사실을 인식대상으로 한다.

해설

③ [×] 공직선거법 제93조 제1항에서 '선거에 영향을 미치게 하기 위하여'라는 전제 아래 그에 정한 행위를 제한하고 있는 것은 고의 이외에 초과주관적 요소로서 '선거에 영향을 미치게 할 목적'을 범죄성립요건으로 하는 목적범으로 규정한 것이라 할 것인바, 그 목적에 대하여는 **적극적 의욕이나 확정적 인식을 필요로 하는 것이 아니라 미필적 인식만으로도 족하다.**(대법원 2009. 5. 28. 2008도11857)

①④ [○] 통설의 입장으로 옳은 지문이다.

② [○] 전자금융거래법 제6조 제3항 제3호의 '범죄에 이용할 목적'은 이른바 초과주관적 위법요소로서 그 목적에 대하여는 미필적 인식이 있으면 족하고 목적의 대상이 되는 **범죄의 구체적인 내용까지 인식하여야 하는 것은 아니다.**(대법원 2023. 1. 12. 2021도10861 조건만남 협박 피해금사건)

---

059 주관적 구성요건요소에 대한 설명으로 옳지 않은 것은? (다툼이 있으면 판례에 의함)

□□□
17 국가9급 [Core ★★]

① 행정상의 단속을 주안으로 하는 법규라 하더라도 명문규정이 있거나 해석상 과실범도 벌할 뜻이 명확한 경우를 제외하고는 고의가 있어야 벌할 수 있다.

② 목적범에서의 목적은 목적내용에 대한 적극적 의욕이나 확정적 인식까지는 요하지 않고 미필적 인식으로도 족하다.

③ 공연음란죄는 행위의 음란성에 대한 의미의 인식 이외에 주관적으로 성욕의 흥분 또는 만족 등의 성적인 목적이 있어야 성립한다.

④ 부진정부작위범의 고의는 법익침해의 결과발생을 방지할 법적 작위의무를 가지고 있는 사람이 의무를 이행함으로써 결과발생을 쉽게 방지할 수 있었음을 예견하고도 결과발생을 용인하고 이를 방관한 채 의무를 이행하지 아니한다는 인식을 하면 족하며, 이러한 작위 의무자의 예견 또는 인식 등이 불확정적인 경우이더라도 미필적 고의로 인정될 수 있다.

해설

③ [×] 형법 제245조 소정의 '음란한 행위'라 함은 일반 보통인의 성욕을 자극하여 성적 흥분을 유발하고 정상적인 성적 수치심을 해하여 성적 도의관념에 반하는 것을 가리킨다고 할 것이고, 위 죄는 **주관적으로 성욕의 흥분, 만족 등의 성적인 목적이 있어야 성립하는 것은 아니고 그 행위의 음란성에 대한 의미의 인식이 있으면 족하다.**(대법원 2004. 3. 12. 2003도6514 똥구멍에 술을 부어라 사건)

① [○] 행정상의 단속을 주안으로 하는 법규라 하더라도 명문규정이 있거나 해석상 과실범도 벌할 뜻이 명확한 경우를 제외하고는 형법의 원칙에 따라 **고의가 있어야 벌할 수 있다.**(대법원 2010. 2. 11. 2009도9807 발한 실사건)

정답 | 057 ① 058 ③ 059 ③

② [○] 공직선거법 제93조 제1항에서 '선거에 영향을 미치게 하기 위하여'라는 전제 아래 그에 정한 행위를 제한하고 있는 것은 고의 이외에 초과주관적 요소로서 '선거에 **영향을 미치게 할 목적**'을 범죄성립요건으로 규정한 것이므로, 비록 그 목적에 대한 적극적 의욕이나 확정적 인식을 요하지 아니하고 **미필적 인식으로 충분**하다. (대법원 2015. 8. 19. 2015도5789 이진훈 수성구청장 사건) 이것은 다른 범죄의 경우에도 동일하다.

④ [○] 부진정 부작위범의 고의는 반드시 구성요건적 결과발생에 대한 목적이나 계획적인 범행 의도가 있어야 하는 것은 아니고 법익침해의 결과발생을 방지할 법적 작위의무를 가지고 있는 자가 그 의무를 이행함으로써 그 결과발생을 쉽게 방지할 수 있었음을 예견하고도 결과발생을 용인하고 이를 방관한 채 그 의무를 이행하지 아니한다는 인식을 하면 족하며, 이러한 **작위의무자의 예견 또는 인식** 등은 확정적인 경우는 물론 불확정적인 경우이더라도 **미필적 고의로 인정**될 수 있다.(대법원 2015. 11. 12. 2015도6809 수습 세월호사건)

060 고의에 대한 설명으로 옳은 것만을 모두 고르면? (다툼이 있으면 판례에 의함)

□□□

14 국가9급 [Core ★★]

> ㉠ 피고인이 고의를 부인하는 경우에는 그 내심과 상당한 관련이 있는 간접사실을 증명하는 방법에 의하여 이를 입증할 수 있다.
> ㉡ 강도가 베개로 피해자의 머리 부분을 약 3분간 누르던 중, 피해자가 저항을 멈추고 사지가 늘어졌음에도 계속하여 눌렀다면 살인의 미필적 고의가 인정된다.
> ㉢ 살인죄의 범의는 자기의 행위로 인하여 피해자가 사망할 수도 있다는 사실을 인식·예견하는 것으로는 부족하고, 피해자의 사망을 희망하거나 목적하여야 한다.
> ㉣ 자신이 성인이라는 청소년의 말을 믿고 그 청소년이 제시한 타인의 건강진단결과서 만을 확인한 채 청소년을 청소년유해업소에 고용한 업주에게는 청소년 고용에 관한 미필적 고의가 인정된다.

① ㉠㉡㉢
② ㉠㉡㉣
③ ㉡㉢㉣
④ ㉠㉢㉣

해설

② ㉠㉡㉣ 3 항목이 옳다.

㉠ [○] 피고인이 고의를 부인하는 경우에는 그 내심과 상당한 관련이 있는 **간접사실을 증명하는 방법에 의하여 이를 입증할 수 있다.**(대법원 2012. 8. 30. 2012도7377 12세 가출녀 강간사건)

㉡ [○] 피고인이 도망을 가려는 피해자의 어깨를 잡아 방으로 끌고 와 침대에 엎드리게 하고 이불을 뒤집어 씌운 후 침대에 있던 **베개로 피해자의 머리 부분을 약 3분간 힘껏 누르고,** 이에 피해자가 손발을 휘저으며 발버둥치다가 움직임을 멈추고 사지가 늘어졌음에도 계속하여 약 10초간 누르고 있었던 경우, 범행 당시 피고인이 단순히 위협할 목적으로 피해자의 몸을 누르고 있었다고 볼 수는 없고, **살해의 고의가 있었다고 판단**된다.(대법원 2002. 2. 8. 2001도6425 손중위 사건)

ⓒ [×] 살인죄의 범의는 자기의 행위로 인하여 피해자가 사망할 수도 있다는 사실을 인식, 예견하는 것으로 족하지 피해자의 사망을 희망하거나 목적으로 할 필요는 없고, 확정적인 고의가 아닌 미필적 고의로도 족하다.(대법원 2002. 10. 25. 2002도4089 병신을 만들어라 사건)

ⓔ [○] 피고인이 A가 제시하는 성년인 B 명의의 건강진단결과서만을 확인한 채 고용대상자인 A 및 소개인들의 거짓말에 터잡아 그녀가 성인이라고 가볍게 믿고 당일로 A와 고용계약을 체결한 후 일을 시킨 경우, 피고인에게는 A가 청소년임에도 그녀를 고용한다는 점에 관하여 적어도 미필적 고의가 있었다고 볼 것이다.(대법원 2002. 6. 28. 2002도2425)

061 다음 중 고의에 대한 설명으로 가장 옳지 않은 것은? (다툼이 있으면 판례에 의함)

20 해경승진 [Essential ★]

① 상해죄의 성립에는 상해의 원인인 폭행에 대한 인식이 있으면 충분하고 상해를 가할 의사의 존재까지는 필요하지 않다.
② 유흥업소 업주가 고용대상자가 성인이라는 말만 믿고 타인의 건강진단결과서만 확인한 채 청소년을 청소년유해업소에 고용한 경우 청소년 고용에 관한 미필적 고의가 있다.
③ 공무원이 여러 차례의 출장반복의 번거로움을 회피하고 민원사무를 신속히 처리한다는 방침에 따라 사전에 출장조사한 다음 출장조사 내용이 변동없다는 확신하에 출장복명서를 작성하고 다만 그 출장일자를 작성일자로 기재한 것이라면 허위공문서작성의 범의가 있었다고 볼 수 없다.
④ 방조범은 정범의 실행을 방조한다는 이른바 방조의 고의와 정범의 행위가 구성요건에 해당인 점에 대한 정범의 고의가 있어야 하고, 이 경우 방조범에서 요구되는 정범의 고의는 적어도 정범에 의하여 실현되는 범죄의 구체적 내용을 인식할 것을 필요로 한다.

해설

④ [×] 방조범은 정범의 실행을 방조한다는 이른바 방조의 고의와 정범의 행위가 구성요건에 해당하는 행위인 점에 대한 정범의 고의가 있어야 하고, 정범의 고의는 정범에 의하여 실현되는 범죄의 구체적 내용을 인식할 것을 요하는 것은 아니고 미필적 인식 또는 예견으로 족하다.(대법원 2012. 6. 28. 2012도2628 에이스일렉트로닉스 사건)
① [○] 상해죄의 성립에는 상해의 원인인 폭행에 대한 인식이 있으면 충분하고 상해를 가할 의사의 존재까지는 필요하지 않다.(대법원 2000. 7. 4. 99도4341 인천 신흥동 뺑소니사건)

② [○] 피고인이 A가 제시하는 성년인 B 명의의 건강진단결과서만을 확인한 채 고용대상자인 A 및 소개인들의 거짓말에 터잡아 그녀가 성인이라고 가볍게 믿고 당일로 A와 고용계약을 체결한 후 일을 시킨 경우, 피고인에게는 A가 청소년임에도 그녀를 고용한다는 점에 관하여 적어도 **미필적 고의가** 있었다고 볼 것이다.(대법원 2002. 6. 28. 2002도2425)

③ [○] 공무원이 여러 차례의 출장반복의 번거로움을 회피하고 민원사무를 신속히 처리한다는 방침에 따라 사전에 출장조사한 다음 출장조사 내용이 변동없다는 확신하에 출장복명서를 작성하고, 다만 그 출장일자를 작성일자로 기재한 것이라면 **허위공문서작성의 범의가** 있었다고 볼 수 없다.(대법원 2001. 1. 5. 99도4101 제주 영농보조금 편법지급사건)

062 다음 중 고의와 관련된 설명 중 가장 적절하지 않은 것은? (다툼이 있으면 판례에 의함)

□□□

22 경찰간부 [Core ★★]

① 형법상 고의란 자기가 의도한 바 행위에 의하여 범죄사실이 발생할 것을 인식하면서 그 행위를 감행하거나 하려고 할 뿐만 아니라 그 결과발생을 희망함을 의미한다.

② 고의는 법적 구성요건의 객관적 요소에 대한 인식과 구성요건 실현의 의사이다. 전자를 고의의 지적 요소, 후자를 고의의 의적 요소로 부른다.

③ 자기의 행위로 인하여 결과를 발생시킬 만한 가능성 또는 위험이 있음을 인식하거나 예견하면 족한 것이고 그 인식이나 예견은 확정적인 것은 물론 불확정적인 것이라도 이른바 미필적 고의로 인정된다.

④ 고의범이 성립하려면 행위자는 객관적 구성요건요소인 행위주체·객체·행위·결과 등에 관한 인식을 갖고 있어야 한다고 규정하고 있으므로 구성요건 중에 특별한 행위양태를 필요로 하는 경우에는 이러한 사정의 존재까지도 행위자가 인식하여야 한다.

해설

① [×] **고의의 일종인 미필적 고의는 중대한 과실과는 달리 범죄사실의 발생 가능성에 대한 인식이 있고 나아가 범죄사실이 발생할 위험을 용인하는 내심의 의사가** 있어야 한다.(대법원 2018. 1. 25. 2017도13628 가습기 살균제 사건Ⅱ) 어떤 행위를 감행하거나 하려고 하지 않더라도 또한 그 결과발생을 희망하지 않더라도 고의가 인정될 수 있다.

②④ [○] 지문 그대로 옳은 설명이다. 고의란 **구성요건실현에 대한 인식(고의의 지적 요소)**과 **의사(고의의 의적 요소)**를 말한다.

③ [○] 살인죄에서 살인의 범의는 반드시 살해의 목적이나 계획적인 살해의 의도가 있어야 인정되는 것은 아니고, 자기의 행위로 인하여 타인의 사망이라는 결과를 발생시킬 만한 가능성 또는 위험이 있음을 인식하거나 예견하면 족한 것이며 그 인식이나 예견은 확정적인 것은 물론 불확정적인 것이라도 이른바 **미필적 고의로 인정된다.**(대법원 2008. 3. 27. 2008도507 애인 토막살해 사건)

063 고의(범의)에 관한 설명 중 가장 적절하지 않은 것은? (다툼이 있으면 판례에 의함)

① 어부인 피고인들이 어로저지선을 넘어 어업을 하였다고 하더라도 북괴경비정이 출현하는 경우 납치되어 가더라도 좋다고 생각하면서 어로저지선을 넘어서 어로작업을 한 것이 아니라면 북괴집단의 구성원들과 회합이 있을 것이라는 미필적 고의가 있었다고 단정할 수 없다.

② 전당포영업자가 보석들을 전당잡으면서 인도받을 당시 장물인 정을 몰랐다가 그 후 장물일지도 모른다고 의심하면서 소유권포기각서를 받은 경우 장물취득죄에 해당하지 않는다.

③ 공무집행방해죄에 있어서의 범의는 상대방이 직무를 집행하는 공무원이라는 사실, 그리고 이에 대하여 폭행 또는 협박을 한다는 사실을 인식하는 것을 그 내용으로 하며, 그 직무집행을 방해할 의사를 필요로 하지 아니한다.

④ 이미 적성검사 미필로 면허가 취소된 전력이 있는데도 면허증에 기재된 유효기간이 5년 이상 지나도록 적성검사를 받지 아니한 채 자동차를 운전하였다 하더라도 적성검사 미필로 인한 운전면허 취소사실이 통지되지 아니하고 공고되었다면 운전자가 면허취소 사실을 알고 있었다고 보기 어려우므로 무면허운전죄가 성립하지 않는다.

해설

④ [×] 피고인이 소지하고 있던 면허증에 그 유효기간과 적성검사를 받지 아니하면 면허가 취소된다는 사실이 분명하게 기재되어 있고 이미 적성검사를 받지 아니하여 면허가 취소된 전력이 있는데도 면허증에 기재된 유효기간이 5년 이상 지나도록 적성검사를 받지 아니한 **피고인으로서는 운전면허가 취소된 사실을 알고 있었다고 보아야 한다.**(대법원 2002. 10. 22. 2002도4203 적성검사미필 면허취소사건 I)

① [○] **어부인 피고인들이 어로저지선을 넘어 어업을 하였다고 하더라도 북괴경비정이 출현하는 경우 납치되어 가더라도 좋다고 생각하면서 어로저지선을 넘어서 어로작업을 한 것이 아니라면 북괴집단의 구성원들과 회합이 있을 것이라는 미필적 고의가 있었다고 단정할 수 없다.**(대법원 1975. 1. 28. 73도2207)

② [○] 장물취득죄는 취득 당시 장물인 정을 알면서 재물을 취득하여야 성립하는 것이므로 피고인이 재물을 인도받은 후에 비로소 **장물이 아닌가 하는 의구심을 가졌다고 하여 그 재물수수행위가 장물취득죄를 구성한다고 할 수 없다.**(대법원 2006. 10. 13. 2004도6084 보석담보 사건)

③ [○] **공무집행방해죄에 있어서의 범의는 상대방이 직무를 집행하는 공무원이라는 사실, 그리고 이에 대하여 폭행 또는 협박을 한다는 사실을 인식하는 것을 그 내용으로 하고, 그 인식은 불확정적인 것이라도 소위 미필적 고의가 있다고 보아야 하며, 그 직무집행을 방해할 의사를 필요로 하지 아니하다.**(대법원 2012. 5. 24. 2010도11381 망원 송전탑 + 이화여대 사건)

064

☐☐☐

다음 중 가장 옳지 않은 것은? (다툼이 있으면 판례에 의함) 21 해경채용 [Essential ★]

① 고의 또는 범의는 반드시 어떤 목적이나 의도를 지녀야 인정되는 것은 아니고 자기 행위로 인하여 구성요건적 결과가 발생할 가능성 또는 위험이 있음을 인식하거나 예견하면 족하다.

② 범죄의 고의는 확정적 고의뿐만 아니라 결과 발생에 대한 인식이 있고 그를 용인하는 의사인 이른바 미필적 고의도 포함하므로 허위사실 적시에 의한 명예훼손죄 역시 미필적 고의에 의하여도 성립하고, 위와 같은 법리는 형법 제308조의 사자명예훼손죄의 판단에서도 마찬가지로 적용된다.

③ 장물취득죄에 있어서 장물의 인식은 확정적 인식임을 요하지 않으며 장물일지도 모른다는 의심을 가지는 정도의 미필적 인식으로서도 충분하고, 또한 장물인 점을 알고 있었냐의 여부는 장물 소지자의 신분, 재물의 성질, 거래의 대가 기타 상황을 참작할 필요는 없다.

④ 대상자가 성인이라는 말만 믿고 타인의 건강진단 결과서만을 확인한 채 청소년을 청소년 유해업소에 고용한 업주에게는 적어도 청소년 고용에 관한 미필적 고의가 있음이 인정된다.

해설

③ [×] 장물죄에 있어서 장물의 인식은 확정적 인식임을 요하지 않으며 장물일지도 모른다는 의심을 가지는 정도의 미필적 인식으로서도 충분하고, **장물인 정을 알고 있었느냐의** 여부는 장물 소지자의 신분, 재물의 성질, **거래의 대가 기타 상황을 참작하여 이를 인정할 수밖에 없다.**(대법원 2006. 10. 13. 2004도6084 보석담보사건)

① [○] 살인죄에서 살인의 범의는 반드시 살해의 목적이나 계획적인 살해의 의도가 있어야 인정되는 것은 아니고, 자기의 행위로 인하여 타인의 사망이라는 결과를 발생시킬 만한 가능성 또는 위험이 있음을 인식하거나 예견하면 족한 것이며 그 인식이나 예견은 확정적인 것은 물론 불확정적인 것이라도 이른바 **미필적 고의로 인정된다.**(대법원 2008. 3. 27. 2008도507 애인 토막살해 사건)

② [○] 범죄의 고의는 확정적 고의뿐만 아니라 결과 발생에 대한 인식이 있고 그를 용인하는 의사인 이른바 미필적 고의도 포함하는 것이므로 허위사실 적시에 의한 명예훼손죄 역시 미필적 고의에 의하여도 성립하고, 위와 같은 법리는 형법 제308조의 **사자명예훼손죄의 판단에서도 마찬가지로 적용된다.**(대법원 2014. 3. 13. 2013도12430 조현오 전경찰청장 사건)

④ [○] 피고인이 A가 제시하는 성년인 B 명의의 건강진단결과서만을 확인한 채 고용대상자인 A 및 소개인들의 거짓말에 터잡아 그녀가 성인이라고 가볍게 믿고 당일로 A와 고용계약을 체결한 후 일을 시킨 경우 피고인에게는 A가 청소년임에도 그녀를 고용한다는 점에 관하여 **적어도 미필적 고의가 있었다고 볼 것이다.**(대법원 2002. 6. 28. 2002도2425)

065 고의에 대한 설명으로 가장 적절하지 않은 것은? (다툼이 있으면 판례에 의함)

□□□
22 경찰승진 [Core ★★]

① 행위자가 범죄사실이 발생할 가능성을 용인하고 있었는지의 여부는 행위자의 진술에 의존하지 아니하고 외부에 나타난 행위의 형태와 행위의 상황 등 구체적인 사정을 기초로하여 일반인이라면 당해 범죄사실이 발생할 가능성을 어떻게 평가할 것인가를 고려하면서 일반인의 입장에서 그 심리상태를 추인하여야 한다.

② 절도죄에 있어서 재물의 타인성을 오신하여 그 재물이 자기에게 취득할 것이 허용된 동일한 물건으로 오인하고 가져온 경우에는 범죄사실에 대한 인식이 있다고 할 수 없으므로 고의가 인정되지 않는다.

③ 불미스러운 소문의 진위를 확인하고자 질문을 하는 과정에서 타인의 명예를 훼손하는 발언을 한 경우에는 그 동기에 비추어 명예훼손의 고의를 인정하기 어렵다.

④ 부진정 부작위범의 고의는 반드시 구성요건적 결과발생에 대한 목적이나 계획적인 범행의도가 있어야 하는 것은 아니고 법익 침해의 결과발생을 방지할 법적 작위의무를 가지고 있는 사람이 의무를 이행함으로써 결과발생을 쉽게 방지할 수 있었음을 예견하고도 결과 발생을 용인하고 이를 방관한 채 의무를 이행하지 아니한다는 인식을 하면 족하다.

해설

① [×] 행위자가 범죄사실이 발생할 가능성을 용인하고 있었는지 여부는 행위자의 진술에 의존하지 않고 외부에 나타난 행위의 형태와 행위의 상황 등 구체적인 사정을 기초로 일반인이라면 해당 범죄사실이 발생할 가능성을 어떻게 평가할 것인지를 고려하면서 **행위자의 입장에서** 그 심리상태를 추인하여야 한다.(대법원 2018. 1. 25. 2017도13628 가습기 살균제 사건 II)

② [○] 절도죄에 있어서 재물의 타인성을 오신하여 그 재물이 자기에게 취득(빌린 것)할 것이 허용된 동일한 물건으로 오인하고 가져온 경우에는 범죄사실에 대한 인식이 있다고 할 수 없으므로 **범의가 조각되어 절도죄가 성립하지 아니한다.**(대법원 1983. 9. 13. 83도1762 평원닭집 고양이 사건)

③ [○] 불미스러운 소문의 진위를 확인하고자 질문을 하는 과정에서 타인의 명예를 훼손하는 발언을 한 경우에는 그 동기에 비추어 **명예훼손의 고의를 인정하기 어렵다.**(대법원 2018. 6. 15. 2018도4200 입정비 확인사건)

④ [○] 부진정 부작위범의 고의는 반드시 구성요건적 결과발생에 대한 목적이나 계획적인 범행 의도가 있어야 하는 것은 아니고 법익 침해의 결과발생을 방지할 법적 작위의무를 가지고 있는 사람이 의무를 이행함으로써 **결과발생을 쉽게 방지할 수 있었음을 예견하고도 결과발생을 용인하고 이를 방관한 채 의무를 이행하지 아니한다는 인식을 하면 족하다.**(대법원 2015. 11. 12. 2015도6809 송승 세월호 사건)

066 사실의 착오에 대한 사례 중 구체적 부합설과 법정적 부합설의 결론이 다른 것만을 모두 고르면?

□□□

20 국가7급 [Superlative ★★★]

> ⊙ 甲은 A를 B로 오인하여 살해 의사로 총을 쏘았고, A가 이를 맞고 사망하였다.
> ⓒ 甲은 A를 살해하려고 총을 쏘았으나, 총알이 빗나가 옆에 있던 B가 이를 맞고 사망하였다.
> ⓒ 甲은 A의 도자기를 깨뜨리기 위하여 총을 쏘았으나, 총알이 빗나가 B의 거울을 깨뜨렸다.
> ② 甲은 A를 상해하려고 돌을 던졌는데, 돌이 빗나가 A의 개가 이를 맞고 다쳤다.

① ⓒ　　　　② ⊙ⓒ　　　　③ ⓒⓒ　　　　④ ⓒⓒ②

해설

> ③ ⓒⓒ 2 항목의 경우 두 학설이 그 결론을 달리한다.
> ⊙ 구체적 사실의 착오 중 객체의 착오 사례이다. 두 학설 모두 A에 대한 살인죄로 처리한다.
> ⓒ 구체적 사실의 착오 중 방법의 착오 사례이다. **구체적 부합설**은 A에 대한 살인미수죄와 B에 대한 과실치사죄의 상상적 경합범으로 처리하지만, **법정적 부합설**은 B에 대한 살인죄로 처리한다.
> ⓒ 구체적 사실의 착오 중 방법의 착오 사례이다. **구체적 부합설**은 도자기에 대한 특수손괴미수죄로 처리하지만 (거울 대한 과실손괴는 불가벌이다), **법정적 부합설**은 거울에 대한 특수손괴죄로 처리한다.
> ② 추상적 사실의 착오 중 방법의 착오 사례이다. 두 학설 모두 A에 대한 **상해미수죄로 처리한다**(개에 대한 과실손괴는 불가벌이다).

067 사실의 착오(구성요건적 착오)에 관한 설명으로 옳은 것을 모두 고른 것은?

□□□

19 경찰채용 [Superlative ★★★]

> ⊙ 형법에는 사실의 착오에 관한 규정이 없어, 사실의 착오문제를 해결하는 것은 오롯이 학설에 위임되어 있다.
> ⓒ 乙을 살해할 의사로 乙을 향해 총을 쐈으나 빗나가 옆에 있던 丙에게 명중하여 丙이 사망한 경우 구체적 부합설과 법정적 부합설의 결론이 다르다.
> ⓒ 판례의 입장에 따르면 ⓒ의 사례에서 乙에 대한 살인죄의 미수와 丙에 대한 과실치사죄의 상상적 경합이 성립한다.
> ② 추상적 부합설에 따르면 ⓒ의 사례에서 살인죄의 고의기수가 성립한다.
> ⓜ 법정적 부합설은 사람을 살해할 의사로 사람을 살해했음에도 불구하고 살인미수라고 하는 것은 일반인의 법감정에 반한다는 비판을 받는다.

① ⊙ⓒ　　　　② ⓒ②　　　　③ ⊙ⓒ　　　　④ ⓒⓜ

해설

② ⓒⓔ 2 항목이 옳다.

ⓖ [×] 형법 제15조 제1항은 "사실의 착오"라는 표제 하에 "특별히 무거운 죄가 되는 사실을 인식하지 못한 행위는 무거운 죄로 벌하지 아니한다."라고 규정하고 있다. 사실의 착오가 있는 경우 형법 제15조 제1항이 우선적으로 적용되고, 이 조항이 적용되지 않는 사례에 대하여 비로소 학설이 적용된다.

ⓒⓔ [○] 구체적 사실의 착오 중 방법의 착오 사례이다. 구체적 부합설은 乙에 대한 살인미수죄와 丙에 대한 과실치사죄의 상상적 경합범으로 처리하지만, 법정적 부합설과 추상적 부합설은 丙에 대한 살인죄로 처리한다.

ⓒ [×] 소위 타격의 착오가 있는 경우라 할지라도 행위자의 살인의 고의 성립에 방해가 되지 아니한다.(대법원 1984. 1. 24. 83도2813 형수·조카 살해사건) 판례가 취하는 법정적 부합설에 의할 때 ⓒ 사례의 경우 丙에 대한 살인죄가 성립한다.

ⓜ [×] 사람을 살해할 의사로 사람을 살해하였음에도 살인미수죄로 처벌하는 것은 일반인의 법감정에 반한다는 것은 **구체적 부합설에 대한 비판**이다.

068 다음 구성요건적 착오(사실의 착오)에 대한 설명 중 가장 옳지 않은 것은? 22 해경승진 [Core ★★]

① 甲이 乙을 살해하려고 총을 쐈으나 빗나가 乙의 집 유리창을 손괴한 경우에 구체적 부합설과 법정적 부합설은 결론을 달리한다.

② 甲이 乙에게 丙을 살해하도록 교사하였는데 乙은 丁을 丙으로 오인하여 살해한 경우에 법정적 부합설에 따르면 甲은 丁에 대한 살인죄의 교사범이 된다.

③ 甲을 乙로 오인하고 살해하려고 총을 쏘아 甲이 사망한 경우에 구체적 부합설과 법정적 부합설의 결론은 동일하다.

④ 甲을 살해하려고 독약이 든 술을 우송하였으나 乙에게 잘못 배달되어 乙이 이를 마시고 사망한 경우에 법정적 부합설에 의하면 乙에 대한 살인 기수죄가 된다.

해설

① [×] 추상적 사실의 착오 중 방법의 착오 – 두 학설 모두 乙에 대한 살인미수로 처리한다. 과실손괴는 불가벌이다.

② [○] 교사자의 구체적 사실의 착오 중 방법의 착오 – 법정적 부합설은 丁에 대한 **살인교사죄**로 처리한다.

③ [○] 구체적 사실의 착오 중 객체의 착오 – 두 학설 모두 甲에 대한 살인죄로 처리한다.

④ [○] 구체적 사실의 착오 중 방법의 착오 – 법정적 부합설은 乙에 대한 살인죄로 처리한다.

CRIMINAL PROCEDURE LAW

069

□□□ 다음 각각의 사례에 대해 甲과 乙이 취하고 있는 학설에 대한 설명으로 옳은 것은?

25 경찰간부 [Core ★★]

> 甲: A가 B에게 불만을 품고 B를 살해하려고 몽둥이를 후려쳤으나 몽둥이가 빗나가서 B가 안고
>   있던 B의 자녀 C가 맞고 그 자리에서 사망한 경우 A에게는 B에 대한 살인미수와 C에 대한
>   과실치사죄의 상상적 경합이 성립한다.
> 乙: A가 B를 살해하기 위해 총을 발사하여 사람이 사망하였다면 객체의 착오든 방법의 착오든
>   발생한 결과에 대한 살인죄가 성립한다.

① 판례는 甲과 동일한 입장에서 A에게 살인미수와 과실치사죄의 상상적 경합을 인정하고 있다.

② 乙은 구체적 부합설의 입장이며, 인식한 사실과 발생한 사실이 구체적으로 부합하면 발생한
  사실에 대한 고의·기수가 인정된다.

③ D인 줄 알고 살해할 생각으로 총을 발사하였는데 다가가서 확인해보니 D가 아니라 사람 모양
  의 마네킹인 경우 죄책에 대한 甲과 乙의 결론은 동일하다.

④ D인 줄 알고 살해할 생각으로 총을 발사하였는데 다가가서 확인해보니 D가 아니라 D와 닮은
  E가 사망한 경우 甲의 입장에서는 E에 대한 살인의 고의가 인정될 수 없고, 살인미수와 과실
  치사죄의 상상적 경합이 성립한다.

해설

> 甲은 구체적 부합설을 취하고 있고, 乙은 법정적 부합설을 취하고 있다.
> ③ [O] 추상적 사실의 착오 중 객체의 착오 사례이다. 어느 학설을 취하든 D에 대한 살인불능미수죄로 처리한
> 다.(마네킹에 대한 과실손괴는 불가벌이다)
> ① [×] 소위 타격의 착오가 있는 경우라 할지라도 행위자의 살인의 고의 성립에 방해가 되지 아니한다.(대법원
> 1984. 1. 24. 83도2813 형수·조카 살해사건) 판례는 법정적 부합설을 취하고 있으므로 乙과 동일한 입장에
> 서 C에 대한 살인죄로 처리한다.
> ② [×] 乙은 법정적 부합설을 취하고 있다. 인식한 사실과 발생한 사실이 구체적으로 부합할 때에만 발생한 사
> 실에 대한 고의·기수가 인정된다는 것은 甲이 취하고 있는 구체적 부합설의 입장이다.
> ④ [×] 구체적 사실의 착오 중 객체의 착오 사례이다. 어느 학설을 취하든 E에 대한 살인죄로 처리한다.

070 다음 설명 중 가장 적절한 것은? (다툼이 있으면 판례에 의함) 20 경찰채용 [Core ★★]

① 甲이 상해의 고의로 A에게 상해를 가함으로써 A가 바닥에 쓰러진 채 정신을 잃고 빈사상태에 빠지자, A가 사망한 것으로 오인하고 자신의 행위를 은폐하고 A가 자살한 것처럼 가장하기 위하여 A를 베란다 너머 13m 아래의 바닥으로 떨어뜨려 사망에 이르게 한 경우, 甲에게는 살인죄의 기수책임이 인정된다.

② 甲이 A를 살해할 의사로 돌로 머리를 내리쳐 정신을 잃고 쓰러지자 A가 죽은 것으로 오인하고 죄적을 인멸하기 위해 A를 땅에 묻었는데 실제로 A는 매장으로 인하여 질식사한 것으로 밝혀진 경우, 甲에게 살인미수죄와 과실치사죄의 상상적 경합이 인정된다.

③ 甲이 형 乙을 살해하려고 독약이 들어 있는 술을 보냈는데, 乙과 함께 사는 甲의 아버지인 丙이 술을 마시고 사망한 경우, 甲은 존속살인죄로 처벌된다.

④ 甲이 A를 죽이려고 몽둥이로 내리쳤으나 뜻하지 않게 A가 안고 있던 개의 머리에 몽둥이가 맞아 개가 죽은 경우, 구체적 부합설과 법정적 부합설의 결론은 다르지 않다.

해설

④ [○] 추상적 사실의 착오 중 방법의 착오 사례이다. 두 학설 모두 A에 대한 살인미수죄로 처리한다. 과실손괴는 불가벌이다.

① [×] 피고인의 구타행위로 상해를 입은 피해자가 정신을 잃고 빈사상태에 빠지자 사망한 것으로 오인하고, 자신의 행위를 은폐하고 피해자가 자살한 것처럼 가장하기 위하여 피해자를 베란다 아래의 바닥으로 떨어뜨려 사망케 하였다면 **포괄하여 단일의 상해치사죄에 해당한다.**(대법원 1994. 11. 4. 94도2361 낙산비치호텔 사건)

② [×] 피해자가 피고인들의 살해의 의도로 행한 구타행위에 의하여 직접 사망한 것이 아니라 죄적을 인멸할 목적으로 행한 매장행위에 의하여 사망하게 되었다 하더라도 전 과정을 개괄적으로 보면 피해자의 살해라는 처음의 예견된 사실이 결국은 실현된 것으로서 피고인들은 **살인죄의 죄책을 면할 수 없다.**(대법원 1988. 6. 28. 88도650 개괄적 고의 사건)

③ [×] 구체적 사실의 착오 중 방법의 착오에 관한 사례이다. "소위 타격의 착오가 있는 경우라 할지라도 행위자의 살인의 고의 성립에 방해가 되지 아니한다"라는 판례(대법원 1984. 1. 24. 83도2813 형수 · 조카 살해사건)가 취하는 법정적 부합설에 의할 때, 이 경우 발생 결과에 대한 고의 · 기수범이 성립한다. 甲은 존속살해의 고의 없이 사람을 살해한 것이므로 형법 제15조 제1항에 의하여 **丙에 대한 보통살인죄의 죄책을 진다.**

071

□□□ 다음 사례에 대한 설명으로 가장 적절하지 않은 것은? (형법 이외에 특별법의 적용은 고려하지 않음)

21 경찰승진 [Essential ★]

> 甲은 A가 키우는 강아지가 시끄럽게 짖자, A의 강아지를 죽이기 위해 소지하던 엽총을 발사하였다. 하지만 총알이 빗나가 강아지가 아닌 A가 맞아 현장에서 사망하였다.

① 사례는 구성요건적 착오(사실의 착오)의 문제로 추상적 사실의 착오 중 방법의 착오에 해당한다.

② 사례에 있어 법정적 부합설과 추상적 부합설의 결론은 동일하다.

③ 구체적 부합설에 의하면 강아지에 대한 손괴미수죄와 A에 대한 과실치사죄의 상상적 경합이 성립한다.

④ 만약 甲이 A의 부인을 쏘려고 하였으나 빗나가 A가 맞고 사망했다면, 판례는 甲에게 A에 대한 살인죄의 성립을 긍정한다.

해설

② [×] **법정적 부합설**은 강아지에 대한 **손괴미수죄와** A에 대한 과실치사죄의 상상적 경합으로 처리하지만, **추상적 부합설**은 강아지에 대한 **손괴죄와** A에 대한 과실치사죄의 상상적 경합으로 처리한다.

① [O] 설문은 추상적 사실의 착오 중 방법의 착오에 관한 사례이다.

③ [O] 구체적 부합설은 강아지에 대한 **손괴미수죄와** A에 대한 **과실치사죄의 상상적 경합으로** 처리한다.

④ [O] (1) 소위 타격의 착오가 있는 경우라 할지라도 행위자의 살인의 고의 성립에 방해가 되지 아니한다.
　(2) 피고인이 형수 A를 향하여 살의를 갖고 몽둥이를 힘껏 후려친 가격으로 마당에 고꾸라진 A녀와 등에 업힌 조카 B의 머리 부분을 몽둥이로 내리쳐 B를 현장에서 사망하게 한 소위를 살인죄로 의율한 원심조처는 정당하게 긍인된다.(대법원 1984. 1. 24. 83도2813 형수·조카 살해사건) 판례가 취하는 법정적 부합설에 의할 때 지문의 경우 甲은 A에 대한 살인죄의 죄책을 진다.

072 사실의 착오에 관한 설명으로 가장 적절한 것은?

□□□

> ⊙ 甲은 창문에 비친 사람을 친구 A라 생각하고 살해하기 위해 총을 발사했는데, 실제로는 A의 집에 놀러 온 친구 B였고 그로 인해 B가 사망하였다.
> ⓛ 甲이 A가 기르던 애완견을 죽이려고 총을 발사했는데, 총알이 빗나가서 옆에 있던 A가 사망하였다.
> ⓒ 甲은 乙에게 A를 살해하라고 교사하였다. 이를 승낙한 乙은 甲으로부터 A에 대한 인상착의를 설명받고, A를 향해 총을 발사했다. 사망을 확인하기 위하여 다가가서 보니 죽은 사람은 A가 아니라 A의 쌍둥이 동생 B였다.

① ⊙에서 B의 사망에 대한 甲의 죄책과 관련하여 구체적 부합설에 의하면 살인미수죄이고, 법정적 부합설에 의하면 무죄이다.

② ⓛ에서 A의 사망에 대한 甲의 죄책과 관련하여 구체적 부합설과 법정적 부합설에 의하면 결론이 다르다.

③ ⓒ에서 B의 사망에 대한 甲의 죄책과 관련하여 乙의 착오를 객체의 착오로 보고 이에 기반을 둔 甲의 착오도 객체의 착오로 보는 경우 구체적 부합설에 의하면 甲에게는 살인미수죄와 과실치사죄의 상상적 경합범이 인정된다.

④ ⓒ에서 B의 사망에 대한 甲의 죄책과 관련하여 乙의 착오를 객체의 착오로 보고 이에 기반을 둔 甲의 착오를 방법의 착오로 보는 경우 법정적 부합설에 의하면 甲에게는 살인죄의 교사범이 성립한다.

해설

> ④ [○] 법정적 부합설에 의할 때 乙은 B에 대한 살인죄의 죄책을 지며, (甲의 착오를 방법의 착오로 보는 경우) 甲은 B에 대한 살인교사죄의 죄책을 진다.
> ① [×] 구체적 사실의 착오 중 객체의 착오 사례이다. 두 학설 모두 B에 대한 살인죄로 처리한다.
> ② [×] 추상적 사실의 착오 중 방법의 착오 사례이다. 두 학설 모두 애완견에 대한 특수손괴미수죄와 A에 대한 과실치사죄의 상상적 경합범으로 처리한다.
> ③ [×] 乙의 경우 구체적 사실의 착오 중 객체의 착오 사례이다. 구체적 부합설에 의할 때 乙은 B에 대한 살인죄의 죄책을 지며, (甲의 착오도 객체의 착오로 보는 경우) 甲은 B에 대한 살인교사죄의 죄책을 진다.

073 다음 중 ㉠㉡㉢에 대한 설명으로 가장 적절한 것은?

22 경찰간부 [Superlative ★★★]

㉠ 甲은 친구 A를 살해하기 위하여 집 앞에서 기다리던 중, A가 나타나자 A를 조준하여 총을 발사하였는데, 총알이 빗나가 전혀 인식하지 못했던 B에게 명중되어 B가 즉사하였다.

㉡ 乙은 친구 C를 살해하기 위하여 독이 든 케이크를 C의 집으로 배송하였다. C가 동생 D와 함께 살고 있었기 때문에 D가 먹고 사망할 수도 있다고 생각하였으나 그래도 할 수 없다고 생각하였고 실제로 D가 배송된 케이크를 먹고 사망하였다.

㉢ 丙은 친구 E를 살해하기 위하여 E의 집 창가에서 기다리다가 E의 방에 불이 켜지고 창문에 비친 사람을 E라고 생각하고 총을 발사하였는데, 실제로 총에 맞은 사람은 E의 동생 F였고 그로 인해 F는 사망하였다.

① 甲의 죄책에서 구체적 부합설과 법정적 부합설의 결론이 같다.

② 乙의 죄책에서 어느 학설에 따르더라도 D에 대한 고의를 인정한다.

③ 丙의 죄책에서 법정적 부합설은 E에 대한 살인죄의 기수범을, 구체적 부합설은 살인죄의 미수범을 인정한다.

④ 법정적 부합설은 甲, 乙, 丙 모두에 대하여 살인죄 기수범을 인정하는 것은 아니다.

해설

② [○] 고의의 일종인 **미필적 고의**는 범죄사실의 발생 가능성에 대한 인식이 있고 나아가 범죄사실이 발생할 위험을 용인하는 내심의 의사가 있어야 한다.(대법원 2019. 3. 28. 2018도16002 순슴 **만취한 것으로 오해 사건**) 乙은 'D가 먹고 사망하더라도 할 수 없다'라고 용인하였으므로 어떠한 학설에 의하더라도 D에 대한 살인의 고의가 인정된다. 구성요건 착오의 문제가 아니라 미필적 고의가 있는 경우이다. 구성요건 착오는 결과 발생을 인식하지 못한 경우의 문제일 뿐이다.

① [×] 구체적 사실의 착오 중 방법의 착오 사례이다. **구체적 부합설**은 A에 대한 살인미수죄와 B에 대한 과실치사죄의 상상적 경합범으로 처리하지만, **법정적 부합설**은 B에 대한 살인죄로 처리한다.

③ [×] 구체적 사실의 착오 중 객체의 착오 사례이다. **두 학설 모두** F에 대한 살인죄로 처리한다.

④ [×] 법정적 부합설은 ①②③ 해설에서 보았듯이 **甲, 乙, 丙 모두를 살인죄로 처리한다.**

074 다음 사례에 대한 설명으로 옳은 것은? (다툼이 있으면 판례에 의함) 23 국가7급 [Superlative ★★★]

□□□

> (가) 甲이 주차된 자동차를 A의 소유인 줄 알고 손괴하였는데 알고 보니 B의 소유인 경우
> (나) 유흥접객업소의 업주 乙이 청소년의 출입을 금지하는 관련 규정의 존재를 몰라 청소년을 자신의 유흥접객업소에 출입시킨 경우
> (다) 丙이 C의 자동차를 맞히려고 돌을 던졌으나 빗나가 C가 돌에 맞아 다친 경우

① (가)는 주관적 정당화요소를 결한 사례이며, 판례에 따르면 甲은 재물손괴죄의 불능미수에 해당한다.

② (가)는 구체적 사실의 착오 중 객체의 착오 사례이며, 판례에 따르면 甲에게는 A의 자동차에 대한 손괴미수죄와 B의 자동차에 대한 과실손괴죄의 상상적 경합이 성립하지만, 과실손괴죄의 처벌규정이 없어 손괴미수죄만 인정된다.

③ (나)는 법률의 착오 사례이며, 판례에 의하면 乙은 그 오인에 정당한 이유가 있어 책임이 조각된다.

④ (다)는 추상적 사실의 착오 중 방법의 착오로서 추상적 부합설에 의하면 丙에게는 손괴기수죄와 과실치상죄의 상상적 경합이 성립한다.

해설

④ [○] 추상적 사실의 착오 중 방법의 착오 사례이다. **추상적 부합설은 특수손괴죄와 과실치상죄의 상상적 경합범으로 처리한다.**

①② [×] 구체적 사실의 착오 중 객체의 착오 사례이다. '판례가 취하는 법정적 부합설'이나 구체적 부합설 모두 **손괴죄로 처리한다.**

③ [×] **형법 제16조는 단순한 법률의 부지를 말하는 것이 아니고** 일반적으로는 범죄가 되지만 자기의 특수한 경우에는 법령에 따라 허용된 행위로서 죄가 되지 아니한다고 그릇 인식하고 그와 같이 그릇 인식함에 정당한 이유가 있는 경우 벌하지 않는다는 취지이다.(대법원 2015. 2. 12. 2014도11501 **초딩만 골라 성관계사건**) 법률의 부지(不知) 사례이므로 오인, 정확히는 부지에 정당한 이유가 있는지 여부를 불문하고 책임이 조각되지 않는다.

075 사실의 착오에 대한 설명으로 옳은 것만을 모두 고른 것은? (다툼이 있으면 판례에 의함)

□□□

15 국가9급 [Superlative ★★★]

> ⊙ 甲이 살해의 고의로 A를 향해 총을 쏘았으나 알고 보니 B가 맞아 죽은 경우, 구체적 부합설에 따르면 A에 대한 살인미수와 B에 대한 과실치사의 상상적 경합이다.
> ⓒ 甲이 상해의 고의로 A를 향해 돌을 던졌으나 빗나가서 옆에 있던 A의 자동차 유리창을 깨뜨린 경우, 구체적 부합설에 따르면 A에 대한 상해미수죄가 성립한다.
> ⓒ 甲이 살해의 고의로 형 A를 향해 총을 쏘았으나 알고 보니 아버지 B가 맞아 죽은 경우, A에 대한 보통살인미수와 B에 대한 과실치사죄가 성립한다.
> ② 甲이 상해의 고의로 A를 향해 돌을 던졌으나 빗나가서 옆에 있던 B가 맞은 경우, 법정적 부합설에 따르면 B에 대한 상해기수죄가 성립한다.

① ⊙ⓒ   ② ⓒⓒ

③ ⓒ②   ④ ⓒ②

해설

③ ⓒ② 2 항목이 옳다.

⊙ [×] 구체적 사실의 착오 중 객체의 착오 사례로써 구체적 부합설에 의할 때 B에 대한 살인죄가 성립한다.

ⓒ [○] 추상적 사실의 착오 중 방법의 착오 사례로써 구체적 부합설에 의할 때 A에 대한 상해미수죄가 성립한다. 과실손괴는 불가벌이다.

ⓒ [×] 형법 제15조 제1항이 직접 적용되어 **보통살인죄가 성립한다.**

② [○] 구체적 사실의 착오 중 방법의 착오 사례로써 법정적 부합설에 의할 때 B에 대한 상해죄가 성립한다.

076 甲은 乙에게 A를 살해하라고 교사하였다. 甲의 청부를 받아들인 乙은 A라고 생각되는 사람이 골
목길에 들어서는 것을 보고 그가 집에 들어가려는 순간을 기다려 총을 쏘았다. 사망을 확인하기
위하여 다가가서 보니 죽은 사람은 A가 아니라 A와 꼭 닮은 동생 B였다. 이 사례에 관한 설명으로
옳은 것은? (다툼이 있으면 판례에 의함)   22 경찰채용 [Superlative ★★★]

① 乙의 착오를 객체의 착오로 보고 구체적 부합설을 따르는 견해에 의하면 乙에게는 살인미수죄
와 과실치사죄의 상상적 경합이 인정된다.

② 만일 乙이 A가 오는 것을 보고 총을 쏘았으나 빗나가서 그 옆에 있던 C 소유의 자전거에 맞고
자전거의 일부가 손괴된 경우 乙의 행위는 발생사실인 과실재물손괴죄로 처벌된다.

③ 乙의 착오를 객체의 착오로 보고 이에 기반을 둔 甲의 착오도 객체의 착오로 보는 경우 구체적
부합설을 따르는 견해에 의하면 甲에게는 살인미수죄와 과실치사죄의 상상적 경합이 인정된다.

④ 乙의 착오를 객체의 착오로 보고 이에 기반을 둔 甲의 착오를 방법의 착오로 보는 경우 법정적
부합설을 따르는 견해에 의하면 甲은 살인죄의 교사범으로 처벌된다.

해설

사례에서 乙의 경우 **구체적 사실의 착오 중 객체의 착오**에 해당한다. 甲의 경우에는 객체의 착오라는 견해와 방법
의 착오라는 견해가 대립한다.
④ [○] 법정적 부합설에 의할 때 乙은 B에 대한 살인죄의 죄책을 지며, 甲은 B에 대한 살인교사죄의 죄책을
진다.
① [×] 구체적 부합설에 의할 때 乙은 B에 대한 살인죄의 죄책을 진다.
② [×] 추상적 사실의 착오 중 방법의 착오 사례이다. 구체적 부합설이나 법정적 부합설 모두 A에 대한 살인미수
죄로 처리한다. **과실손괴는 불가벌이다.**
③ [×] 甲의 착오를 객체의 착오로 보고 구체적 부합설을 따르면 B에 대한 살인죄의 교사 책임을 진다.

077

□□□

甲의 죄책에 대한 다음 설명 중 옳지 않은 것은?

17 경찰간부 [Superlative ★★★]

① 甲은 乙, 丙과 시비가 붙어 싸우다가 乙, 丙에 대하여 상해 고의로 식칼을 휘둘렀다. 그런데 지나가다가 싸움을 말리던 丁이 칼에 맞아 상해를 입었다. 판례에 의하면 甲은 丁에 대한 상해 기수의 죄책을 진다.

② 甲은 乙을 향해 돌을 던졌는데 丙의 자동차에 맞아 유리창이 깨진 경우 구체적 부합설과 법정 적 부합설 중 어느 학설에 의하더라도 동일한 결과에 이른다.

③ 甲은 심야에 짖어대는 乙의 개 丙을 죽이려고 총을 발사하였다. 그런데 조준에 실패하여 乙이 총에 맞아 사망하였다. 추상적 부합설에 의할 경우 甲은 丙에 대한 재물손괴기수와 乙에 대한 살인미수죄의 상상적 경합범이 된다.

④ 캄캄한 밤중에 자신의 장모를 처로 오인하고 살해한 경우 판례에 따르면 형법 제15조 제1항에 의하여 보통살인죄로 처벌된다.

해설

③ [×] 추상적 사실의 착오 중 방법의 착오 사례이다. 추상적 부합설은 **丙에 대한 재물손괴기수와 乙에 대한 과실치사죄의 상상적 경합범으로 처리한다.**

① [○] 甲이 乙 등 3명과 싸우다가 힘이 달리자 식칼을 가지고 이들 3명을 상대로 휘두르다가 이를 말리면서 식칼을 뺏으려던 피해자 丁에게 상해를 입혔다면 甲에게 상해의 범의가 인정되며 **상해를 입은 사람이 목적한 사람이 아닌 다른 사람이라 하여 과실상해죄에 해당한다고 할 수 없다.**(대법원 1987. 10. 26. 87도1745 포장마차 식칼 사건)

② [○] 추상적 사실의 착오 중 방법의 착오 사례이다. 두 학설 모두 乙에 대한 **상해미수로 처리한다.** 과실손괴는 불가벌이다.

④ [○] 보통살인의 의사로 존속살해의 결과를 발생시킨 경우로써 형법 제15조 제1항에 의하여 **보통살인죄가 성립한다.**(대법원 1977. 1. 11. 76도3871)

078 다음 중 착오에 대한 설명으로 가장 옳지 않은 것은? (다툼이 있으면 판례에 의함)

☐☐☐

23 해경승진 [Core ★★]

① 객관적으로는 존재하지도 않는 구성요건적 사실을 행위자가 적극적으로 존재한다고 생각한 '반전된 구성요건적 착오'는 형법상 불가벌이다.

② 甲이 절취한 물건이 자신의 아버지 소유인 줄 오신했다 하더라도 그 오신은 형면제 사유에 관한 것으로서 절도죄의 성립이나 처벌에 아무런 영향을 미치지 않는다.

③ 절도죄에 있어서 재물의 타인성을 오신하여 그 재물이 자기에게 취득할 것이 허용된 동일한 물건으로 오인하고 가져온 경우에는 범죄사실에 대한 인식이 있다고 할 수 없으므로 범의가 조각되어 절도죄가 성립하지 아니한다.

④ 甲이 A를 살해하기 위해 A를 향하여 총을 쏘았으나 총알이 빗나가 A의 옆에 있던 B에게 맞아 B가 즉사한 경우 구성요건적 착오에 관한 구체적 부합설에 의하면 甲에게는 B에 대한 살인죄의 죄책이 인정되지 않는다.

해설

① [×] 객관적으로는 존재하지도 않는 구성요건적 사실을 행위자가 적극적으로 존재한다고 생각한 '반전된 구성요건적 착오'는 불능범 또는 불능미수가 되는데 후자의 경우 처벌할 수 있다.(제27조)

② [○] **친족상도례**는 객관적 구성요건요소가 아니므로 그에 대한 착오가 있더라도 절도죄 성립이나 처벌에 아무런 영향이 없다.

③ [○] 절도죄에 있어서 **재물의 타인성을 오신**하여 그 재물이 자기에게 취득(빌린 것)할 것이 허용된 동일한 물건으로 오인하고 가져온 경우에는 범죄사실에 대한 인식이 있다고 할 수 없으므로 **범의가 조각되어 절도죄가 성립하지 아니한다.**(대법원 1983. 9. 13. 83도1762 평원닭집 고양이 사건)

④ [○] **구체적 사실의 착오 중 방법의 착오** 사례이다. **구체적 부합설**에 의하면 甲은 A에 대한 살인미수죄와 B에 대한 과실치사죄의 상상적 경합범으로서의 죄책을 진다.

079 구성요건요소에 대한 착오사례가 아닌 것은? (다툼이 있으면 판례에 의함) 　23 국가9급 [Core ★★]
□□□

① 甲이 성명불상자 3명과 싸우다가 힘이 달리자 옆 차에서 식칼을 가지고 나와 이들 3명을 상대로 휘두르다가 이를 말리던 A에게 상해를 입힌 경우

② 甲이 6층 호텔방에서 상해의 의사로 A를 구타하여 A가 정신을 잃고 쓰러지자 사망한 것으로 착각하고, A가 자살한 것으로 위장하기 위해 6층 아래로 떨어뜨려 사망케 한 경우

③ 甲이 저작권 침해물 링크사이트를 운영하던 중 그러한 링크행위가 범죄에 해당하지 않는다는 대법원 판결이 선고되자 자신의 행위는 죄가 되지 않는다고 생각하고 계속 운영한 경우

④ 甲이 살해의도로 피해자 A를 몽둥이로 내리쳤으나 A의 등에 업힌 피해자 B가 맞아 현장에서 두개골절 및 뇌좌상으로 사망한 경우

해설

③ [×] 이는 금지의 착오(법률의 착오) 사례에 해당한다.(대법원 2021. 11. 25. 2021도10903 불법 다시보기 싸이트 사건)

①②④ [○] 이들은 구성요건요소의 착오(사실의 착오) 사례에 해당한다.(① 대법원 1987. 10. 26. 87도1745 포장마차 식칼 사건 ② 대법원 1994. 11. 4. 94도2361 낙산비치호텔 사건 ④ 대법원 1984. 1. 24. 83도2813 형수 · 조카 살해사건)

080 구성요건적 착오에 대한 설명 중 가장 적절하지 않은 것은? (다툼이 있는 경우 판례에 의함)
□□□
　21 경찰채용 [Superlative ★★★]

① 구체적부합설에 의하면 甲을 향하여 발포하였으나 빗나가 乙이 맞아 사망한 경우는 甲에 대한 살인미수와 乙에 대한 과실치사의 상상적 경합이 된다.

② 구체적사실의 착오에 있어 객체의 착오는 구체적부합설, 법정적부합설, 추상적부합설 모두 동일한 결론을 도출한다.

③ 법정적부합설은 법정적 사실의 인정 범위에 따라 구성요건부합설과 죄질부합설로 나누어지고, 후자가 전자보다 고의·기수책임의 인정범위가 넓다.

④ 추상적부합설은 객관주의 범죄이론의 입장에서 행위자의 범죄적 의사가 어떤 범죄로든지 표현되어 범죄결과가 발생하면, 추상적부합을 인정하고 있어 고의·기수책임을 가장 넓게 인정한다.

해설

④ [×] 추상적 부합설은 객관주의 범죄이론이 아니라 **주관주의 범죄이론**의 입장이다. 고의·기수책임을 가장 넓게 인정하지만 죄형법정주의에 위반된다는 비판을 받는다.

① [○] 구체적 사실의 착오 중 방법의 착오에 관한 사례이다. 구체적 부합설은 **甲에 대한 살인미수죄와 乙에 대한 과실치사죄의 상상적 경합**으로 처리한다.

② [○] 구체적 사실의 착오 중 객체의 착오에 관한 사례의 경우 **어느 학설이든 발생사실에 대한 고의·기수책임**을 인정한다.

③ [○] 죄질부합설은 구성요건이 완전히 부합하지 않더라도 죄질만 부합하면 고의·기수책임을 인정한다. 따라서 후자가 전자보다 고의·기수책임의 인정범위가 넓다.

081 다음 중 <사례>에 대한 설명으로 옳게 짝지어진 것은? (다툼이 있으면 판례에 의함)

☐☐☐
23 해경간부 [Core ★★]

甲은 정신지체자인 자신의 여동생 乙을 丙이 놀리면서 성적인 희롱을 하자 순간적으로 살인의 고의를 가지고 丙의 머리를 각목으로 후려쳤다(제1행위). 丙이 정신을 잃고 쓰러지자, 甲은 丙이 죽은 것으로 오인하고 시체를 없애 증거를 인멸할 목적으로 야간에 인적이 드문 방파제에서 丙을 바다로 던졌다(제2행위). 그 결과 丙은 익사하였다.

㉠ 개괄적 고의설에 의하면 甲의 행위는 살인의 고의가 인정되고 제2행위에 대하여도 제1행위의 고의가 개괄적으로 미치는 단일행위이기 때문에 살인기수이다.

㉡ 미수범설에 의하면 고의의 행위시 존재원칙에 따라 제1행위에 대한 살인미수와 제2행위에 대한 과실치사가 성립되고 양자는 실체적 경합범이 될 수 있다.

㉢ 甲이 증거를 인멸할 목적으로 丙을 바다로 던졌더라도 증거인멸죄는 성립하지 않는다.

㉣ 위와 유사한 사례에서 판례는 상해의 고의로 구타하여 피해자가 정신을 잃고 빈사상태에 빠지자(제1행위) 사망한 것으로 오인하고 자신의 행위를 은폐하기 위하여 피해자를 베란다 아래로 떨어뜨려 사망하게 한 경우(제2행위), 그 행위들을 포괄하여 단일의 살인죄에 해당한다고 보았다.

① ㉠㉡㉢

② ㉠㉡㉣

③ ㉠㉢㉣

④ ㉡㉢㉣

해설

① ⑤ⓒⓒ 3 항목이 옳다.
⑤ⓒ [○] 양 학설에 의할 때 옳은 설명이다.
ⓒ [○] 증거인멸죄는 '타인의' 형사사건 또는 징계사건에 관한 증거를 인멸하는 경우에 성립한다.(제155조 제1항) 범인 자기 자신의 증거인멸행위는 범죄를 구성하지 않아 증거인멸죄는 성립하지 아니한다.
ⓔ [×] 피고인의 구타행위로 상해를 입은 피해자가 정신을 잃고 빈사상태에 빠지자 사망한 것으로 오인하고, 자신의 행위를 은폐하고 피해자가 자살한 것처럼 가장하기 위하여 피해자를 베란다 아래의 바닥으로 떨어뜨려 사망케 하였다면 포괄하여 단일의 **상해치사죄에 해당한다.**(대법원 1994. 11. 4. 94도2361 낙산비치호텔 사건) 판례의 취지에 의할 때 甲은 상해치사죄의 죄책을 진다.

핵심정리 개괄적 고의 사례

구분	내용
의의	행위자가 제1행위에 의하여 이미 결과가 발생했다고 믿었으나, 실제로는 연속된 제2행위에 의하여 결과가 발생한 경우(ex. 甲이 A의 목을 눌러 질식사시켰고 이후 땅에 묻었으나, 사실은 목을 눌린 때가 아니라 땅에 묻은 후 비로소 질식사한 경우)
법적취급	① 개괄적 고의설: 제1행위와 제2행위를 포괄하는 하나의 개괄적 고의를 인정하여 살인죄로 처벌(判例) ② 미수·과실의 경합범설: 제1행위와 제2행위를 각각 독립된 것으로 보아 살인미수죄와 과실치사죄의 실체적 경합범으로 처벌 ③ 인과관계의 착오설: 인과관계의 착오의 한 유형에 해당하지만 비본질적 착오이므로 살인죄로 처벌(多數說)

---

082 사례에 대한 학설 및 판례의 설명으로 옳은 것만을 모두 고르면? 시체은닉의 점은 논하지 않는다.
☐☐☐ (다툼이 있으면 판례에 의함)

23 국가7급 [Core ★★]

> 甲은 A를 살해하기로 마음먹고 돌로 A의 머리를 내리쳤다. 甲은 A가 정신을 잃고 축 늘어지자 그가 죽은 것으로 오인하고 증거를 없앨 생각으로 A를 개울가로 끌고 가 웅덩이에 매장하였다. 그런데 A의 사망원인은 매장으로 인한 질식사로 밝혀졌다.

> ⊙ 개괄적 고의 이론에 따르면 甲이 A를 돌로 내리친 행위에 대한 살인의 고의가 매장행위에도 미치기 때문에 甲에게는 하나의 고의기수범이 성립한다.
> ⓛ 인과과정의 착오 이론에 따르면 사례의 경우 인과과정의 불일치를 본질적으로 보는 한 甲에게는 발생결과에 대한 고의기수범이 성립한다.
> ⓒ 미수범과 과실범의 경합설에 따르면 甲의 범행계획이 미실현된 것으로 평가되면 살인미수죄와 과실치사죄의 경합범이 성립하지만, 사례의 경우 甲의 범행계획이 실현되었으므로 甲에게는 살인의 고의기수범이 성립한다.

ㄹ 판례에 따르면 A의 살해라는 처음에 예견된 사실이 결국은 실현된 것으로서 甲에게는 살인의 고의기수범이 성립한다.

① ㄱㄹ
② ㄴㄷ
③ ㄱㄴㄹ
④ ㄱㄷㄹ

해설

① ㄱㄹ 2 항목이 옳다.

ㄱ [○] 개괄적 고의설에 의할 때 옳은 설명이다.

ㄴ [×] 인과관계의 착오설에 의할 때 사례의 경우 **인과관계의 착오의 한 유형에 해당하지만 비본질적 착오이므로 甲은 살인죄의 죄책을 진다.**

ㄷ [×] 미수·과실의 경합범설에 의할 때 사례의 경우 **제1행위와 제2행위는 각각 독립된 것이므로 甲은 살인미수죄와 과실치사죄의 실체적 경합범의 죄책을 진다.**

ㄹ [○] 전 과정을 개괄적으로 보면 피해자의 살해라는 처음에 예견된 사실이 결국은 실현된 것으로서 피고인들은 살인죄의 죄책을 면할 수 없다.(대법원 1988. 6. 28. 88도650 개괄적 고의 사건)

핵심정리 이른바 '개괄적 고의' 사례

구분	내용
의의	행위자가 제1행위에 의하여 이미 결과가 발생했다고 믿었으나 실제로는 연속된 제2행위에 의하여 결과가 발생한 경우(ex. 甲이 A의 목을 눌러 질식사시켰고 이후 땅에 묻었으나 사실은 목을 눌린 때가 아니라 땅에 묻은 후 비로소 질식사한 경우)
법적취급	① 개괄적 고의설: 제1행위와 제2행위를 포괄하는 하나의 개괄적 고의를 인정하여 살인죄로 처벌(判例) ② 미수·과실의 경합범설: 제1행위와 제2행위를 각각 독립된 것으로 보아 살인미수죄와 과실치사죄의 실체적 경합범으로 처벌 ③ 인과관계의 착오설: 인과관계의 착오의 한 유형에 해당하지만 비본질적 착오이므로 살인죄로 처벌(多數說) ④ 계획실현설: 행위자에게 의도적 고의가 있었던 경우에는 살인죄로 처벌하지만, 지정 고의나 미필적 고의가 있었던 경우에는 살인미수죄와 과실치사죄의 실체적 경합범으로 처벌

정답 | 082 ①

083 甲은 자기 부인을 희롱하는 乙을 살해의 고의로 돌로 내리쳤다. 乙이 뇌진탕 등으로 인하여 정신
□□□ 을 잃고 축 늘어지자 甲은 乙이 죽은 것으로 오인하고 증거를 인멸할 목적으로 乙을 개울가로 끌
고 가 웅덩이를 파고 땅에 파묻었다. 그러나 부검 결과 乙의 사망은 질식에 의한 것임이 밝혀졌다.
사례의 해결에 대한 설명으로 옳지 않은 것은?   14 국가9급 [Superlative ★★★]

① 이른바 '개괄적 고의'의 개념을 이용하여 사례를 해결하려는 견해에 의하면, 제1행위와 제2행
  위를 개괄하는 단일한 고의가 인정되어 甲에게는 살인기수죄가 인정된다.

② 이 경우를 인과관계 착오의 한 형태로 보는 견해에 의하면, 인과과정의 차이가 본질적이지 않
  다고 인정되는 경우 甲에게는 살인기수죄가 인정된다.

③ 전 과정을 개괄적으로 보면 乙의 살해라는 처음에 예견된 사실이 결국 실현된 것으로서 甲은
  살인죄의 죄책을 면할 수 없다는 것이 판례의 입장이다.

④ 제1행위와 제2행위의 독립적 성격을 강조하는 견해에 의하면, 甲에게는 살인미수죄와 사체유
  기죄의 경합범이 인정된다.

해설

④ [×] 각 행위의 독립적 성격을 강조하는 견해에 의하면 **살인미수죄와 과실치사죄의 실체적 경합**이 된다.
  사체유기의 불능미수도 성립할 수 있다.
①② [○] 각 학설의 입장으로 옳다.
③ [○] 피해자가 피고인들의 살해의 의도로 행한 구타행위에 의하여 직접 사망한 것이 아니라 **죄적을 인멸할
  목적으로 행한 매장행위에 의하여 사망하게 되었다** 하더라도 전 과정을 개괄적으로 보면 피해자의 살해라는
  처음의 예견된 사실이 결국은 실현된 것으로서 피고인들은 **살인죄의 죄책을 면할 수 없다.**(대법원 1988. 6.
  28. 88도650 개괄적 고의 사건)

084 다음 사례에 대한 설명으로 적절한 것을 모두 고른 것은?

□□□

> 甲은 A를 살해하기 위하여 돌멩이로 A의 머리를 내리쳐서(제1행위) A가 정신을 잃고 쓰러지자 그가 사망한 것으로 오인하고 증거를 인멸할 목적으로 A를 그곳에서 150m 떨어진 개울가로 끌고 가 웅덩이를 파고 A를 매장하였는데(제2행위), A는 제1행위가 아닌 제2행위로 인하여 질식 사하였다.

> ㉠ 판례는 전과정을 개괄적으로 보면 피해자의 살해라는 처음에 예견된 사실이 결국은 실현된 것으로 본다.
> ㉡ 甲이 증거를 인멸할 목적으로 A를 매장하였더라도 증거인멸죄는 성립하지 않는다.
> ㉢ 판례는 각 행위의 독립적 성격을 강조하여 살인미수죄와 과실치사죄의 실체적 경합범을 인정한다.
> ㉣ 위와 유사한 사례에서 판례는 상해의 고의로 구타하여 피해자가 정신을 잃고 빈사상태에 빠지자(제1행위) 사망한 것으로 오인하고 자신의 행위를 은폐하기 위하여 피해자를 베란다 아래로 떨어뜨려 사망하게 한 경우(제2행위), 그 행위들을 포괄하여 단일의 살인죄에 해당한다고 본다.

① ㉠㉡

② ㉠㉡㉢

③ ㉠㉡㉣

④ ㉡㉢㉣

해설

① ㉠㉡ 2 항목이 옳다.

㉠ [O] 피해자가 피고인들의 살해의 의도로 행한 구타행위에 의하여 직접 사망한 것이 아니라 죄적을 인멸할 목적으로 행한 매장행위에 의하여 사망하게 되었다 하더라도 전 과정을 개괄적으로 보면 피해자의 살해라는 처음의 예견된 사실이 결국은 실현된 것으로서 피고인들은 **살인죄의 죄책을 면할 수 없다.**(대법원 1988. 6. 28. 88도650 **개괄적 고의 사건**)

㉡ [O] 증거인멸죄는 '타인의' 형사사건 또는 징계사건에 관한 증거를 인멸하는 경우에 성립한다.(제155조 제1항) 범인 자기 자신의 증거인멸행위는 범죄를 구성하지 않아 **증거인멸죄는 성립하지 아니한다.**

㉢ [×] 피해자가 피고인들의 살해의 의도로 행한 구타행위에 의하여 직접 사망한 것이 아니라 죄적을 인멸할 목적으로 행한 매장행위에 의하여 사망하게 되었다 하더라도 전 과정을 개괄적으로 보면 피해자의 살해라는 처음의 예견된 사실이 결국은 실현된 것으로서 피고인들은 **살인죄의 죄책을 면할 수 없다.**(대법원 1988. 6. 28. 88도650 **개괄적 고의 사건**)

㉣ [×] 피고인의 구타행위로 상해를 입은 피해자가 정신을 잃고 빈사상태에 빠지자 사망한 것으로 오인하고, 자신의 행위를 은폐하고 피해자가 자살한 것처럼 가장하기 위하여 피해자를 베란다 아래의 바닥으로 떨어뜨려 사망케 하였다면 **포괄하여 단일의 상해치사죄에 해당한다.**(대법원 1994. 11. 4. 94도2361 **낙산비치호텔사건**)

085 다음의 두 <사례>에 관하여 옳은 것만을 모두 고른 것은?

□□□

24 경대편입 [Superlative ★★★]

> ### 〈사례 1〉
>
> 甲은 자기의 처를 희롱하는 乙을 살해하기 위해 돌멩이로 乙의 가슴과 머리를 여러 차례 내리쳤다 (제1행위). 乙이 정신을 잃고 축 늘어지자 乙이 사망한 것으로 오인한 甲은 그 사체를 몰래 파묻어 증거를 인멸할 목적으로 乙을 그곳에서 150m 떨어진 개울가로 끌고 가서 삽으로 웅덩이를 파고 乙을 매장하였다(제2행위). 그런데 실제로 乙은 제1행위인 돌멩이에 맞아 죽은 것이 아니라 제2 행위로 인해 웅덩이에서 질식사한 것으로 밝혀졌다.
>
> ### 〈사례 2〉
>
> 丙은 피해자를 구타하여 상해를 입은 피해자가 정신을 잃고 빈사상태에 빠지자(제1행위) 사망한 것으로 오인하고, 자신의 행위를 은폐하고 피해자가 자살한 것처럼 가장하기 위하여 피해자를 베란다 아래의 바닥으로 떨어뜨려(제2행위) 사망케 하였다.

> ㉠ 〈사례 1〉의 경우 제1행위와 제2행위를 각각 분리하여 판단하면 제1행위는 살인미수죄가 되고 제2행위는 증거인멸죄가 되며 양자는 실체적 경합이 된다.
>
> ㉡ 〈사례 1〉의 경우 판례에 의하면 피해자가 제1행위에 의하여 직접 사망한 것이 아니라 제2행위 에 의하여 사망하게 되었다고 하더라도 전 과정을 개괄적으로 보면 피해자의 살해라는 처음에 예견된 사실이 결국 실현된 것으로서 살인죄 고의기수범이 성립한다.
>
> ㉢ 〈사례 1〉의 경우는 구성요건 착오 중 객체의 착오에 해당하며 이에 관한 법정적 부합설에 따르면 甲이 인식한 객체와 결과가 발생한 객체가 일치하므로 언제나 살인죄 고의기수범이 성립한다.
>
> ㉣ 〈사례 2〉의 경우 제1행위와 제2행위를 각각 분리하여 판단하면 제1행위는 상해죄가 되고 제2행위는 상해치사죄가 되며, 양자는 실체적 경합이 된다.
>
> ㉤ 〈사례 2〉의 경우 丙의 제1행위와 제2행위를 포괄하여 판단하는 판례에 의하면 丙에게는 단일 의 상해치사죄만이 성립한다.

① ㉠㉡ ② ㉡㉤ ③ ㉠㉢㉣
④ ㉡㉢㉤ ⑤ ㉠㉢㉣㉤

해설

② ㉡㉤ 2 항목이 옳다.
㉠ [×] 제1행위와 제2행위를 각각 분리하여 판단하면 제1행위는 살인미수죄가 되고 제2행위는 **과실치사죄가 되며** 양자는 실체적 경합이 된다.
㉡ [○] 피해자가 피고인들의 살해의 의도로 행한 구타행위에 의하여 직접 사망한 것이 아니라 죄적을 인멸할 목적으로 행한 매장행위에 의하여 사망하게 되었다 하더라도 전 과정을 개괄적으로 보면 피해자의 살해라는 처음의 예견된 사실이 결국은 실현된 것으로서 피고인들은 살인죄의 죄책을 면할 수 없다.(대법원 1988. 6. 28. 88도650 개괄적 고의 사건)

ⓒ [×] <사례 1>의 경우 구성요건 착오 중 객체의 착오에 해당하는 것이 아니라 **인과관계의 착오의 한 유형에** 해당한다. 다만 비본질적 착오이므로 살인죄가 성립한다.

ⓓ [×] <사례 2>의 경우 제1행위와 제2행위를 각각 분리하여 판단하면 제1행위는 상해죄가 되고 제2행위는 **과실치사죄가 되며** 양자는 실체적 경합이 된다.

ⓔ [○] 피고인이 피해자에게 우측 흉골골절 및 늑골골절상 등의 상해를 가함으로써 피해자가 바닥에 쓰러진 채 정신을 잃고 빈사상태에 빠지자, 피해자가 사망한 것으로 오인하고, 피고인의 행위를 은폐하고 피해자가 자살한 것처럼 가장하기 위하여 피해자를 베란다 밑 약 13m 아래의 바닥으로 떨어뜨려 뇌손상 및 뇌출혈 등으로 사망에 이르게 하였다면 피고인의 행위는 포괄하여 단일의 **상해치사죄에 해당한다.**(대법원 1994. 11. 4. 94도2361 낙산비치호텔 사건)

---

086 구성요건적 착오에 대한 설명으로 가장 적절한 것은?   21 경찰채용 [Core ★★]

① 甲이 친구 A를 살해하려고 독약을 놓아 두었으나 친구 B가 이를 마시게 되어 사망한 경우, 구체적 부합설과 법정적 부합설 모두 B에 대한 살인죄를 인정한다.

② 甲이 친구 A를 친구 B로 착각하여 살해한 경우, 구체적 부합설의 입장에서는 B에 대한 살인미수와 A에 대한 과실치사죄의 상상적 경합이 된다고 본다.

③ 甲이 친구 A를 살해하려고 하였으나 주위가 어두워 자신의 장모 B를 A로 오인하여 살해한 경우, 판례는 보통살인죄의 형으로 처단하여야 한다고 본다.

④ 甲이 살인의 고의로 친구 A의 머리를 내리쳐 A가 실신하자(제1행위), 그가 죽은 것으로 오인하여 웅덩이에 파묻었는데(제2행위) 실제로는 질식사한 것으로 밝혀진 경우, 판례는 제1행위에 의한 살인미수와 제2행위에 의한 과실치사죄의 실체적 경합을 인정한다.

해설

③ [○] 보통살인의 의사로 존속살해의 결과를 발생시킨 경우로써 형법 제15조 제1항에 의하여 **보통살인죄가 성립한다.**(대법원 1977. 1. 11. 76도3871)

① [×] 구체적 사실의 착오 중 방법의 착오 사례이다. **구체적 부합설은 A에 대한 살인미수죄와 B에 대한 과실치사죄의 상상적 경합범으로 처리하지만,** 법정적 부합설은 B에 대한 살인죄로 처리한다.

② [×] 구체적 사실의 착오 중 객체의 착오 사례이다. 구체적 부합설은 **A에 대한 살인죄로 처리한다.**

④ [×] 피해자가 피고인들의 살해의 의도로 행한 구타행위에 의하여 직접 사망한 것이 아니라 죄적을 인멸할 목적으로 행한 매장행위에 의하여 사망하게 되었다 하더라도 전 과정을 개괄적으로 보면 피해자의 살해라는 처음의 예견된 사실이 결국은 실현된 것으로서 피고인들은 **살인죄의 죄책을 면할 수 없다.**(대법원 1988. 6. 28. 88도650 개괄적 고의 사건)

제2장 위법성론

087 주관적 정당화요소에 관한 설명 중 가장 적절하지 않은 것은? 12 경찰승진 [Superlative ★★★]

□□□
① 순수한 결과반가치론에 의하면 위법성 조각사유에서 주관적 정당화요소가 없어도 위법성이 조각될 수 있다.
② 주관적 정당화요소 불요설에 의하면 우연방위는 위법성이 조각되지 않는다.
③ 일원적 인적불법론에 의하면 구성요건적 행위는 주관적 정당화요소가 있는 경우에만 행위반가치가 탈락하여 정당화될 수 있다.
④ 우연방위 효과에 관한 불능미수범설은 기수범의 결과반가치는 배제되지만 행위반가치는 그대로 존재하므로 불능미수의 규정을 유추적용해야 한다는 견해이다.

해설

② [×] 주관적 정당화요소 불요설에 의하면 우연방위의 경우 결과반가치가 없기 때문에 **위법성이 조각된다**.
①③④ [○] 통설의 입장이다.

088

다음 위법성조각사유에 관한 설명으로 옳은 것은 모두 몇 개인가? (다툼이 있으면 판례에 의함)

> ㉠ 위법성의 평가방법에 관한 객관적 위법성론에 의하면 책임무능력자는 위법한 행위를 할 수 없으므로, 이에 대해서 정당방위는 할 수 없다.
>
> ㉡ 주관적 정당화요소에 관한 일원적 인적불법론에 의하면 구성요건적 행위는 주관적 정당화요소가 있는 경우에만 행위반가치가 탈락하여 정당화될 수 있다.
>
> ㉢ 피난의사가 없는 경우 긴급피난의 성립을 인정할 수 없으므로 위법성이 조각되기 위해서는 주관적 정당화요소가 필요하다.
>
> ㉣ 甲이 평소 원한을 품었던 乙을 향해 총을 발사하여 乙을 살해하였으나, 알고 보니 乙도 甲을 살해하기 위해 甲의 집에 폭탄을 설치하고 폭발시키려던 순간이었던 경우, 주관적 정당화요소에 관한 불능미수범설에 따르면 甲은 살인미수가 성립하고 그 형을 감경 또는 면제한다.
>
> ㉤ 국유토지가 공개 입찰에 의해 매매되고 그 인도집행이 완료되었다고 하더라도 그 토지의 종전 경작자인 피고인이 파종한 보리가 30cm 이상 성장하였다면 그 보리는 피고인의 소유로서 그가 수확할 권한이 있다 할 것이어서 토지매수자가 토지를 경작하기 위해 소를 이용하여 쟁기질을 하고 성장한 보리를 갈아엎는 행위는 피고인의 재산에 대한 현재의 부당한 침해라 할 것이므로 이를 막기 위해 그 경작을 못하도록 소 앞을 가로막고 쟁기를 잡아당기는 등의 피고인의 행위는 정당방위에 해당한다.

① 1개　　　　② 2개　　　　③ 3개　　　　④ 4개

해설

> ③ ㉡㉢㉤ 3 항목이 옳다.
>
> ㉠ [×] 객관적 위법성론에 의할 때 책임무능력자의 침해도 위법하므로 이에 대하여 **정당방위를 할 수 있다.**
>
> ㉡ [○] **일원적 인적불법론**은 범죄의 본질은 의무위반에 있으며, 불법을 행위반가치에 있다고 본다. 따라서 주관적 정당화요소가 있는 경우에만 행위반가치가 탈락하여 정당화될 수 있다. 그러므로 옳은 설명이다.
>
> ㉢ [○] 긴급피난이 성립하기 위하여는 행위자에게 피난의 의사가 있어야 할 것인데, 피고인들이 병력을 동원한 것은 위난을 피할 의사에 의한 것은 아니고 반란목적을 달성할 의도에 의한 것이라고 보이므로 피고인들에게 **피난의 의사가 있었다고도 할 수 없다.**(대법원 1997. 4. 17. 96도3376 全合 신군부 내란사건)
>
> ㉣ [×] 불능미수범설에 따르면 甲은 **살인불능미수죄의 죄책을 지고, 그 형을 감경 또는 면제할 수 있다.**(제27조)
>
> ㉤ [○] 토지매수자가 토지를 경작하기 위하여 소를 이용하여 쟁기질을 하고 성장한 보리를 갈아뭉개는 행위는 피고인의 재산에 대한 **현재의 부당한 침해**라 할 것이므로 이를 막기 위하여 그 경작을 못하도록 소 앞을 가로막고 쟁기를 잡아당기는 등의 피고인의 행위는 **정당방위에 해당된다.**(대법원 1977. 5. 24. 76도3460)

089 다음 사례에 대한 설명으로 옳은 것은?

17 국가9급 [Superlative ★★★]

> 甲은 자기 집 2층에서 아래를 내려다보던 중 乙이 자신의 집 정원에서 어슬렁거리는 것을 보았다. 甲은 乙과 원수지간으로 그렇지 않아도 乙을 살해할 생각을 가지고 있던 터라 옆에 있던 사냥용 엽총으로 정조준하여 乙을 향해 발사하여 즉사케 하였다. 그런데 나중에 알고 보니 乙도 甲을 살해하기 위해 甲의 집에 폭탄을 설치하고 폭발시키려던 순간이었다.

① 정당방위의 성립요건 중 방위의사 필요설에 따르면 甲에게는 방위의사가 없었으므로 정당방위가 성립하지 않고 과실치사죄가 성립한다.

② 정당방위의 성립요건 중 현재성을 갖추고 있지 못하므로 甲은 살인죄로 처벌된다.

③ 정당방위의 성립요건 중 방위의사 불요설에 따르면 甲에게는 방위의사가 없었더라도 정당방위는 성립하여 위법성이 조각된다.

④ 이 사례의 구조를 불능미수와 유사하다고 보는 입장에서는 甲의 행위는 위험성이 없는 것으로 보아 불가벌로 취급한다.

해설

③ [○] 방위의사 불요설에 따르면 甲에게 방위의사가 없었더라도 **정당방위에 해당하여 위법성이 조각된다**.
① [×] 방위의사 필요설에 따르면 甲에게는 방위의사가 없었으므로 정당방위가 성립하지 않고, 학설에 따라 살**인죄(기수범설) 또는 살인불능미수죄(불능미수범설)가** 성립한다.
② [×] 甲에게 방위의사가 없었다고 하더라도 설문의 경우 정당방위의 성립요건 중의 하나인 **현재성을 갖추고 있다고 보아야 한다**.
④ [×] 불능미수범설에 의할 때 **위험성이 당연히 인정되어 甲은 살인불능미수죄로 처벌된다**.

090 위법성조각사유의 주관적 정당화요소에 대한 설명으로 옳은 것만을 모두 고르면? (다툼이 있으
□□□ 면 판례에 의함)

23 국가9급 [Superlative ★★★]

㉠ 위법성조각을 위해 주관적 정당화요소가 필요하다고 보는 견해에 의하면 형법 제21조 제1항
에서 '방위하기 위하여 한'은 정당방위의 주관적 정당화요소를 규정한 것으로 해석된다.
㉡ 판례는 위법성조각을 위해 방위의사나 피난의사와 같은 주관적 정당화요소가 요구된다고
본다.
㉢ 위법성조각을 위해 주관적 정당화요소가 필요 없다고 보는 견해에 의하면 행위자가 행위 당시
존재하는 객관적 정당화사정을 인식하지 못한 채 범죄의 고의만으로 행위를 한 경우 고의기수
범이 성립한다.
㉣ 위법성 판단에 행위반가치와 결과반가치가 모두 요구된다고 보는 이원적 · 인적 불법론의 입
장에서는 주관적 정당화요소가 결여된 경우 행위반가치가 부정되므로 불능미수가 된다고
본다.

① ㉠㉡   ② ㉠㉢

③ ㉡㉣   ④ ㉢㉣

해설

① ㉠㉡ 2 항목이 옳다.
㉠ [○] 주관적 정당화요소 **필요설**의 입장에서 옳은 설명이다.
㉡ [○] (1) 어떠한 행위가 정당방위로 인정되려면 그 행위가 **자기 또는 타인의 법익에 대한 현재의 부당한 침해
를 방어하기 위한 것으로서 상당성이 있어야 한다.**(대법원 2017. 3. 15. 2013도2168 쌍용차사태 권영국 변호
사사건) (2) 긴급피난이 성립하기 위하여는 **행위자에게 피난의 의사가 있어야 할 것인데,** 피고인들이 병력을
동원한 것은 위난을 피할 의사에 의한 것은 아니고 반란목적을 달성할 의도에 의한 것이라고 보이므로 피고인
들에게 피난의 의사가 있었다고도 할 수 없다.(대법원 1997. 4. 17. 96도3376 全合 신군부 내란사건)
㉢ [×] 주관적 정당화요소 불요설이므로 **위법성이 조각되어 무죄가 된다.**
㉣ [×] 이원적 · 인적 불법론의 입장에서는 주관적 정당화요소가 결여된 경우 **결과반가치가 부정되므로** 불능미
수가 된다고 본다. 이것이 다수설적 입장으로 보인다.

정답 | 089 ③   090 ①

091 甲은 평소 미워하던 乙과 우연히 마주치자 상해의 의사로 乙의 얼굴을 주먹으로 강타하여 코피가
□□□ 나게 하였는데, 마침 그때 乙은 甲을 살해하려고 칼로 甲을 공격하려던 순간이었음이 밝혀졌다.
이에 대한 설명으로 옳은 것만을 모두 고르면?　　　　　　　　　　　19 국가9급 [Superlative ★★★]

> ㉠ 위법성조각사유에 있어서는 주관적 정당화요소가 요구되지 않는다는 견해에 따르면, 甲의
> 　 행위는 정당방위로서 위법성이 조각될 수 있다.
> ㉡ 판례에 따르면 정당방위가 성립하기 위하여는 행위자에게 방위의사가 있어야 하고 그 방위행
> 　 위가 상당성이 있어야 하므로, 甲의 행위는 정당방위가 될 수 없다.
> ㉢ 위법성조각사유에 있어서는 주관적 정당화요소가 요구되지만 위 사례에서는 결과반가치가
> 　 부정된다는 견해에 따르면, 甲은 상해죄의 불능미수로 처벌될 수 있다.

① ㉠㉡　　　　　　　　② ㉠㉢　　　　　　　　③ ㉡㉢　　　　　　　　④ ㉠㉡㉢

해설

④ 모든 항목이 옳다.
　 설문은 객관적 정당화요소(정당방위 상황)는 구비되었으나 주관적 정당화요소(방위의사)가 없는 사례, 즉 **우연
방위에 대한 것이다.**
㉠ [○] 주관적 정당화요소 불요설(不要說)에 의하면 甲의 행위는 **정당방위에 해당하여 위법성이 조각되므로** 이
　 항목은 옳다.
㉡㉢ [○] 주관적 정당화요소 필요설(必要說)에 의하면 甲의 행위는 정당방위에 해당하지 않아 위법성이 조각되
　 지 않기 때문에 甲은 "기수범으로 처벌된다"는 견해와 "행위반가치는 있지만 결과반가치가 없기 때문에 **불능
미수범으로 처벌된다**"는 견해가 대립한다. 판례는 명시적으로 판시하지는 않았지만 아래 밑줄 친 문구에 비추
　 어 보았을 때 주관적 정당화요소 필요설(必要說)의 입장을 취하는 것으로 보이므로 결국 ㉡㉢ 항목들도 옳다.

092 다음 사례에 관한 설명으로 가장 적절한 것은?　　　　24 경찰채용 [Superlative ★★★]

> 甲은 남편 A가 매일 술을 마시고 들어와서 행패를 부리는 등 A와의 불화로 갈등을 겪는 중이었다. 이에 甲은 새벽에 문이 열리는 소리가 들리고 누군가 집안으로 들어오자, A에 대한 상해의 고의로 컵을 집어 던졌다. 그러자 사람이 '어이쿠'하며 쓰러지는 소리가 나서 불을 켜보니, A가 아니라 칼을 든 B가 컵에 머리를 맞고 쓰러져 있었다. B는 강도를 하기 위하여 甲의 집으로 들어오던 중이었다.

① 위 사례는 구체적 사실의 착오 중 객체의 착오에 해당하는 사례로 구체적 부합설에 따를 경우 甲의 행위는 A에 대한 상해미수와 B에 대한 과실치상의 죄가 성립하고 양 죄는 상상적 경합 관계에 있다.

② 위 사례는 주관적 정당화요소가 결여된 사례로 이러한 때에는 행위반가치는 존재하지만 결과 반가치는 존재하지 않아 불능미수범 규정을 유추적용하자는 견해에 따를 경우 甲의 행위는 상해죄의 불능미수가 된다.

③ 위 사례는 우연방위에 해당하는 사례로 위법성조각사유에 주관적 정당화요소가 필요하지 않다는 판례에 따를 경우 甲의 행위는 상해죄의 기수가 된다.

④ 위 사례는 오상방위에 해당하는 사례로 엄격책임설에 따를 경우 甲이 B를 A로 오인함에 있어서 정당한 이유가 있다면 책임이 조각되어 甲의 행위는 무죄가 된다.

해설

설문은 객관적 정당화요소(정당방위 상황)는 구비되었으나 주관적 정당화요소(방위의사)가 없는 사례, 즉 우연방위에 대한 것이다.

② [○] 불능미수범설에 의할 때 옳은 지문이다.

① [×] 위 상황은 구체적사실의 착오 중에 객체의 착오에 해당할 수 있다. 그렇다 하더라도 **구체적 부합설에 의하면 발생사실 B에 대한 상해죄가 성립한다.**

③ [×] (1) 긴급피난이 성립하기 위하여는 행위자에게 **피난의 의사가 있어야 할 것인데**, 피고인들이 병력을 동원한 것은 위난을 피할 의사에 의한 것은 아니고 반란목적을 달성할 의도에 의한 것이라고 보이므로 피고인들에게 피난의 의사가 있었다고도 할 수 없다.(대법원 1997. 4. 17. 96도3376 全合 신군부 내란사건) (2) 어떠한 행위가 정당방위로 인정되려면 그 행위가 자기 또는 타인의 법익에 대한 현재의 부당한 침해를 **방어하기 위한 것으로서** 상당성이 있어야 한다.(대법원 2017. 3. 15. 2013도2168 쌍용차사태 권영국 변호사 사건) 판례는 주관적 정당화요소 필요설의 입장이다.

④ [×] 위 사례는 **우연방위 상황으로서 오상방위에 해당하지 않는다.**

093 위법성조각사유에 관한 설명으로 가장 적절한 것은? (다툼이 있으면 판례에 의함)

24 경찰채용 [Core ★★]

① 일련의 연속되는 행위로 인해 침해상황이 중단되지 아니하거나 일시 중단되더라도 추가 침해가 곧바로 발생할 객관적인 사유가 있는 경우 그중 일부 행위가 범죄의 기수에 이르렀을지라도 정당방위의 요건 중 침해의 현재성이 인정된다.

② 甲이 A를 살해하기 위해 총을 쏴 A가 사망하였는데, 알고 보니 A도 甲을 살해하기 위해 甲에게 총을 조준하고 있었던 경우 위법성이 조각되기 위해서는 주관적 정당화요소가 필요하다는 견해에 따르면 甲의 행위는 위법성이 조각된다.

③ 위난을 피하지 못할 책임 있는 자에게는 긴급피난이 허용되지 않기에 이들이 감수해야 할 범위를 넘는 위난에 처한 때에도 긴급피난은 허용되지 않는다.

④ 무고죄는 국가의 형사사법권의 적정한 행사뿐만 아니라 개인이 부당하게 처벌받지 아니할 이익을 부수적으로 보호하는 죄이기에 피무고자의 승낙이 있는 경우에는 위법성이 조각된다.

해설

① [○] 형법 제21조 제1항에서 '침해의 현재성'이란 침해행위가 형식적으로 기수에 이르렀는지에 따라 결정되는 것이 아니라 자기 또는 타인의 법익에 대한 침해상황이 종료되기 전까지를 의미하는 것이므로 일련의 연속되는 행위로 인해 침해상황이 중단되지 아니하거나 일시 중단되더라도 추가 침해가 곧바로 발생할 객관적인 사유가 있는 경우에는 그중 일부 행위가 범죄의 기수에 이르렀더라도 전체적으로 침해상황이 종료되지 않은 것으로 볼 수 있다.(대법원 2023. 4. 27. 2020도6874 레이테크코리아 사건)

② [×] 주관적 정당화요소 필요설에 따르면 甲에게는 방위의사가 없었으므로 정당방위가 성립하지 않고, 학설에 따라 **살인죄(기수범설)** 또는 **살인불능미수죄(불능미수범설)가 성립**한다.

③ [×] 위난을 피하지 못할 책임이 있는 자에 대하여는 긴급피난에 관한 형법 제22조 제1항을 적용하지 아니한다.(형법 제22조 제2항) 그러나 이는 상대적 의미이므로 위난을 피하지 못할 책임이 있는 자(군인, 경찰관 등)라도 감수해야 할 범위를 넘는 위난에 처한 때에는 긴급피난이 허용된다는 것이 통설의 입장이다.

④ [×] 무고죄는 국가의 형사사법권 또는 징계권의 적정한 행사를 주된 보호법익으로 하고 다만, 개인의 부당하게 처벌 또는 징계받지 아니할 이익을 부수적으로 보호하는 죄이므로 설사 무고에 있어서 **피무고자의 승낙이 있었다고 하더라도 무고죄의 성립에는 영향을 미치지 못한다.**(대법원 2005. 9. 30. 2005도2712 합의주선용 무고사건)

094 甲은 층간소음문제로 평소 다툼이 있던 아파트 위층에 앙갚음을 할 마음으로 돌을 던져 유리창
을 깨트렸다. 그런데 위층에 살던 A는 빚 독촉에 시달리다 자살하기로 마음먹고 창문을 닫은 채
연탄불을 피운 결과, 연탄가스에 중독되어 쓰러져 있던 상태였다. 유리창을 깨트린 甲의 행위로
인하여 A는 구조되었다. 이 사례에서 甲이 무죄라는 견해에 관한 설명으로 가장 적절하지 않은
것은?

22 경찰채용 [Core ★★]

① 범죄성립에 있어서 결과반가치만을 고려하는 입장에서 주장될 수 있다.

② 객관적으로 존재하는 정당화요건은 기수범 처벌에 대한 감경가능성으로만 고려될 수 있다.

③ 객관적 정당화사정의 존재가 행위자에게 유리하게 작용하는 경우이다.

④ 주관적 정당화사정이 있는 경우와 없는 경우를 동일하게 취급한다는 비판이 가능하다.

해설

甲이 무죄라는 견해(위법성조각사유에 있어 주관적 정당화요소가 필요하지 않다는 불요설)에 관한 설명이다.
② [×] 주관적 정당화요소 필요설 중 기수범설의 입장이다.
① [○] 주관적 정당화요소 불요설의 입장으로 설문과 같은 우연피난의 경우 **결과반가치가** 없으므로 무죄가 된다.
③ [○] 주관적 정당화요소 불요설의 입장으로 객관적 정당화사정의 존재가 행위자에게 유리하게 작용하는 경우
이다. 행위자가 **손괴죄로** 처벌되지 않고 무죄가 되기 때문이다.
④ [○] 주관적 정당화요소 불요설에 대한 비판에 해당한다.

095 다음 [사례]에 대한 설명으로 가장 옳지 않은 것은?

20 해경승진 [Core ★★]

□□□

> 충남 태안군 선적 연안복합어선의 선장 甲은 자신이 조업하던 장소에서 주꾸미를 잡던 낚시어선
> 들 때문에 평소 불만이 쌓여있던 중 분풀이를 하기 위하여 안흥외항에 정박해 있던 乙의 낚시어선
> 에 돌을 던졌다. 甲은 돌에 사람이 맞아 상해를 입어도 상관없다고 생각했다.
> 이로 인해 갑판에 있던 乙이 돌에 맞아 상해를 입었다. 그런데 사실 乙은 자신의 처와 바람을
> 피운 甲에게 감정이 좋지 않아 甲을 살해하려고 수렵용 공기총으로 甲의 머리를 겨누고 있던
> 중이었다.

① 형법의 규정에 의하면 우연방위행위가 야간 기타 불안스러운 상태하에서 공포·경악·흥분 또
는 당황으로 인한 때에는 벌하지 아니한다.

② 주관적 정당화요소가 필요하다는 견해 중 기수범설에 의하면 甲은 행위반가치만으로 고의불
법이 인정되므로 상해죄의 기수가 된다.

③ 주관적 정당화요소가 불필요하다는 견해에 의하면 甲의 행위는 위법성이 조각되어 무죄가 된다.

④ 주관적 정당화요소가 필요하다는 견해 중 불능미수범설은 행위반가치는 존재하지만 결과반가
치가 배제되어 미수범의 불법구조와 유사하다는 점을 이론적 근거로 한다.

해설

① [×] (우연방위행위가 아니라) 과잉방위행위가 야간이나 그 밖의 불안한 상태에서 공포를 느끼거나 경악(驚愕)
하거나 흥분하거나 당황하였기 때문에 그 행위를 하였을 때에는 벌하지 아니한다.(제21조 제3항) 우연방위에
대해서는 형법에 명문의 규정이 없다.

②③④ [○] 모두 옳은 설명이다.

핵심정리 '고의범에 있어' 주관적 정당화요소 흠결의 효과

구분	내용
위법성조각설	주관적 정당화요소 불요설과 결과반가치 일원론의 입장에서 위법성이 조각됨
기수범설	구성요건에 해당하는 위법한 행위이고 결과까지 발생하였으므로 위법성이 조각되지 않아 기수범으로 처벌
불능미수범설	객관적 정당화상황이 존재하므로 결과반가치는 배제되나 행위반가치는 그대로 존재하므로 구조상 유사한 형법 제27조의 불능미수 규정을 유추적용하여 처벌(多數說)

096 객관적 정당화 상황이 존재함에도 주관적 정당화요소 없이 구성요건을 실현한 경우 법적 판단에
□□□ 대하여 각 학설이 대립하고 있다. 다음 중 가장 적절한 것은? 22 경찰간부 [Core ★★]

① 기수범설에 대해서는 불법(위법성)판단을 오로지 결과반가치에 의해서만 결정하려고 한다는
비판이 제기된다.

② 무죄설에 대해서는 객관적 정당화 상황이 존재함에도 그것이 행위자에게 유리한 요소로 작용
하지 못한다는 비판이 제기된다.

③ 불능미수범설은 불법의 본질을 결과반가치로서 법익침해와 행위의 주관적, 객관적 측면을 포
섭하는 행위반가치를 모두 고려하여 판단하여야 한다는 입장을 기초로 한다.

④ 판례는 정당화 사유에 해당하기 위해서 객관적 정당화상황 이외에 주관적 정당화요소를 필요
로 하지 않는다는 입장을 취하고 있다.

해설

③ [○] 불능미수범설에 관한 옳은 설명이다.

① [×] 기수범설에 대해서는 불법(위법성)판단을 **오로지 행위반가치에 의해서만** 결정하려고 한다는 비판이 제
기된다.

② [×] **기수범설에 대해서는** 객관적 정당화 상황이 존재함에도 그것이 행위자에게 유리한 요소로 작용하지 못한
다는 비판이 제기된다.

④ [×] 판례들에 비추어 보면 정당화 사유에 해당하기 위해서는 **객관적 정당화상황 이외에 주관적 정당화요소
도 필요하다.** (1) 긴급피난이 성립하기 위하여는 행위자에게 **피난의 의사가 있어야 할** 것인데, 피고인들이
병력을 동원한 것은 위난을 피할 의사에 의한 것은 아니고 반란목적을 달성할 의도에 의한 것이라고 보이므로
피고인들에게 피난의 의사가 있었다고도 할 수 없다.(대법원 1997. 4. 17. 96도3376 全合 신군부 내란사건)
(2) 어떠한 행위가 정당방위로 인정되려면 그 행위가 자기 또는 타인의 법익에 대한 현재의 부당한 침해를
방어하기 위한 것으로서 상당성이 있어야 한다.(대법원 2017. 3. 15. 2013도2168 쌍용차사태 권영국 변호사
사건)

제2절 | 정당방위

097 정당방위의 성립요건에 대한 설명으로 옳은 것은? (다툼이 있으면 판례에 의함)

☐☐☐

12 국가7급 [Core ★★]

① 공격행위를 피하기 위하여 관련 없는 제3자의 법익을 침해하는 행위도 정당방위로 허용된다.

② 정당방위가 인정되기 위해서 요구되는 부당한 공격의 현재성에 관해서는 현행법상 예외를 인정하지 않는다.

③ 긴급피난에 대한 정당방위는 인정되지만 정당방위에 대한 정당방위는 인정되지 않는다.

④ 불법체포에 대항하기 위하여 경찰관에게 상해를 가한 경우 이는 부당한 침해에 대한 방위행위로서 정당방위가 인정된다.

해설

④ [○] 현행범인 체포행위가 적법한 공무집행을 벗어나 불법하게 체포한 것으로 볼 수밖에 없다면, 현행범이 그 체포를 면하려고 반항하는 과정에서 경찰관에게 상해를 가한 것은 **불법체포로 인한 신체에 대한 현재의 부당한 침해에서 벗어나기 위한 행위로서 정당방위에 해당하여 위법성이 조각된다.**(대법원 2011. 5. 26. 2011도3682 서교동 불심검문 사건)

① [×] 정당방위는 법익침해자에 대한 반격으로 제한되므로, 관련 없는 제3자의 법익을 침해하는 행위는 **정당방위로써 허용되지 아니한다.**

② [×] 폭처법에 규정된 죄를 범한 자가 흉기 기타 위험한 물건 등으로 사람에게 **위해를 가하거나 가하려할 때** 이를 **예방** 또는 방위하기 위하여 한 행위는 벌하지 아니한다.(폭처법 제8조 제1항) 이 규정은 '침해의 현재성' 요건을 완화하거나 그 **예외를 인정한 것으로 볼 수 있다.**

③ [×] 긴급피난은 위법성이 조각되는 적법한 행위이므로 그에 대한 **정당방위는 인정되지 않는다.**(제21조 제1항)

098 정당방위에 관한 설명으로 옳은 것은 모두 몇 개인가? (다툼이 있으면 판례에 의함)

□□□
24 경찰간부 [Core ★★]

> ⊙ 정당방위에서 '침해의 현재성'이란 침해행위가 형식적으로 기수에 이르렀는지에 따라 결정되는 것이 아니라 자기 또는 타인의 법익에 대한 침해상황이 종료되기 전까지를 의미한다.
> ⓛ 정당방위 상황을 이용할 목적으로 처음부터 공격자의 공격행위를 유발하는 의도적 도발의 경우라 하더라도 그 공격행위에 대해서는 방위행위를 인정할 수 있어 정당방위가 성립한다.
> ⓒ 피해자의 침해행위에 대하여 자기의 권리를 방위하기 위한 부득이한 행위가 아니고, 그 침해행위에서 벗어난 후 분을 풀려는 목적에서 나온 공격행위는 정당방위에 해당한다고 할 수 없다.
> ⓔ 정당방위의 성립요건으로서 방어행위는 순수한 수비적 방어뿐만 아니라 적극적 반격을 포함하는 반격방어의 형태도 포함되나, 그 방어행위는 자기 또는 타인의 법익침해를 방위하기 위한 행위로서 상당한 이유가 있어야 한다.

① 1개   ② 2개

③ 3개   ④ 4개

해설

③ ⊙ⓒⓔ 3 항목이 옳다.

⊙ [○] 형법 제21조 제1항에서 '침해의 현재성'이란 침해행위가 형식적으로 기수에 이르렀는지에 따라 결정되는 것이 아니라 자기 또는 타인의 법익에 대한 침해상황이 종료되기 전까지를 의미하는 것이므로 일련의 연속되는 행위로 인해 침해상황이 중단되지 아니하거나 일시 중단되더라도 추가 침해가 곧바로 발생할 객관적인 사유가 있는 경우에는 그중 일부 행위가 범죄의 기수에 이르렀더라도 전체적으로 침해상황이 종료되지 않은 것으로 볼 수 있다.(대법원 2023. 4. 27. 2020도6874 레이테크코리아 사건)

ⓛ [×] 의도적으로 도발을 유도한 것으로 이른바 자초침해(自招侵害)에 해당하므로 **정당방위에 해당하지 않는다**는 것이 통설의 입장이다. 이는 권리남용에 해당하므로 형법 제21조 제1항의 상당성 요건을 충족하지 못한다.

ⓒ [○] 피해자의 침해행위에 대하여 자기의 권리를 방위하기 위한 부득이한 행위가 아니고, 그 침해행위에서 벗어난 후 분을 풀려는 목적에서 나온 공격행위는 정당방위에 해당한다고 할 수 없다.(대법원 1996. 4. 9. 96도241 배척 사건)

ⓔ [○] 정당방위의 성립요건으로서의 방어행위에는 순수한 수비적 방어뿐 아니라 적극적 반격을 포함하는 반격방어의 형태도 포함된다. 다만 정당방위로 인정되기 위해서는 자기 또는 타인의 법익침해를 방어하기 위한 행위로서 상당한 이유가 있어야 한다.(대법원 2023. 4. 27. 2020도6874 레이테크코리아 사건)

099

□□□

정당방위에 대한 설명으로 옳지 않은 것은? (다툼이 있으면 판례에 의함)   19 5급승진 [Essential ★]

① 시위참가자들이 집회예정장소로 이동하는 과정에서 출발 또는 이동을 차단하려는 경찰관들의 위법한 제지에 대항하기 위해 공동하여 경찰관들에게 PVC파이프를 휘둘러 경찰관들을 때리고 진압방패와 채증장비를 빼앗는 등의 폭행행위를 한 것은 정당방위에 해당하지 않는다.

② 경찰관이 현행범을 체포하는 과정에서 피의사실 요지나 체포이유 등을 고지하지 않는 등 적법절차를 준수하지 않았다면, 현행범이 그 체포를 면하려고 반항하는 과정에서 경찰관에게 2주간의 치료를 요하는 상해를 가한 것은 정당방위에 해당한다.

③ 甲이 자신의 주거에 침입한 도둑 A를 수회 때려 넘어뜨려 제압한 이후, A가 도망하려 할 뿐 반격이 없었음에도 불구하고 머리 등에 무자비하게 폭행을 가하여 뇌사 후 사망에 이르게 한 것은 정당방위는 물론 과잉방위도 인정되지 않는다.

④ 112신고를 받고 출동한 정복경찰관 A가 자신의 신분증을 제시하지 않은 상태에서, 甲이 술값을 내지 않고 가려고 한다는 말을 술집 주인으로부터 듣고 만취상태의 甲을 불심검문하려고 하였다. 이때 甲이 이에 불응하면서 막무가내로 바깥으로 나가려 하여 A가 제지하자 甲이 거칠게 반항하면서 A를 폭행한 것은 정당방위에 해당한다.

⑤ 의붓아버지의 강간행위 이후 계속적으로 성관계를 강요받아 온 甲(여)이, 남자친구 乙과 사전공모하여 범행을 준비하고, 의붓아버지가 제대로 반항할 수 없는 상태에서 식칼로 심장을 찔러 살해한 것은 정당방위에 해당하지 않는다.

해설

④ [×] 경직법 제3조 제4항은 '경찰관이 불심검문을 하고자 할 때에는 자신의 신분을 표시하는 증표를 제시하여야 한다'고 규정하고, 법시행령 제5조는 소정의 신분을 표시하는 증표는 경찰관의 공무원증이라고 규정하고 있는 바, 불심검문을 하게 된 경우, 불심검문 당시의 현장상황과 검문을 하는 경찰관들의 복장, 피고인이 공무원증 제시나 신분확인을 요구하였는지 여부 등을 종합적으로 고려하여, **검문하는 사람이 경찰관이고 검문하는 이유가 범죄행위에 관한 것임을 피고인이 충분히 알고 있었다고 보이는 경우에는 신분증을 제시하지 않았다고 하여 그 불심검문이 위법한 공무집행이라고 할 수 없다.**(대법원 2014. 12. 11. 2014도7976 카페 불심검문 사건) 경찰관 A의 행위는 적법한 공무집행이므로 甲이 거칠게 반항하면서 A를 폭행한 것은 정당방위가 아니다.

① [○] 피고인들이 경찰관들을 때리고 진압방패와 채증장비를 빼앗는 등의 폭행행위를 한 것은 소극적인 방어행위를 넘어서 공격의 의사를 포함하여 이루어진 것으로서 그 수단과 방법에 있어서 상당성이 인정된다고 보기 어려우며 긴급하고 불가피한 수단이었다고 볼 수도 없으므로 이를 **정당행위나 정당방위에 해당한다고 볼 수 없다.**(대법원 2009. 6. 11. 2009도2114 상경시위 저지사건Ⅱ)

② [○] 경찰관의 현행범 체포행위가 적법한 공무집행을 벗어나 불법하게 체포한 것으로 볼 수밖에 없다면 현행범이 그 체포를 면하려고 반항하는 과정에서 경찰관에게 상해를 가한 것은 **정당방위에 해당하여 위법성이 조각된다.**(대법원 2006. 11. 23. 2006도2732 미란다고지 불고지사건)

③ [○] 자신의 주거에 침입한 도둑 A를 수회 때려 넘어뜨려 제압한 이후, A가 도망하려 할 뿐 반격이 없었음에도 불구하고 머리 등에 무자비하게 폭행을 가하여 뇌사 후 사망에 이르게 한 것은 **정당방위는 물론 과잉방위도 인정되지 않는다.**(대법원 2016. 5. 12. 2016도2794 도둑 뇌사 사건)

⑤ [○] 의붓아버지의 강간행위에 의하여 정조를 유린당한 후 계속적으로 성관계를 강요받아 온 피고인이 사전에 범행을 준비하고 의붓아버지가 제대로 반항할 수 없는 상태에서 식칼로 심장을 찔러 살해한 행위는 사회통념상 상당성을 결여하여 정당방위가 성립하지 아니한다.(대법원 1992. 12. 22. 92도2540 김보은 사건)

---

100 정당방위에 대한 설명으로 옳은 것만을 모두 고른 것은? (다툼이 있으면 판례에 의함)

□□□
16 국가9급 [Superlative ★★★]

> ㉠ 이혼소송 중인 남편이 찾아와 가위로 폭행하고 변태적 성행위를 강요하는 데에 격분하여 처가 칼로 남편의 복부를 찔러 사망에 이르게 한 경우 정당방위나 과잉방위에 해당하지 않는다.
> ㉡ 甲의 행위가 피해자의 부당한 공격을 방어하기 위한 행위라기보다 방어행위인 동시에 공격행위의 성격을 가진 싸움의 경우라면 정당방위를 인정하기 어렵다.
> ㉢ 甲이 그 소유의 밤나무 단지에서 A가 밤 18개를 푸대에 주워 담는 것을 보고 푸대를 빼앗으려다 반항하는 A의 뺨과 팔목을 때려 상처를 입힌 경우 정당방위가 인정된다.
> ㉣ 공직선거후보자가 연설 중에 한 피고인에 대한 명예훼손적 발언이 형법 제310조에 의해 위법성이 조각되는 경우 이에 대한 정당방위는 인정될 수 없다.

① ㉠㉢   ② ㉠㉣
③ ㉠㉡㉣   ④ ㉡㉢㉣

해설

③ ㉠㉡㉣ 3 항목이 옳다.
㉠ [○] 이혼소송 중인 남편이 찾아와 가위로 폭행하고 **변태적 성행위**를 강요하는 데에 격분하여 **처가 칼로 남편의 복부를 찔러 사망에 이르게 한 경우** 그 행위는 방위행위로서의 한도를 넘어선 것으로 정당방위나 과잉방위에 해당하지 않는다.(대법원 2001. 5. 15. 2001도1089 변태적 남편 살해사건)
㉡ [○] 가해자의 행위가 피해자의 부당한 공격을 방위하기 위한 것이라기보다는 서로 공격할 의사로 싸우다가 먼저 공격을 받고 이에 대항하여 가해하게 된 것이라고 봄이 상당한 경우, 그 가해행위는 방어행위인 동시에 공격행위의 성격을 가지므로 정당방위라고 볼 수 없다.(대법원 2011. 5. 13. 2010도16970 전원주택부지 알선 사건)
㉢ [×] 피고인 甲이 그 소유의 밤나무 단지에서 피해자 A가 밤 18개를 푸대에 주워 담는 것을 보고 푸대를 빼앗으려다 반항하는 피해자의 뺨과 팔목을 때려 상처를 입혔다면 위 행위가 비록 피해자의 절취행위를 방지하기 위한 것이었다 하여도 **긴박성과 상당성을 결여하여 정당방위**라고 볼 수 없다.(대법원 1984. 9. 25. 84도1611)

> ⓔ [○] 후보자 乙이 적시한 연설 내용이 다른 후보자 甲에 대한 명예훼손 또는 후보자비방의 요건에 해당되나 그 위법성이 조각되는 경우, 乙의 연설 도중에 甲이 마이크를 빼앗고 욕설을 하는 등 물리적으로 乙의 연설을 방해한 행위는 乙의 '위법하지 않은 정당한 침해'에 대하여 이루어진 것일 뿐만 아니라 '상당성'을 결여하여 정당방위의 요건을 갖추지 못하였다.(대법원 2003. 11. 13. 2003도3606 합동연설회장 사건)

101

□□□

다음 정당방위에 관한 설명 중 가장 적절하지 않은 것은? (다툼이 있으면 판례에 의함)

12 경찰채용 [Essential ★]

① 피해자의 침해행위에서 벗어난 후에 설분의 목적에서 나온 공격행위는 정당방위에 해당한다고 할 수 없다.

② 경찰관이 현행범인 체포 요건을 갖추지 못하였는데도 실력으로 현행범인을 체포하려고 하였다면 적법한 공무집행이라고 할 수 없고, 현행범인 체포행위가 적법한 공무집행을 벗어나 불법인 것으로 볼 수밖에 없다면, 현행범이 체포를 면하려고 반항하는 과정에서 경찰관에게 상해를 가한 것은 불법체포로 인한 신체에 대한 현재의 부당한 침해에서 벗어나기 위한 행위로서 정당방위에 해당하여 위법성이 조각된다.

③ 싸움을 함에 있어서 격투를 하는 자 중의 한 사람의 공격이 그 격투에서 당연히 예상할 수 있는 정도를 초과하여 살인의 흉기 등을 사용하여 온 경우에는 이를 '부당한 침해'라고 아니할 수 없으므로 이에 대하여는 정당방위를 허용하여야 한다고 해석하여야 할 것이다.

④ 乙이 술에 만취하여 누나 丙과 말다툼을 하다가 丙의 머리채를 잡고 때리자, 丙의 남편인 甲이 이를 목격하고 화가 나서 乙과 싸우게 되었는데, 그 과정에서 몸무게가 85kg 이상이나 되는 乙이 62kg의 甲을 침대 위에 넘어뜨리고 가슴 위에 올라타 목 부분을 누르자 호흡이 곤란하게 된 甲이 안간힘을 쓰면서 허둥대다가 침대 위에 놓여있던 과도로 乙에게 상해를 가한 경우, 甲의 행위는 자신의 신체에 대한 현재의 부당한 침해를 방위하기 위한 행위가 그 정도를 초과한 경우인 과잉방위행위에 해당한다.

해설

> ④ [×] (1) 가해자의 행위가 피해자의 부당한 공격을 방위하기 위한 것이라기 보다는 서로 공격할 의사로 싸우다가 먼저 공격을 받고 이에 대항하여 가해하게 된 것이라고 봄이 상당한 경우, 그 가해행위는 방어행위인 동시에 공격행위의 성격을 가지므로 정당방위 또는 과잉방위행위라고 볼 수 없다. (2) 몸무게가 85kg 이상이나 되는 피해자가 62kg의 피고인을 침대 위에 넘어뜨리고 피고인의 가슴 위에 올라타 목 부분을 누르자 호흡이 곤란하게 된 피고인이 안간힘을 쓰면서 허둥대다가 그 곳 침대 위에 놓여있던 과도로 피해자에게 상해를 가한 경우, 정당방위 또는 과잉방위에 해당하지 아니한다.(대법원 2000. 3. 28. 2000도228 처남과의 싸움 사건)

① [○] 피해자의 침해행위에 대하여 자기의 권리를 방위하기 위한 부득이한 행위가 아니고, 그 침해행위에서 벗어난 후 분을 풀려는 목적에서 나온 공격행위는 정당방위에 해당한다고 할 수 없다.(대법원 1996. 4. 9. 96도241 배척 사건)

② [○] 현행범인 체포행위가 적법한 공무집행을 벗어나 불법하게 체포한 것으로 볼 수밖에 없다면, 현행범이 그 체포를 면하려고 반항하는 과정에서 경찰관에게 상해를 가한 것은 불법체포로 인한 신체에 대한 현재의 부당한 침해에서 벗어나기 위한 행위로서 정당방위에 해당하여 위법성이 조각된다.(대법원 2011. 5. 26. 2011도3682 서교동 불심검문 사건)

③ [○] 싸움을 함에 있어서 격투를 하는 자 중의 한사람의 공격이 그 격투에서 당연히 예상할 수 있는 정도를 초과하여 살인의 흉기 등을 사용하여온 경우에는 이를 '부당한 침해'라고 아니할 수 없으므로 이에 대하여는 정당방위를 허용하여야 한다.(대법원 1968. 5. 7. 68도370 배희칠랑 사건)

---

102 형법 제21조(정당방위)에 관한 다음 설명 중 가장 적절하지 않은 것은? (다툼이 있으면 판례에 의함)

□□□

12 경찰채용 [Essential ★]

① 국유토지가 공개 입찰에 의해 매매되고 그 인도집행이 완료되었다고 하더라도 그 토지의 종전 경작자인 피고인이 파종한 보리가 30cm 이상 성장하였다면 그 보리는 피고인의 소유로서 그가 수확할 권한이 있다 할 것이어서 토지매수자가 토지를 경작하기 위해 소를 이용하여 쟁기질을 하고 성장한 보리를 갈아엎는 행위는 피고인의 재산에 대한 현재의 부당한 침해라 할 것이므로 이를 막기 위해 그 경작을 못하도록 소 앞을 가로막고 쟁기를 잡아당기는 등의 피고인의 행위는 정당방위에 해당한다.

② 임차인이 임대차기간이 만료된 방을 비워주지 못하겠다고 억지를 쓰며 폭언을 하자 임대인의 며느리가 홧김에 그 방의 창문을 쇠스랑으로 부수자, 이에 격분하여 임차인이 배척(속칭 빠루)을 들고 휘둘러 구경꾼인 마을주민에게 상해를 입힌 행위는 정당방위에 해당하지 않는다.

③ 거주지 연립주택 내 도로의 차량통행 문제로 시비가 되어 차량의 진행을 제지하려고 길을 막은 아버지 앞으로 운전자가 차를 그대로 진행시키자, 이를 막으려고 운전자의 머리털을 잡아당겨 상해를 입힌 아들의 행위는 정당방위에 해당한다.

④ 치한이 심야에 혼자 귀가 중인 부녀자에게 달려들어 양팔을 붙잡고 어두운 골목길로 끌고 들어가 하체를 더듬으며 억지로 키스를 하려 하자, 그 부녀자가 치한의 혀를 깨물어 0.5cm 절단한 경우에는 과잉방위에 해당한다.

해설

④ [×] 부녀자가 정조와 신체를 지키려는 일념에서 엉겁결에 혀를 깨물어 설(舌) 절단상을 입혔다면 그 범행은 자기의 신체에 대한 현재의 부당한 침해에서 벗어나려고 한 행위로서 위법성이 결여된 행위이다.(대법원 1989. 8. 8. 89도358 성추행범 혀절단 사건) 정당방위에 해당한다.

① [○] 국유토지가 공개입찰에 의하여 매매되고 그 인도집행이 완료되었다 하더라도 그 토지의 종전 경작자인 피고 인이 파종한 **보리가 30센치 이상 성장하였다면** 그 보리는 피고인의 소유로서 그가 수확할 권한이 있으므로 토지 매수자가 토지를 경작하기 위하여 소를 이용하여 쟁기질을 하고 성장한 보리를 갈아뭉게는 행위는 피고인의 재산에 대한 현재의 부당한 침해라 할 것이므로 이를 막기 위하여 그 경작을 못 하도록 소 앞을 가로막고 쟁기를 잡아당기 는 등의 피고인의 행위는 **정당방위에 해당된다.**(대법원 1977. 5. 24. 76도3460)

② [○] 침해행위에 대하여 자기의 권리를 방위하기 위한 부득이한 행위가 아니고, 그 침해행위에서 벗어난 후 **분을 풀려는 목적에서 나온 공격행위는 정당방위에 해당한다고 할 수 없다.**(대법원 1996. 4. 9. 96도241 빠루사건)

③ [○] 차량통행문제를 둘러싸고 피고인의 부와 다툼이 있던 피해자가 그 소유의 차량에 올라타 문안으로 운전 해 들어가려 하자 피고인의 부가 양팔을 벌리고 이를 제지하였으나 위 피해자가 이에 불응하고 그대로 그 차를 피고인의 부 앞쪽으로 약 3미터 가량 전진시키자 위 차의 운전석 부근 옆에 서 있던 피고인이 부가 위 차에 다치겠으므로 이에 당황하여 위 차를 정지시키기 위하여 운전석 옆 창문을 통하여 피해자의 머리털을 잡아당겨 그의 흉부가 위 차의 창문틀에 부딪혀 약간의 상처를 입게 한 행위는 부의 생명, 신체에 대한 현재의 부당한 침해를 방위하기 위한 행위로서 **정당방위에 해당한다.**(대법원 1986. 10. 14. 86도1091)

103

□□□ 다음 중 **甲**의 행위가 과잉방위로서 '야간 기타 불안스러운 상태하에서 공포, 경악, 흥분 또는 당황으로 인한 때'(형법 제21조 제3항)에 해당하는 것은? (다툼이 있으면 판례에 의함)

13 국가9급 [Superlative ★★★]

① 甲은 자신의 아내와 함께 밤늦게 귀가하는 도중 술에 취한 乙이 갑자기 甲의 아내를 땅에 넘어뜨려 깔고 앉아서 구타하여 甲이 乙을 제지하였지만 乙이 자신의 말을 듣지 아니하고 돌로 아내를 때리려는 순간 그 침해를 방위하기 위하여 乙의 복부를 한차례 발로 차서 외상성 십이지장 천공상을 입게 하여 사망에 이르게 하였다.

② 甲은 남편에 대해 이혼소송을 제기하고 별거하던 중 남편이 찾아와 가위로 폭행하고 변태적 성행위를 강요하는 데에 격분하여 칼로 남편의 복부를 찔러 사망에 이르게 하였다.

③ 술에 만취한 乙이 누나와 말다툼을 하다가 누나의 머리채를 잡고 때리자 이를 본 누나의 남편 甲이 화가 나서 乙과 싸움을 하는 과정에서 몸무게가 85kg이나 되는 乙이 62kg의 甲을 침대 위에 넘어뜨리고 甲의 가슴 위에 올라타 목 부분을 누르자, 호흡이 곤란하게 된 甲이 안간힘을 쓰면서 허둥대다가 침대 위에 놓여 있던 과도로 乙에게 상해를 가하였다.

④ 甲이 乙로부터 뺨을 맞는 등 폭행을 당하자 乙의 멱살을 잡고 다투었고 이를 본 주위 사람들이 싸움을 제지하였으나 甲이 乙에게 대항하기 위하여 깨어진 병으로 乙을 찌를 듯이 겨누어 협박하였다.

해설

① 피고인의 행위는 당시 야간에 술이 취한 乙의 불의의 행패와 폭행으로 인한 불안스러운 상태에서의 공포, 경악, 흥분 또는 당황에 기인되었던 것임을 알 수 있다. 같은 취지에서 원심이 형법 제21조 제3항을 적용하여 피고인에게 **무죄**를 선고한 제1심 판결을 유지하였음은 정당하다.(대법원 1974. 2. 26. 73도2380)

② 이러한 방위행위는 사회통념상 용인될 수 없는 것이므로 자기의 법익에 대한 현재의 부당한 침해를 방어하기 위한 행위로서 **상당한 이유가 있는 경우라거나 방위행위가 그 정도를 초과한 경우에 해당한다고 할 수 없다.** (대법원 2001. 5. 15. 2001도1089 변태적 남편 살해사건)

③ 침대 위에 놓여있던 과도로 피해자에게 상해를 가한 경우 **정당방위 또는 과잉방위에 해당하지 아니한다.**(대법원 2000. 3. 28. 2000도228 처남과의 싸움 사건)

④ 맨손으로 공격하는 상대방에 대하여 위험한 물건인 깨어진 병을 가지고 대항한다는 것은 그 정도를 초과한 방어행위로서 **상당성이 결여된 것**이고 또 주위사람들이 싸움을 제지하였다는 상황에 비추어 **야간의 공포나 당황으로 인한 것이었다고 보기도 어렵다.**(대법원 1991. 5. 28. 91도80 부산KBS 기자사건)

제3절 I 긴급피난

104 긴급피난에 관한 설명 중 가장 적절하지 않은 것은? (다툼이 있으면 판례에 의함)

□□□

15 경찰승진 [Core ★★]

① 긴급피난은 타인의 법익을 위하여서도 할 수 있다.

② 피고인이 스스로 야기한 강간범행의 와중에서 피해자가 피고인의 손가락을 깨물며 반항하자, 물린 손가락을 비틀어 잡아 뽑다가 피해자에게 치아결손의 상해를 입힌 행위는 긴급피난에 해당하지 않는다.

③ 특정후보자에 대한 「공직선거 및 선거부정방지법」에 의한 선거운동 제한규정을 위반한 낙선운동은 시민불복종운동이므로 긴급피난의 요건을 갖춘 행위로 볼 수 있다.

④ 신고된 甲대학교에서의 집회가 집회장소 사용 승낙을 하지 아니한 甲대학교측의 요청으로 경찰관들에 의하여 저지되자, 신고 없이 乙대학교로 옮겨 집회를 한 것은 긴급피난에 해당한다고 볼 수 없다.

해설

③ [×] 피고인들이 확성장치 사용, 연설회 개최, 불법행렬, 서명날인운동, 선거운동기간 전 집회 개최 등의 방법으로 특정 후보자에 대한 낙선운동을 함으로써 공직선거 및 선거부정 방지법에 의한 선거운동제한 규정을 위반한 피고인들의 행위는 위법한 행위로서 허용될 수 없는 것이고, 피고인들의 행위가 시민불복종 운동으로서 헌법상의 기본권 행사 범위 내에 속하는 **정당행위이거나** 형법상 사회상규에 위반되지 아니하는 **정당행위 또는 긴급피난의 요건을 갖춘 행위로 볼 수 없다.**(대법원 2004. 4. 27. 2002도315 총선시민연대낙선운동사건)

① [○] 자기 또는 타인의 법익에 대한 현재의 위난을 피하기 위한 행위는 **상당한 이유가 있는 때에는 벌하지 아니한다.**(제22조 제1항)

② [○] 피고인이 스스로 야기한 **강간범행의 와중에서** 피해자가 피고인의 손가락을 깨물며 반항하자 물린 손가락을 비틀며 잡아 뽑다가 피해자에게 **치아결손의 상해를** 입힌 소위를 가리켜 법에 의하여 용인되는 **피난행위라 할 수 없다.**(대법원 1995. 1. 12. 94도2781 강간범 치아결손 사건)

④ [○] 집회장소 사용 승낙을 하지 않은 甲대학교측의 집회 저지 협조요청에 따라 경찰관들이 甲대학교 출입문에서 신고된 甲대학교에서의 집회에 참가하려는 자의 출입을 저지한 것은 경찰관 직무집행법 제6조의 주거침입행위에 대한 사전 제지조치로 볼 수 있고, 비록 그 때문에 소정의 신고없이 乙대학교로 장소를 옮겨서 집회를 하였다 하여 그 신고없이 한 집회가 긴급피난에 해당한다고도 할 수 없다.(대법원 1990. 8. 14. 90도870 한양대 → 연세대 사건)

105 다음 중 위법성조각사유에 관한 설명으로 가장 옳지 않은 것은? (다툼이 있으면 판례에 의함)

☐☐☐
21 해경간부 [Essential ★]

① 정당방위의 성립요건으로서의 방어행위는 순수한 수비적 방어뿐만 아니라 적극적 반격을 포함하는 반격방어의 형태도 포함된다.

② 선박의 이동에도 새로운 공유수면점용허가가 있어야 하고 휴지선을 이동하는 데는 예인선이 따로 필요한 관계로 비용이 많이 들어 다른 해상으로 이동을 하지 못하고 있는 사이에 태풍을 만나게 되고 그와 같은 위급한 상황에서 선박과 선원들의 안전을 위한 조치를 취한 결과 인근 양식장에 피해를 준 경우 긴급피난에 해당한다.

③ 甲이 乙의 개(롯트와일러)가 다가오자 자신의 진돗개를 보호하기 위하여 타인의 개를 기계톱으로 내리쳐 등 부분을 절개하여 죽인 경우 이는 현재의 위난을 피하기 위한 부득이 한 것으로 긴급피난에 해당한다.

④ 타인의 인장을 조각할 당시에 명의자로부터 명시적이거나 묵시적인 승낙 내지 위임을 받은 경우 인장위조죄는 성립하지 않는다.

해설

③ [×] 피고인으로서는 자신의 진돗개를 보호하기 위하여 몽둥이나 기계톱 등을 휘둘러 피해자의 개들을 쫓아버리는 방법으로 자신의 재물을 보호할 수 있었을 것이므로 피해견을 기계톱으로 내리쳐 등 부분을 절개한 것은 **상당성을 넘은 행위로서 긴급피난의 요건을 갖춘 행위로 보기 어려울 뿐 아니라,** 그 당시 피해견이 피고인을 공격하지도 않았고 피해견이 평소 공격적인 성향을 가지고 있었다고 볼 자료도 없는 이상 **책임조각적 과잉피난에도 해당하지 아니한다.**(대법원 2016. 1. 28. 2014도2477 이웃집 맹견 기계톱 살해사건)

① [○] 정당방위의 성립요건으로서의 방어행위에는 **순수한 수비적 방어뿐 아니라 적극적 반격을 포함하는 반격방어의 형태도 포함된다.**(대법원 1992. 12. 22. 92도2540 김보은·김진관 사건)

② [○] 위급한 상황에서 선박과 선원들의 안전을 위하여 사회통념상 가장 적절하고 필요불가결하다고 인정되는 조치를 취하였다면 형법상 **긴급피난으로서 위법성이 조각된다.**(대법원 1987. 1. 20. 85도221 금성호 사건)

④ [○] 사인위조죄는 그 명의인의 의사에 반하여 위법하게 행사할 목적으로 권한 없이 타인의 인장을 위조한 경우에 성립하므로 타인의 인장을 조각할 당시에 그 명의자로부터 **명시적이거나 묵시적인 승낙 내지 위임을 받았다면 인장위조죄가 성립하지 않는다.**(대법원 2014. 9. 26. 2014도9213 공대출 사건)

제4절 | 피해자의 승낙

106 피해자의 승낙에 대한 설명으로 옳지 않은 것은? (다툼이 있으면 판례에 의함)

15 국가9급 [Superlative ★★★]

① 甲이 교통사고를 가장한 보험사기를 공모한 乙의 승낙하에 乙을 상해한 경우라도 상해죄가 성립한다.

② 피해자의 승낙은 법익침해 이전에 표시되어야 하며 승낙은 언제나 자유로이 철회할 수 있고 그 철회의 방법에 아무런 제한이 없다.

③ 피해자 乙이 살인을 승낙하지 않았음에도 불구하고 승낙이 있다고 오인하고 甲이 그를 살해한 경우 위법성조각사유의 전제사실에 대한 착오가 문제된다.

④ 작성권한 없는 甲이 乙의 명의를 모용하여 사문서를 작성·수정하였으나 행위 당시 이에 대한 명의자 乙의 명시적이거나 묵시적인 승낙이 있었다면 사문서의 위·변조죄가 성립하지 않는다.

해설

③ [×] 승낙을 받아 사람을 살해한 경우라도 위법성이 조각되지 않고 승낙살인죄가 성립하므로(제252조 제1항), **지문의 경우 위법성조각사유의 전제사실에 대한 착오가 아니다.** 지문의 경우는 경한 죄(승낙살인죄)의 고의로 중한 죄(살인죄)를 범한 것이므로 형법 제15조 제1항에 의하여 승낙살인죄가 성립한다는 것이 다수설의 입장이다.

① [○] 피고인이 피해자와 공모하여 교통사고를 가장하여 **보험금을 편취할 목적으로** 피해자에게 **상해를 가하였**다면 피해자의 승낙이 있었다고 하더라도 이는 위법한 목적에 이용하기 위한 것이므로 피고인의 행위가 피해자의 승낙에 의하여 **위법성이 조각된다고 할 수 없다.**(대법원 2008. 12. 11. 2008도9606 보험사기 상해사건)

② [○] 위법성조각사유로서의 **피해자의 승낙은 언제든지 자유롭게 철회할 수 있고, 그 철회의 방법에는 아무런 제한이 없다.**(대법원 2011. 5. 13. 2010도9962 안산 상가철거사건)

④ [○] 사문서를 작성·수정함에 있어 그 명의자의 명시적이거나 묵시적인 승낙이 있었다면 사문서의 위·변조죄에 해당하지 않고, 한편 행위 당시 명의자의 **현실적인 승낙은 없었지만** 행위 당시의 모든 객관적 사정을 종합하여 명의자가 행위 당시 그 사실을 알았다면 **당연히 승낙했을 것이라고 추정되는 경우 역시** 사문서의 위·변조죄가 성립하지 않는다.(대법원 2011. 9. 29. 2010도14587 통장 입금자명의 삭제사건)

107 피해자의 승낙에 관한 설명 중 옳은 것은? (다툼이 있으면 판례에 의함)

① 피해자의 승낙은 법익침해 이전에 표시되어야 하지만, 사후승낙도 상당한 이유가 있을 경우에는 위법성을 조각한다.

② 승낙 주체는 승낙의 의미와 내용을 이해할 수 있는 능력을 가진 자를 의미하므로, 승낙하는 자는 「민법」상 행위능력을 가진 자이어야 한다.

③ 추정적 승낙의 경우 승낙의 추정은 주관적 의미의 추정으로 판단한다.

④ 문서에 관한 죄의 보호법익은 사회적 법익으로서 피해자가 처분할 수 없는 법익이므로, 피해자인 사문서의 명의자로부터 승낙을 받았더라도 사문서를 위조하면 사문서위조죄가 성립한다.

⑤ 甲은 A가 먼저 자신을 때려주면 돈을 주겠다는 요청을 하여 A를 폭행하였고, 그 과정에서 A가 다발성 좌상 등의 상해를 입게 된 경우, 甲의 행위는 피해자의 승낙에 의하여 위법성이 조각되지 않는다.

해설

⑤ [○] 형법 제24조의 규정에 의하여 위법성이 조각되는 피해자의 승낙은 개인적 법익을 훼손하는 경우에 법률상 이를 처분할 수 있는 사람의 승낙이어야 할 뿐만 아니라 그 승낙이 윤리적·도덕적으로 사회상규에 반하는 것이 아니어야 한다.(대법원 2008. 12. 11. 2008도9606 보험사기 상해사건) 승낙을 받아 상대방에게 상해를 가한 것은 특별한 사정이 없는 한 사회상규에 반하는 것이므로 甲의 행위는 위법성이 조각되지 않는다.

① [×] 피해자의 승낙은 법익침해 이전에 표시되어야 하므로, 사후승낙은 허용되지 않는다는 것이 통설의 입장이다. 피해자가 사후승낙을 하더라도 이미 성립한 범죄에는 아무런 영향이 없다.

② [×] 피해자의 승낙에 있어 승낙능력 유무는 민법상 행위능력 유무에 의해서 판단하는 것이 아니라, 형법의 독자적 기준에 의하여 구체적·개별적으로 판단한다. 예를 들어 민법상 행위능력이 없는 18세의 미성년자라도 형법상 얼마든지 승낙능력이 인정될 수 있다.

③ [×] 추정적 승낙이란 피해자의 현실적인 승낙이 없었다고 하더라도 행위 당시의 모든 객관적 사정에 비추어 볼 때 만일 피해자가 행위의 내용을 알았더라면 당연히 승낙하였을 것으로 예견되는 경우를 말한다.(대법원 2006. 3. 24. 2005도8081 가구점 부도 사건) 추정적 승낙에서 '추정'은 주관적 의미의 추정이 아니라 객관적 의미의 추정이다.

④ [×] 사문서를 작성·수정함에 있어 그 명의자의 명시적이거나 묵시적인 승낙이 있었다면 사문서의 위·변조죄에 해당하지 않고, 한편 행위 당시 명의자의 현실적인 승낙은 없었지만 행위 당시의 모든 객관적 사정을 종합하여 명의자가 행위 당시 그 사실을 알았다면 당연히 승낙했을 것이라고 추정되는 경우 역시 사문서의 위·변조죄가 성립하지 않는다.(대법원 2011. 9. 29. 2010도14587 통장 입금자명의 삭제사건)

108

□□□ 다음 <보기> 중 피해자의 승낙에 관한 설명으로 옳은 것은 모두 몇 개인가? (다툼이 있으면 판례에 의함)

21 해경채용 [Superlative ★★★]

> ㉠ 甲이 乙과 공모하여 교통사고를 가장해 보험금을 편취할 목적으로 乙에게 상해를 가했다면, 甲의 상해행위는 피해자의 승낙에 의해 위법성이 조각되지 않는다.
> ㉡ 甲이 점유자와 소유자가 다른 승용차를 점유자의 의사에 반하여 자신의 점유로 옮긴 경우 이러한 甲의 행위가 결과적으로 소유자의 이익이 되거나 이에 대한 소유자의 추정적 승낙이 있다고 볼 만한 사정이 있는 것만으로는 甲의 불법영득의사를 부정할 수 없다.
> ㉢ 의사의 진단상 과오로 인해 당연히 설명받았을 내용을 설명받지 못한 경우라도 피해자로부터 수술 승낙을 받은 이상 그 승낙은 수술의 위법성을 조각할 유효한 승낙이라고 볼 수 있다.
> ㉣ 묵시적 승낙이 있는 경우에도 피해자의 승낙에 의해 위법성이 조각될 수 있다.

① 1개
② 2개
③ 3개
④ 4개

해설

③ ㉠㉡㉣ 3 항목이 옳다.
㉠ [○] (1) 위법성이 조각되는 피해자의 승낙은 개인적 법익을 훼손하는 경우에 법률상 이를 처분할 수 있는 사람의 승낙이어야 할 뿐만 아니라 그 승낙이 윤리적·도덕적으로 사회상규에 반하는 것이 아니어야 한다. (2) 피고인이 교통사고를 가장하여 보험금을 편취할 목적으로 피해자에게 상해를 가하였다면 피해자의 승낙이 있었다고 하더라도 이는 위법한 목적에 이용하기 위한 것이므로 피해자의 승낙에 의하여 위법성이 조각된다고 할 수 없다.(대법원 2008. 12. 11. 2008도9606 보험사기 상해사건)
㉡ [○] 어떠한 물건을 점유자의 의사에 반하여 취거하는 행위가 결과적으로 소유자의 이익으로 된다는 사정 또는 소유자의 추정적 승낙이 있다고 볼 만한 사정이 있다고 하더라도 다른 특별한 사정이 없는 한 그러한 사유만으로 불법영득의 의사가 없다고 할 수는 없다.(대법원 2014. 2. 21. 2013도14139 리스 BMW 사건)
㉢ [×] 의사의 진단상의 과오가 없었으면 당연히 설명받았을 내용을 설명받지 못한 피해자로부터 의사가 수술승낙을 받았다면 위 승낙은 부정확 또는 불충분한 설명을 근거로 이루어진 것으로서 수술의 위법성을 조각할 유효한 승낙이라고 볼 수 없다.(대법원 1993. 7. 27. 92도2345 자궁적출 사건)
㉣ [○] 형법에는 승낙의 '표시방법 또는 표시정도'에 관하여 아무런 규정이 없다. 승낙은 명시적이건 묵시적이건 외부에서 인식될 수 있을 정도면 된다는 것이 통설과 판례의 입장이다.(대법원 1985. 11. 26. 85도1487 참고)

109 피해자의 승낙에 대한 설명으로 옳지 않은 것은? (다툼이 있으면 판례에 의함)

① 무고죄는 부수적으로 부당하게 처벌 또는 징계받지 아니할 개인의 이익을 보호하는 죄이므로 피무고인이 무고사실에 대하여 승낙한 경우 무고인을 처벌할 수 없다.

② 피고인이 피해자가 사용 중인 공중화장실의 용변칸에 노크하여 남편으로 오인한 피해자가 용변칸 문을 열자 강간할 의도로 용변칸에 들어간 것이라면 피해자가 명시적 또는 묵시적으로 승낙하였다고 볼 수 없다.

③ 문서명의인이 이미 사망하였는데도 문서명의인이 생존하고 있다는 점이 문서의 중요한 내용을 이루거나 그 점을 전제로 문서가 작성되었다면 이미 그 문서에 관한 공공의 신용을 해할 위험이 발생하였다 할 것이므로, 그러한 내용의 문서에 관하여 사망한 명의자의 승낙이 추정된다는 이유로 사문서 위조죄의 성립을 부정할 수는 없다.

④ 13세 미만 미성년자에 대한 간음죄는 폭행이나 협박의 방법에 의하지 않고 피해자인 미성년자의 승낙이 있었다고 하더라도 성립한다.

해설

① [×] 무고죄는 국가의 형사사법권 또는 징계권의 적정한 행사를 주된 보호법익으로 하고, 다만 개인의 부당하게 처벌 또는 징계받지 아니할 이익을 부수적으로 보호하는 죄이므로 설사 무고에 있어서 **피무고자의 승낙이 있었다고 하더라도 무고죄의 성립에는 영향을 미치지 못한다.**(대법원 2005. 9. 30. 2005도2712 합의주선용 무고사건)

② [O] 피해자는 피고인의 노크 소리를 듣고 피해자의 **남편으로 오인하고 용변칸 문을 연 것이고**, 피고인은 피해자를 강간할 의도로 용변칸에 들어간 것이므로 피고인이 용변칸으로 들어오는 것을 피해자가 명시적 또는 묵시적으로 승낙하였다고 볼 수 없다(주거침입죄가 성립한다).(대법원 2003. 5. 30. 2003도1256 아빠야사건)

③ [O] 문서명의인이 이미 사망하였는데도 문서명의인이 생존하고 있다는 점이 문서의 중요한 내용을 이루거나 그 점을 전제로 문서가 작성되었다면 이미 문서에 관한 공공의 신용을 해할 위험이 발생하였다 할 것이므로, 그러한 내용의 문서에 관하여 사망한 명의자의 승낙이 추정된다는 이유로 사문서위조죄의 성립을 부정할 수는 없다.(대법원 2011. 9. 29. 2011도6223 아버지 갑자기 사망사건)

④ [O] 형법 제305조에 규정된 13세 미만 부녀에 대한 의제강간·추행죄는 그 성립에 있어 위계 또는 위력이나 폭행 또는 협박의 방법에 의함을 요하지 아니하며 피해자의 동의가 있었다고 하여도 성립하는 것이다.(대법원 1982. 10. 12. 82도2183)

110 다음 중 피해자 승낙에 대한 설명으로 가장 적절한 것은?

22 경찰간부 [Superlative ★★★]

① 형법은 살인, 상해, 강간의 경우에 피해자의 승낙이 있더라도 처벌하는 특별한 규정을 두고 있다.

② 승낙의 주체는 승낙의 의미와 내용을 이해할 수 있는 능력을 가진 자를 의미하므로 승낙권자는 민법상 행위능력자여야 한다.

③ 승낙은 원칙적으로 자유롭게 철회할 수 있으므로 철회 전에 이루어진 행위는 정당화되지 않는다.

④ 승낙이 있는 것으로 오인한 자의 행위는 객관적 정당화 상황에 관한 착오에 해당하고, 승낙이 없는 것으로 오인한 자의 행위는 주관적 정당화 요소를 결한 경우의 문제가 된다.

해설

④ [O] 사실은 승낙이 없음에도 승낙이 있는 것으로 오인한 자의 행위는 객관적 정당화 상황에 관한 착오(위법성 조각사유 전제사실의 착오)에 해당하고(**오상승낙**), 사실은 승낙이 있음에도 승낙이 없는 것으로 오인한 자의 행위는 주관적 정당화 요소를 결한 경우의 문제가 된다(**우연승낙**). 요건이 구비되는 한 전자는 과실범으로 처벌하고(법효과제한적 책임설, 多數說). 후자는 불능미수로 처벌한다(불능미수범설, 多數說),

① [×] 형법은 살인의 경우에만 피해자의 승낙이 있더라도 처벌하는 특별한 규정을 두고 있고(제252조 제1항), **상해나 강간의 경우에는 그러한 특별한 규정을 두고 있지 않다.**

② [×] 피해자의 승낙에 있어 승낙능력 유무는 **민법상 행위능력 유무에 의해서 판단하는 것이 아니라,** 형법의 독자적 기준에 의하여 구체적·개별적으로 판단한다. 예를 들어 민법상 제한능력자인 18세의 미성년자라도 형법상 얼마든지 승낙능력이 인정될 수 있다. 참고로 2011. 3. 7. 개정 민법이 시행된 2013. 7. 1. 이후에는 '행위무능력자'라는 용어 대신에 '제한능력자'라는 용어를 사용한다.

③ [×] 철회 전이라면 유효하게 피해자의 승낙이 있는 상태였으므로 그때 이루어진 법익침해는 특별한 사정이 없는 한 **정당화된다(위법성이 조각된다).**(제24조)

111

피해자의 승낙에 관한 설명 중 옳은 것을 모두 고른 것은? (다툼이 있으면 판례에 의함)

21 변호사 [Core ★★]

> ㉠ 피해자의 승낙이 객관적으로 존재하는데도 불구하고 행위자가 이를 알지 못하고 행위한 경우에는 위법성조각사유의 전제사실의 착오가 되어 위법성이 조각되지 않는다.
> ㉡ 개인적 법익을 훼손하는 경우에 「형법」 제24조의 피해자의 승낙에 의해 위법성이 조각되려면 그 승낙이 법률상 이를 처분할 수 있는 사람의 승낙이어야 할 뿐 아니라 윤리적, 도덕적으로 사회상규에 반하지 않아야 할 것이라는 요건도 충족되어야 한다.
> ㉢ 의사의 진단상 과오로 인해 당연히 설명받았을 내용을 설명받지 못한 경우라도 피해자로부터 수술 승낙을 받은 이상 그 승낙은 수술의 위법성을 조각할 유효한 승낙이라고 볼 수 있다.
> ㉣ 묵시적 승낙이 있는 경우에도 피해자의 승낙에 의해 위법성이 조각될 수 있다.

① ㉠㉡   ② ㉠㉢   ③ ㉡㉢
④ ㉡㉣   ⑤ ㉡㉢㉣

해설

④ ㉡㉣ 2 항목이 옳다.

㉠ [×] 피해자의 승낙이 객관적으로 존재하는데도 불구하고 행위자가 이를 알지 못하고 경우는 위법성조각사유의 전제사실의 착오가 아니라 우연승낙의 사례이다. 피해자의 승낙이 있다는 인식은 주관적 정당화 요소로써 객관적으로 존재하는 승낙사실을 알지 못하는 우연승낙의 경우 불능미수로 처벌한다(불능미수범설, 多數說).

㉡ [○] 형법 제24조의 규정에 의하여 위법성이 조각되는 피해자의 승낙은 개인적 법익을 훼손하는 경우에 법률상 이를 처분할 수 있는 사람의 승낙이어야 할 뿐만 아니라 그 승낙이 윤리적·도덕적으로 사회상규에 반하는 것이 아니어야 한다.(대법원 2008. 12. 11. 2008도9606 보험사기 상해사건)

㉢ [×] 의사의 진단상의 과오가 없었으면 당연히 설명받았을 내용을 설명받지 못한 피해자로부터 의사가 수술승낙을 받았다면 위 승낙은 부정확 또는 불충분한 설명을 근거로 이루어진 것으로서 수술의 위법성을 조각할 유효한 승낙이라고 볼 수 없다.(대법원 1993. 7. 27. 92도2345 자궁적출 사건)

㉣ [○] 형법에는 승낙의 '표시방법 또는 표시정도'에 관하여 아무런 규정이 없다. 승낙은 명시적이건 묵시적이건 외부에서 인식될 수 있을 정도면 된다는 것이 통설과 판례의 입장이다.(대법원 1985. 11. 26. 85도1487 참고)

112

□□□

피해자의 승낙 또는 추정적 승낙에 관한 설명 중 옳지 않은 것은? (다툼이 있으면 판례에 의함)

15 사법시험 [Superlative ★★★]

① 甲이 乙과 공모하여 교통사고를 가장해 보험금을 편취할 목적으로 乙에게 상해를 가했다면, 甲의 상해행위는 피해자의 승낙에 의해 위법성이 조각되지 않는다.

② 피해자의 승낙을 구성요건해당성배제사유로 보는 견해에 의하면, 피해자의 승낙이 존재하지 않음에도 불구하고 존재한다고 오인한 경우에는 과실범이 성립할 수 있다.

③ 무고죄 규정에 의해 개인의 부당하게 처벌 또는 징계받지 않을 이익이 보호되더라도, 피무고자의 승낙은 무고죄의 위법성조각사유가 될 수 없다.

④ 甲이 점유자와 소유자가 다른 승용차를 점유자의 의사에 반하여 자신의 점유로 옮긴 경우, 이러한 甲의 행위가 결과적으로 소유자의 이익이 되거나 이에 대한 소유자의 추정적 승낙이 있다고 볼 만한 사정이 있는 것만으로는 甲의 불법영득의사를 부정할 수 없다.

⑤ 甲이 자신의 아버지 乙로부터 乙이 소유하는 부동산 매매에 관한 권한 일체를 위임받아 그 부동산을 매도하였는데, 그 후 乙이 갑자기 사망하자 부동산 소유권 이전에 사용할 목적으로 乙이 자신에게 인감증명서 발급을 위임한다는 취지의 인감증명 위임장을 작성하여 주민센터 담당직원에게 이를 제출한 경우, 특별한 사정이 없는 한 乙의 승낙이 추정된다는 점에서 甲에게 사문서위조죄가 성립하지 않는다.

해설

⑤ [×] 乙의 사망으로 포괄적인 명의사용의 근거가 되는 위임관계 내지 포괄적인 대리관계는 종료된 것으로 보아야 하므로 피고인 甲은 더 이상 위임받은 사무처리와 관련하여 乙의 명의를 사용하는 것이 허용된다고 볼 수 없고, 피고인이 명의자 乙이 승낙하였을 것이라고 기대하거나 예측한 것만으로는 **사망한 乙의 승낙이 추정된다고 단정할 수 없으므로 사문서위조죄가 성립한다.**(대법원 2011. 9. 29. 2011도6223 아버지 갑자기 사망사건)

① [○] (1) 위법성이 조각되는 피해자의 승낙은 개인적 법익을 훼손하는 경우에 법률상 이를 처분할 수 있는 사람의 승낙이어야 할 뿐만 아니라 그 승낙이 윤리적 · 도덕적으로 사회상규에 반하는 것이 아니어야 한다. (2) 피고인이 교통사고를 가장하여 **보험금을 편취할 목적으로 피해자에게 상해를 가하였다면** 피해자의 승낙이 있었다고 하더라도 이는 위법한 목적에 이용하기 위한 것이므로 **피해자의 승낙에 의하여 위법성이 조각된다고 할 수 없다.**(대법원 2008. 12. 11. 2008도9606 보험사기 상해사건)

② [○] 피해자의 승낙을 구성요건해당성배제사유로 보는 견해에 의하면(구성요건해당성을 조각 또는 배제시키는 승낙을 이른바 '양해'라고 한다) 피해자의 승낙(양해)이 존재하지 않음에도 불구하고 존재한다고 오인한 경우에는 **과실범이 성립할 수 있다.**

③ [○] 무고죄는 국가의 형사사법권 또는 징계권의 적정한 행사를 주된 보호법익으로 하고, 다만 개인의 부당하게 처벌 또는 징계받지 아니할 이익을 부수적으로 보호하는 죄이므로 무고에 있어서 **피무고자의 승낙이 있었다고** 하더라도 무고죄의 성립에는 영향을 미치지 못한다.(대법원 2005. 9. 30. 2005도2712 합의주선용 무고사건)

④ [○] 어떠한 물건을 점유자의 의사에 반하여 취거하는 행위가 결과적으로 소유자의 이익으로 된다는 사정 또는 소유자의 추정적 승낙이 있다고 볼 만한 사정이 있다고 하더라도, 다른 특별한 사정이 없는 한 그러한 사유만으로 불법영득의 의사가 없다고 할 수는 없다.(대법원 2014. 2. 21. 2013도14139 리스 BMW 사건)

113

□□□ 다음 <보기> 중 피해자의 승낙에 관한 설명으로 옳지 않은 것은 모두 몇 개인가? (다툼이 있으면 판례에 의함)

22 해경간부 [Core ★★]

> ㉠ 피고인이 피해자 소유인 어느 물건에 대하여 자기에게 권리가 있다고 주장하여 피해자의 묵시적인 동의 아래 이를 가져간 경우 나중에 그 권리 주장의 근거가 허위로 밝혀졌다고 하더라도 피해자가 일단 묵시적 동의를 한 이상 절도죄는 성립할 수 없다.
>
> ㉡ 행위자가 범죄 등을 목적으로 음식점에 출입하였거나 영업주가 행위자의 실제 출입 목적을 알았더라면 출입을 승낙하지 않았을 것이라는 사정이 인정되더라도 그러한 사정만으로는 출입 당시 객관적·외형적으로 드러난 행위 태양에 비추어 사실상의 평온상태를 해치는 방법으로 음식점에 들어갔다고 평가할 수 없으므로 침입행위에 해당하지 않는다.
>
> ㉢ 행위의 위법성을 조각하는 피해자의 승낙은 개인적 법익을 훼손하는 경우에 법률상 이를 처분할 수 있는 사람의 승낙을 말할 뿐만 아니라 윤리적·도덕적으로 사회상규에 반하는 것이 아니어야 한다.
>
> ㉣ 사자 명의로 된 약속어음을 작성함에 있어 사망자의 처로부터 사망자의 인장을 교부받아 생존 당시 작성한 것처럼 약속어음의 발행일자를 그 명의자의 생존 중의 일자로 소급하여 작성한 때에는 발행명의인의 추정적 승낙이 있었다고 볼 수 없다.
>
> ㉤ 자기의 소유인 가옥이라고 하더라도 피해자가 점유관리하고 있고 피해자와 사이에서 그 가옥의 소유권에 대한 분쟁이 계속되고 있다면 그 가옥에 침입하는 것에 대한 피해자의 추정적 승낙이 있었다고 할 수 없다.
>
> ㉥ 13세 미만의 소녀가 자신에 대한 간음에 동의하였더라도 간음행위의 위법성이 조각되지 않는다.
>
> ㉦ 피해자의 승낙에 의한 행위가 사회상규에 위배된 때에는 위법하다는 이른바 피해자의 승낙에 대한 '사회상규적·윤리적 한계에 의한 제약은 판례에 의할 때 상해죄에 대하여만 인정된다.

① 1개 ② 2개

③ 3개 ④ 4개

해설

① ㉦ 항목만 옳지 않다.

㉠ [O] 피고인이 피해자 소유인 어느 물건에 대하여 자기에게 권리가 있다고 주장하여 피해자의 묵시적인 동의 아래 이를 가져간 경우 나중에 그 권리 주장의 근거가 허위로 밝혀졌다고 하더라도 피해자가 일단 묵시적 동의를 한 이상 절도죄는 성립할 수 없다.(대법원 1990. 8. 10. 90도1211 밍크 45마리 사건)

㉡ [O] 일반인의 출입이 허용된 음식점에 영업주의 승낙을 받아 통상적인 출입방법으로 들어갔다면 특별한 사정이 없는 한 주거침입죄에서 규정하는 침입행위에 해당하지 않는다. 설령 행위자가 범죄 등을 목적으로 음식점에 출입하였거나 영업주가 행위자의 실제 출입 목적을 알았더라면 출입을 승낙하지 않았을 것이라는 사정이

인정되더라도 그러한 사정만으로는 출입 당시 객관적·외형적으로 드러난 행위 태양에 비추어 사실상의 평온 상태를 해치는 방법으로 음식점에 들어갔다고 평가할 수 없으므로 침입행위에 해당하지 않는다.(대법원 2022. 3. 24. 2017도18272 숨숨 몰카설치 목적 식당출입 사건)

ⓒ [○] 행위의 위법성을 조각하는 피해자의 승낙은 개인적 법익을 훼손하는 경우에 법률상 이를 처분할 수 있는 사람의 승낙을 말할 뿐만 아니라 윤리적·도덕적으로 사회상규에 반하는 것이 아니어야 한다.(대법원 2008. 12. 11. 2008도9606 보험사기 상해사건)

ⓔ [○] 사자 명의로 된 약속어음을 작성함에 있어 사망자의 처로부터 사망자의 인장을 교부받아 생존 당시 작성한 것처럼 약속어음의 발행일자를 그 명의자의 생존 중의 일자로 소급하여 작성한 때에는 발행명의인의 추정적 승낙이 있었다고 볼 수 없다.(대법원 2011. 7. 14. 2010도1025)

ⓜ [○] 자기의 소유인 가옥이라고 하더라도 피해자가 점유관리하고 있고 피해자와 사이에서 그 가옥의 소유권에 대한 분쟁이 계속되고 있다면 그 가옥에 침입하는 것에 대한 피해자의 추정적 승낙이 있었다고 할 수 없다.(대법원 1989. 9. 12. 89도889)

ⓗ [○] 형법 제305조에 규정된 13세미만 부녀에 대한 의제강간·추행죄는 그 성립에 있어 위계 또는 위력이나 폭행 또는 협박의 방법에 의함을 요하지 아니하며 피해자의 동의가 있었다고 하여도 성립하는 것이다.(대법원 1982. 10. 12. 82도2183)

ⓢ [×] 피해자의 승낙에 대한 사회상규적·윤리적 한계에 의한 제약은 판례에 의할 때 **상해죄 외에 폭행치사죄에 대해서도** 인정된다.(상해죄: 대법원 2008. 12. 11. 2008도9606 보험사기 상해사건, 폭행치사죄: 대법원 1989. 11. 28. 89도201 장난권투 사건, 대법원 1985. 12. 10. 85도1892 잡귀를 물리친다 사건)

제5절 ㅣ 정당행위

114 다음 중 甲에게 정당행위가 인정되는 것은? (다툼이 있으면 판례에 의함)   24 경찰채용 [Essential ★]

□□□

① 사채업자 甲이 채권추심을 위하여 채무자 A에게 채무를 변제하지 않으면 A가 숨기고 싶어하는 과거 행적과 사채를 쓴 사실 등을 남편과 시댁에 알리겠다는 문자메시지를 발송한 경우

② A주식회사로부터 공립유치원의 놀이시설 제작 및 설치공사를 하도급받은 甲이 유치원 행정실장 등에게 공사대금의 직접 지급을 요구하였으나 거절당하자, 공사대금 직불청구권이 있는 놀이시설의 정당한 유치권자로서 공사대금 채권을 확보할 필요가 있어 놀이시설의 일부인 보호대를 칼로 뜯어내고 일부 놀이시설은 철거하는 방법으로 공무소에서 사용하는 물건을 손상한 경우

③ 甲이 자신의 가옥 앞 도로가 폐기물 운반 차량의 통행로로 이용되어 가옥 일부에 균열 등이 발생하자 위 도로에 트랙터를 세워두거나 철책 펜스를 설치함으로써 위 차량의 통행을 불가능하게 한 경우

④ 학교법인의 전 이사장 A가 부정입학과 관련된 금품수수 혐의로 구속되었다가 그 학교법인이 설립한 B대학교의 총장으로 선임됨에 따라 학내 갈등을 빚던 중 총학생회 간부 甲이 대학 운영의 정상화를 위해 A와의 대화를 꾸준히 요구하였으나, 학교의 소극적인 태도로 인해 면담이 성사되지 않자 A를 직접 찾아가 면담하는 이외에는 다른 방도가 없다는 판단 아래 A와의 면담을 추진하는 과정에서 총장실 진입을 시도하거나 교무위원회 회의실에 들어가 총장의 사퇴를 요구하면서 이를 막는 학교 교직원들과 길지 않은 시간 동안 실랑이를 벌인 경우

해설

④ [○] 피고인들이 분쟁의 중심에 있는 이사장을 직접 찾아가 면담하는 이외에는 다른 방도가 없다는 판단 아래 이사장과 면담을 추진하는 과정에서 피고인들을 막아서는 사람들과 길지 않은 시간 동안 실랑이를 벌인 것은 동기와 목적의 정당성, 행위의 수단이나 방법의 상당성이 인정되고, 피고인들의 학습권이 헌법에 의하여 보장되는 권리라는 측면에 비추어 법익균형성도 충분히 인정된다. 나아가 학습권 침해가 예정된 이상 긴급성이 인정되고, 피고인들이 선택할 수 있는 법률적 수단이 더 이상 존재하지 않는다거나 다른 구제절차를 모두 취해본 후에야 면담 추진 등이 가능하다고 할 것은 아니므로 보충성도 인정된다.(대법원 2023. 5. 18. 2017도 2760 상지대학교 사건)

① [×] 피고인이 정당한 절차와 방법을 통해 그 권리를 행사하지 아니하고 피해자에게 해악을 고지한 것이 사회의 관습이나 윤리관념 등 사회통념에 비추어 용인할 수 있는 정도의 것이라고 볼 수는 없다.(대법원 2011. 5. 26. 2011도2412 사채업자 협박사건)

② [×] 피고인에게 유치원에 관한 공사대금 직불청구권이 있고 피고인이 놀이시설의 정당한 유치권자로서 공사대금 채권을 확보할 필요가 있었다고 하더라도 놀이시설의 보호대를 손괴하고 놀이시설의 일부를 철거하여 운

동장에 옮겨 놓아 장기간 이를 사용할 수 없게 만든 피고인의 행위가 그 수단과 방법에 있어서 상당성이 인정된다고 보기 어렵고, 피고인이 공사대금 확보를 위한 유치권을 행사하는 데에 이와 같은 손상 및 철거 행위가 긴급하고 불가피한 수단이었다고 볼 수도 없다.(대법원 2017. 5. 30. 2017도2758 유치원 놀이시설 사건)

③ [×] 차량들의 통행으로 인하여 피고인의 가옥에 균열이 발생한 사정 등이 있다고 하더라도 피고인이 차량들의 통행을 금지하는 가처분 등의 방법을 이용하지 아니한 채 통행 방해 행위에 이른 점에 비추어 그 행위의 수단이나 방법에 상당성이 있다고 보기 어렵고 긴급성이나 보충성의 요건을 갖추었다고 보기도 어렵다.(대법원 2009. 1. 30. 2008도10560 트랙터·철책펜스 사건)

115

□□□

형법 제20조(정당행위)에 대한 설명으로 옳지 않은 것은? (다툼이 있으면 판례에 의함)

19 국가9급 [Essential ★]

① '사회상규에 위배되지 아니하는 행위'는 법질서 전체의 정신이나 그 배후에 놓여 있는 사회윤리 내지 사회통념에 비추어 용인될 수 있는 행위를 말한다.

② 어떤 행위가 정당행위에 해당한다고 하기 위해서는 그 행위의 동기나 목적의 정당성, 행위의 수단이나 방법의 상당성, 보호이익과 침해이익의 법익 균형성, 긴급성, 다른 수단이나 방법이 없다는 보충성 등의 요건을 갖추어야 한다.

③ 현역입영 통지서를 받고도 정당한 사유 없이 이에 응하지 않은 사람을 처벌하는 병역법 제88조 제1항의 정당한 사유는 구성요건해당성을 조각하는 사유가 아니라 위법성조각사유인 정당행위로 보아야 한다.

④ 어떤 행위가 사회상규에 위배되지 아니하는 정당한 행위로서 위법성이 조각되는 것인지는 구체적인 사정 아래 합목적적, 합리적으로 고찰하여 개별적으로 판단되어야 한다.

해설

③ [×] 병역법 제88조 제1항은 현역입영 또는 소집통지서를 받고도 '정당한 사유' 없이 이에 응하지 않은 사람을 처벌하는데, 여기에서 '정당한 사유'는 구성요건해당성을 조각하는 사유로서 위법성조각사유인 정당행위나 책임조각사유인 기대불가능성과는 구별된다.(대법원 2018. 11. 1. 2016도10912 손승 종교적 병역거부 사건Ⅰ)

①②④ [○] 형법 제20조에 정한 '사회상규에 위배되지 아니하는 행위'는 법질서 전체의 정신이나 그 배후에 놓여 있는 사회윤리 내지 사회통념에 비추어 용인될 수 있는 행위를 말하고, 어떠한 행위가 사회상규에 위배되지 아니하는 정당한 행위로서 위법성이 조각되는 것인지는 구체적인 사정 아래에서 합목적적, 합리적으로 고찰하여 개별적으로 판단되어야 하므로, 이와 같은 정당행위가 인정되려면, 그 행위의 동기나 목적의 정당성, 행위의 수단이나 방법의 상당성, 보호이익과 침해이익의 법익 균형성, 긴급성, 그 행위 외에 다른 수단이나 방법이 없다는 보충성 등의 요건을 갖추어야 한다.(대법원 2017. 5. 30. 2017도2758 유치원 놀이시설 사건)

116 정당행위에 관한 설명 중 가장 적절하지 않은 것은? (다툼이 있으면 판례에 의함)

□□□

17 경찰승진 [Essential ★]

① 국회의원인 피고인이 구 국가안전기획부 내 정보수집팀이 대기업 고위관계자와 중앙일간지 사주 간의 사적 대화를 불법 녹음한 자료를 입수한 후 그 대화내용과 위 대기업으로부터 이른바 떡값 명목의 금품을 수수하였다는 검사들의 실명이 게재된 보도자료를 작성하여 자신의 인터넷 홈페이지에 게재한 경우, 정당행위에 해당한다고 볼 수 없다.

② 신문기자인 피고인이 고소인에게 2회에 걸쳐 증여세 포탈에 대한 취재를 요구하면서 이에 응하지 않으면 자신이 취재한 내용대로 보도하겠다고 말하여 협박한 경우, 사회상규에 반하는 행위로 위법성이 조각되지 않는다.

③ 분쟁이 있던 옆집 사람이 야간에 술에 만취한 채 시비를 하여 거실로 들어오려 하므로 이를 제지하여 밀어내는 과정에서 2주간의 치료가 필요한 요부좌상을 입힌 경우, 피고인의 행위는 정당행위이다.

④ 대출의 조건 및 용도가 임야매수자금으로 한정되어 있는 정책자금을 대출받으면서 임야 매수자금 외의 용도에 사용할 목적으로 임야매수자금을 실제보다 부풀린 허위계약서를 제출하여 대출받은 경우, 정책자금을 대출받은 자가 대출의 조건 및 용도에 위반하여 자금을 사용하는 관행이 있더라도 사회상규에 위배되지 않는 정당한 행위라고 할 수 없다.

해설

② [×] 신문은 헌법상 보장되는 언론자유의 하나로서 정보원에 대하여 자유로이 접근할 권리와 그 취재한 정보를 자유로이 공표할 자유를 가지므로, 그 종사자인 신문기자가 기사 작성을 위한 자료를 수집하기 위해 취재활동을 하면서 취재원에게 취재에 응해줄 것을 요청하고 취재한 내용을 관계 법령에 저촉되지 않는 범위 내에서 보도하는 것은 **신문기자로서의 일상적인 업무 범위 내에 속하는 것으로서 특별한 사정이 없는 한 사회통념상 용인되는 행위라고 보아야 한다.**(대법원 2011. 7. 14. 2011도639 검찰신문 취재부장 사건)

① [○] 국회의원인 피고인이 구 국가안전기획부 내 정보수집팀이 대기업 고위관계자와 중앙일간지 사주 간의 사적 대화를 불법 녹음한 자료를 입수한 후 그 대화내용과 위 대기업으로부터 이른바 떡값 명목의 금품을 수수하였다는 검사들의 실명이 게재된 보도자료를 작성하여 자신의 인터넷 홈페이지에 게재한 경우, 정당행위에 해당한다고 볼 수 없다.(대법원 2011. 5. 13. 2009도14442 노회찬 의원 사건)

③ [○] 피고인의 행위는 야간에 술에 만취된 피해자가 피고인 등의 **주거에 침입하려는 것을 제지하는** 과정에서 이루어진 행위로서 이는 피해자의 주거침입행위를 저지하기 위한 소극적 저항방법이라 할 것이고, 비록 그 과정에서 피해자가 넘어져 위와 같은 상처를 입었다 하더라도 이는 사회통념상 용인될 만한 상당성이 있는 행위로서 **위법성이 없다고 보아야 한다.**(대법원 1995. 2. 28. 94도2746 창문분쟁 사건)

④ [○] 임야매수자금으로 대출받은 돈을 임야매수를 위해 사용하지는 않더라도 임업경영의 목적으로 사용하는 한 산림조합이나 정부가 이를 용인하여 왔다거나, 정책자금을 대출받은 사람들이 대출의 조건 및 용도에 위반하여 자금을 사용하는 관행이 있다고 인정할 수 없을 뿐만 아니라, 설령 그러한 관행이 존재한다고 하더라도 이는 법에 어긋나는 것이므로 그러한 관행을 이유로 **대출 조건과 용도가 임야매수자금으로 한정된 정책자금을 실제보다 부풀려 대출받아 편취한 행위가 사회상규에 위배되지 않는 정당한 행위라거나 비난가능성이 없다고 할 수는 없다.**(대법원 2007. 4. 27. 2006도7634 임야매수자금 부당대출사건)

117

☐☐☐

정당행위에 대한 설명으로 옳지 않은 것은? (다툼이 있으면 판례에 의함) 23 국가9급 [Core ★★]

① 음란물이 문학적 · 예술적 · 사상적 · 과학적 · 의학적 · 교육적 표현 등과 결합되어 음란 표현의 해악이 상당한 방법으로 해소되거나 다양한 의견과 사상의 경쟁메커니즘에 의해 해소될 수 있는 정도에 이르렀다면 이러한 결합표현물에 의한 표현행위는 형법 제20조에 정하여진 '사회상규에 위배되지 않는 행위'에 해당한다.

② 문언송신금지를 명한 가정폭력범죄의 처벌 등에 관한 특례법상 임시보호명령을 위반하여 피고인이 피해자에게 문자메시지를 보낸 경우 문자메시지 송신을 피해자가 양해 내지 승낙하였다면 형법 제20조의 정당행위에 해당한다.

③ 신문기자인 피고인이 고소인에게 2회에 걸쳐 증여세 포탈에 대한 취재를 요구하면서 이에 응하지 않으면 자신이 취재한 내용대로 보도하겠다고 협박한 것은 특별한 사정이 없는 한 사회상규에 반하지 않는 행위이다.

④ 의료인이 아닌 자가 찜질방 내에서 부항과 부항침을 놓고 일정한 금원을 받은 행위는 그 시술로 인한 위험성이 적다는 사정만으로 사회상규에 위배되지 않는 행위로 보기는 어렵다.

해설

② [×] 원심은, 피고인의 주장과 같이 접근금지, 문언송신금지 등을 명한 임시보호명령을 위반한 주거지 접근이나 문자메시지 송신을 피해자가 양해 내지 승낙했다고 할지라도 가정폭력처벌법위반죄의 구성요건에 해당할뿐더러 피고인이 임시보호명령의 발령 사실을 알면서도 피해자에게 먼저 연락하였고 이에 피해자가 대응한 것으로 보이는 점, 피해자가 피고인과 문자메시지를 주고받던 중 수회에 걸쳐 "더 이상 연락하지 말라"는 문자메시지를 보내기도 한 점 등에 비추어 보면 **피고인이 임시보호명령을 위반하여 피해자의 주거지에 접근하거나 문자메시지를 보낸 것을 형법 제20조의 정당행위로 볼 수도 없다는 이유로 공소사실을 유죄로 판단하였다.** 원심의 판단에 논리와 경험의 법칙을 위반하여 자유심증주의의 한계를 벗어나거나 **피해자의 양해 내지 승낙, 정당행위에 관한 법리를 오해한 잘못이 없다.**(대법원 2022. 1. 14. 2021도14015 문언송신금지 사건)

① [○] 음란물이 그 자체로는 하등의 문학적 · 예술적 · 사상적 · 과학적 · 의학적 · 교육적 가치를 지니지 아니하더라도, 그에 관한 논의의 형성 · 발전을 위해 문학적 · 예술적 · 사상적 · 과학적 · 의학적 · 교육적 표현 등과 결합되는 경우가 있다. 이러한 경우 음란 표현의 해악이 이와 **결합된** 위와 같은 표현 등을 통해 **상당한 방법으로 해소**되거나 다양한 의견과 사상의 경쟁 메커니즘에 의해 해소될 수 있는 정도라는 등의 **특별한 사정**이 있다면, 이러한 결합 표현물에 의한 표현행위는 공중도덕이나 사회윤리를 훼손하는 것이 아니어서, 법질서 전체의 정신이나 그 배후에 놓여 있는 사회윤리 내지 사회통념에 비추어 용인될 수 있는 행위로서, **형법 제20조에 정하여진 '사회상규에 위배되지 아니하는 행위'에 해당된다.**(대법원 2017. 10. 26. 2012도13352 블로그 성기사진 사건)

③ [○] 신문은 헌법상 보장되는 언론자유의 하나로서 정보원에 대하여 자유로이 접근할 권리와 그 취재한 정보를 자유로이 공표할 자유를 가지므로, 그 종사자인 신문기자가 기사 작성을 위한 자료를 수집하기 위해 취재활동을 하면서 취재원에게 취재에 응해줄 것을 요청하고 취재한 내용을 관계 법령에 저촉되지 않는 범위 내에서 보도하는 것은 신문기자로서의 일상적인 업무 범위 내에 속하는 것으로서 특별한 사정이 없는 한 사회통념상 용인되는 행위라고 보아야 한다.(대법원 2011. 7. 14. 2011도639 검찰신문 취재부장 사건)

④ [○] 피고인이 행한 부항 시술행위가 보건위생상 위해가 발행할 우려가 전혀 없다고 볼 수 없는데다가 피고인이 한의사 자격이나 이에 관한 어떠한 면허도 없이 영리를 목적으로 치료행위를 한 것이고, 단순히 수지침 정도

의 수준에 그치지 아니하고 부항침과 부항을 이용하여 체내의 혈액을 밖으로 배출되도록 한 것이므로 이러한 피고인의 시술행위는 사회상규에 위배되지 아니하는 행위로서 위법성이 조각되는 경우에 해당한다고 할 수 없다.(대법원 2004. 10. 28. 2004도3405 부항뜸 사건)

118 정당행위에 관한 설명으로 가장 적절하지 않은 것은? (다툼이 있으면 판례에 의함)

□□□

24 경찰채용 [Core ★★]

① 행위의 긴급성과 보충성은 수단의 상당성을 판단할 때 고려요소의 하나로 참작하여야 하며, 다른 실효성 있는 적법한 수단이 없는 경우를 의미하는 것이지 일체의 법률적인 적법한 수단이 존재하지 않을 것을 의미하는 것은 아니라고 보아야 한다.

② 구 군인사법에 따른 얼차려의 결정권자가 아닌 상사 계급의 甲이 경계근무 태만이나 청소 불량 등을 이유로 부대원들에게 속칭 원산폭격을 시키거나 양손을 깍지 낀 상태에서 팔굽혀펴기를 50~60회 정도 하게 하는 등 얼차려 지침상 허용되지 않는 얼차려를 지시하는 행위는 정당행위로 볼 수 없다.

③ CCTV 설치·운영에 근로자들의 동의 절차나 노사협의회의 협의를 거치지 않았다는 이유로 노동조합원 甲 등이 회사에서 설치하여 작동 중인 CCTV 카메라 51대 중 근로자들의 작업 모습이 찍히는 12대를 골라 검정색 비닐봉지를 씌워 임시적으로 촬영을 방해한 경우 정당행위의 성립요건 중 수단과 방법의 상당성을 인정할 수 없다.

④ 아파트 입주자대표회의 회장이자 회의소집권자인 甲이 자신이 소집하지 않은 입주자대표회의 소집공고문을 공휴일 야간에 발견하였고 공고문에서 정한 입주자대표회의 개최일이 다음 날이어서 시기적으로 다른 적절한 방법을 찾기 어려웠다면 위 공고문을 뜯어내 제거한 행위는 정당행위에 해당한다고 볼 수 있다.

해설

③ [×] 회사가 근로자 대부분의 반대에도 불구하고 CCTV의 정식 가동을 강행함으로써 피고인들의 의사에 반하여 근로 행위나 출퇴근 장면 등 개인정보가 위법하게 수집되는 상황이 현실화되고 있었던 점, 개인정보자기결정권은 일반적 인격권 및 사생활의 비밀과 자유에서 도출된 헌법상 기본권으로 일단 그에 대한 침해가 발생하면 사후적으로 이를 전보하거나 원상회복을 하는 것이 쉽지 않은 점 등을 고려하면, 피고인들이 다른 구제수단을 강구하기 전에 임시조치로서 검정색 비닐봉지를 씌워 촬영을 막은 것은 **행위의 동기나 목적, 수단이나 방법 및 법익의 균형성** 등에 비추어 그 긴급성과 보충성의 요건도 갖추었다고 볼 여지가 있다.(대법원 2023. 6. 29. 2018도1917 cctv 봉쇄사건)

① [○] '목적의 정당성'과 '수단의 상당성' 요건은 행위의 측면에서 사회상규의 판단기준이 된다. 사회상규에 위배되지 아니하는 행위로 평가되려면 행위의 동기와 목적을 고려하여 그것이 법질서의 정신이나 사회윤리에 비추어 용인될 수 있어야 한다. 수단의 상당성·적합성도 고려되어야 한다. 또한 보호이익과 침해이익 사이의 법익균형은 결과의 측면에서 사회상규에 위배되는지를 판단하기 위한 기준이다. 이에 비하여 행위의 긴급성과 보충성은 수단의 상당성을 판단할 때 고려요소의 하나로 참작하여야 하고 이를 넘어 독립적인 요건으로 요구할 것은 아니다. 또한 그 내용 역시 다른 실효성 있는 적법한 수단이 없는 경우를 의미하고 **'일체의 법률적인 적법한 수단이 존재하지 않을 것'을 의미하는 것은 아니다.**(대법원 2023. 5. 18. 2017도2760 상지대학교 사건)

② [○] 상사 계급의 피고인이 병사들에 대해 수시로 폭력을 행사해 와 신체에 위해를 느끼고 겁을 먹은 상태에 있던 병사들에게 청소 불량 등을 이유로 40분 내지 50분간 머리박아(속칭 '원산폭격')를 시키거나 양손을 깍지 낀 상태에서 약 2시간 동안 팔굽혀펴기를 50~60회 정도 하게 한 경우 **강요죄에 해당한다.**(대법원 2006. 4. 27. 2003도4151 가혹한 얼차려 사건)

④ [○] 입주자대표회의 회장인 피고인이 정당한 소집권자인 회장의 동의나 승인 없이 위법하게 게시된 공고문을 발견하고 이를 제거하는 방법으로 손괴한 조치는, 그에 선행하는 위법한 공고문 작성 및 게시에 따른 위법상태의 구체적 실현이 임박한 상황하에 그 행위의 효과가 귀속되는 주체의 적법한 대표자 자격에서 그 위법성을 바로잡기 위한 조치의 일환으로 사회통념상 허용되는 범위를 크게 넘어서지 않는 행위라고 볼 수 있다. 나아가 이는 공동주택의 관리 또는 사용에 관하여 입주자 및 사용자의 보호와 그 주거생활의 질서유지를 위하여 구성된 입주자대표회의의 대표자로서 공동주택의 질서유지 및 입주자 등에 대한 피해방지를 위하여 필요한 합리적인 범위 내에서 사회통념상 용인될 수 있는 피해를 발생시킨 경우에 지나지 아니한다.(대법원 2021. 12. 30. 2021도9680 입주자대표회의 공고문 사건)

119 형법 제20조(정당행위)에 대한 설명으로 옳지 않은 것은? (다툼이 있으면 판례에 의함)

□□□

23 경찰간부 [Essential ★]

① 구성요건에 해당하는 행위가 형법 제20조에 따라 위법성이 조각되려면, 첫째 그 행위의 동기나 목적의 정당성, 둘째 행위의 수단이나 방법의 상당성, 셋째 보호법익과 침해법익의 균형성, 넷째 긴급성, 다섯째 그 행위 이외의 다른 수단이나 방법이 없다는 보충성의 요건을 모두 갖추어야 한다.

② 형법 제20조에서 '사회상규에 위배되지 아니하는 행위'라 함은 국가질서의 존중이라는 인식을 바탕으로 한 국민일반의 건전한 도의적 감정에 반하지 아니한 행위로서 초법규적인 기준에 의하여 이를 평가하여야 한다.

③ 집행관이 조합 소유 아파트에서 유치권을 주장하는 甲을 상대로 부동산인도집행을 실시하여 조합이 그 아파트를 인도받고 출입문의 잠금장치를 교체하는 등으로 그 점유가 확립된 이후에 甲이 아파트 출입문과 잠금장치를 훼손하며 강제로 개방하고 아파트에 들어간 경우 甲의 행위는 민법상 자력구제에 해당하므로 형법 제20조에 따라 위법성이 조각된다.

④ 「민사소송법」 제335조에 따른 법원의 감정인 지정결정 또는 같은 법 제341조 제1항에 따라 법원의 감정촉탁을 받은 사람이 감정평가업자가 아니었음에도 그 감정사항에 포함된 토지 등의 감정평가를 한 행위는 법령에 근거한 법원의 적법한 결정이나 촉탁에 따른 것으로 형법 제20조에 따라 위법성이 조각된다.

해설

③ [×] 집행관이 집행채권자인 조합 소유 아파트에서 유치권을 주장하는 피고인을 상대로 부동산인도집행을 실시하였고, 조합이 집행관으로부터 아파트를 인도받은 후 출입문의 잠금 장치를 교체하는 등 그 점유가 확립된 상태에서 피고인이 이에 불만을 갖고 아파트 출입문과 잠금장치를 훼손하고 아파트에 들어간 것은 **점유권 침해의 현장성 내지 추적가능성이 있다고 보기 어려워** 민법 제209조 제1항에 규정된 자력구제에 해당하지 않는다.(대법원 2017. 9. 7. 2017도9999 자력구제 불인정 사건)

> **민법(2021. 1. 26. 법률 제17905호로 일부개정된 것)**
>
> 제209조【자력구제】① 점유자는 그 점유를 부정히 침탈 또는 방해하는 행위에 대하여 자력으로써 이를 방위할 수 있다.
> ② 점유물이 침탈되었을 경우에 부동산일 때에는 점유자는 침탈 후 직시 가해자를 배제하여 이를 탈환할 수 있고 동산일 때에는 점유자는 현장에서 또는 추적하여 가해자로부터 이를 탈환할 수 있다.

① [○] 구성요건에 해당하는 행위가 형법 제20조에 따라 위법성이 조각되려면, 첫째 그 행위의 동기나 목적의 **정당성**, 둘째 행위의 수단이나 방법의 **상당성**, 셋째 보호법익과 침해법익의 **균형성**, 넷째 **긴급성**, 다섯째 그 행위 이외의 다른 수단이나 방법이 없다는 **보충성**의 요건을 모두 갖추어야 한다.(대법원 2018. 12. 27. 2017도15226 메신저 대화내용 열람·복사 사건)

② [○] 형법 제20조에서 '사회상규에 위배되지 아니하는 행위'라 함은 국가질서의 존중이라는 인식을 바탕으로 한 국민일반의 건전한 도의적 감정에 반하지 아니한 행위로서 **초법규적인 기준에 의하여 이를 평가하여야 한다.**(대법원 1983. 11. 22. 83도2224 경화카세인 수입사건)

④ [○] 「민사소송법」 제335조에 따른 법원의 감정인 지정결정 또는 같은 법 제341조 제1항에 따라 법원의 감정촉탁을 받은 사람이 감정평가업자가 아니었음에도 그 감정사항에 포함된 토지 등의 감정평가를 한 행위는 법령에 근거한 법원의 적법한 결정이나 촉탁에 따른 것으로 **형법 제20조에 따라 위법성이 조각된다.**(대법원 2021. 10. 14. 2017도10634 산양삼 손실보상액 평가사건)

정답 | 119 ③

120
□□□ 형법상 정당화사유에 대한 설명 중 가장 적절하지 않은 것은? (다툼이 있으면 판례에 의함)

22 경찰간부 [Essential ★]

① 의료행위에 해당하는 어떠한 시술행위가 무면허로 행하여졌을 때 그 시술행위의 위험성의 정도, 일반인들의 시각, 시술자의 시술의 동기, 목적, 방법, 횟수, 시술에 대한 지식수준, 시술경력, 피시술자의 나이, 체질, 건강상태, 시술행위로 인한 부작용 내지 위험발생 가능성 등을 종합적으로 고려하여 법질서 전체의 정신이나 그 배후에 놓여 있는 사회윤리 내지 사회통념에 비추어 용인될 수 있는 행위에 해당한다고 인정되는 경우에만 사회상규에 위배되지 아니하는 행위로서 위법성이 조각된다.

② 간호조무사에 불과한 A가 모발이식시술에 관하여 어느 정도 지식을 가지고 있다고 하여도 의료 전반에 관한 체계적인 지식과 의사 자격을 가지고 있지는 않고, 의사 甲은 모발이식시술을 하면서 식모기를 환자의 머리부위 진피층까지 찔러 넣는 방법으로 수여부에 모발을 삽입하는 행위 자체 중 일정 부분에 대해서는 의사 甲이 관여하지 않고 A에 의해 독립적으로 의료행위가 이루어진 경우 위 甲의 행위는 의료법을 포함한 법질서 전체의 정신이나 사회통념에 비추어 용인될 수 있는 행위에 해당한다고 볼 수 없다.

③ 피부관리사 B가 피부미용에 관하여는 상당한 지식을 가지고 있다고 하여도 의료 전반에 관한 체계적인 지식을 가지고 있지는 못한 사실, 의사인 乙을 포함한 피고인 의원의 의사들은 크리스탈 필링 박피술의 시술과정 자체는 피부관리사 B에게만 맡겨둔 채 B에 의해 이루어진 경우 이러한 乙의 행위는 의료법을 포함한 법질서 전체의 정신이나 사회통념에 비추어 용인될 수 있는 행위에 해당한다고 볼 수는 없다.

④ 찜질방 내에 침대, 부항기 및 부항침 등을 갖추어 놓고 찾아오는 사람들에게 아픈 부위와 증상을 물어 본 다음 양손으로 아픈 부위의 혈을 주물러 근육을 풀어주는 한편, 그 부위에 부항을 뜬 후 그곳을 부항침으로 10회 정도 찌르고 다시 부항을 뜨는 등 피고인의 이러한 행위는 부항 시술행위가 광범위하고 보편화된 민간요법이고 그 시술로 인한 위험성이 적다는 점에서 사회상규에 위배되지 아니하는 행위에 해당한다.

해설

④ [×] 피고인이 행한 부항 시술행위가 보건위생상 위해가 발행할 우려가 전혀 없다고 볼 수 없는데다가 피고인이 한의사 자격이나 이에 관한 어떠한 면허도 없이 영리를 목적으로 치료행위를 한 것이고, **단순히 수지침 정도의 수준에 그치지 아니하고 부항침과 부항을 이용하여 체내의 혈액을 밖으로 배출되도록 한 것이므로** 이러한 피고인의 시술행위는 사회상규에 위배되지 아니하는 행위로서 **위법성이 조각되는 경우에 해당한다고 할 수 없다.**(대법원 2004. 10. 28. 2004도3405 부항뜸 사건)

① [○] 의료행위에 해당하는 어떠한 시술행위가 무면허로 행하여졌을 때, 개별적인 경우에 그 시술행위의 위험성의 정도, 일반인들의 시각, 시술자의 시술의 동기, 목적, 방법, 횟수, 시술에 대한 지식수준, 시술경력, 피시술자의 나이, 체질, 건강상태, 시술행위로 인한 부작용 내지 위험발생 가능성 등을 종합적으로 고려하여 법질서 전체의 정신이나

그 배후에 놓여 있는 사회윤리 내지 사회통념에 비추어 용인될 수 있는 행위에 해당한다고 인정되는 경우에만 **사회상규에 위배되지 아니하는 행위로서 위법성이 조각된다.**(대법원 2009. 10. 15. 2006도6870 통합의학 사건)

② [○] 의사가 모발이식시술을 하면서 간호조무사로 하여금 모발이식시술행위 중 일정 부분을 직접 하도록 맡겨 둔 채 별반 관여하지 않은 행위는 의료법을 포함한 법질서 전체의 정신이나 사회통념에 비추어 용인될 수 있는 행위에 해당한다고 볼 수 없어 **위법성이 조각되지 아니한다.**(대법원 2007. 6. 28. 2005도8317 간호조무사 모발이식 사건)

③ [○] 피부관리사가 피부미용에 관하여는 상당한 지식을 가지고 있다고 하여도 의료 전반에 관한 체계적인 지식을 가지고 있지는 못한 사실, 피고인을 포함한 피고인 의원의 의사들은 **크리스탈 필링 박피술**의 시술과정 자체는 피부관리사에게만 맡겨둔 채 별반 관여를 하지 아니한 사실 등을 알 수 있는바, 이러한 피고인의 행위는 의료법을 포함한 법질서 전체의 정신이나 사회통념에 비추어 용인될 수 있는 행위에 해당한다고 볼 수는 없어 **위법성이 조각되지 아니한다.**(대법원 2003. 9. 5. 2003도2903 크리스탈필링 사건)

---

121 甲의 행위가 정당행위에 해당하는 것만을 모두 고른 것은? (다툼이 있으면 판례에 의함)

□□□
16 국가9급 [Core ★★]

> ㉠ 甲은 자신의 승용차를 손괴하고 도망하려는 A를 도망하지 못하게 멱살을 잡고 흔들어 A에게 전치 14일의 흉부찰과상을 입게 하였다.
>
> ㉡ 시장번영회 회장 甲은 1년 이상 관리비를 체납한 고액체납자의 점포에 대하여 이사회의 결의와 시장번영회의 관리규정에 따라서 단전조치를 실시하였다.
>
> ㉢ 甲은 A를 상대로 한 목재대금청구소송의 계속 중, A가 양도소득세를 포탈한 사실을 발견하고 이를 이용하여 위 목재대금을 받아내기로 마음먹고 A에게 위와 같은 비위사실을 관계기관에 진정하겠다고 말하여 이에 겁을 먹은 A로부터 목재대금을 지급하겠다는 약속을 받아냈다.
>
> ㉣ X회사의 정기주주총회에 적법하게 참석한 주주 甲은 X회사 측이 X회사를 부실하게 운영하여 소수주주들에게 손해를 입혔다는 점을 주장하면서 강제로 X회사의 사무실을 뒤져 회계장부를 찾아냈다.

① ㉠㉡   ② ㉠㉢   ③ ㉡㉣   ④ ㉢㉣

해설

① ㉠㉡ 2 항목이 정당행위에 해당한다.

㉠ [○] 피고인이 피해자를 체포함에 있어서 멱살을 잡은 행위는 적정한 한계를 벗어나는 행위라고 볼 수 없을 뿐만 아니라 설사 피고인이 도망하려는 피해자를 체포함에 있어서 멱살을 잡고 흔들어 피해자가 결과적으로 상처를 입게 된 사실이 인정된다고 하더라도 그것이 **사회통념상 허용될 수 없는 행위**라고 보기는 어렵다.(대법원 1999. 1. 26. 98도3029 팽성읍 차손괴 사건)

ⓒ [○] 시장번영회 회장 甲이 이사회의 결의와 시장번영회의 관리규정에 따라서 관리비 체납자의 점포에 대하여 실시한 단전조치는 **정당행위로서 업무방해죄를 구성하지 아니한다.**(대법원 2004. 8. 20. 2003도4732 삼천포종합시장 사건)

ⓒ [×] 피고인이 피해자를 상대로 한 목재대금청구소송이 계속 중, 피해자가 양도소득세를 포탈한 사실이 있다는 약점을 발견하고 이를 이용하여 목재대금을 받아내기로 마음먹고 피해자에게 위와 같은 비위사실을 말하는 외에 관계기관에 진정을 하여 일을 벌이려 한다고 말하여 이에 겁을 먹은 피해자로부터 목재대금을 지급하겠다는 약속을 받아낸 행위가 **사회상규에 어긋나지 않는다고 할 수 없다.**(대법원 1990. 11. 23. 90도1864)

ⓒ [×] 회사의 정기주주총회에 적법하게 참석한 주주라고 할지라도 회사측의 의사에 반하여 회사의 회계장부를 강제로 찾아 열람할 수는 없다고 할 것이며, 설사 회사측이 회사 운영을 부실하게 하여 소수주주들에게 손해를 입게 하였다고 하더라도 위와 같은 사정만으로 주주가 강제로 사무실을 뒤져 회계장부를 찾아내는 것이 **사회통념상 용인되는 정당행위로 되는 것은 아니다.**(대법원 2001. 9. 7. 2001도2917 주주총회장 방해사건)

122 다음 설명 중 가장 옳지 않은 것은? (다툼이 있으면 판례에 의함)   17 법원9급 [Superlative ★★★]

□□□

① 정리해고 등 기업의 구조조정 실시 여부는 경영주체의 고도의 경영상 결단에 속하는 사항으로서 이는 원칙적으로 단체교섭의 대상이 될 수 없고 그것이 긴박한 경영상의 필요나 합리적 이유 없이 불순한 의도로 추진되는 등의 특별한 사정이 없는 한 노동조합이 그 실시자체를 반대하기 위해 쟁의행위에 나아가는 것은 허용되지 않으나, 그 실시로 인해 근로자들의 지위나 근로조건의 변경이 필연적으로 수반되는 경우에 한해 그 쟁의행위의 목적의 정당성을 인정할 수 있다.

② '회사 직원이 회사의 이익을 빼돌린다'는 소문을 확인할 목적으로, 비밀번호를 설정함으로써 비밀장치를 한 전자기록인 피해자가 사용하던 '개인용 컴퓨터 하드디스크'를 떼어내어 다른 컴퓨터에 연결한 다음 의심 드는 단어로 파일을 검색하여 메신저 대화내용, 이메일 등을 출력한 경우라면 정당행위에 해당한다.

③ 신문기자인 피고인이 고소인에게 2회에 걸쳐 증여세 포탈에 대한 취재를 요구하면서 이에 응하지 않으면 자신이 취재한 내용대로 보도하겠다고 말하여 협박한 경우 이는 정당행위에 해당한다.

④ 수지침 한 봉지를 사 가지고 수지침 전문가인 피고인을 찾아와 수지침 시술을 부탁하므로 피고인이 아무런 대가 없이 시술행위를 해준 경우 사회통념상 허용될 만한 정도의 상당성이 있는 것으로 정당행위에 해당한다.

해설

① [×] **정리해고나 사업조직의 통폐합 등 기업의 구조조정 실시 여부는 경영주체의 고도의 경영상 결단에 속하는 사항으로서 원칙적으로 단체교섭의 대상이 될 수 없어**, 그것이 긴박한 경영상의 필요나 합리적 이유없이 불순한 의도로 추진된다는 등의 특별한 사정이 없음에도 노동조합이 실질적으로 그 실시 자체를 반대하기 위하여 쟁의행위로 나아간다면, 비록 그러한 구조조정의 실시가 근로자들의 지위나 근로조건의 변경을 필연

적으로 수반한다 하더라도 그 쟁의행위는 목적의 정당성을 인정할 수 없다.(대법원 2014. 11. 13. 2011도 393 한국가스공사 파업사건)

② [○] 피해자의 **범죄 혐의**를 구체적이고 합리적으로 **의심할 수 있는 상황**에서 피고인이 긴급히 확인하고 대처할 필요가 있었고, 그 열람의 범위를 범죄 혐의와 관련된 범위로 제한하였으며, 피해자가 입사시 회사 소유의 컴퓨터를 무단 사용하지 않고 업무 관련 결과물을 모두 회사에 귀속시키겠다고 약정하였고, 검색 결과 **범죄행위**를 확인할 수 있는 여러 자료가 발견된 사정 등에 비추어 보면 피고인의 행위는 사회통념상 허용될 수 있는 상당성이 있는 행위로서 **정당행위**에 해당한다.(대법원 2009. 12. 24. 2007도6243 회사이익을 빼돌린다 사건)

③ [○] 신문은 헌법상 보장되는 언론자유의 하나로서 정보원에 대하여 자유로이 접근할 권리와 그 취재한 정보를 자유로이 공표할 자유를 가지므로, 그 종사자인 신문기자가 기사 작성을 위한 자료를 수집하기 위해 **취재활동**을 하면서 취재원에게 취재에 응해줄 것을 요청하고 취재한 내용을 관계 법령에 저촉되지 않는 범위 내에서 **보도**하는 것은 신문기자로서의 일상적인 업무 범위 내에 속하는 것으로서 특별한 사정이 없는 한 **사회통념상 용인되는 행위**라고 보아야 한다.(대법원 2011. 7. 14. 2011도639 검찰신문 취재부장 사건)

④ [○] 피고인의 행위는 사회통념상 허용될 만한 정도의 상당성이 있는 것으로서 형법 제20조 소정의 **정당행위**에 해당하여 범죄로 되지 아니한다.(대법원 2000. 4. 25. 98도2389 수지침 사건)

123 위법성조각사유에 대한 설명으로 옳지 않은 것은? (다툼이 있으면 판례에 의함)

□□□ 　　　　　　　　　　　　　　　　　　　　　　　　　　　　18 국가7급 [Essential ★]

① 정당행위를 인정하려면 그 행위의 동기나 목적의 정당성, 행위의 수단이나 방법의 상당성, 법익균형성, 긴급성의 요건을 갖추어야 하며, 이러한 요건이 갖추어진 경우 그 행위의 보충성은 요구되지 않음이 원칙이다.

② 게시된 음란물이 음란성에 관한 학술적, 사상적 표현과 결합하여 표현된 결합표현물인 경우 음란 표현의 해악이 상당한 방법으로 해소되거나 다양한 의견과 사상의 경쟁메커니즘에 의해 해소될 수 있는 정도라는 등의 특별한 사정이 있다면 결합표현물에 의한 표현행위는 사회상규에 위배되지 아니한다.

③ 국가정보원의 사이버팀 직원들이 상부에서 하달된 지시에 따라 정치적인 목적을 가지고 인터넷 게시글과 댓글 작성, 찬반클릭 행위, 트윗과 리트윗 활동을 한 경우 구 국가정보원법에 따른 직무범위 내의 정당한 행위로 볼 수 없다.

④ 경찰관이 현행범인 체포의 요건을 갖추지 못하였음에도 실력으로 현행범인을 체포하려고 한 경우 현행범이 그 체포를 면하려고 반항하는 과정에서 경찰관에게 상해를 가한 행위는 위법성이 조각된다.

해설

① [×] 어떠한 행위가 사회상규에 위배되지 아니하는 정당한 행위로서 위법성이 조각되는 것인지는 구체적인 사정 아래에서 합목적적, 합리적으로 고찰하여 개별적으로 판단되어야 하므로, 이와 같은 정당행위가 인정되려면, 그 행위의 동기나 목적의 정당성, 행위의 수단이나 방법의 상당성, 보호이익과 침해이익의 법익 균형성, 긴급성, **그 행위 외에 다른 수단이나 방법이 없다는 보충성 등의 요건을 갖추어야 한다.**(대법원 2017. 5. 30. 2017도2758 유치원 놀이시설 사건)

② [○] 음란물이 그 자체로는 하등의 문학적·예술적·사상적·과학적·의학적·교육적 가치를 지니지 아니하더라도, 그에 관한 논의의 형성·발전을 위해 문학적·예술적·사상적·과학적·의학적·교육적 표현 등과 결합되는 경우가 있다. 이러한 경우 음란 표현의 해악이 이와 결합된 위와 같은 표현 등을 통해 상당한 방법으로 해소되거나 다양한 의견과 사상의 경쟁 메커니즘에 의해 해소될 수 있는 정도라는 등의 특별한 사정이 있다면, 이러한 결합 표현물에 의한 표현행위는 공중도덕이나 사회윤리를 훼손하는 것이 아니어서, 법질서 전체의 정신이나 그 배후에 놓여 있는 사회윤리 내지 사회통념에 비추어 용인될 수 있는 행위로서, 형법 제20조에 정하여진 **'사회상규에 위배되지 아니하는 행위'에 해당된다.**(대법원 2017. 10. 26. 2012도 13352 블로그 성기사진 사건)

③ [○] 사이버팀 직원들이 한 사이버 활동 중 일부는 구 국가정보원법상 국가정보원 직원의 직위를 이용한 정치활동 관여 행위 및 구 공직선거법상 공무원의 지위를 이용한 선거운동에 해당하며, 이러한 활동을 구 **국가정보원법에 따른 직무범위 내의 정당한 행위로 볼 수 없다.**(대법원 2018. 4. 19. 2017도14322 순슴 국정원 대선개입 사건)

④ [○] 현행범인 체포행위가 적법한 공무집행을 벗어나 불법하게 체포한 것으로 볼 수밖에 없다면, 현행범이 그 체포를 면하려고 반항하는 과정에서 경찰관에게 상해를 가한 것은 불법체포로 인한 신체에 대한 현재의 부당한 침해에서 벗어나기 위한 행위로서 **정당방위에 해당하여 위법성이 조각된다.**(대법원 2011. 5. 26. 2011도 3682 서교동 불심검문 사건)

124

정당행위에 관한 다음 설명 중 가장 옳지 않은 것은? (다툼이 있으면 판례에 의함)

① 집행관 甲이 압류집행을 위하여 채무자의 주거에 들어가려고 하였으나 채무자의 아들 乙이 이를 방해하는 등 저항하므로 주거에 들어가는 과정에서 몸싸움을 하던 도중 乙에게 2주간의 상해를 가한 행위는 정당행위에 해당한다.

② 회사의 긴박한 경영상의 필요에 의하여 실시되는 정리해고 자체를 전혀 수용할 수 없다는 노동조합 측의 입장 관철을 주된 목적으로 하는 쟁의행위는 정당행위에 해당하지 않는다.

③ 국가정책적 견지에서 도박죄의 보호법익보다 좀 더 높은 국가 이익을 위하여 예외적으로 내국인의 출입을 허용하는 폐광지역 개발 지원에 관한 특별법 등에 따라 카지노에 출입하는 것은 업무로 인한 행위로서 정당행위에 해당하여 위법성이 조각된다.

④ 비료를 매수하여 시비한 결과 사과나무 묘목이 고사하자 그 비료를 생산한 회사에게 손해배상을 요구하면서 사장 이하 간부들에게 욕설을 하거나 응접탁자 등을 들었다 놓았다 하거나 현수막을 만들어 보이면서 시위를 할 듯한 태도를 보이는 경우 정당행위에 해당하여 위법성이 조각된다.

해설

③ [×] 형법 제3조는 속인주의를 규정하고 있고 또한 국가 정책적 견지에서 도박죄의 보호법익보다 좀 더 높은 국가이익을 위하여 예외적으로 내국인의 출입을 허용하는 폐광지역 개발 지원에 관한 특별법 등에 따라 카지노에 출입하는 것은 **법령에 의한 행위로 위법성이 조각된다.**(대법원 2017. 4. 13. 2017도953 100억 원정도박 사건)

① [○] 채무자의 아들인 乙이 집행력 있는 판결정본과 신분증을 확인하고도 주거에 들어오지 못하게 하고 피고인 甲들을 문밖으로까지 밀쳐 내고 문을 닫으려고 하면서 적법한 집행을 방해하는 등 저항하므로 이를 배제하고 채무자의 주거에 들어가기 위하여 乙을 떠민 것은 정당한 직무범위 내에 속하는 위력의 행사라고 할 것이고, 이로 인하여 상해를 가하였다 하더라도 **사회통념상 허용될 수 있는 상당성이 있는 행위로서 위법성이 조각된다.**(대법원 1993. 10. 12. 93도875)

② [○] 정리해고나 사업조직의 통폐합 등 기업의 구조조정 실시 여부는 경영주체의 고도의 경영상 결단에 속하는 사항으로서 원칙적으로 단체교섭의 대상이 될 수 없어, 그것이 긴박한 경영상의 필요나 합리적 이유 없이 불순한 의도로 추진된다는 등의 특별한 사정이 없음에도 노동조합이 실질적으로 그 실시 자체를 반대하기 위하여 쟁의행위로 나아간다면, 비록 그러한 구조조정의 실시가 근로자들의 지위나 근로조건의 변경을 필연적으로 수반한다 하더라도 그 쟁의행위는 목적의 정당성을 인정할 수 없다.(대법원 2014. 11. 13. 2011도393 한국가스공사 파업사건)

④ [○] 비료를 매수하여 시비한 결과 사과나무 묘목이 고사하자 그 비료를 생산한 회사에게 손해배상을 요구하면서 사장 이하 간부들에게 욕설을 하거나 응접탁자 등을 들었다 놓았다 하거나 현수막을 만들어 보이면서 시위를 할 듯한 태도를 보이는 경우 **정당행위에 해당하여 위법성이 조각된다.**(대법원 1980. 11. 25. 79도2565)

125

정당행위에 대한 설명이다. 아래 ㉠부터 ㉣까지의 설명 중 옳고 그름의 표시(○, ×)가 바르게 된 것은? (다툼이 있으면 판례에 의함)

19 경찰승진 [Essential ★]

㉠ 신문기자인 甲이 고소인에게 2회에 걸쳐 증여세 포탈에 대한 취재를 요구하면서 이에 응하지 않으면 자신이 취재한 내용대로 보도하겠다고 말한 경우 정당행위로서 위법성이 조각된다.

㉡ A주식회사 임원인 甲이 회사 직원들 및 그 가족들에게 수여할 목적으로 전문의약품인 타미플루 39,600정 등을 제약회사로부터 매수하여 취득한 행위는 사회상규에 위배되지 아니하는 정당행위로서 위법성이 조각된다.

㉢ 감정평가업자가 아닌 공인회계사가 타인의 의뢰에 의하여 일정한 보수를 받고 구「부동산 가격공시 및 감정평가에 관한 법률」이 정한 토지에 대한 감정평가를 업으로 행하는 것은 특별한 사정이 없는 한 「형법」 제20조가 정한 '법령에 의한 행위'로서 정당행위에 해당한다고 볼 수 없다.

㉣ A회사 대표이사인 피고인 甲이 '회사 직원이 회사의 이익을 빼돌린다'는 소문을 확인할 목적으로, 비밀번호를 설정함으로써 비밀장치를 한 전자기록인 피해자가 사용하던 '개인용 컴퓨터 하드디스크'를 떼어내어 다른 컴퓨터에 연결한 다음 의심 드는 단어로 파일을 검색하여 메신저 대화내용, 이메일 등을 출력한 경우라면 정당행위에 해당한다고 볼 수 없다.

① ㉠ ○ ㉡ ○ ㉢ × ㉣ ×

② ㉠ ○ ㉡ × ㉢ ○ ㉣ ×

③ ㉠ ○ ㉡ × ㉢ × ㉣ ○

④ ㉠ × ㉡ × ㉢ ○ ㉣ ○

해설

② 이 지문이 옳은 연결이다.

㉠ [○] 신문은 헌법상 보장되는 언론자유의 하나로서 정보원에 대하여 자유로이 접근할 권리와 그 취재한 정보를 자유로이 공표할 자유를 가지므로, 그 종사자인 신문기자가 기사 작성을 위한 자료를 수집하기 위해 취재활동을 하면서 취재원에게 취재에 응해줄 것을 요청하고 취재한 내용을 관계 법령에 저촉되지 않는 범위 내에서 보도하는 것은 신문기자로서의 일상적인 업무 범위 내에 속하는 것으로서 특별한 사정이 없는 한 사회통념상 용인되는 행위라고 보아야 한다.(대법원 2011. 7. 14. 2011도639 검찰신문 취재부장 사건)

㉡ [×] 원심이 피고인들이 회사의 직원들 및 그 가족들에게 수여할 목적으로 전문의약품인 타미플루 캅셀 75mg 39,600정 등을 제약회사로부터 매수하여 취득한 행위는 구 약사법 제44조 제1항 위반행위에 해당한다고 전제한 다음, 피고인들의 위와 같은 행위가 **사회상규에 위배되지 아니하는 정당행위로서 위법성이 조각된다는** 취지의 피고인들의 주장을 배척한 조치는 정당하다.(대법원 2011. 10. 13. 2011도6287 타미플루 구매사건)

㉢ [○] 감정평가업자가 아닌 공인회계사가 타인의 의뢰에 의하여 일정한 보수를 받고 부동산공시법이 정한 토지에 대한 감정평가를 업으로 행하는 것은 부동산공시법 제43조 제2호에 의하여 처벌되는 행위에 해당하고, 특별한 사정이 없는 한 이를 형법 제20조가 정한 '법령에 의한 행위'로서 정당행위에 해당한다고 볼 수는 없다. (대법원 2015. 11. 27. 2014도191 삼성전자 부지 자산재평가사건)

㉣ [×] 피해자의 범죄 혐의를 구체적이고 합리적으로 의심할 수 있는 상황에서 피고인이 긴급히 확인하고 대처할 필요가 있었고, 그 열람의 범위를 범죄 혐의와 관련된 범위로 제한하였으며, 피해자가 입사시 회사 소유의 컴퓨터를 무단 사용하지 않고 업무 관련 결과물을 모두 회사에 귀속시키겠다고 약정하였고, 검색 결과 범죄행위를 확인할 수 있는 여러 자료가 발견된 사정 등에 비추어 보면 **피고인의 행위는 사회통념상 허용될 수 있는 상당성이 있는 행위로서 정당행위에 해당한다.**(대법원 2009. 12. 24. 2007도6243 회사이익을 빼돌린다 사건)

126 다음 설명 중 가장 옳지 않은 것은? (다툼이 있으면 판례에 의함)

□□□

① 사용자가 적법한 직장폐쇄 기간 중임에도 불구하고 일방적으로 업무에 복귀하겠다고 하면서 자신의 퇴거요구에 불응한 채 계속하여 사업장 내로 진입을 시도하는 해고 근로자를 폭행, 협박하였다면 이는 사업장 내의 평온과 노동조합의 업무방해행위를 방지하기 위한 정당방위 내지 정당행위에 해당한다.

② 피해자가 불특정·다수인의 통행로로 이용되어 오던 기존 통로의 일부 소유자인 피고인으로부터 사용승낙을 받지 아니한 채 통로를 활용하여 공사차량을 통행하게 함으로써 피고인의 영업에 다소 피해가 발생하자 피고인이 공사차량을 통행하지 못하도록 자신 소유의 승용차를 통로에 주차시켜 놓은 행위가 사회상규에 위배되지 않는 정당행위에 해당한다고 할 수 없다.

③ 아파트 입주자대표회의 회장이 다수 입주민들의 민원에 따라 위성방송 수신을 방해하는 케이블TV방송의 시험방송 송출을 중단시키기 위하여 위 케이블TV방송의 방송안테나를 절단하도록 지시한 행위를 긴급피난 내지는 정당행위에 해당한다고 볼 수 없다.

④ 아파트 입주자대표회의의 임원 또는 아파트관리회사의 직원들인 피고인들이 기존 관리회사의 직원들로부터 계속 업무집행을 제지받던 중 저수조 청소를 위하여 출입문에 설치된 자물쇠를 손괴하고 중앙공급실에 침입한 행위는 정당행위에 해당하지 않지만, 관리비 고지서를 빼앗거나 사무실의 집기 등을 들어낸 것에 불과한 행위는 정당행위에 해당하여 위법성이 조각된다.

해설

④ [×] 원심은, 아파트의 입주자대표회의로부터 새롭게 관리업무를 위임받은 X회사의 직원들인 피고인들이 저수조 청소를 위하여 중앙공급실에의 출입을 시도하여 오다가 기존에 관리업무를 수행하던 Y회사의 직원들로부터 계속 출입을 제지받자 출입문에 설치된 자물쇠를 손괴하고 **중앙공급실에 침입한 사실은 인정되나** 피고인들의 행위는 사회통념상 허용될 만한 정도의 상당성이 있어 **정당행위에 해당한다고 판단하였다.** 그리고 원심은, 아파트 입주자대표회의의 임원 또는 X회사의 직원들인 피고인들이 **관리비 고지서를 빼앗거나 사무실의 집기 등을 들어낸 것**은 사회통념상 허용될 만한 정도의 상당성이 있는 행위라고 볼 수 없어 **정당행위에 해당하지 않는다고 판단하였다. 원심의 위와 같은 판단은 정당한 것으로 수긍이 간다.**(대법원 2006. 4. 13. 2003도3902 아파트 관리업체 분쟁사건)

① [○] 사용자가 **적법한 직장폐쇄** 기간 중임에도 불구하고 일방적으로 업무에 복귀하겠다고 하면서 자신의 퇴거요구에 불응한 채 계속하여 사업장 내로 진입을 시도하는 해고 근로자를 폭행, 협박하였다면 이는 사업장 내의 평온과 노동조합의 업무방해행위를 방지하기 위한 **정당방위 내지 정당행위에 해당한다.**(대법원 2005. 6. 9. 2004도7218 군산축협 파업사건)

② [○] 피해자가 불특정·다수인의 통행로로 이용되어 오던 기존 통로의 일부 소유자인 피고인으로부터 사용승낙을 받지 아니한 채 통로를 활용하여 공사차량을 통행하게 함으로써 피고인의 영업에 다소 피해가 발생하자 피고인이 공사차량을 통행하지 못하도록 **자신 소유의 승용차를 통로에 주차시켜 놓은 행위가 사회상규에 위배되지 않는 정당행위에 해당한다고 할 수 없다.**(대법원 2005. 9. 30. 2005도4688 다세대주택건축 방해사건)

③ [○] 피고인이 다수 입주민들의 민원에 따라 입주자대표회의 회장의 자격으로 위성방송 수신을 방해하는 경기동부방송의 시험방송 송출을 중단시키기 위하여 경기동부방송의 방송안테나를 절단하도록 지시하였다고 할지라도 피고인의 위와 같은 행위를 긴급피난 내지는 정당행위에 해당한다고 볼 수 없다.(대법원 2006. 4. 13. 2005도9396 안테나 절단사건)

127 □□□ 업무로 인한 정당행위에 관한 설명 중 가장 적절하지 않은 것은? (다툼이 있는 경우 판례에 의함)

19 경찰채용 [Core ★★]

① 사제가 죄지은 자를 능동적으로 고발하지 않는 것에 그치지 아니하고 은신처 마련, 도피자금 제공 등 범인을 적극적으로 은닉·도피케 하는 행위는 사제의 정당한 직무에 속하는 것이라고 할 수 없다.

② 재건축조합의 조합장이 조합탈퇴의 의사표시를 한 자를 상대로 '사업시행구역 안에 있는 그 소유의 건물을 명도하고 이를 재건축사업에 제공하여 행하는 업무를 방해하여서는 아니된다'는 가처분의 판결을 받아 해당 건물을 철거한 것은 「형법」 제20조에 정한 업무로 인한 정당행위에 해당한다.

③ 의사가 인공분만기인 '샥숀'을 사용하면 통상 약간의 상해정도가 있을 수 있으므로, 그 상해가 있다하여 '샥숀'을 거칠고 험하게 사용한 결과라고는 보기 어려워 의사의 정당업무의 범위를 넘은 위법행위라고 할 수 없다.

④ 회사의 관리사원으로 근무하는 자들이 해고에 항의하는 농성을 제지하기 위하여 그 주동자라고 생각되는 해고근로자들을 다른 근로자와 분산시켜 귀가시키거나 불응시에는 경찰에 고발, 인계할 목적으로 간부사원회의 지시에 따라 위 근로자들을 봉고차에 강제로 태운 다음 내리지 못하게 한 행위는 정당한 업무행위에 해당한다.

해설

④ [×] 회사의 관리사원으로 근무하는 자들이 해고근로자들을 봉고차에 강제로 태운 다음 그곳에서 내리지 못하게 하여 감금행위를 한 것은 정당한 업무행위라거나 사회상규에 위배되지 않는 정당한 행위라고 보기는 어렵고 또 현재의 부당한 침해를 방위하기 위하여 상당성이 인정되는 정당방위 행위라고 볼 수도 없다.(대법원 1989. 12. 12. 89도875 동양체과 사건)

① [○] 사제(司祭)가 죄지은 자를 능동적으로 고발하지 않는 것에 그치지 아니하고 은신처 마련, 도피자금제공 등 범인을 적극적으로 은닉도피하게 하는 행위는 사제의 정당한 직무에 속하는 것이라고 할 수 없다.(대법원 1983. 3. 8. 82도3248 최기식 신부 사건)

② [○] 재건축조합의 사무를 총괄하는 조합장인 피고인이 가처분의 판결을 받아 건물을 철거한 것은 형법 제20조에 정한 업무로 인한 정당행위라 할 것이다.(대법원 1998. 2. 13. 97도2877)

③ [O] 의사가 인공분만기인 "샥숀"을 사용하면 통상 약간의 상해정도가 있을 수 있으므로 그 상해가 있다 하여 "샥숀"을 거칠고 험하게 사용한 결과라고는 보기 어려워 의사의 정당업무의 범위를 넘은 위법행위라고 할 수 없다.(대법원 1978. 11. 14. 78도2388) 샥숀은 suction(빨아들이기, 흡입)으로 보인다.

128 위법성조각사유에 관한 다음 설명 중 가장 옳은 것은? (다툼이 있으면 판례에 의함)

☐☐☐
23 법원9급 [Essential ★]

① 통상의 일반적인 안수기도의 방식과 정도를 벗어나 환자의 신체에 비정상적이거나 과도한 유형력을 행사하고 신체의 자유를 과도하게 제압하여 그 결과 환자의 신체에 상해까지 입힌 경우라면 그러한 유형력의 행사가 비록 안수기도의 명목과 방법으로 이루어졌다 해도 일반적으로 사회상규상 용인되는 정당행위라고 볼 수 없으나, 이를 치료행위로 보아 피해자측이 승낙하였다면 이는 정당행위에 해당한다.

② 신문기자인 피고인이 甲에게 2회에 걸쳐 증여세 포탈에 대한 취재를 요구하면서 이에 응하지 않으면 자신이 취재한 내용대로 보도하겠다고 말하여 협박한 경우 비록 피고인이 폭언을 하거나 보도하지 않는 데 대한 대가를 요구하지 않았다 하더라도 위 행위는 협박죄에서 말하는 해악의 고지에 해당하여 사회상규에 위반한 행위라고 보는 것이 타당하다.

③ 회사의 이익을 빼돌린다는 소문을 확인할 목적으로, 피해자가 사용하면서 비밀번호를 설정하여 비밀장치를 한 전자기록인 개인용 컴퓨터의 하드디스크를 검색한 행위는 형법 제20조의 '정당행위'에 해당된다.

④ 피고인들이 확성장치 사용, 연설회 개최, 불법행렬, 서명날인운동, 선거운동기간 전 집회개최 등의 방법으로 특정 후보자에 대한 낙선운동을 함으로써 공직선거 및 선거부정 방지법에 의한 선거운동제한 규정을 위반한 피고인들의 같은 법 위반의 각 행위는 시민불복종운동으로서 헌법상의 기본권 행사 범위 내에 속하는 정당행위이거나 형법상 사회상규에 위반되지 아니하는 정당행위 또는 긴급피난의 요건을 갖춘 행위로 보아야 한다.

해설

③ [O] 피해자의 범죄 혐의를 구체적이고 합리적으로 의심할 수 있는 상황에서 피고인이 긴급히 확인하고 대처할 필요가 있었고, 그 열람의 범위를 범죄 혐의와 관련된 범위로 제한하였으며, 피해자가 입사시 회사 소유의 컴퓨터를 무단 사용하지 않고 업무 관련 결과물을 모두 회사에 귀속시키겠다고 약정하였고, 검색 결과 범죄행위를 확인할 수 있는 여러 자료가 발견된 사정 등에 비추어 보면 피고인의 행위는 **사회통념상 허용될 수 있는 상당성이 있는 행위로서 정당행위에 해당한다.**(대법원 2009. 12. 24. 2007도6243 회사이익을 빼돌린다 사건)

① [×] 종교적 기도행위의 일환으로서 기도자의 기도에 의한 염원 내지 의사가 상대방에게 심리적 또는 영적으로 전달되는 데 도움이 된다고 인정될 수 있는 한도 내에서 상대방의 신체의 일부에 가볍게 손을 얹거나 약간 누르면서 병의 치유를 간절히 기도하는 행위는 그 목적과 수단면에 있어서 정당성이 인정된다고 볼 수 있을 것이지만, 그러한 종교적 기도행위를 마치 의료적으로 효과가 있는 치료행위인 양 내세워 환자를 끌어들인 다음, 통상의 일반적인 안수기도의 방식과 정도를 벗어나 환자의 신체에 비정상적이거나 과도한 유형력을 행사하고 신체의 자유를 과도하게 제압하여 그 결과 환자의 신체에 상해까지 입힌 경우라면, 그러한 유형력의 행사가 **비록 안수기도의 명목과 방법으로 이루어졌다 해도 사회상규상 용인되는 정당행위라고 볼 수 없음은 물론**이고, 이를 치료행위로 오인한 피해자측의 승낙이 있었다 하여 달리 볼 수도 없다.(대법원 2008. 8. 21. 2008도2695 고통스런 안수기도 사건)

② [×] 피고인의 행위가 설령 협박죄에서 말하는 해악의 고지에 해당하더라도 특별한 사정이 없는 한 기사작성을 위한 자료를 수집하고 보도하기 위한 것으로서 신문기자의 일상적 업무 범위에 속하여 **사회상규에 반하지 아니하는 행위라고 보는 것이 타당하다.**(대법원 2011. 7. 14. 2011도639 검찰신문 취재부장 사건)

④ [×] 피고인들이 확성장치 사용, 연설회 개최, 불법행렬, 서명날인운동, 선거운동기간 전 집회 개최 등의 방법으로 특정 후보자에 대한 낙선운동을 함으로써 공직선거법에 의한 선거운동제한 규정을 위반한 피고인들의 행위는 위법한 행위로서 허용될 수 없는 것이고, 피고인들의 행위가 시민불복종운동으로서 헌법상의 기본권 행사 범위 내에 속하는 **정당행위이거나** 형법상 사회상규에 위반되지 아니하는 **정당행위 또는 긴급피난의 요건을 갖춘 행위로 볼 수 없다.**(대법원 2004. 4. 27. 2002도315 총선시민연대 낙선운동사건)

129

정당행위에 대한 설명 중 옳은 것은 모두 몇 개인가? (다툼이 있으면 판례에 의함)

21 경찰간부 [Superlative ★★★]

㉠ 방송기자가 방송프로그램에서 약 8년 전에 이루어진 사적 대화의 불법녹음을 대화자의 실명과 구체적인 대화의 내용까지 공개한 것은, 그 내용이 공적 관심의 대상이 되기 어렵고 행위의 수단이나 방법이 상당성을 결여한 것으로 정당행위에 해당하지 않는다.

㉡ 기업의 구조조정 실시 여부는 원칙적으로 단체교섭의 대상이 될 수 없으나, 구조조정의 실시가 필연적으로 근로자들의 지위나 근로조건의 변경을 수반하기 때문에 이를 반대하기 위하여 진행한 노동조합의 쟁의행위는 목적의 정당성이 인정된다.

㉢ 1년 이상 관리비를 체납한 고액체납자의 점포에 대하여 이사회의 결의 및 시장번영회의 관리규정에 따라 행한 번영회장의 단전조치는 동기와 목적, 수단과 방법 등을 고려할 때 정당한 행위로 인정될 수 있다.

㉣ 노동조합이 쟁의행위의 일시·장소·참가인원 및 그 방법에 관한 서면신고를 하지 않고 쟁의를 한 경우에는 신고절차의 미준수로 인해 쟁의행위의 정당성이 부정된다.

㉤ 재건축조합 조합장이 조합탈퇴의 의사표시를 한 자를 상대로 '사업시행구역 안에 있는 그 소유의 건물을 명도하고 이를 재건축사업에 제공하여 행하는 업무를 방해하여서는 아니된다'는 가처분의 판결을 받아 건물을 철거한 것은 형법 제20조의 업무로 인한 정당행위에 해당한다.

① 2개　　　　　　② 3개　　　　　　③ 4개　　　　　　④ 5개

해설

② ㉠㉢㉤ 3 항목이 옳다.

㉠ [○] 불법 감청·녹음 등에 관여하지 아니한 언론기관이 그 통신 또는 대화 내용을 보도하여 공개하는 행위가 형법 제20조의 정당행위에 해당하기 위하여는, 첫째, 그 보도의 목적이 불법 감청·녹음 등의 범죄가 저질러졌다는 사실 자체를 고발하기 위한 것으로 그 과정에서 불가피하게 통신 또는 대화의 내용을 공개할 수밖에 없는 경우이거나, 불법 감청·녹음 등에 의하여 수집된 통신 또는 대화의 내용이 이를 공개하지 아니하면 공중의 생명·신체·재산 기타 공익에 대한 중대한 침해가 발생할 가능성이 현저한 경우 등과 같이 비상한 공적 관심의 대상이 되는 경우에 해당하여야 하고, 둘째, 언론기관이 불법 감청·녹음 등의 결과물을 취득함에 있어 위법한 방법을 사용하거나 적극적·주도적으로 관여하여서는 아니되며, 셋째, 그 보도가 불법 감청·녹음 등의 사실을 고발하거나 비상한 공적 관심사항을 알리기 위한 목적을 달성하는 데 필요한 부분에 한정되는 등 통신비밀의 침해를 최소화하는 방법으로 이루어져야 하고, 넷째, 그 내용을 보도함으로써 얻어지는 이익 및 가치가 통신비밀의 보호에 의하여 달성되는 이익 및 가치를 초과하여야 한다. 이러한 법리는 불법 감청·녹음 등에 의하여 수집된 통신 또는 대화 내용의 공개가 관계되는 한, 그 공개행위의 주체가 언론기관이나 그 종사자 아닌 사람인 경우에도 마찬가지로 적용된다.(대법원 2011. 3. 17. 2006도8839 全合 삼성X파일 보도사건) **방송기자의 행위는 상당성을 결여한 것으로 정당행위에 해당하지 않는다.**

㉡ [×] 정리해고나 사업조직의 통폐합 등 기업의 **구조조정** 실시 여부는 경영주체의 고도의 경영상 결단에 속하는 사항으로서 원칙적으로 단체교섭의 대상이 될 수 없어, 그것이 긴박한 경영상의 필요나 합리적 이유없이 불순한 의도로 추진된다는 등의 특별한 사정이 없음에도 **노동조합이 실질적으로 그 실시 자체를 반대하기 위하여 쟁의행위로 나아간다면, 비록 그러한 구조조정의 실시가 근로자들의 지위나 근로조건의 변경을 필연적으로 수반한다 하더라도 그 쟁의행위는 목적의 정당성을 인정할 수 없다.**(대법원 2014. 11. 13. 2011도393 한국가스공사 파업사건)

㉢ [○] 시장번영회 회장이 이사회의 결의와 시장번영회의 관리규정에 따라서 관리비 체납자의 점포에 대하여 실시한 단전조치는 정당행위로서 업무방해죄를 구성하지 아니한다.(대법원 2004. 8. 20. 2003도4732 삼천포종합시장 사건)

㉣ [×] 노동조합 및 노동관계조정법 시행령 제17조에서 규정하고 있는 **쟁의행위의 일시·장소·참가인원 및 그 방법에 관한 서면신고의무는 쟁의행위를 함에 있어 그 세부적·형식적 절차를 규정한 것으로서 쟁의행위에 적법성을 부여하기 위하여 필요한 본질적인 요소는 아니므로 신고절차의 미준수만을 이유로 쟁의행위의 정당성을 부정할 수는 없다.**(대법원 2007. 12. 28. 2007도5204 서울시건축사회 회의실 점거사건)

㉤ [○] 재건축조합의 사무를 총괄하는 조합장인 피고인이 가처분의 판결을 받아 철거한 것은 **형법 제20조에 정한 업무로 인한 정당행위라 할 것이다.**(대법원 1998. 2. 13. 97도2877)

제6절 | 위법성론 종합

130 위법성조각사유에 관한 설명 중 가장 적절한 것은? (다툼이 있으면 판례에 의함)

□□□

17 경찰승진 [*Core* ★★]

① 정당방위에서의 방위행위란 순수한 수비적 방위를 말하는 것이고, 적극적 반격을 포함하는 반 격방어의 형태는 포함되지 않는다.

② 명예훼손죄의 특별한 위법성조각사유를 규정한 형법 제310조의 요소 중 사실의 진실성에 대 한 착오가 있는 경우에는 위법성조각사유의 전제사실에 관한 착오 또는 법률의 착오가 문제될 뿐이기 때문에 위법성 그 자체는 조각될 여지가 없다.

③ 방위행위, 피난행위 그리고 자구행위가 그 정도를 초과한 때에는 공통적으로 정황에 의하여 형을 감경 또는 면제할 수 있다.

④ 형법 제24조에 따르면 처분할 수 있는 자의 승낙에 의하여 그 법익을 훼손한 행위는 법률에 특별한 규정이 있는 경우에 한하여 벌하지 아니한다.

해설

③ [○] 방위행위, 피난행위 그리고 자구행위가 그 정도를 초과한 때에는 공통적으로 정황에 의하여 **형을 감경 또는 면제할 수 있다.**(제21조 제2항, 제22조 제3항, 제23조 제2항)

① [×] 정당방위의 성립요건으로서의 방어행위에는 순수한 수비적 방어뿐 아니라 **적극적 반격을 포함하는 반격 방어의 형태도 포함된다.**(대법원 1992. 12. 22. 92도2540 김보은·김진관 사건)

② [×] 형법 제310조의 규정은 인격권으로서의 개인의 명예의 보호와 헌법 제21조에 의한 정당한 표현의 자유 의 보장이라는 상충되는 두 법익의 조화를 꾀한 것이라고 보아야 할 것이므로, 두 법익간의 조화와 균형을 고려 한다면 적시된 사실이 진실한 것이라는 증명이 없더라도 행위자가 진실한 것으로 믿었고 또 그렇게 믿을 만한 상당한 이유가 있는 경우에는 위법성이 없다.(대법원 2007. 12. 14. 2006도2074 부산 택시운송조합 사건)

④ [×] 처분할 수 있는 자의 승낙에 의하여 그 법익을 훼손한 행위는 **법률에 특별한 규정이 없는 한** 벌하지 아니한다.(제24조)

131 위법성조각사유에 관한 설명 중 가장 적절하지 않은 것은? (다툼이 있으면 판례에 의함)

□□□

23 경찰채용 [Essential ★]

① A가 甲의 고소로 조사받는 것을 따지기 위하여 야간에 甲의 집에 침입한 상태에서 문을 닫으려는 甲과 열려는 A 사이의 실랑이가 계속되는 과정에서 문짝이 떨어져 그 앞에 있던 A가 넘어져 2주간의 치료를 요하는 타박상을 입게 된 경우 甲의 행위는 사회통념에 비추어 용인할 수 있는 정도의 것이라고 보기 어렵다.

② 현역군인이 국군보안사령부의 민간인에 대한 정치사찰을 폭로한다는 명목으로 군무를 이탈한 행위는 정당방위나 정당행위에 해당하지 아니한다.

③ 노동조합이 주도한 쟁의행위 자체의 정당성과 이를 구성하거나 여기에 부수되는 개개 행위의 정당성은 구별하여야 하므로, 일부 소수의 근로자가 폭력행위 등의 위법행위를 하였더라도 전체로서의 쟁의행위마저 당연히 위법하게 되는 것은 아니다.

④ 구 「공직선거 및 선거부정 방지법」상 선거비용지출죄는 회계책임자가 아닌 자가 선거비용을 지출한 경우에 성립되는 죄인바, 후보자가 그와 같은 행위가 죄가 되는지 몰랐다고 하더라도 회계책임자가 아닌 후보자가 선거비용을 지출한 이상 회계책임자가 후에 후보자의 선거비용 지출을 추인하였다 하더라도 그 위법성이 조각되지 않는다.

해설

① [×] 원심은, 피고인의 가해행위가 이루어진 시간 및 장소, 경위와 동기, 방법과 강도 및 피고인의 의사와 목적 등에 비추어 볼 때 이를 사회통념상 허용될 만한 정도를 넘어서는 위법성이 있는 행위라고 보기는 어려우므로 **정당행위에 해당한다고 판단하여 무죄를 선고하였는바 원심의 위와 같은 사실인정과 판단은 정당하다.**(대법원 2000. 3. 10. 99도4273 꽃뱀같은 여자 사건)

② [○] 서면화된 인사발령 없이 국군보안사령부 서빙고분실로 배치되어 이른바 혁노맹사건 수사에 협력하게 된 사정만으로 군무이탈행위에 군무기피목적이 없었다고 할 수 없고, 국군보안사령부의 민간인에 대한 정치사찰을 폭로한다는 명목으로 군무를 이탈한 행위는 **정당방위나 정당행위에 해당하지 아니한다.**(대법원 1993. 6. 8. 93도766 윤석양 이병 사건)

③ [○] 노동조합이 주도한 쟁의행위 자체의 정당성과 이를 구성하거나 여기에 부수되는 개개 행위의 정당성은 구별하여야 하므로 일부 소수의 근로자가 폭력행위 등의 위법행위를 하였더라도 **전체로서의 쟁의행위마저 당연히 위법하게 되는 것은 아니다.**(대법원 2017. 7. 11. 2013도7896 일부 조합원 기물파손 사건)

④ [○] 구 「공직선거및선거부정방지법」상 선거비용지출죄는 회계책임자가 아닌 자가 선거비용을 지출한 경우에 성립되는 죄인바, 후보자가 그와 같은 행위가 죄가 되는지 몰랐다고 하더라도 회계책임자가 아닌 후보자가 선거비용을 지출한 이상 **회계책임자가 후에 후보자의 선거비용 지출을 추인하였다 하더라도 그 위법성이 조각되지 않는다.**(대법원 1999. 10. 12. 99도3335 샘터통닭집 사건)

132 위법성조각사유에 관한 다음 설명 중 가장 옳은 것은? (다툼이 있으면 판례에 의함)

24 법원9급 [Core ★★]

① 싸움을 하는 경우 가해행위는 방어행위인 동시에 공격행위의 성격을 가진다. 따라서 싸움을 하는 경우에는 어느 경우에도 정당방위가 인정될 수 없다.

② 사회상규에 의한 정당행위를 인정하려면, 첫째 그 행위의 동기나 목적의 정당성, 둘째 행위의 수단이나 방법의 상당성, 셋째 보호이익과 침해이익과의 법익균형성, 넷째 긴급성, 다섯째로 그 행위 외에 다른 수단이나 방법이 없다는 보충성 등의 요건을 갖추어야 한다. 그중 행위의 긴급성과 보충성은 수단의 상당성을 판단할 때 고려요소의 하나로 참작하여야 하고 이를 넘어 독립적인 요건으로 요구할 것은 아니다. 그리고 그 내용은 '일체의 법률적인 적법한 수단이 존재하지 않을 것'을 의미한다.

③ 위난을 스스로 초래한 '자초위난'의 경우에는 원칙적으로 긴급피난이 허용되지 않는다.

④ 형법 제20조에서 업무로 인한 행위는 벌하지 아니한다고 규정하므로 성직자가 범인의 은신처를 마련하거나 도피자금을 제공하는 등의 행위를 한 경우 범인은닉·도피죄로 처벌할 수 없다.

해설

③ [○] 통설의 입장으로 **옳은 설명이다.**(대법원 1995. 1. 12. 94도2781 **강간범 치아결손 사건** 참고)

① [×] (전문) 가해자의 행위가 피해자의 부당한 공격을 방위하기 위한 것이라기보다는 서로 공격할 의사로 싸우다가 먼저 공격을 받고 이에 대항하여 가해를 한 경우 가해행위는 방어행위인 동시에 공격행위의 성격을 가지므로 정당방위 또는 과잉방위행위라고 볼 수 없다.(대법원 2021. 5. 7. 2020도15812 **도망가지 말라 사건**) (후문) (1) 겉으로는 서로 싸움을 하는 것처럼 보이더라도 **실제로는 한쪽 당사자가 일방적으로 위법한 공격을 가하고 상대방은 이러한 공격으로부터 자신을 보호하고 이를 벗어나기 위한 저항수단으로서 유형력을 행사한 경우에는** 그 행위가 새로운 적극적 공격이라고 평가되지 아니하는 한 사회관념상 허용될 수 있는 상당성이 있는 것으로서 위법성이 조각된다.(대법원 2010. 2. 11. 2009도12958 **대구 불륜의심 싸움 사건**) (2) 싸움을 함에 있어서 격투를 하는 자 중의 **한 사람의 공격이 그 격투에서 당연히 예상할 수 있는 정도를 초과하여 살인의 흉기 등을 사용하여온 경우에는** 이를 '부당한 침해'라고 아니할 수 없으므로 이에 대하여는 정당방위를 허용하여야 한다.(대법원 1968. 5. 7. 68도370 **배회칠랑 사건**)

② [×] (전문) 형법 제20조는 '사회상규에 위배되지 아니하는 행위'를 정당행위로서 위법성이 조각되는 사유로 규정하고 있다. 위 규정에 따라 사회상규에 의한 정당행위를 인정하려면 첫째 그 행위의 동기나 목적의 정당성, 둘째 행위의 수단이나 방법의 상당성, 셋째 보호이익과 침해이익과의 법익균형성, 넷째 긴급성, 다섯째로 그 행위 외에 다른 수단이나 방법이 없다는 보충성 등의 요건을 갖추어야 하는데 위 '목적·동기', '수단', '법익균형', '긴급성', '보충성'은 불가분적으로 연관되어 하나의 행위를 이루는 요소들로 종합적으로 평가되어야 한다.(대법원 2023. 5. 18. 2017도2760 **상지대학교 사건**) (후문) '목적의 정당성'과 '수단의 상당성' 요건은 행위의 측면에서 사회상규의 판단기준이 된다. 사회상규에 위배되지 아니하는 행위로 평가되려면 행위의 동기와 목적을 고려하여 그것이 법질서의 정신이나 사회윤리에 비추어 용인될 수 있어야 한다. 수단의 상당성·적합성도 고려되어야 한다. 또한 보호이익과 침해이익 사이의 법익균형은 결과의 측면에서 사회상규에 위배되는지를 판단하기 위한 기준이다. 이에 비하여 **행위의 긴급성과 보충성은** 수단의 상당성을 판단할 때 고려요소의 하나로 참작하여야 하고 이를 넘어 독립적인 요건으로 요구할 것은 아니다. 또한 **그 내용 역시 다른 실효성 있는 적법**

한 수단이 없는 경우를 의미하고 '일체의 법률적인 적법한 수단이 존재하지 않을 것'을 의미하는 것은 아니다.(대법원 2023. 5. 18. 2017도2760 상지대학교 사건)

④ [×] 성직자라 하여 초법규적인 존재일 수는 없으며 성직자의 직무상 행위가 사회상규에 반하지 아니한다 하여 그에 적법성이 부여되는 것은 그것이 성직자의 행위이기 때문이 아니라 그 직무로 인한 행위에 정당 · 적법성을 인정하기 때문인바, 사제(司祭)가 죄지은 자를 능동적으로 고발하지 않는 것에 그치지 아니하고 은신처 마련, 도피자금 제공등 범인을 적극적으로 은닉 · 도피케 하는 행위는 사제의 정당한 직무에 속하는 것이라고 할 수 없다.(대법원 1983. 3. 8. 82도3248)

133 위법성조각사유에 대한 설명으로 옳지 않은 것은? (다툼이 있으면 판례에 의함)

□□□

22 국가9급 [Essential ★]

① 법률에서 정한 절차에 따라서는 청구권을 보전할 수 없는 경우에 그 청구권의 실행이 현저히 곤란해지는 상황을 피하기 위하여한 행위는 상당한 이유가 있는 때에는 벌하지 아니한다.

② 타인의 법익에 대한 현재의 위난을 피하기 위한 행위는 상당한 이유가 있는 때에는 벌하지 아니한다.

③ 어떠한 물건에 대하여 자기에게 그 권리가 있다고 주장하면서 이를 가져간 데 대하여 피해자의 묵시적인 동의가 있었더라도 위 주장이 후에 허위임이 밝혀졌다면 피고인의 행위는 절도죄의 절취행위에 해당한다.

④ 폭력행위 등 처벌에 관한 법률에 규정된 죄를 범한 사람이 흉기로 사람에게 위해를 가하려 할 때 이를 예방하기 위하여한 행위는 벌하지 아니한다.

해설

③ [×] 피고인이 피해자에게 밍크 45마리에 관하여 자기에게 그 권리가 있다고 주장하면서 이를 가져간 데 대하여 피해자의 묵시적인 동의가 있었다면 피고인의 주장이 후에 허위임이 밝혀졌더라도 **피고인의 행위는 절도죄의 절취행위에는 해당하지 않는다.**(대법원 1990. 8. 10. 90도1211 밍크 45마리 사건)

① [○] 법률에서 정한 절차에 따라서는 청구권을 보전(保全)할 수 없는 경우에 그 청구권의 실행이 불가능해지거나 현저히 곤란해지는 상황을 피하기 위하여 한 행위는 상당한 이유가 있는 때에는 벌하지 아니한다.(제23조 제1항)

② [○] 자기 또는 타인의 법익에 대한 현재의 위난을 피하기 위한 행위는 상당한 이유가 있는 때에는 벌하지 아니한다.(제22조 제1항)

④ [○] 이 법에 규정된 죄를 범한 사람이 흉기나 그 밖의 위험한 물건 등으로 사람에게 위해(危害)를 가하거나 가하려 할 때 이를 예방하거나 방위(防衛)하기 위하여 한 행위는 벌하지 아니한다.(폭처법 제8조 제1항)

134 정당화사유에 대한 설명으로 옳은 것만을 모두 고르면? (다툼이 있으면 판례에 의함)

□□□

> ⊙ 정당방위의 방어행위에는 순수한 수비적 방어뿐 아니라 적극적 반격을 포함하는 반격방어의 형태도 포함된다.
> ⓛ 자기의 생명에 대한 현재의 위난을 피하기 위하여 타인의 생명을 침해하는 행위는 상당한 이유가 있으면 긴급피난으로서 위법성이 조각된다.
> ⓒ 행위 당시 사문서의 명의자가 현실적으로 승낙하지는 않았지만 명의자가 그 사실을 알았다면 당연히 승낙했을 것이라고 추정되는 경우라면 추정적 승낙에 의해 사문서변조죄가 성립하지 않는다.
> ⓔ 주민들이 농기계 등으로 그 주변의 농경지나 임야에 통행하기 위해 이용하는 자신 소유의 도로에 깊이 1m 정도의 구덩이를 판 행위는 일반교통방해죄의 구성요건에 해당하지만, 자구행위로서 위법성이 조각된다.

① ⊙ⓒ   ② ⊙ⓔ   ③ ⓛⓒ   ④ ⊙ⓒⓔ

해설

① ⊙ⓒ 2 항목이 옳다.
⊙ [○] 정당방위의 성립요건으로서의 방어행위에는 순수한 수비적 방어뿐 아니라 **적극적 반격을 포함하는 반격방어의 형태도 포함된다.**(대법원 1992. 12. 22. 92도2540)
ⓛ [×] 긴급피난이란 자기 또는 타인의 법익에 대한 현재의 위난을 피하기 위한 상당한 이유 있는 행위를 말하고, 여기서 '상당한 이유 있는 행위'에 해당하려면, 첫째 피난행위는 위난에 처한 법익을 보호하기 위한 유일한 수단이어야 하고, 둘째 피해자에게 가장 경미한 손해를 주는 방법을 택하여야 하며, 셋째 **피난행위에 의하여 보전되는 이익은 이로 인하여 침해되는 이익보다 우월해야** 하고, 넷째 피난행위는 그 자체가 사회윤리나 법질서 전체의 정신에 비추어 적합한 수단일 것을 요하는 등의 요건을 갖추어야 한다.(대법원 2016. 1. 28. 2014도2477 이웃집 기계톱 살해사건) 자기의 생명에 대한 현재의 위난을 피하기 위하여 타인의 생명을 침해하는 행위는 긴급피난으로 위법성이 조각될 수 없다.
ⓒ [○] 사문서를 작성·수정함에 있어 그 명의자의 명시적이거나 묵시적인 승낙이 있었다면 사문서의 위·변조죄에 해당하지 않고, 한편 행위 당시 명의자의 현실적인 승낙은 없었지만 행위 당시의 모든 객관적 사정을 종합하여 명의자가 행위 당시 그 사실을 알았다면 **당연히 승낙했을 것이라고 추정되는 경우 역시 사문서의 위·변조죄가 성립하지 않는다.**(대법원 2011. 9. 29. 2010도14587 통장 입금자명의 삭제사건)
ⓔ [×] 도로는 피고인 소유 토지상에 무단으로 확장 개설되어 그대로 방치할 경우 불특정 다수인이 통행할 우려가 있다는 사정만으로는 피고인이 법정절차에 의하여 자신의 청구권을 보전하는 것이 불가능한 경우에 해당한다고 볼 수 없을 뿐 아니라, **이미 불특정 다수인이 통행하고 있는 육상의 통로에 구덩이를 판 행위가 피고인의 청구권의 실행불능이나 현저한 실행곤란을 피하기 위한 상당한 이유가 있는 행위라고도 할 수 없다.**(대법원 2007. 3. 15. 2006도9418 1m 구덩이 사건)

135 정당방위와 긴급피난에 관한 설명 중 옳은 것을 모두 고른 것은?   16 사법시험 [Superlative ★★★]

□□□

> ⊙ 징계권자의 정당한 징계행위에 대해서는 정당방위를 할 수 있다.
> ⓛ 긴급피난의 본질을 책임조각사유로 이해하는 견해에 의하더라도, 긴급피난에 대해서는 긴급
> 피난을 할 수 있다.
> ⓒ 甲이 乙로부터 "너의 아들을 살리려거든 A를 살해하라"는 협박을 받고 A를 칼로 살해하려
> 하자, 이를 막기 위해 丙이 몽둥이로 甲의 손을 내리쳐 전치 6주의 상해를 입힌 행위는 정당방
> 위에 의하여 위법성이 조각된다.
> ② 甲이 고가의 밍크코트 소유자인 A의 진지하고 적법한 승낙을 받아 이를 훼손하려 하자, 이를
> 막기 위해 乙이 몽둥이로 甲의 손을 내리쳐 전치 3주의 상해를 입힌 행위는 긴급피난에 의하
> 여 위법성이 조각된다.

① ⓛ   ② ⊙②   ③ ⓛⓒ

④ ⓛⓒ②   ⑤ ⊙ⓛⓒ②

해설

⊙ ⓛⓒ 2 항목이 옳다.

⊙ [×] 징계권자의 정당한 징계행위는 위법성이 조각되는 적법한 행위이므로 이에 대하여 **정당방위를 할 수 없다.**

ⓛ [○] 긴급피난에 있어 위난의 원인 및 그 적법·부당 여부를 불문하므로 긴급피난에 대하여 다시 긴급피난을 할 수 있다.

ⓒ [○] 형법 제12조의 강요된 행위에 해당하는 甲의 행위는 (책임이 조각될 수는 있어도) 위법한 행위이므로, 丙이 몽둥이로 甲의 손을 내리쳐 상해를 입힌 행위는 **정당방위로써 위법성이 조각된다.**

② [×] 긴급피난이란 자기 또는 타인의 법익에 대한 현재의 위난을 피하기 위한 상당한 이유 있는 행위를 말하고, 여기서 '상당한 이유 있는 행위'에 해당하려면, 첫째 피난행위는 위난에 처한 법익을 보호하기 위한 유일한 수단이어야 하고, 둘째 피해자에게 가장 경미한 손해를 주는 방법을 택하여야 하며, 셋째 **피난행위에 의하여 보전되는 이익은 이로 인하여 침해되는 이익보다 우월해야 하고,** 넷째 피난행위는 그 자체가 사회윤리나 법질서 전체의 정신에 비추어 적합한 수단일 것을 요하는 등의 요건을 갖추어야 한다.(대법원 2015. 11. 12. 2015도6809 全合 세월호 사건) 피난행위에 의하여 보전되는 이익(밍크코트라는 재산권)이 이로 인하여 침해되는 이익(신체)보다 우월하지 않는 등 乙의 행위는 **긴급피난에 해당하기 위한 상당한 이유가 있는 행위가 아니므로 위법성이 조각되지 아니한다.**

136 다음은 위법성조각사유에 관한 어떤 규정을 설명한 것이다. 이 규정을 적용할 때 **甲을 벌하지 아**
☐☐☐ **니하는 경우에 해당하는 것은?** (다툼이 있으면 판례에 의함)

22 경찰채용 [Core ★★]

> 이 규정은 사회상규라는 초법규적 위법성조각사유를 일반적·포괄적 위법성조각사유로 명문화해
> 놓은 것으로서 다른 위법성조각사유에 대한 일반적·보충적 성격을 지니고 있는 것으로 볼 수
> 있다.

① A가 칼을 들고 찌르자 甲이 그 칼을 뺏어 반격을 가한 결과 A에게 상해를 입힌 경우

② 甲이 자신의 차를 가로막고 서서 통행을 방해하는 A를 향해 차를 조금씩 전진시키고 A가 뒤
　로 물러나면 다시 차를 전진시키는 방식의 운행을 반복한 경우

③ 甲과 A가 공모하여 교통사고를 가장해 보험금을 편취할 목적으로 A에게 상해를 입힌 경우

④ 甲이 방송국 시사프로그램을 시청한 후 방송국 홈페이지의 시청자 의견란에 "그렇게 소중한
　자식을 범법행위의 변명의 방패로 쓰시다니 정말 대단하십니다."는 등의 표현이 담긴 글을 게
　시한 경우

해설

박스는 정당행위를 설명한 것이다.(대법원 1983. 11. 22. 83도2224 경화카제인 수입사건 참고)

④ 게시글 전체를 두고 보면 **사회상규에 위배되지 않는다고 봄이 상당하다.**(대법원 2003. 11. 28. 2003도
3972 시청자 의견코너 사건)

① 쟁투하다가 패주(敗走)하는 피해자가 소지하였던 식도를 탈취하여 급박한 상태를 면하였음에도 불구하고 다만
반항한다하여 그를 자살(刺殺)한 행위는 정당방위에 해당하지 아니한다.(대법원 1959. 7. 24. 58도556) 판례
의 취지에 의할 때 甲이 칼을 뺏어 반격을 가하여 A에게 상해를 입힌 것은 **정당방위가 아니어서 위법성이**
조각되지 아니한다.

② 피고인이 자신의 차를 가로막고 서 있는 피해자를 향해 차를 조금씩 전진시키고 피해자가 뒤로 물러나면 다시
차를 전진시키는 방식의 운행을 반복하였는데, 이는 그 자체로 피해자에 대한 유형력의 행사에 해당하고 또한
이를 정당방위나 정당행위에 해당한다고 할 수 없다.(대법원 2016. 10. 27. 2016도9302 조금씩 전진사건)
특수폭행죄가 성립한다.

③ (1) 위법성이 조각되는 피해자의 승낙은 개인적 법익을 훼손하는 경우에 법률상 이를 처분할 수 있는 사람의
승낙이어야 할 뿐만 아니라 그 승낙이 윤리적·도덕적으로 사회상규에 반하는 것이 아니어야 한다. (2) 피고인
이 교통사고를 가장하여 보험금을 편취할 목적으로 피해자에게 상해를 가하였다면 피해자의 승낙이 있었다고
하더라도 이는 위법한 목적에 이용하기 위한 것이므로 피해자의 승낙에 의하여 위법성이 조각된다고 할 수
없다.(대법원 2008. 12. 11. 2008도9606 보험사기 상해사건)

137 다음 중 위법성이 조각되는 경우와 가장 관련이 없는 것은? (다툼이 있으면 판례에 의함)

☐☐☐

13 경찰간부 [Superlative ★★★]

① 甲이 경찰관의 불심검문을 받아 운전면허증을 교부한 후 경찰관에게 불심검문에 항의하면서 큰 소리로 욕설을 하였는데, 경찰관이 甲을 모욕죄의 현행범으로 체포하려고 甲의 오른쪽 어깨를 붙잡자 반항하면서 경찰관에게 상해를 가한 경우

② 차량통행 문제로 자신의 아버지와 피해자가 다툴시 피해자의 차량 전진으로 아버지가 위험에 처하자 피해자의 머리털을 잡아당겨 상처를 입힌 경우

③ 피해자로부터 지갑을 잠시 건네받아 임의로 지갑에서 현금카드를 꺼내어 현금자동인출기에서 현금을 인출하고 곧바로 피해자에게 현금카드를 반환한 경우

④ 전국교직원노동조합 소속 교사가 작성·배포한 보도 자료의 일부에 사실과 다른 기재가 있으나 전체적으로 그 기재 내용이 진실하고 공공의 이익을 위한 것이라고 볼 수 있는 경우

해설

③ 인출한 현금에 대한 절도죄가 성립할 뿐, 특별히 **위법성이 조각된다고 할 수 없다.**(대법원 1998. 11. 10. 98도2642 현금카드 잠시사용 사건)

① 피고인은 경찰관의 불심검문에 응하여 **이미 운전면허증을 교부한 상태**이고, 경찰관뿐 아니라 인근 주민도 욕설을 직접 들었으므로 피고인이 도망하거나 증거를 인멸할 염려가 있다고 보기는 어렵고, 피고인의 모욕 범행은 불심검문에 항의하는 과정에서 저지른 일시적, 우발적인 행위로서 사안 자체가 경미할 뿐 아니라, 피해자인 경찰관이 범행현장에서 즉시 범인을 체포할 급박한 사정이 있다고 보기도 어려우므로 경찰관이 피고인을 체포한 행위는 적법한 공무집행이라고 볼 수 없고, 피고인이 체포를 면하려고 반항하는 과정에서 상해를 가한 것은 불법체포로 인한 신체에 대한 현재의 부당한 침해에서 벗어나기 위한 행위로서 **정당방위에 해당한다.**(대법원 2011. 5. 26. 2011도3682 서교동 불심검문 사건)

② **차량통행문제**를 둘러싸고 피고인의 부와 다툼이 있던 피해자가 그 소유의 차량에 올라타 문안으로 운전해 들어가려 하자 피고인의 부가 양팔을 벌리고 이를 제지하였으나 위 피해자가 이에 불응하고 그대로 그 차를 피고인의 부 앞쪽으로 약 3미터 가량 전진시키자 위 차의 운전석 부근 옆에 서 있던 피고인이 **부가 위 차에 다치겠으므로** 이에 당황하여 위 차를 정지시키기 위하여 운전석 옆 창문을 통하여 피해자의 머리털을 잡아당겨 그의 **흉부가 위 차의 창문틀에 부딪혀 약간의 상처를 입게 한 행위**는 부의 생명, 신체에 대한 현재의 부당한 침해를 방위하기 위한 행위로서 **정당방위에 해당한다.**(대법원 1986. 10. 14. 86도1091)

④ 형법 제310조에 의하여 **위법성이 조각된다.**(대법원 2001. 10. 9. 2001도3594 해운대초등학교 사건)

138

☐☐☐

위법성조각사유에 관한 설명으로 적절한 것을 모두 고른 것은? (다툼이 있으면 판례에 의함)

20 경찰채용 [Core ★★]

> ㉠ 재건축조합의 조합장이 조합탈퇴의 의사표시를 한 자를 상대로 '사업시행구역 안에 있는 그 소유의 건물을 명도하고 이를 재건축사업에 제공하여 행하는 업무를 방해하여서는 아니 된다' 는 가처분의 판결을 받아 위 건물을 철거한 행위는 형법 제20조에 정한 업무로 인한 정당행위 에 해당한다.
>
> ㉡ 인근 상가의 통행로로 이용되고 있는 토지의 사실상 지배권자가 위 토지에 철주와 철망을 설치하고 포장된 아스팔트를 걷어냄으로써 통행로로 이용하지 못하게 한 것은 자구행위로 위법성이 조각된다.
>
> ㉢ 피해자의 승낙에서의 사전적 승낙이 있었다 하더라도 행위 이전에 피해자는 언제든지 자유롭 게 승낙을 철회할 수 있으며, 승낙을 철회한 경우에는 승낙은 더 이상 존재하지 않게 된다.
>
> ㉣ 사회상규에 반하지 않는 행위는 국가질서의 존중이라는 인식을 바탕으로 한 국민일반의 건전 한 도의적 감정에 반하지 아니하는 행위를 가리키는 것으로, 초법규적인 기준에 의해 평가 되어서는 안 된다.

① ㉠㉡   ② ㉠㉢

③ ㉡㉢   ④ ㉡㉣

해설

② ㉠㉢ 2 항목이 옳다.

㉠ [○] 재건축조합의 사무를 총괄하는 조합장인 피고인으로서는 법률 및 조합규약에 따라 사업시행구역 안의 조 합원들 소유의 건물 등 지장물을 철거할 수 있는 것이므로 피고인이 조합탈퇴의 의사표시에도 불구하고 여전히 조합원의 지위에 있는 사람을 상대로 사업시행구역 안에 있는 건물을 명도하고 이를 재건축사업에 제공하여 행하는 업무를 방해하여서는 아니 된다는 가처분의 판결을 받아 이를 철거한 것은 형법 제20조에 정한 **업무로 인한 정당행위라 할 것이다.**(대법원 1998. 2. 13. 97도2877)

㉡ [×] 건물의 건축허가 또는 토지상의 가설건축물 허가 여부에 관한 관할관청의 행정행위에 하자가 존재한다고 가정하더라도, 피고인이 법정절차에 의하여 토지의 소유권을 방해하는 사람들에 대한 방해배제 등 **청구권을 보전 하는 것이 불가능하였거나 현저하게 곤란하였다고 볼 수 없을 뿐만 아니라,** 피고인의 행위가 그 **청구권의 실행불능 또는 현저한 실행곤란을 피하기 위한 상당한 행위라고 볼 수도 없다.**(대법원 2007. 12. 28. 2007 도7717 아스팔트 제거사건) 자구행위에 해당하지 않아 위법성이 조각되지 아니한다.

㉢ [○] 위법성조각사유로서의 피해자의 승낙은 **언제든지 자유롭게 철회할 수 있고,** 그 철회의 방법에는 아무런 제한이 없다.(대법원 2011. 5. 13. 2010도9962 안산 상가철거사건)

㉣ [×] '사회상규에 반하지 않는 행위'라 함은 국가질서의 존중이라는 인식을 바탕으로 한 국민일반의 건전한 도의적 감정에 반하지 아니한 행위로서 **초법규적인 기준에 의하여 이를 평가할 것이다.**(대법원 1983. 11. 22. 83도2224 경화카세인 수입사건)

139 다음 설명 중 옳지 않은 것은? (다툼이 있으면 판례에 의함)　　12 변호사 [Superlative ★★★]

□□□
① 고의에 의한 방위행위가 위법성이 조각되기 위해서는 정당방위상황뿐 아니라 행위자에게 방위의사도 인정되어야 한다.
② 피해자의 승낙에 의한 행위가 위법성이 조각되기 위해서는 그 승낙이 유효해야 할 뿐 아니라 그 승낙에 기한 행위가 사회상규에 위배되지 아니한 경우이어야 한다.
③ 추정적 승낙이란 피해자의 현실적인 승낙이 없었다고 하더라도 행위 당시의 모든 객관적 사정에 비추어 볼 때 만일 피해자가 행위의 내용을 알았더라면 당연히 승낙하였을 것으로 예견되는 경우를 말한다.
④ 정당방위의 성립요건으로서의 방어행위는 순수한 수비적 방어뿐만 아니라 적극적 반격을 포함하는 반격방어의 형태도 포함된다.
⑤ 자구행위가 그 정도를 초과하더라도 야간 기타 불안스러운 상태하에서 공포·경악·흥분·당황으로 인한 경우에는 벌하지 아니한다.

해설

⑤ [×] 과잉자구행위의 경우 과잉방위나 과잉피난과는 달리 '야간 기타 불안한 상태에서 공포, 경악, 흥분 또는 당황으로 인한 때에는 벌하지 아니한다'라는 규정이 없다.(제23조 참고) 즉, 형법은 면책적 과잉자구행위를 인정하지 않는다.
① [○] 객관적 정당화요소(정당방위 상황)와 주관적 정당화요소(방위의사) 모두 구비되어야 정당방위로써 위법성이 조각된다는 것이 통설과 판례의 입장이다.(대법원 1997. 4. 17. 96도3376 송슴 신군부 내란사건)
② [○] 위법성이 조각되는 피해자의 승낙은 개인적 법익을 훼손하는 경우에 법률상 이를 처분할 수 있는 사람의 승낙이어야 할 뿐만 아니라 그 승낙이 윤리적·도덕적으로 사회상규에 반하는 것이 아니어야 한다.(대법원 2008. 12. 11. 2008도9606 보험사기 상해사건)
③ [○] 추정적 승낙이란 피해자의 현실적인 승낙이 없었다고 하더라도 행위 당시의 모든 객관적 사정에 비추어 볼 때 만일 피해자가 행위의 내용을 알았더라면 당연히 승낙하였을 것으로 예견되는 경우를 말한다.(대법원 2006. 3. 24. 2005도8081 가구점 부도 사건)
④ [○] 정당방위의 성립요건으로서의 방어행위에는 순수한 수비적 방어뿐 아니라 적극적 반격을 포함하는 반격방어의 형태도 포함된다.(대법원 1992. 12. 22. 92도2540 김보은·김진관 사건)

140

☐☐☐

다음 설명 중 위법성이 조각되는 경우는 모두 몇 개인가? (다툼이 있으면 판례에 의함)

13 경찰채용 [Core ★★]

> ⊙ 아파트 입주자대표회의 회장이 다수 입주민들의 민원에 따라 위성방송 수신을 방해하는 케이블TV방송의 시험방송 송출을 중단시키기 위하여 위 케이블TV방송의 방송안테나를 절단하도록 지시한 경우
> ⓒ 전교조 소속 교사들이 학교운영의 공공성, 투명성의 보장을 요구하며 학교법인 이사장 및 교장의 거주지 앞에서 그들의 주소까지 명시하여 명예를 훼손한 경우
> ⓒ 사채업자인 피고인이 피해자에게 채무를 변제하지 않으면 피해자가 숨기고 싶어 하는 과거의 행적과 사채를 쓴 사실 등을 남편과 시댁에 알리겠다는 등의 문자메세지를 발송한 경우
> ⓔ 피고인이 피해자와 공모하여 교통사고를 가장하여 보험금을 편취할 목적으로 피해자에게 상해를 가한 경우
> ⓜ 특정 상가건물관리회의 회장이 위 관리회의 결산보고를 하면서 전 관리회장이 체납관리비 등을 둘러싼 분쟁으로 자신을 폭행하여 유죄판결을 받은 사실을 알린 경우

① 1개   ② 2개

③ 3개   ④ 4개

해설

① ⓜ 항목의 경우에만 위법성이 조각된다. ⊙ⓒⓒⓔ 모두 위법성이 조각되지 아니한다.

⊙ 피고인이 다수 입주민들의 민원에 따라 입주자대표회의 회장의 자격으로 위성방송 수신을 방해하는 경기동부방송의 시험방송 송출을 중단시키기 위하여 **경기동부방송의 방송안테나를 절단하도록** 지시하였다고 할지라도 피고인의 위와 같은 행위를 긴급피난 내지는 정당행위에 해당한다고 볼 수 없다.(대법원 2006. 4. 13. 2005도9396 안테나 절단사건)

ⓒ 피고인들이 아파트 앞에서 A, B의 주소까지 명시하여 A, B의 명예를 훼손한 것을 두고 오로지 공공의 이익에 관한 것이라고 보기는 어렵다.(대법원 2008. 3. 14. 2006도6049 주소명시 피켓 사건)

ⓒ 피고인이 정당한 절차와 방법을 통해 그 권리를 행사하지 아니하고 피해자에게 해악을 고지한 것은 **사회통념에 비추어 용인할 수 있는 정도의 것이라고 볼 수 없다.**(대법원 2011. 5. 26. 2011도2412 사채업자 협박사건)

ⓔ 피고인이 피해자와 공모하여 교통사고를 가장하여 보험금을 편취할 목적으로 피해자에게 상해를 가하였다면 피해자의 승낙이 있었다고 하더라도 이는 위법한 목적에 이용하기 위한 것이므로 피고인의 행위가 피해자의 승낙에 의하여 위법성이 조각된다고 할 수 없다.(대법원 2008. 12. 11. 2008도9606 보험사기 상해사건)

ⓜ 건물관리회원 전체의 관심과 이익에 관한 것으로서 **형법 제310조에 의하여 위법성이 조각된다.**(대법원 2008. 11. 13. 2008도6342 반포프라자 사건)

141

☐☐☐

위법성조각사유에 관한 설명이다. 다음 중 가장 적절하지 않은 것은? (다툼이 있으면 판례에 의함)

15 경찰채용 [Core ★★]

① 조합원에 대하여 파업 실시에 관한 찬반투표를 실시하지는 않았지만 노동조합의 조합원 총회를 거쳐 파업을 실시하였고, 파업에 참여한 인원 등에 비추어 조합원 대다수가 파업에 찬성한 것으로 보이는 쟁의행위는 정당행위에 해당하지 않는다.

② 쟁의행위에서 추구되는 목적이 여러 가지이고 그중 일부가 정당하지 못한 경우에는 주된 목적 내지 진정한 목적의 당부에 의하여 그 쟁의목적의 당부를 판단하여야 하나, 부당한 요구사항을 뺐더라면 쟁의행위를 하지 않았을 것이라고 인정되는 경우라고 하여 그 쟁의행위 전체가 정당성을 갖지 못한다고 볼 수는 없다.

③ 대출의 조건 및 용도가 임야매수자금으로 한정되어 있는 정부정책자금을 대출받으면서 임야매수자금 외의 용도에 사용할 목적으로 임야매수자금을 실제보다 부풀린 허위계약서를 제출하여 대출받은 행위는, 정책자금을 대출받은 자가 대출의 조건 및 용도에 위반하여 자금을 사용하는 관행이 있더라도 사회상규에 위배되지 않는 정당한 행위라고 할 수 없다.

④ 임차인이 임대차기간이 만료된 방을 비워주지 못하겠다고 억지를 쓰며 폭언을 함으로 임대인의 며느리가 홧김에 그 방의 창문을 쇠스랑으로 부수자, 이에 격분하여 임차인이 배척(속칭 빠루)을 들고 휘둘러 구경꾼인 마을주민에게 상해를 입힌 행위는 정당방위에 해당하지 않는다.

해설

② [×] 쟁의행위가 추구하는 목적이 여러 가지로서 그중 일부가 정당하지 못한 경우에는 주된 목적 내지 진정한 목적을 기준으로 쟁의행위 목적의 정당성 여부를 판단하여야 하는데, 만일 부당한 요구사항을 뺐더라면 쟁의행위를 하지 않았을 것이라고 인정될 때에는 그 쟁의행위 전체가 정당성을 갖지 못한다고 보아야 한다.(대법원 2014. 11. 13. 2011도393 한국가스공사 파업사건)

① [O] 근로자가 쟁의행위를 함에 있어 조합원의 직접·비밀·무기명투표에 의한 찬성결정이라는 절차를 거쳐야 한다는 노동조합법 제41조 제1항의 규정은 노동조합의 자주적이고 민주적인 운영을 도모함과 아울러 쟁의행위에 참가한 근로자들이 사후에 그 쟁의행위의 정당성 유무와 관련하여 어떠한 불이익을 당하지 않도록 그 개시에 관한 조합의사의 결정에 보다 신중을 기하기 위하여 마련된 규정이므로 위의 절차를 위반한 쟁의행위는 그 절차를 따를 수 없는 객관적인 사정이 인정되지 아니하는 한 정당성이 상실된다.(대법원 2007. 5. 11. 2005도8005 서울대병원지부 사건)

③ [O] 임야매수자금으로 대출받은 돈을 임야매수를 위해 사용하지는 않더라도 임업경영의 목적으로 사용하는 한 산림조합이나 정부가 이를 용인하여 왔다거나, 정책자금을 대출받은 사람들이 대출의 조건 및 용도에 위반하여 자금을 사용하는 관행이 있다고 인정할 수 없을 뿐만 아니라, 설령 그러한 관행이 존재한다고 하더라도 이는 법에 어긋나는 것이므로 그러한 관행을 이유로 대출 조건과 용도가 임야매수자금으로 한정된 정책자금을 실제보다 부풀려 대출받아 편취한 행위가 사회상규에 위배되지 않는 정당한 행위라거나 비난가능성이 없다고 할 수는 없다.(대법원 2007. 4. 27. 2006도7634 임야매수자금 부당대출사건)

④ [O] 침해행위에 대하여 자기의 권리를 방위하기 위한 부득이한 행위가 아니고, 그 침해행위에서 벗어난 후 분을 풀려는 목적에서 나온 공격행위는 정당방위에 해당한다고 할 수 없다.(대법원 1996. 4. 9. 96도241 빠루사건)

142

□□□

다음 설명 중 가장 옳지 않은 것은? (다툼이 있으면 판례에 의함)

① 사용자인 수급인에 대한 정당성을 갖춘 쟁의행위가 도급인의 사업장에서 이루어져 형법상 보호되는 도급인의 법익을 침해한 경우, 그것이 항상 위법하다고 볼 것은 아니고, 법질서 전체의 정신이나 그 배후에 놓여있는 사회윤리내지 사회통념에 비추어 용인될 수 있는 행위에 해당하는 경우에는 형법 제20조의 '사회상규에 위배되지 아니하는 행위'로서 위법성이 조각된다.

② 노동조합이 주도한 쟁의행위 자체의 정당성과 이를 구성하거나 여기에 부수되는 개개 행위의 정당성은 구별하여야 하므로 일부 소수의 근로자가 폭력행위 등의 위법행위를 하였더라도 전체로서의 쟁의행위마저 당연히 위법하게 되는 것은 아니다.

③ 사문서를 작성·수정할 때 명의자의 명시적인 승낙이나 동의가 없다는 것을 알면서도 명의자가 문서작성 사실을 알았다면 승낙하였을 것이라고 기대하거나 예측하였다면 그 승낙이 추정된다고 할 수 있다.

④ 현행범인 체포행위가 적법한 공무집행을 벗어나 불법인 것으로 볼 수밖에 없다면, 현행범이 체포를 면하려고 반항하는 과정에서 경찰관에게 상해를 가한 것은 불법체포로 인한 신체에 대한 현재의 부당한 침해에서 벗어나기 위한 행위로서 정당방위에 해당하여 위법성이 조각된다.

해설

③ [×] 명의자의 명시적인 승낙이나 동의가 없다는 것을 알고 있으면서도 명의자가 문서작성 사실을 알았다면 승낙하였을 것이라고 기대하거나 예측한 것만으로는 그 승낙이 추정된다고 단정할 수 없다.(대법원 2011. 9. 29. 2010도14587 통장 입금자명의 삭제사건)

① [○] 사용자인 수급인에 대한 정당성을 갖춘 쟁의행위가 도급인의 사업장에서 이루어져 형법상 보호되는 도급인의 법익을 침해한 경우, 그것이 항상 위법하다고 볼 것은 아니고, 법질서 전체의 정신이나 그 배후에 놓여있는 사회윤리내지 사회통념에 비추어 용인될 수 있는 행위에 해당하는 경우에는 형법 제20조의 '사회상규에 위배되지 아니하는 행위'로서 위법성이 조각된다.(대법원 2020. 9. 3. 2015도1927 수자원공사지회 파업사건)

② [○] 노동조합이 주도한 쟁의행위 자체의 정당성과 이를 구성하거나 여기에 부수되는 개개 행위의 정당성은 구별하여야 하므로 일부 소수의 근로자가 폭력행위 등의 위법행위를 하였더라도 전체로서의 쟁의행위마저 당연히 위법하게 되는 것은 아니다.(대법원 2017. 7. 11. 2013도7896)

④ [○] 현행범인 체포행위가 적법한 공무집행을 벗어나 불법하게 체포한 것으로 볼 수밖에 없다면, 현행범이 그 체포를 면하려고 반항하는 과정에서 경찰관에게 상해를 가한 것은 불법체포로 인한 신체에 대한 현재의 부당한 침해에서 벗어나기 위한 행위로서 정당방위에 해당하여 위법성이 조각된다.(대법원 2011. 5. 26. 2011도3682 서교동 불심검문 사건)

143 위법성조각사유에 관한 설명 중 옳지 않은 것은? (다툼이 있으면 판례에 의함)

□□□
14 변호사 [Superlative ★★★]

① 인근 상가의 통행로로 이용되고 있는 토지의 사실상 지배권자가 위 토지에 철주와 철망을 설치하고 포장된 아스팔트를 걷어냄으로써 통행로로 이용하지 못하게 한 경우 자구행위에 해당하지 않는다.

② 甲이 자신의 부(父) 乙에게서 乙 소유의 부동산 매매에 관한 권한 일체를 위임받아 이를 매도하였는데, 그 후 乙이 갑자기 사망하자 소유권 이전에 사용할 목적으로 乙이 甲에게 인감증명서 발급을 위임한다는 취지의 인감증명 위임장을 작성한 경우 乙의 추정적 승낙이 인정되므로 사문서위조죄가 성립하지 않는다.

③ 자신의 남편과 甲이 불륜을 저지른 것으로 의심한 乙이 이를 따지기 위해 乙의 아들 등과 함께 甲의 집 안으로 들어와 서로 합세하여 甲을 구타하자, 그로부터 벗어나기 위해 손을 휘저으며 발버둥치는 과정에서 乙에게 상해를 가한 甲의 행위는 위법성이 조각된다.

④ 가해자의 행위가 피해자의 부당한 공격을 방위하기 위한 것이라기보다는 서로 공격할 의사로 싸우다가 먼저 공격을 받고 이에 대항하여 가해하게 된 경우, 그 가해행위는 방어행위인 동시에 공격행위의 성격을 가지므로 정당방위라고 볼 수 없다.

⑤ 선박의 이동에도 새로운 공유수면점용허가가 있어야 하고 휴지선을 이동하는 데는 예인선이 따로 필요한 관계로 비용이 많이 들어 다른 해상으로 이동을 하지 못하고 있는 사이에 태풍을 만나게 되고, 그와 같은 위급한 상황에서 선박과 선원들의 안전을 위한 조치를 취한 결과 인근 양식장에 피해를 준 경우 긴급피난에 해당한다.

해설

② [×] 乙의 사망으로 포괄적인 명의사용의 근거가 되는 위임관계 내지 포괄적인 대리관계는 종료된 것으로 보아야 하므로 피고인 甲은 더 이상 위임받은 사무처리와 관련하여 乙의 명의를 사용하는 것이 허용된다고 볼 수 없고, 피고인이 명의자 乙이 승낙하였을 것이라고 기대하거나 예측한 것만으로는 **사망한 乙의 승낙이 추정된다고 단정할 수 없으므로 사문서위조죄가 성립한다.**(대법원 2011. 9. 29. 2011도6223 아버지 갑자기 사망사건)

① [○] 피고인이 법정절차에 의하여 토지의 소유권을 방해하는 사람들에 대한 방해배제 등 청구권을 보전하는 것이 불가능하였거나 현저하게 곤란하였다고 볼 수 없으므로 **자구행위에 해당하지 아니한다.**(대법원 2007. 12. 28. 2007도7717 아스팔트 제거사건)

③ [○] 상대방 일행이 서로 합세하여 甲을 구타하였고, 甲은 이를 벗어나기 위하여 손을 휘저으며 발버둥치는 과정에서 상대방 등에게 상해를 가하게 경우 **정당방위로써 위법성이 조각된다.**(대법원 2010. 2. 11. 2009도12958 대구 불륜의심 싸움 사건)

④ [○] 가해자의 행위가 **서로 공격할 의사로 싸우다가** 먼저 공격을 받고 이에 대항하여 가해하게 된 것이라고 봄이 상당한 경우, 그 가해행위는 방어행위인 동시에 공격행위의 성격을 가지므로 **정당방위라고 볼 수 없다.** (대법원 2011. 5. 13. 2010도16970 전원주택부지 알선사건)

⑤ [○] 위급한 상황에서 **선박과 선원들의 안전을 위하여** 사회통념상 가장 적절하고 필요불가결하다고 인정되는 조치를 취하였다면 형법상 **긴급피난으로서 위법성이 조각된다.**(대법원 1987. 1. 20. 85도221 금성호 사건)

정답 | 142 ③   143 ②

144

다음 중 긴급피난에 관한 설명으로 옳은 경우(○)와 옳지 않은 경우(×)를 바르게 표시한 것은?
(다툼이 있으면 판례에 의함)

20 해경채용 [Superlative ★★★]

⊙ 긴급피난의 본질에 관하여 위법성조각설을 따를 경우 긴급피난에 대한 정당방위나 긴급피난이 모두 가능하다.

ⓒ 의사 甲이 수혈 없이는 살 수 없는 응급환자 A를 구조하기 위하여 A와 혈액형이 동일한 환자 B의 동의를 받지 않고 강제채혈을 한 경우 긴급피난의 상당성 요건 중 보충성의 원칙과 관련되어 문제된다.

ⓒ 긴급피난을 '정 대 정(正 對 正)'의 관계라고 말하는 것은 '공격적 긴급피난'의 경우 피난자의 정당화된 행위와 위난과 관계없이 침해되는 제3자의 법익과의 관계를 염두에 두고 있기 때문이다.

ⓔ 책임조각설은 '자신을 위한 긴급피난'의 경우에 비하여 '타인을 위한 긴급피난'의 경우의 불처벌 근거를 설명하는 데 보다 적합하다.

ⓜ 제한적 종속형식을 전제로 한 경우 긴급피난을 위법성조각사유로 이해하는 입장에 따르면 긴급피난행위를 한 자에 대한 교사범의 성립은 인정될 수 없다.

① ⊙ ○ ⓒ ○ ⓒ × ⓔ ○ ⓜ ×
② ⊙ × ⓒ × ⓒ ○ ⓔ × ⓜ ○
③ ⊙ × ⓒ × ⓒ × ⓔ × ⓜ ×
④ ⊙ ○ ⓒ × ⓒ ○ ⓔ ○ ⓜ ○

해설

② 이 지문이 옳은 연결이다.

⊙ [×] 위법성조각설을 따르면 긴급피난은 적법한 행위이므로 이에 대하여 긴급피난은 허용되지만, **정당방위는 허용되지 아니한다**.(제21조 제1항, 제22조 제1항)

ⓒ [×] 긴급피난에서 '상당한 이유 있는 행위'에 해당하려면, 첫째 피난행위는 위난에 처한 법익을 보호하기 위한 유일한 수단이어야 하고, 둘째 피해자에게 가장 경미한 손해를 주는 방법을 택하여야 하며, 셋째 피난행위에 의하여 보전되는 이익은 이로 인하여 침해되는 이익보다 우월해야 하고, 넷째 피난행위는 그 자체가 사회윤리나 법질서 전체의 정신에 비추어 적합한 수단일 것을 요하는 등의 요건을 갖추어야 한다.(대법원 2013. 6. 13. 2010도13609) 의사 甲이 환자 B의 동의를 받지 아니하고 강제채혈을 한 것은 판례 (첫째 요건인 보충성의 원칙이 아니라) 넷째 요건인 **'수단의 적합성의 원칙'**과 관련되어 문제된다.

ⓒ [○] 긴급피난을 '정 대 정(正 對 正)'이라고 하는 것은 '공격적 긴급피난'의 경우 피난행위에 의하여 법익침해를 받는 사람에게 아무런 잘못이 없다(긴급피난에 의하여 충돌하는 양자가 모두 정당한 이익을 가지고 있다)는 점을 말하는 것이다. '방어적 긴급피난'의 경우는 긴급피난의 상대방이 바로 위난을 야기한 당사자인 것을 말하는데 이는 '정 대 정(正 對 正)'의 관계가 아니다. 아주 무서운 맹견(猛犬)이 甲을 물기 위해 달려들기 때문에 甲이 그 맹견을 피하여 다른 사람의 주거에 침입하는 것은 '공격적 긴급피난'에 해당하고(正 vs 正), 몽둥이로 그 맹견을 때리는 것은 '방어적 긴급피난'에 해당한다.

ⓔ [×] 책임조각설은 '타인을 위한 긴급피난'의 경우 기대불가능성으로 설명할 수 없다는 비판이 있다. 즉, 책임조각설은 '타인을 위한 긴급피난'의 경우(타인을 위하여 긴급피난을 안해도 그만이므로) 불처벌 근거를 설명하는 데 적합하지 않다.

ⓜ [○] 제한적 종속형식을 전제로 한 경우 긴급피난행위를 한 자는 구성요건해당성은 있으나 **위법성이 없으므로** 이에 대한 교사범의 성립할 수 없다.

145 다음 설명 중 옳은 것만을 모두 고른 것은? (다툼이 있으면 판례에 의함)

16 국가9급 [Core ★★]

☐☐☐

> ㉠ 甲은 동거녀가 자기의 지갑에서 현금을 꺼내가는 것을 보고도 아무런 만류를 하지 않았다면 이를 허용하는 묵시적 의사가 있다고 볼 수 있다.
>
> ㉡ 甲은 부도를 내고 도피한 피해자 상점의 물건들을 다른 채권자들이 취거해 갈 수 있다고 생각하고 자신의 청구권을 우선적으로 확보할 생각으로 무단 침입하여 피해자의 가구를 들고 나온 경우 정당한 자구행위로 볼 수 없다.
>
> ㉢ 방송사 기자인 甲이 구 국가안전기획부 정보수집팀이 타인 간의 사적 대화를 불법 녹음하여 생성한 도청자료인 녹음테이프와 녹취보고서를 입수한 후 이를 자사의 방송프로그램을 통하여 공개한 경우, 형법 제20조의 정당행위에 해당하지 않는다.
>
> ㉣ 작성권한이 없는 甲이 사문서를 작성·수정함에 있어 그 명의자의 현실적 승낙은 없었지만 행위 당시의 모든 객관적 사정을 종합하여 명의자가 행위 당시 그 사실을 알았더라면 당연히 승낙했을 것이라고 추정되는 경우에는 사문서위·변조죄가 성립하지 않는다.

① ㉠㉣

② ㉠㉡㉢

③ ㉡㉢㉣

④ ㉠㉡㉢㉣

해설

④ 모든 항목이 옳다.

㉠ [O] 피고인이 동거 중인 피해자의 지갑에서 현금을 꺼내가는 것을 피해자가 현장에서 목격하고도 만류하지 아니하였다면 피해자가 이를 허용하는 묵시적 의사가 있었다고 봄이 상당하여 절도죄를 구성하지 않는다.(대법원 1985. 11. 26. 85도1487)

㉡ [O] 피고인들에 대한 채무자인 피해자가 부도를 낸 후 도피하였고 다른 채권자들이 채권확보를 위하여 피해자의 물건들을 취거해 갈 수도 있다는 사정만으로는 피고인들이 법정절차에 의하여 자신들의 피해자에 대한 청구권을 보전하는 것이 불가능한 경우에 해당한다고 볼 수 없을 뿐만 아니라, 또한 피해자 소유의 가구점에 관리종업원이 있음에도 불구하고 가구점의 시정장치를 **쇠톱**으로 절단하고 들어가 가구들을 무단으로 취거한 행위가 피고인들의 피해자에 대한 청구권의 실행불능이나 현저한 실행곤란을 피하기 위한 상당한 이유가 있는 **행위라고도 할 수 없다.**(대법원 2006. 3. 24. 2005도8081 가구점 부도 사건)

㉢ [O] 피고인이 **도청자료를 공개한 행위는** 형법 제20조 소정의 정당행위로서 위법성이 조각되는 경우에 해당하지 아니한다.(대법원 2011. 3. 17. 2006도8839 舍合 삼성X파일 보도사건)

㉣ [O] 사문서를 작성·수정함에 있어 그 명의자의 명시적이거나 묵시적인 승낙이 있었다면 사문서의 위·변조죄에 해당하지 않고, 한편 행위 당시 명의자의 현실적인 승낙은 없었지만 행위 당시의 모든 객관적 사정을 종합하여 명의자가 행위 당시 그 사실을 알았다면 **당연히 승낙했을 것이라고 추정되는 경우 역시 사문서의 위·변조죄가 성립하지 않는다.**(대법원 2011. 9. 29. 2010도14587 통장 입금자명의 삭제사건)

146
□□□

다음 설명 중 **甲**의 행위가 위법성이 조각되는 경우를 모두 고른 것은? (다툼이 있으면 판례에 의함)

17 변호사 [Superlative ★★★]

> ㉠ 甲이 군무기피의 목적이 있었으나 국군보안사령부의 민간인에 대한 정치사찰을 폭로한다는 명목으로 군무를 이탈한 경우
> ㉡ 甲이 乙과 말다툼을 하던 중 乙이 건초더미에 있던 낫을 들고 반항하자 乙로부터 낫을 빼앗아 그 낫으로 乙의 가슴, 배, 왼쪽 허벅지 부위 등을 수차례 찔러 乙이 사망한 경우
> ㉢ 甲은 자신의 아파트로 찾아와 소란을 피우는 친구 乙에게 출입문을 열어주었으나, 乙이 신발을 신은 채 거실로 들어와 함께 온 아들과 합세하여 남편과의 불륜관계를 추궁하며 자신을 구타하자, 그로부터 벗어나기 위해 손을 휘저으며 발버둥을 치는 과정에서 乙에게 상해를 가한 경우
> ㉣ 변호사 甲은 참고인 조사를 받는 줄 알고 검찰청에 자진출석한 자신의 사무장 乙을 합리적 근거 없이 검사가 긴급체포하자 이를 제지하는 과정에서 검사에게 상해를 가한 경우
> ㉤ 甲이 乙의 개가 자신의 애완견을 물어뜯는 공격을 하자 소지하고 있던 기계톱으로 乙의개를 절개하여 죽인 경우

① ㉠㉡   ② ㉡㉤   ③ ㉢㉣
④ ㉠㉢㉣   ⑤ ㉢㉣㉤

해설

③ ㉢㉣ 2 항목의 경우 위법성이 조각된다.

㉠ 서면화된 인사발령 없이 국군보안사령부 서빙고분실로 배치되어 이른바 혁노맹사건 수사에 협력하게 된 사정만으로 군무이탈행위에 군무기피목적이 없었다고 할 수 없고, 국군보안사령부의 민간인에 대한 정치사찰을 폭로한다는 명목으로 군무를 이탈한 행위는 **정당방위나 정당행위에 해당하지 아니한다.**(대법원 1993. 6. 8. 93도766)

㉡ 피고인의 범행행위가 피해자의 피고인에 대한 **현재의 부당한 침해를 방위하거나 그러한 침해를 예방하기 위한 행위로 상당한 이유가 있는 경우에 해당한다고 볼 수 없다.**(대법원 2007. 4. 26. 2007도1794)

㉢ 상대방 일행이 서로 합세하여 甲을 구타하였고, 甲은 이를 벗어나기 위하여 손을 휘저으며 발버둥치는 과정에서 상대방 등에게 상해를 가하게 경우 **정당방위로써 위법성이 조각된다.**(대법원 2010. 2. 11. 2009도12958 **대구 불륜의심 싸움 사건**)

㉣ 검사의 행위는 적법한 공무집행을 벗어나 乙을 불법하게 체포하려고 한 것으로 볼 수밖에 없으므로, 甲이 乙에 대한 체포를 제지하는 과정에서 검사에게 상해를 가한 것은 이러한 불법 체포로 인한 신체에 대한 현재의 부당한 침해에서 벗어나기 위한 행위로서 **정당방위에 해당한다.**(대법원 2006. 9. 8. 2006도148 **사무장 긴급체포사건**)

㉤ 피고인으로서는 자신의 진돗개를 보호하기 위하여 몽둥이나 기계톱 등을 휘둘러 피해자의 개들을 쫓아버리는 방법으로 자신의 재물을 보호할 수 있었을 것이므로 피해견을 기계톱으로 내리쳐 등 부분을 절개한 것은 **피난행위의 상당성을 넘은 행위로서 긴급피난의 요건을 갖춘 행위로 보기 어렵다.**(대법원 2016. 1. 28. 2014도2477 **이웃집 맹견 전기톱 살해사건**)

147 정당방위와 정당행위에 관한 설명 중 옳지 않은 것은? (다툼이 있으면 판례에 의함)

15 사법시험 [Superlative ★★★]

① 甲은 아들이 타인이 보는 자리에서 인륜상 용납할 수 없는 폭언을 하면서 식칼을 들고 대들어 주위에서 식칼을 뺏는 동안 문 밖으로 피신했다. 그러나 아들이 계속 쫓아와 폭행하려 하자 甲이 아들의 후두부를 주먹으로 1회 강타하여 이로 인해 아들이 돌이 있는 지면에 넘어져 즉석에서 사망하게 되었다면, 甲의 행위는 정당방위에 해당한다.

② 집행관 甲이 강제집행을 하기 위해 채무자의 주거에 들어가려 하였으나, 채무자의 아들인 A가 집행력 있는 판결정본과 신분증을 확인하고도 甲을 밀쳐내며 못 들어오게 하자 이를 배제하고 안으로 들어가는 과정에서 A를 떠밀면서 몸싸움을 하게 되어 A에게 전치 2주의 두부타박상을 입혔다면, 甲의 상해행위는 통상의 사회통념상 허용될 수 있는 상당성이 있는 행위라고 볼 수 없다.

③ 甲은 야간에 술에 취한 자가 자신이 운전 중인 차량에 뛰어들어 함부로 타려 하자 이에 항의하면서 주취자와 몸싸움을 하게 되었다. 주취자가 甲의 바지춤을 잡아당겨 바지가 찢어졌으며 甲을 잡아끌고 가다 넘어져, 甲이 주취자의 배 위쪽에서 그의 양 손목을 잡아 약 3분 가량 눌렀다면, 이러한 甲의 행위는 정당방위에 해당한다.

④ 의사 甲이 모발이식시술을 하면서 모발이식시술에 관하여 어느 정도 지식을 지닌 간호조무사로 하여금 모발이식용 기기로 모발을 삽입하는 행위를 하도록 한 채 별반 관여를 하지 않았다면, 甲의 행위는 정당행위에 해당하지 않는다.

⑤ 사용자 甲의 회사에서 정리해고된 乙이 적법하게 단행된 직장폐쇄기간 중 일방적으로 업무에 복귀하겠다고 하면서 甲의 퇴거요구에 불응한 채 계속해서 사업장 내로 진입을 시도하자 甲이 이에 대응하여 乙을 폭행·협박한 행위는 정당방위에 해당한다.

해설

② [×] 채무자의 아들인 A가 집행력 있는 판결정본과 신분증을 확인하고도 주거에 들어오지 못하게 하고 피고인 甲들을 문밖으로까지 밀쳐 내고 문을 닫으려고 하면서 적법한 집행을 방해하는 등 저항하므로 이를 배제하고 채무자의 주거에 들어가기 위하여 A를 떠민 것은 정당한 직무범위 내에 속하는 위력의 행사라고 할 것이고, 이로 인하여 상해를 가하였다 하더라도 **사회통념상 허용될 수 있는 상당성이 있는 행위로서 위법성이 조각된다.**(대법원 1993. 10. 12. 93도875)

① [O] **인륜상 용납할 수 없는** 폭언과 함께 폭행을 가하려는 피해자를 1회 구타한 행위는 현재의 부당한 침해를 방위하기 위한 상당한 이유가 있는 행위로써 **정당방위에 해당**하여 범죄를 구성하지 아니할 것이요, 동 폭행행위가 범죄를 구성하지 아니하는 이상 피해자가 폭행으로 돌이 있는 지면에 넘어져서 사망에 이르게 되었다 하여도 피고인을 폭행치사죄로 처단할 수 없다.(대법원 1974. 5. 14. 73도2401 망나니 아들 사건)

③ [○] 피해자가 피고인 운전의 차량 앞에 뛰어 들어 함부로 타려고 하고 이에 항의하는 피고인의 바지춤을 잡아 당겨 찢고 피고인을 끌고 가려다가 넘어지자, 피고인이 피해자의 양 손목을 경찰관이 도착할 때까지 약 3분간 잡아 누른 행위는 정당방위에 해당한다.(대법원 1999. 6. 11. 99도943 **3분 동안 손목 사건**)

④ [○] 의사가 모발이식시술을 하면서 간호조무사로 하여금 모발이식시술행위 중 일정 부분을 직접 하도록 맡겨 둔 채 별반 관여하지 않은 행위는 의료법을 포함한 법질서 전체의 정신이나 사회통념에 비추어 용인될 수 있는 행위에 해당한다고 볼 수 없어 **위법성이 조각되지 아니한다.**(대법원 2007. 6. 28. 2005도8317 **간호조무사 모발이식 사건**)

⑤ [○] 사용자가, 적법한 직장폐쇄 기간 중 일방적으로 업무에 복귀하겠다고 하면서 자신의 퇴거요구에 불응한 채 계속하여 사업장 내로 진입을 시도하는 해고 근로자를 폭행·협박한 것은 사업장 내의 평온과 노동조합의 업무방해행위를 방지하기 위한 **정당방위 내지 정당행위에 해당한다.**(대법원 2005. 6. 9. 2004도7218 **군산축 협 파업사건**)

148

☐☐☐ 위법성조각사유에 대한 아래 ㉠부터 ㉣까지의 설명 중 옳고 그름의 표시(○, ×)가 모두 바르게 된 것은? (다툼이 있으면 판례에 의함)

21 경찰채용 [Core ★★]

㉠ 정당방위상황은 존재하지만 방위의사 없이 행위한 경우, 위법성조각사유의 요건에 있어 주관적 정당화요소가 필요없다고 보는 견해에서는 여전히 행위반가치는 존재하므로 이를 불능미수범으로 취급하여야 한다고 본다.

㉡ 위법하지 않은 정당한 침해에 대한 정당방위는 인정되지 않는다.

㉢ 수급인 소속 근로자의 쟁의행위가 도급인의 사업장에서 일어나 도급인의 형법상 보호되는 법익을 침해한 경우, 사용자인 수급인에 대한 관계에서 쟁의행위의 정당성을 갖추었다면 사용자가 아닌 도급인에 대한 관계에서도 법령에 의한 정당한 행위로서 위법성이 조각된다.

㉣ 사용자가 당해 사업과 관계없는 자를 쟁의행위로 중단된 업무의 수행을 위하여 채용 또는 대체하는 경우, 쟁의행위에 참가한 근로자들이 위법한 대체근로를 저지하기 위하여 상당한 정도의 실력을 행사하는 것은 정당행위로서 위법성이 조각된다.

① ㉠ × ㉡ ○ ㉢ × ㉣ ○
② ㉠ ○ ㉡ × ㉢ ○ ㉣ ×
③ ㉠ × ㉡ ○ ㉢ ○ ㉣ ○
④ ㉠ ○ ㉡ ○ ㉢ × ㉣ ×

해설

① 이 지문이 옳은 연결이다.

㉠ [×] 주관적 정당화요소 불요설에 의하면 지문과 같은 우연방위의 경우 **결과반가치가 없기 때문에 위법성이 조각된다.**

㉡ [○] 어떠한 행위가 정당방위로 인정되려면 그 행위가 자기 또는 타인의 법익에 대한 현재의 부당한 침해를 방어하기 위한 것으로서 상당성이 있어야 하므로, **위법하지 않은 정당한 침해에 대한 정당방위는 인정되지 않는다.** 이때 방위행위가 사회적으로 상당한 것인지는 침해행위로 침해되는 법익의 종류와 정도, 침해의 방법, 침해행위의 완급, 방위행위로 침해될 법익의 종류와 정도 등 일체의 구체적 사정을 참작하여 판단하여야 한다. (대법원 2021. 6. 10. 2021도4278 **메신저 말다툼 진짜싸움 사건**)

㉢ [×] (1) 쟁의행위가 정당행위로 위법성이 조각되는 것은 사용자에 대한 관계에서 인정되는 것이므로 제3자의 법익을 침해한 경우에는 원칙적으로 정당성이 인정되지 않는다. 그런데 도급인은 원칙적으로 수급인 소속 근로자의 사용자가 아니므로 **수급인 소속 근로자의 쟁의행위가 도급인의 사업장에서 일어나 도급인의 형법상 보호되는 법익을 침해한 경우에는** 사용자인 수급인에 대한 관계에서 쟁의행위의 정당성을 갖추었다는 사정만으로 **사용자가 아닌 도급인에 대한 관계에서까지 법령에 의한 정당한 행위로서 법익침해의 위법성이 조각된다고 볼 수는 없다.** (2) 그러나 수급인 소속 근로자들이 집결하여 함께 근로를 제공하는 장소로서 도급인의 사업장은 수급인 소속 근로자들의 삶의 터전이 되는 곳이고, 쟁의행위의 주요 수단 중 하나인 파업이나 태업은 도급인의 사업장에서 이루어질 수밖에 없다. 또한 도급인은 비록 수급인 소속 근로자와 직접적인 근로계약관계를 맺고 있지는 않지만, 수급인 소속 근로자가 제공하는 근로에 의하여 일정한 이익을 누리고, 그러한 이익을 향수하기 위하여 수급인 소속 근로자에게 사업장을 근로의 장소로 제공하였으므로 그 사업장에서 발생하는 쟁의행위로 인하여 일정 부분 법익이 침해되더라도 사회통념상 이를 용인하여야 하는 경우가 있을 수 있다. 따라서 **사용자인 수급인에 대한 정당성을 갖춘 쟁의행위가 도급인의 사업장에서 이루어져 형법상 보호되는 도급인의 법익을 침해한 경우**, 그것이 항상 위법하다고 볼 것은 아니고 법질서 전체의 정신이나 그 배후에 놓여있는 **사회윤리 내지 사회통념에 비추어 용인될 수 있는 행위에 해당하는 경우에는** 형법 제20조의 '사회상규에 위배되지 아니하는 행위'로서 **위법성이 조각된다.**(대법원 2020. 9. 3. 2015도1927 **수자원공사지회 파업사건**)

㉣ [○] 사용자가 당해 사업과 관계없는 자를 쟁의행위로 중단된 업무의 수행을 위하여 채용 또는 대체하는 경우 쟁의행위에 참가한 근로자들이 위법한 대체근로를 저지하기 위하여 상당한 정도의 실력을 행사하는 것은 쟁의행위가 실효를 거둘 수 있도록 하기 위하여 마련된 노동조합 및 노동관계조정법 제43조 제1항의 취지에 비추어 정당행위로서 위법성이 조각된다. 위법한 대체근로를 저지하기 위한 실력행사가 사회통념에 비추어 용인될 수 있는 행위로서 정당행위에 해당하는지는 그 경위, 목적, 수단과 방법, 그로 인한 결과 등을 종합적으로 고려하여 구체적인 사정 아래서 합목적적·합리적으로 고찰하여 개별적으로 판단하여야 한다.(대법원 2020. 9. 3. 2015도1927 **수자원공사지회 파업사건**)

149

甲의 행위에 대하여 위법성이 조각되는 경우만을 모두 고른 것은? (다툼이 있으면 판례에 의함)

16 국가7급 [Superlative ★★★]

> ○ 甲이 피해자와 공모하여 교통사고를 가장하여 보험금을 편취할 목적으로 피해자에게 동의를 받아 상해를 가한 경우
> ○ 한의사 자격이나 이에 관한 어떠한 면허도 없는 甲이 찜질방에서 찾아오는 사람들을 대상으로 약간의 돈을 받고 아픈 부위의 혈을 주물러 근육을 풀어주고 그 부위에 부항을 뜬 후 그곳을 부항침으로 찌르는 등, 단순히 수지침 정도의 수준에 그치지 아니하고 부항침과 부항을 이용하여 체내의 혈액을 밖으로 배출되도록 한 경우
> ○ 甲이 골프클럽 경기보조원들의 구직편의를 위해 제작된 인터넷 사이트 내 회원 게시판에 특정 골프클럽의 운영상 불합리성을 비난하는 글을 게시하면서 위 클럽 담당자에 대하여 한심하고 불쌍한 인간이라는 등 경멸적 표현을 한 경우
> ○ 검문 중이던 경찰관이 자전거를 이용한 날치기 사건 범인과 흡사한 인상착의로 자전거를 타고 다가오는 甲을 발견하고 그에게 성명과 신분 및 사유를 고지하며 정지를 요구하자 불응하였고, 이에 따라가서 재차 앞을 막고 검문에 응하라고 요구하자 甲이 경찰관의 멱살을 잡아 밀치는 등의 항의를 한 경우
> ○ 아파트 입주자대표회의 회장 甲이 다수 입주민들의 민원에 따라 위성방송 수신을 방해하는 케이블TV 방송의 시험방송 송출을 중단시키기 위하여 소수 입주민이 이용하고 있는 케이블 TV 방송의 방송안테나를 절단하도록 지시한 경우

① ⓒ

② ⓒⓔ

③ ⓐⓒⓜ

④ ⓒⓔⓜ

해설

> ① ⓒ 항목의 경우에만 위법성이 조각된다.
> ⓐ (1) 위법성이 조각되는 피해자의 승낙은 개인적 법익을 훼손하는 경우에 법률상 이를 처분할 수 있는 사람의 승낙이어야 할 뿐만 아니라 그 승낙이 윤리적·도덕적으로 사회상규에 반하는 것이 아니어야 한다. (2) 피고인이 교통사고를 가장하여 **보험금을 편취할 목적으로 피해자에게 상해를 가하였다면 피해자의 승낙이 있었다고 하더라도 이는 위법한 목적에 이용하기 위한 것이므로 피해자의 승낙에 의하여 위법성이 조각된다고 할 수 없다.**(대법원 2008. 12. 11. 2008도9606 보험사기 상해사건)
> ⓑ 피고인이 행한 부항 시술행위가 보건위생상 위해가 발행할 우려가 전혀 없다고 볼 수 없는데다가 피고인이 한의사 자격이나 이에 관한 어떠한 면허도 없이 영리를 목적으로 치료행위를 한 것이고, 단순히 수지침 정도의 **수준에 그치지 아니하고 부항침과 부항을 이용하여 체내의 혈액을 밖으로 배출되도록 한 것이므로 이러한 피고인의 시술행위는 사회상규에 위배되지 아니하는 행위로서 위법성이 조각되는 경우에 해당한다고 할 수 없다.**(대법원 2004. 10. 28. 2004도3405 부항뜸 사건)
> ⓒ 골프클럽 경기보조원들의 구직편의를 위해 제작된 인터넷 사이트 내 회원 게시판에 특정 골프클럽의 운영상 불합리성을 비난하는 글을 게시하면서 클럽담당자에 대하여 "한심하고 불쌍한 인간"이라는 등 경멸적 표현을 했더라도, 게시의 동기와 경위, 모욕적 표현의 정도와 비중 등에 비추어 **사회상규에 위배되지 않는다고 봄이 상당하다.**(대법원 2008. 7. 10. 2008도1433 다음카페 캐디세상 사건)

○ 경찰관들이 피고인을 발견하고 앞을 가로막으며 진행을 제지한 행위는 사회통념상 용인될 수 있는 상당한 방법으로 경직법 제3조 제1항에 규정된 자에 대하여 의심되는 사항에 관한 질문을 하기 위하여 정지시킨 것으로 보아야 한다(불심검문으로서 적법하다). 따라서 원심이 정당방위에 해당하여 무죄라고 판단한 상해 및 모욕 부분은 공무집행이 적법하다는 전제에서는 더 이상 유지될 수 없으므로 전부 파기될 수밖에 없다.(대법원 2012. 9. 13. 2010도6203 인천 부평 불심검문 사건)

○ 피고인이 다수 입주민들의 민원에 따라 입주자대표회의 회장의 자격으로 위성방송 수신을 방해하는 경기동부방송의 시험방송 송출을 중단시키기 위하여 경기동부방송의 방송안테나를 절단하도록 지시하였다고 할지라도 피고인의 위와 같은 행위를 긴급피난 내지는 정당행위에 해당한다고 볼 수 없다.(대법원 2006. 4. 13. 2005 도9396 안테나 절단사건)

150 정당행위에 관한 설명 중 옳은 것만을 모두 고른 것은? (다툼이 있으면 판례에 의함)

23 경찰채용 [Core ★★]

㉠ 甲은 ○○ 수지요법학회의 지회를 운영하면서 일반인에게 수지침을 보급하고 무료의료 봉사활동을 하는 사람으로서 A에게 수지침 시술을 부탁받고 아무런 대가 없이 수지침 시술을 해준 경우 甲이 침술 면허가 없다고 해도 해당 행위는 사회상규에 위배되지 아니하는 행위로서 위법성이 조각될 수 있다.

㉡ A노동조합의 조합원 甲 등이 관계 법령에서 정하는 서면신고의무에 따라 쟁의행위의 일시, 장소, 참가인원 및 그 방법에 관한 서면신고를 하지 않고 쟁의행위를 한 경우 세부적·형식적 절차를 미준수한 것으로서 쟁의행위의 정당성이 부정된다.

㉢ A아파트 입주자대표회의 회장인 甲이 자신의 승인 없이 동대표들이 관리소장과 함께 게시한 입주자대표회의의 소집공고문을 뜯어내 제거한 경우 해당 공고문을 손괴한 조치가 그에 선행하는 위법한 공고문 작성 및 게시에 따른 위법상태의 구체적 실현이 임박한 상황하에서 그 위법성을 바로잡기 위한 것이라면 사회통념상 허용되는 범위를 크게 넘어서지 않는 것으로 볼 수 있다.

㉣ 甲이 「가정폭력범죄의 처벌 등에 관한 특례법」상의 임시보호명령을 위반하여 피해자인 A의 주거지에 접근하고 문자메시지를 보낸 경우 이에 대하여 A의 양해 내지 승낙이 있었다면 甲의 행위가 사회상규에 위배되는 행위로 볼 것은 아니다.

① ㉠㉡
② ㉠㉢
③ ㉠㉡㉣
④ ㉠㉢㉣

해설

② ㉠㉢ 2 항목이 옳다.

㉠ [○] 일반적으로 면허 또는 자격 없이 침술행위를 하는 것은 의료법 제25조의 무면허 의료행위(한방의료 행위)에 해당되어 같은 법 제66조에 의하여 처벌되어야 하고, 수지침 시술행위도 위와 같은 침술행위의 일종으로서 의료법에서 금지하고 있는 의료행위에 해당하며, 이러한 수지침 시술행위가 광범위하고 보편화된 민간요법이고 그 시술로 인한 위험성이 적다는 사정만으로 그것이 바로 사회상규에 위배되지 아니 하는 행위에 해당한다고 보기는 어렵다고 할 것이나, **수지침은** 위와 같이 시술부위나 시술방법 등에 있어서 예로부터 동양의학으로 전래되어 내려오는 체침의 경우와 현저한 차이가 있고, 일반인들의 인식도 이에 대한 관용의 입장에 기울어져 있으므로 이러한 사정과 함께 시술자의 시술의 동기, 목적, 방법, 횟수, 시술에 대한 지식수준, 시술경력, 피시술자의 나이, 체질, 건강상태, 시술행위로 인한 부작용 내지 위험발생 가능성 등을 종합적으로 고려하여 **구체적인 경우에** 있어서 개별적으로 보아 법질서 전체의 정신이나 그 배후에 놓여 있는 사회윤리 내지 사회통념에 비추어 용인될 수 있는 행위에 해당한다고 인정되는 경우에는 **형법 제20조 소정의 사회상규에 위배되지아니하는 행위로서 위법성이 조각된다.**(대법원 2000. 4. 25. 98도2389 수지침 사건)

㉡ [×] 노동조합법 시행령 제17조에서 규정하고 있는 쟁의행위의 일시·장소·참가인원 및 그 방법에 관한 서면신고의무는 쟁의행위를 함에 있어 그 세부적·형식적 절차를 규정한 것으로서 쟁의행위에 적법성을 부여하기 위하여 필요한 본질적인 요소라고 할 것은 아니므로 **노동쟁의 조정신청이나 조합원들에 대한 쟁의행위찬반투표 등의 절차를** 거친 후 이루어진 쟁의행위에 대하여 위와 같은 신고절차의 미준수만을 이유로 그 **정당성을 부정할 수는 없다.**(대법원 2007. 12. 28. 2007도5204 서울시건축사회 회의실 점거사건)

㉢ [○] A아파트 입주자대표회의 회장인 甲이 자신의 승인 없이 동대표들이 관리소장과 함께 게시한 입주자 대표회의의 소집공고문을 뜯어내 제거한 경우 해당 공고문을 손괴한 조치가 그에 선행하는 위법한 공고문 작성 및 게시에 따른 위법상태의 구체적 실현이 임박한 상황하에서 그 위법성을 바로잡기 위한 것이라면 사회통념상 허용되는 범위를 크게 넘어서지 않는 것으로 볼 수 있다.(대법원 2021. 12. 30. 2021도9680 입주자대표회의 공고문 사건)

㉣ [×] 원심은, 피고인의 주장과 같이 접근금지, 문언송신금지 등을 명한 임시보호명령을 위반한 주거지 접근이나 문자메시지 송신을 피해자가 양해 내지 승낙했다고 할지라도 가정폭력 처벌법 위반죄의 구성요건에 해당할 뿐더러 피고인이 임시보호명령의 발령 사실을 알면서도 피해자에게 먼저 연락하였고 이에 피해자가 대응한 것으로 보이는 점, 피해자가 피고인과 문자메시지를 주고받던 중 수 회에 걸쳐 "더 이상 연락하지 말라"는 문자메시지를 보내기도 한 점 등에 비추어 보면 피고인이 임시보호명령을 위반하여 피해자의 주거지에 접근하거나 문자메시지를 보낸 것을 형법 제20조의 정당행위로 볼 수도 없다는 이유로 공소사실을 유죄로 판단하였다. 원심의 판단에 논리와 경험의 법칙을 위반하여 자유심증주의의 한계를 벗어나거나 **피해자의 양해 내지 승낙, 정당행위에 관한 법리를** 오해한 잘못이 없다.(대법원 2022. 1. 14. 2021도14015 문언송신 금지 사건)

제3장 책임론

제1절 | 책임능력

151

책임에 대한 설명으로 옳은 것은?

① 도의적 책임론은 인간에게 자유의사가 있다는 의사결정론을 전제로 하여, 책임이란 자유의사를 가진 자가 위법한 행위로 의사결정을 한 점에 대한 도의적 비난을 가하는 것이라고 본다.

② 사회적 책임론은 개인의 유전적 소질과 사회적 환경에 의하여 결정된 반사회적 성격에 책임의 근거를 두고, 보안처분과 형벌의 목적을 달리 보는 이원론을 취한다.

③ 목적적 범죄론체계는 위법성 인식을 고의와 분리된 독자적인 책임요소로 본다는 점에 그 특징이 있다.

④ 위법성조각사유의 전제사실에 관한 착오를 해결하기 위한 소극적 구성요건표지론은 해당 착오는 총체적 불법구성요건의 소극적 표지에 관한 것이므로 구성요건착오에 관한 법리를 유추하여 적용한다.

⑤ 책임조각요건인 심신상실을 판단하기 위해서는 사물변별능력 결여 또는 의사결정능력 결여라는 심리적 요소와 심신장애라는 생물학적 요소 중에 어느 하나만 인정되면 족하다.

해설

③ [O] 목적적 범죄론체계는 책임설을 취하므로 **옳은 지문이다.**

① [×] 도의적 책임론은 인간에게 자유의사가 있다는 **의사비결정론을 전제로 하여,** 책임이란 자유의사를 가진 자가 위법한 행위로 의사결정을 한 점에 대한 도의적 비난을 가하는 것이라고 본다.

② [×] 사회적 책임론은 개인의 유전적 소질과 사회적 환경에 의하여 결정된 반사회적 성격에 책임의 근거를 두고, **보안처분과 형벌의 목적을 동일하게 보는 일원론을 취한다.**

④ [×] 위법성조각사유의 전제사실에 관한 착오를 해결하기 위한 소극적 구성요건표지이론은 해당 착오는 총체적 불법구성요건의 소극적 표지에 관한 것이므로 **구성요건착오에 관한 법리를 직접 적용한다.**

⑤ [×] **심신장애로 인하여 사물을 변별할 능력이 없거나 의사를 결정할 능력이 없는 자의 행위는 벌하지 아니한다.**(제10조 제1항) 형법 제10조에 규정된 심신장애는 생물학적 요소로서 정신병 또는 비정상적 정신상태와 같은 정신적 장애가 있는 외에 심리학적 요소로서 이와 같은 정신적 장애로 말미암아 사물에 대한 변별능력과 그에 따른 행위통제능력이 결여되거나 감소되었음을 요하므로 정신적 장애가 있는 자라고 하여도 범행 당시 정상적인 사물변별능력이나 행위통제능력이 있었다면 심신장애로 볼 수 없다.(대법원 2021. 9. 9. 2021도8657 경도 지적장애 사건)

152 책임의 근거와 본질에 관한 학설의 설명으로 옳고 그름의 표시(○, ×)가 바르게 된 것은?
□□□

24 경찰간부 [Superlative ★★★]

⊙ 책임은 자유의사를 가진 자가 그 의사에 의하여 적법한 행위를 할 수 있었음에도 불구하고 위법한 행위를 선택하였으므로 이에 대해 윤리적 비난을 가하는 것이다. – 심리적 책임론
ⓛ 인간의 행위는 자유의사가 아니라 환경과 소질에 의해 결정되는 것으로 책임의 근거가 행위자의 반사회적 성격에 있다. – 규범적 책임론
ⓒ 책임은 행위 당시 행위자가 가지고 있었던 고의·과실이라는 심리적 관계로 이해하여 심리적인 사실인 고의·과실이 있으면 책임이 있고, 그것이 없으면 책임도 없다. – 도의적 책임론
ⓔ 책임을 심리적 사실관계로 보지 않고 규범적 평가 관계로 이해하여 행위자가 적법행위를 할 수 있었음에도 위법행위를 한 것에 대한 규범적 비난이 책임이다. – 사회적 책임론

① ⊙ ○ ⓛ ○ ⓒ ○ ⓔ ○
② ⊙ ○ ⓛ × ⓒ ○ ⓔ ×
③ ⊙ × ⓛ ○ ⓒ × ⓔ ○
④ ⊙ × ⓛ × ⓒ × ⓔ ×

해설

④ 이 지문이 옳은 연결이다.
⊙ [×] 이는 도의적 책임론에 관한 설명이다.
ⓛ [×] 이는 사회적 책임론에 관한 설명이다.
ⓒ [×] 이는 심리적 책임론에 관한 설명이다.
ⓔ [×] 이는 규범적 책임론에 관한 설명이다.

153 책임의 본질에 관한 설명 중 가장 적절하지 않은 것은?
□□□

23 경대편입 [Superlative ★★★]

① 심리적 책임론은 책임을 행위 당시 행위자가 지니고 있었던 고의 또는 과실이라는 심리상태라고 하며, 책임을 행위자의 내심상태에 대한 사실판단으로 파악하는 것이다.
② 규범적 책임론은 책임의 본질을 심리적 사실관계에 두는 것이 아니라 그러한 사실관계에 대한 규범적 평가로서의 비난가능성에 두고 있다.
③ 예방적 책임론은 책임의 내용은 형벌의 목적, 특히 일반예방의 목적에 의하여 결정되어야 한다는 견해로 책임은 형벌목적과 관련하여 기능적으로 이해할 때에만 형법상의 의의를 가질 수 있다.
④ 심리적 책임론은 고의는 있으나 책임조각사유에 의해서 책임이 부정되는 경우를 설명할 수 없으며, 결과에 대한 심리적 관계가 없는 '인식 없는 과실'의 책임도 인정할 수 없다.
⑤ 규범적 책임론은 형법과 형사정책의 관계를 혼동함으로써 일반예방에 대한 관계에서 책임주의가 가지고 있는 제한적 기능을 무의미하게 만들 위험성이 있다.

해설

⑤ [×] 형법과 형사정책의 관계를 혼동함으로써 일반예방에 대한 관계에서 책임주의가 가지고 있는 제한적 기능을 무의미하게 만들 위험성이 있다는 비판을 받는 것은 **예방적 책임론**이다.

①②③④ [○] 각 학설의 입장의 옳은 설명이다.

---

154 책임에 대한 설명 중 옳은 것만을 모두 고른 것은? (다툼이 있으면 판례에 의함) 23 경찰간부 [Core ★★]

□□□

> ⑦ 책임비난의 근거를 행위자의 자유의사에서 찾는 도의적 책임론은 행위자책임을 형벌권행사의 근거로 보기 때문에 책임무능력자에 대한 보안처분 부과를 옹호한다.
>
> ⑥ 사회적 책임론은 과거에 잘못 형성된 행위자의 성격에서 책임의 근거를 찾으므로 범죄는 행위자의 소질과 환경에 의해 결정된다고 이해한다.
>
> ⑥ 행위 당시 18세였던 甲이 제1심에서 부정기형을 선고받은 후 항소심 선고 이전에 19세에 도달한 경우 항소심 법원은 甲에 대하여 정기형을 선고하여야 한다.
>
> ㉣ 형법 제10조에 규정된 심신장애는 정신병 또는 비정상적 정신상태와 같은 정신적 장애가 있는 외에 정신적 장애로 말미암아 사물에 대한 변별능력과 그에 따른 행위통제능력이 결여되거나 감소되었음을 요하므로 정신적 장애가 있는 자라고 하여도 범행 당시 정상적인 사물변별능력이나 행위통제능력이 있었다면 심신장애로 볼 수 없다.
>
> ㉤ 음주습벽이 있는 甲이 음주운전을 할 의사를 가지고 음주만취하여 심신상실 상태에서 운전을 결행하여 부주의로 보행자 A를 충격하여 현장에서 즉사시키고 도주하였다면, 이는 음주시에 교통사고를 일으킬 위험성을 예견하였는데도 자의로 심신장애를 야기한 경우에 해당하므로 甲에 대한 형사처벌이 가능하다.

① ㉠㉢㉣   ② ㉡㉣㉤   ③ ㉢㉣㉤   ④ ㉡㉢㉣㉤

해설

④ ㉡㉢㉣㉤ 4 항목이 옳다.

㉠ [×] 도의적 책임론은 자유의사를 가진 자가 적법한 행위를 할 수 있었음에도 위법한 행위를 하였다는 행위책임(의사책임)에서 책임의 근거를 찾는다.

㉡ [○] 사회적 책임론은 행위자가 과거에 잘못된 성격을 형성한 행위자책임(성격책임)에서 책임의 근거를 찾는다. 전자는 책임무능력자에 대한 보안처분 부과를 반대하지만, 후자는 책임무능력자에 대한 보안처분부과를 옹호한다.

㉢ [○] 소년법 제60조 제1항에 정한 '소년'은 소년법 제2조에 정한 19세 미만인 자를 의미하는 것으로 이에 해당하는지는 사실심판결 선고시를 기준으로 판단하여야 하므로 제1심에서 부정기형을 선고받은 피고인이 항소심 선고 이전에 19세에 도달하는 경우 정기형이 선고되어야 한다.(대법원 2020. 10. 22. 2020도4140 숫습 장기 15년 단기 7년 중간형 사건)

㉣ [○] 형법 제10조에 규정된 심신장애는 정신병 또는 비정상적 정신상태와 같은 정신적 장애가 있는 외에 정신적 장애로 말미암아 사물에 대한 변별능력과 그에 따른 행위통제능력이 결여되거나 감소되었음을 요하므로 정신적 장애가 있는 자라고 하여도 범행 당시 정상적인 사물변별능력이나 행위통제능력이 있었다면 심신장애로 볼 수 없다.(대법원 2021. 9. 9. 2021도8657 경도 지적장애 사건)

㉤ [○] 피고인이 음주운전을 할 의사를 가지고 음주만취한 후 운전을 결행하여 교통사고를 일으켰다면 피고인은 음주시에 교통사고를 일으킬 위험성을 예견하였는데도 자의로 심신장애를 야기한 경우에 해당하므로 **형법 제10조 제3항에 의하여 심신장애로 인한 감경 등을 할 수 없다.**(대법원 2007. 7. 27. 2007도4484 음주만취후 운전사건 Ⅱ)

155 다음 설명 중 옳은 것은? (다툼이 있으면 판례에 의함)

□□□

① 형사미성년자의 행위는 벌하지 아니하므로, 소년법에 의한 보호처분도 할 수 없다.

② 명정(酩酊)은 형법 제10조의 심신장애로 인한 법률상 형의 감면사유에 해당될 수 없다.

③ 정신적 장애가 있는 자는 범행 당시 정상적인 사물변별능력이나 행위통제능력이 있었다고 하더라도 심신장애로 볼 수 있다.

④ 원칙적으로 충동조절장애와 같은 성격적 결함은 형의 감면사유인 심신장애에 해당한다.

⑤ 형법 제10조의 심신장애로 인하여 사물을 변별할 능력이 없거나 의사를 결정할 능력이 없는 자 및 이와 같은 능력이 미약한 자라 함은 어느 것이나 심신장애의 상태에 있는 사람을 말하고, 이 양자는 단순히 그 장애정도의 강약의 차이가 있을 뿐이다.

해설

⑤ [○] 형법 제10조의 심신장애로 인하여 사물을 변별할 능력이 없거나 의사를 결정할 능력이 없는 자 및 이와 같은 능력이 미약한 자라 함은 어느 것이나 심신장애의 상태에 있는 사람을 말하고, 이 양자는 단순히 그 **장애정도의 강약의 차이가 있을 뿐** 정신장애로 인하여 사물의 시비 또는 선악을 변별할 능력이 없거나 그 변별한 바에 따라 행동할 능력이 없는 경우와 정신장애가 위와 같은 능력을 결여하는 정도에는 이르지 않았으나 그 능력이 현저하게 감퇴된 상태를 말한다.(대법원 1984. 2. 28. 83도3007 **대구금호호텔 방화사건**)

① [×] 형사미성년자에 대해서는 형벌을 부과할 수 없지만, 10세 이상이면 형사미성년자라도 **소년법에 의하여 보호처분을 과할 수 있다.**(소년법 제4조 등)

② [×] 명정(酩酊) 즉, 술이 취한 상태도 경우에 따라 형법 제10조의 **심신장애에 해당하여 책임이 조각되거나 형을 감경할 수 있다.**(대법원 1969. 7. 29. 69도916 참고)

③ [×] 정신적 장애가 있는 자라고 하여도 범행 당시 정상적인 사물변별능력이나 행위통제능력이 있었다면 **심신장애로 볼 수 없다.**(대법원 2013. 1. 24. 2012도12689 성주물성애증 사건)

④ [×] (1) 자신의 충동을 억제하지 못하여 범죄를 저지르게 되는 현상은 정상인에게서도 얼마든지 찾아볼 수 있는 일로서, 특단의 사정이 없는 한 위와 같은 성격적 결함을 가진 자에 대하여 자신의 충동을 억제하고 법을 준수하도록 요구하는 것이 기대할 수 없는 행위를 요구하는 것이라고는 할 수 없으므로, **원칙적으로 충동조절장애와 같은 성격적 결함은 형의 감면사유인 심신장애에 해당하지 아니한다고 봄이 타당하다.** (2) 다만 충동

조절장애와 같은 성격적 결함이라 할지라도 그것이 매우 심각하여 원래의 의미의 정신병을 가진 사람과 동등하다고 평가할 수 있는 경우에는 그로 인한 범행은 심신장애로 인한 범행으로 보아야 한다.(대법원 2011. 2. 10. 2010도14512 **충동조절장애 살인사건**)

156 책임에 관한 설명 중 옳지 않은 것은? (다툼이 있으면 판례에 의함)   20 변호사 [Essential ★]

① 「형법」 제10조에 규정된 심신장애는 정신병 또는 비정상적 정신상태와 같은 정신적 장애가 있는 외에 정신적 장애로 말미암아 사물에 대한 변별능력과 그에 따른 행위통제능력이 결여되거나 감소되었음을 요하므로, 정신적 장애가 있는 자라고 하여도 범행 당시 정상적인 사물변별능력이나 행위통제능력이 있었다면 심신장애로 볼 수 없다.

② 이미 유죄의 확정판결을 받은 자는 공범의 형사사건에서 그 범행에 대한 증언을 거부할 수 없을 뿐만 아니라 사실대로 증언하여야 하고, 설사 자신의 형사사건에서 그 범행을 부인하였다 하더라도 이를 이유로 사실대로 진술할 것을 기대할 가능성이 없다고 볼 수는 없다.

③ 심신장애의 유무는 사실문제로서 그 판단에 전문감정인의 정신감정결과가 중요한 참고자료가 되기는 하나, 법원이 반드시 그 의견에 구속되는 것은 아니다.

④ 성주물성애증이 있다는 사정만으로는 심신장애에 해당한다고 볼 수 없으나, 그 증상이 매우 심각하여 원래 의미의 정신병이 있는 사람과 동등하다고 평가할 수 있거나 다른 심신장애사유와 경합된 경우 등에는 심신장애를 인정할 여지가 있다.

⑤ 사회통념상 모든 성의와 노력을 다했어도 임금이나 퇴직금의 체불이나 미불을 방지할 수 없었다는 것을 인정할 정도가 되어 사용자에게 더 이상의 적법행위를 기대할 수 없거나 불가피한 사정이었음이 인정되는 경우에는 「근로기준법」이나 「근로자퇴직급여 보장법」에서 정하는 임금 및 퇴직금 등의 기일 내 지급의무 위반죄의 책임이 조각된다.

해설

③ [×] 심신장애의 유무는 **법원이 형벌제도의 목적 등에 비추어 판단하여야 할 법률문제로서** 그 판단에 전문감정인의 정신감정결과가 중요한 참고자료가 되기는 하나 법원이 반드시 그 의견에 구속되는 것은 아니고, 그러한 감정결과뿐만 아니라 범행의 경위, 수단, 범행 전후의 피고인의 행동 등 기록에 나타난 여러 자료 등을 종합하여 독자적으로 심신장애의 유무를 판단하여야 한다.(대법원 2018. 9. 13. 2018도7658 **인천 초등생 살인사건**)

① [O] 형법 제10조에 규정된 심신장애는 **생물학적 요소로서** 정신병 또는 비정상적 정신상태와 같은 정신적 장애가 있는 외에 **심리학적 요소로서** 이와 같은 정신적 장애로 말미암아 사물에 대한 변별능력과 그에 따른 행위 통제능력이 결여되거나 감소되었음을 요하므로, 정신적 장애가 있는 자라고 하여도 범행 당시 정상적인 사물변별능력이나 행위통제능력이 있었다면 심신장애로 볼 수 없다.(대법원 2018. 9. 13. 2018도7658 **인천초등생 살인사건**)

② [O] 이미 유죄의 확정판결을 받은 피고인은 공범의 형사사건에서 그 범행에 대한 증언을 거부할 수 없을 뿐만 아니라 나아가 사실대로 증언하여야 하고, 설사 피고인이 자신의 형사사건에서 시종일관 그 범행을 부인하였다 하더라도 이러한 사정은 위증죄에 관한 양형참작사유로 볼 수 있음은 별론으로 하고 이를 이유로 피고인에게 사실대로 진술할 것을 **기대할 가능성이 없다고 볼 수는 없다.**(대법원 2008. 10. 23. 2005도10101 **황제룸주점 강도상해사건**)

④ [O] (1) 특별한 사정이 없는 한 성격적 결함을 가진 사람에 대하여 자신의 충동을 억제하고 법을 준수하도록 요구하는 것이 기대할 수 없는 행위를 요구하는 것이라고는 할 수 없으므로, 무생물인 옷 등을 성적 각성과 희열의 자극제로 믿고 이를 성적 흥분을 고취시키는 데 쓰는 성주물성애증이라는 정신질환이 있다고 하더라도 그러한 사정만으로는 절도 범행에 대한 형의 감면사유인 심신장애에 해당한다고 볼 수 없고 (2) 다만 그 증상이 매우 심각하여 **원래의 의미의 정신병이 있는 사람과 동등하다고 평가할 수 있거나 다른 심신장애사유와 경합된 경우 등에는 심신장애를 인정할 여지가 있다.**(대법원 2013. 1. 24. 2012도12689 **성주물성애증 사건**)

⑤ [O] 기업이 불황이라는 사유만으로 사용자가 근로자에 대한 임금이나 퇴직금을 체불하는 것은 허용되지 아니하지만, 모든 성의와 노력을 다했어도 임금이나 퇴직금의 체불이나 미불을 방지할 수 없었다는 것이 사회통념상 긍정할 정도가 되어 사용자에게 더 이상의 **적법행위를 기대할 수 없거나** 불가피한 사정이었음이 인정되는 경우에는 그러한 사유는 근로기준법이나 근로자퇴직급여 보장법에서 정하는 임금 및 퇴직금 등의 기일 내 지급의무 위반죄의 **책임조각사유로 된다.**(대법원 2015. 2. 12. 2014도12753 **휴다임건축사사무소사건**)

157 심신장애에 관한 다음 설명 중 가장 적절하지 않은 것은? (다툼이 있으면 판례에 의함)

□□□

15 경찰채용 [Essential ★]

① 형법 제10조에 규정된 심신장애의 유무 및 정도의 판단은 사실적 판단으로서 반드시 전문감정인의 의견에 기속되어야 하는 것은 아니다.

② 정신적 장애가 있는 자라고 하여도 범행 당시 정상적인 사물판별능력 또는 행위통제능력이 있었다면 심신장애로 볼 수 없다.

③ 무생물인 옷 등을 성적 각성과 희열의 자극제로 믿고 이를 성적 흥분을 고취시키는 데 쓰는 성주물성애증이라는 정신질환이 있다고 하더라도 그러한 사정만으로는 절도 범행에 대한 형의 감면사유인 심신장애에 해당한다고 볼 수 없다.

④ 음주운전을 할 의사를 가지고 음주 만취한 후 운전을 결행하여 교통사고를 일으킨 경우 피고인은 음주시에 교통사고를 일으킬 위험성을 예견하였는데도 자의로 심신장애를 야기한 경우에 해당하므로 형법 제10조 제3항에 의하여 심신장애로 인한 감경 등을 할 수 없다.

해설

① [×] 형법 제10조에 규정된 심신장애의 유무 및 정도의 판단은 **법률적 판단으로서** 반드시 전문감정인의 의견에 기속되어야 하는 것은 아니다.(대법원 2007. 11. 29. 2007도8333 양모 살해사건) 심신장애의 유무 및 정도의 판단은 피고인에 대하여 치료와 형벌 중 어떤 것이 필요한지 고려하는 '법률적' 문제에 관한 것이다.

② [○] 정신적 장애가 있는 자라고 하여도 범행 당시 정상적인 사물변별능력과 행위통제능력이 있었다면 심신장애로 볼 수 없다.(대법원 2013. 1. 24. 2012도12689 성주물성애증 사건)

③ [○] (1) 특별한 사정이 없는 한 성격적 결함을 가진 사람에 대하여 자신의 충동을 억제하고 법을 준수하도록 요구하는 것이 기대할 수 없는 행위를 요구하는 것이라고는 할 수 없으므로, 무생물인 옷 등을 성적각성과 희열의 자극제로 믿고 이를 성적 흥분을 고취시키는 데 쓰는 **성주물성애증이라는 정신질환이 있다고 하더라도** 그러한 사정만으로는 절도 범행에 대한 형의 감면사유인 **심신장애에 해당한다고 볼 수 없고** (2) 다만 그 증상이 매우 심각하여 원래의 의미의 정신병이 있는 사람과 동등하다고 평가할 수 있거나 다른 심신장애사유와 경합된 경우 등에는 심신장애를 인정할 여지가 있다.(대법원 2013. 1. 24. 2012도12689 성주물성애증 사건)

④ [○] 피고인이 음주운전을 할 의사를 가지고 음주만취한 후 운전을 결행하여 교통사고를 일으켰다면 피고인은 음주시에 교통사고를 일으킬 위험성을 예견하였는데도 자의로 심신장애를 야기한 경우에 해당하므로 형법 제10조 제3항에 의하여 **심신장애로 인한 감경 등을 할 수 없다.**(대법원 2007. 7. 27. 2007도4484 음주만취 후 운전사건Ⅱ)

158

□□□

다음 설명 중 가장 옳은 것은? (다툼이 있으면 판례에 의함)　　21 법원9급 [Essential ★]

① 절도죄 범행 당시 11세였더라도 판결선고 당시 14세가 된 경우에는 징역형으로 처벌할 수 있다.

② 원칙적으로 충동조절장애와 같은 성격적 결함은 형의 감면사유인 심신장애에 해당한다.

③ 형법 제10조에 규정된 심신장애는 생물학적 요소로서 정신병 또는 비정상적 정신상태와 같은 정신적 장애가 있는 외에 심리학적 요소로서 이와 같은 정신적 장애로 말미암아 사물에 대한 변별능력과 그에 따른 행위통제능력이 결여되거나 감소되었음을 요하므로, 정신적 장애가 있는 자라고 하여도 범행 당시 정상적인 사물변별능력이나 행위통제능력이 있었다면 심신장애로 볼 수 없다.

④ 형법 제12조(강요된 행위)의 저항할 수 없는 폭력은, 심리적인 의미에 있어서 육체적으로 어떤 행위를 절대적으로 하지 아니할 수 없게 하는 경우를 말할 뿐이고, 윤리적 의미에 있어서 강압된 경우를 말하지는 않는다.

해설

③ [○] 형법 제10조에 규정된 심신장애는 생물학적 요소로서 정신병 또는 비정상적 정신상태와 같은 정신적장애가 있는 외에 심리학적 요소로서 이와 같은 정신적 장애로 말미암아 사물에 대한 변별능력과 그에 따른 행위통제능력이 결여되거나 감소되었음을 요하므로, 정신적 장애가 있는 자라고 하여도 **범행 당시 정상적인 사물변별능력이나 행위통제능력이 있었다면 심신장애로 볼 수 없다.**(대법원 2018. 9. 13. 2018도7658 인천 초등생 살해사건)

① [×] 14세가 되지 아니한 자의 행위는 **벌하지 아니한다.**(제9조)

② [×] **원칙적으로 충동조절장애와 같은 성격적 결함은 형의 감면사유인 심신장애에 해당하지 아니한다고 봄이 상당하지만,** 충동조절장애와 같은 성격적 결함이라 할지라도 그것이 매우 심각하여 원래의 의미의 정신병을 가진 사람과 동등하다고 평가할 수 있는 경우에는 그로 인한 범행은 심신장애로 인한 범행으로 보아야 한다.(대법원 2011. 2. 10. 2010도14512 충동조절장애 살인사건)

④ [×] 형법 제12조에 규정된 '저항할 수 없는 폭력'은 심리적 의미에 있어서 육체적으로 어떤 행위를 절대적으로 하지 아니할 수 없게 하는 경우와 윤리적 의미에 있어서 강압된 경우를 말하고, '협박'이란 자기 또는 친족의 생명, 신체에 대한 위해를 달리 막을 방법이 없는 협박을 말하며, '강요'라 함은 피강요자의 자유스런 의사결정을 하지 못하게 하면서 특정한 행위를 하게 하는 것을 말한다.(대법원 2009. 6. 11. 2008도11784 예인선 진도대교 충돌사건)

159 책임능력에 대한 다음 설명 중 적절한 것만을 고른 것은 모두 몇 개인가?

□□□

21 경찰채용 [Superlative ★★★]

㉠ 심신장애로 인하여 사물을 변별할 능력 또는 의사를 결정할 능력이 미약한 자의 행위는 형을 감경한다.

㉡ 심신장애의 유무 및 정도에 관한 판단은 전문감정인의 의견에 구속되며, 법원이 독자적으로 이를 판단하여서는 안 된다는 것이 판례의 태도이다.

㉢ 원인에 있어서 자유로운 행위의 가벌성의 근거를 원인설정행위에서 찾아 원인행위시를 실행의 착수시기로 파악하는 견해에 대해서는, 책임능력과 행위의 동시존재의 원칙이 인정될 수 없다는 비판이 제기되고 있다.

㉣ 원인에 있어서 자유로운 행위의 가벌성의 근거를 원인행위와 실행행위의 불가분적 연관에서 찾아 실행행위를 심신장애 상태하에서의 행위로 파악하는 견해에 대해서는, 실행행위의 정형성을 무시하여 예비행위와의 구별이 곤란하다는 비판이 제기되고 있다.

① 1개   ② 2개

③ 3개   ④ 없음

해설

④ 모든 항목이 옳지 않다.

㉠ [×] 심신장애로 인하여 사물을 변별할 능력이나 의사를 결정할 능력이 미약한 자의 행위는 **형을 감경할 수 있다.**(제10조 제2항)

㉡ [×] 심신장애의 유무 및 정도의 판단은 법률적 판단으로서 **반드시 전문감정인의 의견에 기속되어야 하는 것은 아니고**, 정신질환의 종류와 정도, 범행의 동기, 경위, 수단과 태양, 범행 전후의 피고인의 행동, 반성의 정도 등 여러 사정을 종합하여 법원이 독자적으로 판단할 수 있다.(대법원 2007. 11. 29. 2007도8333 양모살해사건)

㉢㉣ [×] 행위의 가벌성 근거를 원인설정행위 자체에서 찾는 견해는 이른바 구성요건모델(일치설)이다. 이견해는 행위와 책임의 동시존재의 원칙이 유지된다는 장점이 있지만, 구성요건적 정형성을 무시한다는 비판이 제기되기도 한다.

160 다음 중 책임능력에 대한 설명으로 옳지 않은 것은 모두 몇 개인가? (다툼이 있으면 판례에 의함)

□□□

20 해경채용 [Superlative ★★★]

㉠ 도의적 책임론은 형사책임의 근거를 행위자의 자유의사에 찾으며, 가벌성 판단에서 행위보다 행위자에 중점을 두는 객관주의 책임론의 입장이다.

㉡ 사회적 책임론에 따르면, 책임의 근거는 행위자의 반사회적 성격에 있으므로 사회생활을 하고 있는 책임무능력자에 대하여도 사회방위를 위해 보안처분을 가하여야 한다. 이러한 의미에서 책임능력은 형벌능력을 의미한다.

㉢ 순수한 규범적 책임론에 대해서는 평가의 대상과 대상의 평가를 엄격히 구분하려 한 나머지 규범적 평가의 대상을 결하여 책임개념의 공허화를 초래한다는 비판이 제기된다.

㉣ 책임능력을 범죄능력으로 이해하는 견해에 의하면 책임무능력자를 교사한 자에 대하여는 공범성립의 극단적 종속형식에 의하더라도 교사범이 성립될 수 있다.

㉤ 행위시 책임능력이 없는 자의 행위는 어떠한 경우에도 형벌을 부과할 수 없다.

① 1개 ② 2개 ③ 3개 ④ 4개

해설

③ ㉠㉣㉤ 3 항목이 옳지 않다.

㉠ [×] **도의적 책임론**은 형사책임의 근거를 행위자의 자유의사에서 찾으며, 가벌성 판단에서 **행위자보다 행위에** 중점을 두는 객관주의 책임론의 입장이다. 즉, 도의적 책임론은 행위자책임(성격책임)이 아니라 행위책임(의사책임)에 중점을 두는 학설이다.

ⓒ [○] 사회적 책임론에 따르면, 책임의 근거는 행위자의 반사회적 성격에 있으므로 사회생활을 하고 있는 **책임무능력자에 대하여도 사회방위를 위해 보안처분을 가하여야 한다**. 이러한 의미에서 책임능력은 형벌능력을 의미한다.

ⓒ [○] 순수한 **규범적 책임론**에 대해서는 평가의 대상과 대상의 평가를 엄격히 구분함으로써(고의나 과실을 책임평가의 대상에서 제외함으로써) 규범적 평가의 대상을 결하여 **책임개념의 공허화를 초래한다는 비판이 제기**된다. 즉, 행위자가 고의범인지 과실범인지 여부가 책임의 핵심인 비난가능성 판단 대상(규범적 평가의 대상)에서 제외되므로 책임개념의 공허화를 초래한다는 비판이 제기된다.

ⓔ [×] 극단적 종속형식에 의할 때 공범(교사범이나 방조범)이 성립하기 위해서는 정범의 행위가 구성요건에 해당하고 위법·유책하여야 한다. 이에 의할 때 책임무능력자를 교사한 자는 (간접정범은 성립할 수 있어도) **교사범은 성립될 수 없다**.

ⓜ [×] 행위시 책임능력이 없는 자의 행위라도 위험의 발생을 예견하고 자의로 심신장애를 야기한 경우에는 형벌을 부과할 수 있다.(제10조 제3항)

161 다음 <보기> 중 책임능력에 대한 설명으로 옳은 것을 모두 고른 것은? (다툼이 있으면 판례에 의함)
□□□
23 해경승진 [Core ★★]

㉠ 정신적 장애가 있는 자라고 하여도 범행 당시 정상적인 사물변별능력이나 행위통제능력이 있었다면 형법 제10조에 규정된 심신장애로 볼 수 없다.

㉡ 무생물인 옷 등을 성적 각성과 희열의 자극제로 믿고 이를 성적 흥분을 고취시키는 데 쓰는 성주물성애증이라는 정신질환이 있다는 사정만으로는 형의 감면사유인 심신장애에 해당하는 것으로 볼 수 없다.

㉢ 심신장애로 인하여 사물을 변별할 능력이나 의사를 결정할 능력이 미약한 자의 행위는 형을 감경한다.

㉣ 음주운전을 할 의사를 가지고 음주만취 후 운전을 하다가 교통사고를 일으켰다면 음주시에 교통사고를 일으킬 위험성을 예견하였는데도 자의로 심신장애를 야기한 경우에 해당하므로 형법 제10조 제3항에 의하여 심신장애로 인한 감경 등을 할 수 없다.

㉤ 소년법 제4조 제1항의 '죄를 범한 소년'(범죄소년)은 형사처벌은 불가능하지만 보호처분은 가능한 책임무능력자이다.

① ㉠㉡㉢

② ㉠㉡㉣

③ ㉡㉢㉣

④ ㉡㉣㉤

해설

② ㄱㄴㄹ 3 항목이 옳다.

㉠ [○] 형법 제10조에 규정된 심신장애는, 생물학적 요인으로 인하여 정신병 또는 비정상적 정신상태와 같은 정신적 장애가 있는 외에, 심리학적 요인으로 인한 정신적 장애로 말미암아 사물에 대한 변별능력과 그에 따른 행위통제능력이 결여되거나 감소되었음을 요하므로 정신적 장애가 있는 자라고 하여도 범행 당시 정상적인 사물변별능력이나 행위통제능력이 있었다면 심신장애로 볼 수 없다.(대법원 2007. 6. 14. 2007도2360)

㉡ [○] (1) 특별한 사정이 없는 한 성격적 결함을 가진 사람에 대하여 자신의 충동을 억제하고 법을 준수하도록 요구하는 것이 기대할 수 없는 행위를 요구하는 것이라고는 할 수 없으므로, 무생물인 옷 등을 성적각성과 희열의 자극제로 믿고 이를 성적 흥분을 고취시키는 데 쓰는 성주물성애증이라는 정신질환이 있다고 하더라도 그러한 사정만으로는 절도 범행에 대한 형의 감면사유인 심신장애에 해당한다고 볼 수 없고 (2) 다만 그 증상이 매우 심각하여 원래의 의미의 정신병이 있는 사람과 동등하다고 평가할 수 있거나 다른 심신장애사유와 경합된 경우 등에는 심신장애를 인정할 여지가 있다.(대법원 2013. 1. 24. 2012도12689 성주물성애증 사건)

㉢ [×] 심신장애로 인하여 사물을 변별할 능력이나 의사를 결정할 능력이 미약한 자의 행위는 형을 감경할 수 있다.(제10조 제2항)

㉣ [○] 피고인이 음주운전을 할 의사를 가지고 음주만취한 후 운전을 결행하여 교통사고를 일으켰다면 피고인은 음주시에 교통사고를 일으킬 위험성을 예견하였는데도 자의로 심신장애를 야기한 경우에 해당하므로 형법 제10조 제3항에 의하여 심신장애로 인한 감경 등을 할 수 없다.(대법원 2007. 7. 27. 2007도4484 음주만취 후 운전사건Ⅱ)

㉤ [×] 소년법 제4조 제1항의 '죄를 범한 소년(범죄소년)'이란 말 그대로 죄를 범한 14세 이상 19세 미만의 자를 말한다. 범죄소년은 책임능력자로서 그에 대하여 보호처분은 물론 범죄의 동기와 죄질에 따라 형사처벌(형벌)도 부과할 수 있다.(형법 제9조 반대해석, 소년법 제49조 등)

162 원인에 있어 자유로운 행위에 대한 설명으로 가장 옳은 것은? (다툼이 있으면 판례에 의함)

16 경찰간부 [Essential ★]

① 자의로 심신장애를 야기하였다면 언제나 원인에 있어 자유로운 행위에 해당한다.

② 원인행위를 실행의 착수로 인정할 경우 행위와 책임의 동시존재의 원칙이 유지된다.

③ 원인에 있어 자유로운 행위에 관한 형법 제10조 제3항은 위험의 발생을 예견할 수 있었는데도 자의로 심신장애를 야기한 경우에는 적용되지 않는다.

④ 원인에 있어 자유로운 행위는 형법상 책임무능력자의 행위와 동일하게 취급된다.

해설

② [○] 이른바 구성요건모델(일치설)에 관한 설명으로 가벌성의 근거를 원인설정행위 자체에서 찾는 견해이다. 이 견해는 행위와 책임의 동시존재의 원칙이 유지된다는 장점이 있지만, 구성요건적 정형성을 무시한다는 비판이 제기되기도 한다.

① [×] 위험의 발생을 예견하고 자의로 심신장애를 야기한 자의 행위에는 형법 제10조 제1항·제2항의 규정을 적용하지 아니한다.(제10조 제3항) 따라서 자의로 심신장애를 야기하였더라도 **위험의 발생을 예견하지 않았다면(어떤 범죄에 대한 고의나 과실이 없었다면)** 원인에 있어 자유로운 행위에 해당하지 아니한다.

③ [×] **형법 제10조 제3항은** '위험의 발생을 예견하고 자의로 심신장애를 야기한 자의 행위에는 전2항의 규정을 적용하지 아니한다'고 규정하고 있는바, 이 규정은 고의에 의한 원인에 있어서의 자유로운 행위만이 아니라 과실에 의한 원인에 있어서의 자유로운 행위까지도 포함하는 것으로서 **위험의 발생을 예견할 수 있었는데도 자의로 심신장애를 야기한 경우도 그 적용 대상이** 된다.(대법원 1992. 7. 28. 92도999 음주만취후 운전 사건 Ⅰ)

④ [×] 원인에 있어 자유로운 행위는 형법상 **책임능력자의 행위와 동일하게 취급된다.**(제10조 제3항)

163

다음 <보기>의 원인에 있어서 자유로운 행위에 대한 설명 중 옳은 것은 모두 몇 개인가? (다툼이 있으면 판례에 의함)

22 해경승진 [Core ★★]

○ ㉠ 원인에 있어서 자유로운 행위는 형법 제10조 제3항에 의해 형법상 책임능력자의 행위와 동일하게 처벌된다.

○ ㉡ 실행의 착수시기와 관련하여 원인행위를 실행행위로 보는 견해(원인행위설, 구성요건 모델)는 행위와 책임의 동시존재의 원칙을 유지할 수 있다.

○ ㉢ 행위와 책임의 동시존재의 원칙의 예외를 인정하는 견해(불가분적 연관설, 책임모델)는 책임능력 결함 상태에서 구성요건에 해당하는 행위를 한 때에 실행의 착수를 인정한다.

○ ㉣ 형법 제10조 제3항은 고의에 의한 원인에 있어서 자유로운 행위만이 아니라 과실에 의한 원인에 있어서 자유로운 행위도 적용된다는 것이 판례의 입장이다.

① 1개   ② 2개   ③ 3개   ④ 4개

해설

④ 모든 항목이 옳다.

㉠ [○] 위험의 발생을 예견하고 자의로 심신장애를 야기한 자의 행위에는 **전2항의 규정을 적용하지 아니한다.** (제10조 제3항)

㉡㉢ [○] 각 학설에 관한 **옳은** 설명이다.

㉣ [○] 형법 제10조 제3항은 '위험의 발생을 예견하고 자의로 심신장애를 야기한 자의 행위에는 전2항의 규정을 적용하지 아니한다'고 규정하고 있는바, 이 규정은 고의에 의한 원인에 있어서의 자유로운 행위 만이 아니라 과실에 의한 원인에 있어서의 자유로운 행위까지도 포함하는 것으로서 **위험의 발생을 예견할 수 있었는데도 자의로 심신장애를 야기한 경우도 그 적용 대상이** 된다.(대법원 1992. 7. 28. 92도999 음주만취후 운전사건 Ⅰ)

164 다음 사례에 관한 설명으로 가장 적절한 것은? (다툼이 있으면 판례에 의함) 24 경찰승진 [Core ★★]

> **[사례 1]**
> 甲은 A를 살해하기로 마음먹었고 용기를 내기 위해 술을 마신 후 심신미약 상태에서 A를 살해하였다.
>
> **[사례 2]**
> 乙은 음주시 교통사고의 위험성을 예견하였음에도 자의로 음주 후 음주만취한 상태에서 운전하여 교통사고를 일으켰다.
>
> **[사례 3]**
> 丙은 자신이 저지른 살해 행위에 대한 재판 도중 범행 당시 심신장애로 인하여 사물을 변별할 능력 또는 의사를 결정할 능력이 미약하였음을 주장하고 있다.

① [사례 1]에서 실행의 착수시기를 심신미약 상태에서의 살해행위로 본다는 견해는 책임능력과 행위의 동시존재 원칙을 고수한다는 장점이 있다.

② [사례 1]에서 실행의 착수시기를 원인행위시로 보는 견해에 대해서는 구성요건의 정형성을 무시한다는 비판이 제기된다.

③ [사례 2]는 [사례 1]과 달리 형법 제10조 제3항의 적용이 배제되어 심신장애로 인한 감경 등을 할 수 있다.

④ [사례 3]에서 전문감정인이 丙의 범행 당시에 심신미약상태임을 인정하는 소견서를 제출하였다면 법원은 전문감정인의 의견에 구속되어 형법 제10조 제2항을 적용하여야 한다.

해설

② [○] 실행의 착수시기를 원인행위시로 보는 견해(이른바 구성요건모델, 일치설)에 대해서는 행위와 책임의 동시존재의 원칙을 유지한다는 장점이 있으나 **구성요건의 정형성을 무시한다는 비판**이 제기된다.

① [×] 실행의 착수시기를 심신미약 상태에서의 살해행위로 보는 견해(이른바 책임모델, 예외설)는 **행위와 책임능력의 동시존재 원칙에 대한 예외**를 인정한다.

③ [×] 피고인이 음주운전을 할 의사를 가지고 음주만취한 후 운전을 결행하여 교통사고를 일으켰다면 피고인은 음주시에 교통사고를 일으킬 위험성을 예견하였는데도 자의로 심신장애를 야기한 경우에 해당하므로 **형법 제10조 제3항에 의하여 심신장애로 인한 감경 등을 할 수 없다.**(대법원 2007. 7. 27. 2007도4484 음주만취후 운전사건Ⅱ)

④ [×] 심신장애의 유무는 법원이 형벌제도의 목적 등에 비추어 판단하여야 할 법률문제로서 그 판단에 **전문감정인의 정신감정결과가 중요한 참고자료가 되기는 하나 법원이 반드시 그 의견에 구속되는 것은 아니고,** 그러한 감정결과뿐만 아니라 범행의 경위, 수단, 범행 전후의 피고인의 행동 등 기록에 나타난 여러 자료 등을 종합하여 독자적으로 심신장애의 유무를 판단하여야 한다.(대법원 2021. 9. 9. 2021도8657 경도 지적장애 사건)

165
□□□ 원인에 있어서 자유로운 행위에 관한 설명으로 가장 적절하지 않은 것은? 20 경찰채용 [Core ★★]

① 원인행위를 실행행위로 보는 견해에 따르면 행위와 책임의 동시존재의 원칙에 부합하고, 책임무능력상태에서의 실행행위는 책임이 없거나 행위라고 할 수도 없기 때문에 원인행위 자체를 실행행위로 보지 않으면 원인에 있어서 자유로운 행위를 처벌할 수 없게 된다.

② 원인행위와 실행행위의 불가분적 연관에서 책임의 근거를 인정하는 견해에 따르면 원인설정행위는 실행행위 또는 그 착수행위가 될 수 없지만 책임능력 없는 상태에서의 실행행위와 불가분의 연관을 갖는 것이므로 원인설정행위에 책임비난의 근거가 있다.

③ 원인행위를 실행행위로 보는 견해에 따르면 원인설정행위를 실행행위로 파악하기 때문에 구성요건적 행위정형성을 중시하여 죄형법정주의의 보장적 기능에 부합한다.

④ 책임능력 결함상태에서의 실행행위를 책임의 근거로 인정하는 견해에 따르면 반무의식상태에서 실행행위가 이루어지는 한 그 주관적 요소를 인정할 수 있지만, 대부분의 경우에 책임능력이 인정되어 법적 안정성을 해하는 결과를 초래한다.

해설

③ [×] 이른바 구성요건모델(일치설)은 원인설정행위를 실행행위로 보기 때문에(원인행위 개시시기를 실행의 착수시기로 보기 때문에) **구성요건적 정형성을 무시한다는 비판**을 받고 한다. 이 견해에 의할 때 살인을 하기 위해 술을 마시는 행위를 살인죄의 실행의 착수로 볼 수도 있는데, 이는 구성요건적 정형성과 거리가 멀고 또한 죄형법정주의의 원칙에 위반될 수 있다.
① [○] 이른바 구성요건모델(일치설)에 관한 설명이다.
② [○] 이른바 책임모델(예외설)에 관한 설명이다.
④ [○] 이른바 심리학적 예외모델에 관한 설명이다.

핵심정리 원자행위(原自行爲)의 가벌성의 근거

구분	내용
구성요건모델 (일치설)	• 책임능력이 있는 상태하에서의 원인설정행위에 가벌성의 근거가 있다는 견해(자신을 도구로 이용하는 간접정범과 유사한 것으로 이해하는 견해와 일맥상통함) • 원인행위 개시시기를 실행의 착수시기로 봄 • 행위와 책임의 동시존재의 원칙을 유지한다는 장점이 있으나, 구성요건의 정형성을 무시한다는 비판이 제기됨
책임모델 (예외설)	• 원인행위와 결과실현행위가 밀접불가분하게 연결되어 있다는 점에 가벌성의 근거가 있다는 견해(책임비난의 근거는 원인설정행위에 있음) • 책임능력이 없는 상태하에서의 실행행위시를 실행의 착수시기로 봄 • 행위와 책임의 동시존재의 원칙에 대한 예외 인정
심리학적 예외모델	• 책임능력이 없는 상태하에서의 실행행위에 가벌성의 근거가 있다는 견해 • 일종의 '반무의식상태'에서 실행행위가 이루어지는 한 그 주관적 요소를 인정할 수 있음 • 대부분의 경우에 행위자의 책임능력이 인정되어 법적 안정성을 해하는 결과를 초래한다는 비판이 제기됨

166 책임에 관한 설명으로 가장 적절하지 않은 것은? (다툼이 있으면 판례에 의함)

① 형법 제10조 제2항에 따르면 심신장애로 인하여 사물을 변별할 능력이나 의사를 결정할 능력이 미약한 사람의 행위는 형을 감경할 수 있다.

② 형법 제10조에 규정된 심신장애는 생물학적 요소로서 정신병 또는 비정상적 정신상태와 같은 정신적 장애가 있는 외에 심리학적 요소로서 이와 같은 정신적 장애로 말미암아 사물에 대한 변별능력과 그에 따른 행위통제능력이 결여되거나 감소되었음을 요하므로, 정신적 장애가 있는 자라고 하여도 범행 당시 정상적인 사물변별능력이나 행위통제능력이 있었다면 심신장애로 볼 수 없다.

③ 형법 제10조 제1항 및 동조 제2항에 규정된 심신장애의 유무 및 정도의 판단은 법률적 판단으로서 반드시 전문감정인의 의견에 기속되어야 하는 것은 아니고, 정신분열증의 종류와 정도, 범행의 동기, 경위, 수단과 태양, 범행 전후의 피고인의 행동, 반성의 정도 등 여러 사정을 종합하여 법원이 독자적으로 판단할 수 있다.

④ 원인에 있어서 자유로운 행위에 관한 형법 제10조 제3항은 원인행위시 심신장애 상태에서 위법행위로 나아갈 예견가능성이 없었던 경우에도 적용된다.

해설

④ [×] **형법 제10조 제3항**은 '위험의 발생을 예견하고 자의로 심신장애를 야기한 자의 행위에는 전2항의 규정을 적용하지 아니한다'고 규정하고 있는바, 이 규정은 고의에 의한 원인에 있어서의 자유로운 행위만이 아니라 과실에 의한 원인에 있어서의 자유로운 행위까지도 포함하는 것으로서 **위험의 발생을 예견할 수 있었는데도 자의로 심신장애를 야기한 경우도 그 적용 대상**이 된다.(대법원 1992. 7. 28. 92도999 음주만취 후 운전사건Ⅰ) 원인행위시 심신장애 상태에서 위법행위로 나아갈 예견가능성이 없었던 경우에는, 즉 원인행위시 위험의 발생을 예견할 수 없었던 경우에는 형법 제10조 제3항이 적용되지 않는다.

① [O] 심신장애로 인하여 사물을 변별할 능력이나 의사를 결정할 능력이 미약한 사람의 행위는 형을 **감경할 수 있다.**(제10조 제2항)

② [O] 형법 제10조에 규정된 심신장애는 생물학적 요소로서 정신병 또는 비정상적 정신상태와 같은 정신적 장애가 있는 외에 심리학적 요소로서 이와 같은 정신적 장애로 말미암아 사물에 대한 변별능력과 그에 따른 행위통제능력이 결여되거나 감소되었음을 요하므로, 정신적 장애가 있는 자라고 하여도 범행 당시 정상적인 사물변별능력이나 행위통제능력이 있었다면 심신장애로 볼 수 없다.(대법원 2021. 9. 9. 2021도8657 경도 지적장애 사건)

③ [O] 형법 제10조 제1항 및 동조 제2항에 규정된 심신장애의 유무 및 정도의 판단은 **법률적 판단으로서 반드시 전문감정인의 의견에 기속되어야 하는 것은 아니고,** 정신분열증의 종류와 정도, 범행의 동기, 경위, 수단과 태양, 범행 전후의 피고인의 행동, 반성의 정도 등 여러 사정을 종합하여 **법원이 독자적으로 판단할 수 있다.** (대법원 2007. 11. 29. 2007도8333 양모 살해사건)

167

□□□

원인에서 자유로운 행위에 대한 설명으로 옳지 않은 것은? (다툼이 있으면 판례에 의함)

22 국가9급 [Core ★★]

① 사람을 살해할 의사를 가지고 범행을 공모한 후 대마초를 흡연하고 범행하였다면 심신장애로 인한 감경을 할 수 없다.

② 음주운전을 할 의사를 가지고 음주 만취한 후 운전을 결행하여 교통사고를 일으켰다면 심신장애로 인한 감경을 할 수 없다.

③ 위험의 발생을 예견하고도 자의로 심신장애를 야기한 자의 행위에 대하여는 심신장애에 관한 형법 제10조 제1항 및 제2항의 적용이 배제된다.

④ 피고인이 자신의 차를 운전하여 술집에 가서 술을 마신 후 운전을 하다가 교통사고를 일으켰다는 사실만으로는 피고인이 음주할 때 교통사고를 일으킬 수 있다는 위험성을 예견하고도 자의로 심신장애를 야기한 경우에 해당하지 않는다.

해설

④ [×] 피고인이 음주운전을 할 의사를 가지고 음주만취한 후 운전을 결행하여 교통사고를 일으켰다면 피고인은 음주시에 교통사고를 일으킬 위험성을 예견하였는데도 자의로 심신장애를 야기한 경우에 해당하므로 형법 제10조 제3항에 의하여 심신장애로 인한 감경 등을 할 수 없다.(대법원 2007. 7. 27. 2007도4484 음주만취후 운전사건Ⅱ)

① [○] 피고인들은 상습적으로 대마초를 흡연하는 자들로서 살인범행 당시에도 대마초를 흡연하여 그로 인하여 심신이 다소 미약한 상태에 있었음은 인정되나, 이는 피고인들이 피해자들을 살해할 의사를 가지고 범행을 공모한 후에 대마초를 흡연하고 범행에 이른 것으로 형법 제10조 제3항에 의하여 심신장애로 인한 감경 등을 할 수 없다.(대법원 1996. 6. 11. 96도857 조직이탈자 · 애인 살해사건)

② [○] 피고인이 음주운전을 할 의사를 가지고 음주만취한 후 운전을 결행하여 교통사고를 일으켰다면 피고인은 음주시에 교통사고를 일으킬 위험성을 예견하였는데도 자의로 심신장애를 야기한 경우에 해당하므로 형법 제10조 제3항에 의하여 심신장애로 인한 감경 등을 할 수 없다.(대법원 2007. 7. 27. 2007도4484 음주만취 후 운전사건Ⅱ)

③ [○] 위험의 발생을 예견하고 자의로 심신장애를 야기한 자의 행위에는 전2항의 규정을 적용하지 아니한다. (제10조 제3항)

168 다음 사례에 대한 설명으로 가장 적절한 것은?

> 甲과 乙은 A를 살해하기로 공모한 후에 범죄실행의 용기를 내기 위해 만취상태에 가까울 정도로 술을 마신 후에 심신미약 상태에서 A를 찾아갔다.

① 甲과 乙이 A를 살해하였다면 甲과 乙의 행위는 심신미약 상태에서 이루어진 것이므로 형법 제10조 제2항에 따라 심신미약의 규정이 적용된다.

② 원인에서 자유로운 행위를 '행위와 책임 동시존재 원칙의 예외'로 파악하는 견해에 따르면 甲과 乙이 A의 집 앞까지 갔다가 후회하여 다시 돌아온 경우에 실행의 착수가 없으므로 불가벌이다.

③ 원인에서 자유로운 행위를 간접정범과 유사한 구조로 보고 원인행위부터 실행행위로 보아 가벌성의 근거를 원인행위에 있다고 하는 견해에 따르면 甲과 乙이 A의 집 앞까지 갔다가 후회하여 다시 돌아온 경우에 살인죄의 예비, 음모로 처벌할 수 있다.

④ 원인에서 자유로운 행위의 실행의 착수시기를 심신장애 상태에서 실행행위로 파악하는 견해에 따르면 위 사례에서 살인죄의 실행의 착수가 원인에서 자유로운 행위의 실행의 착수이므로 甲과 乙이 A의 집 앞까지 갔다가 후회하여 다시 돌아온 경우에 甲과 乙의 실행의 착수를 인정하지 않는다.

해설

④ [○] 이른바 책임모델(예외설)은 행위와 책임의 동시존재 원칙의 예외를 인정하는데, 이는 가벌성의 근거를 원인설정행위와 실행행위의 불가분적 관련에서 찾는 견해이다. 이에 의할 때 책임능력 결함상태에서 구성요건 해당 행위를 시작한 때에 실행의 착수가 있는 것으로 본다. 甲, 乙은 A의 집 앞까지 갔다가 후회하여 다시 돌아왔으므로 **실행의 착수는 인정되지 않는다.**

① [×] 위험의 발생을 예견하고 자의로 심신장애를 야기한 자의 행위에는 **형법 제10조 제1항·제2항을 적용하지 아니한다.**(제10조 제3항) 甲, 乙이 심신미약 상태에서 A를 살해하였더라도 형법 제10조 제2항(심신미약 규정)은 적용되지 않는다.

② [×] 이른바 책임모델(예외설)은 행위와 책임의 동시존재 원칙의 예외를 인정하는데, 이는 가벌성의 근거를 원인설정행위와 실행행위의 불가분적 관련에서 찾는 견해이다. 이에 의할 때 책임능력 결함상태에서 구성요건 해당 행위를 시작한 때에 실행의 착수가 있는 것으로 본다. 甲, 乙은 A의 집 앞까지 갔다가 후회하여 다시 돌아왔으므로 **실행의 착수는 인정되지 않아 살인미수죄로 처벌되지는 않지만 살인예비·음모죄로는 처벌된다.**

③ [×] 이른바 구성요건 모델(일치설)은 행위와 책임의 동시존재의 원칙을 유지하는데, 이는 원인에 있어 자유로운 행위를 간접정범과 유사한 구조로 보고 가벌성의 근거를 원인행위에서 찾는 견해이다. 이에 의할 때 원인설정 행위시에 실행의 착수가 있는 것으로 본다. 甲, 乙은 A를 살해하기로 공모한 후에 만취상태에 가까울 정도로 술을 마셨는데, 이는 살인죄의 실행의 착수를 한 것이므로 비록 A의 집 앞까지 갔다가 후회하여 다시 돌아왔더라도 **살인미수죄로 처벌된다.**

169

□□□

원인에 있어서 자유로운 행위에 대한 다음 설명 중 틀린 것은? (다툼이 있으면 판례에 의함)

12 경찰간부 [Superlative ★★★]

① 원인에 있어서 자유로운 행위의 가벌성의 근거를 자신을 도구로 이용하는 간접정범으로 이해하여 원인설정행위를 실행행위로 파악하여 원인설정행위시의 책임능력을 기초로 책임을 인정하는 견해는 구성요건의 정형성을 중시하여 죄형법정주의의 보장적 기능을 관철하는데 부합하는 이론이다.

② 음주운전을 할 의사를 가지고 음주만취한 후 운전을 결행하여 교통사고를 일으켰다면 음주시에 교통사고를 일으킬 위험성을 예견하였는데도 자의로 심신장애를 야기한 경우에 해당하므로 형법 제10조 제3항에 의하여 심신장애로 인한 감경 등을 할 수 없다는 것이 판례의 입장이다.

③ 甲은 술을 마시면 난폭한 행위를 하는 희귀성 정신병 소질을 가진 자인데, 甲은 과실로 술을 많이 마시고 심신미약상태에서 술집 여급 乙을 칼로 찔러 살해한 경우 판례는 甲에게 과실치사죄를 인정한다.

④ 우리 형법상 원인에 있어서 자유로운 행위에는 심신상실, 심신미약의 규정을 적용하지 아니하므로 책임조각 내지 책임감경이 되지 아니하고 책임능력자로 취급하여 처벌하고 있다.

해설

① [×] 원인설정행위를 실행행위로 파악하여 원인설정행위시의 책임능력을 기초로 책임을 인정하는 견해(구성요건 모델)는 '**구성요건의 정형성**'을 무시한다는 비판을 받고 있다. 이 견해에 의할 때 살인을 하기 위해 술을 마시는 행위를 (원인설정행위를 실행행위로 파악하기 때문에) 살인의 실행의 착수로 볼 수도 있는데, 이는 구성요건의 정형성과는 거리가 멀다.

② [○] 피고인이 음주운전을 할 의사를 가지고 음주만취한 후 운전을 결행하여 교통사고를 일으켰다면 피고인은 음주시에 교통사고를 일으킬 위험성을 예견하였는데도 **자의로 심신장애를 야기한 경우**에 해당하므로 형법 제10조 제3항에 의하여 **심신장애로 인한 감경 등을 할 수 없다.**(대법원 2007. 7. 27. 2007도4484 음주만취후 운전사건Ⅱ)

③ [○] 甲은 술을 마시면 난폭한 행위를 하는 희귀성 정신병 소질을 가진 자인데, 甲은 **과실로 술을 많이 마시고** 심신미약상태에서 술집 여급 乙을 칼로 찔러 살해한 경우 판례는 甲에게 **과실치사죄를 인정한다.**(일본 판례)

④ [○] 위험의 발생을 예견하고 자의로 심신장애를 야기한 자의 행위에는 전2항의 규정을 적용하지 아니한다. (제10조 제3항)

170 형법 제16조(법률의 착오)에 대한 설명으로 옳지 않은 것은? (다툼이 있으면 판례에 의함)

□□□

① 형법 제16조는 일반적으로 범죄가 되는 경우이지만 자기의 특수한 경우에는 법령에 의하여 허용된 행위로서 죄가 되지 아니한다고 그릇 인식한 경우에 관한 규정이다.

② 정당한 이유가 있는지 여부는 행위자가 자기 행위의 위법성에 대해 심사숙고하거나 조회할 수 있는 계기가 있었는데도 자신의 지적 능력을 다하여 진지한 노력을 다하지 못한 결과 위법성을 인식하지 못한 것인지 여부에 따라 판단하여야 한다.

③ 위법성의 인식에 필요한 노력의 정도는 구체적인 행위정황과 행위자 개인의 인식능력에 따라 달리 평가되어야 하며, 행위자가 속한 사회집단에 따라 달리 평가될 수는 없다.

④ 단순한 법률의 부지에 불과한 경우에는 형법 제16조에 해당하는 법률의 착오라고 볼 수 없다.

해설

③ [×] 위법성의 인식에 필요한 노력의 정도는 구체적인 행위정황과 행위자 개인의 인식능력 그리고 **행위자가 속한 사회집단에 따라 달리 평가되어야 한다.**(대법원 2015. 2. 12. 2014도11501 초등학생만 골라 성관계사건)

①②④ [○] 형법 제16조는 일반적으로 범죄가 되는 경우이지만 **자기의 특수한 경우에는** 법령에 의하여 허용된 행위로서 죄가 되지 아니한다고 그릇 인식하고 그와 같이 그릇 인식함에 정당한 이유가 있는 경우에는 벌하지 아니한다는 취지이고, 이러한 정당한 이유가 있는지 여부는 행위자에게 자기 행위의 위법의 가능성에 대해 심사숙고하거나 조회할 수 있는 계기가 있어 자신의 지적 능력을 다하여 이를 회피하기 위한 **진지한 노력을** 다하였더라면 스스로의 행위에 대하여 위법성을 인식할 수 있는 가능성이 있었음에도 이를 다하지 못한 결과 자기 행위의 위법성을 인식하지 못한 것인지 여부에 따라 판단하여야 할 것이고, 이러한 위법성의 인식에 필요한 노력의 정도는 구체적인 행위정황과 행위자 개인의 인식능력 그리고 행위자가 속한 사회집단에 따라 달리 평가되어야 한다.(대법원 2015. 10. 29. 2015도9010 서울시 공무원간첩 국정원증거조작 사건)

171 금지착오에 대한 설명 중 가장 적절하지 않은 것은? (다툼이 있으면 판례에 의함)

① 행위자가 처벌되지 않는 행위를 처벌되는 행위로 오인하고 행위를 한 경우 금지착오에 해당하며 오인에 정당한 이유가 있으면 책임이 조각된다.

② 사인이 현행범인을 체포하면서 그 범인을 자기 집안에 24시간까지 감금할 수 있다고 오인하고 감금한 경우 금지착오에 해당한다.

③ 단순한 법률의 부지의 경우는 형법 제16조의 적용대상이 되지 않는다는 것이 판례의 입장이다.

④ 약 23년간 경찰공무원으로 근무해 온 형사계 강력 1반장이 검사의 수사지휘대로만 하면 모두 적법한 것이라고 믿고 허위공문서를 작성한 경우 오인에 정당한 이유가 없다.

해설

① [×] 처벌되지 않는 행위를 처벌되는 행위로 오인하고 한 행위는 **환각범으로**(형법 제16조의 금지의 착오가 아니다) 오인에 정당한 이유가 있는지 여부를 불문하고 언제나 불가벌이다.

② [○] **위법성조각사유의 '한계'의 착오** 사례로써 이는 금지의 착오의 일종이다.

③ [○] 형법 제16조는 단순한 **법률의 부지**를 말하는 것이 아니고 일반적으로는 범죄가 되지만 자기의 특수한 경우에는 법령에 따라 허용된 행위로서 죄가 되지 아니한다고 그릇 인식하고 그와 같이 그릇 인식함에 정당한 이유가 있는 경우 벌하지 않는다는 취지이다.(대법원 2015. 2. 12. 2014도11501 초딩만 골라 성관계사건)

④ [○] 피고인이 검사의 수사지휘만 받으면 허위로 공문서를 작성하여도 죄가 되지 아니하는 것으로 그릇 인식하였다는 것은 납득이 가지 아니하고, 가사 피고인이 그러한 그릇된 인식이 있었다 하여도 피고인의 직업 등에 비추어 그러한 그릇된 인식을 함에 있어 **정당한 이유가 있다고 볼 수도 없다.**(대법원 1995. 11. 10. 95도2088 강력반장 허위공문서 작성사건)

172 위법성 인식과 법률의 착오에 대한 설명으로 옳은 것은? (다툼이 있으면 판례에 의함)

① 위법성 인식의 체계적 지위에 관한 학설 중 고의설에 따르면 법률의 착오와 사실의 착오 모두 고의가 조각된다.

② 위법성 인식에 필요한 노력의 정도는 행위자 개인의 인식능력의 문제이므로 행위자가 속한 사회집단에 따라 달리 평가되어서는 안 된다.

③ 형법 제16조의 법률의 착오는 처벌규정의 존재를 인식하지 못한 법률의 부지뿐만 아니라 일반적으로 범죄가 되는 행위이지만 자기의 특수한 경우에는 법령에 의하여 허용되는 행위로 오인한 경우를 말한다.

④ 형법 제16조에 따르면 법률의 착오에 있어서 오인에 정당한 이유가 있으면 벌하지 않으며 정당한 이유가 없는 경우에는 형을 감경할 수 있다.

해설

① [○] 고의설은 사실의 인식과 위법성의 인식을 모두 고의의 구성요소로 본다. 따라서 고의설에 의할 때 사실의 착오가 있는 경우는 물론 법률의 착오가 있는 경우에도 고의가 조각된다.

② [×] 위법성의 인식에 필요한 노력의 정도는 구체적인 행위정황과 행위자 개인의 인식능력 그리고 행위자가 속한 사회집단에 따라 달리 평가되어야 한다.(대법원 2015. 2. 12. 2014도11501 초등학생만 골라 성관계사건)

③ [×] 형법 제16조는 단순한 법률의 부지를 말하는 것이 아니고 일반적으로는 범죄가 되지만 자기의 특수한 경우에는 법령에 따라 허용된 행위로서 죄가 되지 아니한다고 그릇 인식하고 그와 같이 그릇 인식함에 정당한 이유가 있는 경우 벌하지 않는다는 취지이다.(대법원 2015. 2. 12. 2014도11501 초딩만 골라 성관계사건) 판례에 의할 때 행위자가 금지규범을 알지 못한 경우, 즉 법률의 부지인 경우는 그 이유 유무를 불문하고 무조건 처벌된다.

④ [×] 법률의 착오가 있는 경우, 즉 자기의 행위가 법령에 의하여 죄가 되지 아니하는 것으로 오인한 행위는 그 오인에 정당한 이유가 있는 때에 한하여 벌하지 아니한다.(제16조) 오인에 정당한 이유가 없는 경우 그 효과에 대하여 형법에 아무런 규정이 없으므로 형을 감경할 수는 없다.

173 법률의 착오에 대한 설명으로 옳은 것만을 모두 고른 것은? (다툼이 있으면 판례에 의함)

☐☐☐　　　　　　　　　　　　　　　　　　　　　　　　　14 국가7급 [Core ★★]

⊙ 행정청의 허가가 있어야 함에도 허가담당 공무원이 허가를 요하지 않은 것으로 잘못 알려주었다면, 허가를 받지 않더라도 죄가 되지 않는 것으로 착오를 일으킨 데 대하여 정당한 이유가 있는 경우에 해당하여 처벌할 수 없다.

ⓒ 위법성의 인식에 필요한 노력의 정도는 일반인의 입장에서 판단되어야 하며, 구체적인 행위 정황과 행위자 개인의 인식능력 그리고 행위자가 속한 사회집단에 따라 달리 평가되어서는 안 된다.

ⓒ 범죄의 성립에서 위법성에 대한 인식은 범죄사실이 사회정의와 조리에 어긋난다는 것을 인식하는 것뿐만 아니라 구체적인 해당 법조문까지 인식하여야 한다.

ⓔ 임대업자가 임차인으로 하여금 계약상의 의무이행을 강요하기 위한 수단으로 계약서의 조항을 근거로 임차물에 대하여 일방적으로 단전·단수조치를 함에 있어 자신의 행위가 죄가 되지 않는다고 오인하더라도, 특별한 사정이 없는 한 그 오인에는 정당한 이유가 있다고 볼 수는 없다.

① ⊙ⓒ　　　　　　　　　　　　② ⊙ⓔ

③ ⓒⓒ　　　　　　　　　　　　④ ⓒⓔ

해설

② ㉠㉢ 2 항목이 옳다.

㉠ [○] 행정청의 허가가 있어야 함에도 불구하고, 허가를 받지 아니하여 처벌대상의 행위를 한 경우라도 허가를 담당하는 공무원이 허가를 요하지 않는 것으로 잘못 알려 주어 이를 믿었기 때문에 허가를 받지 아니한 것이라면 허가를 받지 않더라도 죄가 되지 않는 것으로 착오를 일으킨 데 대하여 **정당한 이유가 있는 경우에 해당하여 처벌할 수 없다.**(대법원 2005. 8. 19. 2005도1697 토석 적치사건)

㉡ [×] 위법성의 인식에 필요한 노력의 정도는 구체적인 행위정황과 행위자 개인의 인식능력 그리고 행위자가 속한 사회집단에 따라 **달리 평가되어야 한다.**(대법원 2015. 2. 12. 2014도11501 초등학생만 골라 성관계사건)

㉢ [×] 위법의 인식은 그 범죄사실이 사회정의와 조리에 어긋난다는 것을 인식하는 것으로서 족하고, **구체적인 해당 법조문까지 인식할 것을 요하는 것은 아니다.**(대법원 1987. 3. 24. 86도2673 허위출생 기재사건)

㉣ [○] 임대업자가 임차인으로 하여금 계약상의 의무이행을 강요하기 위한 수단으로 계약서의 조항을 근거로 임차물에 대하여 **일방적으로 단전·단수조치를 함에 있어** 자신의 행위가 죄가 되지 않는다고 오인하더라도, 특별한 사정이 없는 한 그 오인에는 **정당한 이유가 있다고 볼 수는 없다.**(대법원 2007. 9. 20. 2006도9157 서부산관광호텔 사건)

174 형법 제16조는 "자기의 행위가 법령에 의하여 죄가 되지 아니하는 것으로 오인한 행위는 그 오인에 정당한 이유가 있는 때에 한하여 벌하지 아니한다."고 규정하고 있다. 다음 중 판례가 오인의 정당한 이유를 인정한 것은?

□□□   22 경찰간부 [Essential ★]

① 마취전문 간호사가 의사의 구체적인 지시없이 독자적으로 마취약제와 양을 결정하고 마취액을 직접 주사하여 척수마취를 시행하는 행위를 유권해석에 따라 의료법규에 의해 허용된다고 오인한 경우

② 변호사 자격을 가진 국회의원이 선거운동의 실질을 갖추고 있는 의정보고서를 발간하면서 그 보좌관을 통하여 관할 선거관리위원회 직원에게 문의하여 이 사건 의정보고서 내용을 게재하는 것이 허용된다는 답변을 듣고 선거법규에 저촉되지 않는다고 오인한 경우

③ 피고인이 과거 당국의 면허없이 가감삼십전대보초와 한약 가지수에만 차이가 있는 십전대보초를 제조하고 그 효능에 대하여 광고, 판매한 사실에 대하여 이전에 검찰로부터 '혐의없음' 처분을 받고, 재차 당국의 면허없이 의약품인 가감삼십전대보초를 제조, 판매한 사안에서 범행당시에 검찰의 처분을 신뢰하여 자신의 행위가 죄가 되지 않는다고 오인한 경우

④ 도시 및 주거환경정비법 제124조 제4항은 '조합원'이 정비사업관련 자료의 열람·복사를 요청한 경우에 특별한 사정이 없는 한 조합임원은 열람·복사를 허용할 의무를 부담하고 이를 위반하여 열람·복사를 허용하지 않는 경우에는 형사처벌의 대상이며, 여기에는 신축건물 동호수배정결과도 포함된다. 하지만 정비사업조합의 '조합원'이자 '감사'인 사람이 신축건물의 동호수 자료를 열람요청하였음에도 조합임원인 피고인은 조합의 자문변호사가 신축건물의 동호수는 공개하지 않는 것이 좋겠다고 한 답변을 듣고 자신의 행위가 죄가 되지 않는다고 오인한 경우

해설

③ 피고인은 비록 면허나 의약품판매업 허가가 없이 의약품인 가감삼십전대보초를 판매하였다고 하더라도 범행 당시 자기의 행위가 법령에 의하여 죄가 되지 않는 것으로 믿을 수밖에 없었고 또 **그렇게 오인함에 있어서 정당한 이유가 있는 경우에 해당한다.**(대법원 1995. 8. 25. 95도717 가감삼십전대보초 사건)

① 원심은, 피고인이 의사의 지시하에 마취행위를 하는 것이 무면허 의료행위에 해당하지 않는다고 믿은 데에 정당한 사유가 있다고 주장하면서 근거로 제시한 유권해석 등의 자료의 기재내용에 의하더라도 마취간호사는 의사의 구체적인 지시가 있어야 마취시술에서의 진료 보조행위를 할 수 있다는 것뿐이므로 피고인이 집도의의 구체적인 지시 없이 독자적으로 마취약제와 양을 결정하여 피해자에게 직접 마취시술을 시행한 이상 **피고인이 자신의 행위가 법령에 의하여 허용되는 행위라고 믿은 데에 정당한 사유가 없다고 판단하였는바, 이러한 원심의 판단은 정당하다.**(대법원 2010. 3. 25. 2008도590 치핵제거수술 사건)

② 피고인이 보좌관을 통하여 관할 선거관리위원회 직원에게 문의하여 의정보고서에 선거에 영향을 미칠 수 있는 내용을 게재하는 것이 허용된다는 답변을 들은 것만으로는 **자신의 지적 능력을 다하여 이를 회피하기 위한 진지한 노력을 다하였다고 볼 수 없고,** 그 결과 자신의 행위의 위법성을 인식하지 못한 것이라고 할 것이므로 그에 대해 **정당한 이유가 있다고 하기 어렵다.**(대법원 2006. 3. 24. 2005도3717 송영길 의원 사건)

④ 원심은, 피고인이 조합의 자문변호사로부터 조합원의 전화번호와 신축건물 동호수 배정 결과를 공개하지 않는 것이 좋겠다는 취지의 답변을 받았더라도 이는 자문변호사 개인의 독자적 견해에 불과하고 도시정비법의 전체적 규율 내용에 관한 면밀한 검토와 체계적 해석에 터 잡은 법률해석으로는 보이지 않으며, 피고인의 직업, 경력, 사회적 지위 등을 고려할 때 피고인이 **변호사의 자문을 받았다는 사정만으로 자신의 행위가 죄가 되지 않는다고 오인한 것에 정당한 이유가 있다고 보기는 어렵다고 판단하였는바, 이러한 원심판단은 수긍할 수 있다.**(대법원 2021. 2. 10. 2019도18700 동호수배정결과 열람·복사 불응사건)

175

형법 제16조(법률의 착오)에서 규정하는 '정당한 이유'가 있다고 인정되는 것은 모두 몇 개인가? (다툼이 있으면 판례에 의함)

□□□

19 경찰간부 [Core ★★]

> ○ 긴급명령이 시행된 지 오래되지 않아 비밀보장의무의 내용에 관해 확립된 규정이나 관계기관의 유권해석 및 금융관행이 확립되어 있지 아니하므로 금융거래의 내용을 공개한 경우
>
> ○ 법규해석을 잘못하여 공무원이 직무상 실시한 봉인 등의 표시가 법률상 효력이 없다고 믿고 손상, 은닉, 기타의 방법으로 그 효용을 해한 경우
>
> ○ 채권자가 관할 공무원과 변호사에게 문의 확인하여 자기의 채권이 신고해야 할 기업사채에 해당하지 않는다고 믿고 신고를 하지 않은 경우
>
> ○ 무선설비기기 수입업자가 무선설비의 납품처 직원으로부터 형식등록이 필요 없다는 취지의 답변을 듣고, 이미 무선 설비의 형식승인을 받은 다른 수입업자가 있음을 이용하여 동일한 제품을 법에서 정한 형식승인 없이 수입·판매한 경우

① 1개   ② 2개

③ 3개   ④ 4개

해설

① ⓒ 항목의 경우에만 착오에 정당한 이유가 있다.

○ 긴급명령 위반행위 당시 긴급명령이 시행된 지 그리 오래되지 않아 금융거래의 실명전환 및 확인에만 관심이 집중되어 있었기 때문에 비밀보장의무의 내용에 관하여 확립된 규정이나 판례, 학설은 물론 관계기관의 유권해석이나 금융관행이 확립되어 있지 아니하였다는 사정은 단순한 법률의 부지에 불과하며, 그 위반행위가 형사재판 변호인들의 자료 요청에서 기인하였다고 하더라도 변호인들에게 구체적으로 긴급명령위반 여부에 관하여 자문을 받은 것은 아닌 데다가, 해당 은행에서는 긴급명령상의 비밀보장에 관하여 상당한 교육을 시행하였음을 알 수 있어 피고인들의 행위가 죄가 되지 않는다고 믿은 데에 **정당한 이유가 있는 경우에 해당하지 않는다.** (대법원 1997. 6. 27. 95도1964)

○ 공무원이 그 직무에 관하여 실시한 봉인 등의 표시를 손상 또는 기타의 방법으로 그 효용을 해함에 있어서 그 봉인 등의 표시가 법률상 효력이 없다고 믿은 경우, 그와 같이 믿은 데에 정당한 이유가 없는 이상 **공무상 표시무효죄의 죄책을 면할 수 없다.** (대법원 2000. 4. 21. 99도5563 가압류 기계 임의처분사건)

○ 경제의 안정과 성장에 관한 긴급명령 공포 당시 기업사채의 정의에 대한 해석이 용이하지 않았던 사정하에서 겨우 국문정도 해득할 수 있는 60세의 부녀자가 채무자로부터 사채신고권유를 받았지만 지상에 보도된 내용을 참작하고 관할 공무원과 자기가 소송을 위임하였던 변호사에게 문의 확인한 바 채권이 이미 소멸되었다고 믿고 또는 그렇지 않다고 하더라도 신고하여야 할 **기업사채에 해당하지 않는다고 믿고 신고를 하지 아니한 경우에는 이를 벌할 수 없다.** (대법원 1976. 1. 13. 74도3680)

○ 피고인이 법령의 객관적 해석에 반하여 무선설비의 납품처 담당 직원으로부터 형식등록이 필요없다는 취지의 답변을 들었다고 하는 등의 사유만으로 형법 제16조에서 정한 그 오인에 정당한 이유가 있는 **법률의 착오에 해당한다고 볼 수 없다.** (대법원 2009. 6. 11. 2008도10373)

176 형법 제16조(법률의 착오)에서 규정하는 '정당한 이유'가 있다고 인정되는 것은? (다툼이 있으면
□□□ 판례에 의함)

① 가처분결정으로 직무집행정지 중에 있던 종단대표자가 변호사의 조언에 따라 종단소유의 보
관금을 인출하여 소송비용으로 사용한 경우

② 무선설비기기 수입업자가 무선설비의 납품처 직원으로부터 형식등록이 필요 없다는 취지의
답변을 듣고, 이미 무선설비의 형식승인을 받은 다른 수입업자가 있음을 이용하여 동일한 제
품을 법에서 정한 형식승인 없이 수입·판매한 경우

③ 직업소개업자가 관할관청에 외국인 근로자의 국내 입국절차를 대행하여 주는 허가절차에 관
하여 문의하였으나, 담당공무원이 아직 허가 관련 법규가 제정되지 아니하여 허가를 받지 않
아도 되는 것으로 잘못 알려 주어 법에서 정한 허가를 받지 않고 외국인 근로자를 국내업체에
취업 알선한 경우

④ 부동산중개업자가 아파트 분양권의 매매를 중개하면서 중개수수료 산정에 관한 지방자치단체
의 조례를 잘못 해석하여 법에서 허용하는 금액을 초과한 중개수수료를 수수한 경우

해설

③ [○] 피고인들이 관할관청에 입국절차를 대행하여 주는 허가절차에 관하여 문의하였으나, 담당공무원이 아직
허가 관련 법규가 제정되지 아니하여 허가를 받지 않아도 되는 것으로 잘못 알려 주어 그 허가를 받지 않았다
면 죄가 되지 않는 것으로 착오를 일으킨 데 대하여 정당한 이유가 있는 경우라고 할 것이므로 죄책을 물을
수 없다.(대법원 1995. 7. 11. 94도1814 외노자 국내업체 취업알선사건)

① [×] 가처분결정으로 대표자 등의 직무집행이 정지 중에 있던 피고인들이 종단소유의 보관금을 소송비용으로
사용함에 있어 변호사의 조언이 있었다 하더라도 그것만으로 피고인들의 보관금인출사용행위가 법률의 착오가
있은 경우에 해당하는 것이라 할 수 없다.(대법원 1990. 10. 16. 90도1604)

② [×] 피고인이 법령의 객관적 해석에 반하여 무선설비의 납품처 담당 직원으로부터 형식등록이 필요없다는 취
지의 답변을 들었다고 하는 등의 사유만으로 형법 제16조에서 정한 그 오인에 정당한 이유가 있는 법률의
착오에 해당한다고 볼 수 없다.(대법원 2009. 6. 11. 2008도10373)

④ [×] 피고인이 아파트 분양권의 매매를 중개할 당시 '일반주택'이 아닌 '일반주택을 제외한 중개대상물'을 중개
하는 것이어서 교부받은 수수료가 법에서 허용되는 범위 내의 것으로 믿고 이 사건 위반행위에 이르게 되었다
고 하더라도 그러한 사정만으로는 자신의 행위가 법령에 저촉되지 않는 것으로 오인함에 정당한 사유가 있는
경우에 해당한다거나 피고인에게 범의가 없었다고 볼 수는 없다.(대법원 2005. 5. 27. 2004도62)

177

□□□

법률의 착오에 대한 다음 설명 중 옳은 것은? (다툼이 있으면 판례에 의함) 17 경찰간부 [Core ★★]

① 광역시의회 의원 甲이 선거구민들에게 의정보고서를 배부하기에 앞서 미리 관할 선거관리위원회 소속 공무원들에게 자문을 구하고 그들의 지적에 따라 수정한 의정보고서를 배부하는 것은 죄가 되지 아니한다고 오인하고 이를 배부한 경우 甲의 행위는 형법 제16조의 정당한 이유가 인정된다.

② 甲이 변호사에게 문의하여 자문을 받고 압류물을 집행관의 승인 없이 관할구역 밖으로 옮기는 행위가 허용되는 행위로 생각하고 이와 같은 행위를 하였다면, 甲의 오인에는 정당한 이유가 인정된다.

③ 甲은 실질적으로는 한 사람에게 대출금이 귀속됨에도 다른 사람의 명의를 빌려 그들 사이에 형식적으로만 공동투자약정을 맺고 동일인 한도를 초과하는 대출을 받는, 이른바 '사업자 쪼개기' 방식의 대출이 관행적으로 이루어져 온 만큼 죄가 되지 않는다고 인식하고 상호저축은행에서 대출을 받은 경우 甲이 대출행위가 죄가 되지 않는다고 오인한 점에 정당한 이유가 있다고 볼 수 있다.

④ 부동산중개업자 甲이 아파트 분양권의 매매를 중개하면서 중개수수료 산정에 관한 지방자치단체의 조례를 잘못 해석하여 법에서 허용하는 금액을 초과한 중개수수료를 수수한 경우 甲의 오인은 정당한 이유가 있는 경우에 해당한다.

해설

① [○] 피고인으로서는 의정보고서 배부가 선거관리위원회의 공식적인 지도에 맞추어 행한 것으로 공직선거법에 위반되지 않는다고 믿을 수밖에 없었고, 또 그렇게 오인함에 있어서 **정당한 이유가 있는 경우에 해당한다.**(대법원 2005. 6. 10. 2005도835 수정 의정보고서 사건)

② [×] 변호사 등에게 문의하여 자문을 받았다는 사정만으로는 피고인의 행위가 죄가 되지 않는다고 믿는 데에 **정당한 이유가 있다고 할 수 없다.**(대법원 1992. 5. 26. 91도894)

③ [×] 이른바 '사업자쪼개기' 방식의 대출이 관행적으로 이루어져 왔으며, 금융감독원도 2008년 이전에는 이를 적발하지 못하였다는 사정만으로는 피고인들이 대출행위가 죄가 되지 않는다고 오인하였다거나 그 오인에 정당한 이유가 있다고 볼 수 없다.(대법원 2010. 4. 29. 2009도13868 사업자쪼개기 대출사건)

④ [×] 피고인이 아파트 분양권의 매매를 중개할 당시 '일반주택'이 아닌 '일반주택을 제외한 중개대상물'을 중개하는 것이어서 교부받은 수수료가 법에서 허용되는 범위 내의 것으로 믿고 이 사건 위반행위에 이르게 되었다고 하더라도 그러한 사정만으로는 자신의 행위가 법령에 저촉되지 않는 것으로 오인함에 정당한 사유가 있는 경우에 해당한다거나 피고인에게 범의가 없었다고 볼 수는 없다.(대법원 2005. 5. 27. 2004도62)

178
형법 제16조 법률의 착오에 관한 다음 설명 중 가장 옳지 않은 것은? (다툼이 있으면 판례에 의함)

22 법원9급 [Essential ★]

① 형법 제16조에서 자기가 행한 행위가 법령에 의하여 죄가 되지 아니한 것으로 오인한 행위는 그 오인에 정당한 이유가 있는 때에 한하여 벌하지 아니한다고 규정하고 있는 것은 단순히 법률의 부지를 말하는 것이 아니다.

② 형법 제16조는 일반적으로 범죄가 되는 경우이지만 자기의 특수한 경우에는 법령에 의하여 허용된 행위로서 죄가 되지 아니한다고 그릇 인식하고 그와 같이 그릇 인식함에 정당한 이유가 있는 경우에는 벌하지 않는다는 취지이다.

③ 법률 위반 행위 중간에 판례에 따라 그 행위가 처벌대상이 되지 않는 것으로 해석되었던 적이 있었던 경우에는 자신의 행위가 처벌되지 않는 것으로 믿은 데에 정당한 이유가 있다고 할 수 있다.

④ 부동산중개업자가 부동산중개업협회의 자문을 통하여 인원수의 제한 없이 중개보조원을 채용하는 것이 허용되는 것으로 믿고서 제한인원을 초과하여 중개보조원을 채용함으로써 부동산중개업법 위반행위에 이르게 되었다고 하더라도 그러한 사정만으로 자신의 행위가 법령에 저촉되지 않는 것으로 오인함에 정당한 이유가 있는 경우에 해당한다거나 범의가 없었다고 볼 수는 없다.

해설

③ [×] 법률 위반 행위 중간에 일시적으로 판례에 따라 그 행위가 처벌대상이 되지 않는 것으로 해석되었던 적이 있었다고 하더라도 그것만으로 자신의 행위가 처벌되지 않는 것으로 믿은 데에 정당한 이유가 있다고 할 수 없다.(대법원 2021. 11. 25. 2021도10903 불법 다시보기 싸이트 사건) "저작권자의 공중송신권을 침해하는 웹페이지 등으로 링크를 하는 행위만으로는 공중송신권 침해의 방조행위에 해당하지 않는다."라는 대법원 2015. 3. 12. 2012도13748 판결이 선고되었고 이 판결에 따라 피고인들이 자신들의 행위가 처벌대상이 되지 않는다고 믿었다고 하더라도 이후 이 판결이 대법원 2021. 9. 9. 2017도19025 전원합의체판결로 변경된 이상, 그렇게 믿은 데에 정당한 이유가 없다는 취지의 판례이다. 대법원 판례에는 공신력(公信力)이 없다.

①② [○] 형법 제16조는 단순한 법률의 부지를 말하는 것이 아니고 일반적으로는 범죄가 되지만 자기의 특수한 경우에는 법령에 따라 허용된 행위로서 죄가 되지 아니한다고 그릇 인식하고 그와 같이 그릇 인식함에 정당한 이유가 있는 경우 벌하지 않는다는 취지이다.(대법원 2015. 2. 12. 2014도11501 초딩만 골라 성관계사건)

④ [○] 피고인이 부동산중개업협회의 자문을 통하여 인원수의 제한 없이 중개보조원을 채용하는 것이 허용되는 것으로 믿고서 위반행위에 이르게 되었다고 하더라도 그러한 사정만으로 자신의 행위가 법령에 저촉되지 않는 것으로 오인함에 정당한 이유가 있는 경우에 해당한다거나 피고인에게 범의가 없었다고 볼 수는 없다.(대법원 2000. 8. 18. 2000도2943)

179 다음 중 법률의 착오에 있어 '정당한 이유'를 인정한 것은? (다툼이 있으면 판례에 의함)

☐☐☐

13 경찰채용 [Essential ★]

① 비디오물감상실업자가 개정된 법이 시행된 이후, 구청 문화관광과에서 실시한 교육과정에서 '만 18세 미만의 연소자' 출입금지 표시를 업소에 부착하라는 행정지도를 믿고 자신의 비디오감상실에 18세 이상 19세 미만의 청소년을 출입시킨 행위가 관련 법률에 의하여 허용된다고 믿은 경우

② 장애인복지법에 따른 보장구제조업 허가를 받아 이를 제조하는 자가 별도의 허가를 받지 않고 정형외과용 의료도구인 다리교정장치를 제조한 경우

③ 유선비디오방송은 자가 통신설비로 볼 수 없어 허가대상이 되지 않는다는 체신부장관의 회신을 믿고 당국의 허가 없이 유선비디오 방송설비를 설치한 경우

④ 부동산중개업자가 부동산중개업협회의 자문을 통하여 인원수의 제한 없이 중개보조원을 채용하는 것이 허용된다고 믿고 구 부동산중개업법이 정하는 제한인원을 초과하여 중개보조원을 채용한 경우

해설

① 피고인을 비롯한 비디오물감상실 업주들은 여전히 출입금지대상이 음반법 및 그 시행령에서 규정하고 있는 '18세 미만의 연소자'에 한정되는 것으로 인식하였던 것으로 보여지는바 사정이 위와 같다면 피고인이 자신의 비디오물감상실에 18세 이상 19세 미만의 청소년을 출입시킨 행위가 관련 법률에 의하여 허용된다고 믿었고 그렇게 믿었던 것에 대하여 **정당한 이유가 있는 경우에 해당한다.**(대법원 2002. 5. 17. 2001도4077 **비디오방 사건)**

② 장애인복지법 제50조 제1항 소정의 보장구제조업허가를 받아 제조되는 보장구는 어디까지나 장애인의 장애를 보완하기 위하여 필요한 기구에 불과하므로 위 허가를 받았다고 하여 다리교정기와 같은 정형외과용 교정장치를 제조할 수 있도록 허용되는 것이 아님은 분명하므로, 설령 장애인복지법 제50조 제1항에 의해 보장구제조 허가를 받았고 또 한국보장구협회에서 다리교정기와 비슷한 기구를 제작·판매하고 있던 자라 하더라도, 다리교정기가 의료용구에 해당되지 않는다고 믿은 데에 **정당한 사유가 있다고 볼 수는 없다.**(대법원 1995. 12. 26. 95도2188)

③ 유선비디오 방송업자들의 질의에 대하여 체신부장관이 유선비디오 방송은 자가통신설비로 볼 수 없어 같은법 제15조 제1항 소정의 허가대상이 되지 않는다는 견해를 밝힌 바 있다 하더라도 그 견해가 법령의 해석에 관한 법원의 판단을 기속하는 것은 아니므로 그것만으로 피고인에게 **범의가 없었다고 할 수 없다.**(대법원 1989. 2. 14. 87도1860)

④ 피고인이 부동산중개업협회의 자문을 통하여 인원수의 제한 없이 중개보조원을 채용하는 것이 허용되는 것으로 믿고서 위반행위에 이르게 되었다고 하더라도 그러한 사정만으로 자신의 행위가 법령에 저촉되지 않는 것으로 오인함에 **정당한 이유가 있는 경우에 해당한다거나 피고인에게 범의가 없었다고 볼 수는 없다.**(대법원 2000. 8. 18. 2000도2943)

180 법률의 착오에 관한 설명 중 가장 적절하지 않은 것은? (다툼이 있으면 판례에 의함)

15 경찰승진 [Essential ★]

① 마약취급면허가 없는 자가 제약회사에 근무한다는 자로부터 마약이 없어 약을 제조하지 못하니 구해달라는 거짓 부탁을 받고 제약회사에서 쓰는 마약은 구해 주어도 죄가 되지 아니하는 것으로 믿고 생아편을 구해 주었다하더라도 오인에 정당한 이유가 있는 경우라고 볼 수 없다.

② 정부공인 체육종목인 '활법'의 사회체육지도사 자격증을 취득한 자가 기공원을 운영하면서 환자들을 대상으로 척추교정시술행위를 한 자신의 행위가 무면허 의료행위에 해당되지 아니하여 죄가 되지 않는다고 믿었다면 정당한 이유가 있는 법률의 착오에 해당한다.

③ 채광업자가 허가를 담당하는 공무원에게 문의한 결과 허가를 요하지 않는다고 잘못 알려준 것을 믿고 허가 없이 산림을 훼손한 경우에는 허가를 받지 않더라도 죄가 되지 않는 것으로 착오를 일으킨 데 대하여 정당한 이유가 있는 경우에 해당한다.

④ 20여 년간 경찰공무원으로 근무해온 형사계 강력반장이 검사의 수사지휘대로 하면 적법한 것이라 믿고 허위공문서를 작성한 경우에는 그 오인에 정당한 이유가 있다고 볼 수 없다.

해설

② [×] 활법(活法)을 체육종목으로서 공인하거나 그 지도자 자격을 부여하는 것 등은 신체활동을 통하여 건전한 신체와 정신을 기르고 여가를 선용하고자 하는 체육활동으로서의 일반적인 활법의 지도를 위한 것이지 그 외에 법률에서 금지하는 무면허 의료행위까지도 할 수 있도록 허용하는 취지는 아니므로, 설사 피고인이 척추교정시술행위을 한 자신의 행위가 죄가 되지 않는다고 믿었다 하더라도 **그와 같이 믿은 데에 정당한 사유가 있었다고 할 수 없다.**(대법원 1995. 4. 7. 94도1325 **활법원 사건**)

① [○] 피고인이 제약회사에 근무한다는 자로부터 마약이 없어 약을 제조하지 못하니 구해 달라는 거짓 부탁을 받고 **제약회사에서 쓰는 마약은 구해 주어도 죄가 되지 아니하는 것으로 믿고 생아편을 구해 주었다 하더라도** 피고인들이 마약취급의 면허가 없는 이상 위와 같이 믿었다 하여 이러한 행위가 법령에 의하여 죄가되지 아니하는 것으로 오인하였거나, 그 오인에 **정당한 이유가 있는 경우라고 볼 수 없다.**(대법원 1983. 9. 13. 83도1927 **생아편 매도사건**)

③ [○] 행정청의 허가가 있어야 함에도 불구하고, 허가를 받지 아니하여 처벌대상의 행위를 한 경우라도 허가를 담당하는 공무원이 허가를 요하지 않는 것으로 잘못 알려 주어 이를 믿었기 때문에 허가를 받지 아니한 것이라면 허가를 받지 않더라도 죄가 되지 않는 것으로 착오를 일으킨 데 대하여 **정당한 이유가 있는 경우에 해당하여 처벌할 수 없다.**(대법원 1993. 9. 14. 92도1560 **자수정 채광 사건**)

④ [○] 피고인이 그러한 그릇된 인식이 있었다 하여도 피고인의 직업 등에 비추어 그러한 그릇된 인식을 함에 있어 **정당한 이유가 있다고 볼 수도 없다.**(대법원 1995. 11. 10. 95도2088 **강력반장 허위공문서 작성사건**)

정답 | 179 ① 　 180 ②

181

□□□

법률의 착오에 '정당한 이유'가 없어 처벌되는 것은 다음 중 모두 몇 개인가? (다툼이 있으면 판례에 의함)

15 경찰채용 [Core ★★]

㉠ 부동산중개업자가 아파트 분양권의 매매를 중개하면서 중개수수료 산정에 관한 지방자치단체의 조례를 잘못 해석하여 법에서 허용하는 금액을 초과한 중개수수료를 수수한 경우

㉡ 유선비디오 방송 설비는 허가 대상이 되지 않는다는 체신부장관의 회신을 믿고 당국의 허가 없이 유선비디오 방송 설비를 설치한 경우

㉢ 비디오물감상실업자가 개정된 법이 시행된 이후, 구청 문화관광과에서 실시한 교육과정에서 '만 18세 미만의 연소자' 출입금지 표시를 업소에 부착하라는 행정지도를 믿고 자신의 비디오감상실에 18세 이상 19세 미만의 청소년을 출입시킨 행위가 관련 법률에 의하여 허용된다고 믿은 경우

㉣ 중국 국적 선박을 구입한 피고인이 외환은행 담당자의 안내에 따라 매도인인 중국 해운회사에 선박을 임대하여 받기로 한 용선료를 재정경제부장관에게 미리 신고하지 아니하고 선박 매매대금과 상계함으로써 (구)「외국환거래법」을 위반한 경우

① 1개   ② 2개

③ 3개   ④ 4개

해설

③ ㉠㉡㉣ 3 항목의 경우 착오에 정당한 이유가 없어 처벌된다.

㉠ 피고인이 아파트 분양권의 매매를 중개할 당시 '일반주택'이 아닌 '일반주택을 제외한 중개대상물'을 중개하는 것이어서 교부받은 수수료가 법에서 허용되는 범위 내의 것으로 믿고 이 사건 위반행위에 이르게 되었다고 하더라도 그러한 사정만으로는 자신의 행위가 법령에 저촉되지 않는 것으로 오인함에 **정당한 사유가 있는 경우에 해당한다거나 피고인에게 범의가 없었다고 볼 수는 없다.**(대법원 2005. 5. 27. 2004도62)

㉡ 유선비디오 방송업자들의 질의에 대하여 체신부장관이 유선비디오 방송은 자가통신설비로 볼 수 없어 같은 법 제15조 제1항 소정의 허가대상이 되지 않는다는 견해를 밝힌 바 있다 하더라도 그 견해가 법령의 해석에 관한 법원의 판단을 기속하는 것은 아니므로 그것만으로 **피고인에게 범의가 없었다고 할 수 없다.**(대법원 1989. 2. 14. 87도1860)

㉢ 피고인을 비롯한 비디오물감상실 업주들은 여전히 출입금지대상이 음반법 및 그 시행령에서 규정하고 있는 '18세 미만의 연소자'에 한정되는 것으로 인식하였던 것으로 보여지는바 사정이 위와 같다면 피고인이 자신의 비디오물감상실에 18세 이상 19세 미만의 청소년을 출입시킨 행위가 관련 법률에 의하여 허용된다고 믿었고 그렇게 믿었던 것에 대하여 **정당한 이유가 있는 경우에 해당한다.**(대법원 2002. 5. 17. 2001도4077 비디오방사건)

㉣ 설령 외환은행 담당자의 안내에 따라 그대로 신고를 하였다고 하더라도 그러한 사정만으로 선박의 매매대금 지급의 신고에 관하여 피고인이 자신의 행위가 죄가 되지 아니하는 것으로 오인하였거나 그와 같은 오인에 **정당한 이유가 있었다고 할 수 없다.**(대법원 2011. 7. 14. 2011도2136 메가파이오니어호 매매사건)

182

□□□

형법 제16조(법률의 착오)에 관한 설명으로 가장 적절한 것은? (다툼이 있으면 판례에 의함)

24 경찰채용 [Core ★★]

① 자기의 행위가 법령에 의하여 죄가 되지 아니하는 것으로 오인한 행위는 그 오인에 정당한 이유가 있는 때에 한하여 형을 감경 또는 면제할 수 있다.

② 사인 甲이 현행범을 체포하면서 자신의 집 창고에 24시간 이상 감금하여도 형사소송법상 허용된다고 위법성조각사유의 허용한계를 오인하는 행위는 금지착오의 유형에 해당하지 않는다.

③ 오인에 정당한 이유가 있는지 여부를 판단하는 과정에서 위법성인식에 필요한 노력의 정도는 행위 당시의 구체적 상황에 행위자 대신에 법률가나 관련 분야의 전문가가 아닌 사회 평균인을 두고 이 평균인의 관점에서 판단해야 하며, 행위자가 속한 사회집단에 따라 달리 평가되면 안 된다.

④ 甲이 니코틴 용액 제조의 경우에도 담배제조업 허가를 받아야 하는지를 담배 담당 주무부서에 문의하여 답변을 받아 허가사항임을 충분히 인식하였고, 자신이 제조한 것과 같은 니코틴용액을 제조한 A주식회사의 무허가 담배제조로 인한 담배사업법위반죄에 관하여 검사의 불기소결정이 「담배사업법」 개정 이전에 있었던 경우 「담배사업법」이 금지하는 무허가담배제조행위의 위법성을 인식하지 못한 데 정당한 사유가 있다고 보기 어렵다.

해설

④ [○] 원심은 다음과 같은 이유 등을 들어 피고인에게 위법성의 인식이 없었거나 위법성을 인식하지 못한 데 정당한 사유가 있다고 보기 어렵다고 판단하였는바, 이러한 원심의 판단은 정당하다. 피고인은 담배 담당 주무부인 기획재정부에 2014. 1. 21. 니코틴 용액 제조의 경우에도 담배사업법 개정 이후 담배제조업 허가를 받아야 하는지 문의한 적이 있는데, 기획재정부의 일관된 입장은 니코틴 용액을 수입한 후 국내에서 혼합, 희석하는 행위는 담배의 제조행위에 해당하며, 담배제조업을 하려는 자는 담배제조업의 허가를 받아야 한다는 것이었다. 피고인은 니코틴 용액을 제조, 판매함으로써 수십억 원의 매출을 올린 반면, 자신의 행위에 대한 위법성 여부를 확인하기 위하여 충분한 조치를 다하지 않았다. 피고인이 제조한 것과 같은 니코틴 용액을 제조한 공소외 주식회사에 대한 무허가 담배제조로 인한 담배사업법 위반죄에 관하여 **검사의 불기소결정이 있었으나 이는 담배사업법 개정 이전에 이루어진 것이고 피고인에 대한 것도 아니므로 이를 들어 피고인에게 위법성을 인식하지 못한 데 정당한 사유가 있었다고 볼 수 없다.**(대법원 2018. 9. 28. 2018도9828 전자담배 액상 제조사건)

① [×] 자기의 행위가 법령에 의하여 죄가 되지 아니하는 것으로 오인한 행위는 그 오인에 정당한 이유가 있는 때에 한하여 **벌하지 아니한다.**(제16조)

② [×] 위법성조각사유의 한계의 착오 사례로서 이는 **금지의 착오의 한 유형에 해당한다.**

③ [×] 오인에 정당한 이유가 있는지 여부는 행위자에게 자기 행위의 위법 가능성에 대해 심사숙고하거나 조회할 수 있는 계기가 있어 자신의 지적능력을 다하여 이를 회피하기 위한 진지한 노력을 다하였더라면 스스로의 행위에 대하여 위법성을 인식할 수 있는 가능성이 있었음에도 이를 다하지 못한 결과 자기 행위의 위법성을 인식하지 못한 것인지 여부에 따라 판단하여야 할 것이며, 위법성의 인식에 필요한 노력의 정도는 **구체적인 행위정황과 행위자 개인의 인식능력 그리고 행위자가 속한 사회집단에 따라 달리 평가되어야 한다.**(대법원 2015. 2. 12. 2014도11501 초당만 골라 성관계사건)

183 다음 설명 중 법률의 착오에 정당한 이유가 없는 것은 모두 몇 개인가? (다툼이 있으면 판례에 의함)

13 경찰채용 [Core ★★]

> ㉠ 장례식장의 식당(접객실) 부분을 증축함에 있어 홍성군과 증축부분이 장례식장이 아닌 병원의 부속 건물임을 전제로 그 증축에 관한 협의과정을 거쳤고 건설교통부의 질의·회신도 종합병원의 경우 일반적으로 장례식장의 설치나 운영이 그 부속시설로서 허용된다는 취지가 아니라 종합병원에 입원한 환자가 사망한 경우 그 장례의식을 위한 시설의 설치는 부속용도로 볼 수 있다는 취지에 불과한 경우에 장례식장의 설치·운영에 관하여 죄가 되지 아니하는 것으로 오인한 경우
>
> ㉡ 공무원이 그 직무에 관하여 실시한 봉인 등의 표시를 손상 또는 은닉 기타의 방법으로 그 효용을 해함에 있어서 그 봉인 등의 표시가 법률상 효력이 없다고 믿은 경우
>
> ㉢ 중국 국적 선박을 구입한 피고인이 외환은행 담당자의 안내에 따라 매도인인 중국 해운회사에 선박을 임대하여 받기로 한 용선료를 재정경제부장관에게 미리 신고하지 아니하고 선박 매매대금과 상계함으로써 구 외국환거래법을 위반한 사안에서, 자신의 행위가 죄가 되지 아니하는 것으로 오인한 경우
>
> ㉣ 교통부장관의 허가를 얻어 설립된 사단법인 한국교통사고상담센터의 하부직원이 목적사업인 교통사고 피해자의 위임을 받아 사고 회사와의 사이에 화해의 중재나 알선을 하고 피해자로부터 교통부장관이 승인한 조정수수료를 받은 경우

① 1개   ② 2개   ③ 3개   ④ 4개

해설

③ ㉠㉡㉢ 3 항목의 경우 착오에 정당한 이유가 없다.

㉠ 피고인 또는 충청남도가 장례식장의 식당부분을 증축함에 있어, 홍성군과 그 증축에 관한 협의과정을 거쳤고 건설교통부에 관련 질의도 했던 것으로 보이나, 홍성군과의 협의는 증축부분이 장례식장이 아닌 '병원'의 부속건물임을 전제로 한 것이고 그에 관한 건축물대장에의 기재나 사용승인 또한 마찬가지이며, 건설교통부의 질의회신도 종합병원의 경우 일반적으로 장례식장의 설치나 운영이 그 부속시설로서 허용된다는 취지가 아니라 종합병원에 입원한 환자가 사망한 경우 그 장례의식을 위한 시설의 설치는 부속용도로 볼 수 있다는 취지에 불과하므로, 주무관서인 홍성군과 위와 같은 협의를 거쳤다는 등의 사정만으로 장례식장의 설치·운영에 관하여 피고인이 자신의 행위가 죄가 되지 아니하는 것으로 오인하였거나 그와 같은 오인에 **정당한 이유가 있었다고 할 수 없다.**(대법원 2009. 12. 24. 2007도1915 장례식장 식당 증축사건)

㉡ 공무원이 그 직무에 관하여 실시한 봉인 등의 표시를 손상 또는 은닉 기타의 방법으로 그 효용을 해함에 있어서 그 봉인 등의 표시가 법률상 효력이 없다고 믿은 것은 법규의 해석을 잘못하여 행위의 위법성을 인식하지 못한 것이라고 할 것이므로 **그와 같이 믿은 데에 정당한 이유가 없는 이상, 그와 같이 믿었다는 사정만으로는 공무상표시무효죄의 죄책을 면할 수 없다.**(대법원 2000. 4. 21. 99도5563 가압류 기계 임의처분사건)

㉢ 설령 외환은행 담당자의 안내에 따라 그대로 신고를 하였다고 하더라도 그러한 사정만으로 선박의 매매대금 지급의 신고에 관하여 피고인이 자신의 행위가 죄가 되지 아니하는 것으로 오인하였거나 그와 같은 오인에 **정당한 이유가 있었다고 할 수 없다.**(대법원 2011. 7. 14. 2011도2136 메가파이오니어호 매매사건)

㉣ 직무수행상의 행위로서 위법의 인식을 기대하기 어렵고 적어도 형법 제16조에 이른바 법률의 착오에 해당한다고 봄이 상당하다.(대법원 1975. 3. 25. 74도2882)

184 법률의 착오에 대한 설명으로 옳지 않은 것은? (다툼이 있으면 판례에 의함) 22 국가9급 [Core ★★]

☐☐☐

① 제한책임설은 위법성조각사유의 전제사실에 관한 착오를 법률의 착오로 보는 것이다.

② 변호사자격을 가진 국회의원이 의정보고서를 발간하는 과정에서 선거관리위원회에 정식으로 질의를 하여 공식적인 답변을 받지 않고 보좌관을 통하여 선거관리위원회 직원에게 문의하여 답변을 들은 것만으로 선거법규에 저촉되지 않는다고 오인한 경우 그 오인에 정당한 이유가 있다고 하기 어렵다.

③ 가처분결정으로 직무집행정지 중에 있던 종단대표자가 종단 소유의 보관금을 소송비용으로 사용함에 있어 변호사의 조언이 있었다는 것만으로 보관금 인출사용행위가 법률의 착오에 의한 것이라 할 수 없다.

④ 자신의 행위가 건축법상의 허가대상인 줄을 몰랐다는 사정은 단순한 법률의 부지에 불과하고 법률의 착오에 기인한 행위라고는 할 수 없다.

해설

① [×] 위법성조각사유의 전제사실의 착오가 있는 경우 제한적 책임설(유추적용설과 법효과 제한적 책임설)에 의할 때에는 구성요건적 고의 또는 책임고의 조각 여부(과실범 성립 여부)가 문제가 되는데 비하여, **엄격책임설은 이를 법률의 착오(금지의 착오)로 보기 때문에 책임조각 여부가 문제가 된다.**

② [○] 피고인 甲이 보좌관을 통하여 관할 선거관리위원회 직원에게 문의하여 의정보고서에 선거에 영향을 미칠 수 있는 내용을 게재하는 것이 허용된다는 답변을 들은 것만으로는 자신의 지적 능력을 다하여 이를 회피하기 위한 진지한 노력을 다 하였다고 볼 수 없고, 그 결과 자신의 행위의 위법성을 인식하지 못한 것이라고 할 것이므로 그에 대해 **정당한 이유가 있다고 하기 어렵다.**(대법원 2006. 3. 24. 2005도3717 **송영길의원 사건**)

③ [○] 가처분결정으로 대표자 등의 직무집행이 정지 중에 있던 피고인들이 종단소유의 보관금을 소송비용으로 사용함에 있어 변호사의 조언이 있었다 하더라도 그것만으로 피고인들의 보관금인출사용행위가 **법률의 착오가 있은 경우에 해당하는 것이라 할 수 없다.**(대법원 1990. 10. 16. 90도1604)

④ [○] 피고인이 건축법상의 허가대상인 줄을 몰랐다는 사정은 **단순한 법률의 부지에 불과하고 이를 법률의 착오에 기인한 행위라고 할 수 없다.**(대법원 1991. 10. 11. 91도1566)

185

다음 중 판례가 정당한 이유를 인정한 경우는 모두 몇 개인가?

□□□

> ㉠ 이복동생 이름으로 군복무 중 휴가를 얻어 귀가하여 자기는 다른 호적에 입적되어 있고 이복동생은 군복무를 필한 사실을 알고 다른 사람의 이름으로 군대생활을 할 필요가 없다고 생각하고 귀대하지 않은 경우
>
> ㉡ 한국교통사고 상담센타 직원이 교통사고 피해자의 위임을 받아 회사와의 사이에 화해의 중재나 알선을 하고 피해자로부터 교통부장관이 승인한 조정수수료를 받은 경우
>
> ㉢ 중국 국적 선박을 구입한 피고인이 외환은행 담당자의 안내에 따라 매도인인 중국해운회사에 선박을 임대하여 받기로 한 용선료를 재정경제부장관에게 미리 신고하지 아니하고 선박 매매대금과 상계함으로써 구 외국환거래법을 위반한 경우
>
> ㉣ 채권자가 관할 공무원과 변호사에게 문의·확인하여 자기의 채권이 신고해야 할 기업사채에 해당하지 않는다고 믿고 신고를 하지 않은 경우
>
> ㉤ 유선비디오 방송설비는 허가대상이 되지 않는다는 체신부장관의 회신을 믿고 당국의 허가 없이 유선비디오 방송설비를 설치한 경우

① 1개

② 2개

③ 3개

④ 4개

해설

③ ㉠㉡㉣ 3 항목의 경우 착오에 정당한 이유가 있다.

㉠ 이복동생의 이름으로 해병대에 지원입대하여 근무중 휴가시, 위 동생이 군에 복무중임을 알았고, 다른 사람의 이름으로 군생활을 할 필요가 없다고 생각하여 귀대치 않다가 징병검사를 받고 예비역으로 복무 중이라면 그 후 군무이탈자의 자진복귀명령에 위반하였다 하더라도 그 행위가 죄되는 행위가 아닌 것으로 오인함에 있어 **정당한 이유가 있다고 할 것이다.**(대법원 1974. 7. 23. 74도1399)

㉡ 직무수행상의 행위로서 위법의 인식을 기대하기 어렵고 적어도 형법 제16조에 이른바 법률의 착오에 해당한다고 봄이 상당하다.(대법원 1975. 3. 25. 74도2882)

㉢ 설령 외환은행 담당자의 안내에 따라 그대로 신고를 하였다고 하더라도 그러한 사정만으로 선박의 매매대금 지급의 신고에 관하여 피고인이 자신의 행위가 죄가 되지 아니하는 것으로 오인하였거나 그와 같은 오인에 **정당한 이유가 있었다고 할 수 없다.**(대법원 2011. 7. 14. 2011도2136 메가파이오니어호 매매사건)

㉣ 경제의 안정과 성장에 관한 긴급명령 공포 당시 기업사채의 정의에 대한 해석이 용이하지 않았던 사정하에서 겨우 국문정도 해득할 수 있는 60세의 부녀자가 채무자로부터 사채신고권유를 받았지만 지상에 보도된 내용을 참작하고 **관할 공무원과 자기가 소송을 위임하였던 변호사에게 문의 확인한 바** 채권이 이미 소멸되었다고 믿고 또는 그렇지 않다고 하더라도 신고하여야 할 기업사채에 해당하지 않는다고 믿고 신고를 하지 아니한 경우에는 **이를 벌할 수 없다.**(대법원 1976. 1. 13. 74도3680)

㉤ 유선비디오 방송업자들의 질의에 대하여 체신부장관이 유선비디오 방송은 자가통신설비로 볼 수 없어 같은법 제15조 제1항 소정의 허가대상이 되지 않는다는 견해를 밝힌 바 있다 하더라도 그 견해가 법령의 해석에 관한 법원의 판단을 기속하는 것은 아니므로 그것만으로 피고인에게 **범의가 없었다고 할 수 없다.**(대법원 1989. 2. 14. 87도1860)

186 '현재의 부당한 침해'라는 정당방위 상황이 객관적으로 존재하지 않음에도 불구하고 행위자는 존 재하는 것으로 잘못 알고 방위행위를 한 경우, 이를 법률의 착오로 보고 '오인에 정당한 이유'가 있 으면 책임이 조각된다는 견해는?

16 국가9급 [Core ★★]

① 엄격책임설
② 제한적 책임설
③ 소극적 구성요건표지이론
④ 고의설

해설

① [〇] 설문과 같은 '위법성조각사유의 전제사실의 착오'를 포함하여 위법성 인식과 관련된 모든 착오를 금지의 착오(법률의 착오)로 보아, 그 착오에 정당한 이유가 있으면 책임이 조각된다고 보는 견해는 엄격책임설을 말한다.

② [×] 위법성조각사유의 전제사실의 착오가 있는 경우 제한적 책임설(법효과제한적 책임설)에 의할 때 **구성요건적 고의**(또는 불법 고의)는 인정되지만 심정반가치를 의미하는 책임고의가 조각되고, 그 착오에 과실이 있으면(과실범 처벌규정이 있을 때에 한하여) 과실범으로 처벌한다.

③ [×] 위법성조각사유의 전제사실의 착오가 있는 경우 소극적 구성요건표지이론에 의할 때 소극적 구성요건의 착오가 되어 **고의가 조각**되고, 그 착오에 과실이 있으면 (과실범 처벌규정이 있을 때에 한하여) 과실범으로 처벌한다.

④ [×] 위법성의 인식을 고의의 요소로 파악하는 고의설에 의할 때 위법성조각사유의 전제사실의 착오가 있는 경우 **고의가 조각**되고, 그 착오에 과실이 있으면 (과실범 처벌규정이 있을 때에 한하여) 과실범으로 처벌한다.

187 다음 위법성 전제사실의 착오에 대한 설명으로 가장 옳지 않은 것은?

22 해경승진 [Core ★★]

① 소극적 구성요건표지이론은 위법성조각사유를 소극적 구성요건표지로 보아 구성요건적 착오 규정을 직접 적용하여 고의가 조각된다는 견해이다.
② 제한적 책임설 중 유추적용설에 따르면 구성요건적 착오규정을 유추적용하여 고의가 조각되고, 다만 행위자에게 과실이 있으면 과실범으로 처벌된다.
③ 엄격책임설에 따르면 오인에 정당한 이유가 있으면 위법성이 조각된다.
④ 오상방위, 오상피난, 오상자구행위 등이 위법성 전제사실의 착오에 해당한다.

해설

③ [×] 엄격책임설에 의하면 설문의 경우는 금지의 착오가 되어 그 오인에 정당한 이유가 없으면 고의범으로 처벌되고, 그 오인에 정당한 이유가 있으면 책임이 조각되어 무죄가 된다.

①②④ [〇] 각 학설 및 위법성조각사유 전제사실의 착오에 관한 옳은 설명이다.

정답 | 185 ③ 186 ① 187 ③

188 다음 사례와 학설에 관한 설명으로 가장 적절한 것은?

23 경찰채용 [Core ★★]

□□□

〈사례〉

甲이 야간에 자신의 방에 들어오는 룸메이트를 강도로 오인하고 상해의 고의는 없이 방어할 의사로 그를 폭행하였는데 강도로 오인한 과실이 회피 가능하였을 경우

〈학설〉

(가) 범죄를 불법과 책임의 두 단계로 나누어, 위법성조각사유의 요건을 소극적 구성요건 요소로 이해하는 이론으로서, 위 사례는 구성요건적 착오의 문제로 이해하는 견해

(나) 위법성의 인식을 고의의 요소가 아닌 독자적인 책임요소로 파악하는 이론으로서, 위 사례는 금지착오의 문제로 이해하는 견해

(다) 위법성조각사유의 전제사실은 구성요건적 사실과 유사하다는 점을 전제로 하여, 위 사례는 구성요건적 착오 규정을 유추적용해야 하는 것으로 이해하는 견해

(라) 고의의 이중적 지위를 전제로 하여, 위 사례는 구성요건적 고의는 인정되나 책임고의가 탈락되어 결국 구성요건적 착오와 법효과적으로 동일한 것으로 이해하는 견해

① (가)와 (다)에 따르면 甲에게는 폭행죄가 성립한다.

② (나)와 (라)에 따르면 甲에게는 상해죄가 성립한다.

③ (나)와 (다)에 따르면 甲에게는 과실치상죄가 성립한다.

④ (가)와 (라)에 따르면 甲은 처벌되지 않는다.

해설

④ (가)(다)(라) 이들 입장에서는 **불가벌**이므로 ④ 지문이 옳다.

(가) 소극적 구성요건표지이론의 입장으로 설문의 경우 (과실폭행죄는 없으므로) **불가벌**이다.

(나) 엄격책임설의 입장으로 설문의 경우 **폭행죄가 성립한다.**

(다) 구성요건적 착오유추적용설의 입장으로 설문의 경우 (과실폭행죄는 없으므로) **불가벌**이다.

(라) 법효과제한적 책임설의 입장으로 설문의 경우 (과실폭행죄는 없으므로) **불가벌**이다.

189 해양경찰관 순경 甲은 경위 乙과 야간에 해안가 순찰 중 경위 乙이 동료 경찰관 丙을 침입자로 오
□□□ 인하고 "침입자가 나타났다." 소리쳤고, 그 말을 들은 순경 甲이 소지하고 있던 전자충격기를 사
용하여 상해를 가하였다. 다음 중 형사책임에 관한 설명으로 가장 옳은 것은?

23 해경간부 [Core ★★]

① 엄격고의설에 따르면 甲과 乙이 오인한 점에 정당한 이유 유무와 관계없이 甲과 乙의 행위는
상해죄의 죄책을 진다.

② 법적효과제한적 책임설은 고의의 이중적 기능을 전제로 오상방위의 경우 甲의 책임고의가 조
각된다고 보나, 책임고의가 조각되면 제한적 종속형식에 의할 경우 이에 대한 공범 乙의 성립
이 불가능하여 처벌의 흠결이 있다는 비판이 가해진다.

③ 소극적 구성요건요소(표지)이론에 따르면 사실의 착오규정이 직접 적용되어 甲과 乙의 구성요
건적 고의가 조각된다고 보나, 이에 대해서는 구성요건해당성과 위법성의 차이를 인정하지 않
는다는 비판이 가해진다.

④ 유추적용설에 의하면 위법성조각사유의 전제사실에 대한 착오의 경우 형법 제13조를 직접 적
용함으로써 甲과 乙의 구성요건적 고의는 인정되지만 책임의 고의를 부정하여 고의범의 성립
을 부정한다.

해설

③ [○] 소극적 구성요건표지이론에 의하면 위법성조각사유는 소극적 구성요건이므로 구성요건적 착오에 관한 규
정을 직접 적용하여 (불법) 고의가 조각되고, 다만 행위자에게 과실이 있으면 과실범으로 처벌되고, 과실이 없으
면 무죄가 된다. 이 이론에 대하여 **구성요건해당성과 위법성의 차이를 인정하지 않는다는** 비판이 제기된다.

① [×] 엄격고의설에 의하면 행위자에게 현실적인 위법성의 인식이 없으므로 (책임요소로서의) 고의가 조각되
고, 다만 행위자에게 과실이 있으면 과실범으로 처벌되고, 과실이 없으면 무죄가 된다. 甲, 乙은 **과실치상죄의
죄책을 지는 것은** 별론으로 하고 '특수'상해죄의 죄책은 지지 않는다.

② [×] 법효과제한적 책임설에 의하면 (구성요건적) 고의는 인정되지만, 법질서 수호의사로 한 행위이므로 책임
고의가 조각되고(고의행위지만 고의책임을 지지 않으므로), 다만 행위자에게 과실이 있으면 과실범으로 처벌되
고, 과실이 없으면 무죄가 된다. "정범이 구성요건에 해당하고 위법하면 공범이 성립한다"라는 제한적 종속형
식에 의할 때 乙에게 공범의 죄책을 물을 수 있다.

④ [×] 유추적용설에 의하면 이는 사실의 착오와 유사하므로 구성요건적 착오에 관한 규정을 유추적용하여(구성
요건적) 고의가 조각되고, 다만 행위자에게 과실이 있으면 과실범으로 처벌되고, 과실이 없으면 무죄가 된다.
甲, 乙의 경우 **구성요건적 고의가 조각되어 '특수'상해죄의 죄책은** 지지 않고, 경우에 따라 과실치상죄의 죄
책을 질 뿐이다.

190
☐☐☐
甲은 乙의 애인 A를 자신의 애인 B로 오인하여 놀라게 할 생각으로 뒤에서 그녀의 어깨를 껴안았는데, 乙은 甲을 성폭행범으로 오인하고 甲을 주먹으로 때려 전치 4주의 타박상을 입혔다. 이에 대한 설명으로 옳은 것은? (다툼이 있으면 판례에 의함)　　19 국가9급 [Superlative ★★★]

① 甲이 A를 B로 오인하였다고 하더라도 강제추행의 고의는 부정되지 않으므로 甲은 A에 대한 강제추행의 죄책을 진다.

② 乙이 甲을 성폭행범으로 오인하였다고 하더라도 乙이 의도적으로 甲을 때려 상해를 입힌 이상, 법효과제한적 책임설에 따르면 乙은 상해의 죄책을 진다.

③ 엄격책임설에 따르면 乙이 甲을 성폭행범으로 오인하는데 정당한 이유가 인정된다면 상해죄의 구성요건해당성은 인정되나 책임이 부정되어 상해죄는 성립하지 않는다.

④ 만약 甲이 추행의 의사로 A를 뒤에서 팔을 벌려 껴안으려 했다면 A가 뒤돌아보면서 소리치는 바람에 A를 껴안지 못하였더라도 甲은 A에 대한 강제추행 기수의 죄책을 진다.

해설

③ [○] 설문과 같은 위법성조각사유의 전제사실의 착오가 있는 경우 엄격책임설에 의할 때 이는 금지의 착오가 되어 그 오인에 정당한 이유가 없으면 고의범으로 처벌되고, 그 오인에 정당한 이유가 있으면 책임이 조각되어 무죄가 된다.

① [×] 甲이 A를 자신의 애인 B로 오인하고 어깨를 껴안은 것이므로 강제추행의 고의가 인정되지 않아 甲은 A에 대한 강제추행죄의 죄책을 지지 아니한다.

② [×] 설문과 같은 위법성조각사유의 전제사실의 착오가 있는 경우 법효과제한적 책임설에 의할 때 구성요건적 고의(또는 불법 고의)는 인정되지만 심정반가치를 의미하는 책임고의가 조각되고, 그 착오에 과실이 있으면 과실치상죄가 성립하고 과실이 없으면 무죄가 된다.

④ [×] 피고인이 혼자 걸어가는 피해자(女, 17세)를 발견하고 마스크를 착용한 채 200m 정도 뒤따라 간 후, 인적이 없고 외진 곳에 이르러 피해자에게 약 1m 간격으로 접근하여 양팔을 높이 들어 피해자를 껴안으려고 하였으나 피해자가 뒤돌아보면서 '왜 이러세요?'라고 소리치자, 그 상태로 몇 초 동안 피해자를 쳐다보다가 다시 오던 길로 되돌아 온 경우, 양팔을 높이 들어 뒤에서 피해자를 껴안으려는 행위는 피해자의 의사에 반하는 유형력의 행사로서 폭행행위에 해당하고, 그때에 이른바 '기습추행'에 관한 실행의 착수가 있다고 볼 수 있으므로 아동·청소년에 대한 강제추행미수죄에 해당한다.(대법원 2015. 9. 10. 2015도6980 기습추행 미수사건) 사안이 다르지만 판례의 취지에 의할 때 甲은 강제추행미수죄의 죄책을 진다.

191 다음 사례에 대한 설명으로 가장 적절하지 않은 것은? 22 경찰간부 [Core ★★]

> 회사원 甲은 부인에게 일이 밀려 밤샘 작업을 해야 한다고 거짓말을 하고 초등학교 동창을 만나
> 술을 마신 후 친구와 헤어져 집 앞에 도착하였다. 甲은 술기운 때문에 아파트 현관문 도어락
> 번호키를 누르다가 계속 오류가 났다. 잠귀가 밝은 甲의 부인 乙은 이미 남편으로부터 일 때문에
> 집에 오지 못한다는 연락을 받았던 터라 남편이라고는 생각하지 못했고, 더구나 도어락 번호가
> 계속 오류가 나는 것을 보고 남편이 아니라 도둑이라고 생각했다. 문 뒤에 골프채를 들고 서
> 있다가 들어오는 남편을 도둑이라고 생각하고 힘껏 내려쳤다. 甲은 피를 흘리며 쓰러졌고, 전치
> 4주의 상해를 입었다.

① 제한적책임설 중 법효과제한적책임설에 따르면 乙이 甲을 도둑으로 오인하였더라도 상해의
  고의는 부정되지 않으므로 특수상해죄의 죄책을 진다.

② 엄격책임설에 따르면 乙이 甲을 도둑으로 오인하는데 정당한 이유가 인정되는 경우 특수상해
  죄의 구성요건해당성은 인정되나 책임이 부정되어 무죄이다.

③ 구성요건착오 유추적용설에 따르면 상해에 대한 불법고의가 부정되므로 특수상해죄는 성립하
  지 않는다.

④ 엄격고의설에 따르면 상해의 고의가 부정되어 책임이 조각되므로 특수상해죄로 처벌할 수 없다.

해설

① [×] 위법성조각사유 전제사실의 착오가 있는 경우 법효과제한적 책임설에 의하면 (구성요건적) 고의는 인정
  되지만, 법질서 수호의사로 한 행위이므로 책임 고의가 조각되고(고의행위지만 고의책임을 지지 않으므로), 다
  만 행위자에게 과실이 있으면 과실범으로 처벌되고, 과실이 없으면 무죄가 된다. 乙은 **과실치상죄의 죄책을
  지거나 무죄**가 된다.

② [○] 위법성조각사유 전제사실의 착오가 있는 경우 엄격책임설에 의하면 이는 금지의 착오가 되어 그 오인에
  정당한 이유가 없으면 고의범으로 처벌되고, 그 오인에 정당한 이유가 있으면 **책임이 조각되어 무죄**가 된다.
  오인에 정당한 이유가 있으므로 乙은 무죄이다.

③ [○] 위법성조각사유 전제사실의 착오가 있는 경우 구성요건착오 유추적용설에 의하면 이는 사실의 착오와 유
  사하므로 구성요건적 착오에 관한 규정을 유추적용하여 **(구성요건적) 고의가 조각**되고, 다만 행위자에게 과실
  이 있으면 과실범으로 처벌되고, 과실이 없으면 무죄가 된다. 乙은 과실치상죄의 죄책을 지거나 무죄가 된다.
  구성요건적 고의와 불법고의는 같은 말로 취급된다.

④ [○] 위법성조각사유 전제사실의 착오가 있는 경우 엄격고의설에 의하면 행위자에게 현실적인 위법성의 인식
  이 없으므로 **(책임요소로서의) 고의가 조각**되고, 다만 행위자에게 과실이 있으면 과실범으로 처벌되고, 과실이
  없으면 무죄가 된다. 乙은 과실치상죄의 죄책을 지거나 무죄가 된다.

정답 ┃ 190 ③   191 ①

192 다음 사례에 대한 설명으로 가장 적절하지 않은 것은? (재물손괴죄는 논외로 함)

□□□

21 경찰채용 [Core ★★]

> 경찰관 甲은 가정폭력이 있다는 112 신고를 받고 현장에 출동하였다. 甲은 해당 주소를 확인하고 초인종을 수차례 눌렀으나 아무런 반응이 없었고, 집안에서 '살려달라'는 비명소리가 크게 들렸으며 신고자와의 통화도 연결되지 않았다. 사태의 급박함을 감지한 甲은 피해자를 구조하기 위하여 「경찰관 직무집행법」 제7조 제1항 및 「가정폭력범죄의 처벌 등에 관한 특례법」 제5조에 따라 해당 주소의 집 출입문을 강제로 개방하고 집안으로 진입하였다. 그런데 비명소리는 평소 귀가 어둡던 A가 즐겨보는 드라마에서 나오던 것으로 실제 가정폭력은 없었던 것으로 확인되었다.

① 甲에게 위법성의 인식이 없어 고의가 조각된다고 보는 견해에 따르면, 甲의 행위는 불가벌이다.

② 위의 사안을 법률의 착오(금지착오)의 문제로 파악하는 견해에 따르면, 甲의 오인에 정당한 이유가 있으면 벌하지 아니한다.

③ 고의의 이중적 지위를 인정하는 견해에 따르면, 甲에게 심정반가치적 요소가 없어 책임고의는 탈락되지만 구성요건적 고의는 인정되므로 주거침입죄가 성립한다고 본다.

④ 판례는 甲이 위와 같은 착오를 일으킨 경우, 그 오인에 정당한 이유가 있다면 위법성이 조각된다는 입장을 취하고 있다.

해설

설문은 '오상정당행위'로서 위법성조각사유의 전제사실의 착오 사례이다.

③ [×] 법효과제한적 책임설의 입장으로 이 학설에 의할 때 위법성전제사실의 착오가 있는 경우 (구성요건적) 고의는 인정되지만, 법질서 수호의사로 한 행위이므로 책임 고의가 조각되고(고의행위지만 고의책임을 지지 않으므로), 다만 행위자에게 과실이 있으면 과실범으로 처벌되고, 과실이 없으면 무죄가 된다. **甲에게 과실이 있더라도 과실주거침입은 불가벌이므로 甲은 무죄이다.**

① [○] 고의설의 입장으로 이 학설에 의할 때 위법성조각사유의 전제사실의 착오가 있는 경우 고의가 조각되고, 그 착오에 과실이 있으면 (과실범 처벌규정이 있을 때에 한하여) 과실범으로 처벌한다. **甲에게 과실이 있더라도 과실주거침입은 불가벌이므로 甲은 무죄이다.**

② [○] 엄격책임설의 입장으로 이 학설에 의할 때 위법성조각사유의 전제사실의 착오가 있는 경우 금지의 착오가 되어 그 오인에 정당한 이유가 없으면 고의범으로 처벌되고, 그 오인에 정당한 이유가 있으면 **책임이 조각되어 무죄가** 된다. 오인의 정당한 이유가 있다면 책임이 조각되어 甲은 무죄이다.

④ [○] 원심은, 피고인의 관사이탈 행위가 중대장의 직접적인 허가를 받지 아니하였다 하더라도 피고인은 당번병으로서의 그 임무범위 내에 속하는 일로 오인한 행위로서 그 오인에 정당한 이유가 있으므로 **위법성이 없다고 하여** 피고인에게 무죄를 선고하였는바, 원심의 이와 같은 사실인정과 판단은 정당하다.(대법원 1986. 10. 28. 86도1406 중대장 당번병 사건)

193
□□□ 새벽에 귀가 중인 甲에게 노숙자 A가 구걸을 하려고 접근하였다. 그러나 甲은 이전에 소위 '퍽치기' 강도를 당한 경험 때문에, A를 '퍽치기' 강도로 오인하였다. 이때 현장에 온 택시기사 乙이 A가 노숙자이고 구걸을 하려는 것을 알면서도 甲에게 "A가 당신을 공격하려 한다."라고 말하였다. 이에 甲은 그 말을 믿고 A를 폭행하였다. 甲과 乙의 형사책임에 관한 설명 중 옳지 않은 것은?

21 변호사 [Core ★★]

① 소극적 구성요건요소이론에 의하면 甲의 착오는 사실의 착오(구성요건적 착오)에 해당하며 폭행죄의 고의가 부정된다.

② 엄격책임설에 의하면 甲의 착오는 법률의 착오에 해당하여 오인함에 정당한 이유가 없는 경우 폭행죄가 성립한다.

③ 구성요건적 착오규정을 유추적용하는 견해에 의하면 甲의 고의가 부정되어 폭행죄가 성립하지 않는다.

④ 법효과제한적 책임설에 의하면 甲에게 고의불법은 인정되지만 고의책임이 배제되어 폭행죄가 성립하지 않는다.

⑤ 소극적 구성요건요소이론과 법효과제한적 책임설에 따르면 제한적 종속형식에 의할 때 乙은 甲의 행위에 대하여 폭행죄의 교사범이 된다.

해설

설문은 위법성조각사유 전제사실의 착오의 사례이다.

⑤ [×] **소극적 구성요건요소이론에 의하면** 甲은 과실범이므로 乙은 甲의 행위에 대하여 **폭행죄의 간접정범이지만, 법효과제한적 책임설에 의하면** 甲은 고의범이므로(다만 고의책임이 배제되어 폭행죄가 성립하지 않을 뿐이다) 乙은 甲의 행위에 대하여 **폭행죄의 교사범이다.**

① [○] 소극적 구성요건표지이론에 의하면 위법성조각사유는 소극적 구성요건이므로 구성요건적 착오에 관한 규정을 직접 적용하여 (불법) 고의가 조각되고, 다만 행위자에게 과실이 있으면 과실범으로 처벌되고, 과실이 없으면 무죄가 된다. 설문의 경우 甲의 착오는 사실의 착오(구성요건적 착오)에 해당하여 **폭행죄의 고의가 부정된다.**

② [○] 엄격책임설에 의하면 이는 금지의 착오가 되어 그 오인에 정당한 이유가 없으면 고의범으로 처벌되고, 그 오인에 정당한 이유가 있으면 책임이 조각되어 무죄가 된다. 설문의 경우 甲은 그 오인에 정당한 이유가 없었으므로 **폭행죄로 처벌된다.**

③ [○] 구성요건적 착오규정을 유추적용하는 견해에 의하면 이는 사실의 착오와 유사하므로 구성요건적 착오에 관한 규정을 유추적용하여 (구성요건적) 고의가 조각되고, 다만 행위자에게 과실이 있으면 과실범으로 처벌되고, 과실이 없으면 무죄가 된다. 설문의 경우 甲의 고의가 부정되어 폭행죄는 성립하지 않는다.

④ [○] 법효과제한적 책임설에 의하면 (구성요건적) 고의는 인정되지만, 법질서 수호의사로 한 행위이므로 책임고의가 조각되고(고의행위지만 고의책임을 지지 않으므로), 다만 행위자에게 과실이 있으면 과실범으로 처벌되고, 과실이 없으면 무죄가 된다. 설문의 경우 甲에게 **고의불법은 인정되지만 고의책임이 배제되어 폭행죄가 성립하지 않는다.**

194

□□□

위법성의 인식에 관한 설명 중 옳지 않은 것은? (다툼이 있으면 판례에 의함)

13 사법시험 [Superlative ★★★]

① 엄격책임설과 제한책임설은 위법성조각사유의 객관적 전제사실의 착오에 대한 법적 효과를 달리 본다는 점에서 차이가 있다.

② 엄격고의설과 제한고의설은 위법성의 인식이 없을 경우 고의범의 성립을 배제한다는 점에서 같으나, 고의 인정을 위해 필요로 하는 위법성의 인식 정도를 달리 본다는 점에서 구별된다.

③ 위법성의 인식은 구체적인 해당 법조문까지 인식할 것을 요하는 것은 아니고, 그 범죄사실이 사회 정의와 조리에 어긋난다는 것을 인식하는 것으로 족하다.

④ 광역시의회 의원이 선거구민들에게 의정보고서를 배부하기에 앞서 미리 관할 선거관리위원회 소속 공무원들에게 자문을 구하고 그들의 지적에 따라 수정한 의정보고서를 배부하면서 그 행위가 관계 법령에 위반되지 않는다고 믿었다면 이는 위법성을 인식하지 못한 데에 정당한 이유가 있는 경우에 해당하지 않는다.

⑤ 행위자가 위법성의 인식을 위해 기울여야 할 노력의 정도는 구체적인 행위정황, 행위자 개인의 인식능력뿐만 아니라 행위자가 속한 사회집단에 따라서도 달리 평가하여야 한다.

해설

④ [×] 피고인으로서는 의정보고서 배부가 선거관리위원회의 공식적인 지도에 맞추어 행한 것으로 공직선거법에 위반되지 않는다고 믿을 수밖에 없었고, 또 그렇게 오인함에 있어서 **정당한 이유가 있는 경우에 해당한다.**(대법원 2005. 6. 10. 2005도835 수정 의정보고서 사건)

① [○] 위법성조각사유의 전제사실의 착오가 있는 경우 엄격책임설은 이를 금지의 착오로 보아 책임조각 여부가 문제되는데 비하여, 제한적 책임설(유추적용설과 법효과 제한적 책임설)에 의할 때에는 **구성요건적 고의 또는 책임고의 조각 여부(과실범 성립 여부)가** 문제가 된다.

② [○] 엄격고의설과 제한고의설은 위법성의 인식이 없을 경우 고의범의 성립을 배제한다는 점에서는 같으나, 엄격고의설은 고의의 성립에 현실적인 위법성의 인식이 필요하다고 보지만, 제한고의설은 고의의 성립에 **위법성 인식가능성만 있으면 된다는 점에서 구별된다.**

③ [○] 위법의 인식은 그 범죄사실이 사회정의와 조리에 어긋난다는 것을 인식하는 것으로서 족하고, 구체적인 해당 법조문까지 인식할 것을 요하는 것은 아니다.(대법원 1987. 3. 24. 86도2673 허위출생 기재사건)

⑤ [○] 위법성의 인식에 필요한 노력의 정도는 구체적인 행위정황과 행위자 개인의 인식능력 그리고 행위자가 속한 사회집단에 따라 달리 평가되어야 한다.(대법원 2015. 2. 12. 2014도11501 초등학생만 골라 성관계사건)

195 해양경찰관 甲은 순찰을 마치고 파출소로 복귀하는 동료 경찰관 乙을 침입자로 오인하고 소지하고 있던 전기충격기로 공격하여 상해를 가하였다. **甲의 형사책임에 관한 설명으로 가장 옳은 것은?**

21 해경간부 [Core ★★]

① 엄격고의설에 따르면 甲이 오인한 점에 정당한 이유가 인정된다고 할 때 甲의 행위는 상해의 고의가 인정되므로 상해죄의 죄책을 진다.

② 엄격책임설에 따르면 오인에 정당한 이유가 있으면 위법성이 조각된다.

③ 법효과제한적 책임설에 따르면 甲이 약간의 주의만 기울였더라면 乙을 인식할 수 있었던 상황이라고 한다면 甲은 과실치상죄의 죄책을 진다.

④ 오상방위의 사례로서 판례에 따르면 오인에 정당한 이유가 있는 경우 책임이 조각된다.

해설

설문은 '오상방위'로서 위법성조각사유의 전제사실의 착오 사례이다.

③ [○] 법효과제한적 책임설에 의할 때 위법성전제사실의 착오가 있는 경우 (구성요건적) 고의는 인정되지만, 법질서 수호의사로 한 행위이므로 책임 고의가 조각되고(고의행위지만 고의책임을 지지 않으므로), 다만 행위자에게 과실이 있으면 과실범으로 처벌되고, 과실이 없으면 무죄가 된다. 甲에게 과실이 있으므로 **甲은 과실치상죄의 죄책을 진다.**

① [×] 고의설에 의할 때 위법성조각사유의 전제사실의 착오가 있는 경우 고의가 조각되고, 그 착오에 과실이 있으면 (과실범 처벌규정이 있을 때에 한하여) 과실범으로 처벌한다. 甲이 오인한 점에 정당한 이유가 인정되므로(착오에 과실이 없으므로) **甲은 무죄이다.**

② [×] 엄격책임설에 의할 때 위법성조각사유의 전제사실의 착오가 있는 경우 금지의 착오가 되어 그 오인에 정당한 이유가 없으면 고의범으로 처벌되고, 그 오인에 정당한 이유가 있으면 **책임이 조각되어 무죄가 된다.**

④ [×] 원심은, 피고인의 관사이탈 행위가 중대장의 직접적인 허가를 받지 아니하였다 하더라도 피고인은 당번병으로서의 그 임무범위 내에 속하는 일로 오인한 행위로서 그 오인에 정당한 이유가 있으므로 **위법성이 없다고 하여** 피고인에게 무죄를 선고하였는바, 원심의 이와 같은 사실인정과 판단은 정당하다.(대법원 1986. 10. 28. 86도1406 **중대장 당번병 사건**)

196 오상방위에 대한 설명으로 옳지 않은 것은?

20 국가7급 [Superlative ★★★]

① 엄격고의설은 오상방위의 경우 행위자에게 위법성의 현실적 인식이 없어 고의가 조각되고, 해당 행위에 대해 과실범 규정이 있는 경우 과실범으로 처벌할 수 있을 뿐이라고 한다.

② 엄격책임설은 오상방위를 금지착오로 해석하나, 이에 대해서는 착오에 이르게 된 상황의 특수성을 무시하였다는 비판이 가해진다.

③ 소극적 구성요건요소이론은 사실의 착오 규정이 직접 적용되어 구성요건적 고의가 조각된다고 보나, 이에 대해서는 구성요건 해당성과 위법성의 차이를 인정하지 않는다는 비판이 가해진다.

④ 법효과제한적책임설은 고의의 이중적 기능을 전제로 오상방위의 경우 책임고의가 조각된다고 보나, 책임고의가 조각되면 제한적 종속형식에 의할 경우 이에 대한 공범성립이 불가능하여 처벌의 흠결이 있다는 비판이 가해진다.

해설

④ [×] 오상방위를 한 자의 경우 (비록 책임고의가 조각되더라도) 구성요건해당성과 위법성이 인정되므로 제한적 종속형식에 의할 경우 이에 가담한 자는 **공범이 성립할 수 있다.**
①②③ [○] 모두 옳은 설명이다.

핵심정리 위법성조각사유 전제사실의 착오 학설

학설		내용
소극적 구성요건표지이론		위법성조각사유는 소극적 구성요건이므로 구성요건적 착오에 관한 규정을 직접 적용하여 (불법) 고의 조각 → 행위자에게 과실이 있으면 과실범으로 처벌, 과실이 없으면 무죄
고의설	엄격 고의설	행위자에게 현실적인 위법성의 인식이 없으므로 (책임요소로서의) 고의 조각 → 행위자에게 과실이 있으면 과실범으로 처벌, 과실이 없으면 무죄
	제한적 고의설	① 위법성의 인식이 가능하거나 착오에 대한 과실이 있으면 고의범으로 처벌 ② 위법성의 인식 가능성조차 없거나 착오에 대한 과실이 없으면 무죄
책임설	엄격 책임설	금지의 착오에 해당하므로 (구성요건적) 고의는 인정 → 착오가 회피 가능했다면 고의범으로 처벌, 회피 불가능했다면 **책임 조각**
	구성요건적 착오유추적용설	사실의 착오와 유사하므로 구성요건적 착오에 관한 규정을 유추적용하여 (구성요건적) 고의 조각 → 행위자에게 과실이 있으면 과실범으로 처벌, 과실이 없으면 무죄
	법효과 제한적책임설 (多數說)	(구성요건적) 고의는 인정되지만, 법질서 수호의사로 한 행위이므로 **책임 고의 조각** → (고의행위지만 고의책임을 지지 않으므로) 행위자에게 과실이 있으면 과실범으로 처벌, 과실이 없으면 무죄

197 다음 사례에 대하여 위법성 인식의 체계적 지위에 관한 학설의 설명으로 가장 적절한 것은?

> A는 관장 B가 운영하는 복싱클럽에 회원등록을 한 후 등록을 취소하는 문제로 B로부터 질책을 들은 다음 약 1시간이 지나 다시 복싱클럽을 찾아와 B에게 항의를 하였다. 그 과정에서 A와 B가 서로 멱살을 잡아당기거나 뒤엉켜 몸싸움을 벌였다. 이를 지켜보던 코치 甲은 A가 왼손을 주머니에 넣어 특정한 물건을 꺼내 움켜쥐자, 조금만 주의를 기울였으면 흉기가 아니라는 것을 알 수 있었음에도 불구하고 B를 찌르기 위해 흉기를 꺼낸다고 오인하여 A를 다치게 해서라도 이를 막고자 A의 왼손을 때려 손가락 골절상을 입혔다. 그러나 A가 움켜쥔 물건은 휴대용 녹음기로 밝혀졌다.

① 엄격고의설에 따르면 甲에게는 A에 대한 상해죄의 고의가 인정된다.

② 제한고의설에 따르면 甲이 현실적으로 자신의 행위가 위법하다고 인식하지 못했지만 위법성을 인식할 가능성이 있었기에 甲에게는 A에 대한 과실치상죄가 성립한다.

③ 엄격책임설에 따르면 甲에게는 A에 대한 상해죄의 고의가 조각된다.

④ 법효과제한책임설에 따르면 甲에게는 A에 대한 과실치상죄가 성립한다.

해설

설문은 위법성조각사유 전제사실의 착오 사례에 해당한다.

④ [○] 법효과제한적 책임설에 의하면 (구성요건적) 고의는 인정되지만, 법질서 수호의사로 한 행위이므로 책임고의가 조각되고(고의행위지만 고의책임을 지지 않으므로), 다만 행위자에게 과실이 있으면 과실범으로 처벌되고, 과실이 없으면 무죄가 된다. 설문의 경우 그 오인에 정당한 이유가 없으므로(과실이 있으므로) 과실치상죄로 처벌된다.

① [×] 엄격고의설에 의하면 행위자에게 현실적인 위법성의 인식이 없으므로 (책임요소로서의) 고의가 조각되고, 다만 행위자에게 과실이 있으면 과실범으로 처벌되고, 과실이 없으면 무죄가 된다. 설문의 경우 그 오인에 정당한 이유가 없으므로(과실이 있으므로) **과실치상죄로** 처벌된다.

② [×] 제한고의설에 의하면 행위자에게 현실적인 위법성의 인식이 없더라도 위법성의 인식 가능성이 있거나 착오에 과실이 있으면 고의범으로 처벌되고, 그것이 없다면 무죄가 된다. 설문의 경우 그 오인에 정당한 이유가 없으므로(과실이 있으므로) **상해죄로 처벌된다.**

③ [×] 엄격책임설에 의하면 오인에 정당한 이유가 없으면 고의범으로 처벌되고, 그 오인에 정당한 이유가 있으면 책임이 조각되어 무죄가 된다. 설문의 경우 그 오인에 정당한 이유가 없으므로(과실이 있으므로) **상해죄로 처벌된다.**

198

☐☐☐

다음 사례에 대한 <보기>의 설명으로 옳지 않은 것만을 모두 고르면? 21 국가7급 [Superlative ★★★]

> 조직폭력단 두목 甲은 그에게 깜짝 이벤트를 해주기 위하여 한밤 중에 甲의 집에 몰래 들어온 여자친구 A를 암살범으로 오인하고 자신의 생명을 보호하기 위하여 골프채로 머리를 힘껏 가격하였다. 이로 인하여 A는 두개골 골절상으로 사망하였다.

〈보기〉

㉠ 판례에 의하면 객관적 정당화요소가 없으므로 甲에게 위법성이 조각될 여지는 없다.

㉡ 고의의 성립에 위법성에 대한 현실적인 인식이 필요하다는 입장에 의하면 甲에게 살인의 고의가 인정되지 않는다.

㉢ 고의의 이중적 기능을 인정하는 입장에 의하면 甲의 경우 책임고의가 조각되지만 구성요건적 고의는 인정된다.

㉣ 위법성 인식을 책임요소로 보면서도 사례의 경우는 사실의 착오와 같이 해결되어야 한다는 입장에 의하면 甲에게 고의가 조각되며 과실치사죄가 성립할 가능성은 있다.

㉤ 위법성 인식을 예외 없이 독자적 책임요소로 보는 입장에 의하면 甲에게 항상 책임이 조각되므로 제한적 종속형식에 따르면 악의의 공범이 성립할 수 있다.

① ㉠㉡   ② ㉠㉤   ③ ㉠㉢㉤   ④ ㉡㉣㉤

해설

② ㉠㉤ 2 항목이 옳지 않다.

㉠ [×] 원심은, 피고인의 관사이탈 행위가 중대장의 직접적인 허가를 받지 아니하였다 하더라도 피고인은 당번병으로서의 그 임무범위 내에 속하는 일로 오인한 행위로서 그 오인에 정당한 이유가 있으므로 **위법성이 없다고 하여 피고인에게 무죄를 선고하였는바**, 원심의 이와 같은 사실인정과 판단은 정당하다.(대법원 1986. 10. 28. 86도1406 중대장 당번병 사건)

㉡ [O] 엄격고의설(고의의 성립에 위법성에 대한 현실적인 인식이 필요하다는 입장)에 의하면 설문의 경우 행위자에게 **현실적인 위법성의 인식이 없으므로 (책임요소로서의) 고의가 조각되고**, 다만 행위자에게 과실이 있으면 과실범으로 처벌되고, 과실이 없으면 무죄가 된다. 甲에게 살인의 고의가 인정되지 않는다.

㉢ [O] 법효과제한적 책임설(고의의 이중적 기능을 인정하는 입장)에 의하면 설문의 경우 **(구성요건적) 고의는 인정되지만**, 법질서 수호의사로 한 행위이므로 **책임 고의가 조각되고**(고의행위지만 고의책임을 지지 않으므로), 다만 행위자에게 과실이 있으면 과실범으로 처벌되고, 과실이 없으면 무죄가 된다. 甲의 경우 책임고의가 조각되지만 구성요건적 고의는 인정된다.

㉣ [O] 유추적용설(위법성 인식을 책임요소로 보면서도 사실의 착오와 같이 해결되어야 한다는 입장)에 의하면 설문의 경우 사실의 착오와 유사하므로 **구성요건적 착오에 관한 규정을 유추적용하여 (구성요건적) 고의 조각되고**, 다만 행위자에게 과실이 있으면 과실범으로 처벌되고, 과실이 없으면 무죄가 된다. 甲에게 고의가 조각되며 **과실치사죄가 성립할 가능성은 있다.**

㉤ [×] 엄격책임설(위법성 인식을 예외 없이 독자적 책임요소로 보는 입장)에 의하면 설문의 경우 금지의 착오가 되어 그 오인에 정당한 이유가 없으면 **고의범으로 처벌되고**, 그 오인에 정당한 이유가 있으면 **책임이 조각되어 무죄가 된다.** 甲에게 항상 책임이 조각된다고 말할 수 없다.

199 위법성의 인식에 대한 설명으로 옳지 않은 것은?

24 국가9급 [Core ★★]

① 고의설은 위법성 인식을 고의의 한 요소로 보지만, 책임설은 위법성 인식을 고의의 요소 아닌 별개의 책임 요소로 본다.

② 제한고의설은 위법성 인식의 가능성만으로 고의 성립을 인정하기도 하지만, 엄격고의설은 고의 성립에 현실적인 위법성 인식이 필요하다고 본다.

③ 엄격책임설은 위법성조각사유 전제사실 착오도 위법성 착오의 일종으로 취급하면 족하다고 보지만, 제한책임설은 위법성조각사유 전제사실 착오는 일반적인 위법성 착오와는 달리 취급하여야 한다고 본다.

④ 소극적 구성요건표지이론과 제한책임설은 모두 위법성조각사유 전제사실 착오가 있으면 구성요건적 고의가 조각된다고 본다.

해설

> ④ [×] 법효과제한적 책임설에 의하면 (구성요건적) 고의는 인정되지만, 법질서 수호의사로 한 행위이므로 책임고의가 조각되고(고의행위지만 고의책임을 지지 않으므로), 다만 행위자에게 과실이 있으면 과실범으로 처벌되고, 과실이 없으면 무죄가 된다.
> ①②③ [○] 모두 옳은 설명이다.

200 위법성조각사유의 전제사실에 대한 착오의 설명으로 가장 적절한 것은? (다툼이 있으면 판례에 의함)

21 경찰승진 [Core ★★]

① 엄격책임설에 의하면 위법성조각사유의 전제사실에 대한 착오의 경우 「형법」 제13조를 직접 적용함으로써 고의범의 성립이 부정되고 과실이 있는 경우 과실범으로 처벌한다.

② 위법성조각사유의 요건을 총체적 불법구성요건의 소극적 표지로 이해하는 소극적 구성요건표지이론에 의하면 위법성조각사유의 전제사실에 대한 착오를 고의범으로 처벌한다.

③ 고의설과 법효과제한책임설은 위법성조각사유의 전제사실에 대한 착오의 법적 효과에 있어 동일한 결론을 취한다.

④ 유추적용설에 의하면 위법성조각사유의 전제사실에 대한 착오의 경우 「형법」 제13조를 유추적용함으로써 구성요건적 고의는 인정되지만 책임고의를 부정하여 고의범의 성립을 부정한다.

해설

③ [○] (1) 고의설에 의하면 행위자에게 위법성의 인식이 없으므로 (책임요소로서의) 고의가 조각되고, 다만 행위자에게 과실이 있으면 **과실범으로 처벌되고**, 과실이 없으면 **무죄가 된다.** (2) 법효과제한적 책임설에 의하면 (구성요건적) 고의는 인정되지만, 법질서 수호의사로 한 행위이므로 책임 고의가 조각되고(고의행위지만 고의책임을 지지 않으므로), 다만 행위자에게 과실이 있으면 **과실범으로 처벌되고**, 과실이 없으면 **무죄가 된다.**

① [×] 엄격책임설에 의하면 이는 금지의 착오가 되어 그 오인에 정당한 이유가 없으면 **고의범으로 처벌되고,** 그 오인에 정당한 이유가 있으면 책임이 조각되어 **무죄가 된다.**

② [×] 소극적 구성요건표지이론에 의하면 위법성조각사유는 소극적 구성요건이므로 구성요건적 착오에 관한 규정을 직접 적용하여 (불법) 고의가 조각되고, 다만 행위자에게 과실이 있으면 **과실범으로 처벌되고**, 과실이 없으면 **무죄가 된다.**

④ [×] 구성요건적 착오규정을 유추적용설에 의하면 이는 사실의 착오와 유사하므로 구성요건적 착오에 관한 규정을 유추적용하여 **(구성요건적) 고의가 조각되고**, 다만 행위자에게 과실이 있으면 **과실범으로 처벌되고**, 과실이 없으면 **무죄가 된다.**

201 다음 사례에 대한 설명으로 옳은 것은?

24 국가9급 [Core ★★]

> 칼 판매상인 A는 야간에 칼을 판매할 목적으로 甲에게 다가서며 칼을 내밀었는데, 성격이 급한 甲은 A를 강도로 오인하고 이를 방위하기 위하여 상해의 고의로 A를 때려 골절상을 가하였다.

① 유추적용제한책임설에 의할 때 甲은 구성요건착오 규정이 유추적용되어 상해의 고의가 조각된다.

② 엄격책임설에 의할 때 甲의 오인에 정당한 이유가 없다면 甲은 책임이 조각되지 않고 과실치상죄의 죄책을 진다.

③ 법효과제한책임설에 의할 때 甲은 구성요건적 고의가 조각되어 상해죄로 처벌받지 않는다.

④ 소극적 구성요건표지이론에 의할 때 甲은 형법 제16조에 따라 책임이 조각된다.

해설

설문은 위법성조각사유 전제사실의 착오 사례에 해당한다.

① [○] 구성요건착오 유추적용설에 의하면 이는 사실의 착오와 유사하므로 **구성요건적 착오에 관한 규정을 유추적용하여 (구성요건적) 고의가 조각되고**, 다만 행위자에게 과실이 있으면 과실범으로 처벌되고, 과실이 없으면 무죄가 된다.

② [×] 엄격책임설에 의하면 이는 금지의 착오가 되어 **그 오인에 정당한 이유가 없으면 고의범으로 처벌되고,** 그 오인에 정당한 이유가 있으면 책임이 조각되어 무죄가 된다.

③ [×] 법효과제한적 책임설에 의하면 **(구성요건적) 고의는 인정되지만,** 법질서 수호의사로 한 행위이므로 책임 고의가 조각되고(고의행위지만 고의책임을 지지 않으므로), 다만 행위자에게 과실이 있으면 과실범으로 처벌되고, 과실이 없으면 무죄가 된다.

④ [×] 소극적 구성요건표지이론에 의하면 위법성조각사유는 소극적 구성요건이므로 **구성요건적 착오에 관한 규정을 직접 적용하여 (불법) 고의가 조각되고,** 다만 행위자에게 과실이 있으면 과실범으로 처벌되고, 과실이 없으면 무죄가 된다.

---

202 다음 사례에 관한 설명으로 옳은 것은?   25 경찰간부 [Core ★★]

□□□

> 甲은 헤어진 내연남 A가 계속하여 집에 찾아와 다시 만나줄 것을 간청하자, A와 집 앞에서 실랑이를 하는 중에 A를 혼내 줄 생각으로 옆집에 사는 乙이 집 앞으로 지나가는 것을 보고 "성폭행범이다. 살려주세요."라고 소리를 쳤다. 甲이 의도한 대로 乙은 甲을 구하기 위해 A를 밀어 넘어뜨려 A에게 전치 2주의 상해를 입혔다.

① 유추적용설에 의하면 乙의 착오에 정당한 이유가 존재하지 않는다면 乙의 행위는 상해죄가 성립한다.

② 엄격책임설에 의하면 乙의 행위는 과실 유무에 따라 과실치상죄가 성립될 수 있다.

③ 법효과제한적 책임설에 의할 때 乙의 상해행위는 구성요건적 고의는 인정되지만 책임고의가 조각되므로 상해죄가 성립하지 않는다.

④ 엄격책임설과 법효과제한적 책임설에 의하면 甲에게 상해죄의 교사범이 성립될 여지는 없다.

해설

설문은 '오상방위'로서 위법성조각사유의 전제사실의 착오 사례이다.

③ [○] **법효과제한적 책임설에 의하면 이 경우 (구성요건적) 고의는 인정되지만, 법질서 수호의사로 한 행위이므로 책임고의가 조각되고**(고의행위지만 고의책임을 지지 않으므로), 다만 행위자에게 과실이 있으면 과실범으로 처벌되고, 과실이 없으면 무죄가 된다. 과실 유무에 따라 乙은 과실치상죄의 죄책을 지거나 무죄가 된다.

① [×] 유추적용설에 의하면 이 경우 사실의 착오와 유사하므로 구성요건적 착오에 관한 규정을 유추적용하여 (구성요건적) 고의가 조각되고, 다만 행위자에게 과실이 있으면 과실범으로 처벌되고, 과실이 없으면 무죄가 된다. 착오에 정당한 이유가 없으므로, 즉 과실이 있으므로 乙은 **과실치상죄의 죄책을 진다.**

② [×] 엄격책임설에 의하면 이 경우 금지의 착오가 되어 그 오인에 정당한 이유가 없으면 고의범으로 처벌되고, 그 오인에 정당한 이유가 있으면 책임이 조각되어 무죄가 된다. 과실 유무에 따라 乙은 **상해죄의 죄책을 지거나 무죄가 된다.**

④ [×] 乙의 착오에 정당한 이유가 없다는 전제하에 엄격책임설에 의하면 甲은 **상해교사죄의 죄책을 지고,** 법효과제한적 책임설에 의하더라도 乙의 행위는 '위법한 고의행위'이므로 역시 甲은 **상해교사죄의 죄책을 진다.**

203

□□□

다음 사례에 대한 설명으로 가장 적절하지 않은 것은?

20 경찰채용 [Superlative ★★★]

> 甲은 늦은 밤 귀가하던 중 자신의 뒤편에서 다가오는 사람을 평소 자신을 살해하겠다고 협박하던 사람으로 오인하고, 이를 방위하기 위하여 소지하고 있던 전기충격기로 공격하여 상해를 가하였는데, 쓰러진 사람을 확인해보니 자신을 마중하러 나온 아버지였다.

① 위법성의 인식을 고의의 요소로 파악하는 엄격고의설에 의하면 위법성의 인식이 결여되어 고의가 탈락되므로 과실범 성립 여부만이 문제된다.

② 엄격책임설에 의하면 고의는 조각되지 않고 오인에 정당한 이유가 있는지에 따라 책임조각의 유무만이 문제된다.

③ 제한적 책임설 중 유추적용설에 의하면 구성요건적 고의가 부정되므로 구성요건적 착오규정을 유추적용하여 오인에 정당한 이유가 있는 경우에 책임을 부정하게 된다.

④ 법효과제한(전환적) 책임설은 고의가 구성요건요소인 동시에 책임요소이기도 하다는 '고의의 이중적 지위'를 인정하는 것을 이론적 배경으로 하고 있다.

해설

③ [×] 유추적용설에 의하면 사실의 착오와 유사하므로 구성요건적 착오에 관한 규정을 유추적용하여 (구성요건적) 고의 조각되고, 다만 행위자에게 과실이 있으면 과실범으로 처벌되고, 과실이 없으면 무죄가 된다. 오인에 정당한 이유가 있는 경우(과실이 없는 경우) 책임이 조각되는 것이 아니라 구성요건적 과실이 조각되어 무죄가 된다.

① [○] 엄격고의설에 의하면 행위자에게 현실적인 위법성의 인식이 없으므로 (책임요소로서의) 고의가 조각되고, 다만 행위자에게 과실이 있으면 과실범으로 처벌되고, 과실이 없으면 무죄가 된다.

② [○] 엄격책임설에 의하면 금지의 착오가 되어 그 오인에 정당한 이유가 없으면 고의범으로 처벌되고, 그 오인에 정당한 이유가 있으면 책임이 조각되어 무죄가 된다.

④ [○] 법효과제한적 책임설에 의하면 (구성요건적) 고의는 인정되지만, 법질서 수호의사로 한 행위이므로 책임고의가 조각되고(고의행위지만 고의책임을 지지 않으므로), 다만 행위자에게 과실이 있으면 과실범으로 처벌되고, 과실이 없으면 무죄가 된다.

204 (가)~(라)는 甲이 밤에 연락 없이 자신의 집을 방문한 이웃을 강도로 오인하여 상해를 입힌 사례 와 관련한 견해이다. 이에 대한 설명으로 옳지 않은 것은? 23 국가7급 [Superlative ★★★]

> (가) 위법성의 인식은 고의와 구별되는 책임의 독자적인 요소인데, 이 사례는 행위자가 구성요건 사실은 인식하였지만 자기 행위의 위법성을 인식하지 못한 경우에 해당한다.
> (나) 이 사례와 관련하여 甲이 위법성조각사유의 전제사실의 부존재를 인식하는 것 역시 구성요 건에 해당한다.
> (다) 이 사례는 구성요건 착오는 아니지만 구성요건 착오와 유사한 경우이니 구성요건 착오 규정 을 적용하여 행위자에게 고의책임을 인정하지 않아야 한다.
> (라) 이 사례의 경우 구성요건 고의는 인정되지만, 책임 고의가 부정된다.

① (가) 견해에 의하면 甲의 오인에 정당한 이유가 없다면 甲은 상해의 고의범으로 처벌된다.
② (나) 견해에 의하면 甲은 구성요건 착오에 해당하여 상해의 고의가 조각된다.
③ (다) 견해에 의하면 甲에 대해 상해의 과실범의 성립을 검토할 수 있다.
④ (라) 견해에 의하면 甲은 상해의 고의범으로 처벌되지만 그 책임이 감경된다.

해설

> ④ [×] 법효과 제한적책임설의 입장으로 구성요건적 고의는 인정되지만 법질서 수호의사로 한 행위이므로 책임 고의가 조각되고(고의행위지만 고의책임을 지지 않으므로), 다만 행위자에게 과실이 있으면 **과실치상죄로 처 벌되고, 과실이 없으면 무죄가** 된다.
> ① [○] **엄격책임설**의 입장으로 옳은 설명이다.
> ② [○] **소극적 구성요건표지이론**의 입장으로 옳은 설명이다.
> ③ [○] **구성요건적 착오유추적용설**의 입장으로 옳은 설명이다.

205 위법성조각사유의 전제사실에 대한 착오에 관한 설명으로 가장 옳지 않은 것은?

□□□

20 경찰간부 [Core ★★]

① 오상방위, 오상피난, 오상자구행위 등이 이에 해당한다.

② 甲이 야간에 악수를 청하는 이웃집 사람을 강도로 오인하고 방어할 생각으로 그를 때려 상해를 입힌 경우, 정당한 이유가 없다면 소극적 구성요건표지이론에 의할 때 상해죄가 성립한다.

③ 엄격고의설에 의하면 위법성조각사유의 전제사실에 대한 착오가 있는 경우에는 위법성 인식이 없으므로 고의가 조각된다.

④ 정당방위 상황이 객관적으로 존재하지 않음에도 불구하고 행위자는 존재하는 것으로 잘못알고 방위행위를 한 경우, 엄격책임설은 이를 법률의 착오로 보고 '오인에 정당한 이유'가 있으면 책임이 조각된다고 본다.

해설

② [×] 위법성조각사유의 전제사실의 착오가 있는 경우 소극적 구성요건표지이론에 의할 때 소극적 구성요건의 착오가 되어 **고의가 조각되고**, 그 착오에 과실이 있으면 (과실범 처벌규정이 있을 때에 한하여) 과실범으로 처벌한다. 지문의 경우 착오에 정당한 이유가 없으므로 즉, 착오에 과실이 있으므로 **과실치상죄가 성립한다**.
①③④ [○] 모두 옳은 설명이다.

206 적법행위에 대한 기대가능성 법리의 구체화로 볼 수 없는 것은? (다툼이 있으면 판례에 의함)
□□□
17 국가9급 [Superlative ★★★]

① 위조통화취득 후 지정행사죄의 법정형이 위조통화행사죄보다 현저히 낮은 것
② 야간 기타 불안스러운 상태하에서 공포, 경악, 흥분 또는 당황으로 인한 과잉방위를 벌하지
  아니하는 것
③ 도주죄의 법정형이 도주원조죄보다 현저히 낮은 것
④ 사회통념상 허용될 만한 소극적 저항행위를 처벌하지 않는 것

해설

④ [×] 소극적 저항행위를 처벌하지 않는 것은 (책임조각이나 책임감경에 관한 기대가능성의 법리가 형법에 구
  체화된 것이 아니라) 위법성조각사유에 관한 형법 제20조의 **정당행위와 관련된 판례 중의 하나이다.**(대법원
  2014. 3. 27. 2012도11204 실내 어린이놀이터 사건 참고)
①②③ [O] 통설에 의할 때 이들은 **기대가능성의 법리가 형법에 구체화된 것으로 볼 수 있다.**

핵심정리 기대가능성 반영 규정

책임조각	강요된 행위(제12조), **면책적 과잉방위(제21조 제3항),** 면책적 과잉피난(제22조 제3항), 친족간의 범인도피·은닉 및 증거인멸(제151조 제2항, 제155조 제4항)
책임감경	과잉방위(제21조 제2항), 과잉피난(제22조 제3항), 과잉자구행위(제23조 제2항), 단순도주죄(제145조), 위조통화취득후지정행사(제210조)

207

□□□ 다음 중 기대가능성에 대한 설명으로 가장 옳지 않은 것은? (다툼이 있으면 판례에 의함)

21 해경승진 [Essential ★]

① 직장의 상사가 범법행위를 하는데 가담한 부하에게 직무상 지휘·복종관계에 있다 하여 범법행위에 가담하지 않을 기대가능성이 없다고 할 수 없다.

② 피고인이 주종관계에 있는 공동피고인의 지시를 거절할 수가 없어 뇌물을 공여하였더라도, 그와 같은 사정만으로 피고인에게 뇌물공여 이외의 반대행위를 기대할 수 없는 경우라고 볼 수는 없다.

③ 영업정지처분에 대한 집행정지 결정이 잠정적으로 받아들여졌다는 사정만으로는 피고인에게 적법행위의 기대가능성이 없다고 볼 수는 없다.

④ 통일원장관의 접촉 승인 없이 북한 주민과 접촉한 행위는 적법행위에 대한 기대가능성이 없는 경우에 해당한다.

해설

④ [×] 통일원장관의 접촉 승인 없이 북한 주민과 접촉한 행위는 정당행위 혹은 적법행위에 대한 기대가능성이 없는 경우에 해당하지 아니한다.(대법원 2003. 12. 26. 2001도6484)

① [○] 직장 상사의 지시로 인하여 그 부하가 범법행위에 가담한 경우 비록 직무상 지휘·복종 관계가 인정된다고 하더라도 그것 때문에 범법행위에 가담하지 않을 기대가능성이 부정된다고 볼 수는 없다.(대법원 2009. 4. 23. 2008도11921 삼성1호-허베이호 충돌 기름유출사건)

② [○] 피고인 甲이 비서라는 특수신분 때문에 주종관계에 있는 乙, 丙의 지시를 거절할 수가 없어 뇌물을 공여한 것이었다 하더라도 그와 같은 사정만으로 피고인에게 뇌물 공여 이외의 반대행위를 기대할 수 없는 경우였다고 볼 수는 없다.(대법원 1983. 3. 8. 82도2873 이철희·장영자 사건)

③ [○] 영업정지처분에 대한 집행정지 결정은 피고인이 제기한 영업정지처분 취소사건의 본안판결 선고시까지 그 처분의 효력을 정지한 것으로서 행정청의 처분의 위법성을 확정적으로 선언하지도 않았으므로, 위 집행정지신청이 잠정적으로 받아들여졌다는 사정만으로는, 구 음비법위반으로 기소된 피고인에게 적법행위의 기대가능성이 없다고 볼 수는 없다.(대법원 2010. 11. 11. 2007도8645 로얄 그랑프리 게임장 사건)

208 책임조각에 대한 설명으로 가장 적절하지 않은 것은? (다툼이 있으면 판례에 의함)

□□□
20 경찰채용 [Core ★★]

① 야간에 자신의 방에 들어오는 룸메이트를 강도로 오인하고 상해의 고의는 없이 방어할 의사로 그를 폭행하였는데 강도로 오인한 과실이 회피 가능하였을 경우, 법률효과제한적 책임설에 따르면 행위자는 무죄가 된다.

② 엄청난 체력과 힘의 소유자인 체육선생이 연약한 만 16세 여학생 甲의 손목을 잡고 휘둘러 甲의 손으로 옆에 앉아 있던 乙에게 상해를 입힌 경우, 甲의 상해행위는 형법 제12조 강요된 행위에 의해 책임이 조각된다.

③ 경기 불황 상황에서 임금지급을 위한 모든 성의와 노력을 다했으나 경영부진으로 인한 자금사정 등 도저히 지급기일 안에 임금을 지급할 수 없었다는 등의 피할 수 없는 사정이 인정된다면 근로기준법 제36조 위반범죄의 책임이 조각된다.

④ 수학여행을 온 대학교 3학년생들 중 일부만의 학생증을 제시받아 성년임을 확인한 후 나이트 클럽에 단체로 입장시켰으나 그들 중 1인이 미성년자인 경우, 미성년자가 섞여 있을지도 모른다는 것을 예상하여 그들의 증명서를 일일이 확인할 것을 요구하는 것은 사회통념상 기대가능성이 없으므로 책임이 조각된다.

해설

② [×] 형법 제12조에 규정된 '저항할 수 없는 폭력'은 심리적 의미에 있어서 육체적으로 어떤 행위를 절대적으로 하지 아니할 수 없게 하는 경우와 윤리적 의미에 있어서 강압된 경우를 말한다.(대법원 2009. 6. 11. 2008도11784 예인선 진도대교 충돌사건) '절대적 폭력'은 상대방을 절대로 육체적으로 저항할 수 없게 만드는 것으로, 이는 형법 제12조의 '폭력'에는 포함되지 않는다. 지문과 같이 甲이 乙에게 상해를 가한 것은 체육선생의 절대적 폭력에 의한 것으로 이는 **'행위'라고 할 수 없으므로** (형법 제12조 강요된 행위에 의해 책임이 조각되는 것이 아니라) 처음부터 **상해죄의 구성요건에 해당하지 않아 무죄**이다.

① [○] 법효과 제한적 책임설에 의할 때 위법성조각사유의 전제사실에 대한 착오가 있는 경우 (구성요건적 고의는 조각되지 않고) 책임고의가 조각되고 과실폭행은 불가벌이므로 행위자는 무죄이다.

③ [○] 기업이 불황이라는 사유만으로 사용자가 근로자에 대한 임금이나 퇴직금을 체불하는 것은 허용되지 아니하지만, 모든 성의와 노력을 다했어도 임금이나 퇴직금의 체불이나 미불을 방지할 수 없었다는 것이 사회통념상 긍정할 정도가 되어 사용자에게 더 이상의 적법행위를 기대할 수 없거나 불가피한 사정이었음이 인정되는 경우에는 그러한 사유는 근로기준법이나 근로자퇴직급여 보장법에서 정하는 임금 및 퇴직금 등의 기일 내 지급의무 위반죄의 **책임조각사유로 된다.**(대법원 2015. 2. 12. 2014도12753 휴다임건축사사무소 사건)

④ [○] 피고인에게 학생들 중에 미성년자가 섞여 있을지도 모른다는 것을 예상하여 그들의 증명서를 일일이 확인할 것을 요구하는 것은 사회통념상 기대가능성이 없다고 봄이 상당하므로 이를 벌할 수 없다.(대법원 1987. 1. 20. 86도874 재수없는 나이트클럽 사건)

209
□□□
기대가능성에 대한 설명으로 옳은 것(○)과 옳지 않은 것(×)을 바르게 표시한 것은? (다툼이 있으면 판례에 의함)

19 국가9급 [Core ★★]

> ㉠ 이미 유죄의 확정판결을 받은 피고인이 설사 자신의 형사사건에서 시종일관 그 범행을 부인하였다 하더라도, 이를 이유로 피고인에게 공범의 형사사건에서 사실대로 증언할 것을 기대할 가능성이 없다고 볼 수는 없다.
>
> ㉡ 피고인이 주종관계에 있는 공동피고인의 지시를 거절할 수가 없어 뇌물을 공여하였더라도 그와 같은 사정만으로 피고인에게 뇌물공여 이외의 반대행위를 기대할 수 없는 경우라고 볼 수는 없다.
>
> ㉢ 상관의 명령에 절대 복종하여야 한다는 것이 불문율로 되어 있다면, 고문행위와 같은 중대하고도 명백한 위법 명령에 따른 행위라도 강요된 행위로서 적법행위에 대한 기대가능성이 없는 경우에 해당한다.
>
> ㉣ 영업정지처분에 대한 집행정지 결정이 잠정적으로 받아들여졌다는 사정만으로는 구 음반·비디오물 및 게임물에 관한 법률 위반으로 기소된 피고인에게 적법행위의 기대가능성이 없다고 볼 수는 없다.

① ㉠ ○ ㉡ ○ ㉢ × ㉣ ○
② ㉠ ○ ㉡ ○ ㉢ × ㉣ ×
③ ㉠ ○ ㉡ × ㉢ × ㉣ ○
④ ㉠ × ㉡ ○ ㉢ ○ ㉣ ×

해설

① 이 지문이 옳은 연결이다.

㉠ [○] 이미 유죄의 확정판결을 받은 피고인은 공범의 형사사건에서 그 범행에 대한 증언을 거부할 수 없을 뿐만 아니라 나아가 사실대로 증언하여야 하고, 설사 피고인이 자신의 형사사건에서 시종일관 그 범행을 부인하였다 하더라도 이러한 사정은 위증죄에 관한 양형참작사유로 볼 수 있음은 별론으로 하고 이를 이유로 피고인에게 사실대로 진술할 것을 **기대할 가능성이 없다고 볼 수는 없다.**(대법원 2008. 10. 23. 2005도10101 **황제룸주점 강도상해사건**)

㉡ [○] 피고인 甲이 비서라는 특수신분 때문에 주종관계에 있는 乙, 丙의 지시를 거절할 수가 없어 뇌물을 공여한 것이었다 하더라도 그와 같은 사정만으로 피고인에게 뇌물공여 이외의 반대행위를 **기대할 수 없는 경우였다고 볼 수는 없다.**(대법원 1983. 3. 8. 82도2873 **이철희·장영자 사건**)

㉢ [×] 설령 대공수사단 직원은 상관의 명령에 절대 복종하여야 한다는 것이 불문율로 되어 있다 할지라도 고문치사와 같이 중대하고도 명백한 위법명령에 따른 행위가 정당한 행위에 해당하거나 **강요된 행위로서 적법행위에 대한 기대가능성이 없는 경우에 해당하게 되는 것이라고는 볼 수 없다.**(대법원 1988. 2. 23. 87도2358 **박종철 고문치사사건**)

㉣ [○] 영업정지처분에 대한 집행정지 결정은 피고인이 제기한 영업정지처분 취소사건의 본안판결 선고시까지 그 처분의 효력을 정지한 것으로서 행정청의 처분의 위법성을 확정적으로 선언하지도 않았으므로, 위 집행정지 신청이 잠정적으로 받아들여졌다는 사정만으로는, 구 음비법위반으로 기소된 피고인에게 적법행위의 **기대가능성이 없다고 볼 수는 없다.**(대법원 2010. 11. 11. 2007도8645 **로얄 그랑프리 게임장 사건**)

제2편

법죄론

210
□□□ 다음 중 기대가능성과 강요된 행위에 관한 설명으로 가장 옳지 않은 것은? (다툼이 있으면 판례에 의함)

21 해경간부 [Essential ★]

① 부하직원이 직무상 지휘복종관계에 있는 직장상사의 범법행위에 가담하였다면 적법행위의 기대가능성이 인정된다.

② 적법행위의 기대가능성의 경우 행위 당시의 구체적인 상황하에 행위자 대신 사회적 평균인을 두고 이 평균인의 관점에서 그 기대가능성 유무를 판단하여야 한다.

③ 「형법」 제12조는 '저항할 수 없는 폭력이나 자기 또는 친족의 생명, 신체에 대한 위해를 방어할 방법이 없는 협박에 의하여 강요된 행위는 벌하지 아니한다.'고 규정하고 있다.

④ 18세 소년이 취직할 수 있다는 감언이설에 속아 일본으로 밀항한 후 조총련 간부들의 감금하에 강요에 못 이겨 공산주의자가 되어 북한에 갈 것을 서약한 행위는 긴급피난에 해당되어 위법성이 조각된다.

해설

④ [×] 피고인의 각 행위들은 모두 저항할 수는 없는 폭력 또는 그의 생명, 신체에 대한 위해를 방어할 방법이 없는 협박에 의하여 **강요된 행위였다고 볼 수밖에 없다.**(대법원 1972. 5. 9. 71도1178) 긴급피난이 아니라 강요된 행위에 해당되어 책임이 조각된다.

① [○] 직장 상사의 지시로 인하여 그 부하가 범법행위에 가담한 경우 비록 직무상 지휘·복종 관계가 인정된다고 하더라도 그것 때문에 범법행위에 가담하지 않을 **기대가능성이 부정된다고 볼 수는 없다.**(대법원 2009. 4. 23. 2008도11921 삼성1호-허베이호 충돌 기름유출사건)

② [○] 피고인에게 적법행위를 기대할 가능성이 있는지 여부를 판단하기 위하여는 행위 당시의 구체적인 상황하에 행위자 대신에 사회적 평균인을 두고 이 **평균인의 관점에서 기대가능성 유무를 판단하여야 한다.**(대법원 2018. 2. 28. 2017도16725 가무락 채취사건)

③ [○] 저항할 수 없는 폭력이나 자기 또는 친족의 생명, 신체에 대한 위해를 방어할 방법이 없는 협박에 의하여 강요된 행위는 벌하지 아니한다.(제12조)

211 기대가능성에 관한 설명 중 가장 적절하지 않은 것은? (다툼이 있으면 판례에 의함)

① 기대가능성의 판단기준을 국가에 두면 국가는 국민의 적법행위를 기대하므로 기대가능성이 없다는 이유로 책임이 조각되는 경우가 축소될 수 있다.

② 甲이 담배제조업 허가 없이 전자장치를 이용해 흡입할 수 있는 니코틴이 포함된 용액을 제조한 경우 궐련담배제조업의 허가 기준은 존재하나 전자담배제조업에 관한 허가기준이 없는 이상 甲에게 담배제조업 관련 법령의 허가기준을 준수하거나 허가기준이 새롭게 마련될 때까지 법 준수를 요구하는 것을 기대할 수 없다.

③ 형법 제12조의 '저항할 수 없는 폭력'은 심리적 의미에 있어서 육체적으로 어떤 행위를 절대적으로 할 수 밖에 없게 하는 경우와 윤리적 의미에서 강압된 경우를 의미한다.

④ 영업정지처분에 대한 집행정지 신청이 잠정적으로 받아들여졌다는 사정만으로는 구 음반·비디오물 및 게임물에 관한 법률 위반으로 기소된 피고인에게 적법행위의 기대가능성이 없다고 볼 수 없다.

해설

② [×] 담배사업법의 위임을 받은 기획재정부가 전자담배제조업에 관한 허가기준을 마련하지 않고 있으나, 정부는 전자담배제조업의 허가와 관련하여 적정한 기준을 마련함에 있어 법률이 위임한 정책적 판단 재량이 존재하고 궐련담배제조업에 관한 허가기준은 이미 마련되어 있는 상황이므로 **담배제조업 관련 법령의 허가 기준을 준수하거나 허가 기준이 새롭게 마련될 때까지 법 준수를 요구하는 것**이 사회적 평균인의 입장에서도 불가능하거나 현저히 곤란한 것을 요구하여 **죄형법정주의 원칙에 위반된다거나 기대가능성이 없는 행위를 처벌하는 것이어서 위법하다고 보기는 어렵다.**(대법원 2018. 9. 28. 2018도9828 전자담배 액상 제조사건)

① [○] 옳은 설명이다. **국가표준설**에 의할 때 국가는 '항상' 국민에게 적법행위를 기대하기 때문이다.

③ [○] 형법 제12조의 '저항할 수 없는 폭력'은 심리적 의미에 있어서 **육체적으로 어떤 행위를 절대적으로 할 수 밖에 없게 하는 경우와 윤리적 의미에서 강압된 경우**를 의미한다.(대법원 2009. 6. 11. 2008도11784 예인선진도대교 충돌사건)

④ [○] 영업정지처분에 대한 집행정지 결정은 피고인이 제기한 영업정지처분 취소사건의 본안판결 선고시까지 그 처분의 효력을 정지한 것으로서 행정청의 처분의 위법성을 확정적으로 선언하지도 않았으므로, 위 집행정지 신청이 잠정적으로 받아들여졌다는 사정만으로는, 구 음비법위반으로 기소된 피고인에게 **적법행위의 기대가능성이 없다고 볼 수는 없다.**(대법원 2010. 11. 11. 2007도8645 로얄 그랑프리 게임장 사건)

제4절 | 책임론 종합

212 책임에 관한 설명 중 옳지 않은 것은? (다툼이 있으면 판례에 의함)   23 변호사 [Essential ★]

① 성격적 결함을 가진 자에 대하여 자신의 충동을 억제하고 법을 준수하도록 하는 것이 기대할 수 없는 행위를 요구하는 것이라고 할 수 없으므로, 특단의 사정이 없는 한 충동조절장애와 같은 성격적 결함은 원칙적으로 형의 감면사유인 심신장애에 해당하지 않는다.

② 자신의 차를 운전하여 술집에 가서 음주상태에서 교통사고를 일으킬 수 있다는 위험성을 예견하고도 술을 마신 후 심신미약 상태에서 운전을 하다가 교통사고를 일으킨 경우 심신미약으로 인한 형의 감경을 할 수 없다.

③ 법률 위반 행위 중간에 일시적으로 판례에 따라 그 행위가 처벌대상이 되지 않는 것으로 해석되었던 적이 있었다고 하더라도 그것만으로 자신의 행위가 처벌되지 않는 것으로 믿은 데 정당한 이유가 있다고 할 수 없다.

④ 직장의 상사가 범법행위를 하는 데 가담한 부하가 그 상사와 직무상 지휘·복종관계에 있는 경우 그 부하에게는 상사의 범법행위에 가담하지 않을 기대가능성이 없다.

⑤ 자신의 범행을 일관되게 부인하였으나 강도상해로 유죄판결이 확정된 甲이 위 강도상해의 공범으로 기소된 乙의 형사사건에서 자신의 범행사실을 부인하는 증언을 한 경우 행위 당시의 구체적인 상황하에 행위자 대신에 사회적 평균인을 두고 이 평균인의 관점에서 볼 때 甲에게 사실대로 진술할 기대가능성이 있다.

해설

④ [×] 직장 상사의 지시로 인하여 그 부하가 범법행위에 가담한 경우 비록 직무상 지휘·복종 관계가 인정된다고 하더라도 그것 때문에 **범법행위에 가담하지 않을 기대가능성이 부정된다고 볼 수는 없다.**(대법원 2009. 4. 23. 2008도11921 삼성1호-허베이호 충돌 기름유출사건)

① [○] 성격적 결함을 가진 자에 대하여 자신의 충동을 억제하고 법을 준수하도록 하는 것이 기대할 수 없는 행위를 요구하는 것이라고 할 수 없으므로, 특단의 사정이 없는 한 충동조절장애와 같은 성격적 결함은 **원칙적으로 형의 감면사유인 심신장애에 해당하지 않는다.**(대법원 2011. 2. 10. 2010도14512 충동조절장애 살인사건)

② [○] 피고인이 음주운전을 할 의사를 가지고 음주만취한 후 운전을 결행하여 교통사고를 일으켰다면 피고인은 음주시에 교통사고를 일으킬 위험성을 예견하였는데도 **자의로 심신장애를 야기한 경우에 해당하므로 형법 제10조 제3항에 의하여 심신장애로 인한 감경 등을 할 수 없다.**(대법원 2007. 7. 27. 2007도4484 음주만취후 운전사건Ⅱ)

③ [○] 법률 위반 행위 중간에 일시적으로 판례에 따라 그 행위가 처벌대상이 되지 않는 것으로 해석되었던 적이 있었다고 하더라도 그것만으로 자신의 행위가 처벌되지 않는 것으로 믿은 데에 정당한 이유가 있다고 할 수 없다.(대법원 2021. 11. 25. 2021도10903 불법 다시보기 싸이트 사건)

⑤ [○] 이미 유죄의 확정판결을 받은 피고인은 공범의 형사사건에서 그 범행에 대한 증언을 거부할 수 없을 뿐만 아니라 나아가 사실대로 증언하여야 하고, 설사 피고인이 자신의 형사사건에서 시종일관 그 범행을 부인하였다 하더라도 이러한 사정은 위증죄에 관한 양형참작사유로 볼 수 있음은 별론으로 하고 이를 이유로 피고인에게 사실대로 진술할 것을 기대할 가능성이 없다고 볼 수는 없다.(대법원 2008. 10. 23. 2005도10101 황제룡 주점 강도상해사건)

213 책임에 대한 설명으로 옳지 않은 것은? (다툼이 있으면 판례에 의함) 23 국가7급 [Core ★★]
☐☐☐

① 심신장애의 유무는 그 판단에 전문감정인의 정신감정결과가 중요한 참고자료가 되지만, 법원은 반드시 그 의견에 구속되는 것이 아니라 독자적으로 심신장애의 유무를 판단하여야 한다.

② 이미 유죄의 확정판결을 받은 피고인이 자신의 형사사건에서 시종일관 그 범행을 부인하였다면 별건인 공범의 형사사건에서 관련 사실을 증언하면서 자신의 범행을 시인하는 진술을 기대할 가능성은 없다.

③ 원인에 있어서 자유로운 행위에 있어 행위와 책임의 동시존재 원칙을 고수하는 구성요건모델설에 의하면 원인행위시를 기준으로 실행의 착수를 인정한다.

④ 형법 제12조 강요된 행위에 있어 저항할 수 없는 폭력은 심리적인 의미에 있어서 육체적으로 어떤 행위를 절대적으로 하지 아니할 수 없게 하는 경우와 윤리적인 의미에 있어서 강압된 경우를 의미한다.

해설

② [×] 이미 유죄의 확정판결을 받은 피고인은 공범의 형사사건에서 그 범행에 대한 증언을 거부할 수 없을 뿐만 아니라 나아가 사실대로 증언하여야 하고, 설사 피고인이 **자신의 형사사건에서 시종일관 그 범행을 부인하였다 하더라도** 이러한 사정은 위증죄에 관한 양형참작사유로 볼 수 있음은 별론으로 하고 이를 이유로 피고인에게 **사실대로 진술할 것을 기대할 가능성이 없다고 볼 수는 없다.**(대법원 2008. 10. 23. 2005도10101 황제룡주점 강도상해사건)

① [○] 심신장애의 유무는 법원이 형벌제도의 목적 등에 비추어 판단하여야 할 법률문제로서 그 판단에 전문감정인의 정신감정결과가 중요한 참고자료가 되기는 하나 법원이 반드시 그 의견에 구속되는 것은 아니고, 그러한 감정결과뿐만 아니라 범행의 경위, 수단, 범행 전후의 피고인의 행동 등 기록에 나타난 여러 자료 등을 종합하여 독자적으로 심신장애의 유무를 판단하여야 한다.(대법원 2021. 9. 9. 2021도8657 경도 지적장애 사건)

③ [○] 구성요건모델설(일치설)에 관한 옳은 설명이다.

④ [○] 형법 제12조에 규정된 '저항할 수 없는 폭력'은 심리적 의미에 있어서 육체적으로 어떤 행위를 절대적으로 하지 아니할 수 없게 하는 경우와 윤리적 의미에 있어서 강압된 경우를 말하고, '협박'이란 자기 또는 친족의 생명, 신체에 대한 위해를 달리 막을 방법이 없는 협박을 말하며, '강요'라 함은 피강요자의 자유스런 의사결정을 하지 못하게 하면서 특정한 행위를 하게 하는 것을 말한다.(대법원 2009. 6. 11. 2008도11784 예인선 진도대교 충돌사건)

214 책임에 관한 설명 중 옳지 않은 것은? (다툼이 있으면 판례에 의함)

① 정신적 장애가 있는 자라고 하여도 범행 당시 정상적인 사물변별능력이나 행위통제능력이 있었다면 심신장애자로 볼 수 없다.

② 심신상실을 이유로 처벌받지 아니하거나 심신미약을 이유로 형벌이 감경될 수 있는 자라 할지라도 금고 이상의 형에 해당하는 죄를 지은 자에 대해서는 치료감호시설에서 치료를 받을 필요가 있고 재범의 위험성이 있는 경우 치료감호의 대상이 된다.

③ 소년법 제60조 제2항은 '소년의 특성에 비추어 상당하다고 인정되는 때에는 그 형을 감경할 수 있다'고 규정하고 있는데 여기에서의 '소년'에 해당하는지 여부의 판단은 원칙적으로 범죄행위시가 아니라 사실심 판결선고시를 기준으로 한다.

④ 원인에 있어서 자유로운 행위의 가벌성 근거와 관련하여 예외모델은 원인설정행위를 실행행위라고 이해하므로 실행행위의 정형성에 반한다는 비판을 받는다.

⑤ 형법 제12조의 강요된 행위에서 '저항할 수 없는 폭력'이란 심리적 의미에 있어서 육체적으로 어떤 행위를 절대적으로 하지 아니할 수 없게 하는 경우와 윤리적 의미에 있어서 강압된 경우를 말한다.

해설

④ [×] 원인설정행위를 실행행위라고 이해하므로 실행행위의 정형성에 반한다는 비판을 받는 것은 **예외설(예외모델)이 아니라 이른바 구성요건 모델(일치설)이다.** 이른바 책임모델(예외설)은 가벌성의 근거를 원인설정행위와 실행행위의 불가분적 관련에서 찾는 견해로써 책임능력 결함상태에서 구성요건해당 행위를 시작한 때에 실행의 착수가 있는 것으로 보지만, 행위와 책임의 동시존재 원칙의 예외를 인정하는 결과가 되어 책임주의에 반한다는 비판이 제기되고 있다.

① [○] 정신적 장애가 있는 자라고 하여도 범행 당시 정상적인 사물변별능력이나 행위통제능력이 있었다면 심신장애자로 볼 수 없다.(대법원 2021. 9. 9. 2021도8657 **경도 지적장애 사건**)

② [○] 치료감호대상자란 「형법」 제10조 제1항에 따라 벌하지 아니하거나 같은 조 제2항에 따라 형을 감경할 수 있는 심신장애인으로서 금고 이상의 형에 해당하는 죄를 지은 자로서 치료감호시설에서 치료를 받을 필요가 있고 재범의 위험성이 있는 자를 말한다.(치료감호법 제2조 제1항 제1호)

③ [○] 소년법 제60조 제2항은 '소년의 특성에 비추어 상당하다고 인정되는 때에는 그 형을 감경할 수 있다'고 규정하고 있는데 여기에서의 '소년'에 해당하는지 여부의 판단은 원칙적으로 범죄행위시가 아니라 사실심 판결선고시를 기준으로 한다.(대법원 2009. 5. 28. 2009도2682)

⑤ [○] 형법 제12조의 강요된 행위에서 '저항할 수 없는 폭력'이란 심리적 의미에 있어서 육체적으로 어떤 행위를 절대적으로 하지 아니할 수 없게 하는 경우와 윤리적 의미에 있어서 강압된 경우를 말한다.(대법원 2009. 6. 11. 2008도11784 **예인선 진도대교 충돌사건**)

제4장 미수론

제1절 | 장애미수(실행의 착수)

215 미수범에 대한 설명으로 옳지 않은 것은? (다툼이 있으면 판례에 의함)   12 국가7급 [Essential ★]

① 형법에는 진정부작위범의 미수를 처벌하는 규정이 존재한다.

② 형법에는 과실범의 미수를 처벌하는 규정이 존재한다.

③ 미수범은 법률에 특별한 규정이 없는 한 벌하지 않는다.

④ 실행의 착수가 있기 전인 예비행위를 중지한 경우에는 중지미수를 적용할 수 없다.

해설

② [×] 형법에는 과실범의 미수를 처벌하는 규정이 없다.

① [○] 퇴거불응죄(제319조 제2항)와 집합명령위반죄(제145조 제2항)는 진정부작위범이지만 형법상 미수범 처벌규정이 존재한다.(제322조, 제149조)

③ [○] 미수범을 처벌할 죄는 각 본조에 정한다.(제29조)

④ [○] 중지범은 범죄의 실행에 착수한 후 자의로 그 행위를 중지한 때를 말하는 것이고, 실행의 착수가 있기 전인 예비음모의 행위를 처벌하는 경우에 있어서 중지범의 관념은 인정할 수 없다.(대법원 1999. 4. 9. 99도424 녹두 밀수사건)

216 다음 중 현행 형법상 미수범 처벌규정이 있는 범죄는 모두 몇 개인가?   15 경찰채용 [Essential ★]

㉠ 강제집행면탈죄	㉡ 장물취득죄	㉢ 직무유기죄
㉣ 감금죄	㉤ 퇴거불응죄	㉥ 공무상보관물무효죄

① 2개

② 3개

③ 4개

④ 5개

해설

② ㉣㉤㉥ 3 항목의 경우 **미수범 처벌규정이 있다.**(㉣ 제280조 ㉤ 제322조 ㉥ 제143조)
㉠㉡㉢ 3 항목은 미수범 처벌규정이 없다.

217 실행의 착수시기에 관한 학설의 설명으로 옳은 것은 모두 몇 개인가? 24 경찰간부 [Superlative ★★★]

□□□

> ⊙ 형식적 객관설은 행위자가 구성요건에 해당하는 행위 또는 그 행위의 일부가 시작되었을 때 실행의 착수가 있다는 견해로 실행의 착수시기를 인정하는 시점이 너무 늦어져 미수의 범위가 좁아진다는 비판이 있다.
>
> ⓛ 실질적 객관설은 구성요건의 보호법익을 기준으로 하여 법익에 대한 직접적 위험을 발생시킨 객관적 행위시점에서 실행의 착수가 있다는 견해로 법익침해의 '직접적 위험'이라는 기준이 모호하다는 비판이 있다.
>
> ⓒ 주관설은 범죄란 범죄적 의사의 표현이므로 범죄의사를 명백하게 인정할 수 있는 외부적 행위가 있을 때 또는 범의의 비약적 표동이 있을 때 실행의 착수가 있다는 견해로 가벌적 미수의 범위가 지나치게 확대될 수 있다.
>
> ⓔ 주관적(개별적) 객관설은 행위자의 전체적 범행계획에 비추어 구성요건실현에 대한 직접적 행위가 있을 때 실행의 착수가 있다는 견해로 실행의 착수에 관한 객관설과 주관설의 단점을 제거하고 양설을 타협하기 위해 제시된 절충적인 견해이다.

① 1개   ② 2개

③ 3개   ④ 4개

해설

④ 각 학설 내용을 그대로 서술한 것으로 모든 항목이 옳다.

218 실행의 착수에 관한 설명 중 옳은 것은 모두 몇 개인가? (다툼이 있으면 판례에 의함)

□□□

23 경대편입 [Superlative ★★★]

> ○ 형식적 객관설은 구성요건의 보호법익을 기준으로 하여 법익에 대한 직접적 위험을 발생시킨 객관적 행위시점에서 실행의 착수가 있다는 견해이다.
> ○ 실질적 객관설은 행위자가 엄격한 의미에서의 구성요건에 해당하는 행위 또는 적어도 이론적으로 구성요건에 해당 한다고 볼 수 있는 행위의 일부분을 행하여야 실행의 착수가 있다는 견해이다.
> ○ 주관설은 행위자의 전체적 범행계획에 비추어 범죄의사가 보호법익을 직접 위태롭게 할 만한 행위 속에 명백하게 나타난 때 실행의 착수가 있다는 견해이다.
> ○ 주관적(개별적) 객관설은 범죄란 범죄적 의사의 표현이므 로 범죄의사를 명백하게 인정할 수 있는 외부적 행위가 있을 때 또는 범의의 비약적 표동이 있을 때 실행의 착수가 있다는 견해이다.

① 0개　　　　　　② 1개　　　　　　③ 2개

④ 3개　　　　　　⑤ 4개

해설

① 모든 항목이 옳지 않다.
○ [×] **실질적 객관설**에 대한 설명이다. 실질적 객관설은 범죄의 구성 요건에 얽매이기보다는 실질적 측면에 착안하여, 보호법익에 대한 직접적인 동요가 개시된 때 실행의 착수를 인정한다.
○ [×] **형식적 객관설**에 대한 설명이다. 형식적 객관설은 범죄의 규성 요건이 명시하는 행위가 개시된 때 실행의 착수를 인정한다.
○ [×] **절충설(주관적 객관설)**에 대한 설명이다. 절충설은 주관적인 범죄계획에 비추어 범죄의사의 표현이라고 볼 수 있는 행위가 보호법익에 대한 직접적 위험을 발생시킬 때 실행의 착수를 인정한다.
○ [×] **주관설**에 대한 설명이다. 주관설은 행위자의 주관적 의사에 착안해서, 행위자가 수행하고자 하는 범죄의 의사가 행위에 의해 확정적으로 드러났을 때 실행의 착수를 인정한다.

219 실행의 착수에 대한 설명으로 가장 적절한 것은? (다툼이 있으면 판례에 의함)

① 업무상배임죄에서 부작위를 실행의 착수로 볼 수 있기 위해서는 작위의무가 이행되지 않으면 사무처리의 임무를 부여한 사람이 재산권을 행사할 수 없으리라고 객관적으로 예견되는 등으로 구성요건적 결과 발생의 위험이 구체화한 상황에서 부작위가 이루어져야 한다.

② 구 외국환거래법에서 규정하는 신고를 하지 아니하거나 허위로 신고하고 지급수단 귀금속 또는 증권을 수출하는 행위는 지급 수단 등을 국외로 반출하기 위한 행위에 근접 밀착하는 행위가 행하여진 때에 그 실행의 착수가 있으므로 공항 내에서 보안 검색대에 나아가지 않은 채 휴대용 가방 안에 해당 물건을 가지고 탑승을 기다리던 중에 발각되었다면 이미 실행의 착수가 있는 것으로 볼 수 있다.

③ 타인의 사망을 보험사고로 하는 생명보험계약을 체결함에 있어 제3자가 피보험자인 것처럼 가장하여 체결하는 등으로 그 유효 요건이 갖추어지지 못한 경우 보험사고의 우연성과 같은 보험의 본질을 해칠 정도라고 볼 수 있는 특별한 사정이 없더라도 그와 같이 하자 있는 보험계약을 체결한 행위는 보험금을 편취하려는 의사에 의한 기망행위의 실행에 착수한 것으로 볼 수 있다.

④ 정범의 실행의 착수 전에 장래의 실행행위를 예상하고 이를 용이하게 하는 행위를 하여 방조한 경우에도 정범이 그 실행 행위에 나아갔다면 종범이 성립하지만, 정범이 실행의 착수에 이르지 못한 경우 방조자는 예비죄의 종범으로 처벌된다.

해설

① [O] 업무상배임죄에 있어 부작위를 실행의 착수로 볼 수 있기 위해서는 작위의무가 이행되지 않으면 사무처리의 임무를 부여한 사람이 재산권을 행사할 수 없으리라고 객관적으로 예견되는 등으로 구성요건적 결과 발생의 위험이 구체화한 상황에서 부작위가 이루어져야 한다. 그리고 행위자는 부작위 당시 자신에게 주어진 임무를 위반한다는 점과 그 부작위로 인해 손해가 발생할 위험이 있다는 점을 인식하였어야 한다.(대법원 2021. 5. 27. 2020도15529 고양시 도시개발 환지계획 사건) 부작위범의 실행의 착수시기에 관하여 판시한 최초의 판례로 보인다. 피고인은 도시개발사업조합을 위해 환지계획수립 등의 사업 진행에 필요한 전반적인 업무를 수행하던 사람인데, 환지예정지의 경제적 가치가 상승한 것을 알면서 이를 묵비하고 퇴사하였다. 이로 인하여 피고인의 친인척, 지인 등 환지예정지를 환지받기로 한 사람들이 토지 가치상승액의 이익을 취득하게 하고, 도시개발사업조합이 토지 가치상승액의 합계액인 약 34억원의 손해를 입게 하려 하였다고 기소된 사건이다(업무상배임미수죄로 기소된 사건이다). 이에 대하여 원심인 의정부지방법원은 유죄판결을 선고하였지만, 대법원은 피고인 외에도 '환지예정지의 경제적 가치 상승'을 안 사람이 피고인 외에도 다수이었고, 환지예정지의 가치상승을 청산절차에 반영하지 못할 위험이 아직 구체화되지 않은 상황에서 퇴사한 것이므로 업무상배임미수죄가 성립하지 않는다고 판시하였다.

② [×] 휴대용 가방을 보안검색대에 올려놓거나 이를 휴대하고 통과하는 때에 비로소 실행의 착수가 있다고 볼 것이고, 피고인이 휴대용 가방을 가지고 보안검색대에 나아가지 않은 채 공항 내에서 탑승을 기다리고 있던 중에 체포되었다면 일화 400만¥에 대하여는 **실행의 착수가 있다고 볼 수 없다.**(대법원 2001. 7. 27. 2000도4298)

③ [×] 타인의 사망을 보험사고로 하는 생명보험계약을 체결함에 있어 제3자가 피보험자인 것처럼 가장하여 체결하는 등으로 그 유효요건이 갖추어지지 못한 경우에도, **보험사고의 우연성과 같은 보험의 본질을 해칠 정도라고 볼 수 있는 특별한 사정이 없는 한** 그와 같이 하자 있는 보험계약을 체결한 행위만으로는 미필적으로라도 보험금을 편취하려는 의사에 의한 기망행위의 실행에 착수한 것으로 볼 것은 **아니다.**(대법원 2013. 11. 14. 2013도7494 대처승 보험사기사건)

④ [×] 종범이 처벌되기 위하여는 정범의 실행의 착수가 있는 경우에만 가능하고 **정범이 실행의 착수에 이르지 아니한 예비의 단계에 그친 경우에는 이에 가공하는 행위가 예비의 공동정범이 되는 경우를 제외하고는 이를 종범으로 처벌할 수 없다.**(대법원 1976. 5. 25. 75도1549 강도예비 방조사건)

220 실행의 착수에 관한 설명 중 가장 적절하지 않은 것은? (다툼이 있으면 판례에 의함)

□□□
23 경찰채용 [Core ★★]

① 소유권이전등기청구권에 대한 압류는 강제집행절차를 위한 일련의 시작행위라고 할 수 있으므로 허위 채권에 기한 공정증서를 집행권원으로 하여 채무자의 소유권이전등기청구권에 대하여 압류신청을 한 시점에 소송사기의 실행에 착수하였다고 볼 수 있다.

② 배임죄는 임무에 위배하는 행위를 한다는 점과 이로 인하여 자기 또는 제3자가 이익을 취득하여 본인에게 손해를 가한다는 점에 대한 인식이나 의사를 가지고 임무에 위배한 행위를 개시한 때 실행에 착수하였다고 볼 수 있다.

③ 업무상배임죄에서 부작위를 실행의 착수로 볼 수 있기 위해서는 작위의무가 이행되지 않으면 사무처리의 임무를 부여한 사람이 재산권을 행사할 수 없으리라고 객관적으로 예견되는 등으로 구성요건적 결과 발생의 위험이 구체화한 상황에서 부작위가 이루어져야 하고, 행위자는 부작위 당시 자신에게 주어진 임무를 위반한다는 점과 그 부작위로 인해 손해가 발생할 위험이 있다는 점을 인식하였어야 한다.

④ 甲이 乙로부터 국제우편을 통해 향정신성의약품을 수입하는 경우 필로폰을 받을 국내 주소를 알려주었으나 乙이 필로폰이 들어 있는 우편물을 발신국의 우체국에 제출하지 않았다고 하더라도 甲의 이러한 행위는 향정신성의약품 수입행위의 실행에 착수하였다고 볼 수 있다.

해설

④ [×] 국제우편 등을 통하여 향정신성의약품을 수입하는 경우에는 국내에 거주하는 사람이 수신인으로 명시되어 발신국의 우체국 등에 **향정신성의약품이 들어 있는 우편물을 제출할 때에 범죄의 실행에 착수하였다고 볼 수 있다.**(대법원 2019. 5. 16. 2019도97 워터볼 발송 사건) 乙이 필로폰이 들어 있는 우편물을 발신국의 우체국에 제출하지 않았으므로 아직 향정신성의약품 수입행위의 실행에 착수하였다고 볼 수 없다.

① [○] (1) 강제집행절차를 통한 소송사기는 집행절차의 개시신청을 한 때 또는 진행 중인 집행절차에 배당신청을 한 때에 실행에 착수하였다고 볼 것이다. (2) 부동산에 관한 권리이전청구권에 대한 강제집행은 그 자체를 처분하여 그 대금으로 채권에 만족을 기하는 것이 아니고, 부동산에 관한 권리이전청구권을 압류하여 청구권의 내용

을 실현시키고 부동산을 채무자의 책임재산으로 귀속시킨 다음 다시 그 부동산에 대한 경매를 실시하여 그 매각대금으로 채권에 만족을 기하는 것이다. 이러한 경우 소유권이전등기청구권에 대한 압류는 당해 부동산에 대한 경매의 실시를 위한 사전 단계로서의 의미를 가지나, 전체로서의 강제집행절차를 위한 일련의 시작행위라고 할 수 있으므로 허위 채권에 기한 공정증서를 집행권원으로 하여 채무자의 소유권이전등기청구권에 대하여 압류신청을 한 시점에 소송사기의 실행에 착수하였다고 볼 것이다.(대법원 2015. 2. 12. 2014도10086 등기청구권 압류신청사건)

② [O] 타인의 사무를 처리하는 자가 배임의 범의로, 즉 임무에 위배하는 행위를 한다는 점과 이로 인하여 자기 또는 제3자가 이익을 취득하여 본인에게 손해를 가한다는 점에 대한 인식이나 의사를 가지고 임무에 위배한 행위를 개시한 때 배임죄의 실행에 착수한 것이고, 이러한 행위로 인하여 자기 또는 제3자가 이익을 취득하여 본인에게 손해를 한 때 기수에 이른다.(대법원 2020. 10. 15. 2016도10654 선종구 하이마트 회장 사건)

③ [O] 업무상배임죄에 있어 부작위를 실행의 착수로 볼 수 있기 위해서는 작위의무가 이행되지 않으면 사무처리의 임무를 부여한 사람이 재산권을 행사할 수 없으리라고 객관적으로 예견되는 등으로 구성요건적 결과 발생의 위험이 구체화한 상황에서 부작위가 이루어져야 한다. 그리고 행위자는 부작위 당시 자신에게 주어진 임무를 위반한다는 점과 그 부작위로 인해 손해가 발생할 위험이 있다는 점을 인식하였어야 한다.(대법원 2021. 5. 27. 2020도15529 고양시 도시개발 환지계획 사건)

221

□□□

실행의 착수시기에 관한 설명 중 가장 적절하지 않은 것은? (다툼이 있으면 판례에 의함)

15 경찰승진 [Essential ★]

① 피고인이 노상에 세워 놓은 자동차 안에 있는 물건을 훔칠 생각으로 유리창을 따기 위해 면장갑을 끼고 칼을 소지한 채 자동차의 유리창을 통하여 그 내부를 손전등으로 비추어 보았다면 절도의 실행의 착수에 이른 것이다.

② 사기도박에서 사기적인 방법으로 도금을 편취하려고 하는 자가 상대방에게 도박에 참가할 것을 권유하는 때에 실행의 착수가 있다.

③ 현주건조물에 방화하기 위하여 매개물에 불을 붙인 경우에는 현주건조물방화죄의 실행의 착수가 있다.

④ 간첩의 목적으로 외국 또는 북한에서 국내에 침투 또는 월남하는 경우에는 기밀탐지가 가능한 국내에 침투·상륙함으로써 간첩죄의 실행의 착수가 있다.

해설

① [×] 자동차 안에 있는 물건을 훔칠 생각으로 자동차의 유리창을 통하여 그 내부를 손전등으로 비추어 본 것에 불과하다면 비록 유리창을 따기 위해 면장갑을 끼고 있었고 칼을 소지하고 있었다 하더라도 절도의 예비행위로 볼 수는 있겠으나 **절취행위의 착수에 이른 것이었다고 볼 수 없다.**(대법원 1985. 4. 23. 85도464 손전등 사건)

② [○] 사기죄는 편취의 의사로 기망행위를 개시한 때에 실행에 착수한 것으로 보아야 하므로, 사기도박에서도 사기적인 방법으로 도금을 편취하려고 하는 자가 상대방에게 도박에 참가할 것을 권유하는 등 기망행위를 개시한 때에 실행의 착수가 있는 것으로 보아야 한다.(대법원 2011. 1. 13. 2010도9330 보령 사기도박사건)

③ [○] 매개물을 통한 점화에 의하여 건조물을 소훼함을 내용으로 하는 형태의 방화죄의 경우에, 범인이 그 매개물에 불을 켜서 붙였거나 또는 범인의 행위로 인하여 매개물에 불이 붙게 됨으로써 연소작용이 계속될 수 있는 상태에 이르렀다면, 그것이 곧바로 진화되는 등의 사정으로 인하여 목적물인 건조물 자체에는 불이 옮겨 붙지 못하였다고 하더라도, 방화죄의 실행의 착수가 있었다고 보아야 한다.(대법원 2002. 3. 26. 2001도6641 마산 두척동 방화사건)

④ [○] 간첩의 목적으로 외국 또는 북한에서 국내에 침투 또는 월남하는 경우에는 기밀탐지가 가능한 국내에 침투 상륙함으로써 간첩죄의 실행의 착수가 있다고 할 것이다.(대법원 1984. 9. 11. 84도1381 간첩 하원차량 사건)

222 범죄실행의 착수에 대한 설명으로 옳지 않은 것은? (다툼이 있으면 판례에 의함)

□□□

16 국가9급 [Core ★★]

① 甲은 乙명의로, 乙이 임야를 매수한 일이 없음에도 매수한 것처럼 허위의 사실을 주장하여 임야에 대한 소유권이전등기를 거친 A를 상대로 말소등기청구소송을 제기한 경우 소송사기의 실행의 착수를 인정할 수 없다.

② 강간죄의 실행의 착수는 폭행 또는 협박에 의해 실제로 피해자의 항거가 불가능하게 되거나 현저히 곤란하게 되어야만 인정된다.

③ 甲과 乙이 공모하여 A의 재물을 강취하기로 하고 甲이 현장에서 망을 보고 있는 사이 乙이 A를 폭행·협박하다가 경찰관에게 체포된 경우 甲에게 특수강도죄의 실행의 착수가 인정된다.

④ 장애인단체의 지회장이 지방자치단체로부터 보조금을 더 많이 지원받기 위하여 허위의 보조금 정산보고서를 제출한 경우 사기죄의 실행의 착수를 인정할 수 없다.

해설

② [×] 강간죄는 부녀를 간음하기 위하여 **피해자의 항거를 불능하게 하거나 현저히 곤란하게 할 정도의 폭행 또는 협박을 개시한 때에** 그 실행의 착수가 있다고 보아야 할 것이고, 실제로 그와 같은 폭행 또는 협박에 의하여 피해자의 항거가 불능하게 되거나 현저히 곤란하게 되어야만 실행의 착수가 있다고 볼 것은 아니다.(대법원 2000. 6. 9. 2000도1253 내연녀 딸 강간미수사건)

① [○] 피고인 甲이 乙이 부동산을 매수한 일이 없음에도 매수한 것처럼 허위의 사실을 주장하여 부동산에 대한 소유권이전등기를 거친 사람을 상대로 그 이전등기의 원인무효를 내세워 이전등기의 말소를 구하는 소송을 乙 명의로 제기하고 그 소송의 결과 원고로 된 乙이 승소한다고 가정하더라도, 그 피고의 등기가 말소될 뿐이고 이것만으로 피고인이 부동산에 관한 어떠한 권리를 취득하거나 의무를 면하는 것은 아니므로 법원을 기망하여 재물이나 재산상 이익을 편취한 것이라고 보기 어렵고, 따라서 위 소제기 행위를 가리켜 사기의 실행에 착수한 것이라고 할 수 없다.(대법원 2009. 4. 9. 2009도128 예고등기를 위해 사건)

③ [○] 공모자 중의 1인인 乙이 A를 폭행·협박한 이상, 甲과 乙 모두 특수강도죄의 실행에 착수한 것에 해당한다.

④ [○] 구리시의 보조금 지급 여부 및 그 금액은 전년도 정산보고서와 별도로 보조금 신청서를 제출받아 이를 심사하여 결정하는 것이므로, 보조금을 지급받은 장애인복지회 경기도 지회가 구리시에 제출하는 보조금 정산보고서는 구리시가 다음해에 보조금의 지원 여부 및 그 금액을 결정함에 있어 하나의 참고자료에 불과할 뿐 그 지원 여부 및 금액을 좌우하는 직접적인 서류라고 할 수는 없고, 따라서 피고인이 허위의 정산보고서를 제출한 것만으로는 기망의 실행의 착수가 있다고 보기 어렵다.(대법원 2003. 6. 13. 2003도1279 장애인복지회 사건)

223 기수와 미수에 대한 설명이다. 아래 ㉠부터 ㉣까지의 설명 중 옳고 그름의 표시(○, ×)가 바르게
□□□ 된 것은? (다툼이 있으면 판례에 의함)
17 경찰채용 [Essential ★]

㉠ 회사직원이 재직 중에 영업비밀 또는 영업상 주요한 자산을 경쟁업체에 유출하거나 스스로의 이익을 위하여 이용할 목적으로 무단으로 반출하였다면 유출 또는 반출시에 업무상배임죄의 기수가 된다.

㉡ 회사직원이 영업비밀 등을 적법하게 반출하여 반출행위가 업무상배임죄에 해당하지 않는 경우라도, 퇴사시에 영업비밀 등을 회사에 반환하거나 폐기할 의무가 있음에도 경쟁업체에 유출하거나 스스로의 이익을 위하여 이용할 목적으로 이를 반환하거나 폐기하지 아니하였다면, 이러한 행위 역시 퇴사시에 업무상배임죄의 기수가 된다.

㉢ 추행의 고의로 상대방의 의사에 반하는 유형력의 행사, 즉 폭행행위를 하여 실행행위에 착수하였으나 추행의 결과에 이르지 못한 때에는 강제추행미수죄가 성립하며, 이러한 법리는 폭행행위 자체가 추행행위라고 인정되는 이른바 '기습추행'의 경우에도 마찬가지로 적용된다.

㉣ 공무원이 뇌물로 투기적 사업에 참여할 기회를 제공받은 경우, 뇌물수수죄의 기수 시기는 투기적 사업에 참여하는 행위가 종료된 때로 보아야 한다.

① ㉠ ○ ㉡ × ㉢ ○ ㉣ ○   ② ㉠ ○ ㉡ × ㉢ ○ ㉣ ×

③ ㉠ × ㉡ ○ ㉢ × ㉣ ×   ④ ㉠ ○ ㉡ ○ ㉢ ○ ㉣ ○

해설

④ 이 지문이 옳은 연결이다.

㉠㉡ [O] (1) 회사직원이 재직 중에 영업비밀 또는 영업상 주요한 자산을 경쟁업체에 유출하거나 스스로의 이익을 위하여 이용할 목적으로 무단으로 반출하였다면 타인의 사무를 처리하는 자로서 업무상의 임무에 위배하여 유출 또는 반출한 것이어서 유출 또는 반출 시에 업무상배임죄의 기수가 된다. 또한 회사직원이 영업비밀 등을 적법하게 반출하여 반출행위가 업무상배임죄에 해당하지 않는 경우라도, 퇴사 시에 영업비밀 등을 회사에 반환하거나 폐기할 의무가 있음에도 경쟁업체에 유출하거나 스스로의 이익을 위하여 이용할 목적으로 이를 반환하거나 폐기하지 아니하였다면, 이러한 행위 역시 퇴사 시에 업무상배임죄의 기수가 된다. (2) 회사직원이 퇴사한 후에는 특별한 사정이 없는 한 그 퇴사한 회사직원은 더 이상 업무상배임죄에서 타인의 사무를 처리하는 자의 지위에 있다고 볼 수 없고, 반환하거나 폐기하지 아니한 영업비밀 등을 경쟁업체에 유출하거나 스스로의 이익을 위하여 이용하더라도 이는 이미 성립한 업무상배임 행위의 실행행위에 지나지 아니하므로 그 유출 내지 이용행위가 부정경쟁방지 및 영업비밀보호에 관한 법률 위반(영업비밀누설등)죄에 해당하는지 여부는 별론으로 하더라도, 따로 업무상배임죄를 구성할 여지는 없다. 그리고 위와 같이 퇴사한 회사직원에 대하여 타인의 사무를 처리하는 자의 지위를 인정할 수 없는 이상 제3자가 위와 같은 유출 내지 이용행위에 공모 가담하였다 하더라도 그 타인의 사무를 처리하는 자의 지위에 있다는 등의 사정이 없는 한 업무상배임죄의 공범 역시 성립할 수 없다.(대법원 2017. 6. 29. 2017도3808 소스코드 기술 유출사건)

㉢ [O] 피고인이 혼자 걸어가는 피해자(女, 17세)를 발견하고 마스크를 착용한 채 200m 정도 뒤따라 간 후, 인적이 없고 외진 곳에 이르러 피해자에게 약 1m 간격으로 접근하여 양팔을 높이 들어 피해자를 껴안으려고 하였으나 피해자가 뒤돌아보면서 '왜 이러세요?'라고 소리치자, 그 상태로 몇 초 동안 피해자를 쳐다보다가 다시 오던 길로 되돌아 온 경우, 양팔을 높이 들어 뒤에서 피해자를 껴안으려는 행위는 피해자의 의사에 반하는 유형력의 행사로서 폭행행위에 해당하고, 그 때에 이른바 '기습추행'에 관한 실행의 착수가 있다고 볼 수 있으므로 아동·청소년에 대한 강제추행미수죄에 해당한다.(대법원 2015. 9. 10. 2015도6980 기습추행 미수사건)

㉣ [O] 공무원이 뇌물로 투기적 사업에 참여할 기회를 제공받은 경우, 뇌물수수죄의 기수 시기는 투기적 사업에 참여하는 행위가 종료된 때로 보아야 하며, 그 행위가 종료된 후 경제사정의 변동 등으로 인하여 당초의 예상과는 달리 그 사업 참여로 아무런 이득을 얻지 못한 경우라도 뇌물수수죄의 성립에는 영향이 없다.(대법원 2002. 11. 26. 2002도3539 조합아파트 분양 뇌물사건)

224 미수범에 관한 다음 설명 중 가장 옳지 않은 것은? (다툼이 있으면 판례에 의함) 23 법원행시 [Core ★★]

□□□

① 카메라 기타 이와 유사한 기능을 갖춘 기계장치 속에 들어 있는 필름이나 저장장치에 피사체에 대한 영상정보가 입력되었을 뿐 전자파일 등의 형태로 영구 저장되지 않은 채 사용자에 의해 강제종료되었다면 구 성폭력범죄의 처벌 및 피해자보호 등에 관한 법률 제14조의2 제1항에서 정한 '카메라등이용촬영죄'는 미수에 그친 것으로 보아야 할 것이다.

② 甲이 강간할 목적으로 피해자의 집에 침입하였다 하더라도 안방에 들어가 누워 자고 있는 피해자의 가슴과 엉덩이를 만지면서 간음을 기도하였다는 사실만으로는 강간의 수단으로 피해자에게 폭행이나 협박을 개시하였다고 하기 어렵다.

③ 출입문이 열려 있으면 안으로 들어가겠다는 의사 아래 출입문을 당겨보는 행위는 그것으로 주거침입의 실행에 착수한 것으로 보아야 한다.

④ 甲이 제1차 매수인으로부터 계약금 및 중도금 명목의 금원을 교부받은 후 제2차 매수인에게 부동산을 매도하기로 하고 계약금만을 지급받은 뒤 더 이상의 계약 이행에 나아가지 않았다면 배임죄의 실행의 착수가 있었다고 볼 수 없다.

⑤ 구 외국환거래법 제28조 제1항 제3호는 신고를 하지 아니하거나 허위로 신고하고 지급수단·귀금속 또는 증권을 수출하는 행위를 처벌하고 있는데, 甲이 신고없이 일화 400만 엔을 휴대용 가방에 넣어 국외로 반출하려고 하는 경우 甲이 휴대용 가방을 가지고 보안검색대에 나아가지 않은 채 공항 내에서 탑승을 기다리고 있던 중에 체포되었다면 실행의 착수가 있다고 볼 수 없다.

해설

① [×] 카메라등이용촬영죄는 카메라 기타 이와 유사한 기능을 갖춘 기계장치 속에 들어 있는 필름이나 저장장치에 피사체에 대한 영상정보가 입력됨으로써 기수에 이른다고 보아야 한다. 그런데 최근 기술문명의 발달로 등장한 디지털카메라나 동영상 기능이 탑재된 휴대전화 등의 기계장치는, 촬영된 영상정보가 사용자 등에 의해 전자파일 등의 형태로 저장되기 전이라도 일단 촬영이 시작되면 곧바로 촬영된 피사체의 영상정보가 기계장치 내 RAM(Random Access Memory) 등 주기억장치에 입력되어 임시저장되었다가 이후 저장명령이 내려지면 기계장치 내 보조기억장치 등에 저장되는 방식을 취하는 경우가 많고, 이러한 저장방식을 취하고 있는 카메라 등 기계장치를 이용하여 동영상 촬영이 이루어졌다면 범행은 촬영 후 일정한 시간이 경과하여 영상정보가 **기계장치 내 주기억장치 등에 입력됨으로써 기수에 이르는 것이고, 촬영된 영상정보가 전자파일 등의 형태로 영구저장되지 않은 채 사용자에 의해 강제종료되었다고 하여 미수에 그쳤다고 볼 수는 없다.**(대법원 2011. 6. 9. 2010도10677 치마속 촬영사건)

② [○] 피고인이 강간할 목적으로 피해자의 집에 침입하였다 하더라도 안방에 들어가 누워 자고 있는 피해자의 가슴과 엉덩이를 만지면서 간음을 기도하였다는 사실만으로는 강간의 수단으로 피해자에게 폭행이나 협박을 개시하였다고 하기는 어렵다.(대법원 1990. 5. 25. 90도607 가슴·엉덩이 사건)

③ [○] 피고인이 야간에 출입문이 열려있는 집에 들어가 재물을 절취하기로 마음먹고 다세대주택에 들어가 여러 세대의 출입문을 손으로 당겨보았는데 문이 잠겨 있었던 경우 바로 주거의 사실상의 평온을 침해할 객관적인 위험성을 포함하는 행위를 한 것으로 볼 수 있어 그것으로 주거침입의 실행에 착수가 있었고, 단지 그 출입문이 잠겨 있었다는 외부적 장애요소로 인하여 뜻을 이루지 못한 데 불과하다.(대법원 2006. 9. 14. 2006도2824 빌라 출입문 사건)

④ [○] 부동산 이중양도에 있어서 매도인이 제2차 매수인으로부터 계약금만을 지급받고 중도금을 수령한 바 없다면 배임죄의 실행의 착수가 있었다고 볼 수 없다.(대법원 2010. 4. 29. 2009도14427 카로시티II 상가 사건)

⑤ [○] 휴대용 가방을 보안검색대에 올려놓거나 이를 휴대하고 통과하는 때에 비로소 실행의 착수가 있다고 볼 것이고, 피고인이 휴대용 가방을 가지고 보안검색대에 나아가지 않은 채 공항 내에서 탑승을 기다리고 있던 중에 체포되었다면 일화 400만¥에 대하여는 실행의 착수가 있다고 볼 수 없다.(대법원 2001. 7. 27. 2000도4298 보안검색 직전 사건)

225

□□□ 실행의 착수에 관한 다음 설명 중 가장 옳지 않은 것은? (다툼이 있으면 판례에 의함)

15 법원9급 [Core ★★]

① 2인 이상이 합동하여 주간에 절도의 목적으로 타인의 주거에 침입하였으나 아직 절취할 물건의 물색행위를 시작하기 전이라면 형법 제331조 제2항의 특수절도죄의 실행에 착수한 것이 아니다.

② 입영대상자가 병역면제처분을 받을 목적으로 병원으로부터 허위의 병사용진단서를 발급받은 행위만으로는 사위행위에 의한 병역기피를 이유로 한 병역법위반죄의 실행에 착수한 것이 아니다.

③ 태풍 피해복구보조금 지원절차가 행정당국에 의한 실사를 거쳐 피해자로 확인된 경우에 한하여 보조금 지원신청을 할 수 있는 경우, 피해신고는 국가의 보조금 지원 여부 및 정도를 결정함에 있어 그 직권조사를 개시하기 위한 참고자료에 불과하다고 하더라도, 허위의 피해신고를 한 이상 보조금 편취로 인한 사기죄의 실행에 착수한 것이다.

④ 소송사기는 법원을 기망한다는 고의를 가지고 소를 제기하면 이로써 실행의 착수가 있는 것이고, 소장의 유효한 송달까지 요하는 것은 아니다.

해설

③ [×] 피해신고는 국가가 피해복구보조금의 지원 여부 및 정도를 결정을 함에 있어 그 직권조사를 개시하기 위한 참고자료에 불과한 것일 뿐이고 그 지원 여부 등을 좌우할 수는 있는 것은 아니라 할 것이므로, 피고인과 같이 실제로 태풍에 의한 피해발생이 없었으면서도 마치 피해가 있는 것처럼 관할면장에게 피해신고를 하였다는 것만 가지고는 **보조금 편취범행의 실행에 착수한 것이라고 할 수 없다.**(대법원 1999. 3. 12. 98도3443 **태풍피해보조금** 사건)

① [○] 2인 이상이 합동하여 야간이 아닌 주간에 절도의 목적으로 타인의 주거에 침입하였다 하여도 아직 절취할 물건의 물색행위를 시작하기 전이라면 특수절도죄의 실행에는 착수한 것으로 볼 수 없는 것이어서 그 미수죄가 성립하지 않는다.(대법원 2009. 12. 24. 2009도9667 **아파트 출입문 손괴사건**)

② [○] 입영대상자가 병사용 진단서를 발급받아 관할 병무청에 제출하는 단계에까지 이르지 않은 이상 병역의무를 잠탈하거나 병무행정의 적정성을 침해할 직접적인 위험이 발생한 것으로 보기 어려워 병역법 제86조가 규정하고 있는 '사위행위'의 실행에 이르렀다고 볼 수 없다.(대법원 2005. 11. 10. 2005도1995 **진단서 발급만 사건**)

④ [○] 소송사기는 법원을 기망하여 자기에게 유리한 판결을 얻고 이에 터잡아 상대방으로부터 재물의 교부를 받거나 재산상 이익을 취득하는 것을 말하는 것으로서 소송에서 주장하는 권리가 존재하지 않는 사실을 알고

있으면서도 법원을 기망한다는 인식을 가지고 소를 제기하면 이로써 실행의 착수가 있었다고 할 것이고, 소장의 유효한 송달을 요하지 아니한다고 할 것인바, 이러한 법리는 제소자가 상대방의 주소를 허위로 기재함으로써 그 허위주소로 소송서류가 송달되어 그로 인하여 상대방 아닌 다른 사람이 그 서류를 받아 소송이 진행된 경우에도 마찬가지로 적용된다.(대법원 2006. 11. 10. 2006도5811)

226 미수범에 관한 다음 설명 중 가장 적절한 것은? (다툼이 있으면 판례에 의함)

□□□
15 경찰채용 [Essential ★]

① 금품을 절취할 생각으로 타인의 주머니에 몰래 손을 넣은 경우는 비록 그 주머니 속에 실제로 금품이 들어있지 않았더라도 절도미수죄를 구성한다.

② 일반적으로 사람에게 공포심을 일으킬 수 있는 정도의 해악의 고지가 상대방에게 도달하여 상대방이 그 의미를 인식했지만 현실적으로 공포심을 일으키지 않은 경우는 협박미수죄를 구성한다.

③ 주거침입의 고의로 야간에 타인의 집 창문을 열고 집 안으로 얼굴을 들이민 것만으로는 사실상 주거의 평온을 해하였더라도 주거침입미수죄를 구성한다.

④ 금융기관 직원이 전산단말기를 이용하여 다른 공범들이 지정한 특정계좌에 돈이 입금된 것처럼 허위의 정보를 입력하는 방법으로 위 계좌로 입금되도록 한 경우, 그 후 그러한 입금이 취소되어 현실적으로 인출되지 못한 경우는 컴퓨터등사용사기미수죄를 구성한다.

해설

① [○] 소매치기가 피해자의 주머니에 손을 넣어 금품을 절취하려 한 경우 비록 그 주머니속에 금품이 들어있지 않았다 하더라도 위 소위는 절도라는 결과 발생의 위험성을 충분히 내포하고 있으므로 이는 절도미수에 해당한다.(대법원 1986. 11. 25. 86도2090)

② [×] 협박죄가 성립되려면 고지된 해악의 내용이 일반적으로 사람으로 하여금 공포심을 일으키게 하기에 충분한 것이어야 할 것이지만, 상대방이 그에 의하여 현실적으로 공포심을 일으킬 것까지 요구되는 것은 아니며, 그와 같은 정도의 해악을 고지함으로써 상대방이 그 의미를 인식한 이상 상대방이 현실적으로 공포심을 일으켰는지 여부와 관계없이 그로써 **구성요건은 충족되어 협박죄의 기수에 이른다.**(대법원 2011. 1. 27. 2010도14316 회칼 2자루 사건)

③ [×] 피고인이 자신의 신체의 일부가 집 안으로 들어간다는 인식하에 하였더라도 주거침입죄의 범의는 인정되고 또한 비록 신체의 일부만이 집 안으로 들어갔다고 하더라도 **사실상 주거의 평온을 해하였다면 주거침입죄는 기수에 이른다.**(대법원 1995. 9. 15. 94도2561 창문 얼굴 사건)

④ [×] 입금절차를 완료함으로써 장차 그 계좌에서 이를 인출하여 갈 수 있는 재산상 이익을 취득하였으므로 **컴퓨터등사용사기죄는 기수에 이르렀고**, 그 후 그러한 입금이 취소되어 현실적으로 인출되지 못하였다고 하더라도 이미 성립한 컴퓨터등사용사기죄에 어떤 영향이 있다고 할 수는 없다.(대법원 2006. 9. 14. 2006도4127 봉평농협 사건)

227
□□□

다음은 실행의 착수시기에 대한 설명이다. 가장 적절하지 않은 것은? (다툼이 있으면 판례에 의함)

13 경찰채용 [Essential ★]

① 주간에 피해자의 아파트 출입문 시정장치를 손괴하다가 마침 귀가하던 피해자에게 발각되어 피고인이 도주한 경우 형법 제331조 제2항의 특수절도죄의 실행의 착수를 인정할 수 없다.

② 다가구용 단독주택인 빌라의 잠기지 않은 대문을 열고 들어가 공용 계단으로 빌라 3층까지 올라갔다가 1층으로 내려온 경우 주거침입죄의 실행의 착수를 인정할 수 있다.

③ 사기도박에서 사기적인 방법으로 도금을 편취하려고 하는 자가 상대방에게 도박에 참가할 것을 권유하는 등 기망행위를 개시한 때에 실행의 착수를 인정할 수 있다.

④ 부정경쟁방지 및 영업비밀보호에 관한 법률 제18조 제2항에서 정하고 있는 영업비밀부정사용죄에 있어서는 행위자가 당해 영업비밀과 관계된 영업활동에 이용 혹은 활용할 의사 아래 그 영업활동에 근접한 시기에 영업비밀을 열람하는 행위를 한 경우 그 실행의 착수를 인정할 수 없다.

해설

④ [×] 영업비밀부정사용죄에 있어서는 행위자가 당해 영업비밀과 관계된 영업활동에 이용 혹은 활용할 의사 아래 그 영업활동에 근접한 시기에 영업비밀을 열람하는 행위(영업비밀이 전자파일의 형태인 경우에는 저장의 단계를 넘어서 해당 전자파일을 실행하는 행위)를 하였다면 그 **실행의 착수가 있다.**(대법원 2009. 10. 15. 2008도9433 두산중공업 기술연구원장 사건)

① [O] 피고인들이 주간에 피해자의 아파트 출입문 시정장치를 손괴하다가 마침 귀가하던 피해자에게 발각되어 도주한 경우, 특수절도미수죄는 성립하지 아니한다.(대법원 2009. 12. 24. 2009도9667 아파트 출입문 손괴 사건)

② [O] 피고인이 빌라의 시정되지 않은 대문을 열고 들어가 계단으로 빌라 3층까지 올라가서 그곳의 문을 두드려 본 후 다시 1층으로 내려온 경우, 피고인이 빌라의 대문을 열고 계단으로 들어간 이상 피해자의 주거에 들어간 것이고 이와 같이 행위가 거주자의 의사에 반한 것이라면 주거에 침입한 것이라고 보아야 한다.(대법원 2009. 8. 20. 2009도3452 빌라 계단 사건)

③ [O] 사기죄는 편취의 의사로 기망행위를 개시한 때에 실행에 착수한 것으로 보아야 하므로, 사기도박에서도 사기적인 방법으로 도금을 편취하려고 하는 자가 상대방에게 도박에 참가할 것을 권유하는 등 기망행위를 개시한 때에 실행의 착수가 있는 것으로 보아야 한다.(대법원 2011. 1. 13. 2010도9330 보령 사기도박사건)

228

☐☐☐ 다음 설명 중 가장 적절하지 않은 것은? (다툼이 있으면 판례에 의함)　　16 경찰채용 [Essential ★]

① 주간에 사람의 주거 등에 침입하여 야간에 타인의 재물을 절취한 경우 형법 제330조의 야간 주거침입절도죄가 성립한다.

② 위장결혼의 당사자 및 브로커와 공모한 피고인이 허위로 결혼사진을 찍고 혼인신고에 필요한 서류를 준비하여 위장결혼의 당사자에게 건네준 것만으로는 공전자기록등불실기재죄의 실행에 착수한 것으로 볼 수 없다.

③ 본안 소송을 제기하지 아니한 채 허위채권에 기하여 가압류를 한 것만으로는 사기죄의 실행에 착수하였다고 할 수 없다.

④ 피해자에게 위조한 예금통장 사본 등을 보여주면서 외국회사에서 투자금을 받았다고 거짓말 하며 자금 대여를 요청하였으나, 피해자와 함께 그 입금 여부를 확인하기 위해 은행에 가던 중 은행 입구에서 차용을 포기하고 돌아간 경우, 사기죄의 중지미수로 볼 수 없다.

해설

① [×] 형법은 야간에 이루어지는 주거침입행위의 위험성에 주목하여 그러한 행위를 수반한 절도를 야간주거침입절도죄로 중하게 처벌하고 있는 것으로 보아야 하고, 따라서 **주거침입이 주간에 이루어진 경우에는 야간주거침입절도죄가 성립하지 않는다**고 해석하는 것이 타당하다.(대법원 2011. 4. 14. 2011도300 장안동 모텔절도사건)

② [O] 공전자기록등부실기재죄에 있어서의 실행의 착수시기는 공무원에 대하여 허위의 신고를 하는 때라고 보아야 하므로, 피고인이 위장결혼의 당사자 및 중국 측 브로커와의 공모하에 허위로 결혼사진을 찍고, 혼인신고에 필요한 서류를 준비하여 위장결혼의 당사자에게 건네준 것만으로는 아직 공전자기록등부실기재죄에 있어서 실행에 착수한 것으로 보기 어렵다.(대법원 2009. 9. 24. 2009도4998 사진찍고 서류준비만 사건)

③ [O] 가압류는 강제집행의 보전방법에 불과한 것이어서 허위의 채권을 피보전권리로 삼아 가압류를 하였다고 하더라도 그 채권에 관하여 현실적으로 청구의 의사표시를 한 것이라고는 볼 수 없으므로, 본안소송을 제기하지 아니한 채 가압류를 한 것만으로는 사기죄의 실행에 착수하였다고 할 수 없다.(대법원 1988. 9. 13. 88도55)

④ [O] 피고인은 범행이 발각될 것이 두려워 범행을 중지한 것으로서 일반 사회통념상 범죄를 완수함에 장애가 되는 사정에 해당하여 자의에 의한 중지미수로 볼 수 없다.(대법원 2011. 11. 10. 2011도10539 영남에어대표 사건)

229

□□□ 실행의 착수에 대한 설명으로 옳지 않은 것은? (다툼이 있으면 판례에 의함) 16 국가7급 [Core ★★]

① 침입 대상인 아파트에 사람이 있는지를 확인하기 위해 그 집의 초인종을 누른 행위만으로는 주거침입죄의 실행의 착수가 인정되지 않는다.

② 법원을 기망하여 자기에게 유리한 판결을 얻고자 소송을 제기한 자가 상대방의 주소를 허위로 기재하여 소송을 제기함으로써 그 허위주소로 소송서류가 송달되어 그로 인하여 상대방 아닌 다른 사람이 그 서류를 받아 소송을 진행한 경우 소송사기죄의 실행의 착수가 인정되지 않는다.

③ 야간에 손전등과 박스 포장용 노끈을 이용하여 도로에 주차된 차량의 문을 열고 현금 등을 훔치기로 마음먹고 차량의 문이 잠겨 있는지 확인하기 위해 양손으로 운전석 문의 손잡이를 잡고 열려고 하던 중 경찰관에게 발각된 경우 절도죄의 실행의 착수가 인정된다.

④ 종량제 쓰레기봉투에 인쇄할 시장 명의의 문안이 새겨진 필름을 제조하는 행위에 그친 경우 시장 명의의 공문서인 종량제 쓰레기봉투를 위조하는 공문서위조죄의 실행의 착수에 이르지 아니한 준비행위에 불과하다.

해설

② [×] 소송에서 주장하는 권리가 존재하지 않는 사실을 알고 있으면서도 법원을 기망한다는 인식을 가지고 **소를 제기하면 이로써 소송사기의 실행의 착수가 있었다고 할 것이고**, 소장의 유효한 송달을 요하지 아니한다고 할 것인바, 이러한 법리는 제소자가 상대방의 주소를 허위로 기재함으로써 그 허위주소로 소송서류가 송달되어 그로 인하여 **상대방 아닌 다른 사람이 그 서류를 받아 소송이 진행된 경우에도 마찬가지로 적용된다.** (대법원 2006. 11. 10. 2006도5811)

① [○] 피고인이 침입 대상인 아파트에 사람이 있는지를 확인하기 위해 그 집의 초인종을 누른 행위만으로는 침입의 현실적 위험성을 포함하는 행위를 시작하였다거나 주거의 사실상의 평온을 침해할 객관적인 위험성을 포함하는 행위를 한 것으로 볼 수 없다(주거침입의 실행의 착수에 해당하는 행위를 하였다고 볼 수 없다).(대법원 2008. 4. 10. 2008도1464 **초인종 사건**)

③ [○] 피고인이 야간에 소지하고 있던 손전등과 박스 포장용 노끈을 이용하여 도로에 주차된 차량의 문을 열고 그 안에 들어있는 현금 등을 절취할 것을 마음먹고, 승합차량의 문이 잠겨 있는지 확인하기 위해 양손으로 운전석 문의 손잡이를 잡고 열려고 하던 중 경찰관에게 발각된 경우, 차량 내에 있는 재물에 대한 사실상의 지배를 침해하는 데에 밀접한 행위가 개시된 것으로 보아 절도죄의 실행에 착수한 것으로 봄이 상당하다.(대법원 2009. 9. 24. 2009도5595 **자동차 손잡이 사건 Ⅱ**)

④ [○] 종량제 쓰레기봉투에 인쇄할 시장 명의의 문안이 새겨진 필름을 제조하는 행위에 그친 경우에는 아직 위 시장 명의의 공문서인 종량제 쓰레기봉투를 위조하는 범행의 실행의 착수에 이르지 아니한 것으로서 그 준비단계에 불과하다.(대법원 2007. 2. 23. 2005도7430 **종량제봉투 사건**)

230 실행의 착수시기 또는 기수시기에 관한 설명 중 옳지 않은 것은? (다툼이 있으면 판례에 의함)

12 변호사 [Superlative ★★★]

① 위장결혼의 당사자 및 브로커와 공모한 피고인이 허위로 결혼사진을 찍고 혼인신고에 필요한 서류를 준비하여 위장결혼의 당사자에게 건네준 것만으로는 공전자기록등부실기재죄의 실행에 착수한 것으로 볼 수 없다.

② 부동산의 매도인이 제1차 매수인에게서 중도금을 수령한 후, 다시 제2차 매수인에게서 계약금만을 지급받더라도 배임죄의 실행의 착수는 인정된다.

③ 피고인이 방화의 의사로 뿌린 휘발유가 인화성이 강한 상태로 피고인의 처와 자녀가 있는 주택 주변과 피해자의 몸에 적지 않게 살포되어 있는 사정을 알면서도 라이터를 켜 불꽃을 일으킴으로써 피해자의 몸에 불이 붙은 경우, 비록 외부적 사정으로 불이 방화 목적물인 주택 자체에 옮겨 붙지는 아니하였다 하더라도 현존건조물방화죄의 실행의 착수가 인정된다.

④ 피해자의 해외도피를 방지하기 위하여 피해자를 협박하고 이에 피해자가 겁을 먹고 있는 상태를 이용하여 피해자 소유의 여권을 교부하게 함으로써 피해자가 그의 여권을 강제 회수당하였다면 강요죄의 기수가 성립한다.

⑤ 위조사문서행사죄는 상대방이 위조된 문서의 내용을 실제로 인식할 필요 없이 상대방으로 하여금 위조된 문서를 인식할 수 있는 상태에 둠으로써 기수가 된다.

해설

② [×] 부동산 이중양도에 있어서 매도인이 제2차 매수인으로부터 **계약금만을 지급받고 중도금을 수령한 바 없다면, 배임죄의 실행의 착수가 있었다고 볼 수 없다.**(대법원 2010. 4. 29. 2009도14427)

① [○] 공전자기록등부실기재죄에 있어서의 실행의 착수시기는 공무원에 대하여 허위의 신고를 하는 때라고 보아야 할 것인바, 피고인이 위장결혼의 당사자 및 중국 측 브로커와의 공모하에 허위로 결혼사진을 찍고 혼인신고에 필요한 서류를 준비하여 위장결혼의 당사자에게 건네준 것만으로는 아직 실행에 착수한 것으로 보기 어렵다.(대법원 2009. 9. 24. 2009도4998 **사진찍고 서류준비만 사건**)

③ [○] 피고인이 방화의 의사로 뿌린 휘발유가 인화성이 강한 상태로 주택주변과 피해자의 몸에 적지 않게 살포되어 있는 사정을 알면서도 라이터를 켜 불꽃을 일으킴으로써 피해자의 몸에 불이 붙은 경우, 비록 외부적 사정에 의하여 불이 방화 목적물인 주택 자체에 옮겨 붙지는 아니하였다 하더라도 현존건조물방화죄의 실행의 착수가 있었다고 봄이 상당하다.(대법원 2002. 3. 26. 2001도6641 **마산 두척동 방화사건**)

④ [○] 피해자의 해외도피를 방지하기 위하여 피해자를 협박하고 이에 피해자가 겁을 먹고 있는 상태를 이용하여 동인 소유의 여권을 교부하게 하여 피해자가 그의 여권을 강제 회수당하였다면 피해자가 해외여행을 할 권리는 사실상 침해되었다고 볼 것이므로 강요죄의 기수로 보아야 한다.(대법원 1993. 7. 27. 93도901)

⑤ [○] 위조사문서의 행사는 상대방으로 하여금 위조된 문서를 인식할 수 있는 상태에 둠으로써 기수가 되고 상대방이 실제로 그 내용을 인식하여야 하는 것은 아니다.(대법원 2005. 1. 28. 2004도4663 **입점자각서 송부사건**)

231

□□□

다음 <보기> 중 옳은 것은 모두 몇 개인가? (다툼이 있으면 판례에 의함)

24 해경채용 [Superlative ★★★]

⊙ 허위의 채권을 피보전권리로 삼아 가압류를 한 경우 그 채권에 관하여 현실적으로 청구의 의사표시를 한 것이라고 볼 수 있으므로 본안소송을 제기하지 아니한 채 가압류를 한 경우에도 사기죄의 실행에 착수하였다.

⊙ 입영대상자가 병역면제처분을 받을 목적으로 병원으로부터 허위의 병사용 진단서를 발급받은 경우 구 병역법 제86조의 사위행위의 실행에 착수하였다.

⊙ 위장결혼의 당사자 및 브로커와 공모한 甲이 허위로 결혼사진을 찍고 혼인신고에 필요한 서류를 준비하여 위장결혼의 당사자에게 건네준 것만으로는 공전자기록등부실기재죄의 실행에 착수한 것으로 볼 수 없다.

⊙ 실행의 착수시기에 관한 학설 중 주관설은 범죄란 범죄적 의사의 표현이므로 범죄의사를 명백하게 인정할 수 있는 외부적 행위가 있을 때 또는 범의의 비약적 표동이 있을 때 실행의 착수가 있다는 견해로 가벌적 미수의 범위가 지나치게 확대될 수 있다.

⊙ 야간에 아파트에 침입하여 물건을 훔칠 의도하에 아파트의 베란다 철제난간까지 올라가 유리창문을 열려고 시도한 경우 야간주거침입죄의 실행에 착수하였다.

---

① 2개 　　　　② 3개 　　　　③ 4개 　　　　④ 5개

해설

② ⓒⓔⓔ 3 항목이 옳다.

⊙ [×] 가압류는 강제집행의 보전방법에 불과한 것이어서 허위의 채권을 피보전권리로 삼아 가압류를 하였다고 하더라도 그 채권에 관하여 현실적으로 청구의 의사표시를 한 것이라고는 볼 수 없으므로 본안소송을 제기하지 아니한 채 가압류를 한 것만으로는 **사기죄의 실행에 착수하였다고 할 수 없다.**(대법원 1988. 9. 13. 88도55 **허위채권보전 가압류 사건 Ⅱ**)

⊙ [×] 입영대상자가 병사용 진단서를 발급받아 관할 병무청에 제출하는 단계에까지 이르지 않은 이상 병역의무를 잠탈하거나 병무행정의 적정성을 침해할 직접적인 위험이 발생한 것으로 보기 어려워 병역법 제86조가 규정하고 있는 '사위행위'의 실행에 이르렀다고 볼 수 없다.(대법원 2005. 11. 10. 2005도1995 **진단서 발급만 사건**)

ⓒ [○] 공전자기록등부실기재죄에 있어서의 실행의 착수시기는 공무원에 대하여 허위의 신고를 하는 때라고 보아야 하므로, 피고인이 위장결혼의 당사자 및 중국 측 브로커와의 공모하에 허위로 결혼사진을 찍고 혼인신고에 필요한 서류를 준비하여 위장결혼의 당사자에게 건네준 것만으로는 아직 공전자기록등부실기재죄에 있어서 실행에 착수한 것으로 보기 어렵다.(대법원 2009. 9. 24. 2009도4998 **사진찍고 서류준비만 사건**)

ⓔ [○] 주관설의 입장을 서술한 것으로서 옳다.

ⓜ [○] 피고인이 야간에 아파트 202호에 침입하여 물건을 훔칠 의도하에 아파트 202호의 베란다 철제난간까지 올라가 유리창문을 열려고 시도하였다면 주거의 사실상의 평온을 침해할 객관적 위험성을 포함하는 구체적인 행위를 한 것으로 볼 수 있다.(대법원 2003. 10. 24. 2003도4417 **202호 유리창문 사건**)

232 실행의 착수에 관한 설명 중 옳지 않은 것으로 짝지은 것은? (다툼이 있으면 판례에 의함)

□□□

⊙ 야간에 다세대주택에 침입하여 물건을 절취하기 위하여 가스배관을 타고 오르다가 순찰 중이던 경찰관에게 발각되어 그냥 뛰어내린 경우 야간주거침입절도죄의 실행의 착수가 있다.

⊙ 가압류는 강제집행의 보전방법에 불과한 것이어서 허위의 채권을 피보전권리로 삼아 가압류를 하였다고 하더라도 본안소송을 제기하지 아니하였다면 사기죄의 실행에 착수가 없다.

⊙ 간첩의 목적으로 외국 또는 북한에서 국내에 침투 또는 월남하는 경우에는 기밀탐지가 가능한 국내에 침투 상륙함으로써 간첩죄의 실행의 착수가 있다.

⊙ 허위채권에 기한 공정증서를 집행권원으로 하여 채무자의 소유권이전등기청구권에 대하여 압류신청을 한 것만으로는 소송사기의 실행에 착수한 것으로 볼 수 없다.

⊙ 甲이 강간할 목적으로 乙의 집에 침입해 안방에 들어가 누워 자고 있는 乙의 가슴과 엉덩이를 만지면서 간음을 기도하였다면 실행의 착수가 있다.

① ㉠㉡㉢   ② ㉡㉢㉣   ③ ㉠㉣㉤   ④ ㉡㉣㉤

해설

③ ㉠㉣㉤ 3 항목이 옳지 않다.

㉠ [×] 피고인이 다세대주택 2층의 불이 꺼져있는 것을 보고 물건을 절취하기 위하여 가스배관을 타고 올라가다가, 발은 1층 방범창을 딛고 두 손은 1층과 2층 사이에 있는 **가스배관을 잡고 있던 상태에서 순찰 중이던 경찰관에게 발각되자 그대로 뛰어내린 경우**, 이러한 행위만으로는 주거의 사실상의 평온을 침해할 현실적 위험성이 있는 행위를 개시한 때에 해당한다고 보기 어렵다.(대법원 2008. 3. 27. 2008도917 가스배관 잡고있다 적발사건)

㉡ [○] 가압류는 강제집행의 보전방법에 불과한 것이어서 허위의 채권을 피보전권리로 삼아 가압류를 하였다고 하더라도 그 채권에 관하여 현실적으로 청구의 의사표시를 한 것이라고는 볼 수 없으므로, 본안소송을 제기하지 아니한 채 가압류를 한 것만으로는 사기죄의 실행에 착수하였다고 할 수 없다.(대법원 1988. 9. 13. 88도55)

㉢ [○] 간첩의 목적으로 외국 또는 북한에서 국내에 침투 또는 월남하는 경우에는 기밀탐지가 가능한 국내에 침투 상륙함으로써 간첩죄의 실행의 착수가 있다고 할 것이다.(대법원 1984. 9. 11. 84도1381 간첩 하원차랑 사건)

㉣ [×] (1) 강제집행절차를 통한 소송사기는 집행절차의 개시신청을 한 때 또는 진행 중인 집행절차에 배당신청을 한 때에 실행에 착수하였다고 볼 것이다. (2) 부동산에 관한 권리이전청구권에 대한 강제집행은 그 자체를 처분하여 그 대금으로 채권에 만족을 기하는 것이 아니고, 부동산에 관한 권리이전청구권을 압류하여 청구권의 내용을 실현시키고 부동산을 채무자의 책임재산으로 귀속시킨 다음 다시 그 부동산에 대한 경매를 실시하여 그 매각대금으로 채권에 만족을 기하는 것이다. 이러한 경우 **소유권이전등기청구권에 대한 압류**는 당해 부동산에 대한 경매의 실시를 위한 사전 단계로서의 의미를 가지나, **전체로서의 강제집행절차를 위한 일련의 시작행위라고 할 수 있으므로 허위 채권에 기한 공정증서를 집행권원으로 하여 채무자의 소유권이 전등기청구권에 대하여 압류신청을 한 시점에 소송사기의 실행에 착수하였다고 볼 것이다.**(대법원 2015. 2. 12. 2014도10086 등기청구권 압류신청사건)

㉤ [×] 피고인이 강간할 목적으로 피해자의 집에 침입하였다 하더라도 안방에 들어가 누워 자고 있는 피해자의 가슴과 엉덩이를 만지면서 간음을 기도하였다는 사실만으로는 강간의 수단으로 피해자에게 폭행이나 협박을 개시하였다고 하기는 어렵다.(대법원 1990. 5. 25. 90도607 가슴·엉덩이 애무사건)

제2절 I 중지미수

233 중지미수에 있어서 자의성이 인정되는 경우는? (다툼이 있으면 판례에 의함) 16 국가9급 [Core ★★]
□□□

① 甲은 강간의 실행에 착수하였으나 A가 다음에 만나서 친해지면 응해주겠다는 취지로 간곡하게 부탁을 하자 실행을 중지한 경우

② 甲은 강간의 실행에 착수하였으나 A가 시장에 간 남편이 곧 돌아올 것이고 자신이 현재 임신 중이라고 말하자 실행을 중지한 경우

③ 甲은 A를 살해하려고 A의 목과 왼쪽 가슴을 칼로 수회 찔렀으나 A의 가슴에서 피가 많이 흘러나오는 것을 보고 겁이 나서 실행을 중지한 경우

④ 甲은 A의 주택을 불태우려고 주택 안의 장롱에 있던 의류에 불을 놓았으나 불길이 치솟는 것을 보고 겁이 나서 물을 부어 불을 끈 경우

해설

① [○] **피고인은 자의로 피해자에 대한 강간행위를 중지한 것이고** 피해자의 다음에 만나 친해지면 응해 주겠다는 취지의 간곡한 부탁은 사회통념상 범죄실행에 대한 장애라고 여겨지지는 아니하므로 피고인의 행위는 **중지미수에 해당한다.**(대법원 1993. 10. 12. 93도1851 친해지면 응해주겠다 사건)

② [×] 강도가 강간하려고 하였으나 잠자던 피해자의 어린 딸이 잠에서 깨어 우는 바람에 도주하였고 또 피해자가 시장에 간 남편이 곧 돌아온다고 하면서 임신중이라고 말하자 도주한 경우에는 자의로 강간행위를 중지하였다고 볼 수 없다.(대법원 1993. 4. 13. 93도347 마음약한 강간범 사건)

③ [×] 피고인이 피해자를 살해하려고 그의 목 부위와 왼쪽 가슴 부위를 칼로 수 회 찔렀으나 피해자의 가슴 부위에서 많은 피가 흘러나오는 것을 발견하고 겁을 먹고 그만 두는 바람에 미수에 그친 것이라면, 위와 같은 경우 많은 피가 흘러나오는 것에 놀라거나 두려움을 느끼는 것은 일반 사회통념상 범죄를 완수함에 장애가 되는 사정에 해당한다고 보아야 할 것이므로 이를 자의에 의한 중지미수라고 볼 수 없다.(대법원 1999. 4. 13. 99도640 마음약한 살인범 사건)

④ [×] 피고인이 장롱 안에 있는 옷가지에 불을 놓아 건물을 소훼하려 하였으나 불길이 치솟는 것을 보고 겁이나서 물을 부어 불을 끈 것이라면, 위와 같은 경우 치솟는 불길에 놀라거나 자신의 신체안전에 대한 위해 또는 범행 발각시의 처벌 등에 두려움을 느끼는 것은 일반 사회통념상 범죄를 완수함에 장애가 되는 사정에 해당한다고 보아야 할 것이므로 이를 자의에 의한 중지미수라고는 볼 수 없다.(대법원 1997. 6. 13. 97도957 마음약한 방화범 사건)

234 중지미수에 관한 다음 설명 중 가장 옳지 않은 것은? (다툼이 있으면 판례에 의함)

□□□

① 범죄의 실행행위에 착수하고 그 범죄가 완수되기 전에 자기의 자유로운 의사에 따라 범죄의 실행행위를 중지한 경우 자의에 의한 중지가 일반 사회통념상 장애에 의한 미수라고 보여지는 경우가 아니면 이는 중지미수에 해당한다.

② 피고인이 장롱 안에 있는 옷가지에 불을 놓아 건물을 소훼하려 하였으나 불길이 치솟는 것을 보고 겁이 나서 물을 부어 불을 끈 것이라면, 중지미수에 해당한다.

③ 피고인이 피해자를 강간하려다가 피해자의 다음번에 만나 친해지면 응해 주겠다는 취지의 간곡한 부탁으로 인하여 그 목적을 이루지 못한 후 피해자를 자신의 차에 태워 집에까지 데려다 주었다면, 중지미수에 해당한다.

④ 피고인이 피해자를 살해하려고 그의 목 부위와 왼쪽 가슴 부위를 칼로 수 회 찔렀으나 피해자의 가슴 부위에서 많은 피가 흘러나오는 것을 발견하고 겁을 먹고 그만 두는 바람에 미수에 그친 것이라면, 중지미수에 해당하지 않는다.

해설

② [×] 피고인이 장롱 안에 있는 옷가지에 불을 놓아 건물을 소훼하려 하였으나 불길이 치솟는 것을 보고 겁이 나서 물을 부어 불을 끈 것이라면, 위와 같은 경우 치솟는 불길에 놀라거나 자신의 신체안전에 대한 위해 또는 범행 발각시의 처벌 등에 두려움을 느끼는 것은 일반 사회통념상 범죄를 완수함에 장애가 되는 사정에 해당한다고 보아야 할 것이므로 **자의에 의한 중지미수라고는 볼 수 없다.**(대법원 1997. 6. 13. 97도957 **마음약한 방화범** 사건)

① [○] 범죄의 실행행위에 착수하고 그 범죄가 완수되기 전에 자기의 자유로운 의사에 따라 범죄의 실행행위를 중지한 경우 자의에 의한 중지가 일반 사회통념상 장애에 의한 미수라고 보여지는 경우가 아니면 이는 중지미수에 해당한다.(대법원 2011. 11. 10. 2011도10539 **영남에어 대표** 사건)

③ [○] 피고인은 자의로 피해자에 대한 강간행위를 중지한 것이고 피해자의 다음에 만나 친해지면 응해 주겠다는 취지의 간곡한 부탁은 사회통념상 범죄실행에 대한 장애라고 여겨지지는 아니하므로 피고인의 행위는 중지미수에 해당한다.(대법원 1993. 10. 12. 93도1851 **친해지면 응해주겠다** 사건)

④ [○] 피고인이 피해자를 살해하려고 그의 목 부위와 왼쪽 가슴 부위를 칼로 수 회 찔렀으나 피해자의 가슴부위에서 많은 피가 흘러나오는 것을 발견하고 겁을 먹고 그만 두는 바람에 미수에 그친 것이라면, 위와 같은 경우 많은 피가 흘러나오는 것에 놀라거나 두려움을 느끼는 것은 일반 사회통념상 범죄를 완수함에 장애가 되는 사정에 해당한다고 보아야 할 것이므로 이를 자의에 의한 중지미수라고 볼 수 없다.(대법원 1999. 4. 13. 99도640 **마음약한 살인범** 사건)

235

□□□ 다음 설명 중 옳은 것만을 모두 고르면? (다툼이 있으면 판례에 의함) 21 국가9급 [Essential ★]

> ○ 장애미수와 중지미수는 범죄실행에 착수할 당시 실행행위를 놓고 판단하였을 때 행위자가 의도한 범죄의 기수가 성립할 가능성이 있었으므로 처음부터 기수가 될 가능성이 객관적으로 배제되는 불능미수와 구별된다.
> ○ 예비행위를 자의로 중지한 경우 예비의 형이 중지미수의 형보다 무거운 때에는 중지미수의 규정을 준용할 수 있다.
> ○ 사람을 약취·유인한 자가 인질을 안전한 장소로 풀어준 때와 같이 예외적인 경우에는 범죄가 기수에 이른 후에도 형법 총칙상 중지미수의 규정을 준용한다.
> ○ 범죄의 실행에 착수하였으나 피해자의 간곡한 부탁으로 인하여 그 목적을 이루지 못하고 자기의 자유로운 의사에 따라 범죄의 실행을 중지한 경우에는 중지미수에 해당한다.

① ㉠㉡ ② ㉠㉣

③ ㉡㉢ ④ ㉢㉣

해설

> ② ㉠㉣ 2 항목이 옳다.
>
> ㉠ [O] 장애미수 또는 중지미수는 범죄의 실행에 착수할 당시 실행행위를 놓고 판단하였을 때 행위자가 의도한 범죄의 기수가 성립할 가능성이 있었으므로 처음부터 기수가 될 가능성이 객관적으로 배제되는 불능미수와 구별된다.(대법원 2019. 3. 28. 2018도16002 **손습 만취한 것으로 오해 사건**)
>
> ㉡ [X] 중지범은 범죄의 실행에 착수한 후 자의로 그 행위를 중지한 때를 말하는 것이고, **실행의 착수가 있기 전인 예비음모의 행위를 처벌하는 경우에 있어서 중지범의 관념은 인정할 수 없다.**(대법원 1999. 4. 9. 99도424 **녹두 밀수사건**) 예비의 형이 중지미수의 형보다 무거운지 여부를 불문하고 중지미수의 규정을 준용할 수 없다.
>
> ㉢ [X] 범죄가 기수에 이른 후에는 **중지미수의 규정을 준용할 여지가 없다.**(제26조) 사람을 약취·유인한 자가 인질을 안전한 장소로 풀어준 경우 형을 감경할 수 있는데, 이는 형사정책상의 필요에 의하여 형을 감경할 수 있도록 한 것이지 중지미수의 규정을 준용한 결과는 물론 아니다.
>
> ㉣ [O] 피고인은 자의로 피해자에 대한 강간행위를 중지한 것이고 피해자의 다음에 만나 친해지면 응해 주겠다는 취지의 간곡한 부탁은 사회통념상 범죄실행에 대한 장애라고 여겨지지는 아니하므로 피고인의 행위는 중지미수에 해당한다.(대법원 1993. 10. 12. 93도1851 **친해지면 응해주겠다 사건**)

236 중지미수에 관한 설명 중 옳은 것을 모두 고른 것은? (다툼이 있으면 판례에 의함)

⬜⬜⬜

> ㉠ 타인의 재물을 공유한 자가 공유자의 승낙을 받지 않고 공유대지를 담보로 제공하고 가등기를 경료하였다면, 그 후 자의로 가등기를 말소했다고 하더라도 중지미수에 해당하지 않는다.
>
> ㉡ 살해의 고의로 목 부위와 가슴 부위를 칼로 수 차례 찔렀으나 피해자의 가슴 부위에서 많은 피가 흘러나오는 것을 발견하고 겁을 먹고 자의로 그만 두는 바람에 미수에 그친 것은 중지미수에 해당된다.
>
> ㉢ 피고인이 기밀탐지의 목적으로 대한민국에 입국하여 기밀을 탐지 수집하던 중 경찰관이 피고인의 행적을 탐문하고 갔다는 말을 전해 듣고 지령사항 수행을 중지하였다면 중지미수에 해당된다.
>
> ㉣ 장롱 안에 있는 옷가지에 불을 놓아 건물을 소훼하려 하였으나 불길이 치솟는 것을 보고 겁이 나서 자의로 물을 가져다 불을 끈 경우 중지미수에 해당된다.
>
> ㉤ 피해자를 강간하려다가 피해자의 다음 번에 만나 친해지면 응해주겠다는 취지의 간곡한 부탁으로 인하여 그 목적을 이루지 못한 후 피해자를 자신의 차에 태워 집에까지 데려다 주었다면 중지미수에 해당된다.

① ㉠㉡ ② ㉠㉣ ③ ㉠㉤ ④ ㉡㉢㉤ ⑤ ㉢㉣㉤

해설

③ ㉠㉤ 2 항목이 옳다.
㉠ [○] 타인의 재물을 공유하는 자가 공유자의 승낙을 받지 않고 공유대지를 담보에 제공하고 가등기를 경료한 경우 횡령행위는 기수에 이르고 그 후 가등기를 말소했다고 하여 중지미수에 해당하는 것이 아니며 가등기말소 후에 다시 새로운 영득의사의 실현행위가 있을 때에는 그 두개의 횡령행위는 경합범 관계에 있다.(대법원 1978. 11. 28. 78도2175)
㉡ [×] 피고인이 피해자를 살해하려고 그의 목 부위와 왼쪽 가슴 부위를 칼로 수 회 찔렀으나 피해자의 가슴부위 에서 많은 피가 흘러나오는 것을 발견하고 겁을 먹고 그만 두는 바람에 미수에 그친 것이라면, 위와 같은 경우 많은 피가 흘러나오는 것에 놀라거나 두려움을 느끼는 것은 일반 사회통념상 범죄를 완수함에 장애가 되는 사정에 해당한다고 보아야 할 것이므로 **이를 자의에 의한 중지미수라고 볼 수 없다.**(대법원 1999. 4. 13. 99도640 **마음약한 살인범 사건**)
㉢ [×] 피고인이 기밀탐지임무를 부여받고 대한민국에 입국 기밀을 탐지 수집중 경찰관이 피고인의 행적을 탐문 하고 갔다는 말을 전해 듣고 지령사항수행을 보류하고 있던 중 체포되었다면 피고인은 기밀탐지의 기회를 노리 다가 검거된 것이므로 **이를 중지범으로 볼 수는 없다.**(대법원 1984. 9. 11. 84도1381)
㉣ [×] 피고인이 장롱 안에 있는 옷가지에 불을 놓아 건물을 소훼하려 하였으나 불길이 치솟는 것을 보고 겁이 나서 물을 부어 불을 끈 것이라면, 위와 같은 경우 치솟는 불길에 놀라거나 자신의 신체안전에 대한 위해 또는 범행 발각 시의 처벌 등에 두려움을 느끼는 것은 일반 사회통념상 범죄를 완수함에 장애가 되는 사정에 해당한다고 보아야 할 것이므로 **이를 자의에 의한 중지미수라고는 볼 수 없다.**(대법원 1997. 6. 13. 97도957 **마음약한 방화범 사건**)
㉤ [○] 피고인은 자로로 피해자에 대한 강간행위를 중지한 것이고 피해자의 다음에 만나 친해지면 응해주겠다는 취지의 간곡한 부탁은 사회통념상 범죄실행에 대한 장애라고 여겨지는 아니하므로 피고인의 행위는 중지미 수에 해당한다.(대법원 1993. 10. 12. 93도1851 **친해지면 응해주겠다 사건**)

237

□□□

미수에 대한 설명 중 옳은 것을 모두 고른 것은? (다툼이 있으면 판례에 의함)

18 경찰채용 [Core ★★]

> ⊙ 甲은 乙과 합동하여 피해자를 텐트 안으로 끌고 간 후 甲, 乙 순으로 성관계를 하기로 하고 乙은 위 텐트 밖으로 나와 주변에서 망을 보고 甲은 피해자의 옷을 모두 벗기고 피해자의 반항을 억압한 후 피해자를 1회 간음하여 강간하고, 이어 乙이 위 텐트 안으로 들어가 피해자를 강간하려 하였으나 피해자가 반항을 하며 강간을 하지 말아 달라고 사정을 하여 강간을 하지 않았다면 乙에 대하여는 중지미수가 인정된다.
>
> ⓛ 피고인이 장롱 안에 있는 옷가지에 불을 놓아 건물을 소훼하려 하였으나 불길이 치솟는 것을 보고 겁이 나서 물을 부어 불을 끈 것이라면 중지미수라고 볼 수 없다.
>
> ⓒ 실행의 수단 또는 대상의 착오로 인하여 결과의 발생이 불가능하더라도 위험성이 있는 때에는 처벌한다. 단, 형을 감경 또는 면제한다.
>
> ⓔ 필로폰을 매수하려는 자에게서 필로폰을 구해 달라는 부탁과 함께 돈을 지급받았다고 하더라도, 당시 필로폰을 소지 또는 입수한 상태에 있었거나 그것이 가능하였다는 등 매매행위에 근접·밀착한 상태에서 대금을 지급받은 것이 아니라 단순히 필로폰을 구해 달라는 부탁과 함께 대금 명목으로 돈을 지급받은 것에 불과한 경우에는 필로폰 매매행위의 실행의 착수에 이른 것으로 볼 수 없다.

① ⊙ⓛ   ② ⊙ⓒ   ③ ⓛⓔ   ④ ⓒⓔ

해설

③ ⓛⓔ 2 항목이 옳다.

⊙ [×] 다른 공범의 범행을 중지하게 하지 아니한 이상 자기만의 범의를 철회, 포기하여도 중지미수로는 인정될 수 없는 것인바 (중략) 甲이 乙과의 공모하에 강간행위에 나아간 이상 비록 **乙이 강간행위에 나아가지 않았다 하더라도 중지미수에 해당하지 않는다.**(대법원 2005. 2. 25. 2004도8259 **텐트 강간사건**)

ⓛ [○] 피고인이 장롱 안에 있는 옷가지에 불을 놓아 건물을 소훼하려 하였으나 불길이 치솟는 것을 보고 겁이 나서 물을 부어 불을 끈 것이라면, 위와 같은 경우 치솟는 불길에 놀라거나 자신의 신체안전에 대한 위해 또는 범행 발각시의 처벌 등에 두려움을 느끼는 것은 일반 사회통념상 범죄를 완수함에 장애가 되는 사정에 해당한다고 보아야 할 것이므로 이를 자의에 의한 중지미수라고는 볼 수 없다.(대법원 1997. 6. 13. 97도957 **마음약한 방화범 사건**)

ⓒ [×] 실행의 수단 또는 대상의 착오로 인하여 결과의 발생이 불가능하더라도 위험성이 있는 때에는 처벌한다. 단, **형을 감경 또는 면제할 수 있다.**(제27조)

ⓔ [○] 필로폰을 매수하려는 자에게서 필로폰을 구해 달라는 부탁과 함께 돈을 지급받았다고 하더라도, 당시 필로폰을 소지 또는 입수한 상태에 있었거나 그것이 가능하였다는 등 매매행위에 근접·밀착한 상태에서 대금을 지급받은 것이 아니라 단순히 필로폰을 구해 달라는 부탁과 함께 대금 명목으로 돈을 지급받은 것에 불과한 경우에는 필로폰 매매행위의 실행의 착수에 이른 것이라고 볼 수 없다.(대법원 2015. 3. 20. 2014도16920 **200만원 송금만 사건**)

238 중지미수범에 관한 다음 설명 중 옳지 않은 것을 모두 고른 것은? (다툼이 있으면 판례에 의함)

14 경찰채용 [Core ★★]

㉠ 甲과 乙은 피해자를 텐트 안으로 끌고 가 차례로 성관계를 하기로 하고, 甲이 텐트 밖에서 망을 보는 사이 乙은 피해자의 반항을 억압한 후 강간하였고, 이어 甲이 텐트 안으로 들어가 피해자를 강간하려 하였으나 피해자가 반항을 하며 강간을 하지 말아 달라고 사정을 하여 강간을 하지 않았다면 甲은 중지미수에 해당한다.

㉡ 장롱 안에 있는 옷가지에 불을 놓아 건물을 소훼하려 하였으나 불길이 치솟는 것을 보고 겁이 나서 물을 부어 불을 끈 것이라면 자의에 의한 중지미수라고는 볼 수 없다.

㉢ 피고인이 甲에게 위조한 예금통장 사본 등을 보여주면서 외국회사에서 투자금을 받았다고 거짓말하며 자금 대여를 요청하였으나, 甲과 함께 그 입금 여부를 확인하기 위해 은행에 가던 중 은행 입구에서 차용을 포기하고 돌아갔다면 중지미수로 볼 수 없다.

㉣ 강도가 강간하려고 하였으나 잠자던 피해자의 어린 딸이 잠에서 깨어 울고 있고, 또 피해자가 시장에 간 남편이 곧 돌아온다고 하면서 임신 중이라고 말하자 강간을 중지한 경우에는 중지미수에 해당한다.

㉤ 甲이 乙을 살해하려고 그의 목 부위와 왼쪽 가슴 부위를 칼로 수회 찔러 乙의 가슴 부위에서 많은 피가 흘러나오는 것을 발견하고 겁을 먹고 그만두었다면 중지미수에 해당한다.

---

① ㉠㉡㉢㉤   ② ㉠㉣㉤   ③ ㉡㉣㉤   ④ ㉠㉢㉣

해설

② ㉠㉣㉤ 3 항목이 옳지 않다.

㉠ [×] 다른 공범의 범행을 중지하게 하지 아니한 이상 자기만의 범의를 철회, 포기하여도 중지미수로는 인정될 수 없는 것인바 (중략) 乙이 甲과의 공모하에 강간행위에 나아간 이상 비록 **甲이 강간행위에 나아가지 않았다 하더라도 중지미수에 해당하지 않는다.**(대법원 2005. 2. 25. 2004도8259 텐트 강간사건)

㉡ [○] 피고인이 장롱 안에 있는 옷가지에 불을 놓아 건물을 소훼하려 하였으나 불길이 치솟는 것을 보고 겁이 나서 물을 부어 불을 끈 것이라면, 위와 같은 경우 치솟는 불길에 놀라거나 자신의 신체안전에 대한 위해 또는 범행 발각시의 처벌 등에 두려움을 느끼는 것은 일반 사회통념상 범죄를 완수함에 장애가 되는 사정에 해당한 다고 보아야 할 것이므로 이를 자의에 의한 중지미수라고는 볼 수 없다.(대법원 1997. 6. 13. 97도957 마음약한 방화범 사건)

㉢ [○] 피고인은 범행이 발각될 것이 두려워 범행을 중지한 것으로서 일반 사회통념상 범죄를 완수함에 장애가 되는 사정에 해당하여 자의에 의한 중지미수로 볼 수 없다.(대법원 2011. 11. 10. 2011도10539 영남에어 대표 사건)

㉣ [×] 강도가 강간하려고 하였으나 잠자던 피해자의 어린 딸이 잠에서 깨어 우는 바람에 도주하였고 또 피해자가 시장에 간 남편이 곧 돌아온다고 하면서 임신중이라고 말하자 도주한 경우에는 **자의로 강간행위를 중지하였다고 볼 수 없다.**(대법원 1993. 4. 13. 93도347 마음약한 강간범 사건)

㉤ [×] 많은 피가 흘러나오는 것에 놀라거나 두려움을 느끼는 것은 일반 사회통념상 범죄를 완수함에 장애가 되는 사정에 해당한다고 보아야 할 것이므로 이를 **자의에 의한 중지미수라고 볼 수 없다.**(대법원 1999. 4. 13. 99도640 마음약한 살인범 사건)

제3절 | 불능미수

239 불능미수에 대한 설명 중 가장 적절하지 않은 것은? (다툼이 있으면 판례에 의함)
□□□
20 경찰승진 [Core ★★]

① 불능미수는 실행의 수단이나 대상의 착오로 처음부터 구성요건이 충족될 가능성이 없는 경우로, 결과적으로 구성요건의 충족은 불가능하지만 그 행위의 위험성이 있으면 불능미수로 처벌한다.

② 불능미수는 행위자가 실제로 존재하지 않는 사실을 존재한다고 오인하였다는 측면에서 존재하는 사실을 인식하지 못한 사실의 착오와 다르다.

③ '결과 발생의 불가능'은 실행의 수단 또는 대상의 원시적 불가능성으로 인하여 범죄가 기수에 이를 수 없는 것을 의미한다고 보아야 한다.

④ 불능범과 구별되는 불능미수의 성립요건인 '위험성'은 행위 당시에 행위자가 인식한 사정과 일반인이 인식할 수 있는 사정을 기초로 일반적 경험법칙에 따라 판단해야 한다.

해설

④ [×] 불능범과 구별되는 불능미수의 성립요건인 '위험성'은 **피고인이 행위 당시에 인식한 사정**을 놓고 일반인이 객관적으로 판단하여 결과 발생의 가능성이 있는지 여부를 따져야 한다.(대법원 2019. 3. 28. 2018도16002 全合 만취한 것으로 오해 사건) 즉, '위험성'은 행위 당시에 행위자가 인식한 사정을 기초로 일반적 경험법칙에 따라 판단해야 한다.

① [○] 불능미수는 실행의 수단이나 대상의 착오로 처음부터 구성요건이 충족될 가능성이 없는 경우로, 결과적으로 구성요건의 충족은 불가능하지만 그 행위의 위험성이 있으면 불능미수로 처벌한다.(대법원 2019. 3. 28. 2018도16002 全合 만취한 것으로 오해 사건)

② [○] 불능미수는 행위자가 실제로 존재하지 않는 사실을 존재한다고 오인하였다는 측면에서 존재하는 사실을 인식하지 못한 사실의 착오와 다르다.(대법원 2019. 3. 28. 2018도16002 全合 만취한 것으로 오해 사건)

③ [○] 형법 제27조에서 정한 '실행의 수단 또는 대상의 착오'는 행위자가 시도한 행위방법 또는 행위객체로는 결과의 발생이 처음부터 불가능하다는 것을 의미한다. 그리고 '결과 발생의 불가능'은 실행의 수단 또는 대상의 원시적 불가능성으로 인하여 범죄가 기수에 이를 수 없는 것을 의미한다.(대법원 2019. 3. 28. 2018도16002 全合 만취한 것으로 오해 사건)

240 미수 · 기수에 대한 설명으로 옳지 않은 것은? (다툼이 있으면 판례에 의함) 21 국가9급 [Essential ★]

☐☐☐

① 공동정범 중 1인이 다른 공범의 범행을 중지하게 하지 아니하고 자기만의 범의를 철회, 포기한 경우 중지미수로 인정될 수 없다.

② 불능범과 구별되는 불능미수의 성립요건인 '위험성'은 행위자가 행위 당시에 인식한 사정을 놓고 일반인이 객관적으로 판단하여 결과 발생의 가능성이 있는지 여부를 따져야 한다.

③ 甲이 A에게 위조한 예금통장 사본 등을 보여주면서 외국회사에서 투자금을 받았다고 거짓말하며 자금 대여를 요청한 후 A와 함께 그 입금 여부를 확인하기 위해 은행에 가던 중 범행이 발각될 것이 두려워 은행 입구에서 그 차용을 포기하고 돌아간 경우 사기죄의 장애미수에 해당한다.

④ 甲이 타인의 명의를 빌려 예금계좌를 개설한 후 통장과 도장은 명의인에게 보관시키고 자신은 위 계좌의 현금인출카드를 소지한 채 명의인을 기망하여 위 계좌로 돈을 송금하게 하였지만 그 돈을 인출하지 않고 있던 중 명의인이 이를 인출한 경우, 甲은 사기죄의 장애미수에 해당한다.

해설

④ [×] 피고인 甲이 A의 명의를 빌려 예금계좌를 개설한 후, 통장과 도장은 명의인 A에게 보관시키고 자신은 위 계좌의 현금인출카드를 소지한 채 A를 기망하여 예금계좌로 돈을 송금하게 한 경우, 자신은 언제든지 카드를 이용하여 차명계좌 통장으로부터 금원을 인출할 수 있었고 **A를 기망하여 통장으로 돈을 송금받은 이상,** **이로써 송금받은 돈을 자신의 지배하에 두게 되어 편취행위는 기수에 이르렀다고 할 것이고,** 이후 편취금을 인출하지 않고 있던 중 A가 이를 인출하여 갔다 하더라도 이는 범죄성립 후의 사정일 뿐 사기죄의 성립에 영향이 없다.(대법원 2003. 7. 25. 2003도2252)

① [○] 다른 공범의 범행을 중지하게 하지 아니한 이상 자기만의 범의를 철회, 포기하여도 중지미수로는 인정될 수 없다.(대법원 2005. 2. 25. 2004도8259 **텐트 강간사건**)

② [○] 불능범과 구별되는 불능미수의 성립요건인 '위험성'은 피고인이 행위 당시에 인식한 사정을 놓고 일반인이 객관적으로 판단하여 결과 발생의 가능성이 있는지 여부를 따져야 한다.(대법원 2019. 3. 28. 2018도16002 **숙승 만취한 것으로 오해 사건**)

③ [○] 피고인이 입금 여부를 확인하기 위해 은행에 가던 중 은행 입구에서 차용을 포기하고 돌아간 것이라면, 이는 피고인이 범행이 발각될 것이 두려워 범행을 중지한 것으로서 일반 사회통념상 범죄를 완수함에 장애가 되는 사정에 해당한다고 보아야 할 것이므로 이를 자의에 의한 중지미수라고는 볼 수 없다.(대법원 2011. 11. 10. 2011도10539 **영남에어 대표 사건**)

241 불능미수에 대한 설명으로 옳은 것만을 모두 고른 것은? (다툼이 있으면 판례에 의함)

□□□

17 국가9급 [Superlative ★★★]

> ㉠ 형법은 실행의 주체, 수단 또는 대상의 착오로 인하여 결과의 발생이 불가능하더라도 위험성이 있는 경우에는 처벌이 가능하도록 규정하며, 처벌의 수준에 있어서는 형의 임의적 감면을 규정하고 있다.
>
> ㉡ 대법원은 불능미수의 판단 기준으로서 일관하여 위험성 판단은 피고인이 행위 당시에 인식한 사정을 놓고 이것이 객관적으로 일반인의 판단으로 보아 결과 발생의 가능성이 있느냐를 따져야 한다는 입장을 취하고 있다.
>
> ㉢ 甲이 소송비용을 편취할 의사로 소송비용의 지급을 구하는 손해배상청구의 소를 제기하였다고 하더라도 결과 발생의 가능성이 없어 위험성이 인정되지 않는다.
>
> ㉣ 향정신성의약품인 메스암페타민 속칭 '히로뽕' 제조를 시도하였으나 '약품배합 미숙'으로 그 완제품을 제조하지 못하였더라도 위 소위는 그 성질상 결과발생의 위험성이 있다.

① ㉠㉡   ② ㉠㉢   ③ ㉡㉣   ④ ㉢㉣

해설

④ ㉢㉣ 2 항목이 옳다.

㉠ [×] 실행의 **수단 또는 대상**의 착오로 인하여 결과의 발생이 불가능하더라도 위험성이 있는 때에는 처벌한다. 단, 형을 감경 또는 면제할 수 있다.(제27조) 형법은 결과발생 불가능의 원인으로 '주체의 착오'는 규정하고 있지 않다.

㉡ [×] 대법원은 위험성 판단과 관련하여 아래와 같이 그때그때 다르게 판시하고 있다.
(1) 불능범은 범죄행위의 성질상 결과발생의 위험이 절대로 불능한 경우를 말한다.(대법원 2007. 7. 26. 2007도 3687 초우뿌리 부자 사건) (同旨 대법원 1985. 3. 26. 85도206) 구객관설을 취한 듯한 판례이다.
(2) 불능범의 판단 기준으로서 위험성 판단은 피고인이 행위 당시에 인식한 사정을 놓고 이것이 객관적으로 일반인의 판단으로 보아 결과 발생의 가능성이 있느냐를 따져야 한다.(대법원 2005. 12. 8. 2005도8105 소송비용 사건) (同旨 대법원 1978. 3. 28. 77도4049) 추상적 위험설을 취한 듯한 판례이다.

㉢ [○] 소송비용을 편취할 의사로 소송비용의 지급을 구하는 손해배상청구의 소를 제기하였다고 하더라도 이는 객관적으로 소송비용의 청구방법에 관한 법률적 지식을 가진 일반인의 판단으로 보아 결과 발생의 가능성이 없어 위험성이 인정되지 않으므로 불가벌적 불능범에 해당한다.(대법원 2005. 12. 8. 2005도8105 소송비용 사건)

㉣ [○] 향정신성의약품인 메스암페타민(속칭 히로뽕)의 제조를 위해 그 원료인 염산에페트린 및 수종의 약품을 교반하여 그 제조를 시도하였으나 약품배합 미숙으로 그 완제품을 제조하지 못하였다면 그 행위는 성질상 결과 발생의 위험성이 인정되어 습관성의약품제조죄의 미수범으로 처벌된다.(대법원 1985. 3. 26. 85도206)

242 다음 사례에서 불능미수의 학설에 관한 설명으로 가장 적절하지 않은 것은?

20 경찰채용 [Superlative ★★★]

> 甲은 평소 맘에 들지 않던 乙이 동네 벤치에 누워있는 것을 발견하고 살해하기 위해 총을 발사하였다. 그러나 乙은 甲이 총을 발사하기 전에 이미 심장마비로 사망한 상태였다.

① 구객관설(절대적 불능·상대적 불능 구별설)에 의하면 결과발생이 어떠한 경우에도 개념적으로 불가능하여 위험성이 인정되지 않는다.

② 구체적 위험설에 의하면 일반인이 乙을 살아 있는 것으로 오인한 경우뿐만 아니라 乙을 사망한 것으로 인식한 경우에도 행위자 甲의 인식이 우선시되므로 위험성이 인정된다.

③ 추상적 위험설에 의하면 甲은 乙을 살아 있는 사람으로 인식하고 있었으므로 위험성이 인정된다.

④ 주관설에 의하면 위 사례의 경우 위험성이 인정된다.

해설

② [×] 구체적 위험설에 의할 때 '행위자가 인식했던 사정'과 '일반인이 인식할 수 있었던 사정'이 일치하지 않는 경우 '일반인이 인식할 수 있었던 사정'을 기초로 결과발생의 가능성 유무를 검토한다. **일반인의 인식이 甲의 인식보다 우선시되므로** 일반인이 乙을 살아 있는 것으로 오인한 경우에는 위험성이 인정되고, 일반인이 乙을 사망한 것으로 인식한 경우에는 위험성이 인정되지 아니한다.

①③④ [○] 각 학설의 입장으로 옳은 설명이다.

핵심정리 불능미수에 있어 위험성 판단기준

구분	내용
구객관설	결과발생이 절대적으로 불가능한 경우는 위험성이 없는 불능범이고, 상대적으로 불가능한 경우는 위험성이 있는 불능미수라는 견해결과발생이 절대적으로 불가능한 경우는 위험성이 없는 불능범이고, 상대적으로 불가능한 경우는 위험성이 있는 불능미수라는 견해
구체적 위험설 (신객관설)	'행위자가 인식했던 사정'과 '일반인이 인식할 수 있었던 사정'을 기초로 하여, 일반인의 입장에서 결과발생의 가능성 유무를 검토하는 견해(양자가 일치하지 않는 경우 '일반인이 인식할 수 있었던 사정'을 기초로 함)
추상적 위험설	'행위자가 인식했던 사정'을 기초로 하여, 일반인의 입장에서 결과발생의 가능성 유무를 검토하는 견해
주관설	행위자의 범죄의사가 표현된 이상, 미신범을 제외하고는 모두 위험성을 인정하여 불능미수로 처벌하자는 견해
인상설	행위자의 법적대적인 의사의 실행이 법적 평온을 교란시키는 인상을 주는지 여부에 따라 위험성 유무를 판단하는 견해

243

☐☐☐

미수에 관한 설명으로 가장 적절하지 않은 것은? (다툼이 있으면 판례에 의함)

12 경찰승진 [Core ★★]

① 원료불량으로 인한 제조상의 애로, 제품의 판로문제, 범행 탄로시의 처벌공포, 원심 상피고인의 포악성 등으로 인하여 히로뽕 제조를 단념한 경우, 그와 같은 사정이 있었다는 것만으로서는 이를 중지미수라 할 수 없다.

② 가압류는 강제집행의 보전방법에 불과한 것이어서 허위의 채권을 피보전권리로 삼아 가압류를 하였다고 하더라도 그 채권에 관하여 현실적으로 청구의 의사표시를 한 것이라고는 볼 수 없으므로, 본안소송을 제기하지 아니한 채 가압류를 한 것만으로는 사기죄의 실행에 착수하였다고 할 수 없다.

③ 불능미수의 위험성 판단과 관련하여 행위자가 인식한 사정과 일반인이 인식할 수 있었던 사정이 일치하지 않는 경우에 어느 사정을 기초로 판단할 것인지가 명확하지 않다는 비판을 받고 있는 견해에 의하면, 명백히 사정거리 밖에 있는 자에 대해 사정거리 안에 있는 것으로 오인하고 총격한 경우에 위험성이 부정된다.

④ 히로뽕 제조를 공모하고 그 제조원료인 염산에페트린과 파라디움, 에테르 등 수종의 화공약품을 사용하여 히로뽕 제조를 시도하였으나 그 제조기술의 부족으로 히로뽕 완제품을 제조하지 못하였고 미완성품에서도 히로뽕 성분이 검출되지 아니하였다면 향정신성의약품제조미수죄가 성립한다고 할 수 없다.

해설

④ [×] 향정신성의약품인 메스암페타민(속칭 히로뽕)의 제조를 위해 그 원료인 염산에페트린 및 수종의 약품을 교반하여 그 제조를 시도하였으나 약품배합 미숙으로 그 완제품을 제조하지 못하였다면 그 행위는 성질상 결과발생의 위험성이 인정되어 **습관성의약품제조죄의 미수범으로 처벌된다.**(대법원 1985. 3. 26. 85도206)

① [○] 원료불량으로 인한 제조상의 애로, 제품의 판로문제, 범행 탄로시의 처벌공포, 원심 상피고인의 포악성 등으로 인하여 히로뽕 제조를 단념한 경우, 그와 같은 사정이 있었다는 것만으로서는 이를 중지미수라 할 수 없다.(대법원 1985. 11. 12. 85도2002 히로뽕 제조 실패사건)

② [○] 가압류는 강제집행의 보전방법에 불과한 것이어서 허위의 채권을 피보전권리로 삼아 가압류를 하였다고 하더라도 그 채권에 관하여 현실적으로 청구의 의사표시를 한 것이라고는 볼 수 없으므로, 본안소송을 제기하지 아니한 채 가압류를 한 것만으로는 사기죄의 실행에 착수하였다고 할 수 없다.(대법원 1988. 9. 13. 88도55)

③ [○] '구체적 위험설'을 말하고 사정거리 밖에 있는 자에 대해 사정거리 안에 있는 것으로 오인하고 총격한 경우에 위험성이 없어 불능범이 된다.

244 甲은 2017. 4. 17. 22:30경 자신의 집에서 甲의 처 A, 피해자 B와 함께 술을 마시다가 다음 날 01:00경 A가 먼저 잠이 들고 02:00경 B도 안방으로 들어가자 B를 따라 들어간 뒤, 누워있는 B의 옆에서 B의 가슴을 만지고 팬티 속으로 손을 넣어 음부를 만지다가 B의 입을 막고 바지와 팬티를 벗긴 후 1회 간음하였다. 당시 B는 주량을 다소 초과하여 술을 마시기는 하였으나 심신상실이나 항거불능 상태였다고는 볼 수 없고, 정상적인 판단이 가능하고 깨어있는 상태였으나 甲이 일련의 성행위를 하는 동안 제대로 저항하지 않았고, 甲은 B가 술과 잠에 취해 제대로 저항하지 못하는 상태에 있다고 생각하고 이를 적극적으로 이용하려고 한 것으로 판명되었다. 甲의 형사책임을 논증하는 설명으로 가장 적절하지 않은 것은? (다툼이 있으면 판례에 의함)

22 경찰간부 [Superlative ★★★]

① 형법은 폭행 또는 협박의 방법이 아닌 심신상실 또는 항거불능의 상태를 이용하여 간음한 행위를 강간죄에 준하여 처벌하고 있으므로 준강간의 고의는 피해자가 심신상실 또는 항거불능의 상태에 있다는 것과 그러한 상태를 이용하여 간음한다는 구성 요건적 결과 발생의 가능성을 인식하고 그러한 위험을 용인하는 내심의 의사를 말한다.

② 형법 제27조에서 '결과 발생이 불가능'하다는 것은 범죄기수의 불가능뿐만 아니라 범죄실현의 불가능을 포함하는 개념이다. 행위가 종료된 사후적 시점에서 판단하게 되면 형법에 규정된 모든 형태의 미수범은 결과가 발생하지 않은 사태라고 볼 수 있으므로 만약 '결과불발생', 즉 결과가 현실적으로 발생하지 않았다는 것과 '결과발생 불가능', 즉 범죄실현이 불가능하다는 것을 구분하지 않는다면 장애미수범과 불능미수범은 구별되지 않는다.

③ 불능범과 구별되는 불능미수의 성립요건인 '위험성'은 피고인이 행위 당시에 특별히 인식한 사정과 일반인이 인식할 수 있었던 사정을 기초로 일반인이 객관적으로 판단하여 결과발생의 가능성이 있는지 여부를 따져야 한다.

④ 甲은 B가 심신상실 또는 항거불능의 상태에 있다고 인식하고 그러한 상태를 이용하여 간음할 의사로 피해자를 간음하였으나 B가 실제로는 심신상실 또는 항거불능의 상태에 있지 않은 경우에는, 실행의 수단 또는 대상의 착오로 인하여 준강간죄에서 규정하고 있는 구성요건적 결과의 발생이 처음부터 불가능하였고 실제로 그러한 결과가 발생하였다고 할 수 없다. 따라서 甲은 준강간죄의 불능미수범의 죄책을 진다.

해설

③ [×] 불능범과 구별되는 불능미수의 성립요건인 '위험성'은 **피고인이 행위 당시에 인식한 사정을 놓고 일반인이 객관적으로 판단하여** 결과 발생의 가능성이 있는지 여부를 따져야 한다.(대법원 2019. 3. 28. 2018도 16002 全合 **만취한 것으로 오해 사건**)

① [○] 준강간의 고의는 피해자가 심신상실 또는 항거불능의 상태에 있다는 것과 그러한 상태를 이용하여 간음한다는 구성요건적 결과 발생의 가능성을 인식하고 그러한 위험을 용인하는 내심의 의사를 말한다.(대법원 2019. 3. 28. 2018도16002 全合 **만취한 것으로 오해 사건**)

② [○] 형법 제27조에서 '결과 발생이 불가능'하다는 것은 범죄기수의 불가능뿐만 아니라 범죄실현의 불가능을 포함하는 개념이다. 행위가 종료된 사후적 시점에서 판단하게 되면 형법에 규정된 모든 형태의 미수범은 결과가 발생하지 않은 사태라고 볼 수 있으므로 만약 '결과불발생', 즉 결과가 현실적으로 발생하지 않았다는 것과 '결과발생 불가능', 즉 범죄실현이 불가능하다는 것을 구분하지 않는다면 장애미수범과 불능미수범은 구별되지 않는다.(대법원 2019. 3. 28. 2018도16002 全合 **만취한 것으로 오해 사건**)

④ [○] 피고인이 피해자가 심신상실 또는 항거불능의 상태에 있다고 인식하고 그러한 상태를 이용하여 간음하였으나 피해자가 실제로는 심신상실 또는 항거불능의 상태에 있지 않았다면 이는 실행의 수단 또는 대상의 착오로 인하여 구성요건적 결과의 발생이 처음부터 불가능하였고 실제로 그러한 결과가 발생하였다고 할 수 없으나, 피고인이 행위 당시에 인식한 사정을 놓고 일반인이 객관적으로 판단하여 보았을 때 준강간의 결과가 발생할 위험성이 있었으므로 준강간죄의 불능미수가 성립한다.(대법원 2019. 3. 28. 2018도16002 全合 **만취한 것으로 오해 사건**)

제4절 | 예비·음모

---

245 형법상 예비·음모의 처벌규정이 있는 범죄는 모두 몇 개인가?　　　19 해경간부 [Superlative ★★★]

□□□

> ㉠ 미성년자약취·유인죄　　　　　㉡ 허위유가증권작성죄
> ㉢ 중립명령위반죄　　　　　　　　㉣ 도주원조죄
> ㉤ 수도불통죄　　　　　　　　　　㉥ 인질강요죄
> ㉦ 특수도주죄　　　　　　　　　　㉧ 폭발물사용죄
> ㉨ 강제추행죄

① 1개　　　　　　　　　　　② 2개
③ 3개　　　　　　　　　　　④ 4개

해설

> ④ ㉠ 미성년자약취·유인죄 ㉣ 도주원조죄 ㉤ 수도불통죄 ㉧ 폭발물사용죄 이 4개 범죄는 **예비·음모죄 처벌 규정이 있다.**(㉠ 제296조 ㉣ 제150조 ㉤ 제197조 ㉧ 제120조 제1항)

---

246 예비·음모에 관한 다음 설명 중 가장 적절하지 않은 것은? (다툼이 있으면 판례에 의함)

□□□　　　　　　　　　　　　　　　　　　　　　　　　　　　　12 경찰채용 [Core ★★]

① 예비·음모 후 자의로 실행의 착수를 포기하였더라도 중지범 규정을 유추적용할 수 없다.

② 폭발물사용죄와 간수자도주원조죄는 예비·음모를 처벌한다.

③ 정범이 실행착수에 이르지 아니한 예비단계에 그친 경우, 이에 가공하는 행위가 예비의 공동정범이 되는 경우를 제외하고는 종범으로 처벌할 수 없다.

④ 甲은 A의 경매입찰 참여를 포기하게 할 목적으로 A의 외동딸인 대학생 B를 인질로 삼기 위해 B를 약취·유인하기로 乙과 모의하였으나, A가 스스로 입찰을 포기한 경우 甲과 乙에게는 인질강요죄의 예비·음모죄가 성립한다.

제4장 미수론 **325**

해설

④ [×] 인질강요죄는 **예비 · 음모 처벌규정이 없다.**
① [○] 중지범은 범죄의 실행에 착수한 후 자의로 그 행위를 중지한 때를 말하는 것이고, 실행의 착수가 있기 전인 예비음모의 행위를 처벌하는 경우에 있어서 중지범의 관념은 인정할 수 없다.(대법원 1999. 4. 9. 99도 424 녹두 밀수사건)
② [○] 제120조, 제147조와 제148조의 죄를 범할 목적으로 예비 또는 음모한 자는 3년 이하의 징역에 처한다. (제150조)
③ [○] 정범이 실행의 착수에 이르지 아니한 예비의 단계에 그친 경우에는 이에 가공하는 행위가 예비의 공동정 범이 되는 경우를 제외하고는 이를 종범으로 처벌할 수 없다.(대법원 1976. 5. 25. 75도1549 **강도예비 방조 사건**)

247

형법상 예비죄에 대한 설명 중 옳지 않은 것만을 모두 고른 것은? (다툼이 있으면 판례에 의함)

23 경찰간부 [Essential ★]

> ㉠ 형법각칙의 예비죄를 처단하는 규정을 바로 독립된 구성요건 개념에 포함시킬 수는 없다고 하는 것이 죄형법정주의에 부합한다.
> ㉡ 예비와 미수는 각각 형법 각칙에 처벌규정이 있는 경우에만 처벌할 수 있지만 구체적인 법정 형까지 규정될 필요는 없다.
> ㉢ 예비죄를 처벌하는 범죄의 예비단계에서 자의로 중지를 하였다면, 예비죄의 중지미수가 성립 한다.
> ㉣ 살인예비죄가 성립하기 위하여는 살인죄를 범할 목적이 있어야 할 뿐만 아니라 살인의 준비에 관한 고의도 있어야 한다.
> ㉤ 정범의 실행 착수 전에 장래의 실행행위를 예상하고 이를 용이하게 하는 행위를 하여 방조한 경우 정범이 실행의 착수에 이르지 못했다면 방조자는 종범이 성립되지 않지만 정범이 그 실행행위로 나아갔다면 종범이 성립한다.

① ㉠㉡   ② ㉡㉢   ③ ㉠㉢㉤   ④ ㉢㉣㉤

해설

② ㉡㉢ 2 항목이 옳지 않다.
㉠ [○] 형법각칙의 예비죄를 처단하는 규정을 바로 독립된 구성요건 개념에 포함시킬 수는 없다고 하는 것이 죄형법정주의에 부합한다.(대법원 1976. 5. 25. 75도1549 **강도예비 방조사건**)
㉡ [×] 미수의 경우에는 형법 총칙에 기수의 형을 감경 또는 면제하는 형식으로 규정되어 있어 각칙에 그 구체적 인 법정형까지 규정될 필요는 없으나(제25조부터 제27조), **예비의 경우에는 각칙에 구체적인 법정형이 없으 면 죄형법정주의 원칙상 피고인을 처벌할 수 없다.**(대법원 1979. 12. 26. 78도957 마산시위 발포명령 사건 참고)

ⓒ [×] 중지범은 범죄의 실행에 착수한 후 자의로 그 행위를 중지한 때를 말하는 것이고 실행의 착수가 있기 전인 **예비음모의 행위를 처벌하는 경우에 있어서 중지범의 관념은 이를 인정할 수 없다.**(대법원 1999. 4. 9. 99도424 녹두 밀수사건)

ⓔ [○] 살인예비죄가 성립하기 위하여는 살인죄를 범할 목적 외에도 살인의 준비에 관한 고의가 있어야 하며, 나아가 실행의 착수까지에는 이르지 아니하는 살인죄의 실현을 위한 준비행위가 있어야 한다.(대법원 2009. 10. 29. 2009도7150 실패한 살인교사 사건)

ⓜ [○] 정범이 실행의 착수에 이르지 아니한 예비의 단계에 그친 경우에는 이에 가공하는 행위가 예비의 공동정범이 되는 경우를 제외하고는 이를 종범으로 처벌할 수 없다.(대법원 1976. 5. 25. 75도1549 강도예비 방조사건) 종범은 정범의 실행행위 중에 이를 방조하는 경우뿐만 아니라 실행 착수 전에 장래의 실행행위를 예상하고 이를 용이하게 하는 행위를 하여 방조한 경우에도 성립한다.(대법원 2018. 9. 13. 2018도7658 인천초등생 살인사건)

248 예비·음모죄에 대한 설명으로 가장 적절하지 않은 것은? (다툼이 있으면 판례에 의함)

21 경찰승진 [Essential ★]

① 예비행위를 자의로 중지한 경우 중지미수에 관한 「형법」 제26조가 준용된다.

② 「형법」 제28조는 예비죄의 처벌이 가져올 범죄의 구성요건을 부당하게 유추 내지 확장해석하는 것을 금지하고 있기 때문에 형법각칙의 예비죄를 처단하는 규정을 바로 독립된 구성요건 개념에 포함시킬 수는 없다.

③ 판례는 예비죄의 공동정범 성립이 가능하다는 입장이다.

④ 내란음모죄에 해당하는 합의가 있다고 하기 위해서는 단순히 내란에 관한 범죄결심을 외부에 표시·전달하는 것만으로는 부족하고 객관적으로 내란범죄의 실행을 위한 합의라는 것이 명백히 인정되고, 그러한 합의에 실질적인 위험성이 인정되어야 한다.

해설

① [×] 중지범은 범죄의 실행에 착수한 후 자의로 그 행위를 중지한 때를 말하는 것이고, 실행의 착수가 있기 전인 **예비음모의 행위를 처벌하는 경우에 있어서 중지범의 관념은 인정할 수 없다.**(대법원 1999. 4. 9. 99도424 녹두 밀수사건)

② [○] 형법 각칙의 예비죄를 처단하는 규정을 바로 독립된 구성요건개념에 포함시킬 수는 없다고 하는 것이 죄형법정주의의 원칙에도 합당하는 해석이다.(대법원 1976. 5. 25. 75도1549 강도예비 방조사건)

③ [○] 정범이 실행의 착수에 이르지 아니한 예비의 단계에 그친 경우에는 이에 가공하는 행위가 예비의 공동정범이 되는 경우를 제외하고는 이를 종범으로 처벌할 수 없다.(대법원 1976. 5. 25. 75도1549 강도예비 방조사건)

정답 | 247 ② 248 ①

④ [○] 음모는 실행의 착수 이전에 2인 이상의 자 사이에 성립한 범죄실행의 합의로서, 내란음모죄에 해당하는 합의가 있다고 하기 위해서는 단순히 내란에 관한 범죄결심을 외부에 표시·전달하는 것만으로는 부족하고 객관적으로 내란범죄의 실행을 위한 합의라는 것이 명백히 인정되고, 그러한 합의에 실질적인 위험성이 인정되어야 한다.(대법원 2015. 1. 22. 2014도10978 손습 이석기 의원 사건)

249

□□□ 예비죄에 대한 설명으로 옳지 않은 것은? (다툼이 있으면 판례에 의함)

18 국가7급 [Essential ★]

① 형법은 예비죄의 처벌이 가져올 범죄의 구성요건을 부당하게 유추 내지 확장 해석하는 것을 금지하고 있기 때문에 형법 각칙의 예비죄를 처단하는 규정을 바로 독립된 구성요건 개념에 포함시킬 수는 없다고 하는 것이 죄형법정주의의 원칙에 합당한 해석이다.

② 폭력행위 등 처벌에 관한 법률 제7조는 "정당한 이유 없이 이 법에 규정된 범죄에 공용될 우려가 있는 흉기나 그 밖의 위험한 물건을 휴대하거나 제공 또는 알선한 사람은 3년 이하의 징역 또는 300만원 이하의 벌금에 처한다."라고 정하고 있는데, 이러한 폭력행위처벌법위반(우범자)죄는 대상범죄인 '이 법에 규정된 범죄'의 예비죄로서의 성격을 지니고 있다.

③ 중지범은 범죄의 실행에 착수한 후 자의로 그 행위를 중지한 때를 말하는 것이고 실행의 착수가 있기 전인 예비음모의 행위를 처벌하는 경우에 있어서 중지범의 관념은 이를 인정할 수 없다.

④ 보험사기를 준비하기 위한 타인의 보험계약 체결 과정에서 甲이 피보험자를 가장하는 등으로 이를 도운 행위는 그 사기 범행을 위한 예비행위에 대한 방조의 여지가 있을 뿐이라할 것이고, 甲의 행위는 그 후 정범이 실행행위에 나아갔다고 하여도 정범에 대한 방조가 되는 것은 아니다.

해설

④ [×] **종범은** 정범이 실행행위에 착수하여 범행을 하는 과정에서 이를 방조한 경우뿐 아니라 정범의 실행의 착수 이전에 장래의 실행행위를 미필적으로나마 예상하고 이를 용이하게 하기 위하여 방조한 경우에도 그 후 **정범이 실행행위에 나아갔다면 성립할 수 있다.**(대법원 2013. 11. 14. 2013도7494 대처승 보험사기사건) 정범이 실행행위에 나아갔으므로 甲은 사기방조죄의 죄책을 진다.

① [○] 형법 각칙의 예비죄를 처단하는 규정을 바로 독립된 구성요건개념에 포함시킬 수는 없다고 하는 것이 죄형법정주의의 원칙에도 합당하는 해석이다.(대법원 1976. 5. 25. 75도1549 **강도예비 방조사건**)

② [○] 폭력행위 등 처벌에 관한 법률 제7조는 "정당한 이유 없이 이 법에 규정된 범죄에 공용될 우려가 있는 흉기나 그 밖의 위험한 물건을 휴대하거나 제공 또는 알선한 사람은 3년 이하의 징역 또는 300만원 이하의 벌금에 처한다."라고 정하고 있는데, 이러한 폭력행위처벌법위반(우범자)죄는 대상범죄인 '이 법에 규정된 범죄'의 예비죄로서의 성격을 지니고 있다.(대법원 2017. 9. 21. 2017도7687 **과도 사건**)

③ [○] 중지범은 범죄의 실행에 착수한 후 자의로 그 행위를 중지한 때를 말하는 것이고, 실행의 착수가 있기 전인 예비음모의 행위를 처벌하는 경우에 있어서 중지범의 관념은 인정할 수 없다.(대법원 1999. 4. 9. 99도424 **녹두 밀수사건**)

250 예비·음모죄에 대한 설명으로 옳지 않은 것은? (다툼이 있으면 판례에 의함)

① 甲이 살인의 용도로 흉기를 준비하였으나 살해 대상자가 누구인지 확정되지 못한 경우에는 살인예비죄가 성립하지 않는다.

② 살인의사로 총을 구입하는 甲에게 자금을 제공한 乙은 甲에게 살인예비죄가 인정되더라도 살인예비죄의 방조범으로 처벌될 수는 없다.

③ 甲이 乙을 살해하기 위하여 丙, 丁 등을 고용하면서 그들에게 대가의 지급을 약속한 경우, 甲에게는 살인예비죄가 성립한다.

④ 예비는 예외적으로 특별규정이 있는 경우에만 처벌되지만 예비죄를 처벌하기 위해서는 당해 법률규정에서 예비·음모의 구체적인 형벌의 종류와 양을 정해 둘 필요는 없다.

해설

④ [×] 부정선거관련자처벌법 제5조 제4항에 의하면 '동조 제1항에 예비, 음모와 미수는 처벌한다'고 규정하고 있으나 동 예비, 음모의 형에 관하여 아무런 규정이 없으며, 이를 본범이나 미수범에 준하여 처벌함은 죄형법정주의 원칙상 허용할 수 없으니 결국 위 소위는 처벌할 수 없다.(대법원 1979. 12. 26. 78도957 마산시위 발포명령 사건) 예비죄를 처벌하기 위해서는 당해 법률 규정에 예비·음모의 구체적인 형벌의 종류와 양이 정해져 있어야 한다.

① [○] 甲이 살인의 용도로 흉기를 준비하였으나 살해 대상자가 누구인지 확정되지 못한 경우에는 살인예비죄가 성립하지 않는다.(대법원 1959. 9. 1. 59도387)

② [○] 정범이 실행의 착수에 이르지 아니한 예비의 단계에 그친 경우에는 이에 가공하는 행위가 예비의 공동정범이 되는 경우를 제외하고는 이를 종범으로 처벌할 수 없다.(대법원 1976. 5. 25. 75도1549 강도예비 방조 사건)

③ [○] 甲이 乙을 살해하기 위하여 丙, 丁 등을 고용하면서 그들에게 대가의 지급을 약속한 경우, 甲에게는 살인예비죄가 성립한다.(대법원 2009. 10. 29. 2009도7150 실패한 살인교사 사건)

251

□□□

음모 또는 예비에 관한 설명으로 옳지 않은 것은 몇 개인가? (다툼이 있으면 판례에 의함)

14 법원9급 [Superlative ★★★]

> ⊙ 일본으로 밀항하고자 甲에게 도항비로 일화 100만 엔을 주기로 약속한 바 있었으나 그 후이 밀항을 포기하였다면 이는 밀항의 예비이다.
> ○ 예비죄도 각칙에 규정되어 있어 실행행위성을 인정할 수 있으므로, 예비에 대한 방조도 가능하다.
> © 범죄의 음모 또는 예비행위가 실행의 착수에 이르지 아니한 때에는 법률에 특별한 규정이 없는 한 벌하지 아니한다.
> ② 예비죄는 단순한 고의뿐만 아니라 기본범죄를 범할 목적이 있을 것을 요하는 목적범이다.
> ◎ 예비의 공동정범은 성립 가능하다.
> ⑪ 음모·예비죄의 중지미수는 불가능하므로 형법 제26조(중지미수 규정)에 따라 형을 감면할수 없다.

① 1개   ② 2개

③ 3개   ④ 4개

해설

> ② ⊙○ 2 항목이 옳지 않다.
> ⊙ [×] 일본으로 밀항하고자 제3자에게 도항비로 일화 100만엔을 주기로 약속하였으나 그 후 이 밀항을 포기하였다면 이는 음모에 불과하고 밀항의 예비에 이른 것이 아니다.(대법원 1986. 6. 24. 86도437)
> ○ [×] 정범이 실행의 착수에 이르지 아니한 예비단계에 그친 경우에는 이에 가공한다 하더라도 예비의 공동정범이 되는 때를 제외하고는 종범으로 처벌할 수 없다.(대법원 1976. 5. 25. 75도1549 강도예비 방조사건)
> © [○] 범죄의 음모 또는 예비행위가 실행의 착수에 이르지 아니한 때에는 법률에 특별한 규정이 없는 한 벌하지 아니한다.(제28조)
> ② [○] 통설의 입장이다.
> ◎ [○] 정범이 실행의 착수에 이르지 아니한 예비의 단계에 그친 경우에는 이에 가공하는 행위가 예비의 공동정범이 되는 경우를 제외하고는 이를 종범으로 처벌할 수 없다.(대법원 1976. 5. 25. 75도1549 강도예비 방조사건)
> ⑪ [○] 중지범은 범죄의 실행에 착수한 후 자의로 그 행위를 중지한 때를 말하는 것이고, 실행의 착수가 있기 전인 예비음모의 행위를 처벌하는 경우에 있어서 중지범의 관념은 인정할 수 없다.(대법원 1999. 4. 9. 99도424 녹두 밀수사건)

252 예비·음모에 대한 다음 설명 중 옳지 않은 것은 모두 몇 개인가? (다툼이 있으면 판례에 의함)

□□□

> ㉠ 정범이 실행의 착수에 이르지 아니한 예비단계에 그친 경우에는 이에 가공한다 하더라도 예비 의 공동정범이 되는 때를 제외하고는 종범으로 처벌할 수 없다.
> ㉡ 예비·음모의 행위를 처벌하는 경우에 있어서 예비행위를 자의로 중지했을 때에는 중지범에 관한 규정을 준용한다.
> ㉢ 강도예비·음모죄가 성립하기 위해서는 예비·음모 행위자에게 미필적으로라도 강도를 할 목 적이 있음이 인정되어야 하고 그에 이르지 않고 단순히 준강도할 목적이 있음에 그치는 경우 에는 강도예비·음모죄로 처벌할 수 없다.
> ㉣ 형법 제147조 도주원조죄와 제185조 일반교통방해죄는 예비·음모의 처벌규정이 있다.
> ㉤ 내란음모죄에 해당하는 합의가 있다고 하기 위해서는 단순히 내란에 관한 범죄결심을 외부에 표시·전달하는 것만으로는 부족하고 객관적으로 내란범죄의 실행을 위한 합의라는 것이 명 백히 인정되고, 그러한 합의에 실질적인 위험성이 인정되어야 한다.

① 1개   ② 2개

③ 3개   ④ 4개

해설

② ㉡㉣ 2 항목이 옳지 않다.

㉠ [O] 정범이 실행의 착수에 이르지 아니한 예비의 단계에 그친 경우에는 이에 가공하는 행위가 예비의 공동정범 이 되는 경우를 제외하고는 이를 종범으로 처벌할 수 없다.(대법원 1976. 5. 25. 75도1549 강도예비 방조사건)

㉡ [×] 중지범은 범죄의 실행에 착수한 후 자의로 그 행위를 중지한 때를 말하는 것이고, 실행의 착수가 있기 전인 **예비음모의 행위를 처벌하는 경우에 있어서 중지범의 관념은 인정할 수 없다.**(대법원 1999. 4. 9. 99 도424 녹두 밀수사건)

㉢ [O] 강도예비·음모죄가 성립하기 위해서는 예비·음모 행위자에게 미필적으로라도 '강도'를 할 목적이 있음 이 인정되어야 하고 그에 이르지 않고 단순히 '준강도'할 목적이 있음에 그치는 경우에는 강도예비·음모죄로 처벌할 수 없다.(대법원 2006. 9. 14. 2004도6432 준강도 목적 사건)

㉣ [×] 도주원조죄는 예비·음모의 처벌규정이 있으나(제150조), **일반교통방해죄는 예비·음모의 처벌규정이 없다.**

㉤ [O] 음모는 실행의 착수 이전에 2인 이상의 자 사이에 성립한 범죄실행의 합의로서, 내란음모죄에 해당하는 합의가 있다고 하기 위해서는 단순히 내란에 관한 범죄결심을 외부에 표시·전달하는 것만으로는 부족하고 객관적으로 내란범죄의 실행을 위한 합의라는 것이 명백히 인정되고, 그러한 합의에 실질적인 위험성이 인정되 어야 한다.(대법원 2015. 1. 22. 2014도10978 소위 이석기 의원 사건)

제5절 | 미수론 종합

253 예비·음모 및 미수범에 관한 설명 중 가장 적절하지 않은 것은? (다툼이 있으면 판례에 의함)

□□□

14 경찰승진 [Essential ★]

① 상해죄, 퇴거불응죄, 재물손괴죄, 공무집행방해죄는 형법상 미수범 처벌규정이 있다.

② 기수범에 비하여 장애미수는 형을 감경할 수 있고 중지미수는 형을 감경 또는 면제하며 불능미수는 형을 감경 또는 면제할 수 있다.

③ 강도예비·음모죄가 성립하기 위해서는 예비·음모 행위자에게 미필적으로라도 '강도'를 할 목적이 있음이 인정되어야 하고 그에 이르지 않고 단순히 '준강도'할 목적이 있음에 그치는 경우에는 강도예비·음모죄로 처벌할 수 없다.

④ 정범이 실행의 착수에 이르지 아니한 예비단계에 그친 경우에는 이에 가공한다 하더라도 예비의 공동정범이 되는 때를 제외하고는 종범으로 처벌할 수 없다.

해설

① [×] 상해죄, 퇴거불응죄 및 재물손괴죄는 미수범 처벌규정이 있으나, **공무집행방해죄는 미수범 처벌규정이 없다.**

② [O] ① 범죄의 실행에 착수하여 행위를 종료하지 못하였거나 결과가 발생하지 아니한 때에는 미수범으로 처벌한다. ② 미수범의 형은 기수범보다 감경할 수 있다.(제25조)
범인이 자의로 실행에 착수한 행위를 중지하거나 그 행위로 인한 결과의 발생을 방지한 때에는 형을 감경 또는 면제한다.(제26조)
실행의 수단 또는 대상의 착오로 인하여 결과의 발생이 불가능하더라도 위험성이 있는 때에는 처벌한다. 단, 형을 감경 또는 면제할 수 있다.(제27조)

③ [O] 강도예비·음모죄가 성립하기 위해서는 예비·음모 행위자에게 미필적으로라도 '강도'를 할 목적이 있음이 인정되어야 하고 그에 이르지 않고 단순히 '준강도'할 목적이 있음에 그치는 경우에는 강도예비·음모죄로 처벌할 수 없다.(대법원 2006. 9. 14. 2004도6432 **준강도 목적 사건**)

④ [O] 정범이 실행의 착수에 이르지 아니한 예비의 단계에 그친 경우에는 이에 가공하는 행위가 예비의 공동정범이 되는 경우를 제외하고는 이를 종범으로 처벌할 수 없다.(대법원 1976. 5. 25. 75도1549 **강도예비 방조 사건**)

254 다음은 예비·음모 및 미수에 대한 설명이다. 가장 적절하지 않은 것은? (다툼이 있으면 판례에
□□□ 의함)

14 경찰채용 [Essential ★]

① 협박죄(형법 제283조 제1항), 특수도주죄(형법 제146조), 증거인멸죄(형법 제155조 제1항)는
미수범 처벌규정이 있다.

② 판례는 예비죄의 공동정범의 성립은 인정하나, 예비죄의 종범의 성립은 부정한다.

③ 강도예비·음모죄가 성립하기 위해서는 예비·음모 행위자에게 미필적으로라도 '강도'를 할 목
적이 있음이 인정되어야 하고 그에 이르지 않고 단순히 '준강도'할 목적이 있음에 그치는 경우
에는 강도예비·음모죄로 처벌할 수 없다.

④ 피해자를 살해하려고 그의 가슴을 칼로 수회 찔렀으나, 가슴 부위에서 많은 피가 흘러나오는
것을 발견하고 겁을 먹고 그만둔 경우, 자의에 의한 중지미수라고 볼 수 없다.

해설

① [×] 협박죄와 특수도주죄는 미수범 처벌규정이 있으나(제286조, 제149조), **증거인멸죄는 미수범 처벌규정이 없다.**

② [○] 정범이 실행의 착수에 이르지 아니한 예비의 단계에 그친 경우에는 이에 가공하는 행위가 예비의 공동정범이 되는 경우를 제외하고는 이를 종범으로 처벌할 수 없다.(대법원 1976. 5. 25. 75도1549 **강도예비 방조 사건**)

③ [○] 강도예비·음모죄가 성립하기 위해서는 예비·음모 행위자에게 미필적으로라도 '강도'를 할 목적이 있음이 인정되어야 하고 그에 이르지 않고 단순히 '준강도'할 목적이 있음에 그치는 경우에는 강도예비·음모죄로 처벌할 수 없다.(대법원 2006. 9. 14. 2004도6432 **준강도 목적 사건**)

④ [○] 피고인이 피해자를 살해하려고 그의 목 부위와 왼쪽 가슴 부위를 칼로 수 회 찔렀으나 피해자의 가슴 부위에서 많은 피가 흘러나오는 것을 발견하고 겁을 먹고 그만 두는 바람에 미수에 그친 것이라면, 위와 같은 경우 많은 피가 흘러나오는 것에 놀라거나 두려움을 느끼는 것은 일반 사회통념상 범죄를 완수함에 장애가 되는 사정에 해당한다고 보아야 할 것이므로 이를 자의에 의한 중지미수라고 볼 수 없다.(대법원 1999. 4. 13. 99도640 **마음약한 살인범 사건**)

255

□□□ 미수범에 대한 설명으로 가장 적절하지 않은 것은? (다툼이 있으면 판례에 의함)

20 경찰채용 [Core ★★]

① 소송비용을 편취할 의사로 소송비용의 지급을 구하는 손해배상청구의 소를 제기한 사안에서, 재산 침해의 위험성을 법률적 지식을 가진 일반인이 아닌 행위자의 인식을 기초로 판단하여 그 위험성은 인정되나, 소송비용 지급청구는 소송비용액 확정절차를 통해서만 가능하기 때문에 결과발생이 불가능하므로 소송사기죄의 불능범으로서 무죄가 된다.

② 위험한 물건인 전자충격기를 피해자의 허리에 대고 피해자를 폭행하여 강간하려다가 미수에 그치고 피해자에게 약 2주간의 치료를 요하는 안면부 좌상 등의 상해를 입힌 경우, 「성폭력범죄의처벌 등에 관한 특례법」상 특수강간치상죄의 기수범이 성립한다.

③ 절도죄의 실행의 착수시기는 재물에 대한 타인의 사실상의 지배를 침해하는 데에 밀접한 행위를 개시한 때라고 보아야 하므로, 야간이 아닌 주간에 절도의 목적으로 타인의 주거에 침입하였다고 하여도 아직 절취할 물건의 물색행위를 시작하기 전이라면 주거침입죄만 성립할 뿐 절도죄의 실행에 착수한 것으로 볼 수 없다.

④ 피고인이 피해자를 살해하려고 목과 왼쪽 가슴 부위를 칼로 수 회 찔렀으나 많은 피가 흘러나오는 것을 발견하고 겁을 먹고 그만두는 바람에 미수에 그쳤더라도 중지미수에 해당하지 않는다.

해설

① [×] 소송비용을 편취할 의사로 소송비용의 지급을 구하는 손해배상청구의 소를 제기하였다고 하더라도 이는 객관적으로 소송비용의 청구방법에 관한 **법률적 지식을 가진 일반인의 판단으로 보아** 결과 발생의 가능성이 **없어 위험성이 인정되지 않으므로 불가벌적 불능범에 해당한다.**(대법원 2005. 12. 8. 2005도8105 소송비용 사건)

② [○] (1) 성폭법 제9조 제1항[24년 현재 제8조]에 의하면 특수강간의 죄를 범한 자뿐만 아니라 특수강간이 미수에 그쳤다고 하더라도 그로 인하여 피해자가 상해를 입었으면 특수강간치상죄가 성립하는 것이고, 같은 법 제12조[개정법 제15조]에서 규정한 위 제9조 제1항[개정법 제8조]에 대한 미수범 처벌규정은 특수강간치상죄와 함께 규정된 특수강간상해죄의 미수에 그친 경우, 즉 특수강간의 죄를 범하거나 미수에 그친 자가 피해자에 대하여 상해의 고의를 가지고 피해자에게 상해를 입히려다가 미수에 그친 경우 등에 적용된다. (2) 피고인이 전자충격기를 피해자의 허리에 대고 폭행하여 강간하려다가 미수에 그치고 피해자에게 약 2주간의 치료를 요하는 안면부 좌상 등의 상해를 입게 한 경우, 성폭법 소정의 특수강간치상죄의 기수에 해당한다.(대법원 2008. 4. 24. 2007도10058 호원대 강의실 사건)

③ [○] (1) 야간이 아닌 주간에 절도의 목적으로 다른 사람의 주거에 침입하여 절취할 재물의 물색행위를 시작하는 등 그에 대한 사실상의 지배를 침해하는 데에 밀접한 행위를 개시하면 절도죄의 실행에 착수한 것으로 보아야 한다.(대법원 2003. 6. 24. 2003도1985) (2) 2인 이상이 합동하여 야간이 아닌 주간에 절도의 목적으로 타인의 주거에 침입하였다 하여도 아직 절취할 물건의 물색행위를 시작하기 전이라면 특수절도죄의 실행에는 착수한 것으로 볼 수 없는 것이어서 그 미수죄가 성립하지 않는다.(대법원 2009. 12. 24. 2009도9667 아파트 출입문 손괴사건)

④ [○] 피고인이 피해자를 살해하려고 그의 목 부위와 왼쪽 가슴 부위를 칼로 수 회 찔렀으나 피해자의 가슴부위에서 많은 피가 흘러나오는 것을 발견하고 겁을 먹고 그만 두는 바람에 미수에 그친 것이라면, 위와 같은 경우 많은 피가 흘러나오는 것에 놀라거나 두려움을 느끼는 것은 일반 사회통념상 범죄를 완수함에 장애가 되는

사정에 해당한다고 보아야 할 것이므로 이를 자의에 의한 중지미수라고 볼 수 없다.(대법원 1999. 4. 13. 99
도640 마음약한 살인범 사건)

256

□□□

예비·음모와 미수에 관한 설명으로 가장 옳은 것은? (다툼이 있으면 판례에 의함)

16 경찰간부 [Superlative ★★★]

① 판례는 예비단계에서 범행을 중지한 경우에 형의 불균형 시정을 위해 중지미수규정의 준용에
긍정설을 취한다.
② 내란음모에 해당하는 합의가 있다고 하기 위해서는 단순히 내란에 관한 범죄결심을 외부에
표시·전달하는 것만으로는 부족하고 객관적으로 내란범죄의 실행을 위한 합의라는 것이 명백
히 인정되고, 그러한 합의에 실질적인 위험성이 인정되어야 한다.
③ 신용카드를 절취한 사람이 대금을 결제하기 위하여 신용카드를 제시하고 카드회사의 승인까
지 받았다면 매출전표에 서명한 사실이 없고 최종적으로 매출취소로 거래가 종료되었더라도
신용카드부정사용죄는 기수에 이르렀다고 보아야 한다.
④ 중지미수가 성립하기 위해서는 행위자가 단독으로 결과발생을 방지해야 하며 방지노력과 결
과의 미발생 사이에 인과관계도 인정되어야 한다.

해설

② [○] 음모는 실행의 착수 이전에 2인 이상의 자 사이에 성립한 범죄실행의 합의로서, 내란음모죄에 해당하는
합의가 있다고 하기 위해서는 단순히 내란에 관한 범죄결심을 외부에 표시·전달하는 것만으로는 부족하고
객관적으로 내란범죄의 실행을 위한 합의라는 것이 명백히 인정되고, 그러한 합의에 실질적인 위험성이 인정되
어야 한다.(대법원 2015. 1. 22. 2014도10978 숫습 이석기 의원 사건)
① [×] 중지범은 범죄의 실행에 착수한 후 자의로 그 행위를 중지한 때를 말하는 것이고, 실행의 착수가 있기
전인 예비음모의 행위를 처벌하는 경우에 있어서 중지범의 관념은 인정할 수 없다.(대법원 1999. 4. 9. 99
도424 녹두 밀수사건)
③ [×] 신용카드의 사용이라 함은 가맹점에 신용카드를 제시하고 매출전표에 서명하여 이를 교부하는 일련의 행
위를 가리키므로, 피고인이 절취한 신용카드로 대금을 결제하기 위하여 신용카드를 제시하고 카드회사의 승인
까지 받았으나 나아가 매출전표에 서명을 하지 않았고, 카드가 없어진 사실을 알게 된 피해자에 의해 거래
가 취소되어 최종적으로 매출취소로 거래가 종결된 경우, 피고인의 행위는 신용카드 부정사용의 미수행 위에
불과하다 할 것인데 여신전문금융업법에서 위와 같은 미수행위를 처벌하는 규정을 두고 있지 아니한 이상 피고
인을 위 법률위반죄로 처벌할 수 없다.(대법원 2008. 2. 14. 2007도8767 서명 직전 발각사건)
④ [×] 반드시 행위자 단독으로 결과발생을 방지해야 할 필요는 없고, 다른 사람의 도움을 받아 결과발생을
방지한 경우라도 중지미수가 성립할 수 있다.

257

□□□

예비, 음모에 관한 다음 설명 중 가장 옳지 않은 것은? (다툼이 있으면 판례에 의함)

24 법원행시 [Core ★★]

① 은행강도 범행으로 강취할 돈을 송금받을 계좌를 개설한 것만으로는 범죄수익은닉의 규제 및 처벌 등에 관한 법률 제3조 제1항 제3호에서 정한 범죄수익 등의 은닉에 관한 죄의 실행에 착수한 것으로 볼 수 없다.

② 도주원조의 죄를 범할 목적으로 예비 또는 음모한 자는 3년 이하의 징역에 처한다.

③ 타인의 사망을 보험사고로 하는 생명보험계약을 체결함에 있어 제3자가 피보험자인 것처럼 가장하여 체결하는 등으로 그 유효요건이 갖추어지지 못한 경우에도 특별한 사정이 없는 한 그와 같이 하자 있는 보험계약을 체결한 행위만으로는 미필적으로라도 보험금을 편취하려는 의사에 의한 기망행위의 실행에 착수한 것으로 볼 것은 아니다.

④ 준강제추행의 죄를 범할 목적으로 예비 또는 음모한 사람은 3년 이하의 징역에 처한다.

⑤ 중지범은 범죄의 실행에 착수한 후 자의로 그 행위를 중지한 때를 말하는 것이고 실행의 착수가 있기 전인 예비음모의 행위를 처벌하는 경우에 있어서 중지범의 관념은 인정할 수 없다.

해설

④ [×] 준강제추행죄를 범할 목적으로 예비 또는 음모한 사람은 **불가벌이다.**(제305조의3 참고)

① [○] 범죄수익법 제3조 제1항 제3호에서 정한 범죄수익 등의 은닉에 관한 죄의 미수범으로 처벌하려면 그 실행에 착수한 것으로 인정되어야 하고, 위와 같은 은닉행위의 실행에 착수하는 것은 범죄수익 등이 생겼을 때 비로소 가능하므로 아직 **범죄수익 등이 생기지 않은 상태**에서는 범죄수익 등의 은닉에 관한 죄의 실행에 착수하였다고 인정하기 어렵다.(대법원 2007. 1. 11. 2006도5288 계좌만 개설 사건) 은행강도 범행으로 강취할 돈을 송금받을 계좌를 개설한 것만으로는 범죄수익 등의 은닉에 관한 죄의 실행에 착수한 것으로 볼 수 없다.

② [○] 제147조(도주원조죄)와 제148조(간수자도주원조죄)의 죄를 범할 목적으로 **예비 또는 음모한 자는 3년 이하의 징역에 처한다.**(제147조, 제150조)

③ [○] 타인의 사망을 보험사고로 하는 생명보험계약을 체결함에 있어 제3자가 피보험자인 것처럼 가장하여 체결하는 등으로 그 유효요건이 갖추어지지 못한 경우에도 그 보험계약 체결 당시에 이미 보험사고가 발생하였음에도 이를 숨겼다거나 보험사고의 구체적 발생 가능성을 예견할 만한 사정을 인식하고 있었던 경우 또는 고의로 보험사고를 일으키려는 의도를 가지고 보험계약을 체결한 경우와 같이 보험사고의 우연성과 같은 보험의 본질을 해칠 정도라고 볼 수 있는 특별한 사정이 없는 한, 그와 같이 하자 있는 보험계약을 체결한 행위만으로는 미필적으로라도 보험금을 편취하려는 의사에 의한 기망행위의 실행에 착수한 것으로 볼 것은 아니다. 그러므로 그와 같이 기망행위의 실행의 착수로 인정할 수 없는 경우에 피보험자 본인임을 가장하는 등으로 보험계약을 체결한 행위는 단지 장차의 보험금 편취를 위한 예비행위에 지나지 않는다.(대법원 2013. 11. 14. 2013도7494 대처승 보험사기사건)

⑤ [○] 중지범은 범죄의 실행에 착수한 후 자의로 그 행위를 중지한 때를 말하는 것이고, 실행의 착수가 있기 전인 **예비음모의 행위를 처벌하는 경우에 있어서 중지범의 관념은 인정할 수 없다.**(대법원 1999. 4. 9. 99도424 녹두밀수 포기사건)

258

□□□

예비와 미수에 관한 설명 중 옳은 것은? (다툼이 있으면 판례에 의함) 14 변호사 [Superlative ★★★]

① 예비죄에 대해서는 공동정범만 인정될 수 있고 방조범은 성립될 수 없다.

② 예비와 미수는 각각 형법각칙에 처벌규정이 있는 경우에만 처벌할 수 있지만, 구체적인 법정형까지 규정될 필요는 없다.

③ 일반적으로 공범이 자신의 행위를 중지한 것만으로는 중지미수가 성립하지 않지만, 다른 공범 또는 정범의 행위를 중단시키기 위하거나 결과 발생을 저지하기 위한 진지한 노력이 있었을 경우에는 비록 결과가 발생하였다고 할지라도 그 공범에게는 예외적으로 중지미수가 성립될 수 있다.

④ 불능미수는 행위자가 결과발생이 불가능하다는 것을 알면서 실행에 착수하여 결과는 발생하지 않았지만 위험성이 있는 경우에 성립한다.

⑤ 피고인이 신고하지 않은 외화 400만 엔이 들어 있는 휴대용 가방을 보안검색대에 올려놓거나 이를 휴대하고 통과하지 않더라도 공항 내에서 탑승을 기다리고 있던 중에 체포된 경우라면 이미 외국환거래법이 규정한 국외반출죄의 실행의 착수는 인정된다.

해설

① [○] 정범이 실행의 착수에 이르지 아니한 예비의 단계에 그친 경우에는 이에 가공하는 행위가 예비의 공동정범이 되는 경우를 제외하고는 이를 종범으로 처벌할 수 없다.(대법원 1976. 5. 25. 75도1549 **강도예비 방조사건**)

② [×] 미수의 경우에는 형법 총칙에 기수의 형을 감경 또는 면제하는 형식으로 규정되어 있어 각칙에 그 구체적인 법정형까지 규정될 필요는 없으나(제25조부터 제27조), **예비의 경우에는 각칙에 구체적인 법정형이 없으면 죄형법정주의 원칙상 피고인을 처벌할 수 없다.**(대법원 1979. 12. 26. 78도957 **마산시위 발포명령사건** 참고)

③ [×] 비록 다른 공범 또는 정범의 행위를 중단시키기 위하거나 결과 발생을 저지하기 위한 진지한 노력이 있었더라도 **결과가 발생한 이상 중지미수는 성립할 여지가 없다.**(대법원 2005. 2. 25. 2004도8259 **텐트 강간사건** 참고)

④ [×] 불능미수도 미수범인 이상 행위자에게 기수의 고의가 있어야 성립한다. 따라서 행위자가 결과발생이 불가능하다는 것을 알면서 실행에 착수한 경우 **기수의 고의가 없으므로 불능미수는 성립하지 아니한다.**

⑤ [×] 휴대용 가방을 보안검색대에 올려놓거나 이를 휴대하고 통과하는 때에 비로소 실행의 착수가 있다고 볼 것이고, 피고인이 휴대용 가방을 가지고 보안검색대에 나아가지 않은 채 공항 내에서 탑승을 기다리고 있던 중에 체포되었다면 일화 400만¥에 대하여는 **실행의 착수가 있다고 볼 수 없다.**(대법원 2001. 7. 27. 2000도4298)

259

예비 · 음모와 미수에 관한 설명 중 옳은 것을 모두 고른 것은? (다툼이 있으면 판례에 의함)

24 변호사 [Core ★★]

> ㉠ 甲이 乙의 강도예비죄의 범행에 방조의 형태로 가담한 경우 甲을 강도예비죄의 방조범으로 처벌할 수 없다.
>
> ㉡ 형법상 음모죄의 성립을 위한 범죄실행의 합의가 있다고 하기 위하여는 단순히 범죄결심을 외부에 표시 · 전달하는 것만으로는 부족하고, 객관적으로 보아 특정한 범죄의 실행을 위한 준비행위라는 것이 명백히 인식되고, 그 합의에 실질적인 위험성이 인정되어야 한다.
>
> ㉢ 중지미수의 경우에는 법정형의 상한과 하한 모두를 2분의 1로 감경하는 반면, 장애미수의 경우에는 법익침해의 위험 발생 정도에 따라 법정형에 대한 감경을 하지 않거나 법정형의 하한만 2분의 1로 감경할 수 있다.
>
> ㉣ 실행의 착수가 있기 전인 예비나 음모의 행위를 처벌하는 경우 중지미수범의 관념을 인정할 수 없으므로 예비단계에서 범행을 중지하더라도 중지미수범의 규정이 적용될 수 없다.
>
> ㉤ 甲이 피해자가 심신상실 또는 항거불능의 상태에 있다고 인식하고 그러한 상태를 이용하여 간음할 의사로 피해자를 간음하였으나 실행의 착수 당시부터 피해자가 실제로는 심신상실 또는 항거불능의 상태에 있지 않은 경우 甲이 행위 당시에 인식한 사정을 놓고 일반인이 객관적으로 판단하여 보았을 때 준강간의 결과가 발생할 위험성이 있었다면 준강간죄의 불능미수가 성립한다.

① ㉠㉡㉢

② ㉠㉡㉣

③ ㉡㉢㉤

④ ㉠㉡㉣㉤

⑤ ㉠㉢㉣㉤

해설

④ ㉠㉡㉣㉤ 4 항목이 옳다.

㉠ [O] 정범이 실행의 착수에 이르지 아니한 예비의 단계에 그친 경우에는 이에 가공하는 행위가 **예비의 공동정범이 되는 경우를 제외하고는 이를 종범으로 처벌할 수 없다.**(대법원 1976. 5. 25. 75도1549 강도예비 방조사건)

㉡ [O] 음모란 2인 이상의 자 사이에 성립한 범죄실행의 합의를 말하는 것으로, 범죄실행의 합의가 있다고 하기 위하여는 단순히 범죄결심을 외부에 표시 · 전달하는 것만으로는 부족하고, 객관적으로 보아 특정한 범죄의 실행을 위한 준비행위라는 것이 명백히 인식되고, 그 합의에 실질적인 위험성이 인정될 때에 비로소 음모죄가 성립한다.(대법원 1999. 11. 12. 99도3801 꼴통 군인들 사건)

㉢ [×] 유기징역형에 대한 법률상 감경을 하면서 형법 제55조 제1항 제3호에서 정한 것과 같이 장기와 단기를 모두 2분의 1로 감경하는 것이 아닌 **장기 또는 단기 중 어느 하나만을 2분의 1로 감경하는 방식이나 2분의 1보다 넓은 범위의 감경을 하는 방식 등은 죄형법정주의 원칙상 허용될 수 없다.**(대법원 2021. 1. 21. 2018도5475 소슴 임의적 감경 새로운 해석론 사건) 중지미수는 형의 필요적 감경 또는 면제사유이고, 장애미수는 형의 임의적 감경사유이다.(형법 제25조 제1항 · 제2항, 제26조) 어떤 감경을 하든 상한과 하한 모두를 2분의 1로 감경하여야 한다.

㉣ [O] 중지범은 범죄의 실행에 착수한 후 자의로 그 행위를 중지한 때를 말하는 것이고, 실행의 착수가 있기 전인 **예비음모의 행위를 처벌하는 경우에 있어서 중지범의 관념은 인정할 수 없다.**(대법원 1999. 4. 9. 99도424 녹두밀수 포기사건)

㉤ [O] 피고인이 피해자가 심신상실 또는 항거불능의 상태에 있다고 인식하고 그러한 상태를 이용하여 간음하였으나 피해자가 실제로는 심신상실 또는 항거불능의 상태에 있지 않았다면 이는 실행의 수단 또는 대상의 착오로 인하여 구성요건적 결과의 발생이 처음부터 불가능하였고 실제로 그러한 결과가 발생하였다고 할 수 없으나, 피고인이 행위 당시에 인식한 사정을 놓고 일반인이 객관적으로 판단하여 보았을 때 준강간의 결과가 발생할 위험성이 있었으므로 준강간죄의 불능미수가 성립한다.(대법원 2019. 3. 28. 2018도16002 술台 만취한 것으로 오해 사건)

260 다음 설명 중 옳지 않은 것을 모두 고른 것은? (다툼이 있으면 판례에 의함)

㉠ 甲은 乙이 A를 살해할 것을 예상하고 이를 도와주기 위해 칼을 빌려주었지만, 乙이 실행의 착수에 나아가지 않은 경우 甲은 살인예비죄의 방조범이 성립한다.

㉡ 甲이 타인의 사망을 보험사고로 하는 생명보험계약을 체결함에 있어 제3자가 피보험자인 것처럼 가장하여 체결하는 과정에서 고의로 보험사고를 일으키려는 의도를 가지고 보험계약을 체결하는 경우 甲의 행위는 보험사기의 예비행위에 해당한다.

㉢ 甲이 A(23세)를 강제추행할 목적으로 범행 장소를 답사하는 등 예비행위를 한 경우 강제추행의 예비죄로 처벌된다.

㉣ 甲이 A를 살해하기 위하여 치사량에 필요한 독극물 100g을 모으던 중 양심의 가책을 느껴 자의로 중지한 경우 甲은 살인예비죄의 중지미수가 성립한다.

① ㉠㉡
② ㉠㉢㉣
③ ㉡㉢㉣
④ ㉠㉡㉢㉣

해설

④ 모든 항목이 옳지 않다.

㉠ [×] **정범이 실행의 착수에 이르지 아니한 예비의 단계에 그친 경우에는** 이에 가공하는 행위가 예비의 공동정범이 되는 경우를 제외하고는 이를 **종범으로 처벌할 수 없다.**(대법원 1976. 5. 25. 75도1549 **강도예비 방조사건**)

㉡ [×] 타인의 사망을 보험사고로 하는 생명보험계약을 체결함에 있어 제3자가 피보험자인 것처럼 가장하여 체결하는 등으로 그 유효요건이 갖추어지지 못한 경우에도 그 보험계약 체결 당시에 이미 보험사고가 발생하였음에도 이를 숨겼다거나 보험사고의 구체적 발생 가능성을 예견할 만한 사정을 인식하고 있었던 경우 또는 **고의로 보험사고를 일으키려는 의도를 가지고 보험계약을 체결한 경우와 같이 보험사고의 우연성과 같은 보험의 본질을 해칠 정도라고 볼 수 있는 특별한 사정이 없는 한**, 그와 같이 하자 있는 보험계약을 체결한 행위만으로는 미필적으로라도 보험금을 편취하려는 의사에 의한 기망행위의 실행에 착수한 것으로 볼 것은 아니다.(대법원 2013. 11. 14. 2013도7494 **대쳐승 보험사기사건**) 판례의 반대해석상 고의로 보험사고를 일으키려는 의도를 가지고 보험계약을 체결한 경우에는 보험사기의 실행의 착수를 인정할 수 있다.

㉢ [×] 강간죄와 유사강간죄는 예비·음모를 처벌하지만 **강제추행죄는 예비·음모를 처벌하지 않는다.**(형법 제305조의3)

㉣ [×] 중지범은 범죄의 실행에 착수한 후 자의로 그 행위를 중지한 때를 말하는 것이고, 실행의 착수가 있기 전인 **예비음모의 행위를 처벌하는 경우에 있어서 중지범의 관념은 인정할 수 없다.**(대법원 1999. 4. 9. 99도424 **녹두밀수 포기사건**)

제5장 공범론

제1절 | 공범이론 등

261 대향범에 대한 설명으로 옳지 않은 것은? (다툼이 있으면 판례에 의함) 15 국가9급 [Superlative ★★★]

□□□
① 거래상대방의 대향적 행위의 존재를 필요로 하는 유형의 배임죄에 있어서 거래상대방이 배임 행위를 교사하거나 그 배임행위의 전 과정에 관여하는 등으로 배임행위에 적극 가담함으로써 그 실행행위자와의 계약이 반사회적 법률행위에 해당하여 무효로 되는 경우라면 그 상대방은 배임죄의 교사범 또는 공동정범이 될 수 있다.

② 형법 제127조는 공무원 또는 공무원이었던 자가 법령에 의한 직무상 비밀을 누설하는 행위만을 처벌 하고 있으므로 직무상 비밀을 누설받은 자에 대하여는 공범에 관한 형법 총칙규정이 적용될 수 없다.

③ 뇌물공여죄가 성립하기 위하여는 뇌물을 공여하는 행위와 상대방 측에서 금전적으로 가치가 있는 그 물품 등을 받아들이는 행위가 필요할 뿐 반드시 상대방 측에서 뇌물수수죄가 성립하 여야 하는 것은 아니다.

④ 금품 등을 공여한 자에게 따로 처벌규정이 없더라도 금품 등을 공여한 자의 행위에만 관여하 여 그 공여행위를 교사하거나 방조한 행위는 금품을 수수한 상대방의 범행에 대해서는 공범 관계가 성립한다.

해설

④ [×] 금품 등을 공여한 자에게 따로 처벌규정이 없는 이상, 그 공여행위는 그와 대향적 행위의 존재를 필요로 하는 상대방의 범행에 대하여 공범관계가 성립되지 아니하고, 오로지 금품 등을 공여한 자의 행위에 대하여만 관여하여 그 공여행위를 교사하거나 방조한 행위도 **상대방의 범행에 대하여 공범관계가 성립되지 아니한다.** (대법원 2014. 1. 16. 2013도6969 **새누리당 당원명부 유출사건**)

① [○] 거래상대방의 대향적 행위의 존재를 필요로 하는 유형의 배임죄에 있어서 거래상대방으로서는 기본적으 로 배임행위의 실행행위자와는 별개의 이해관계를 가지고 반대편에서 독자적으로 거래에 임한다는 점을 감안 할 때, 비록 그 행위가 배임행위에 해당한다는 점을 알고 거래에 임하였다고 하더라도 그러한 사정만으로는 범죄를 구성할 정도의 위법성이 없다고 할 것이고, 거래상대방이 배임행위를 교사하거나 그 배임행위의 전 과 정에 관여하는 등으로 배임행위에 적극 가담함으로써 그 실행행위자와의 계약이 반사회적 법률행위에 해당하 여 무효로 되는 경우에는 배임죄의 교사범 또는 공동정범이 성립할 수 있다.(대법원 2012. 11. 15. 2012도 9417 **스파힐스 골프장 사건**)

② [○] 형법 제127조는 공무원 또는 공무원이었던 자가 법령에 의한 직무상 비밀을 누설하는 행위만을 처벌하고 있을 뿐 직무상 비밀을 누설받은 상대방을 처벌하는 규정이 없는 점에 비추어, 직무상 비밀을 누설받은 자에 대하 여는 공범에 관한 형법총칙 규정이 적용될 수 없다.(대법원 2011. 4. 28. 2009도3642 **체포영장 발부자 명단 사건**)

정답 | 261 ④

③ [O] 뇌물공여죄가 성립하기 위하여는 뇌물을 공여하는 행위와 상대방 측에서 금전적으로 가치가 있는 그 물품 등을 받아들이는 행위가 필요할 뿐 반드시 상대방 측에서 뇌물수수죄가 성립하여야 하는 것은 아니다.(대법원 2013. 11. 28. 2013도9003 광주 총인처리시설 입찰비리사건)

262 다음 중 공범에 대한 설명으로 옳은 것은 모두 몇 개인가?

20 해경채용 [Superlative ★★★]

□□□

⊙ 제한적 정범개념에 의하면 교사·방조범에 대한 처벌규정은 가벌성을 확장한 형벌확장사유가 되며, 정범과 공범의 구별에 관한 주관설과 결합된다.
ⓛ 확장적 정범개념에 의하면 정범과 공범의 구별은 원칙적으로 필요로 하지 않고, 단일정범개념으로 충분하다.
ⓒ 단일정범개념에 대해서는 가벌성의 확대를 초래한다는 비판이 있다.
ⓔ 제한적 정범개념에 의하면 공범규정은 형벌제한사유가 된다.
ⓜ 공범종속성설은 유력한 근거로 이른바 '기도된 교사'를 규정한 「형법」 제31조 제2항과 제3항을 든다.

① 1개　　　　② 2개　　　　③ 3개　　　　④ 4개

해설

② ⓛⓒ 2 항목이 옳다. 해설에서 '공범'은 교사범과 방조범을 말한다.
[제한적 정범개념] 구성요건에 해당하는 행위를 스스로 실현한 자만이 정범이고, 나머지는 정범이 아니다. 정범과 공범의 구별에 관한 객관설과 결합된다. 공범의 처벌은 처벌범위를 확장하는 형벌확장사유가 된다. 간접정범의 정범성을 설명하기 어렵다는 비판이 제기된다.
[확장적 정범개념] 구성요건적 결과발생에 조건을 설정한 자는 모두 정범이다(공범 개념은 불필요하므로 이는 단일정범체계와 일맥상통한다). 정범과 공범의 구별에 관한 주관설과 결합된다. 공범의 처벌은 처벌범위를 축소하는 형벌축소사유가 된다. 모든 범죄참가형태를 정범으로 처벌하므로 가벌성의 확대를 초래한다는 비판이 제기된다.
[공범종속성설] 공범의 성립은 **정범의 실행행위**에 종속한다. 간접정범의 개념을 인정한다. 공범은 정범의 실행의 착수를 요하므로 기도된 교사(효과없는 교사와 실패한 교사)를 처벌하는 형법 제31조 제2항·제3항은 예외규정이다. 신분의 연대성을 규정한 형법 제33조 본문은 원칙규정이다.
[공범독립성설] 교사·방조행위 자체가 반사회성의 징표이므로 정범의 **실행행위와 무관하게 공범이 성립**한다. 간접정범이 개념을 부정하고 공범성립을 인정한다. 교사·방조행위 자체가 범죄의 실행행위이므로 기도된 교사(효과없는 교사와 실패한 교사)를 처벌하는 형법 제31조 제2항·제3항은 공범독립성설의 근거규정이자 당연규정이다. 신분의 개별화를 규정한 형법 제33조 단서는 원칙규정이다.
⊙ⓔ [×] 제한적 정범개념에 의하면 교사·방조범에 대한 처벌규정은 가벌성을 확장한 **형벌확장사유가 되며**, 정범과 공범의 구별에 관한 **객관설과 결합된다.**
ⓛ [O] 확장적 정범개념에 의하면 정범과 공범의 구별은 원칙적으로 필요로 하지 않고, 단일정범개념으로 충분하다.

ⓒ [O] 단일정범개념에 대해서는 가벌성의 확대를 초래한다는 비판이 있다.
ⓜ [×] **공범독립성설**은 유력한 근거로 기도된 교사를 규정한 형법 제31조 제2항·제3항을 든다.

263 공범에 대한 설명으로 옳은 것은? (다툼이 있으면 판례에 의함)

24 경대편입 [Superlative ★★★]

① 공범독립성설은 미수의 교사와 교사의 미수를 모두 인정하지만 공범종속성설은 미수의 교사는 인정하나 교사의 미수는 인정하지 않는다.
② 종속성의 정도에 관한 제한적 종속형식에 의하면 공범은 정범에 성립뿐만 아니라 처벌에 있어서도 종속한다.
③ 공범독립성설은 객관주의 범죄론의 입장에서 범죄의 실행행위를 이해하고, 공범종속성설은 범죄를 반사회적 징표라고 보는 주관주의 범죄론의 입장에서 범죄의 실행행위를 이해한다.
④ 필요적 공범인 대향범의 내부자 사이에도 형법 총칙상의 임의적 공범규정을 적용할 수 있다.
⑤ 포괄일죄의 범행 도중에 공동정범으로 범행에 가담한 자는 그가 그 범행에 가담할 때에 이미 이루어진 종전의 범행을 알았다면 포괄일죄 전부의 공동정범으로서 책임을 진다.

해설

① [O] "미수의 교사"란 교사자가 교사하였으나 피교사자가 미수에 그친 경우이고 "교사의 미수"는 교사의 결과 상대방에게 고의가 생기도록 하였으나 상대방이 그 고의를 실행에 이르지 않은 경우이다. **공범독립성설**은 정범의 실행 착수를 요하지 않으므로 미수의 교사와 교사의 미수를 인정하지만, 공범종속성설은 미수의 교사의 경우 정범의 실행의 착수가 있으므로 인정하고, 교사의 미수는 정범의 실행의 착수가 없으므로 인정하지 않는다. 그러므로 옳은 지문이다.
② [×] 제한적 종속형식에 의할 때 정범의 행위가 구성요건에 해당하고 위법하면 공범이 성립한다. 공범은 정범의 범죄 성립(구성요건해당성과 위법성까지를 말한다)에는 종속되지만 처벌에 있어서는 종속되지 아니한다.
③ [×] 공범독립성설은 **주관주의 범죄론의** 입장에서 범죄의 실행행위를 이해하고, 공범종속성설은 **객관주의 범죄론의** 입장에서 범죄의 실행행위를 이해한다.
④ [×] 2인 이상의 서로 대향된 행위의 존재를 필요로 하는 **대향범에 대하여는 공범에 관한 형법총칙 규정이 적용될 수 없다.**(대법원 2017. 6. 19. 2017도4240 과세정보자료 부당취득 사건)
⑤ [×] 포괄일죄의 범행 도중에 공동정범으로 범행에 가담한 자는 비록 그가 그 범행에 가담할 때에 이미 이루어진 종전의 범행을 알았다 하더라도 그 **가담 이후의 범행에 대하여만 공동정범으로 책임을 진다.**(대법원 2019. 8. 29. 2019도8357 업무상배임 중 가담사건)

264 ㉠부터 ㉢까지는 정범과 공범의 구별에 관한 학설에 대한 설명이다. 옳고 그름의 표시(○, ×)가
□□□ 바르게 된 것은?

21 경찰채용 [Superlative ★★★]

㉠ '구성요건상의 실행행위의 전부 또는 일부를 스스로 하는 자'를 정범, '구성요건적 행위 이외의
  행위로써 구성요건실현에 기여하는 자'를 공범으로 보는 형식적 객관설에 따르면 간접정범을
  정범으로 인정하기 어렵다.
㉡ '스스로 구성요건상의 정형적 행위를 한 자'만을 정범으로 이해하는 제한적 정범개념에 따르
  면 형법 제31조, 제32조는 형벌확장사유로서 정범 이외에 특별히 공범의 처벌을 인정하는
  규정이다.
㉢ '정범자의 의사로 행위한 자'는 정범, '공범자의 의사로 행위한 자'는 공범이라는 의사설에 따
  르면 청부살인업자는 구성요건적 행위를 스스로 모두 수행하기에 항상 정범이 된다.
㉣ '자기 자신의 이익을 위한 목적으로 행위한 자'는 정범, '타인의 이익을 위한 목적으로 행위한
  자'는 공범이라는 이익설에 따르면 제3자를 위하여 강도행위를 한 자는 공범이 된다.
㉤ 행위지배설에 따르면 이용자가 자신의 우월한 지위에 의하여 피이용자를 수중에 두고 도구처
  럼 그의 의사를 조종(지배)하여 그로 하여금 범죄를 행하게 하면 행위지배가 인정되어 정범이
  된다.

① ㉠ × ㉡ ○ ㉢ × ㉣ ○ ㉤ ×   ② ㉠ ○ ㉡ × ㉢ ○ ㉣ ○ ㉤ ○
③ ㉠ ○ ㉡ ○ ㉢ × ㉣ ○ ㉤ ○   ④ ㉠ ○ ㉡ ○ ㉢ × ㉣ × ㉤ ○

해설

③ 이 지문이 옳은 연결이다.
㉠ [○] 형식적 객관설에 따르면 간접정범은 '구성요건상의 실행행위의 전부 또는 일부를 스스로 하는 자'가 아니
  므로 정범으로 인정하기 어렵다.
㉡ [○] 제한적 정범개념에 따르면 교사범과 방조범을 처벌하는 형법 제31조, 제32조는 형벌확장사유가 된다.
㉢ [×] **의사설**에 따르면 청부살인업자는 자신이 아니라 교사자를 위하여 사람을 살해한 것이므로, 즉 '정범자의
  의사로 행위한 자'가 아니라 **'공범자의 의사로 행위한 자'이므로 정범이 아니라 공범이 된다.**
㉣ [○] 이익설에 따르면 제3자를 위하여 강도행위를 한 자는 '타인의 이익을 위한 목적으로 행위한 자'이므로
  공범이 된다.
㉤ [○] 행위지배설에 따르면 이용자가 피이용자를 도구처럼 그의 의사를 조종(지배)하여 그로 하여금 범죄를 행
  하게 하면 행위지배, 특히 '의사지배'가 인정되어 정범이 된다.

265

공범의 종속성에 관한 설명 중 가장 적절하지 않은 것은?

23 경찰채용 [Core ★★]

□□□

① 공범종속성설에 의하면 공범은 정범의 실행행위에 종속해서만 성립할 수 있고, 정범이 적어도 실행의 착수에 이르러야 공범이 성립할 수 있다.

② 공범종속성설 중 극단적 종속형식에 의하면 정범의 행위가 구성요건에 해당하고 위법하며 유책할 뿐만 아니라 가벌성의 조건(처벌조건)까지 모두 갖추어야 공범이 성립할 수 있다.

③ 공범독립성설에 의하면 공범은 독립된 범죄로서 교사·방조행위가 있으면 정범의 실행행위가 없더라도 공범이 성립할 수 있다.

④ 공범종속성설 중 제한적 종속형식에 의하면 정범의 실행행위가 구성요건에 해당하고 위법하면 공범이 성립할 수 있고 유책할 것을 요하지 않는다는 것으로, 책임무능력자의 위법행위를 교사·방조한 경우에도 공범이 성립할 수 있다.

해설

② [×] 극단적 종속형식에 의하면, 공범(교사범·방조범)이 성립하기 위해서는 **정범의 행위가 구성요건에 해당하고 위법·유책하여야 한다.** 정범의 행위가 구성요건에 해당하고 위법하며 유책할 뿐만 아니라 가벌성의 조건(처벌조건)까지 모두 갖추어야 공범이 성립할 수 있다는 견해는 초극단적 종속형식 또는 확장적 종속형식이다.

①③④ [○] 각 학설에 관한 옳은 설명이다.

핵심정리 공범종속성설 vs 공범독립성설

구분	내용
공범종속성설	공범의 성립은 정범의 실행행위에 종속한다. 간접정범의 개념을 인정한다. 공범은 정범의 실행의 착수를 요하므로 기도된 교사(효과없는 교사와 실패한 교사)를 처벌하는 형법 제31조 제2항·제3항은 예외규정이다. 신분의 연대성을 규정한 형법 제33조 본문은 원칙규정이다.
공범독립성설	교사·방조행위 자체가 반사회성의 징표이므로 정범의 실행행위와 무관하게 공범이 성립한다. 간접정범이 개념을 부정하고 공범성립을 인정한다. 교사·방조행위 자체가 범죄의 실행행위이므로 기도된 교사(효과없는 교사와 실패한 교사)를 처벌하는 형법 제31조 제2항·제3항은 공범독립성설의 근거규정이자 당연규정이다. 신분의 개별화를 규정한 형법 제33조 단서는 원칙규정이다.

266

□□□

정범 및 공범에 관한 설명으로 가장 적절하지 않은 것은? (다툼이 있으면 판례에 의함)

22 경찰채용 [Superlative ★★★]

① 공모공동정범에 있어서 공모자가 공모에 주도적으로 참여하여 다른 공모자의 실행에 영향을 미친 때에는 범행을 저지하기 위하여 적극적으로 노력하는 등 실행에 미친 영향력을 제거하지 아니하는 한 공모관계에서 이탈하였다고 할 수 없다.

② 피교사자가 교사자의 교사행위 당시에는 일응 범행을 승낙하지 아니한 것으로 보여진다 하더라도 이후 그 교사행위에 의하여 범행을 결의한 것으로 인정되는 이상 교사범의 성립에는 영향이 없다.

③ 甲이 책임무능력자를 이용하여 범행한 사례에 있어서 공범의 종속 정도와 관련하여 제한 종속형식설을 취하는 경우 공범의 우위성에 따라 甲에게는 교사범이 성립하므로 간접정범이 성립할 여지가 없다.

④ 어느 행위로 인하여 과실범으로 처벌되는 자를 교사 또는 방조하여 범죄행위의 결과를 발생하게 한 자는 교사 또는 방조의 예에 의하여 처벌한다.

해설

③ [×] 통설에 의할 때 간접정범이란 의사지배하에 타인을 도구로 이용하여 간접적으로 죄를 범하는 정범을 말한다. 甲이 책임무능력자를 이용하여 범행한 경우 **의사지배를 인정할 수 없다면 교사범이 성립**하지만, **의사지배를 인정할 수 있다면 간접정범이 성립**한다.

① [○] 공모공동정범에 있어서 공모자가 공모에 주도적으로 참여하여 다른 공모자의 실행에 영향을 미친 때에는 범행을 저지하기 위하여 적극적으로 노력하는 등 실행에 미친 영향력을 제거하지 아니하는 한 공모관계에서 이탈하였다고 할 수 없다.(대법원 2015. 2. 16. 2014도14843)

② [○] 피교사자가 교사자의 교사행위 당시에는 일응 범행을 승낙하지 아니한 것으로 보여진다 하더라도 이후 교사행위에 의하여 범행을 결의한 것으로 인정되는 이상 교사범의 성립에는 영향이 없다.(대법원 2013. 9. 12. 2012도2744 약혼녀 낙태강요 사건)

④ [○] 어느 행위로 인하여 과실범으로 처벌되는 자를 교사 또는 방조하여 범죄행위의 결과를 발생하게 한 자는 교사 또는 방조의 예에 의하여 처벌한다.(제34조 제1항)

267 다음 사례에 대한 설명으로 가장 적절하지 않은 것은? (다툼이 있으면 판례에 의함)

> 甲은 상해의 의사로, 乙은 폭행의 의사로 상호의사 연락 없이 같은 날, 같은 장소에서 30분 간격으로 A를 때렸고, 이로 인해 A에게 상해의 결과가 발생하였다. 그러나 A의 상해의 결과가 甲의 행위로 인한 것인지, 乙의 행위로 인한 것인지가 밝혀지지 않았다.

① 이는 동시범의 문제로 형법 제19조가 아닌 형법 제263조가 적용되어야 한다.

② 만약 A의 상해가 甲의 행위가 아닌 乙의 폭행으로 인해 발생한 것으로 밝혀졌다면 甲은 상해미수죄로 처벌된다.

③ 만약 乙이 폭행을 했다는 것 자체가 불분명하다면 형법 제263조가 적용되지 아니한다.

④ 만약 A에게 甲과 乙의 행위로 상해가 아닌 사망의 결과가 발생하였다면 형법 제263조가 적용되지 아니한다.

해설

④ [×] 시간적 차이가 있는 독립된 상해행위나 폭행행위가 경합하여 **사망의 결과가 일어나고** 그 사망의 원인된 행위가 판명되지 않은 경우에는 **공동정범의 예에 의하여 처벌할 것이다.**(대법원 2000. 7. 28. 2000도2466) 판례는 '사망의 결과'가 발생한 경우에도 형법 제263조를 적용하므로 甲은 상해치사죄의 죄책을, 乙은 폭행치사죄의 죄책을 진다.

① [○] 독립행위가 경합하여 상해의 결과를 발생하게 한 경우에 있어서 원인된 행위가 판명되지 아니한 때에는 공동정범의 예에 의한다.(제263조) 설문의 경우 '상해의 결과'가 발생했으므로 형법 제19조가 아니라 그에 대한 특칙인 형법 제263조가 적용된다.

② [○] 乙의 폭행으로 A가 상해를 입은 것이므로 甲은 상해미수죄의 죄책을, 乙은 폭행치상죄의 죄책을 진다.

③ [○] 상해죄에 있어서의 동시범은 두사람 이상이 가해행위를 하여 상해의 결과를 가져올 경우에 그 상해가 어느 사람의 가해행위로 인한 것인지가 분명치 않다면 가해자 모두를 공동정범으로 본다는 것이므로 가해행위를 한 것 자체가 분명치 않은 사람에 대하여는 상해죄의 동시범으로 다스릴 수 없다.(대법원 1984. 5. 15. 84도488) 乙이 폭행을 했다는 것 자체가 불분명하다면 형법 제263조가 적용되지 아니한다.

268

☐☐☐ 동시범의 특례(「형법」 제263조)에 관한 설명 중 옳지 않은 것을 모두 고른 것은? (다툼이 있으면 판례에 의함)

20 변호사 [Core ★★]

> ㉠ A가 甲으로부터 폭행을 당하고 얼마 후 함께 A를 폭행하자는 甲의 연락을 받고 달려 온 乙로부터 다시 폭행을 당하고 사망하였으나 사망의 원인행위가 판명되지 않았다면 「형법」 제263조가 적용되어 甲과 乙은 폭행치사죄의 공동정범의 예에 의해 처벌된다.
>
> ㉡ A가 행인 甲으로부터 상해를 입은 후 얼마 지나지 않아 다시 다른 행인 乙로부터 상해를 입고 사망하였으나 사망의 원인행위가 판명되지 않았다면, 「형법」 제263조가 적용되어 甲과 乙은 상해치사죄의 공동정범의 예에 의해 처벌된다.
>
> ㉢ A가 甲으로부터 폭행을 당하고 얼마 후 乙이 甲과 의사연락 없이 A를 폭행하자 A가 乙의 계속되는 폭행을 피하여 도로를 무단횡단하다 지나가던 차량에 치어 사망하였다면 「형법」 제263조가 적용되어 甲과 乙은 폭행치사죄의 공동정범의 예에 의해 처벌된다.
>
> ㉣ A가 甲이 운전하는 차량에 의해 교통사고를 당한 후 얼마 지나지 않아 다시 乙이 운전하는 차량에 의해 교통사고를 당하고 사망하였으나 사망의 원인행위가 판명되지 않았다면, 「형법」 제263조가 적용되어 甲과 乙은 교통사고처리 특례법 위반(치사)죄의 공동정범의 예에 의해 처벌된다.

① ㉠㉢   ② ㉡㉣   ③ ㉠㉡㉢   ④ ㉠㉢㉣   ⑤ ㉡㉢㉣

해설

④ ㉠㉢㉣ 3 항목이 옳지 않다. 독립행위가 경합하여 '상해'의 결과를 발생하게 한 경우에 있어서 원인된 행위가 판명되지 아니한 때에는 공동정범의 예에 의한다.(제263조) 시간적 차이가 있는 독립된 상해행위나 폭행행위가 경합하여 '사망'의 결과가 일어나고 그 사망의 원인된 행위가 판명되지 않은 경우에는 공동정범의 예에 의하여 처벌할 것이다.(대법원 2000. 7. 28. 2000도2466) 판례는 '사망'의 결과가 발생한 경우에도 상해죄의 동시범 특례인 형법 제263조를 적용한다. 즉, 판례에 의할 때 형법 제263조는 폭행치상죄, 상해죄, 폭행치사죄 및 상해치사죄에 적용된다.

㉠ [×] 공범관계에 있어 **공동가공의 의사가 있었다면** 이에는 **동시범 등의 문제는 제기될 여지가 없다.**(대법원 1985. 12. 10. 85도1892 잡귀를 물리친다 사건)

㉡ [○] 甲, 乙이 의사연락 없이 A에게 상해를 가하여 A가 사망하였으나 그 원인된 행위가 판명되지 않았으므로 甲, 乙은 공동정범의 예에 의해 상해치사죄로 처벌된다.(대법원 2000. 7. 28. 2000도2466 참고)

㉢ [×] A는 乙의 폭행과 교통사고 때문에 사망한 것이므로, 즉 **그 원인된 행위가 판명되었으므로** 형법 제263조가 적용되지 않는다(공동정범의 예에 의해 처벌되지 않고 각자 원인대로 처벌된다). 각자 원인에 따라 **甲은 폭행죄, 乙은 폭행치사죄의 죄책**을 진다.(대법원 1996. 5. 10. 96도529 절교녀 로드킬 사건 참고)

㉣ [×] **甲, 乙의 행위는 업무상과실치사상이므로** 형법 제263조가 적용되지 않는다(공동정범의 예에 의해 처벌되지 않고 각자 원인대로 처벌된다). 각자 원인에 따라 **甲, 乙 모두 교통사고처리 특례법 위반(업무상과실치상 또는 업무상과실치사)죄의 죄책**을 진다.(대법원 1988. 11. 8. 88도928, 대법원 1990. 5. 22. 90도580, 대법원 2001. 12. 11. 2001도5005 피고인 나중에 꽝 사건Ⅰ, 대법원 2014. 6. 12. 2014도3163 피고인 나중에 꽝 사건Ⅱ 등 참고)

교통사고처리 특례법(2016. 12. 2. 법률 제14277호로 일부개정된 것)

제3조【처벌의 특례】① 차의 운전자가 교통사고로 인하여 「형법」 제268조의 죄를 범한 경우에는 5년 이하의 금고 또는 2천만원 이하의 벌금에 처한다.

> **형법(2018. 12. 18. 법률 제15982호로 일부개정된 것)**
>
> 제268조【업무상과실 · 중과실 치사상】 업무상과실 또는 중대한 과실로 인하여 사람을 사상에 이르게 한 자는 5년 이하의 금고 또는 2천만원 이하의 벌금에 처한다.

269 동시범에 관한 설명으로 옳은 것은 모두 몇 개인가? (다툼이 있으면 판례에 의함)

☐☐☐

> ㉠ 시간적 차이가 있는 독립행위가 경합한 경우 그 결과발생의 원인된 행위가 판명되지 아니한 때에 형법 제263조가 적용되는 경우를 제외하고는 형법 제19조가 적용된다.
>
> ㉡ 독립행위가 경합하여 상해의 결과를 발생하게 한 경우에 있어서 원인된 행위가 판명되지 아니한 때에는 각 행위자를 미수범으로 처벌한다.
>
> ㉢ 형법 제263조의 동시범은 강간치상죄에는 적용할 수 없다.
>
> ㉣ A가 甲으로부터 폭행을 당하고 얼마 후 함께 A를 폭행하자는 甲의 연락을 받고 달려 온 乙로부터 다시 폭행을 당하고 사망하였으나 사망의 원인행위가 판명되지 않았다면 형법 제263조가 적용되어 甲과 乙은 폭행치사죄의 공동정범의 예에 의하여 처벌된다.

① 1개   ② 2개   ③ 3개   ④ 4개

해설

② ㉠㉢ 2 항목이 옳다.

㉠ [O] 동시 또는 이시의 독립행위가 경합한 경우에 그 결과발생의 원인된 행위가 판명되지 아니한 때에는 각 행위를 미수범으로 처벌한다.(제19조) 독립행위가 경합하여 상해의 결과를 발생하게 한 경우에 있어서 원인된 행위가 판명되지 아니한 때에는 공동정범의 예에 의한다.(제263조)

㉡ [×] 독립행위가 경합하여 상해의 결과를 발생하게 한 경우에 있어서 원인된 행위가 판명되지 아니한 때에는 **공동정범의 예에 의한다.**(제263조) '공동정범의 예에 의하여', 즉 공동정범의 경우처럼 인과관계를 전체적 · 종합적으로 판단하므로 각 행위자를 **기수범으로 처벌한다.**

㉢ [O] 형법 제263조의 동시범은 상해와 폭행죄에 관한 특별규정으로서 동 규정은 그 보호법익을 달리하는 강간치상죄에는 적용할 수 없다.(대법원 1984. 4. 24. 84도372)

㉣ [×] 공범관계에 있어 **공동가공의 의사가 있었다면** 이에는 **동시범 등의 문제는 제기될 여지가 없다.**(대법원 1985. 12. 10. 85도1892 잡귀를 물리친다 사건) 甲, 乙 간에 공동가공의 의사가 있었으므로(甲의 연락을 받고 乙이 달려 왔으므로) 甲, 乙은 (형법 제263조에 따라 공동정범의 예에 의해 처벌되는 것이 아니라 형법 제30조에 따라 공동정범으로 처벌된다.(대법원 1985. 12. 10. 85도1892 잡귀를 물리친다 사건 참고)

정답 | 268 ④   269 ②

270

형법 제263조 동시범의 특례에 대한 설명 중 적절한 것을 모두 고른 것은? (다툼이 있는 경우 판례에 의함)

□□□

21 경찰채용 [Superlative ★★★]

㉠ 甲은 A를 폭행하다가 힘에 부치자 평소 A에 대해 원한을 품고 있던 乙에게 연락하여 함께 폭행할 것을 제안하였다. 얼마 후 도착한 乙로부터 A는 다시 폭행을 당하고 사망하였으나 사망의 원인된 행위가 판명되지 않았다면, 형법 제263조가 적용되어 甲과 乙은 폭행치사죄의 공동정범의 예에 의하여 처벌된다.

㉡ 甲은 길 가던 A를 아무런 이유 없이 수 차례 폭행하고 그냥 가버렸다. 격분한 A는 분을 풀기 위해 지나가던 행인 乙에게 시비를 걸었으나 오히려 乙로부터 수 차례 폭행을 당하였다 A가 乙의 계속되는 폭행을 피하려고 도로를 무단횡단하다 지나가던 차량에 치어 사망하였다면, 형법 제263조가 적용되어 甲과 乙은 폭행치사죄의 공동정범의 예에 의하여 처벌된다.

㉢ 甲은 A에게 상해를 가한 후 그 자리를 떠났다. 얼마 후 A는 근처를 지나가던 행인 乙과 시비가 붙은 끝에 상해를 당한 후 사망하였으나 사망의 원인된 행위가 판명되지 않았다면, 형법 제263조가 적용되어 甲과 乙은 상해치사죄의 공동정범의 예에 의하여 처벌된다.

㉣ 甲은 A를 강간한 후 그 자리를 떠났다. 얼마 후 A는 근처를 지나가던 다른 행인 乙로부터 다시 강간을 당하였다. 다음 날 A는 강간을 당하는 과정에서 입은 상해로 병원에 입원하였으나 甲과 乙 누구의 행위에 의해 상해를 입었는지는 판명되지 않았다면, 형법 제263조가 적용되어 甲과 乙은 강간치상죄의 공동정범의 예에 의하여 처벌된다.

① 없음 ② 1개 ③ 2개 ④ 3개

해설

② ㉢ 1 항목만 옳다.

㉠ [×] 공범관계에 있어 **공동가공의 의사가 있었다면** 이에는 **동시범 등의 문제는 제기될 여지가 없다.**(대법원 1985. 12. 10. 85도1892 잡귀를 물리친다 사건) 甲, 乙 간에 공동가공의 의사가 있었으므로(甲의 연락을 받고 乙이 왔으므로) 甲, 乙은 (형법 제263조에 따라 공동정범의 예에 의해 처벌되는 것이 아니라) 형법 제30조에 따라 공동정범으로 처벌된다.(대법원 1985. 12. 10. 85도1892 잡귀를 물리친다 사건 참고)

㉡ [×] A는 乙의 폭행과 교통사고 때문에 사망한 것이므로, 즉 그 원인된 행위가 판명되었으므로 형법 제263조가 적용되지 않는다(공동정범의 예에 의해 처벌되지 않고 각자 원인대로 처벌된다). 각자 원인에 따라 **甲은 폭행죄, 乙은 폭행치사죄의 죄책**을 진다.(대법원 1996. 5. 10. 96도529 절교녀 로드킬 사건 참고)

㉢ [○] 독립행위가 경합하여 '상해'의 결과를 발생하게 한 경우에 있어서 원인된 행위가 판명되지 아니한 때에는 공동정범의 예에 의한다.(형법 제263조) 시간적 차이가 있는 독립된 상해행위나 폭행행위가 경합하여 '사망'의 결과가 일어나고 그 사망의 원인된 행위가 판명되지 않은 경우에는 공동정범의 예에 의하여 처벌할 것이다.(대법원 2000. 7. 28. 2000도2466) 즉, 판례는 '사망'의 결과가 발생한 경우에도 상해죄의 동시범 특례인 형법 제263조를 적용한다.

㉣ [×] **형법 제263조의 동시범**은 상해와 폭행죄에 관한 특별규정으로서 동 규정은 그 보호법익을 달리하는 **강간치상죄에는 적용할 수 없다.**(대법원 1984. 4. 24. 84도372) 형법 제263조에 규정된 상해죄의 동시범의 특례가 적용되지 않기 때문에 甲, 乙은 각각 **강간죄의 죄책**을 진다.

제2절 | 공동정범

271

다음 공범론에 관한 설명 중 괄호 안에 들어갈 내용으로 가장 적절하게 구성된 것은? (다툼이 있으면 판례에 의함)

12 경찰채용 [Core ★★]

가. 사태의 핵심형상을 계획적으로 지배, 조정, 공동 형성하는 (㉠)를 통해 그의 의사에 따라 구성요건의 실현을 저지, 진행할 수 있게 하는 자를 정범, 단순히 정범의 행위를 야기하거나 촉진한 자를 공범이라고 한다.

나. 대법원은 공동정범의 본질을 분업적 역할 분담에 의한 (㉡)에 있다고 보아 이를 기준으로 공동정범 여부를 판단하고 있다.

다. 2인 이상의 자가 공모하여 그중 일부가 그 공모에 따라 범죄 실행에 나아간 때 그 실행행위를 담당하지 아니한 다른 일부의 공모자에게도 정범의 책임을 묻는 법리를 (㉢)이라 한다.

라. 회사 직원이 영업비밀을 유출하거나 자기의 이익을 위해 이용할 목적으로 무단 반출한 때에 업무상배임죄는 기수에 이르게 되는데, 그 후 이 직원과 접촉하여 영업비밀을 취득한 자에 대하여는 배임죄의 (㉣)한 것이 대법원 판례이다.

① ㉠ 실행지배 ㉡ 공동의 실행지배 ㉢ 승계적공동정범 ㉣ 공동정범의 성립을 인정

② ㉠ 행위지배 ㉡ 기능적 행위지배 ㉢ 공모공동정범 ㉣ 공동정범의 성립을 부정

③ ㉠ 행위지배 ㉡ 기능적 행위지배 ㉢ 공모공동정범 ㉣ 공동정범의 성립을 인정

④ ㉠ 실행지배 ㉡ 공동의 실행지배 ㉢ 공모공동정범 ㉣ 방조범의 성립을 인정

해설

② 이 지문이 옳다.

㉠ 통설의 입장이다.

㉡ 공동정범의 본질은 분업적 역할분담에 의한 기능적 행위지배에 있다고 할 것이므로 공동정범은 공동의사에 의한 기능적 행위지배가 있음에 반하여 종범은 그 행위지배가 없는 점에서 양자가 구별된다.(대법원 2013. 1. 10. 2012도12732 자료값 사건)

㉢ 2인 이상이 범죄에 공동 가공하는 공범관계에서 공모는 법률상 어떤 정형을 요구하는 것이 아니고 2인 이상이 공모하여 어느 범죄에 공동 가공하여 그 범죄를 실현하려는 의사의 결합만 있으면 되는 것으로서, 비록 전체의 모의과정이 없었다고 하더라도 수인 사이에 순차적으로 또는 암묵적으로 상통하여 그 의사의 결합이 이루어지면 공모관계가 성립하고, 이러한 공모가 이루어진 이상 실행행위에 직접 관여하지 아니한 자라도 다른 공모자의 행위에 대하여 공동정범으로서의 형사책임을 진다.(대법원 2016. 8. 29. 2016도6297)

㉣ 회사 직원이 영업비밀을 경쟁업체에 유출하거나 스스로의 이익을 위하여 이용할 목적으로 무단으로 반출한 때 업무상배임죄의 기수에 이르렀다고 할 것이고, 그 이후에 직원과 접촉하여 영업비밀을 취득하려고 한 자는 업무상배임죄의 공동정범이 될 수 없다.(대법원 2003. 10. 30. 2003도4382 삼성전자 영업비밀 유출사건)

정답 | 270 ② 271 ②

272

□□□ 다음의 경우에서 피고인의 죄책은? (판례에 의함)

> 다른 3명의 공모자들과 강도 모의를 하면서 삽을 들고 사람을 때리는 시늉을 하는 등 그 모의를 주도한 피고인이 함께 범행 대상을 물색하다가 다른 공모자들이 강도의 대상을 지목하고 뒤쫓아 가자 단지 "어?"라고만 하고 비대한 체격 때문에 뒤따라가지 못한 채 범행현장에서 200m 정도 떨어진 곳에 앉아 있었으나 위 공모자들이 피해자를 쫓아가 강도상해의 범행을 저질렀다.

① 강도의 예비죄

② 강도상해의 장애미수

③ 강도의 공동정범

④ 강도상해의 공동정범

해설

④ [○] (1) 공모관계에서의 이탈은 공모자가 공모에 의하여 담당한 기능적 행위지배를 해소하는 것이 필요하므로 공모자가 공모에 주도적으로 참여하여 다른 공모자의 실행에 영향을 미친 때에는 범행을 저지하기 위하여 적극적으로 노력하는 등 실행에 미친 영향력을 제거하지 아니하는 한 공모관계에서 이탈되었다고 할 수 없다. (2) 공범들이 피해자를 쫓아가 강도상해의 범행을 저지른 경우, **피고인은 공범들이 강도상해죄의 실행에 착수하기까지 범행을 만류하는 등으로 그 공모관계에서 이탈하였다고 볼 수 없어 강도상해죄의 공동정범으로서의 죄책을 면할 수 없다.**(대법원 2008. 4. 10. 2008도1274 어 사건)

273 공동정범에 관한 설명 중 가장 적절하지 않은 것은? (다툼이 있으면 판례에 의함)

□□□

16 경찰승진 [Essential ★]

① 포괄일죄의 범행 도중에 공동정범으로 범행에 가담한 자는 비록 그가 그 범행에 가담할 때에 이미 이루어진 종전의 범행을 알았다 하더라도 그 가담 이후의 범행에 대하여만 공동정범으로 책임을 진다.

② 부하들이 흉기를 들고 싸움을 하고 있는 도중에 폭력단체의 두목급 수괴 甲이 사건 현장에서 "전부 죽이라"고 고함을 치자, 그 부하들이 피해자들을 난자하여 사망케 한 경우에 甲도 살인죄의 공동정범의 죄책을 진다.

③ 다른 3명의 공모자들과 강도 모의를 주도한 甲이, 다른 공모자들이 피해자를 뒤쫓아 가자 단지 '어?'라고만 하고 더 이상 만류하지 아니하여 공모자들이 강도상해의 범행을 한 경우, 甲은 그 공모관계에서 이탈하였다고 볼 수 없다.

④ 우연히 만난 자리에서 서로 협력하여 공동의 범의를 실현하려는 의사가 암묵적으로 상통하여 범행에 공동가공한 것이라면 공동정범은 성립하지 않는다.

해설

④ [×] 공동정범이 성립하기 위하여는 반드시 공범자간에 사전에 모의가 있어야 하는 것은 아니며, **우연히 만난 자리에서 서로 협력하여 공동의 범의를 실현하려는 의사가 암묵적으로 상통하여** 범행에 공동가공하더라도 **공동정범은 성립된다.**(대법원 1984. 12. 26. 82도1373 우연히 윤간사건)

① [O] 포괄일죄의 범행 도중에 공동정범으로 범행에 가담한 자는 비록 그가 그 범행에 가담할 때에 이미 이루어진 종전의 범행을 알았다 하더라도 그 가담 이후의 범행에 대하여만 공동정범으로 책임을 진다.(대법원 2007. 11. 15. 2007도6336 시세조정 중 가담사건)

② [O] 부하들이 흉기를 들고 싸움을 하고 있는 도중에 폭력단체의 두목급 수괴 甲이 사건 현장에서 "전부 죽이라"고 고함을 치자, 그 부하들이 피해자들을 난자하여 사망케 한 경우에 甲도 살인죄의 공동정범의 죄책을 진다.(대법원 1987. 10. 13. 87도1240 서진룸살롱 사건)

③ [O] 다른 3명의 공모자들과 강도 모의를 하면서 삽을 들고 사람을 때리는 시늉을 하는 등 그 모의를 주도한 피고인이 함께 범행 대상을 물색하다가 다른 공모자들이 강도의 대상을 지목하고 뒤쫓아 가자 단지 "어?"라고만 하고 비대한 체격 때문에 뒤따라가지 못한 채 범행현장에서 200m 정도 떨어진 곳에 앉아 있었으나 공모자들이 피해자를 쫓아가 강도상해의 범행을 한 경우, 피고인은 다른 공모자가 강도상해죄의 실행에 착수하기까지 범행을 만류하는 등으로 그 공모관계에서 이탈하였다고 볼 수 없으므로 강도상해죄의 공동정범으로서의 죄책을 진다.(대법원 2008. 4. 10. 2008도1274 어 사건)

274

공동정범에 관한 설명 중 옳은 것을 모두 고른 것은? (다툼이 있으면 판례에 의함)

□□□

21 변호사 [Core ★★]

> ㉠ 상명하복관계에 있는 자들이 범행에 공동가공한 경우, 특수교사·방조범(「형법」 제34조 제2항)이 성립할 수 있으나 공동정범은 인정될 수 없다.
>
> ㉡ 공모자에게 범죄에 대한 본질적 기여를 통한 기능적 행위지배가 인정된다면 공모공동정범으로서의 죄책을 물을 수 있다.
>
> ㉢ 공모자들이 그 공모한 범행을 수행하거나 목적 달성을 위해 나아가는 도중에 부수적인 다른 범죄가 파생되리라고 예상하거나 충분히 예상할 수 있는데도 그 가능성을 외면한 채 이를 방지하기에 족한 합리적 조치를 취하지 않고 공모한 범행에 나아갔다가 결국 그와 같이 예상된 범행들이 발생한 경우, 그 파생적인 범행 하나하나에 대하여 개별적 의사연락이 없었다면 그 범행 전부에 대한 기능적 행위지배가 존재한다고 볼 수 없다.
>
> ㉣ 공범관계에 있어서 공모는 법률상 어떤 정형을 요구하는 것이 아니므로 이러한 공모관계를 인정하기 위하여 엄격한 증명이 요구되지는 않는다.
>
> ㉤ 공동정범이 성립하기 위하여 반드시 공범자 간 사전모의가 있어야 하는 것은 아니며, 우연히 만난 자리에서 서로 협력하여 공동의 범의를 실현하려는 의사가 암묵적으로 상통하여 범행에 공동가공하더라도 공동정범은 성립된다.

① ㉠㉡   ② ㉡㉣   ③ ㉡㉤   ④ ㉢㉣㉤   ⑤ ㉠㉡㉢㉤

해설

③ ㉡㉤ 2 항목이 옳다.

㉠ [×] 상명하복관계에 있는 자들 사이에서도 범행에 공동 가공한 이상 **공동정범이 성립하는 데 아무런 지장이 없다.**(대법원 2013. 7. 11. 2011도15056 SM그룹 사건)

㉡ [O] 공동정범은 공동가공의 의사와 그 공동의사에 기한 기능적 행위지배를 통한 범죄 실행이라는 주관적·객관적 요건을 충족함으로써 성립한다. 공모자 중에서 구성요건 행위 일부를 직접 분담하여 실행하지 않은 사람이라도 단순한 공모자에 그치지 아니하고 범죄에 대한 본질적 기여를 통한 기능적 행위지배가 존재한다고 인정되는 경우라면 이른바 공모공동정범으로서 다른 공모자의 행위에 대하여 형사책임을 진다.(대법원 2013. 3. 28. 2012도16086 선관위 디도스 사건)

㉢ [×] 공모자들이 그 공모한 범행을 수행하거나 목적 달성을 위해 나아가는 도중에 부수적인 다른 범죄가 파생되리라고 예상하거나 충분히 예상할 수 있는데도 그러한 가능성을 외면한 채 이를 방지하기에 족한 합리적인 조치를 취하지 않고 공모한 범행에 나아갔다가 결국 그와 같이 예상되던 범행들이 발생하였다면, **비록 그 파생적인 범행 하나하나에 대하여 개별적인 의사연락이 없었다 하더라도** 당초 공모자들 사이에 그 범행 전부에 대하여 암묵적인 공모는 물론 **그에 대한 기능적 행위지배가 존재한다고 보아야 한다.**(대법원 2018. 5. 15. 2017도19499 정유라 이대 입시비리 사건)

㉣ [×] 공동정범에서 있어서 공모관계를 인정하기 위해서는 **엄격한 증명이 요구된다.**(대법원 2018. 4. 19. 2017도14322 손승 국정원 대선개입 사건)

㉤ [O] 공동정범이 성립하기 위하여는 반드시 공범자간에 사전에 모의가 있어야 하는 것은 아니며, 우연히 만난 자리에서 서로 협력하여 공동의 범의를 실현하려는 의사가 암묵적으로 상통하여 범행에 공동가공하더라도 공동정범은 성립된다.(대법원 1984. 12. 26. 82도1373 우연히 윤간사건)

275 공모관계 이탈 및 공범관계 이탈에 대한 설명으로 옳지 않은 것은? (다툼이 있으면 판례에 의함)

□□□
20 국가7급 [Core ★★]

① 공모자가 공모에 주도적으로 참여하여 다른 공모자의 실행에 영향을 미친 때에는 범행을 저지하기 위하여 적극적으로 노력하는 등 실행에 미친 영향력을 제거하지 아니하는 한 공모관계에서 이탈하였다고 할 수 없다.

② 단순공모자 중의 어떤 사람이 다른 공모자가 실행행위에 이르기 전에 그 공모관계에서 이탈한 때에는 그 이후의 다른 공모자의 행위에 관하여 공동정범으로서의 책임은 지지 않는다고 할 것이고, 그 이탈의 표시는 반드시 명시적임을 요하지 않는다.

③ 피고인이 공범과 함께 가출청소년에게 성매매를 하도록 한 후 피고인이 별건으로 구속된 상태에서 공범들이 그 청소년에게 계속 성매매를 하게 한 경우, 구속 이후 범행에 대하여는 피고인의 실질적인 행위지배가 인정되지 않으므로 피고인에게는 공동정범의 죄책이 인정되지 않는다.

④ 피고인이 공범들과 주식시세조종의 목적으로 허위매수주문, 통정매매행위 등을 반복적으로 행하다가 회사를 퇴사하는 등의 사정으로 공범관계에서 이탈하였으나 다른 공범에 의하여 포괄일죄 관계에 있는 나머지 범행이 이루어진 경우, 피고인은 자신이 관여하지 않은 부분에 대하여도 죄책을 부담한다.

해설

③ [×] (1) 공모자가 공모에 주도적으로 참여하여 다른 공모자의 실행에 영향을 미친 때에는 범행을 저지하기 위하여 적극적으로 노력하는 등 실행에 미친 영향력을 제거하지 아니하는 한 공모관계에서 이탈하였다고 할 수 없다. (2) **甲이 乙과 공모하여 가출 청소년 丙을 유인하고 성매매 홍보용 나체사진을 찍은 후**, 자신이 별건으로 체포되어 수감 중인 동안 丙이 乙의 관리 아래 **성매수의 상대방이 된 대가로 받은 돈을 丙, 乙 및 甲의 처 등이 나누어 사용한 경우, 甲은 乙과 함께 미성년자유인죄, 아청법위반죄의 책임을 진다.**(대법원 2010. 9. 9. 2010도6924 **가출녀 성매매 강요사건**) 지문의 경우 피고인은 미성년자유인죄 및 아청법위반죄의 공동정범으로서의 죄책을 진다. 이는 행위자(피고인)가 '주도적으로' 참여(가담)한 경우이다.

① [○] 공모공동정범에서 공모자 중의 1인이 다른 공모자가 실행행위에 이르기 전에 그 공모관계에서 이탈한 때에는 그 이후의 다른 공모자의 행위에 관하여는 공동정범으로서의 책임은 지지 않는다. 그렇지만 공모관계에서의 이탈은 공모자가 공모에 의하여 담당한 기능적 행위지배를 해소하는 것이 필요하므로 공모자가 공모에 주도적으로 참여하여 다른 공모자의 실행에 영향을 미친 때에는 범행을 저지하기 위하여 적극적으로 노력하는 등 실행에 미친 영향력을 제거하지 아니하는 한 공모관계에서 이탈하였다고 할 수 없다.(대법원 2015. 2. 16. 2014도14843)

② [○] 공모공동정범에 있어서 그 공모자중의 1인이 다른 공모자가 실행행위에 이르기 전에 그 공모관계에서 이탈한 때에는 그 이후의 다른 공모자의 행위에 관하여 공동정범으로서의 책임은 지지 않는다고 할 것이고 그 이탈의 표시는 반드시 명시적임을 요하지 않는다.(대법원 1986. 1. 21. 85도2371 **동창생 윤간살해 사건**)

④ [○] 피고인이 다른 공범들과 특정 회사 주식의 시세조종 주문을 내기로 공모한 다음 시세조종행위의 일부를 실행한 후 공범관계로부터 이탈하였고, 다른 공범들이 그 이후의 나머지 시세조종행위를 계속한 경우, 피고인이 다른 공범들의 범죄실행을 저지하지 않은 이상 그 이후 나머지 공범들이 행한 시세조종행위에 대하여도 공동정범으로서의 죄책을 부담한다.(대법원 2011. 1. 13. 2010도9927 **시세조종 중 이탈사건**)

276

☐☐☐

공동정범에 대한 설명으로 가장 적절한 것은? (다툼이 있으면 판례에 의함) 17 경찰채용 [Essential ★]

① 우연히 만난 자리에서 서로 협력하여 공동의 범의를 실현하려는 의사가 암묵적으로 상통하여 범행에 공동가공한 것이라면 공동정범은 성립하지 않는다.

② 타인의 범행을 인식하면서도 이를 제지하지 아니하고 용인하는 심리상태만으로 공동정범의 공동가공의 의사가 인정될 수 있다.

③ 딱지어음을 발행하여 매매하였더라도, 딱지어음의 전전유통경로나 중간 소지인들 및 그 기망 방법을 구체적으로 몰랐던 경우라면 사기죄의 공모관계를 인정할 수 없다.

④ 업무상배임죄로 이익을 얻는 수익자 또는 그와 밀접한 관련이 있는 제3자를 배임의 실행 행위 자와 공동정범으로 인정하기 위해서는 실행행위자의 행위가 피해자 본인에 대한 배임행위에 해당한다는 것을 알면서도 소극적으로 배임행위에 편승하여 이익을 취득한 것만으로는 부족 하고, 실행행위자의 배임행위를 교사하거나 또는 배임행위의 전 과정에 관여하는 등으로 배임 행위에 적극 가담할 것이 필요하다.

해설

④ [○] 거래상대방의 대향적 행위의 존재를 필요로 하는 유형의 배임죄의 경우에, 거래상대방으로서는 기본적으로 배임행위의 실행행위자와는 별개의 이해관계를 가지고 반대편에서 독자적으로 거래에 임한다는 점을 감안할 때, 거래상대방을 배임의 실행행위자와 공동정범으로 인정하기 위해서는 거래상대방이 실행행위자의 행위가 피해자 본인에 대한 배임행위에 해당한다는 것을 알면서도 소극적으로 그 배임행위에 편승하여 이익을 취득한 것만으로는 부족하고, 실행행위자의 배임행위를 교사하거나 또는 배임행위의 전과정에 관여하는 등으로 배임행위에 적극 가담할 것을 필요로 한다.(대법원 2013. 7. 11. 2011도5337 **광산상사 사건**)

① [×] 공동정범이 성립하기 위하여는 반드시 공범자간에 사전에 모의가 있어야 하는 것은 아니며, **우연히 만난 자리에서 서로 협력하여** 공동의 범의를 실현하려는 의사가 암묵적으로 상통하여 범행에 공동가공하더라도 **공동정범은 성립된다.**(대법원 1984. 12. 26. 82도1373 **우연히 윤간사건**)

② [×] 공동정범은 2인 이상이 공동하여 죄를 범하는 것으로서, 공동정범이 성립하기 위하여는 주관적 요건인 공동가공의 의사와 객관적 요건으로서 그 공동의사에 기한 기능적 행위지배를 통하여 범죄를 실행하였을 것이 필요하고, **공동가공의 의사란 타인의 범행을 인식하면서도 이를 제지함이 없이 용인하는 것만으로는 부족하고** 공동의 의사로 특정한 범죄행위를 하기 위하여 일체가 되어 서로 다른 사람의 행위를 이용하여 자기의 의사를 실행에 옮기는 것을 내용으로 하는 것이어야 한다.(대법원 2015. 10. 29. 2015도9010 **공무원간첩 국정원 증거조작 사건**)

③ [×] 딱지어음들을 발행하여 매매한 피고인들이 이를 사용한 사기의 실행행위에 직접 관여하지 않았더라도 그 **사기범행에 관하여 암묵적, 순차적으로 공모하였다고 볼 수 있다면,** 딱지어음들의 전전유통경로나 중간 소지인들 및 그 기망방법을 구체적으로 몰랐더라도 사기죄의 **공동정범이 된다.**(대법원 1997. 9. 12. 97도1706 **광주 어음사기단 사건**)

277 공동정범에 관한 판례의 태도가 아닌 것은?

16 경찰간부 [Superlative ★★★]

□□□

① 공모공동정범에 있어 그 공모자 중의 1인이 다른 공모자가 실행행위에 이르기 전에 그 공모관계에서 이탈한 때에는 그 이후의 타 공모자의 행위에 대해 공동정범으로서의 책임을 지지 않는다.

② 결과적 가중범인 상해치사죄의 공동정범은 폭행 기타의 신체 침해행위를 공동으로 할 의사가 있으면 성립되고 결과를 공동으로 할 의사는 필요 없으므로 패싸움 중 한 사람이 칼로 찔러 상대방을 죽게 한 경우에 다른 공범자가 그 결과에 대한 인식이 없었다고 하더라도 상해치사죄의 책임이 인정된다.

③ 합동하여 강도를 하던 여러 명 중의 한 사람이 살인을 하였다면 그의 살해행위에 관하여 예견할 수 있었던 다른 가담자는 강도치사죄의 죄책을 진다.

④ 甲의 연속된 마약제조로 성립된 포괄일죄의 일부분에 乙이 甲의 종전이 범행사실을 알고 공동정범으로 가담했다면 乙에게는 그 가담 이전의 甲의 범죄 부분에 대해서도 공동정범의 책임이 인정된다.

해설

④ [×] (1) 포괄일죄의 범행 도중에 공동정범으로 범행에 가담한 자는 **비록 그가 그 범행에 가담할 때에 이미 이루어진 종전의 범행을 알았다 하더라도 그 가담 이후의 범행에 대하여만 공동정범으로 책임을 진다.** (2) 甲이 1981년 1월 초순경부터 희로뽕 제조행위를 계속하던 도중인 1981년 2월 9일경 피고인 乙이 비로소 甲의 위 제조행위를 알고 그에 가담한 경우, 비록 甲의 희로뽕 제조행위 전체가 포괄하여 하나의 죄가 된다 할지라도 乙에게 그 가담 이전의 제조행위에 대하여까지 유죄를 인정할 수는 없다.(대법원 1982. 6. 8. 82도884 **희로뽕제조 중 가담사건**)

① [○] 공모공동정범에 있어서 공모자 중의 1인이 다른 공모자가 실행행위에 이르기 전에 그 공모관계에서 이탈한 때에는 그 이후의 다른 공모자의 행위에 관하여는 공동정범으로서의 책임은 지지 않는다.(대법원 1995. 7. 11. 95도955)

② [○] 패싸움 중 한사람이 칼로 찔러 상대방을 죽게 한 경우에 다른 공범자가 그 결과 인식이 없다 하여 상해치사죄의 책임이 없다고 할 수 없다.(대법원 1978. 1. 17. 77도2193)

③ [○] 강도의 공범자 중 1인이 강도의 기회에 피해자에게 폭행 또는 상해를 가하여 살해한 경우, 다른 공모자가 살인의 공모를 하지 아니하였다고 하여도 그 살인행위나 치사의 결과를 예견할 수 없었던 경우가 아니면 강도치사죄의 죄책을 면할 수 없다.(대법원 1991. 11. 12. 91도2156 **픽치기 살해사건**)

278

□□□

공동정범에 대한 설명으로 옳지 않은 것은? (다툼이 있으면 판례에 의함) 19 5급승진 [Core ★★]

① 甲, 乙, 丙이 재물강취의 의사로 범행에 착수하여 A를 상해하였고, 이때 甲이 A가 도망가면서 남겨 둔 옷에서 乙, 丙 몰래 돈을 꺼내어 사용한 경우, 乙과 丙은 강도상해죄의 공동정범이 인정된다.

② 甲은 乙이 사기범행을 실현하리라는 점을 인식하면서도 이를 용인하여 부도가 예정된 딱 지어음을 조직적으로 발행하여 시중에 유통시켰고, 乙은 딱지어음임을 알면서도 이를 취득하여 이 러한 사실을 숨긴 채 A에게 교부하여 어음할인금을 편취하였던 경우, 甲에게는 乙의 사기죄 의 공동정범이 인정된다.

③ 甲, 乙, 丙이 등산용 칼을 이용하여 노상강도를 하기로 공모한 후, 甲은 범행 당시 차 안에서 망을 보고 있었고, 乙과 丙이 함께 차에서 내려 A로부터 금품을 강취하던 중, 乙이 그때 우연 히 현장을 목격하게 된 B를 자신이 소지 중이던 등산용 칼로 살해한 경우, 甲과 丙에게는 강 도살인죄의 공동정범이 인정되지 않는다.

④ 甲, 乙, 丙은 강도를 모의하고 A의 집에 침입하여 강취하던 중, 甲이 정신없이 장롱에서 재물 을 뒤지는 사이에 乙과 丙은 A를 강간하였고, 甲은 물건을 챙겨 돌아서면서 이를 뒤늦게 발견 하고 빨리 가자고 재촉하여 함께 집을 나온 경우, 甲에게는 강도강간의 공동정범이 인정된다.

⑤ 甲이 乙과 특정 회사 주식의 시세조정 주문을 내기로 공모한 다음, 시세조정행위의 일부를 실 행한 후 공범관계로부터 이탈하였으나 乙이 그 이후에 나머지 시세조정 행위를 계속한 경우, 甲이 그 이탈 이후 乙의 범죄실행을 저지하지 않았다면 이탈 이후 행하여진 乙의 시세조정행 위에 대하여도 甲에게 공동정범이 인정된다.

해설

④ [×] **피고인 甲은** 乙, 丙의 강간사실을 알게 된 것은 이미 실행의 착수가 이루어지고 난 다음이었음이 명백하 고 강간사실을 알고 나서도 암묵리에 그것을 용인하여 그로 하여금 강간하도록 할 의사로 강간의 실행범인 乙과 강간 피해자 A의 머리 등을 잡아준 丙과 함께 일체가 되어 **乙, 丙의 행위를 통하여 자기의 의사를 실행 하였다고는 볼 수 없다.**(대법원 1988. 9. 13. 88도1114 **사당동 강도강간사건)** 甲은 乙, 丙과 강도를 공모하였 을 뿐 강도강간을 공모한 것이 아니므로 甲은 강도강간죄의 죄책은 지지 아니한다.

① [○] 피고인들이 재물을 강취할 의사로 피해자 A에 대하여 폭행을 가한 이상, 피고인 甲이 나머지 피고인들 몰래 A가 도망가면서 남겨 둔 옷에서 500만원권 자기앞수표 4장 합계 2,000만원을 꺼내어 사용하였다 할지 라도 이러한 피고인 甲의 강도행위를 나머지 피고인들이 예측할 수 있었다 할 것이므로 피고인 甲의 강도행위 에 대하여 나머지 피고인들도 책임을 면할 수 없다.(대법원 2004. 10. 28. 2004도4437 **20세기파 사건)**

② [○] 피고인 甲 등이 乙 등이 사기 범행을 실현하리라는 점을 인식하면서도 이를 용인하며 부도가 예정된 딱 지어음을 조직적으로 대량 발행하고 시중에 유통시킴으로써 乙 등 딱지어음 취득자들과 사이에 그들의 사기 범행에 관하여 직접 또는 중간 판매상 등을 통하여 적어도 순차적·암묵적으로 의사가 상통하여 공모관계가 성립되었다고 보아야 한다.(대법원 2011. 12. 22. 2011도9721 **딱지어음 사기 사건)**

③ [○] 피해자 B를 乙이 등산용 칼로 살해하여 강도살인행위에 이를 것을 전혀 예상하지 못하였다고 보여지지 아니하므로 피고인 甲, 丙은 강도치사죄의 죄책을 진다.(대법원 1990. 11. 27. 90도2262 **노상강도사건)**

⑤ [O] 피고인이 다른 공범들과 특정 회사 주식의 시세조종 주문을 내기로 공모한 다음 시세조종행위의 일부를 실행한 후 공범관계로부터 이탈하였고, 다른 공범들이 그 이후의 나머지 시세조종행위를 계속한 경우, 피고인이 다른 공범들의 범죄실행을 저지하지 않은 이상 그 이후 나머지 공범들이 행한 시세조종행위에 대하여도 공동정범으로서의 죄책을 부담한다.(대법원 2011. 1. 13. 2010도9927 시세조종 중 이탈사건)

279 다음 설명 중 옳지 않은 것은 모두 몇 개인가? (다툼이 있으면 판례에 의함)

18 법원행시 [Superlative ★★★]

㉠ 공모공동정범에 있어서 공모자 중의 1인이 다른 공모자가 실행행위에 이르기 전에 그공모관계에서 이탈한 때에는 그 이후의 다른 공모자의 행위에 관하여는 공동정범으로서의 책임은 지지 않는다.

㉡ 해적들인 피고인들이 두목의 사전지시에 따라 해군의 구출작전에 대항하여 선원들을 윙브리지로 세워 해군의 위협사격을 받게 하여 '인간방패'로 사용한 부분에 대하여, 사전모의는 하였더라도 선원들을 윙브리지로 내몰았을 때, 당시 총을 버리고 도망갔다면 공모관계에서 이탈한 것에 해당한다.

㉢ 범죄단체조직의 조직원인 피고인이 다른 사람들과 함께 술을 마시고 있다가 같은 조직원으로부터 연락을 받고 집결지에 갔으나 반대파 조직에게 보복을 하러 간다는 말을 듣고 다른 조직원들이 여러 대의 차에 분승하여 출발하려고 할 때 사태의 심각성을 실감하고 범행에 휘말리기 싫어서 그곳에서 택시를 타고 귀가하였다면, 공모관계에서 이탈한 것에 해당한다.

㉣ 범죄의 실행을 공모하였다면 다른 공모자가 이미 실행행위에 착수한 이후에는 그 공모관계에서 이탈하였다고 하더라도 공동정범의 책임을 면할 수 없다.

㉤ 피고인이 포괄일죄의 관계에 있는 범행의 일부를 실행한 후 공범관계에서 이탈하였으나 다른 공범자에 의하여 나머지 범행이 이루어진 경우, 직접 관여하지 않은 부분에 대하여도 죄책을 부담한다.

① 0개   ② 1개   ③ 2개

④ 3개   ⑤ 4개

해설

② ⓛ 항목만 옳지 않다.

㉠ [○] 공모공동정범에 있어서 공모자 중의 1인이 다른 공모자가 실행행위에 이르기 전에 그 공모관계에서 이탈한 때에는 그 이후의 다른 공모자의 행위에 관하여는 공동정범으로서의 책임은 지지 않는다.(대법원 1995. 7. 11. 95도955)

ⓛ [×] (1) 공모공동정범에 있어서 공모자 중의 1인이 다른 공모자가 실행행위에 이르기 전에 그 공모관계에서 이탈한 때에는 그 이후의 다른 공모자의 행위에 관하여는 공동정범으로서의 책임은 지지 아니한다고 할 것이나, 공모관계에서의 이탈은 공모자가 공모에 의하여 담당한 기능적 행위지배를 해소하는 것이 필요하므로 공모자가 공모에 주도적으로 참여하여 다른 공모자의 실행에 영향을 미친 때에는 범행을 저지하기 위하여 적극적으로 노력하는 등 실행에 미친 영향력을 제거하지 아니하는 한 공모관계에서 이탈하였다고 할 수 없다. (2) 해군이 다시 구출작전에 나설 경우 선원들을 '인간방패'로 사용하는 것에 관하여 사전 공모한 해적들이, 해군의 위협사격에 의하여 총알이 빗발치는 윙브리지로 선원들을 내몬 것은 살해행위의 실행에 착수한 것이므로 **비록 해적들이 당시 총을 버리고 도망갔다고 하더라도 그것만으로는 공모관계에서 이탈한 것으로 볼 수 없다.**(대법원 2011. 12. 22. 2011도12927 **소말리아 해적 사건**)

ⓒ [○] 시라소니파 조직원인 피고인 甲이 다른 사람들과 술을 마시고 있다가 같은 조직원 乙로부터 연락을 받고 로울러스케이트장에 가서 파라다이스파에게 보복을 하러 간다는 말을 듣고 다른 조직원들이 여러 대의 차에 분승하여 출발하려고 할 때 사태의 심각성을 실감하고 범행에 휘말리기 싫어서 그곳에서 택시를 타고 집에 온 경우, 甲에게 공모관계가 인정된다고 하더라도 다른 조직원들이 범행에 이르기 전에 그 공모관계에서 이탈한 것이므로 甲은 공모관계에서 이탈한 이후의 행위에 대하여는 공동정범으로의 책임을 지지 않는다.(대법원 1996. 1. 26. 94도2654 **시라소니파 조직원 사건**)

ⓔ [○] 행위자 상호간에 범죄의 실행을 공모하였다면 다른 공모자가 이미 실행에 착수한 이후에는 그 공모관계에서 이탈하였다고 하더라도 공동정범의 책임을 면할 수 없다.(대법원 1984. 1. 31. 83도2941 **담배생각이 나서 사건**)

ⓜ [○] 피고인이 포괄일죄의 관계에 있는 범행의 일부를 실행한 후 공범관계에서 이탈하였으나 다른 공범자에 의하여 나머지 범행이 이루어진 경우, 피고인이 관여하지 않은 부분에 대하여도 죄책을 부담한다.(대법원 2011. 1. 13. 2010도9927 **시세조정 중 이탈사건**)

280

□□□

공동정범에 대한 설명으로 옳지 않은 것은? (다툼이 있으면 판례에 의함)   13 국가9급 [Core ★★]

① 공모자들이 그 공모한 범행을 수행하는 도중에 파생적인 범행 하나하나에 대해 개별적인 의사연락이 없었다 하더라도 부수적인 다른 범죄가 파생되리라고 충분히 예상되었다면 그 범행 전부에 대해 공모와 기능적 행위지배가 있다고 보아야 한다.

② 절도를 모의한 3인 가운데 2인이 시간적·장소적으로 협동관계를 이루어 절도의 실행행위를 한 경우 모의에는 참여하였으나 현장에서 실행행위를 직접 분담하지 않는 자에 대해서는 합동절도의 공동정범이 성립할 여지가 없다.

③ 공모에 주도적으로 참여하여 다른 공모자의 실행에 영향을 미친 공모자는 범행을 저지하기 위해 적극적으로 노력하여 실행행위에 미친 영향력을 제거해야만 공모관계에서의 이탈이 인정된다.

④ 공범자의 범인도피행위 도중에 그 범행을 인식하면서 그와 공동의 범의를 가지고 기왕의 범인도피상태를 이용하여 스스로 범인도피행위를 계속한 자는 범인도피죄의 공동정범의 죄책을 진다.

해설

② [×] 공동정범의 일반 이론에 비추어 그 공모에는 참여하였으나 현장에서 절도의 실행행위를 직접 분담하지 아니한 다른 범인에 대하여도 그가 현장에서 절도 범행을 실행한 위 2인 이상의 범인의 행위를 자기 의사의 수단으로 하여 합동절도의 범행을 하였다고 평가할 수 있는 정범성의 표지를 갖추고 있다고 보여지는 한 그 다른 범인에 대하여 **합동절도의 공동정범의 성립을 부정할 이유가 없다.**(대법원 2011. 5. 13. 2011도2021 사납금 절취사건)

① [○] 공모자들이 그 공모한 범행을 수행하거나 목적 달성을 위하여 나아가는 도중에 부수적인 다른 범죄가 파생되리라고 예상하거나 충분히 예상할 수 있는데도 그러한 가능성을 외면한 채 이를 방지하기에 충분한 합리적인 조치를 취하지 아니하고 공모한 범행에 나아갔다가 결국 그와 같이 예상되던 범행들이 발생하였다면, 비록 그 파생적인 범행 하나하나에 대하여 개별적인 의사의 연락이 없었더라도 당초의 공모자들 사이에 그 범행 전부에 대하여 암묵적인 공모는 물론 그에 대한 기능적 행위지배가 존재한다고 보아야 한다.(대법원 2013. 9. 12. 2013도6570 공직윤리지원관실 불법사찰사건Ⅰ)

③ [○] 공모공동정범에서 공모자 중의 1인이 다른 공모자가 실행행위에 이르기 전에 그 공모관계에서 이탈한 때에는 그 이후의 다른 공모자의 행위에 관하여는 공동정범으로서의 책임은 지지 않는다. 그렇지만 공모관계에서의 이탈은 공모자가 공모에 의하여 담당한 기능적 행위지배를 해소하는 것이 필요하므로 공모자가 공모에 주도적으로 참여하여 다른 공모자의 **실행에 영향을 미친 때에는 범행을 저지하기 위하여 적극적으로 노력하는 등 실행에 미친 영향력을 제거하지 아니하는 한 공모관계에서 이탈**하였다고 할 수 없다.(대법원 2015. 2. 16. 2014도14843)

④ [○] 공범자의 범인도피행위 도중에 그 범행을 인식하면서 그와 공동의 범의를 가지고 기왕의 범인도피상태를 이용하여 스스로 <u>범인도피행위를 계속한 자에 대하여는 범인도피죄의 공동정범이 성립한다.</u>(대법원 1995. 9. 5. 95도577)

281

☐☐☐

필요적 공범에 대한 설명 중 가장 적절한 것은? (다툼이 있으면 판례에 의함) 20 경찰승진 [Core ★★]

① 필요적 공범인 뇌물공여죄와 뇌물수수죄가 성립하기 위해서는 반드시 관여된 자 모두의 행위가 범죄로 성립되어야 하므로 일방에게 뇌물공여죄가 성립하려면 상대방 측에서 뇌물수수죄가 성립되어야 한다.

② 공무원이 직무상 비밀을 누설한 경우 형법 제127조의 공무상비밀누설죄로 처벌이 되며, 그 대향범인 비밀누설을 받은 자는 형법총칙의 공범규정이 적용되어 공무상비밀누설죄의 공범이 된다.

③ 변호사 甲이 변호사 아닌 자에게 고용되어 법률사무소를 개설·운영하는 행위에 관여한 행위가 형법총칙의 교사·방조에 해당할 경우 변호사 甲을 구 변호사법 제109조 제2호, 제34조 제4항 위반죄의 공범으로 처벌할 수 있다.

④ 甲이 세무사의 사무직원으로부터 그가 직무상 보관하고 있던 임대사업자 등의 인적사항, 사업자소재지가 기재된 서면을 교부받은 경우 구 세무사법상 직무상 비밀누설죄의 공동정범에 해당하지 않는다.

해설

> ④ [○] 세무사법은 세무사와 세무사였던 자 또는 그 사무직원과 사무직원이었던 자가 그 직무상 지득한 비밀을 누설하는 행위를 처벌하고 있을 뿐 비밀을 누설받는 상대방을 처벌하는 규정이 없고, 세무사의 사무직원이 직무상 지득한 비밀을 누설한 행위와 그로부터 그 비밀을 누설받은 행위는 대향범 관계에 있으므로 이에 공범에 관한 형법총칙 규정을 적용할 수 없다.(대법원 2007. 10. 25. 2007도6712 비자발급 브로커 사건)
>
> ① [×] **뇌물공여죄가 성립하기 위하여는** 뇌물을 공여하는 행위와 상대방 측에서 금전적으로 가치가 있는 그 물품 등을 받아들이는 행위가 필요할 뿐 **반드시 상대방 측에서 뇌물수수죄가 성립하여야 하는 것은 아니다.**(대법원 2013. 11. 28. 2013도9003 광주 총인처리시설 입찰비리사건)
>
> ② [×] 형법 제127조는 공무원 또는 공무원이었던 자가 법령에 의한 직무상 비밀을 누설하는 행위만을 처벌하고 있을 뿐 직무상 비밀을 누설받은 상대방을 처벌하는 규정이 없는 점에 비추어, 직무상 비밀을 누설받은 자에 대하여는 공범에 관한 형법총칙 규정이 적용될 수 없다.(대법원 2011. 4. 28. 2009도3642 체포영장발부자명단 사건)
>
> ③ [×] 변호사가 변호사 아닌 자에게 고용되어 법률사무소의 개설·운영에 관여하는 변호사법위반죄가 성립하는 데 당연히 예상될 뿐만 아니라 범죄의 성립에 없어서는 아니 되는 것인데도 **변호사를 처벌하는 규정이 없는 이상,** 변호사 아닌 자에게 고용되어 법률사무소의 개설·운영에 관여한 변호사의 행위가 일반적인 형법 총칙상의 공모, 교사 또는 방조에 해당된다고 하더라도 **변호사를 변호사 아닌 자의 공범으로서 처벌할 수는 없다.** (대법원 2004. 10. 28. 2004도3994)

282 다음 사례에 관한 설명으로 가장 적절하지 않은 것은? (다툼이 있으면 판례에 의함)

□□□

> 변호사가 아닌 甲은 변호사를 고용하여 법률사무소를 개설·운영하기 위해 평소 친분이 있는 회사원 丙을 찾아가 변호사를 소개해 달라고 부탁하였다. 이에 丙은 변호사 乙을 추천해주었고, 변호사 乙은 甲의 제안을 승낙한 후 甲에게 고용되어 법률사무소를 개설하여 운영하는 데 참여하였다.

① 변호사법 제109조 제2호, 제34조 제4항은 변호사 아닌 자가 변호사를 고용하여 법률사무소를 개설·운영하는 행위를 처벌하도록 규정하고 있다.

② 甲이 변호사 乙을 고용하여 법률사무소를 개설·운영하는 행위에 있어서는 甲은 변호사 乙을 고용하고 乙은 甲에게 고용된다는 서로 대향적인 행위의 존재가 반드시 필요하다.

③ 甲에게 고용되어 법률사무소의 개설·운영에 관여한 변호사 乙의 행위가 일반적인 형법총칙상의 공범에 해당된다고 하더라도 乙을 甲의 변호사법위반죄의 공범으로 처벌할 수는 없다.

④ 丙이 변호사 아닌 甲을 교사·방조한 경우에도 丙은 형법 총칙상의 공범규정이 적용될 여지가 없다.

해설

> ④ [×] 변호사법 제34조 제4항 위반(변호사가 아닌 자와의 동업 금지 등)의 죄와 같은 필요적 공범에 있어 내부참가자에게는 형법 총칙상 공범 규정이 적용되지 않지만, 외부관여자에게는 형법 총칙상 공범 규정이 적용된다. 따라서 **외부관여자인 丙에게는 형법 총칙상 공범 규정이 적용되어 丙을 甲의 변호사법위반죄의 교사범 또는 방조범으로 처벌할 수 있다.**
>
> ①②③ [O] 변호사가 변호사 아닌 자에게 고용되어 법률사무소의 개설·운영에 관여하는 변호사법위반죄가 성립하는 데 당연히 예상될 뿐만 아니라 범죄의 성립에 없어서는 아니 되는 것인데도 변호사를 처벌하는 규정이 없는 이상, 변호사 아닌 자에게 고용되어 법률사무소의 개설·운영에 관여한 변호사의 행위가 일반적인 형법총칙상의 공모, 교사 또는 방조에 해당된다고 하더라도 변호사를 변호사 아닌 자의 공범으로서 처벌할 수는 없다.(대법원 2004. 10. 28. 2004도3994)
>
> **변호사법(2018. 12. 18. 법률 제15974호로 일부개정된 것)**
>
> **제34조【변호사가 아닌 자와의 동업 금지 등】** ④ 변호사가 아닌 자는 변호사를 고용하여 법률사무소를 개설·운영하여서는 아니 된다.
>
> **제109조【벌칙】** 다음 각 호의 어느 하나에 해당하는 자는 7년 이하의 징역 또는 5천만원 이하의 벌금에 처한다. 이 경우 벌금과 징역은 병과할 수 있다.
>
> 1. <생략>
> 2. 제33조 또는 제34조를 위반한 자

283

□□□ 공동정범에 대한 설명으로 가장 적절하지 않은 것은? (다툼이 있으면 판례에 의함)

① 甲이 A를 살해하고자 A의 음료수 잔에 치사량의 독약을 넣고 사라진 후 그 사실을 알고 있는 乙이 독자적으로 A를 확실히 살해하고자 한번 더 치사량의 독약을 넣어 A가 이를 마시고 사망한 경우, 甲과 乙은 상호 간에 의사의 연락이 없어 공동정범이 성립되지 아니한다.

② 甲이 강도살인의 의사로 먼저 A를 살해한 직후 마침 그 곳을 지나가던 乙이 이를 보고 甲의 양해 하에 절취의 의사로 참가하여 甲은 A의 지갑과 현금을, 乙은 A의 시계와 금반지를 가져간 경우 승계적 공동정범을 인정하더라도 乙은 살인에 대한 책임은 지지 아니한다.

③ 행동대원 甲, 乙, 丙은 조직의 두목으로부터 지시를 받고 상대조직 행동대장 A를 살해하기로 공모하였으나, 甲은 쇠파이프 등을 들고 차량에 탑승하던 중 사태의 심각성을 실감하고 범행에 휘말리기 싫어서 조용히 혼자 빠져 나와 택시를 타고 집으로 갔다. 이후 乙과 丙이 공모한 대로 A의 사무실로 가서 A를 살해한 경우, 甲에게는 살인죄의 공동정범이 성립한다.

④ 조직의 보스 甲은 부하인 乙과 반대조직의 보스 A를 살해하기로 공모하고, 甲은 자신의 사무실에서 진행 상황을 실시간으로 보고받고 乙이 A의 사무실로 가서 A를 살해한 경우 공모공동정범을 인정하는 견해에 따르면 甲에게는 살인죄의 공동정범이 성립한다.

해설

③ [×] 시라소니파 조직원인 피고인 甲이 다른 사람들과 술을 마시고 있다가 같은 조직원 乙로부터 연락을 받고 로울러스케이트장에 가서 파라다이스파에게 보복을 하러 간다는 말을 듣고 다른 조직원들이 여러 대의 차에 분승하여 출발하려고 할 때 사태의 심각성을 실감하고 범행에 휘말리기 싫어서 그곳에서 택시를 타고 집에 온 경우, **甲에게 공모관계가 인정된다고 하더라도 다른 조직원들이 범행에 이르기 전에 그 공모관계에서 이탈한 것이므로 甲은 공모관계에서 이탈한 이후의 행위에 대하여는 공동정범으로의 책임을 지지 않는다.** (대법원 1996. 1. 26. 94도2654 시라소니파 조직원 사건)

① [O] 공동정범이 성립하기 위하여는 주관적 요건인 공동가공의 의사와 객관적 요건으로서 그 공동의사에 기한 기능적 행위지배를 통하여 범죄를 실행하였을 것이 필요하다.(대법원 2021. 3. 25. 2020도18285) 甲, 乙 사이에 공동가공의 의사, 즉 공모가 없었으므로 공동정범이 성립되지 아니한다.

② [O] A를 살해한 자는 甲이지 乙이 아니므로 乙은 살인죄의 죄책을 지지 아니한다.

④ [O] 공모가 이루어진 이상 실행행위에 직접 관여하지 아니한 자도 다른 공모자의 행위에 대하여 공동정범으로서의 형사책임을 진다.(대법원 2017. 12. 22. 2017도12649 대우조선 분식회계 · 사기대출 사건) 판례는 '이른바 공모공동정범'을 인정하는데, 이에 의할 때 甲은 살인죄의 죄책을 진다.

284 공동정범에 대한 설명으로 옳지 않은 것은? (다툼이 있으면 판례에 의함) 15 국가9급 [Superlative ★★★]

□□□

① 범행 가담자간에 상명하복 관계가 있는 경우라도 범행에 공동 가공한 이상 공동정범이 성립하는 데 아무런 지장이 없다.

② 甲은 전자회사 직원 乙이 영업비밀을 경쟁업체에 유출하기 위하여 무단 반출하였다는 사실을 알고 몇 개월 후 乙에게 접근하여 영업비밀을 취득하려고 하였다면 업무상배임죄의 공동정범이 된다.

③ 이른바 딱지어음들을 발행하여 매매한 甲이 이를 사용한 사기의 실행행위에 직접 관여하지 않았더라도 그 사기범행에 관하여 암묵적, 순차적으로 공모하였다고 볼 수 있다면, 딱지어음들의 전전유통경로나 중간 소지인들 및 그 기망방법을 구체적으로 몰랐더라도 사기죄의 공동정범이 된다.

④ 합동절도의 공모에는 참여하였으나 현장에서 실행행위를 직접 분담하지 아니한 자도 그가 현장에서 절도 범행을 실행한 2인 이상의 범인의 행위를 자기 의사의 수단으로 하여 합동절도의 범행을 하였다고 평가할 수 있는 정범성의 표지를 갖추고 있다면 합동절도의 공동정범이 된다.

해설

② [×] 회사직원이 영업비밀을 경쟁업체에 유출하거나 스스로의 이익을 위하여 이용할 목적으로 무단으로 반출한 때 업무상배임죄의 기수에 이르렀다고 할 것이므로, 그 이후에 위 직원과 접촉하여 영업비밀을 취득하려고 한 자는 **업무상배임죄의 공동정범이 될 수 없다.**(대법원 2003. 10. 30. 2003도4382 삼성전자 영업비밀 유출사건)

① [○] 상명하복관계에 있는 자들 사이에서도 범행에 공동 가공한 이상 공동정범이 성립하는 데 아무런 지장이 없다.(대법원 2013. 7. 11. 2011도15056 SM그룹 사건)

③ [○] 딱지어음들을 발행하여 매매한 피고인들이 이를 사용한 사기의 실행행위에 직접 관여하지 않았더라도 그 사기범행에 관하여 암묵적, 순차적으로 공모하였다고 볼 수 있다면, 딱지어음들의 전전유통경로나 중간 소지인들 및 그 기망방법을 구체적으로 몰랐더라도 사기죄의 공동정범이 된다.(대법원 1997. 9. 12. 97도1706 광주 어음사기단 사건)

④ [○] 3인 이상의 범인이 합동절도의 범행을 공모한 후 적어도 2인 이상의 범인이 범행 현장에서 시간적, 장소적으로 협동관계를 이루어 절도의 실행행위를 분담하여 절도 범행을 한 경우에, 그 공모에는 참여하였으나 현장에서 절도의 실행행위를 직접 분담하지 아니한 다른 범인에 대하여도 그가 현장에서 절도 범행을 실행한 위 2인 이상의 범인의 행위를 자기 의사의 수단으로 하여 합동절도의 범행을 하였다고 평가할 수 있는 정범성의 표지를 갖추고 있는 한 공동정범의 일반 이론에 비추어 그 다른 범인에 대하여 합동절도의 공동정범으로 인정할 수 있다.(대법원 2011. 5. 13. 2011도2021 사납금 절취사건)

285 다음 설명 중 가장 적절한 것은? (다툼이 있으면 판례에 의함)

□□□

① 공동정범의 주관적 요건에 해당되는 공동가공의 의사는 타인의 범행을 인식하면서도 그것을 제지하지 않고 용인하는 것만으로는 부족하고 공동의 의사로 특정한 범죄행위를 하기 위해 일체가 되어 서로 다른 사람의 행위를 이용해서 자기의 의사를 실행에 옮기는 것이어야 한다.

② 3인이 합동절도의 범행을 공모한 후 그 가운데 2인이 범행 현장에서 시간적·장소적으로 협동관계를 이루어 절도의 실행행위를 분담해서 절도 범행을 한 경우에, 절도의 실행행위를 직접 분담하지 않은 1인은 단순절도의 공동정범이 될 수 있을 뿐이고 합동절도의 공동정범이 될 수는 없다.

③ 공모에 주도적으로 참여해서 다른 공모자의 실행에 영향을 미친 공모자라도 다른 공모자가 실행행위에 이르기 전에 그 공모관계에서 이탈한 때에는 그 이후의 다른 공모자의 행위에 관해서는 공동정범으로서의 책임을 질 여지는 없다.

④ 결과적가중범의 공동정범이 인정되기 위해서는 행위를 공동으로 할 의사 외에 결과를 공동으로 할 의사도 필요하다.

해설

① [O] 공동정범은 2인 이상이 공동하여 죄를 범하는 것으로서, 공동정범이 성립하기 위하여는 주관적 요건으로서 공동가공의 의사와 객관적 요건으로서 공동의사에 기한 기능적 행위지배를 통한 범죄의 실행사실이 필요하고, 공동가공의 의사는 타인의 범행을 인식하면서도 이를 제지하지 아니하고 용인하는 것만으로는 부족하고 공동의 의사로 특정한 범죄행위를 하기 위하여 일체가 되어 서로 다른 사람의 행위를 이용하여 자기의 의사를 실행에 옮기는 것을 내용으로 하는 것이어야 한다.(대법원 2014. 5. 16. 2012도3676)

② [×] 공모에는 참여하였으나 현장에서 절도의 실행행위를 직접 분담하지 아니한 다른 범인에 대하여도 그가 현장에서 절도 범행을 실행한 2인 이상의 범인의 행위를 자기 의사의 수단으로 하여 합동절도의 범행을 하였다고 평가할 수 있는 정범성의 표지를 갖추고 있다고 보여지는 한, 그 다른 범인에 대하여 **합동절도의 공동정범의 성립을 부정할 이유가 없다.**(대법원 2011. 5. 13. 2011도2021 사납금 절취사건)

③ [×] 공모자가 공모에 주도적으로 참여하여 다른 공모자의 실행에 영향을 미친 때에는 범행을 저지하기 위하여 적극적으로 노력하는 등 **실행에 미친 영향력을 제거하지 아니하는 한 공모관계에서 이탈하였다고 할 수 없다.**(대법원 2010. 9. 9. 2010도6924 가출녀 성매매 강요사건) 따라서 다른 공모자가 실행행위에 이르기 전에 공모관계에서 이탈한 자라도 '실행에 미친 영향력을 제거하지 아니하는 한' 공동정범으로서의 책임을 지게 된다.

④ [×] 결과적가중범의 공동정범은 기본행위를 공동으로 할 의사가 있으면 성립하고 **결과를 공동으로 할 의사는 필요 없다.**(대법원 2005. 5. 26. 2005도945 서울지검 가혹행위 사건)

286 공동정범에 대한 설명으로 가장 적절하지 않은 것은? (다툼이 있으면 판례에 의함)

18 경찰승진 [Essential ★]

① 甲이 부녀를 유인하여 성매매를 통해 수익을 얻을 것을 乙과 공모한 후, 乙로 하여금 유인된 A녀(16세)의 성매매 홍보용 나체사진을 찍도록 하고, A가 중도에 약속을 어길 경우 민·형사상 책임을 진다는 각서를 작성하도록 하였지만, 甲이 별건으로 체포되어 구치소에 수감 중인 동안 A가 乙의 관리 아래 성매수의 대가로 받은 돈을 A, 乙 및 甲의 처 등이 나누어 사용한 경우, 甲은 공모관계에서 이탈한 것으로 인정된다.

② 甲이 피해자 일행을 한 사람씩 나누어 강간하자는 乙의 제의에 아무런 대답도 하지 않고 따라 다니다가 자신의 강간 상대방으로 남겨진 A에게 일체의 신체적 접촉도 시도하지 않은 채 乙이 인근 숲 속에서 강간을 마칠 때까지 A와 함께 이야기만 나눈 경우, 甲에게 乙의 강간 범행에 공동으로 가공할 의사가 있었다고 볼 수 없다.

③ 2인 이상이 범죄에 공동 가공하는 공범관계에서 공모는 법률상 어떤 정형을 요구하는 것이 아니고, 2인 이상이 공모하여 어느 범죄에 공동 가공하여 그 범죄를 실현하려는 의사의 결합만 있으면 되는 것으로서, 비록 전체의 모의과정이 없었다고 하더라도 수인 사이에 순차적으로 또는 암묵적으로 상통하여 그 의사의 결합이 이루어지면 공모관계가 성립한다.

④ 건설 관련 회사의 유일한 지배자인 甲이 회사 대표의 지위에서 장기간에 걸쳐 건설공사 현장 소장들의 뇌물공여행위를 보고받고 이를 확인·결재하는 등의 방법으로 위 행위에 관여하였다면, 비록 사전에 구체적인 대상 및 액수를 정하여 뇌물공여를 지시하지 않았다고 하더라도 공모공동정범의 죄책이 인정된다.

해설

① [×] (1) 공모관계에서의 이탈은 공모자가 공모에 의하여 담당한 기능적 행위지배를 해소하는 것이 필요하므로 공모자가 공모에 주도적으로 참여하여 다른 공모자의 실행에 영향을 미친 때에는 범행을 저지하기 위하여 적극적으로 노력하는 등 실행에 미친 영향력을 제거하지 아니하는 한 공모관계에서 이탈하였다고 할 수 없다. (2) 甲이 乙과 공모하여 가출 청소년 A를 유인하고 성매매 홍보용 나체사진을 찍은 후, 자신이 별건으로 체포되어 수감 중인 동안 A가 乙의 관리 아래 성매수의 상대방이 된 대가로 받은 돈을 A, 乙 및 甲의 처 등이 나누어 사용한 경우, **甲은 乙과 함께 미성년자유인죄, 아청법위반죄의 책임을 진다.**(대법원 2010. 9. 9. 2010도6924 가출녀 성매매 강요사건)

② [O] 피해자 일행을 한 사람씩 나누어 강간하자는 피고인 일행의 제의에 아무런 대답도 하지 않고 따라 다니다가 자신의 강간 상대방으로 남겨진 甲에게 일체의 신체적 접촉도 시도하지 않은 채 다른 일행이 인근 숲 속에서 강간을 마칠 때까지 甲과 함께 이야기만 나눈 경우, 피고인에게 다른 일행의 강간 범행에 공동으로 가공할 의사가 있었다고 볼 수 없다.(대법원 2003. 3. 28. 2002도7477 강간 파트너와 이야기만 사건)

③ [○] 2인 이상이 범죄에 공동 가공하는 공범관계에서 공모는 법률상 어떤 정형을 요구하는 것이 아니고 2인 이상이 공모하여 어느 범죄에 공동 가공하여 그 범죄를 실현하려는 의사의 결합만 있으면 되는 것으로서, 비록 전체의 모의과정이 없었다고 하더라도 수인 사이에 순차적으로 또는 암묵적으로 상통하여 그 의사의 결합이 이루어지면 공모관계가 성립하고, 이러한 공모가 이루어진 이상 실행행위에 직접 관여하지 아니한 자라도 다른 공모자의 행위에 대하여 공동정범으로서의 형사책임을 진다.(대법원 2016. 8. 29. 2016도6297)

④ [○] 건설 관련 회사의 유일한 지배자인 피고인이 회사 대표의 지위에서 장기간에 걸쳐 건설공사 현장소장들의 뇌물공여행위를 보고받고 이를 확인·결재하는 등의 방법으로 관여한 경우, 비록 사전에 구체적인 대상 및 액수를 정하여 뇌물공여를 지시하지 아니하였다고 하더라도 그 핵심적 경과를 계획적으로 조종하거나 촉진하는 등으로 기능적 행위지배를 하였다고 보아야 하므로 공모공동정범의 죄책을 인정하여야 한다.(대법원 2010. 7. 15. 2010도3544 뇌물공여 본질적 기여사건)

287 합동범에 대한 설명으로 옳지 않은 것은? (다툼이 있으면 판례에 의함) 23 국가9급 [Core ★★]

① 합동강도의 공범자 중 1인이 강도의 기회에 피해자를 살해한 경우 다른 공모자가 살인의 공모를 하지 아니하였다고 하여도 그 살인행위나 치사의 결과를 예견할 수 없었던 경우가 아니면 강도치사죄의 죄책을 면할 수 없다.

② 피고인이 다른 피고인들과 택시강도를 하기로 모의한 일이 있다고 하여도 다른 피고인들이 피해자에 대한 폭행에 착수하기 전에 겁을 먹고 미리 현장에서 도주해 버린 것이라면 피고인을 특수강도의 합동범으로 다스릴 수는 없다.

③ 합동절도에서도 공동정범과 교사범·종범의 구별기준은 일반원칙에 따라야 하고, 그 결과 범행현장에 존재하지 아니한 범인도 공동정범이 될 수 있으며, 상황에 따라서는 장소적으로 협동한 범인도 방조만 한 경우에는 종범으로 처벌될 수도 있다.

④ 합동범이 성립하기 위한 주관적 요건으로서 공모는 법률상 어떠한 정형을 요구하는 것이 아니어서 공범자 상호 간에 직접 또는 간접으로 범죄의 공동가공의사가 암묵리에 서로 상통하면 되지만 적어도 그 모의과정은 사전에 있어야 한다.

해설

④ [×] 합동범이 성립하기 위하여는 주관적 요건으로서의 공모와 객관적 요건으로서의 실행행위의 분담이 있어야 하나, 그 공모는 법률상 어떠한 정형을 요구하는 것이 아니어서 공범자 상호간에 직접 또는 간접으로 범죄의 공동가공의사가 암묵리에 서로 상통하면 되고, **사전에 반드시 어떠한 모의과정이 있어야 하는 것도 아니어서** 범의 내용에 대하여 포괄적 또는 개별적인 의사연락이나 인식이 있었다면 공모관계가 성립하며, 그 실행행위는 시간적으로나 장소적으로 협동관계에 있다고 볼 수 있는 사정이 있으면 되는 것이다.(대법원 2012. 6. 28. 2012도2631 고대생 성추행 사건)

① [○] 강도의 공범자 중 1인이 강도의 기회에 피해자에게 폭행 또는 상해를 가하여 살해한 경우 다른 공모자가 살인의 공모를 하지 아니하였다고 하여도 그 살인행위나 치사의 결과를 예견할 수 없었던 경우가 아니면 강도치사죄의 죄책을 면할 수 없다.(대법원 1991. 11. 12. 91도2156 퍽치기 살해사건)

② [○] 피고인이 다른 피고인들과 택시강도를 하기로 모의한 일이 있다고 하여도 다른 피고인들이 피해자에 대한 폭행에 착수하기 전에 겁을 먹고 미리 현장에서 도주해 버렸다면 다른 피고인들과의 사이에 강도의 실행행위를 분담한 협동관계가 있었다고 보기는 어려우므로 피고인을 특수강도의 합동범으로 다스릴 수는 없다.(대법원 1985. 3. 26. 84도2956 **마음약한 택시강도 공모자** 사건)

③ [○] 합동절도에서도 공동정범과 교사범·종범의 구별기준은 일반원칙에 따라야 하고, 그 결과 범행현장에 존재하지 아니한 범인도 공동정범이 될 수 있으며, 상황에 따라서는 장소적으로 협동한 범인도 방조만 한 경우에는 종범으로 처벌될 수도 있다.(대법원 1998. 5. 21. 98도321 全合 **삐끼주점** 사건)

288

공동정범에 대한 설명으로 옳은 것은? (다툼이 있으면 판례에 의함)   14 국가7급 [Core ★★]

① 판례는 범죄공동설의 입장에서 공동정범의 주관적 요건 대신 객관적 요건만으로 과실범의 공동정범을 인정하고 있다.

② 다른 공모자들과 강도 모의를 주도한 피고인이, 다른 공모자들이 피해자를 뒤쫓아 가자 단지 "어?"라고만 하고 더 이상 만류하지 아니하여 공모자들이 강도상해의 범행을 한 경우 피고인은 그 공모관계에서 이탈하였다고 인정된다.

③ 피고인이 포괄일죄의 일부에 공동정범으로 가담한 경우 그가 그때에 이미 이루어진 종전의 범행을 알았다면 그 가담 이후의 범행에 대해서만이 아니라 전체에 대한 공동정범으로서 책임을 지며, 이러한 법리는 결합범인 단순일죄의 일부에 공동정범으로 가담한 경우에도 동일하게 적용된다.

④ 구성요건행위를 직접 분담하여 실행하지 아니한 공모자가 공모공동정범으로 인정되기 위하여는 전체 범죄에 있어서 그가 차지하는 지위·역할이나 범죄경과에 대한 지배 내지 장악력 등을 종합하여 그에게 범죄에 대한 본질적 기여를 통한 기능적 행위지배가 존재하여야 한다.

해설

④ [○] 공동정범은 공동가공의 의사와 그 공동의사에 기한 기능적 행위지배를 통한 범죄실행이라는 주관적·객관적 요건을 충족함으로써 성립하므로, 공모자 중 구성요건행위를 직접 분담하여 실행하지 아니한 사람이라도 위 요건의 충족 여부에 따라 이른바 공모공동정범으로서의 죄책을 질 수도 있지만, 이를 위하여는 전체 범죄에서 그가 차지하는 지위·역할이나 범죄경과에 대한 지배 내지 장악력 등을 종합하여 그가 단순한 공모자에 그치는 것이 아니라 범죄에 대한 본질적 기여를 통한 기능적 행위지배가 존재하는 것으로 인정되어야 한다.(대법원 2016. 8. 30. 2013도658 **태광그룹회장** 사건)

① [×] 공동정범은 고의범이나 과실범을 불문하고 의사의 연락이 있는 경우면 성립하는 것으로서 **2인 이상이 서로의 의사연락 아래** 과실행위를 하여 범죄되는 결과를 발생하게 하면 과실범의 공동정범이 성립하는 것이다.(대법원 1994. 5. 24. 94도660 **구포역 열차전복** 사건) 판례는 행위공동설의 입장에서 과실범의 공동정범을 인정하고 있다.

---

② [×] 피고인에게 공동가공의 의사와 공동의사에 기한 기능적 행위지배를 통한 범죄의 실행사실이 인정되므로 강도상해죄의 공모관계에 있고, 다른 공모자가 강도상해죄의 실행에 착수하기까지 범행을 만류하는 등으로 그 공모관계에서 이탈하였다고 볼 수 없으므로 강도상해죄의 공동정범으로서의 죄책을 진다.(대법원 2008. 4. 10. 2008도1274 어 사건)

③ [×] 포괄일죄의 범행 도중에 공동정범으로 범행에 가담한 자는 비록 그가 그 범행에 가담할 때에 이미 이루어 진 종전의 범행을 알았다 하더라도 그 가담 이후의 범행에 대하여만 공동정범으로 책임을 진다.(대법원 2007. 11. 15. 2007도6336 시세조정 중 가담사건)

289 공동정범에 대한 판례의 태도를 설명한 것으로 옳지 않은 것은?

17 국가9급 [Superlative ★★★]

① 판례는 최근에 "공모자가 공모공동정범으로 인정되기 위해서는 그가 단순히 공모자에 그치는 것이 아니라 범죄에 대한 본질적 기여를 통한 기능적 행위지배가 존재하여야 한다"고 하여 공모공동정범의 성립범위를 제한하는 경향을 보이고 있다.

② 이른바 '승계적 공동정범'의 경우 비록 그 범행에 가담할 때에 이미 종전의 범행을 알았다 하더라도 자신이 가담하기 이전에 타인이 행한 부분에는 죄책을 지지 않는다.

③ 공범자 중의 한 사람이 실행의 착수 이전에 공모관계에서 이탈하였더라도 그 이후 다른 공모자에 의하여 범행이 이루어졌다면 그 이탈자는 공동정범의 죄책을 진다.

④ 실행행위가 종료함과 동시에 범죄가 기수에 이르는 이른바 '즉시범'에서는 범죄가 기수에 이르기 이전에 가담하는 경우에만 공동정범이 성립하고 범죄가 기수에 이른 이후에는 공동정범이 성립될 수 없다.

해설

③ [×] 공모공동정범에 있어서 공모자 중의 1인이 다른 공모자가 실행행위에 이르기 전에 그 공모관계에서 이탈한 때에는 그 이후의 다른 공모자의 행위에 관하여는 공동정범으로서의 책임은 지지 않는다.(대법원 1995. 7. 11. 95도955)

① [○] 공동정범은 공동가공의 의사와 그 공동의사에 기한 기능적 행위지배를 통한 범죄실행이라는 주관적 · 객관적 요건을 충족함으로써 성립하므로, 공모자 중 구성요건행위를 직접 분담하여 실행하지 아니한 사람이라도 위 요건의 충족 여부에 따라 이른바 공모공동정범으로서의 죄책을 질 수도 있지만, 이를 위하여는 전체 범죄에서 그가 차지하는 지위 · 역할이나 범죄경과에 대한 지배 내지 장악력 등을 종합하여 그가 단순한 공모자에 그치는 것이 아니라 범죄에 대한 본질적 기여를 통한 기능적 행위지배가 존재하는 것으로 인정되어야 한다.(대법원 2016. 8. 30. 2013도658 태광그룹회장 사건)

② [○] 포괄일죄의 범행 도중에 공동정범으로 범행에 가담한 자는 비록 그가 그 범행에 가담할 때에 이미 이루어진 종전의 범행을 알았다 하더라도 그 가담 이후의 범행에 대하여만 공동정범으로 책임을 진다.(대법원 2007. 11. 15. 2007도6336 시세조정 중 가담사건)

④ [○] 범죄의 기수에 이름과 동시에 바로 종료되는 즉시범의 성질상 옳은 지문이다.(대법원 2003. 10. 30. 2003도4382 삼성전자 영업비밀 유출사건 참고)

290 공동정범에 관한 다음 설명 중 옳은 것은 모두 몇 개인가? (다툼이 있으면 판례에 의함)

17 법원행시 [Superlative ★★★]

> ㉠ 자기 자신을 무고하기로 제3자와 공모하고 이에 따라 무고행위에 가담하였더라도 무고죄의 공동정범으로 처벌할 수 없다.
>
> ㉡ 업무상배임죄의 실행으로 이익을 얻게 되는 수익자는 실행행위자의 행위가 피해자 본인에 대한 배임행위에 해당한다는 점을 인식한 상태에서 배임의 의도가 전혀 없었던 실행행위자에게 배임행위를 교사하거나 또는 배임행위의 전 과정에 관여하는 등으로 배임행위에 적극 가담한 경우에 한하여 배임의 실행행위자에 대한 공동정범으로 인정할 수 있다.
>
> ㉢ 공범자가 공갈행위의 실행에 착수한 후 그 범행을 인식하면서 그와 공동의 범의를 가지고 그 후의 공갈행위를 계속하여 재물의 교부나 재산상 이익의 취득에 이른 때에는 공갈죄의 공동정범이 성립한다.
>
> ㉣ 세무사법은 세무사와 세무사였던 자 또는 그 사무직원과 사무직원이었던 자가 직무상 지득한 비밀을 누설하는 행위를 처벌하고 있을 뿐 비밀을 누설받는 상대방을 처벌하는 규정이 없으므로, 세무사의 사무직원으로부터 그가 직무상 지득한 비밀을 기재한 서면을 교부받은 행위는 세무사법상 직무상 비밀누설죄의 공동정범에 해당하지 않는다.
>
> ㉤ 공동가공의사는 타인의 범행을 인식하면서도 이를 제지하지 아니하고 용인하는 것만으로는 부족하고, 공동의 의사로 특정한 범죄행위를 하기 위해 일체가 되어 서로 다른 사람의 행위를 이용하여 자기의 의사를 실행에 옮기는 것을 내용으로 하는 것이어야 한다.

① 1개　　　　② 2개　　　　③ 3개　　　　④ 4개　　　　⑤ 5개

해설

⑤ 모든 항목이 옳다.

㉠ [O] (1) 자기 자신을 무고하기로 제3자와 공모하고 이에 따라 무고행위에 가담하였다고 하더라도 이는 자기 자신에게는 무고죄의 구성요건에 해당하지 않아 범죄가 성립할 수 없는 행위를 실현하고자 한 것에 지나지 않아 무고죄의 공동정범으로 처벌할 수 없다. (2) 甲이 乙, 丙과 공모한 후, 乙이 그 공모에 따라 甲을 처벌하여 달라는 허위 내용의 고소장을 작성하여 제출하였더라도 甲을 乙, 丙과 함께 무고죄의 공동정범으로 처벌할 수 없다.(대법원 2017. 4. 26. 2013도12592 **자기무고 공모사건**)

㉡ [O] 거래상대방의 대향적 행위의 존재를 필요로 하는 유형의 배임죄에서 거래상대방은 기본적으로 배임행위의 실행행위자와 별개의 이해관계를 가지고 반대편에서 독자적으로 거래에 임한다는 점을 고려하면, 업무상 배임죄의 실행으로 인하여 이익을 얻게 되는 수익자는 배임죄의 공범이라고 볼 수 없는 것이 원칙이고, 실행행위자의 행위가 피해자 본인에 대한 배임행위에 해당한다는 점을 인식한 상태에서 배임의 의도가 전혀 없었던 실행행위자에게 배임행위를 교사하거나 또는 배임행위의 전 과정에 관여하는 등으로 배임행위에 적극 가담한 경우에 한하여 배임의 실행행위자에 대한 공동정범으로 인정할 수 있다.(대법원 2016. 10. 13. 2014도17211 **명의신탁 특허권 이전등록 사건**)

ⓒ [○] 공범자가 공갈행위의 실행에 착수한 후 그 범행을 인식하면서 그와 공동의 범의를 가지고 그 후의 공갈행위를 계속하여 재물의 교부나 재산상 이익의 취득에 이른 때에는 공갈죄의 공동정범이 성립한다.(대법원 1997. 2. 14. 96도1959 **한라일보 사건**)

ⓓ [○] 세무사법은 제22조 제1항 제2호, 제11조에서 세무사와 세무사였던 자 또는 그 사무직원과 사무직원이었던 자가 그 직무상 지득한 비밀을 누설하는 행위를 처벌하고 있을 뿐 비밀을 누설받는 상대방을 처벌하는 규정이 없고, 세무사의 사무직원이 직무상 지득한 비밀을 누설한 행위와 그로부터 그 비밀을 누설받은 행위는 대향범 관계에 있으므로 이에 공범에 관한 형법총칙 규정을 적용할 수 없다.(대법원 2007. 10. 25. 2007도6712 **비자발급 브로커 사건**)

ⓔ [○] 공동정범은 2인 이상이 공동하여 죄를 범하는 것으로서, 공동정범이 성립하기 위하여는 주관적 요건으로서 공동가공의 의사와 객관적 요건으로서 공동의사에 기한 기능적 행위지배를 통한 범죄의 실행사실이 필요하고, 공동가공의 의사는 타인의 범행을 인식하면서도 이를 제지하지 아니하고 용인하는 것만으로는 부족하고 공동의 의사로 특정한 범죄행위를 하기 위하여 일체가 되어 서로 다른 사람의 행위를 이용하여 자기의 의사를 실행에 옮기는 것을 내용으로 하는 것이어야 한다.(대법원 2014. 5. 16. 2012도3676)

291

□□□

다음 공범에 대한 설명 중 가장 옳은 것은? (다툼이 있으면 판례에 의함)   22 해경승진 [Essential ★]

① 甲, 乙, 丙은 강도를 모의하고 A의 집에 침입하여 강취하던 중 甲이 정신없이 장롱에서 재물을 뒤지는 사이에 乙과 丙은 A를 강간하였고, 甲은 물건을 챙겨 돌아서면서 이를 뒤늦게 발견하고 빨리 가자고 재촉하여 함께 집을 나온 경우 甲에게는 강도강간의 공동정범이 인정된다.

② 타인의 범행을 인식하면서도 이를 제지하지 아니하고 용인하는 심리상태만으로 공동정범의 공동가공의 의사가 인정될 수 있다.

③ 甲의 연속된 마약제조로 성립된 포괄일죄의 일부분에 乙이 甲의 종전의 범행사실을 알고 공동정범으로 가담했다면 乙에게는 그 가담 이전의 甲의 범죄 부분에 대해서도 공동정범의 책임이 인정된다.

④ 터널굴착공사를 도급받은 건설회사의 현장소장 甲과 공사를 발주한 한국전력공사의 지소장 乙이 철로 밑 굴착공사를 하다가 철로가 무너져 통과하던 열차가 전복된 경우 甲, 乙은 업무상과실치사상죄 등의 공동정범이 성립한다.

해설

④ [○] 터널굴착공사를 도급받은 건설회사의 현장소장 甲과 공사를 발주한 한국전력공사의 지소장 乙이 철로 밑 굴착공사를 하다가 철로가 무너져 통과하던 열차가 전복된 경우 甲, 乙은 업무상 과실치사상죄 등의 공동정범이 성립한다.(대법원 1994. 5. 24. 94도660 **구포역 열차전복 사건**)

① [×] **피고인 甲은** 乙, 丙의 강간사실을 알게 된 것은 이미 실행의 착수가 이루어지고 난 다음이었음이 명백하고 강간사실을 알고 나서도 암묵리에 그것을 용인하여 그로 하여금 강간하도록 할 의사로 강간의 실행범인 乙과 강간 피해자 A의 머리 등을 잡아준 丙과 함께 일체가 되어 **乙, 丙의 행위를 통하여 자기의 의사를 실행하였다고는 볼 수 없다.**(대법원 1988. 9. 13. 88도1114 **사당동 강도강간사건**) 甲은 乙, 丙과 강도를 공모하였을 뿐 강도강간을 공모한 것이 아니므로 甲은 강도강간죄의 죄책은 지지 아니한다.

② [×] 공동정범이 성립하기 위하여는 주관적 요건으로서 공동가공의 의사와 객관적 요건으로서 공동의사에 기한 기능적 행위지배를 통한 범죄의 실행사실이 필요하고, **공동가공의 의사는 타인의 범행을 인식하면서도 이를 제지하지 아니하고 용인하는 것만으로는 부족하다.**(대법원 2014. 5. 16. 2012도3676)

③ [×] (1) 포괄일죄의 범행 도중에 공동정범으로 범행에 가담한 자는 **비록 그가 그 범행에 가담할 때에 이미 이루어진 종전의 범행을 알았다 하더라도 그 가담 이후의 범행에 대하여만 공동정범으로 책임을 진다.** (2) 甲이 1981년 1월 초순경부터 히로뽕 제조행위를 계속하던 도중인 1981년 2월 9일경 피고인 乙이 비로소 甲의 위 제조행위를 알고 그에 가담한 경우, 비록 甲의 히로뽕 제조행위 전체가 포괄하여 하나의 죄가 된다 할지라도 乙에게 그 가담 이전의 제조행위에 대하여까지 유죄를 인정할 수는 없다.(대법원 1982. 6. 8. 82도884 **히로뽕제조 중 가담사건**)

정답 | 291 ④

292

□□□ 공동정범에 관한 대법원 판례의 입장과 일치하는 것은 모두 몇 개인가?

12 경찰간부 [Superlative ★★★]

㉠ 乙이 1981년 2월 초순경부터 히로뽕 제조행위를 계속하고 있던 도중에 이러한 사실을 알고 있던 甲이 그 히로뽕 제조행위의 중간에 가담한 경우에는 그 가담행위 이전의 제조행위에 대하여까지 유죄를 인정할 수 없다.

㉡ A, B, C, D 등은 폭행 기타의 신체침해행위에 대한 공동의사만을 가진 채 상대방인 甲, 乙, 丙, 丁 등과 패싸움을 하던 중 A가 甲을 칼로 찔러 죽게 한 경우에 B, C, D는 사망의 결과에 대한 인식이 없었더라도 상해치사죄의 죄책을 면할 수 없다.

㉢ 행위자 일방의 가공의사만으로는 공동정범이 성립하지 아니하고 또한 실행행위 도중에 뒤늦게 타인의 범행의사에 가담한 경우에도 전체범죄에 대한 공동정범이 성립하지 아니한다.

㉣ 2인 이상의 공동과실로 구성요건에 해당하는 결과가 발생한 경우에는 공동정범이 성립할 수 없다는 것이 판례의 입장이다.

① 1개　　　　② 2개　　　　③ 3개　　　　④ 4개

해설

③ ㉠㉡㉢ 3 항목이 판례의 입장과 일치한다.

㉠ [○] 乙이 1981년 1월 초순경부터 히로뽕 제조행위를 계속하던 도중인 1981년 2월 9일경 피고인 甲이 비로소 乙의 위 제조행위를 알고 그에 가담한 경우, 비록 乙의 히로뽕 제조행위 전체가 포괄하여 하나의 죄가 된다 할지라도 甲에게 그 가담 이전의 제조행위에 대하여까지 유죄를 인정할 수는 없다.(대법원 1982. 6. 8. 82도884 **히로뽕제조 중 가담사건**)

㉡ [○] 여러 사람이 상해의 범의로 범행 중 한 사람이 중한 상해를 가하여 피해자가 사망에 이르게 된 경우 나머지 사람들은 사망의 결과를 예견할 수 없는 때가 아닌 한 상해치사의 죄책을 면할 수 없다.(대법원 2013. 4. 26. 2013도1222 **술집 상해치사사건**)

㉢ [○] (1) 공동정범은 행위자 상호간에 범죄행위를 공동으로 한다는 공동가공의 의사를 가지고 범죄를 공동실행하는 경우에 성립하는 것으로서, 여기에서의 공동가공의 의사는 공동행위자 상호간에 있어야 하며 행위자 일방의 가공의사만으로는 공동정범관계가 성립할 수 없다.(대법원 1985. 5. 14. 84도2118 **뱃놀이 사건**)
(2) 포괄일죄의 범행 도중에 공동정범으로 범행에 가담한 자는 비록 그가 그 범행에 가담할 때에 이미 이루어진 종전의 범행을 알았다 하더라도 그 가담 이후의 범행에 대하여만 공동정범으로 책임을 진다.(대법원 2007. 11. 15. 2007도6336 **시세조정 중 가담사건**)

㉣ [×] 공동정범은 고의범이나 과실범을 불문하고 의사의 연락이 있는 경우면 성립하는 것으로서 2인 이상이 서로의 의사연락 아래 과실행위를 하여 범죄되는 결과를 발생하게 하면 **과실범의 공동정범이 성립하는 것이다.**(대법원 1994. 5. 24. 94도660 **구포역 열차전복 사건**)

제3절 | 간접정범

293 간접정범에 대한 설명으로 옳지 않은 것은? (다툼이 있으면 판례에 의함) 16 국가9급 [Core ★★]

☐☐☐

① 공문서의 작성권한이 있는 공무원의 직무를 보좌하는 사람이 그 직위를 이용하여 행사할 목적으로 허위의 내용이 기재된 문서 초안을 그 정을 모르는 상사에게 제출하여 결재하는 방법으로 작성권한이 있는 공무원으로 하여금 허위의 공문서를 작성하게 한 경우 허위공문서작성죄의 간접정범이 성립하지 아니한다.

② 처벌되지 아니하는 타인의 행위를 적극적으로 유발하고 이를 이용하여 자신의 범죄를 실현하는 자는 형법 제34조 제1항이 정하는 간접정범의 죄책을 지게 되고, 그 과정에서 타인의 의사를 부당하게 억압하여야만 간접정범에 해당하는 것은 아니다.

③ 발행인이 아닌 자는 부정수표단속법 제4조가 정한 허위신고죄의 주체가 될 수 없고, 발행인이 아닌 자는 허위신고의 고의 없는 발행인을 이용하여 간접정범의 형태로 허위신고죄를 범할 수도 없다.

④ 타인을 비방할 목적으로 허위의 기사자료를 그 정을 모르는 기자에게 제공하여 신문 등에 보도되게 한 경우 출판물에 의한 명예훼손죄의 간접정범이 성립한다.

해설

① [×] 공문서의 작성권한이 있는 공무원의 직무를 보좌하는 사람이 허위의 내용이 기재된 문서 초안을 그 정을 모르는 상사에게 제출하여 결재하도록 하는 등의 방법으로 작성권한이 있는 공무원으로 하여금 허위의 공문서를 작성하게 한 경우에는 **허위공문서작성죄의 간접정범이 성립한다.**(대법원 2011. 5. 13. 2011도1415 가평군청 관광버스·화물차 불법등록 사건)

② [○] 처벌되지 아니하는 타인의 행위를 적극적으로 유발하고 이를 이용하여 자신의 범죄를 실현한 자는 간접정범으로서의 죄책을 지게 되고, 그 과정에서 타인의 의사를 부당하게 억압하여야만 간접정범에 해당하게 되는 것은 아니다.(대법원 2008. 9. 11. 2007도7204 S오일 후원금 사건)

③ [○] 부정수표단속법 제4조가 '수표금액의 지급 또는 거래정지처분을 면할 목적'을 요건으로 하고, 수표금액의 지급책임을 부담하는 자 또는 거래정지처분을 당하는 자는 발행인에 국한되는 점에 비추어 볼 때, 그와 같은 발행인이 아닌 자는 부정수표단속법 제4조 위반죄의 주체가 될 수 없고 거짓 신고의 고의 없는 발행인을 이용하여 간접정범의 형태로 그 죄를 범할 수도 없다.(대법원 2014. 1. 23. 2013도13804)

④ [○] 출판물에 의한 명예훼손죄는 간접정범에 의하여 범하여질 수도 있으므로 타인을 비방할 목적으로 허위의 기사 재료를 그 정을 모르는 기자에게 제공하여 신문 등에 보도되게 한 경우에도 성립할 수 있다.(대법원 2002. 6. 28. 2000도3045 메디슨사 비리 제보사건)

294 다음 중 甲에게 (　　　) 범죄의 간접정범이 성립하는 경우로 볼 수 없는 것은? (다툼이 있으면 판
□□□ 례에 의함)

22 경찰간부 [Core ★★]

① 甲이 아동·청소년인 피해자를 협박하여 스스로 아동·청소년의 성보호에 관한 법률 제2조 제4
　호의 어느 하나에 해당하는 행위 또는 그 밖의 성적 행위에 해당하는 아동·청소년 자신의 행위
　를 내용으로 하는 화상·영상 등을 생성하게 하고 이를 인터넷사이트 운영자의 서버에 저장시
　켜 甲의 휴대전화기에서 재생할 수 있도록 한 경우(아동·청소년의 성보호에 관한 법률 위반죄)

② 사법경찰관 甲이 상해죄만으로는 구속되기 어려운 A에 대하여 허위의 진술조서를 작성하고,
　A의 혐의없음이 입증될 수 있는 유리한 사실의 확인결과, 참고자료 및 공용서류인 B에 대한
　참고인 진술조서 등을 구속영장신청기록에 누락시키는 한편, A에게 혐의가 인정된다는 허위
　내용의 범죄인지보고서를 작성한 다음 구속영장을 신청하여 그 정을 모르는 담당 검사로 하여
　금 구속영장을 청구하게 하고, 수사서류 등이 허위작성되거나 누락된 사실을 모르는 영장전담
　판사로부터 구속영장을 발부받아 A가 구속·수감되게 한 경우(직권남용감금죄)

③ 전투비행단 체력단련장 관리사장인 甲이 부대복지위원회의 심의의결 없이, 공사업체인 B와 체
　결한 기존의 합의서에서 시설투자비를 증액한 허위의 내용이 기재된 이 사건 수정합의서를 기
　안하여 작성권자인 이 사건 전투비행단장의 결재를 받지 않고 이를 모르는 단장명의 직인 담당
　자 C로부터 단장의 직인을 날인받아 이 사건 수정합의서를 완성한 행위(허위공문서작성죄)

④ D정당의 시당위원장인 甲은 비방의 목적으로 허위의 기사자료를 그 정을 모르는 평소에 안면이
　있던 기자 E에게 제공하여 그 허위의 사실이 신문에 보도되게 한 경우(출판물에 의한 명예훼손죄)

해설

③ 보조 직무에 종사하는 공무원이 허위공문서를 기안하여 허위임을 모르는 작성권자의 결재를 받아 공문서를 완
　성한 때에는 허위공문서작성죄의 간접정범이 될 것이지만, **이러한 결재를 거치지 않고 임의로 작성권자의 직
　인 등을 부정 사용함으로써 공문서를 완성한 때에는 공문서위조죄가 성립한다.** 이는 공문서의 작성권한 없는
　사람이 허위공문서를 기안하여 작성권자의 결재를 받지 않고 공문서를 완성한 경우에도 마찬가지이다.(대법원
　2017. 5. 17. 2016도13912 **전투비행단 관리사장 사건**) 甲은 공문서위조죄의 죄책을 진다.

① 간접정범의 형태로 아청법 제11조 제1항에서 정한 아동·청소년이용음란물을 제작하는 행위라고 보아야 한
　다.(대법원 2018. 1. 25. 2017도18443 **셀프 음란물 제작사건**)

② 감금죄는 간접정범의 형태로도 행하여질 수 있는 것이므로 인신구속에 관한 직무를 행하는 자 또는 이를 보조
　하는 자가 피해자를 구속하기 위하여 진술조서 등을 허위로 작성한 후 이를 기록에 첨부하여 구속영장을 신청
　하고 진술조서 등이 허위로 작성된 정을 모르는 검사와 영장전담판사를 기망하여 구속영장을 발부받은 후 그
　영장에 의하여 피해자를 구금하였다면 직권남용감금죄가 성립한다.(대법원 2006. 5. 25. 2003도3945 **서류조
　작 구속사건**)

④ 출판물에 의한 명예훼손죄는 간접정범에 의하여 범하여질 수도 있으므로 타인을 비방할 목적으로 허위의 기사
　자료를 그 정을 모르는 기자에게 제공하여 신문 등에 보도되게 한 경우에도 성립할 수 있다.(대법원 2002.
　6. 28. 2000도3045 **메디슨사 비리 제보사건**)

295 간접정범에 대한 설명으로 가장 적절하지 않은 것은? (다툼이 있으면 판례에 의함)

① 정유회사 경영자인 甲의 청탁으로, A 지역구 국회의원 乙이 甲과 A 지역구 지방자치단체장 사이에 정유공장의 지역구 유치를 위한 간담회를 주선하고, 甲은 위와 같은 사실을 알지 못하는 자신의 회사 직원들로 하여금 乙이 사실상 지배·장악하고 있던 후원회에 후원금을 기부하게 한 경우, 乙은 정치자금법 위반죄가, 甲은 정치자금법 위반죄의 간접정범이 성립한다.

② 공무원이 아닌 甲이 관공서에 허위내용의 증명원을 제출하여 그러한 사실을 모르는 공무원인 A로부터 그 증명원 내용과 같은 증명서를 발급받은 경우, 甲은 공문서위조죄의 간접정범에 해당하지 아니한다.

③ 甲이 채권의 존재에 관하여 乙과 다툼이 있는 상황에서 존재하지 않는 약정이자에 관한 내용을 부가하여 위조한 乙 명의 차용증을 바탕으로 乙에 대한 차용금채권을 丙에게 양도하고, 이러한 사정을 모르는 丙으로 하여금 乙을 상대로 양수금 청구소송을 제기하게 한 경우, 甲은 소송 당사자가 아니므로 甲의 위와 같은 행위는 사기죄에 해당하지 아니한다.

④ 경찰서 보안과장인 甲이 A의 음주운전을 눈감아주기 위하여 그에 대한 음주운전 적발보고서를 찢어버리고, 부하인 B로 하여금 일련번호가 동일한 가짜 음주운전 적발보고서에 乙에 대한 음주운전 사실을 기재케 하여 그 정을 모르는 담당경찰관으로 하여금 주취운전자 음주측정 처리부에 乙에 대한 음주운전 사실을 기재하도록 한 경우, 甲은 허위공문서작성 및 동 행사죄의 간접정범에 해당한다.

해설

③ [×] 甲이 乙 명의 차용증을 가지고 있기는 하나 그 채권의 존재에 관하여 乙과 다툼이 있는 상황에서 당초에 없던 월 2푼의 약정이자에 관한 내용 등을 부가한 乙 명의 차용증을 새로 위조하여, 이를 바탕으로 자신의 처에 대한 채권자인 丙에게 차용원금 및 위조된 차용증에 기한 약정이자 2,500만원을 양도하고, **이러한 사정을 모르는 丙으로 하여금 乙을 상대로 양수금 청구소송을 제기하도록 한 경우**, 적어도 위 약정이자 2,500만원 중 법정지연손해금 상당의 돈을 제외한 나머지 돈에 관한 **甲의 행위는 丙을 도구로 이용한 간접정범 형태의 소송사기죄를 구성한다.**(대법원 2007. 9. 6. 2006도3591 위조 차용증 교부사건)

① [○] 처벌되지 아니하는 타인의 행위를 적극적으로 유발하고 이를 이용하여 자신의 범죄를 실현한 자는 간접정범으로서의 죄책을 지게 되고, 그 과정에서 타인의 의사를 부당하게 억압하여야만 간접정범에 해당하게 되는 것은 아니다.(대법원 2008. 9. 11. 2007도7204 5오일 후원금 사건)

② [○] 어느 문서의 작성권한을 갖는 공무원이 그 문서의 기재 사항을 인식하고 그 문서를 작성할 의사로써 이에 서명날인하였다면, 설령 그 서명날인이 타인의 기망으로 착오에 빠진 결과 그 문서의 기재사항이 진실에 반함을 알지 못한 데 기인한다고 하여도 그 문서의 성립은 진정하며 여기에 하등 작성명의를 모용한 사실이 있다고 할 수는 없으므로, 공무원 아닌 자가 관공서에 허위 내용의 증명원을 제출하여 그 내용이 허위인 정을 모르는

담당공무원으로부터 그 증명원 내용과 같은 증명서를 발급받은 경우 공문서위조죄의 간접정범으로 의율할 수는 없다.(대법원 2001. 3. 9. 2000도938 공사실적증명원 사건)

④ [O] 경찰서 보안과장인 피고인이 甲의 음주운전을 눈감아주기 위하여 그에 대한 음주운전자 적발보고서를 찢어버리고, 부하로 하여금 일련번호가 동일한 가짜 음주운전 적발보고서에 乙에 대한 음주운전 사실을 기재케 하여 그 정을 모르는 담당 경찰관으로 하여금 주취운전자 음주측정처리부에 乙에 대한 음주운전 사실을 기재하도록 한 이상, 乙이 음주운전으로 인하여 처벌을 받았는지 여부와는 관계없이 허위공문서작성 및 동행사죄의 간접정범으로서의 죄책을 면할 수 없다.(대법원 1996. 10. 11. 95도1706 가짜 음주운전적발보고서 사건)

296

□□□ 간접정범에 관한 설명 중 가장 적절하지 않은 것은? (다툼이 있으면 판례에 의함)

22 경찰채용 [Core ★★]

① 국헌문란의 목적을 달성하기 위해 그러한 목적이 없는 대통령을 이용하여 비상계엄 전국확대조치를 한 것은 간접정범의 방법으로 내란죄를 실행한 것이다.

② 처벌되지 아니하는 타인의 행위를 적극적으로 유발하고 이를 이용하여 자신의 범죄를 실현한 자는 간접정범의 죄책을 지게 되고, 그 과정에서 타인의 의사를 부당하게 억압하여야만 간접정범에 해당하는 것은 아니다.

③ 자기의 지휘·감독을 받는 자를 교사하여 범죄를 실행하게 한 때에는 정범에 정한 형의 장기 또는 다액의 2분의 1까지 가중한다.

④ 간접정범의 실행의 착수시기를 이용자의 이용행위시로 보는 경우 이용자의 이용의사가 외부로 표현되기만 하면 실행의 착수가 인정되어 미수범의 처벌 범위가 축소될 수 있다.

해설

④ [×] 간접정범의 실행의 착수시기를 이용자의 이용행위시로 보는 경우 이용자의 이용의사가 외부로 표현되기만 하면 실행의 착수가 인정되므로 **미수범 성립과 처벌 범위가 지나치게 확장되게** 된다.

① [O] 범죄는 어느 행위로 인하여 처벌되지 아니하는 자를 이용하여서도 이를 실행할 수 있으므로 내란죄의 경우에도 국헌문란의 목적을 가진 자가 그러한 목적이 없는 자를 이용하여 이를 실행할 수 있다.(대법원 1997. 4. 17. 96도3376 全合 신군부 내란사건)

② [O] 처벌되지 아니하는 타인의 행위를 적극적으로 유발하고 이를 이용하여 자신의 범죄를 실현한 자는 간접정범의 죄책을 지게 되고, 그 과정에서 타인의 의사를 부당하게 억압하여야만 간접정범에 해당하는 것은 아니다.(대법원 2008. 9. 11. 2007도7204 S오일 후원금 사건)

③ [O] 자기의 지휘·감독을 받는 자를 교사하여 범죄를 실행하게 한 때에는 정범에 정한 형의 장기 또는 다액의 2분의 1까지 가중한다.(제34조 제2항)

297 간접정범에 관한 다음 설명 중 옳은 것은? (다툼이 있으면 판례에 의함)

① 출판물에 의한 명예훼손죄는 간접정범에 의하여 범하여질 수가 없기에, 타인을 비방할 목적으로 허위의 기사자료를 그 정을 모르는 기자에게 제공하여 신문 등에 보도되게 한 경우에는 출판물에 의한 명예훼손죄의 간접정범이 성립할 수 없다.

② 공무원이 아닌 甲이 관공서에 허위내용의 증명원을 제출하여 그 내용이 허위인 정은 모르지만 그 문서의 기재사항을 인식한 담당공무원으로부터 그 증명원 내용과 같은 증명서를 발급 받은 경우에는 공문서위조죄의 간접정범이 성립한다.

③ 정유회사의 경영자가 회사 소재지 지역구 국회의원에게 그 지역구 지방자치단체장과의 사이에 정유공장의 지역구 유치와 관련한 간담회 주선을 청탁하고, 자세한 내막을 알지 못하는 정유회사 소속 직원들로 하여금 그 청탁과 관련하여 위 국회의원이 사실상 지배·장악하고 있던 후원회에 후원금을 기부하게 하였더라도, 그 경영자에게는 정치자금법위반죄의 간접정범이 성립하지 않는다.

④ 사법경찰관 甲이 乙을 구속하기 위하여 진술조서 등을 허위로 작성한 후 이를 기록에 첨부하여 구속영장을 신청하고, 진술조서 등이 허위로 작성된 정을 모르는 검사와 영장전담판사를 기망하여 구속영장을 받은 후 그 영장에 의하여 乙을 구금하였다면 甲에게는 직권 남용감금죄의 간접정범이 성립한다.

해설

④ [〇] 인신구속에 관한 직무를 행하는 자 또는 이를 보조하는 자가 피해자를 구속하기 위하여 진술조서 등을 허위로 작성한 후 이를 기록에 첨부하여 구속영장을 신청하고, 진술조서 등이 허위로 작성된 정을 모르는 검사와 영장전담판사를 기망하여 구속영장을 발부받은 후 그 영장에 의하여 피해자를 구금하였다면 형법 제124조 제1항의 직권남용감금죄가 성립한다.(대법원 2006. 5. 25. 2003도3945 서류조작 구속사건)

① [×] **출판물에 의한 명예훼손죄는 간접정범에 의하여 범하여질 수도 있으므로** 타인을 비방할 목적으로 허위의 기사 재료를 그 정을 모르는 기자에게 제공하여 신문 등에 보도되게 한 경우에도 성립할 수 있다.(대법원 2002. 6. 28. 2000도3045 메디슨사 비리 제보사건)

② [×] 어느 문서의 작성권한을 갖는 공무원이 그 문서의 기재 사항을 인식하고 그 문서를 작성할 의사로써 이에 서명날인하였다면, 설령 그 서명날인이 타인의 기망으로 착오에 빠진 결과 그 문서의 기재사항이 진실에 반함을 알지 못한 데 기인한다고 하여도 그 문서의 성립은 진정하며 여기에 하등 작성명의를 모용한 사실이 있다고 할 수는 없으므로, 공무원 아닌 자가 관공서에 허위 내용의 증명원을 제출하여 그 내용이 허위인 정을 모르는 담당공무원으로부터 그 증명원 내용과 같은 증명서를 발급받은 경우 **공문서위조죄의 간접정범으로 의율할 수는 없다.**(대법원 2001. 3. 9. 2000도938 공사실적증명원 사건)

③ [×] 국회의원에게는 정치자금법 제32조 제3호 위반죄가, **경영자에게는 정치자금법 위반죄의 간접정범이 성립한다.**(대법원 2008. 9. 11. 2007도7204 S오일 후원금 사건)

제4절 I 교사범

298

교사범에 관한 다음 설명 중 옳은 것으로만 묶인 것은? (다툼이 있으면 판례에 의함)

13 경찰승진 [Core ★★]

> ㉠ 형법은 '교사'를 실패한 교사와 효과 없는 교사로 나누고 전자의 경우에만 처벌한다.
> ㉡ 실패한 교사는 교사자만 예비·음모에 준하여 처벌한다.
> ㉢ 피교사자가 이미 범죄의 결의를 가지고 있을 때에는 교사범이 성립할 여지가 없다.
> ㉣ 자기의 형사사건에 관한 증거를 인멸하기 위하여 타인을 교사하여 죄를 범하게 한 경우 증거 인멸교사죄가 성립한다.

① ㉠㉡㉢㉣   ② ㉠㉢㉣

③ ㉠㉡㉣   ④ ㉡㉢㉣

해설

> ④ ㉡㉢㉣ 3 항목이 옳다.
> ㉠ [×] 형법은 실패한 교사와 효과 없는 교사 **모두를 처벌한다.**(제31조 제2항 · 제3항)
> ㉡ [○] 교사를 받은 자가 범죄의 실행을 승낙하고 실행의 착수에 이르지 아니한 때에는 교사자와 피교사자를 음모 또는 예비에 준하여 처벌한다. 교사를 받은 자가 범죄의 실행을 승낙하지 아니한 때에도 교사자에 대하여 는 전항과 같다.(제31조 제2항 · 제3항)
> ㉢ [○] 피교사자는 교사범의 교사에 의하여 범죄실행을 결의하여야 하는 것이므로 피교사자가 이미 범죄의 결의 를 가지고 있을 때에는 교사범이 성립할 여지가 없다.(대법원 2012. 8. 30. 2010도13694 **불법게임장 비호 경찰관 사건**)
> ㉣ [○] 자기의 형사사건에 관한 증거를 인멸하기 위하여 타인을 교사하여 죄를 범하게 한 자에 대하여는 증거인 멸교사죄가 성립한다.(대법원 2000. 3. 24. 99도5275)

299 다음 〈사례〉를 읽고, 甲의 죄책에 대한 〈보기〉의 설명으로 옳은 것만을 모두 고르면?

☐☐☐

19 국가7급 [Core ★★]

〈사례〉

甲은 상속을 빨리 받기 위하여 乙을 찾아가 자신의 父인 A의 살해를 교사하였으나, 乙은 이를 거절하였다. 그때 乙과 함께 있던 乙의 친구가 甲에게 살인청부업자인 丙의 전화번호를 알려주면서 한번 찾아가 보라고 하였다. 이에 따라 甲은 丙을 찾아가 A를 살해하라고 교사하였고, 丙은 1억 원의 사례금을 받고 이를 승낙한 후 자취를 감추어 버렸다.

〈보기〉

㉠ 甲의 乙에 대한 행위는 효과 없는 교사(형법 제31조 제2항)에 해당한다.
㉡ 甲의 丙에 대한 행위는 실패한 교사(형법 제31조 제3항)에 해당한다.
㉢ 甲의 乙에 대한 행위는 존속살해예비죄로도 처벌할 수 없다.
㉣ 甲의 丙에 대한 행위는 존속살해예비죄로 처벌된다.

① ㉣   ② ㉠㉡   ③ ㉢㉣   ④ ㉠㉡㉢㉣

해설

① ㉣ 항목만 옳다.
㉠㉢ [×] 甲의 乙에 대한 행위는, 교사를 받은 자가 범죄의 실행을 승낙하지 않은 경우이므로 **실패한 교사(형법 제31조 제3항)에 해당한다.** 실패한 교사의 경우 교사자만 음모 또는 예비에 준하여 처벌하므로 **甲의 경우 존속살해예비죄로 처벌할 수 있다.**
㉡ [×] 甲의 丙에 대한 행위는, 교사를 받은 자가 범죄의 실행을 승낙하고 실행의 착수에 이르지 않은 경우이므로 **효과 없는 교사(형법 제31조 제2항)에 해당한다.**
㉣ [O] 효과 없는 교사의 경우 교사자와 피교사자를 음모 또는 예비에 준하여 처벌하므로 甲의 경우 존속살해예비죄로 처벌할 수 있다.

300

□□□

교사의 착오에 관한 설명으로 가장 적절하지 않은 것은? (다툼이 있으면 판례에 의함)

12 경찰승진 [Superlative ★★★]

① 甲이 乙에게 丙을 살해할 것을 교사하고 乙이 이를 승낙한 후 실행의 착수에 이르지 아니한 경우, 甲은 살인의 예비·음모죄로 처벌된다.

② 甲이 乙에게 강도를 교사하였으나 乙이 강간을 실행한 경우, 甲은 강도죄의 예비·음모로 처벌된다.

③ 甲이 乙에게 丙을 상해할 것을 교사하였으나 乙에 의해 상해를 입은 丙이 사망한 경우, 乙에게 피해자의 사망에 대한 예견가능성이 인정되는 한 甲도 상해치사죄의 죄책을 진다.

④ 甲이 乙에게 강도를 교사하였으나 乙이 절도죄만 범한 경우, 甲은 강도예비·음모죄와 절도죄의 교사범의 상상적 경합범이 되지만 형이 중한 강도예비·음모의 형으로 처벌된다.

해설

③ [×] 교사자(甲)가 피교사자(乙)에 대하여 상해를 교사하였는데 피교사자(乙)가 이를 넘어 살인을 한 경우, **교사자(甲)에게** 피해자의 사망이라는 결과에 대하여 과실 내지 예견가능성이 있는 때에는 상해치사죄의 죄책을 지울 수 있다.(대법원 2002. 10. 25. 2002도4089 병신을 만들어라 사건)

① [○] 교사를 받은 자가 범죄의 실행을 승낙하고 실행의 착수에 이르지 아니한 때에는 교사자와 피교사자를 음모 또는 예비에 준하여 처벌한다.(제31조 제2항) 따라서 甲은 살인의 예비·음모죄로 처벌된다.

② [○] 甲은 강도죄의 예비·음모죄로 처벌된다.

④ [○] 甲은 강도예비·음모죄(7년 이하의 징역)와 절도죄의 교사범(6년 이하의 징역 또는 1천만원 이하의 벌금)의 상상적 경합범이 성립하지만, 형이 중한 강도예비·음모의 형으로 처벌된다.

301 교사범에 대한 설명 중 가장 옳지 않은 것은? (다툼이 있으면 판례에 의함)

① 피무고자의 교사·방조하에 제3자가 피무고자에 대한 허위의 사실을 신고한 경우에는 제3자를 교사·방조한 피무고자는 교사·방조범의 죄책을 진다.

② 형법 제127조는 공무원 또는 공무원이었던 자가 법령에 의한 직무상 비밀을 누설하는 행위만을 처벌하고 있을 뿐 직무상 비밀을 누설받은 상대방을 처벌하는 규정이 없으므로, 직무상 비밀을 누설받은 자를 공무상비밀누설죄의 교사범 또는 방조범으로 처벌할 수 없다.

③ 甲이 乙을 교사하여 丙을 살해하려 하였으나 乙이 살인의 실행에 착수하지 않은 경우, 甲은 살인죄의 예비·음모에 준하여 처벌된다.

④ 甲이 乙에게 A의 자동차를 강취할 것을 교사하였으나 乙이 A의 자동차를 절취한 경우 甲은 절도죄의 교사범으로 처벌된다.

해설

④ [×] 甲이 乙에게 자동차를 강취할 것을 교사하였으나 乙이 자동차를 절취한 경우, 甲은 강도예비음모와 절도 교사의 상상적 경합범의 죄책을 지는데, 결국 형이 중한 **강도예비음모로 처벌된다.**(제40조, 제343조 등)

① [○] (1) 피무고자의 교사·방조하에 제3자가 피무고자에 대한 허위의 사실을 신고한 경우에는 제3자의 행위는 무고죄의 구성요건에 해당하여 무고죄를 구성하므로, **제3자를 교사·방조한 피무고자도 교사·방조범으로서의 죄책을 부담한다.** (2) 甲, 乙이 丙의 사업자금을 조달하는 방편으로 약속어음을 발행·보증하였다가 채권자 A가 甲 소유의 부동산에 강제경매를 신청하자 이를 면하기 위하여, 丙의 승낙 아래 그로부터 허위사실을 기재한 확인서 등을 받고 丙과 A를 유가증권위조 등으로 무고한 경우, 丙은 무고방조죄의 죄책을 부담한다.(대법원 2008. 10. 23. 2008도4852 자기무고 방조사건)

② [○] 형법 제127조는 공무원 또는 공무원이었던 자가 법령에 의한 직무상 비밀을 누설하는 행위만을 처벌하고 있을 뿐 직무상 비밀을 누설받은 상대방을 처벌하는 규정이 없는 점에 비추어, **직무상 비밀을 누설받은 자에 대하여는 공범에 관한 형법총칙 규정이 적용될 수 없다.**(대법원 2011. 4. 28. 2009도3642 체포영장발부자명단 사건)

③ [○] 교사를 받은 자가 범죄의 실행을 승낙하고 실행의 착수에 이르지 아니한 때에는 **교사자와 피교사자를 음모 또는 예비에 준하여 처벌한다.**(제31조 제2항)

302

□□□ 다음 <보기> 중 교사범에 관한 설명 중 옳지 않은 것은 모두 몇 개인가? (다툼이 있으면 판례에 의함)

21 해경채용 [Superlative ★★★]

㉠ 교사범이 성립하기 위해서는 교사자의 교사행위와 정범의 실행행위가 있어야 하는 것이므로, 정범의 성립은 교사범의 구성요건의 일부를 형성하고 교사범이 성립함에는 정범의 범죄행위가 인정되는 것이 그 전제요건이 된다.

㉡ 교사자의 교사행위에도 불구하고 피교사자가 범행을 승낙하지 아니하거나 피교사자의 범행 결의가 교사자의 교사행위에 의하여 생긴 것으로 보기 어려운 경우에는 이른바 실패한 교사로서 「형법」 제31조 제3항에 의하여 교사자를 음모 또는 예비에 준하여 처벌할 수 있을 뿐이다.

㉢ 피교사자가 범죄의 실행에 착수한 경우 그 범행 결의가 교사자의 교사행위에 의하여 생긴 것인지는 제반 사정을 종합적으로 고려하여 사건의 전체적 경과를 객관적으로 판단하는 방법에 따라야 하고, 이러한 판단 방법에 따를 때 피교사자가 교사자의 교사행위 당시에는 일응 범행을 승낙하지 아니한 것으로 보여진다 하더라도 이후 그 교사행위에 의하여 범행을 결의한 것으로 인정되는 이상 교사범의 성립에는 영향이 없다.

㉣ 교사행위에 의하여 피교사자가 범죄실행을 결의하게 되었다 하더라도 피교사자에게 다른 원인이 있어 범죄를 실행한 경우에는 교사범이 성립하지 않는다.

㉤ 당초의 교사행위에 의하여 형성된 피교사자의 범죄행위의 결의가 더 이상 유지되지 않는 것으로 평가할 수 있다면, 설사 그 후 피교사자가 범죄를 저지르더라도 이는 당초의 교사행위에 의한 것이 아니라 새로운 범죄실행의 결의에 따른 것이므로 교사자는 「형법」 제31조 1항의 교사범으로서의 죄책을 부담하지는 않는다.

㉥ 범인이 자신을 위하여 「형법」 제151조 제2항에 의하여 처벌을 받지 아니하는 친족 또는 동거가족으로 하여금 허위의 자백을 하게 하여 범인도피죄를 범하게 하는 행위는 방어권의 남용으로 범인도피교사죄에 해당한다.

---

① 1개   ② 2개

③ 3개   ④ 4개

해설

① ② 항목만 옳지 않다.

③ [○] 교사범이 성립하기 위해서는 교사자의 교사행위와 정범의 실행행위가 있어야 하는 것이므로, 정범의 성립은 교사범의 구성요건의 일부를 형성하고 교사범이 성립함에는 정범의 범죄행위가 인정되는 것이 그 전제요건이 된다.(대법원 2000. 2. 25. 99도1252 남원 협박교사사건)

① [○] 교사자의 교사행위에도 불구하고 피교사자가 범행을 승낙하지 아니하거나 피교사자의 범행결의가 교사자의 교사행위에 의하여 생긴 것으로 보기 어려운 경우에는 이른바 실패한 교사로서 형법 제31조 제3항에 의하여 교사자를 음모 또는 예비에 준하여 처벌할 수 있을 뿐이다.(대법원 2013. 9. 12. 2012도2744 약혼녀 낙태강요 사건)

© [○] 피교사자가 범죄의 실행에 착수한 경우 그 범행 결의가 교사자의 교사행위에 의하여 생긴 것인지는 제반 사정을 종합적으로 고려하여 사건의 전체적 경과를 객관적으로 판단하는 방법에 따라야 하고, 이러한 판단 방법에 따를 때 피교사자가 교사자의 교사행위 당시에는 일응 범행을 승낙하지 아니한 것으로 보여진다 하더라도 이후 그 교사행위에 의하여 범행을 결의한 것으로 인정되는 이상 교사범의 성립에는 영향이 없다.(대법원 2013. 9. 12. 2012도2744 약혼녀 낙태강요 사건)

② [×] 교사범이 성립하기 위해 교사범의 교사가 정범의 범행에 대한 유일한 조건일 필요는 없으므로, **교사행위에 의하여 피교사자가 범죄 실행을 결의하게 된 이상 피교사자에게 다른 원인이 있어 범죄를 실행한 경우에도 교사범의 성립에는 영향이 없다.**(대법원 2012. 11. 15. 2012도7407 하나은행 노조위원장 공갈사건)

⑩ [○] 교사범이 그 공범관계로부터 이탈하기 위해서는 피교사자가 범죄의 실행행위에 나아가기 전에 교사범에 의하여 형성된 피교사자의 범죄 실행의 결의를 해소하는 것이 필요하고, 이때 교사범이 피교사자에게 교사행위를 철회한다는 의사를 표시하고 이에 피교사자도 그 의사에 따르기로 하거나 또는 교사범이 명시적으로 교사행위를 철회함과 아울러 피교사자의 범죄 실행을 방지하기 위한 진지한 노력을 다하여 당초 피교사자가 범죄를 결의하게 된 사정을 제거하는 등 객관적·실질적으로 보아 교사범에게 교사의 고의가 계속 존재한다고 보기 어렵고 당초의 교사행위에 의하여 형성된 피교사자의 범죄 실행의 결의가 더 이상 유지되지 않는 것으로 평가할 수 있다면, 설사 그 후 피교사자가 범죄를 저지르더라도 이는 당초의 교사행위에 의한 것이 아니라 새로운 범죄 실행의 결의에 따른 것이므로 교사자는 형법 제31조 제2항에 의한 죄책을 부담함은 별론으로 하고 형법 제31조 제1항에 의한 교사범으로서의 죄책을 부담하지는 않는다.(대법원 2012. 11. 15. 2012도7407 하나은행 노조위원장 공갈사건)

⑪ [○] 범인이 자신을 위하여 타인으로 하여금 허위의 자백을 하게 하여 범인도피죄를 범하게 하는 행위는 방어권의 남용으로 범인도피교사죄에 해당하는바, 이 경우 그 타인이 형법 제151조 제2항에 의하여 처벌을 받지 아니하는 친족 또는 동거 가족에 해당한다 하여 달리 볼 것은 아니다.(대법원 2006. 12. 7. 2005도3707 동생 허위자백 사건)

303

□□□ 교사범에 대한 설명으로 가장 적절하지 않은 것은? (다툼이 있으면 판례에 의함)

17 경찰채용 [Essential ★]

① 교사자가 피교사자에게 피해자를 "정신차릴 정도로 때려주라"고 교사하였다면 이는 상해에 대한 교사로 봄이 상당하다.

② 교사범이 성립하기 위해서는 교사자가 피교사자에게 범행의 일시, 장소, 방법 등의 세부적인 사항까지를 특정하여 교사하여야 한다.

③ 피무고자의 교사·방조하에 제3자가 피무고자에 대한 허위의 사실을 신고한 경우에는 제3자의 행위는 무고죄의 구성요건에 해당하여 무고죄를 구성하므로, 제3자를 교사·방조한 피무고자도 교사·방조범으로서의 죄책을 부담한다.

④ 형법 제127조는 공무원 또는 공무원이었던 자가 법령에 의한 직무상 비밀을 누설하는 행위만을 처벌하고 있을 뿐, 직무상 비밀을 누설받은 상대방을 처벌하는 규정이 없는 점에 비추어 볼 때, 직무상 비밀을 누설받은 자에 대하여는 공범에 관한 형법총칙 규정이 적용될 수 없다.

해설

② [×] 교사범이 성립하기 위하여는 **범행의 일시, 장소, 방법 등의 세부적인 사항까지를 특정하여 교사할 필요는 없고**, 정범으로 하여금 일정한 범죄의 실행을 결의할 정도에 이르게 하면 교사범이 성립된다.(대법원 2012. 4. 13. 2012도1101 **파주시 부동산 사기사건**)

① [○] 피고인이 "**피해자를 정신차릴 정도로 때려주라**"고 교사하였다면 이는 상해에 대한 교사로 봄이 상당하다.(대법원 1997. 6. 24. 97도1075 **정신차릴 정도로 사건**)

③ [○] (1) 피무고자의 교사·방조하에 제3자가 피무고자에 대한 허위의 사실을 신고한 경우에는 제3자의 행위는 무고죄의 구성요건에 해당하여 무고죄를 구성하므로, 제3자를 교사·방조한 피무고자도 교사·방조범으로서의 죄책을 부담한다. (2) 甲, 乙이 丙의 사업자금을 조달하는 방편으로 약속어음을 발행·보증하였다가 채권자 A가 甲 소유의 부동산에 강제경매를 신청하자 이를 면하기 위하여, 丙의 승낙 아래 그로부터 허위사실을 기재한 확인서 등을 받고 丙과 A를 유가증권위조 등으로 무고한 경우, 丙은 무고방조죄의 죄책을 부담한다.(대법원 2008. 10. 23. 2008도4852 **자기무고 방조사건**)

④ [○] 형법 제127조는 공무원 또는 공무원이었던 자가 법령에 의한 직무상 비밀을 누설하는 행위만을 처벌하고 있을 뿐 직무상 비밀을 누설받은 상대방을 처벌하는 규정이 없는 점에 비추어, 직무상 비밀을 누설받은 자에 대하여는 공범에 관한 형법총칙 규정이 적용될 수 없다.(대법원 2011. 4. 28. 2009도3642 **체포영장발부자 명단 사건**)

304 교사범에 대한 다음 설명 중 가장 옳은 것은? (다툼이 있는 경우 판례에 의함) 18 법원9급 [Core ★★]

① 자신의 형사사건에 관한 증거은닉 행위는 피고인의 방어권을 인정하는 취지와 상충하여 처벌의 대상이 되지 아니하므로 자신의 형사사건에 관한 증거은닉을 위하여 타인에게 도움을 요청하는 행위는 언제나 증거은닉교사죄로 처벌되지 아니한다.

② 피교사자의 범행결의가 교사자의 교사행위에 의하여 생긴 것으로 보기 어려운 경우에는 실패한 교사로서 교사자를 음모 또는 예비에 준하여 처벌할 수 있을 뿐이다.

③ 교사범의 교사가 정범이 죄를 범한 유일한 조건일 필요는 없으나, 정범에게 범죄의 습벽이 있어 그 습벽과 함께 교사행위가 원인이 되어 정범이 범죄를 실행한 경우에도 교사행위와 정범의 범죄실행 사이에 인과관계가 단절되어 교사범이 성립할 여지가 없다.

④ 변호사 사무실 직원인 피고인 甲이 법원공무원인 피고인 乙에게 부탁하여, 공무상 비밀에 해당하는 수사 중인 사건의 체포영장 발부자 명단을 누설받았다면, 피고인 甲의 행위는 공무상비밀누설교사죄에 해당한다.

해설

② [○] 교사자의 교사행위에도 불구하고 피교사자가 범행을 승낙하지 아니하거나 피교사자의 범행결의가 교사자의 교사행위에 의하여 생긴 것으로 보기 어려운 경우에는 이른바 실패한 교사로서 형법 제31조 제3항에 의하여 교사자를 음모 또는 예비에 준하여 처벌할 수 있을 뿐이다.(대법원 2013. 9. 12. 2012도2744 약혼녀 낙태 강요 사건)

① [×] 증거은닉죄는 타인의 형사사건이나 징계사건에 관한 증거를 은닉할 때 성립하고 자신의 형사사건에 관한 증거은닉 행위는 형사소송에 있어서 피고인의 방어권을 인정하는 취지와 상충하여 처벌의 대상이 되지 아니하므로 **자신의 형사사건에 관한 증거은닉을 위하여 타인에게 도움을 요청하는 행위 역시 원칙적으로 처벌되지 아니하나, 다만 그것이 방어권의 남용이라고 볼 수 있을 때는 증거은닉교사죄로 처벌할 수 있다.**(대법원 2016. 7. 29. 2016도5596 박기춘 의원 사건)

③ [×] 교사범의 교사가 정범이 죄를 범한 유일한 조건일 필요는 없으므로, **교사행위에 의하여 정범이 실행을 결의하게 된 이상** 비록 정범에게 범죄의 습벽이 있어 그 습벽과 함께 교사행위가 원인이 되어 정범이 범죄를 실행한 경우에도 **교사범의 성립에 영향이 없다.**(대법원 1991. 5. 14. 91도542 열심히 일을 하라 사건)

④ [×] (1) 형법 제127조는 공무원 또는 공무원이었던 자가 법령에 의한 직무상 비밀을 누설하는 행위만을 처벌하고 있을 뿐 직무상 비밀을 누설받은 상대방을 처벌하는 규정이 없는 점에 비추어, 직무상 비밀을 누설받은 자에 대하여는 공범에 관한 형법총칙 규정이 적용될 수 없다. (2) 피고인 乙이 직무상 비밀을 누설한 행위와 피고인 甲이 이를 누설받은 행위는 대향범 관계에 있으므로 공범에 관한 형법총칙 규정이 적용될 수 없으므로, 피고인 甲의 행위가 공무상비밀누설교사죄에 해당한다고 본 원심판단에는 법리오해의 위법이 있다.(대법원 2011. 4. 28. 2009도3642 체포영장발부자 명단 사건)

305 甲은 丙에게 자신과 사업관계로 다툼이 있었던 乙을 혼내 주되, 평생 후회하면서 살도록 허리 아
□□□ 래 부분을 찌르고 특히 허벅지나 종아리를 찔러 병신을 만들라는 취지로 이야기 하면서 차량과 칼
구입비 명목으로 경비 90만원 정도를 주었으며, 丙은 피해자 乙의 종아리 부위 등을 20여 회나 칼
로 찔러 사망하게 한 경우 甲과 丙의 죄책은? (다툼이 있으면 판례에 의함) 16 경찰간부 [Core ★★]

① 甲은 상해죄의 교사범, 丙은 살인죄의 정범

② 甲은 상해치사죄의 교사범, 丙은 상해치사의 정범

③ 甲은 상해치사죄의 교사범, 丙은 살인죄의 정범

④ 甲은 살인죄의 교사범, 丙은 살인죄의 정범

해설

③ [○] (1) 피고인이 피해자의 머리나 가슴 등 치명적인 부위가 아닌 허벅지나 종아리 부위 등을 주로 찔렀다고
하더라도 칼로 피해자를 20여 회나 힘껏 찔러 그로 인하여 피해자가 과다실혈로 사망하게 된 이상 피고인이
자기들의 가해행위로 인하여 피해자가 사망할 수도 있다는 사실을 인식하지 못하였다고는 볼 수 없고, 오히려
살인의 미필적 고의가 있었다고 볼 수 있다. (2) 교사자가 피교사자에 대하여 **상해 또는 중상해를 교사하였**
는데 피교사자가 이를 넘어 살인을 실행한 경우 일반적으로 교사자는 상해죄 또는 중상해죄의 교사범이 되지
만 이 경우 **교사자에게 피해자의 사망이라는 결과에 대하여 과실 내지 예견가능성이 있는 때에는 상해치사**
죄의 교사범으로서의 죄책을 지울 수 있다. (대법원 2002. 10. 25. 2002도4089 병신을 만들어라 사건) 판례에
의할 때 丙은 살인죄, 甲은 상해치사교사죄의 죄책을 진다.

306

다음의 설명 중 가장 적절하지 않은 것은? (다툼이 있으면 판례에 의함)   22 경찰승진 [Essential ★]

① 乙이 甲의 교사행위 당시에는 범행을 승낙하지 않았으나 이후 그 교사행위에 의하여 범행을 결의한 것으로 인정되는 경우 甲에게는 교사범이 성립한다.

② 甲이 乙에게 A를 살해할 것을 제의하였는데 乙이 그 제의를 거절한 경우 甲은 살인죄의 예비·음모에 준하여 처벌된다.

③ 간호보조원의 무면허 진료행위가 있은 후에 이를 의사가 환자의 계속적인 진료에 참고되는 진료부에 기재하는 행위는 불가벌적 사후행위가 아니라 무면허의료행위의 방조에 해당한다.

④ 甲이 乙에게 A를 상해할 것을 교사하였는데 乙이 이를 넘어 살인을 실행한 경우 甲에게 A의 사망이라는 결과에 대하여 과실 내지 예견가능성이 있는 때에는 살인죄의 교사범으로서의 죄책을 지울 수 있다.

해설

④ [×] 교사자가 피교사자에 대하여 상해 또는 중상해를 교사하였는데 피교사자가 이를 넘어 살인을 실행한 경우 일반적으로 교사자는 상해죄 또는 중상해죄의 교사범이 되지만 이 경우 교사자에게 피해자의 사망이라는 결과에 대하여 과실 내지 예견가능성이 있는 때에는 **상해치사죄의 교사범으로서의 죄책을 지울 수 있다.**(대법원 2002. 10. 25. 2002도4089 **병신을 만들어라 사건**)

① [○] 피교사자가 교사자의 교사행위 당시에는 일응 범행을 승낙하지 아니한 것으로 보여진다 하더라도 이후 교사행위에 의하여 범행을 결의한 것으로 인정되는 이상 교사범의 성립에는 영향이 없다.(대법원 2013. 9. 12. 2012도2744 **약혼녀 낙태강요 사건**)

② [○] 교사를 받은 자가 범죄의 실행을 승낙하지 아니한 때에도 교사자에 대하여는 전항과 같다.(제31조 제3항) 실패한 교사로 甲만 살인죄의 예비·음모에 준하여 처벌된다.

③ [○] 진료부는 환자의 계속적인 진료에 참고로 공하여지는 진료상황부이므로 간호보조원의 무면허 진료행위가 있은 후에 이를 의사가 진료부에다 기재하는 행위는 정범의 실행행위종료 후의 단순한 사후행위에 불과하다고 볼 수 없고 무면허 의료행위의 방조에 해당한다.(대법원 1982. 4. 27. 82도122 **간호조무사 진료 의사 보조 사건**)

제5절 l 종범(방조범)

307 방조범에 대한 설명으로 옳지 않은 것은? (다툼이 있으면 판례에 의함) 17 국가9급 [Superlative ★★★]

□□□
① 정범이 누구인지에 대하여 확정적으로 인식하지 않은 경우에도 방조범이 성립할 수 있다.

② 정범의 행위에 대한 방조범의 고의는 정범에 의하여 실현되는 범죄의 구체적 내용을 인식할 것을 요하며 미필적 인식으로는 부족하다.

③ 부작위에 의하여도 형법상 방조행위가 성립될 수 있다.

④ 형법상 방조행위는 정범의 실행행위 착수 전에 장래의 실행행위를 예상하고 이를 용이하게 하는 행위를 한 경우에도 성립할 수 있다.

해설

② [×] 방조범에 있어서 정범의 고의는 정범에 의하여 실현되는 범죄의 구체적 내용을 인식할 것을 요하는 것은 아니고 미필적 인식 또는 예견으로 충분하다.(대법원 2011. 12. 8. 2010도9500 유사수신프로그램 제작 · 공급 사건)

① [〇] 정범이 범행을 한다는 점을 알면서 그 실행행위를 용이하게 한 이상 그 행위가 간접적이거나 직접적이거나를 가리지 않으며, 이 경우 정범이 누구에 의하여 실행되어지는가를 확지(確知)할 필요는 없다.(대법원 1977. 9. 28. 76도4133)

③ [〇] 형법상 방조행위는 정범의 실행을 용이하게 하는 직접, 간접의 모든 행위를 가리키는 것으로서 작위에 의한 경우뿐만 아니라 부작위에 의하여도 성립한다.(대법원 2006. 4. 28. 2003도4128 음란만화판매 방치사건)

④ [〇] 종범은 정범이 실행행위에 착수하여 범행을 하는 과정에서 이를 방조한 경우뿐 아니라 정범의 실행의 착수 이전에 장래의 실행행위를 미필적으로나마 예상하고 이를 용이하게 하기 위하여 방조한 경우에도 그 후 정범이 실행행위에 나아갔다면 성립할 수 있다.(대법원 2013. 11. 14. 2013도7494 대척승 보험사기사건)

308 방조에 관한 설명 중 옳지 않은 것은? (다툼이 있으면 판례에 의함)

① 간첩이라는 정을 알면서 숙식을 제공하거나 심부름으로 안부편지를 전달하는 행위는 간첩방조죄에 해당하지 않는다.

② 병무행정의 시정을 촉구하기 위하여 조직된 단체로 판단되는 병역문제중앙대책위원회의 일원이 스스로 입영기피를 결심한 자에게 이별을 안타까워하는 뜻에서 몸조심하라고 말하면서 악수를 나눈 행위는 입영기피의 방조에 해당한다.

③ 백화점에서 검품 등 상품관리를 담당하는 백화점 직원이 자신이 관리하는 백화점 입점점포의 위조상표 부착 상품 판매사실을 알고도 방치한 행위는 부작위에 의한 상표법위반과 부정경쟁방지및영업비밀보호에관한법률위반의 방조에 해당한다.

④ 인터넷 카페의 대표 甲이 기자회견을 열어 A회사에 대하여 불매운동을 하겠다고 하면서 공갈행위를 하였는데, 위 카페의 회원 乙이 그러한 사정을 알면서도 그 자리에서 지지의 의사로 공감을 표시하거나 甲의 부탁을 받고 사진을 찍어주는 행위는 공갈죄의 방조에 해당한다.

⑤ 甲과 말다툼을 하던 乙이 '죽고싶다'고 하며 甲에게 기름을 사오라고 하였고, 그 직후 乙은 甲이 사다 준 휘발유를 뿌리고 불을 붙여 자살했다면, 甲의 행위는 자살방조죄에 해당한다.

해설

② [×] 스스로 입영기피를 결심하고 집을 나서는 乙에 대하여 이별을 안타까워 하는 뜻에서 "잘되겠지 몸조심하라"하고 악수를 나눈 피고인 甲의 행위를 입영기피의 범죄의사를 강화시킨 **방조행위에 해당한다고 볼 수 없다.**(대법원 1983. 4. 12. 82도43)

① [○] 단순히 숙식을 제공한다거나 또는 무전기를 매몰하는 행위를 도와주었다거나 하는 사실만으로서는 간첩방조죄가 성립할 수 없다.(대법원 1986. 2. 25. 85도2533) 또한 심부름으로 안부편지를 전달하는 행위도 간첩방조죄에 해당한다고 할 수 없다.

③ [○] 백화점에서 상품관리 등의 업무를 담당하는 피고인이 자신이 관리하는 특정매장의 점포에 가짜 상표가 새겨진 상품이 진열·판매되고 있는 사실을 발견하고도 점주 등에게 시정조치를 요구하거나 상급자에게 이를 보고하지 아니함으로써 점주로 하여금 가짜 상표가 새겨진 상품들을 고객들에게 계속 판매하도록 방치한 경우, 상표법위반 및 부정경쟁방지법위반 행위를 방조한 것에 해당한다.(대법원 1997. 3. 14. 96도1639 **백화점 짝퉁 제품판매 방치사건**)

④ [○] 인터넷 카페의 대표 甲이 기자회견을 열어 A회사에 대하여 불매운동을 하겠다고 하면서 공갈행위를 하였는데, 위 카페의 회원 乙이 그러한 사정을 알면서도 그 자리에서 지지의 의사로 공감을 표시하거나 甲의 부탁을 받고 사진을 찍어주는 행위는 공갈죄의 방조에 해당한다.(대법원 2013. 4. 11. 2010도13774 **광동제약 불매운동사건**)

⑤ [○] 피해자가 피고인과 말다툼을 하다가 '죽고 싶다' 또는 '같이 죽자'고 하며 피고인에게 기름을 사오라고 하자 피고인이 휘발유 1병을 사다주었는데 피해자가 몸에 휘발유를 뿌리고 불을 붙여 자살한 경우 자살방조죄가 성립한다.(대법원 2010. 4. 29. 2010도2328 **휘발유 자살방조 사건**)

309

□□□ **방조범에 대한 설명으로 옳지 않은 것은? (다툼이 있으면 판례에 의함)** 21 국가9급 [Essential ★]

① 甲이 사기 범행에 이용되리라는 사정을 알고서도 A에게 자신의 명의로 된 은행 예금계좌의 접근매체를 양도함으로써 A가 B를 속여 B로 하여금 현금을 위 계좌로 송금하게 한 경우, 甲은 사기죄의 방조범이 된다.

② 은행지점장 甲이 정범인 부하직원들의 은행에 대한 배임행위를 인식하면서도 이를 방치한 경우 업무상배임죄의 방조범이 성립한다.

③ 방조죄는 정범의 범죄에 종속하여 성립하는 것으로서 방조의 대상이 되는 정범의 실행행위의 착수가 없으면 방조죄만 독립하여 성립할 수 없다.

④ 정범의 실행행위 전이나 실행행위 중에 정범을 방조하여 그 실행 행위를 용이하게 하는 것뿐만 아니라 정범의 범죄종료 후의 이른바 사후방조도 방조범으로 볼 수 있다.

해설

④ [×] 종범은 정범의 실행행위 전이나 실행행위 중에 정범을 방조하여 그 실행행위를 용이하게 하는 것을 말하므로 **정범의 범죄종료 후의 이른바 사후방조를 종범이라고 볼 수 없다.**(대법원 2009. 6. 11. 2009도1518 **논문대행 사건**)

① [○] 전기통신금융사기(이른바 보이스피싱 범죄)의 범인이 피해자의 자금을 점유하고 있다고 하여 피해자와의 어떠한 위탁관계나 신임관계가 존재한다고 볼 수 없을 뿐만 아니라, 사기이용계좌에서 현금을 인출하였다고 하더라도 이는 이미 성립한 사기범행이 예정하고 있던 행위에 지나지 아니하여 새로운 법익을 침해한다고 보기도 어려우므로, 위와 같은 인출행위는 사기의 피해자에 대하여 별도의 횡령죄를 구성하지 아니한다. 이러한 법리는 사기범행에 이용되리라는 사정을 알고서 자신 명의 계좌의 접근매체를 양도함으로써 사기범행을 방조한 종범이 사기이용계좌로 송금된 피해자의 자금을 임의로 인출한 경우에도 마찬가지로 적용된다.(대법원 2017. 5. 31. 2017도3894 보이스피싱 사건Ⅱ) 판례의 취지에 의할 때 甲은 사기방조죄의 죄책을 진다.

② [○] 조흥은행 중앙지점장인 피고인 甲이 부하직원인 乙 등의 배임행위(어음부정지급보증과 당좌부정결재의 방법으로 영동개발 주식회사에 대하여 자금융통의 편의를 봐주는 행위)를 발견하였으면서도 이미 발생한 손해의 보전에 필요한 조치를 취하지 아니하고 이를 방치한 경우 배임죄의 방조범에 해당한다.(대법원 1984. 11. 27. 84도1906 **조흥은행 금융부정사건**)

③ [○] 정범이 실행의 착수에 이르지 아니한 예비의 단계에 그친 경우에는 이에 가공하는 행위가 예비의 공동정범이 되는 경우를 제외하고는 이를 종범으로 처벌할 수 없다.(대법원 1976. 5. 25. 75도1549 **강도예비 방조사건**)

310 방조범에 대한 설명 중 가장 옳지 않은 것은? (다툼이 있으면 판례에 의함)

① 정범이 범행을 한다는 점을 알면서 그 실행행위를 용이하게 한 이상 그 행위가 간접적이거나 직접적이거나를 가리지 않으며 이 경우 정범이 누구에 의하여 실행되어지는가를 확지할 필요는 없다.

② 방조범에 있어서 정범의 고의는 정범에 의하여 실현되는 범죄의 구체적 내용을 인식할 것을 요하는 것은 아니고 미필적 인식 또는 예견으로 충분하다.

③ 방조자의 인식과 정범의 실행간에 착오가 있고 양자의 구성요건을 달리한 경우에는 원칙적으로 방조자의 고의는 조각되는 것이나, 그 구성요건이 중첩되는 부분이 있는 경우에는 그 중복되는 한도내에서는 방조자의 죄책을 인정하여야 할 것이다.

④ 정범이 실행에 착수하기 전에 장래의 실행행위를 예상하고 이를 용이하게 하는 행위를 하여 방조한 경우에는, 그 이후 정범이 실행에 착수하였다 하더라도 방조범이 성립할 수 없다.

해설

④ [×] **종범은** 정범이 실행행위에 착수하여 범행을 하는 과정에서 이를 방조한 경우뿐 아니라, 정범의 실행의 착수 이전에 장래의 실행행위를 미필적으로나마 예상하고 이를 용이하게 하기 위하여 방조한 경우에도 그 후 **정범이 실행행위에 나아갔다면 성립할 수 있다.**(대법원 2013. 11. 14. 2013도7494 대쳐승 보험사기사건)

① [O] 정범이 범행을 한다는 점을 알면서 그 실행행위를 용이하게 한 이상 그 행위가 간접적이거나 직접적이거나를 가리지 않으며, 이 경우 정범이 누구에 의하여 실행되어지는가를 확지(確知)할 필요는 없다.(대법원 1977. 9. 28. 76도4133)

② [O] 방조범의 경우에 정범의 고의는 정범에 의하여 실현되는 범죄의 구체적 내용을 인식할 것을 요하는 것은 아니고 미필적 인식 또는 예견으로 족하다.(대법원 2012. 6. 28. 2012도2628 에이스일렉트로닉스 사건)

③ [O] 방조자의 인식과 피방조자의 실행간에 착오가 있고 양자의 구성요건을 달리한 경우에는 원칙적으로 방조자의 고의는 조각되는 것이나, 그 구성요건이 중첩되는 부분이 있는 경우에는 그 중복되는 한도 내에서만 방조자의 죄책을 인정하여야 한다.(대법원 1985. 2. 26. 84도2987)

311

□□□

다음 중 방조에 대한 설명으로 가장 옳지 않은 것은? (다툼이 있으면 판례에 의함)

22 해경간부 [Essential ★]

① 방조범에 있어서 정범의 고의는 정범에 의하여 실현되는 범죄의 구체적 내용을 인식할 것을 요하는 것은 아니고 미필적 인식 또는 예견으로 족하다.

② 자기의 지휘, 감독을 받는 자를 방조하여 범죄의 결과를 발생하게 한 자는 정범에 정한 형의 장기 또는 다액에 그 2분의 1까지 가중한 형으로 처벌한다.

③ 법률상 정범의 범행을 방지할 의무가 있는 자가 그 범행을 알면서도 방지하지 아니하여 범행을 용이하게 한 때에는 부작위에 의한 종범이 성립한다.

④ 간첩이라는 정을 알면서 숙식을 제공하거나 심부름으로 안부편지를 전달하는 행위는 간첩방조죄에 해당하지 않는다.

해설

② [×] 자기의 지휘, 감독을 받는 자를 방조하여 범죄행위의 결과를 발생하게 한 자는 **정범의 형으로 처벌한다.** (제34조 제2항)

① [○] 방조범에 있어서 정범의 고의는 정범에 의하여 실현되는 범죄의 구체적 내용을 인식할 것을 요하는 것은 아니고 미필적 인식 또는 예견으로 족하다.(대법원 2018. 9. 13. 2018도7658 인천 **초등생 살인사건**)

③ [○] 형법상 방조는 작위에 의하여 정범의 실행을 용이하게 하는 경우는 물론, 직무상의 의무가 있는 자가 정범의 범죄행위를 인식하면서도 그것을 방지하여야 할 제반 조치를 취하지 아니하는 부작위로 인하여 정범의 실행행위를 용이하게 하는 경우에도 성립된다.(대법원 1996. 9. 6. 95도2551 **입찰보증금횡령 방치사건**)

④ [○] 단순히 숙식을 제공한다거나 또는 무전기를 매몰하는 행위를 도와주었다거나 하는 사실만으로서는 간첩방조가 성립할 수 없다.(대법원 1986. 2. 25. 85도2533) 안부편지를 전달하는 행위도 간첩방조죄에 해당한다고 할 수 없다.

312 종범에 관한 설명 중 옳지 않은 것을 모두 고른 것은? (다툼이 있으면 판례에 의함)

15 변호사 [Superlative ★★★]

> ㉠ 정범의 강도예비행위를 방조하였으나 정범이 실행의 착수에 이르지 못한 경우 방조자는 강도예비죄의 종범에 해당한다.
>
> ㉡ 자기의 지휘, 감독을 받는 자를 방조하여 범죄의 결과를 발생하게 한 자는 정범에 정한 형의 장기 또는 다액에 그 2분의 1까지 가중한 형으로 처벌한다.
>
> ㉢ 법률상 정범의 범행을 방지할 의무가 있는 자가 그 범행을 알면서도 방지하지 아니하여 범행을 용이하게 한 때에는 부작위에 의한 종범이 성립한다.
>
> ㉣ 종범은 정범의 실행행위 중에 이를 방조하는 경우뿐만 아니라, 정범이 실행행위에 나아갔다면 실행의 착수 전에 장래의 실행행위를 예상하고 이를 용이하게 한 경우에도 종범이 성립한다.

① ㉠
② ㉠㉡
③ ㉡㉢
④ ㉠㉡㉢
⑤ ㉡㉢㉣

해설

② ㉠㉡ 2 항목이 옳지 않다.

㉠ [×] 정범이 실행의 착수에 이르지 아니한 예비의 단계에 그친 경우에는 이에 가공하는 행위가 예비의 공동정범이 되는 경우를 제외하고는 이를 종범으로 처벌할 수 없다.(대법원 1976. 5. 25. 75도1549 강도예비방조 사건)

㉡ [×] 자기의 지휘, 감독을 받는 자를 방조하여 범죄의 결과를 발생하게 한 자는 **정범의 형으로 처벌한다.**(제34조 제2항)

㉢ [○] 형법상 방조는 작위에 의하여 정범의 실행을 용이하게 하는 경우는 물론, 직무상의 의무가 있는 자가 정범의 범죄행위를 인식하면서도 그것을 방지하여야 할 제반 조치를 취하지 아니하는 부작위로 인하여 정범의 실행행위를 용이하게 하는 경우에도 성립된다.(대법원 1996. 9. 6. 95도2551 **입찰보증금횡령** 방치사건)

㉣ [○] 종범은 정범의 실행의 착수 이전에 장래의 실행행위를 미필적으로나마 예상하고 이를 용이하게 하기 위하여 방조한 경우에도 그 후 정범이 실행행위에 나아갔다면 성립할 수 있다.(대법원 2013. 11. 14. 2013도7494 대처승 보험사기사건)

313

□□□ 다음 사례에서 甲의 죄책에 관한 설명으로 가장 적절하지 않은 것은? (다툼이 있으면 판례에 의함)

23 경찰채용 [Superlative ★★★]

> 甲은 2022.12.21.경부터 보이스피싱 사기범행에 사용된다는 사정을 알면서도 유령법인 설립, 그 법인 명의 계좌 개설 후 그 접근매체를 채팅 애플리케이션을 통해 대화명 A에게 전달유통하는 행위를 계속하였다. 그 후 2023. 1. 15.경 보이스피싱 조직원의 제안에 따라 이른바 '전달책' 역할을 승낙하고, 2023. 1. 28.부터 '전달책'에 해당하는 실행행위를 하였다.

① 형법상 방조행위는 정범이 범행을 한다는 정을 알면서 그 실행행위를 용이하게 하는 직·간접의 모든 행위를 가리킨다.

② 甲의 이러한 접근매체 전달·유통행위는 보이스피싱 사기 범행에 사용된다는 정을 알면서도 정범이 실행에 착수하기 이전부터 장래의 실행행위를 예상하고서 이를 용이하게 하는 유형적·물질적 방조행위이다.

③ 甲이 '전달책' 역할까지 승낙한 행위 역시 정범의 범행 결의를 강화시키는 무형적·정신적 방조행위이다.

④ 甲이 '전달책'으로서의 행위를 한 때부터 비로소 피해자들에 대한 사기죄의 종범에 해당한다.

해설

④ [×] 피고인은 '전달책'으로서 실행행위를 한 시기에 관계없이 피해자들에 대한 사기죄의 종범에 해당한다. (대법원 2022. 4. 14. 2022도649 보이스피싱 전달책 사건) 甲이 '전달책'으로서의 행위를 하기 이전부터 (정범이 사기죄를 범했다는 전제하에) 이미 사기방조죄가 성립한 것이다. 공범의 종속성 때문에 정범의 실행착수시부터 사기방조죄가 성립한다.

① [○] 형법상 방조행위는 정범이 범행을 한다는 정을 알면서 그 실행행위를 용이하게 하는 직간접의 모든 행위를 가리키는 것으로서 유형적·물질적인 방조뿐만 아니라 정범에게 범행의 결의를 강화하도록 하는 것과 같은 **무형적·정신적 방조행위도 포함**되고, 정범의 실행행위 중은 물론 실행 착수 전에 장래의 실행행위를 예상하고 이를 용이하게 하는 행위도 이에 해당한다.(대법원 2022. 4. 14. 2022도649 보이스피싱 전달책 사건)

② [○] 피고인의 이러한 접근매체 전달·유통행위는 보이스피싱 사기 범행에 사용된다는 정을 알면서도 정범이 실행에 착수하기 이전부터 장래의 실행행위를 예상하고서 이를 용이하게 하는 유형적·물질적 방조행위이다. (대법원 2022. 4. 14. 2022도649 보이스피싱 전달책 사건)

③ [○] 이러한 상태에서 '전달책' 역할까지 승낙한 행위 역시 정범의 **범행 결의를 강화시키는 무형적·정신적 방조행위이다.**(대법원 2022. 4. 14. 2022도649 보이스피싱 전달책 사건)

314 교사범과 방조범의 차이점을 설명한 것에 대하여 옳고 그름의 표시(○, ×)가 바르게 된 것은?
□□□ (다툼이 있으면 판례에 의함)

> ㉠ 편면적 교사범은 성립할 수 없으나, 편면적 방조범은 성립할 수 있다.
> ㉡ 부작위에 의한 교사범은 성립할 수 없으나, 부작위에 의한 방조범은 성립할 수 있다.
> ㉢ 과실범에 대한 교사범은 성립할 수 있으나, 과실범에 대한 방조범은 성립할 수 없다.
> ㉣ 효과 없는 교사는 교사자와 피교사자 모두 예비·음모에 준하여 처벌되지만, 효과 없는 방조는 처벌되지 않는다.
> ㉤ 과실에 의한 교사범은 성립할 수 없으나, 과실에 의한 방조범은 성립할 수 있다.

① ㉠ ○ ㉡ ○ ㉢ × ㉣ ○ ㉤ ×
② ㉠ ○ ㉡ × ㉢ × ㉣ ○ ㉤ ×
③ ㉠ × ㉡ ○ ㉢ × ㉣ × ㉤ ○
④ ㉠ ○ ㉡ × ㉢ × ㉣ ○ ㉤ ○

해설

① 이 지문이 옳은 연결이다.
㉠ [○] 정범이 교사행위를 인식하지 못한 편면적 교사범은 성립할 수 없지만, 정범이 방조행위를 인식하지 못한 편면적 방조범은 성립할 수 있다는 것이 통설의 입장이다.(대법원 1974. 5. 28. 74도509 참고)
㉡ [○] 부작위에 의한 교사는 불가능하지만, 부작위에 의한 방조는 가능하다. 형법상 방조행위는 정범의 실행을 용이하게 하는 직접, 간접의 모든 행위를 가리키는 것으로서 작위에 의한 경우뿐만 아니라 부작위에 의하여도 성립된다.(대법원 2006. 4. 28. 2003도4128 음란만화판매 방치사건)
㉢ [×] **과실범에 대한 교사범이나 방조범은 성립할 수 없다.** 과실범에 대한 교사나 방조행위는 경우에 따라 간접정범이 될 수 있다.(제34조 제1항)
㉣ [○] 효과 없는 교사는 교사자와 피교사자 모두 예비·음모에 준하여 처벌되지만(제31조 제2항), 효과 없는 방조는 처벌되지 않는다.(대법원 1976. 5. 25. 75도1549 강도예비 방조사건)
㉤ [×] 교사는 정범에게 범죄의 결의를 일으키게 하는 것이므로 과실에 의한 교사범은 성립할 수 없다. 방조범은 방조의 고의와 정범의 고의가 있어야 성립하는 범죄이므로 **과실에 의한 방조범도 성립할 수 없다.**(대법원 2012. 6. 28. 2012도2628)

315 교사와 방조에 대한 설명 중 옳은 것은 모두 몇 개인가? (다툼이 있으면 판례에 의함)

□□□

21 경찰간부 [Superlative ★★★]

> ㉠ 간호보조원이 무면허 진료를 했다고 하더라도 그 내용을 의사가 진료부에 기재하는 행위는 정범의 실행행위 종료후의 사후행위에 불과하여 의사는 무면허 진료행위의 방조 책임을 지지 않는다.
>
> ㉡ 교사자의 교사행위에도 불구하고 피교사자가 범행을 승낙하지 아니하거나 피교사자의 범행 결의가 교사자의 교사행위에 의하여 생긴 것으로 보기 어려운 경우에는 교사자를 음모 또는 예비에 준하여 처벌한다.
>
> ㉢ 甲이 무면허운전을 하던 중 교통사고를 내자 동거하던 동생 乙을 경찰서에 대신 출석시키고 자신을 위하여 허위자백을 하게 한 경우, 甲에게 범인도피죄의 교사범의 죄책을 물을 수 없다.
>
> ㉣ 백화점 직원이 자신이 관리하는 점포에 가짜 상표가 새겨진 상품이 진열·판매되는 사실을 발견하고도 적절한 조치를 취하지 않아 계속 판매되도록 방치한 행위는 상표법위반 및 부정경쟁방지법위반행위를 방조한 것에 해당한다.
>
> ㉤ 甲이 고발을 당하자 乙에게 증거를 변조하도록 교사하였는데 乙이 甲과 공범관계에 있는 형사사건의 증거를 변조한 것에 해당하여 乙이 증거변조로 처벌되지 않는 경우, 甲도 증거변조죄의 교사범으로 처벌받지 않는다.

① 1개   ② 2개

③ 3개   ④ 4개

해설

③ ㉡㉣㉤ 3 항목이 옳다.

㉠ [×] 진료부는 환자의 계속적인 진료에 참고로 공하여지는 진료상황부이므로 간호보조원의 무면허 진료행위가 있은 후에 이를 의사가 진료부에다 기재하는 행위는 정범의 실행행위 종료 후의 단순한 사후행위에 불과하다고 볼 수 없고 **무면허 의료행위의 방조에 해당한다.**(대법원 1982. 4. 27. 82도122)

㉡ [○] 교사자의 교사행위에도 불구하고 피교사자가 범행을 승낙하지 아니하거나 피교사자의 범행결의가 교사자의 교사행위에 의하여 생긴 것으로 보기 어려운 경우에는 이른바 실패한 교사로서 형법 제31조 제3항에 의하여 교사자를 음모 또는 예비에 준하여 처벌할 수 있을 뿐이다.(대법원 2013. 9. 12. 2012도2744 약혼녀 낙태강요 사건)

㉢ [×] (1) 범인이 자신을 위하여 타인으로 하여금 허위의 자백을 하게 하여 범인도피죄를 범하게 하는 행위는 방어권의 남용으로 범인도피교사죄에 해당하는바, 이 경우 그 타인이 형법 제151조 제2항에 의하여 처벌을 받지 아니하는 친족 또는 동거 가족에 해당한다 하여 달리 볼 것은 아니다. (2) 무면허 상태로 교통사고를 낸 피고인 甲이 동생 乙에게 "네가 대신 교통사고를 내었다고 조사를 받아 달라"고 부탁하여, 이를 승낙한 乙이 경찰서에서 "내가 승용차를 운전하고 가다가 교통사고를 낸 사람이다"라고 허위 진술한 경우, **甲에 대하여 범인도피교사죄가 성립한다.**(대법원 2006. 12. 7. 2005도3707 동생 허위자백 사건)

㉣ [○] 백화점에서 상품관리 등의 업무를 담당하는 피고인이 자신이 관리하는 특정매장의 점포에 가짜 상표가 새겨진 상품이 진열·판매되고 있는 사실을 발견하고도 점주 등에게 시정조치를 요구하거나 상급자에게 이를 보고하지 아니함으로써 점주로 하여금 가짜 상표가 새겨진 상품들을 고객들에게 계속 판매하도록 방치한 경우,

상표법위반 및 부정경쟁방지법위반 행위를 방조한 것에 해당한다.(대법원 1997. 3. 14. 96도1639 **백화점 짝퉁 제품판매 방치사건**)

◎ [○] 노동조합 지부장인 피고인 甲이 업무상횡령 혐의로 조합원들로부터 고발을 당하자 피고인 乙과 공동하여 조합 회계서류를 무단 폐기한 후 폐기에 정당한 근거가 있는 것처럼 乙로 하여금 조합 회의록을 조작하여 수사기관에 제출하도록 교사한 경우, 회의록의 변조 · 사용은 피고인들이 공범관계에 있는 문서손괴죄 형사사건에 관한 증거를 변조 · 사용한 것으로 볼 수 있어 乙에 대한 증거변조죄 및 변조증거사용죄가 성립하지 않으며, 피교사자인 乙이 증거변조죄 및 변조증거사용죄로 처벌되지 않은 이상 피고인 甲에 대하여 공범인 교사범은 물론 그 간접정범도 성립하지 않는다.(대법원 2011. 7. 14. 2009도13151 **노동조합 지부장사건**)

정답 | 315 ③

316

① 甲이 A를 모해할 목적으로 그러한 목적이 없는 乙에게 위증을 교사한 경우, 甲은 공범종속성의 원칙에 따라 단순위증죄의 교사범으로 처벌된다.

② 의료인 甲이 의료인 아닌 乙의 무면허의료행위에 공모하여 가공한 경우, 의료인의 신분을 가진 甲을 乙의 의료법위반행위의 공범으로 처벌할 수 없다.

③ 신분관계 없는 甲이 신분관계 있는 乙과 공모하여 업무상 배임죄를 저질렀다면, 甲에게는 형법 제33조 단서에 의하여 단순배임죄가 성립하고 이에 정한 형으로 처벌된다.

④ 변호사 甲이 변호사 아닌 乙에게 고용되어 법률사무소의 개설·운영에 관여한 경우, 이를 처벌하는 규정이 없는 이상 甲을 乙의 변호사법위반행위의 공범으로 처벌할 수 없다.

해설

④ [O] 변호사가 변호사 아닌 자에게 고용되어 법률사무소의 개설·운영에 관여하는 변호사법위반죄가 성립하는데 당연히 예상될 뿐만 아니라 범죄의 성립에 없어서는 아니 되는 것인데도 변호사를 처벌하는 규정이 없는 이상, 변호사 아닌 자에게 고용되어 법률사무소의 개설·운영에 관여한 변호사의 행위가 일반적인 형법 총칙상의 공모, 교사 또는 방조에 해당된다고 하더라도 변호사를 변호사 아닌 자의 공범으로서 처벌할 수는 없다.(대법원 2004. 10. 28. 2004도3994)

① [×] 甲이 A를 모해할 목적으로 乙에게 위증을 교사한 이상 가사 정범인 乙에게 모해의 목적이 없었다고 하더라도 형법 제33조 단서의 규정에 의하여 **甲을 모해위증교사죄로 처단할 수 있다.**(대법원 1994. 12. 23. 93도1002 모해위증교사 사건)

② [×] 의료인일지라도 의료인 아닌 자의 의료행위에 공모하여 가공하면 의료법 제25조 제1항[개정법 제27조 제1항]이 규정하는 **무면허의료 행위의 공동정범으로서의 책임을 진다.**(대법원 1986. 2. 11. 85도448)

③ [×] 업무상배임죄는 타인의 사무를 처리하는 지위라는 점에서 보면 신분관계로 인하여 성립될 범죄이고, 업무상 타인의 사무를 처리하는 지위라는 점에서 보면 단순배임죄에 대한 가중규정으로서 신분관계로 인하여 형의 경중이 있는 경우라고 할 것이므로, 그와 같은 신분관계가 없는 자가 그러한 신분관계가 있는 자와 공모하여 ⊙ 업무상배임죄를 저질렀다면, 그러한 신분관계가 없는 자에 대하여는 형법 제33조 단서에 의하여 ⓛ 단순배임죄에 정한 형으로 처단하여야 한다.(대법원 2012. 11. 15. 2012도6676 Q22합금 특허사건)

317 공범에 관한 설명 중 옳은 것은? (다툼이 있으면 판례에 의함)

□□□

① 공무원이 아닌 사람이 공무원과 공동가공의 의사와 이를 기초로 한 기능적 행위지배를 통하여 공무원의 직무에 관하여 뇌물을 수수하는 범죄를 실행하였다 하더라도 공무원이 아닌 사람은 뇌물수수죄의 공동정범이 될 수 없다.

② 모해의 목적을 가진 甲이 모해의 목적이 없는 乙에게 위증을 교사하여 乙이 위증죄를 범한 경우 공범종속성에 따라 甲에게는 모해위증교사죄가 성립할 수 없다.

③ 공문서 작성권자의 직무를 보조하는 공무원이 그 직위를 이용하여 행사할 목적으로 허위내용의 공문서의 초안을 작성한 후 문서에 기재된 내용의 허위사실을 모르는 작성권자에게 제출하여 결재하도록 하는 방법으로 작성권자로 하여금 허위의 공문서를 작성하게 한 경우 그 보조공무원에게는 허위공문서작성죄의 간접정범이 성립하지 않는다.

④ 비신분자가 업무상 타인의 사무를 처리하는 자의 배임행위를 교사한 경우 그 비신분자는 타인의 사무처리자에 해당하지 않으므로 업무상배임죄의 교사범이 성립하지 않는다.

⑤ 벌금 이상의 형에 해당하는 죄를 범한 甲이 자신의 동거가족 乙에게 자신을 도피시켜 달라고 교사한 경우 乙이 甲과의 신분관계로 인해 범인도피죄로 처벌될 수 없다 하더라도 甲에게는 범인도피죄의 교사범이 성립한다.

해설

⑤ [○] 범인이 자신을 위하여 타인으로 하여금 허위의 자백을 하게 하여 범인도피죄를 범하게 하는 행위는 방어권의 남용으로 범인도피교사죄에 해당하는바, 이 경우 그 타인이 형법 제151조 제2항에 의하여 처벌을 받지 아니하는 친족 또는 동거 가족에 해당한다 하여 달리 볼 것은 아니다.(대법원 2006. 12. 7. 2005도3707 **동생 허위자백 사건**) 甲은 범인도피교사죄의 죄책을 진다.

① [×] 비공무원이 공무원과 공동가공의 의사와 이를 기초로 한 기능적 행위지배를 통하여 공무원의 직무에 관하여 뇌물을 수수하는 범죄를 실행하였다면 공무원이 직접 뇌물을 받은 것과 동일하게 평가할 수 있으므로 **공무원과 비공무원에게 형법 제129조 제1항에서 정한 뇌물수수죄의 공동정범이 성립한다.**(대법원 2019. 8. 29. 2018도13792 **全合 국정농단 최순실 사건 I**)

② [×] 피고인 甲이 A를 모해할 목적으로 乙에게 위증을 교사한 이상, 가사 정범인 乙에게 모해의 목적이 없었다고 하더라도 형법 제33조 단서의 규정에 의하여 **피고인 甲을 모해위증교사죄로 처단할 수 있다.**(대법원 1994. 12. 23. 93도1002 **모해위증교사 사건**)

③ [×] 공문서의 작성권한이 있는 공무원의 직무를 보좌하는 사람이 허위의 내용이 기재된 문서 초안을 그 정을 모르는 상사에게 제출하여 결재하도록 하는 등의 방법으로 작성권한이 있는 공무원으로 하여금 허위의 공문서를 작성하게 한 경우에는 **허위공문서작성죄의 간접정범이 성립한다.**(대법원 2011. 5. 13. 2011도1415 **가평군청 사건**)

④ [×] 업무상의 임무라는 신분관계가 없는 자가 그러한 신분관계 있는 자와 공모하여 업무상배임죄를 저질렀다면, 그러한 신분관계가 없는 공범에 대하여는 형법 제33조 단서에 따라 단순배임죄에서 정한 형으로 처단하여야 한다. 이 경우에는 신분관계 없는 공범에게도 형법 제33조 본문에 따라 **일단 신분범인 업무상배임죄가 성**

립하고 다만 과형에서만 무거운 형이 아닌 단순배임죄의 법정형이 적용된다.(대법원 2018. 8. 30. 2018도 10047) 판례의 취지에 의할 때 비신분자의 경우 업무상배임교사죄가 성립하지만, 단순배임교사죄에 정한 형 으로 처벌된다. 이런 취지의 판례는 앞으로 폐기되어야 한다. 근본적으로 형법 제33조에 대한 해석을 바꾸어야 한다.

318 공범과 신분에 대한 설명으로 옳지 않은 것은? (다툼이 있으면 판례에 의함) 23 국가9급 [Core ★★]
□□□

① 물건의 소유자가 아닌 사람이 소유자의 권리행사방해 범행에 가담한 경우에는 절도죄가 성립할 뿐 권리행사방해죄의 공범이 성립할 여지가 없다.

② 업무자라는 신분관계가 없는 자가 그러한 신분관계 있는 자와 공모하여 업무상배임죄를 저질렀다면, 그러한 신분관계가 없는 공범에 대하여는 단순배임죄에서 정한 형으로 처단하여야 한다.

③ 간호사가 주도적으로 실시한 무면허의료행위에 의사가 간호사와 함께 공모하여 그 공동의사에 의한 기능적 행위지배가 있었다면 의사도 무면허의료행위의 공동정범으로서의 죄책을 진다.

④ 형법 제33조 소정의 신분이라 함은 남녀의 성별, 내·외국인의 구별, 친족관계, 공무원인 자격과 같은 관계뿐만 아니라 널리 일정한 범죄행위에 관련된 범인의 인적관계인 특수한 지위 또는 상태를 지칭한다.

해설

① [×] 물건의 소유자가 아닌 사람은 형법 제33조 본문에 따라 **소유자의 권리행사방해 범행에 가담한 경우에 한하여 그의 공범이 될 수 있을 뿐이다.** 그러나 권리행사방해죄의 공범으로 기소된 물건의 소유자에게 고의가 없는 등으로 범죄가 성립하지 않는다면 공동정범이 성립할 여지가 없다.(대법원 2017. 5. 30. 2017도4578 **에쿠스 담보제공 사건**) 물건의 소유자가 아닌 사람이 소유자의 권리행사방해 범행에 가담한 경우 권리행사방해죄의 '광의의' 공범이 성립한다.

② [○] 업무상의 임무라는 신분관계가 없는 자가 그러한 신분관계 있는 자와 공모하여 업무상배임죄를 저질렀다면 그러한 신분관계가 없는 공범에 대하여는 형법 제33조 단서에 따라 단순배임죄에서 정한 형으로 처단하여야 한다. 이 경우에는 신분관계 없는 공범에게도 형법 제33조 본문에 따라 일단 신분범인 업무상배임죄가 성립하고 다만 과형에서만 무거운 형이 아닌 단순배임죄의 법정형이 적용된다.(대법원 2018. 8. 30. 2018도 10047 **업무상배임 가담 공범사건**)

③ [○] 간호사가 그의 주도 아래 전반적인 의료행위의 실시 여부를 결정하고 간호사에 의한 의료행위의 실시과정에도 의사가 지시·관여하지 아니한 경우라면 이는 무면허의료행위에 해당하고, 의사가 이러한 방식으로 의료행위가 실시되는 데 간호사와 함께 공모하여 그 공동의사에 의한 기능적 행위지배가 있었다면 의사도 무면허의료행위의 공동정범으로서의 죄책을 진다.(대법원 2014. 9. 4. 2012도16119 **프로포폴 투약사건**)

④ [○] 형법 제33조 소정의 이른바 신분관계라 함은 남녀의 성별, 내외국인의 구별, 친족관계, 공무원 자격과 같은 관계뿐만 아니라 널리 일정한 범죄행위에 관련된 범인의 인적관계인 특수한 지위 또는 상태를 지칭한다. (대법원 1994. 12. 23. 93도1002 **모해위증교사 사건**)

319 공범과 신분에 대한 설명으로 가장 적절하지 않은 것은? (다툼이 있으면 판례에 의함)

21 경찰승진 [Essential ★]

① 업무상의 임무라는 신분관계가 없는 자가 그러한 신분관계 있는 자와 공모하여 업무상배임죄를 저질렀다면, 신분관계 없는 공범에게도 「형법」 제33조 본문에 따라 일단 신분범인 업무상배임죄가 성립하고 다만 과형에서만 「형법」 제33조 단서가 적용되어 무거운 형이 아닌 단순배임죄의 법정형이 적용된다.

② 의료인이 의료인이나 의료법인 아닌 자의 의료기관 개설행위에 공모하여 가공하였더라도, 그 의료인을 '의료인이나 의료법인 아닌 자의 의료기관 개설행위를 처벌하는 「의료법」 위반행위'의 공동정범으로 처벌할 수는 없다.

③ 변호사가 변호사 아닌 자에게 고용되어 법률사무소의 개설·운영에 관여하였더라도 그 변호사를 '변호사 아닌 자가 변호사를 고용하여 법률사무소를 개설·운영하는 행위를 처벌하는 「변호사법」 위반행위'의 공범으로 처벌할 수는 없다.

④ 「형법」 제33조 소정의 이른바 신분관계라 함은 남녀의 성별, 내·외국인의 구별, 친족관계, 공무원인 자격과 같은 관계뿐만 아니라 널리 일정한 범죄행위에 관련된 범인의 인적관계인 특수한 지위 또는 상태를 지칭하는 것이다.

해설

② [×] 의료인이 의료인이나 의료법인 아닌 자의 의료기관 개설행위에 공모하여 가공하면 의료법 제66조 제3호, 제30조 제2항[개정법 제87조 제1항 제2호, 제33조 제2항] 위반죄의 **공동정범에 해당된다.**(대법원 2007. 7. 26. 2005도5579 수원중앙병원 사건)

① [○] 업무상의 임무라는 신분관계가 없는 자가 그러한 신분관계 있는 자와 공모하여 업무상배임죄를 저질렀다면, 그러한 신분관계가 없는 공범에 대하여는 형법 제33조 단서에 따라 단순배임죄에서 정한 형으로 처단하여야 한다. 이 경우에는 신분관계 없는 공범에게도 형법 제33조 본문에 따라 일단 신분범인 업무상 배임죄가 성립하고 다만 과형에서만 무거운 형이 아닌 단순배임죄의 법정형이 적용된다.(대법원 2018. 8. 30. 2018도10047)

③ [○] 변호사가 변호사 아닌 자에게 고용되어 법률사무소의 개설·운영에 관여하는 변호사법위반죄가 성립하는 데 당연히 예상될 뿐만 아니라 범죄의 성립에 없어서는 아니 되는 것인데도 변호사를 처벌하는 규정이 없는 이상, 변호사 아닌 자에게 고용되어 법률사무소의 개설·운영에 관여한 변호사의 행위가 일반적인 형법 총칙상의 공모, 교사 또는 방조에 해당된다고 하더라도 변호사를 변호사 아닌 자의 공범으로서 처벌할 수는 없다.(대법원 2004. 10. 28. 2004도3994)

④ [○] 형법 제33조 소정의 이른바 신분관계라 함은 남녀의 성별, 내외국인의 구별, 친족관계, 공무원인 자격과 같은 관계뿐만 아니라 널리 일정한 범죄행위에 관련된 범인의 인적관계인 특수한 지위 또는 상태를 지칭한다.(대법원 1994. 12. 23. 93도1002 모해위증교사 사건)

320

□□□ 공범과 신분에 대한 설명으로 가장 적절하지 않은 것은? (다툼이 있으면 판례에 의함)

21 경찰채용 [Core ★★]

① 비공무원이 공무원과 공동가공의 의사와 이를 기초로 한 기능적 행위지배를 통하여 공무원의 직무에 관하여 뇌물을 수수한 경우, 공무원과 비공무원에게 뇌물수수죄의 공동정범이 성립한다.

② 업무상배임죄에서의 업무상의 임무라는 신분관계가 없는 자가 신분관계 있는 자와 공모한 경우, 신분관계가 없는 공범에 대하여는 「형법」 제33조 단서에 따라 단순배임죄에서 정한 형으로 처단하여야 한다.

③ 의사가 의사 면허 없는 일반인의 무면허의료행위에 공모하여 가공하는 등 기능적 행위지배가 인정된다면, 의사도 「의료법」상 무면허의료행위의 공동정범으로서의 죄책을 진다.

④ 도박의 습벽이 있는 자가 타인의 도박을 방조하면 상습도박방조의 죄에 해당하는 것이며, 도박의 습벽이 있는 자가 도박을 하고 또 도박방조를 하였을 경우, 상습도박죄와는 별도로 상습도박방조의 죄가 성립하고 양자는 실체적 경합관계에 있다.

해설

④ [×] 상습도박의 죄나 상습도박방조의 죄에 있어서의 상습성은 행위의 속성이 아니라 행위자의 속성으로서 도박을 반복해서 거듭하는 습벽을 말하는 것인바, 도박의 습벽이 있는 자가 타인의 도박을 방조하면 상습도박방조의 죄에 해당하는 것이며, **도박의 습벽이 있는 자가 도박을 하고 또 도박방조를 하였을 경우 상습도박방조의 죄는 무거운 상습도박의 죄에 포괄시켜 1죄로서 처단하여야 한다.**(대법원 1984. 4. 24. 84도195)

① [○] 비공무원이 공무원과 공동가공의 의사와 이를 기초로 한 기능적 행위지배를 통하여 공무원의 직무에 관하여 뇌물을 수수하는 범죄를 실행하였다면 공무원이 직접 뇌물을 받은 것과 동일하게 평가할 수 있으므로 공무원과 비공무원에게 형법 제129조 제1항에서 정한 뇌물수수죄의 공동정범이 성립한다.(대법원 2019. 8. 29. 2018도13792 全合 **국정농단 사건 I**)

② [○] 업무상의 임무라는 신분관계가 없는 자가 그러한 신분관계 있는 자와 공모하여 업무상배임죄를 저질렀다면, 그러한 신분관계가 없는 공범에 대하여는 형법 제33조 단서에 따라 단순배임죄에서 정한 형으로 처단하여야 한다. 이 경우에는 신분관계 없는 공범에게도 형법 제33조 본문에 따라 일단 신분범인 업무상배임죄가 성립하고 다만 과형에서만 무거운 형이 아닌 단순배임죄의 법정형이 적용된다.(대법원 2018. 8. 30. 2018도10047)

③ [○] 의료인일지라도 의료인 아닌 자의 의료행위에 공모하여 가공하면 의료법 제25조 제1항[개정법 제27조 제1항]이 규정하는 무면허의료 행위의 공동정범으로서의 책임을 진다.(대법원 1986. 2. 11. 85도448)

321 공범에 대한 설명 중 가장 적절하지 않은 것은? (다툼이있는 경우 판례에 의함)

① 신분관계가 없는 사람이 신분관계로 인하여 성립될 범죄에 가공한 경우에는 신분관계가 있는 사람과 공범이 성립한다. 이 경우 신분관계가 없는 사람에게 공동가공의 의사와 이에 기초한 기능적행위지배를 통한 범죄의 실행이라는 주관적·객관적 요건이 충족되면 공동정범으로 처벌한다.

② 업무상의 임무라는 신분관계가 없는 자가 그러한 신분관계 있는 자와 공모하여 업무상배임죄를 저질렀다면, 그러한 신분관계가 없는 공범에 대하여는 형법 제33조 단서에 따라 단순배임죄에서 정한 형으로 처단하여야 한다. 이 경우에는 신분관계 없는 공범에게도 같은 조 본문에 따라 일단 신분범인 업무상배임죄가 성립하고 다만 과형에서만 무거운 형이 아닌 단순배임죄의 법정형이 적용된다.

③ 공무원이 뇌물공여자로 하여금 공무원과 뇌물수수죄의 공동정범 관계에 있는 비공무원에게 뇌물을 공여하게 한 경우, 제3자뇌물수수죄가 성립한다.

④ 불법조각 신분이 있는 자가 비신분자를 교사·방조하여 신분범죄를 실현한 경우, 공범이 성립한다.

해설

③ [×] 공무원이 뇌물공여자로 하여금 공무원과 뇌물수수죄의 공동정범 관계에 있는 비공무원에게 뇌물을 공여하게 한 경우에는 공동정범의 성질상 공무원 자신에게 뇌물을 공여하게 한 것으로 볼 수 있고, 공무원과 공동정범 관계에 있는 비공무원은 제3자뇌물수수에서 말하는 제3자가 될 수 없으므로, **공무원과 공동정범 관계에 있는 비공무원이 뇌물을 받은 경우에는 공무원과 함께 뇌물수수죄의 공동정범이 성립하고 제3자뇌물수수죄는 성립하지 않는다.**(대법원 2019. 8. 29. 2018도13792 全合 **국정농단** 사건Ⅰ)

① [O] 신분관계가 없는 사람이 신분관계로 인하여 성립될 범죄에 가공한 경우에는 신분관계가 있는 사람과 공범이 성립한다. 이 경우 신분관계가 없는 사람에게 공동가공의 의사와 이에 기초한 기능적 행위지배를 통한 범죄의 실행이라는 주관적·객관적 요건이 충족되면 공동정범으로 처벌한다.(대법원 2019. 8. 29. 2018도13792 全合 **국정농단** 사건Ⅰ)

② [O] 업무상의 임무라는 신분관계가 없는 자가 그러한 신분관계 있는 자와 공모하여 업무상배임죄를 저질렀다면, 그러한 신분관계가 없는 공범에 대하여는 형법 제33조 단서에 따라 단순배임죄에서 정한 형으로 처단하여야 한다. 이 경우에는 신분관계 없는 공범에게도 형법 제33조 본문에 따라 일단 신분범인 업무상배임죄가 성립하고 다만 과형에서만 무거운 형이 아닌 단순배임죄의 법정형이 적용된다.(대법원 2018. 8. 30. 2018도10047)

④ [O] 의사인 피고인이 그 사용인 등을 교사하여 의료법 위반행위를 하게 한 경우 피고인은 의료법의 관련규정 및 형법 총칙의 공범규정에 따라 의료법위반 교사의 책임을 지게 된다.(대법원 2007. 1. 25. 2006도 6912) 불법조각 신분이 있는 자가 비신분자를 교사·방조하여 일정한 범죄를 범하게 한 경우 공범이 성립한다.

322

☐☐☐

공범과 신분에 대한 설명으로 가장 적절하지 않은 것은? (다툼이 있으면 판례에 의함)

20 경찰채용 [Core ★★]

① 의료인이나 의료법인 아닌 자의 의료기관 개설행위를 처벌하는 의료법 제66조 제3호, 제30조 제2항 위반에 의료인이 공모하여 가담한 경우, 의료인은 의료법 제66조 제3호, 제30조 제2항 위반죄의 공동정범으로 처벌된다.

② 변호사 아닌 자가 법률사무소를 개설 운영하는 변호사법위반 행위에 있어, 변호사 아닌 자에게 고용되어 법률사무소의 개설운영에 관여한 변호사의 행위가 일반적인 형법 총칙상의 공모, 교사 또는 방조에 해당된다고 하더라도 변호사를 변호사 아닌 자의 공범으로서 처벌할 수는 없다.

③ 형법 제33조(공범과 신분)의 해석에 있어 '신분관계로 인하여 성립될 범죄'를 진정신분범에 있어 공범의 성립과 처벌에 관한 규정으로 제한하여 해석하는 견해에 의하면 아들의 존속살해행위에 가담한 피해자의 배우자는 존속살해죄의 공동정범으로 처벌된다.

④ 모해할 목적으로 위증을 교사하였다면 그 정범에게 모해의 목적이 없다 하더라도 모해위증교사죄로 처단할 수 있다.

해설

③ [×] 다수설은 형법 제33조 본문은 진정신분범의 성립과 과형을, 단서는 부진정신분범의 성립과 과형을 규정한 것이라고 해석하지만, 판례는 형법 제33조 본문은 진정신분범·부진정신분범의 성립을, 단서는 부진정신분범의 과형을 규정한 것이라고 해석하고 있다. 지문의 "형법 제33조의 해석에 있어 '신분관계로 인하여 성립될 범죄'를 진정신분범에 있어 공범의 성립과 처벌에 관한 규정으로 제한하여 해석하는 견해"는 다수설을 말하고 이에 의할 때 아들의 존속살해행위에 가담한 피해자의 배우자는 보통살인죄의 공동정범으로 처벌된다.

① [○] 의료인이 의료인이나 의료법인 아닌 자의 의료기관 개설행위에 공모하여 가공하면 의료법 제66조 제3호, 제30조 제2항[개정법 제87조 제1항 제2호, 제33조 제2항] 위반죄의 공동정범에 해당된다.(대법원 2007. 7. 26. 2005도5579 수원중앙병원 사건)

② [○] 변호사가 변호사 아닌 자에게 고용되어 법률사무소의 개설·운영에 관여하는 변호사법위반죄가 성립하는 데 당연히 예상될 뿐만 아니라 범죄의 성립에 없어서는 아니 되는 것인데도 변호사를 처벌하는 규정이 없는 이상, 변호사 아닌 자에게 고용되어 법률사무소의 개설·운영에 관여한 변호사의 행위가 일반적인 형법 총칙상의 공모, 교사 또는 방조에 해당된다고 하더라도 변호사를 변호사 아닌 자의 공범으로서 처벌할 수는 없다.(대법원 2004. 10. 28. 2004도3994)

④ [○] (1) 형법 제152조는 위증을 한 범인이 형사사건의 피고인 등을 '모해할 목적'을 가지고 있었는가 아니면 그러한 목적이 없었는가 하는 범인의 특수한 상태의 차이에 따라 범인에게 과할 형의 경중을 구별하고 있으므로 이는 바로 형법 제33조 단서 소정의 '신분관계로 인하여 형의 경중이 있는 경우'에 해당한다. (2) 甲이 A를 모해할 목적으로 乙에게 위증을 교사한 이상, 가사 정범인 乙에게 모해의 목적이 없었다고 하더라도 형법 제33조 단서의 규정에 의하여 甲을 모해위증교사죄로 처단할 수 있다.(대법원 1994. 12. 23. 93도1002 모해위증교사 사건)

323 공범과 신분에 관한 설명으로 옳은 것을 모두 고른 것은? (다툼이 있으면 판례에 의함)

⬜⬜⬜

> ㉠ 허위공문서작성죄 및 그 행사죄는 '공무원'만이 그 주체가 될 수 있는 신분범이라 할 것이므로 신분상 공무원이 아님이 분명한 피고인들을 허위공문서작성죄 및 그 행사죄로 처벌하려면 그에 관한 특별규정이 있어야 한다.
>
> ㉡ 형법 제152조 제1항과 제2항은 위증을 한 범인이 형사사건의 피고인 등을 '모해할 목적'을 가지고 있었는가 아니면 그러한 목적이 없었는가 하는 범인의 특수한 상태의 차이에 따라 범인에게 과할 형의 경중을 구별하고 있으므로 이는 바로 형법 제33조 단서의 "신분 때문에 형의 경중이 달라지는 경우"에 해당한다.
>
> ㉢ 업무상의 임무라는 신분관계가 없는 자가 신분관계 있는 자와 공모하여 업무상배임죄를 범한 경우 신분관계가 없는 공범에 대하여는 형법 제33조 본문에 따라 업무상배임죄의 공동정범이 성립하고 업무상배임죄에서 정한 형으로 처단한다.
>
> ㉣ 치과의사가 환자의 대량유치를 위해 치과기공사들에게 내원 환자들에게 진료행위를 하도록 지시하여 그들이 각 단독으로 진료행위를 한 경우 치과의사는 무면허의료행위의 교사범이 성립한다.
>
> ㉤ 변호사가 변호사 아닌 자에게 고용되어 법률사무소의 개설·운영에 관여하여 변호사법위반죄가 문제된 경우 변호사의 행위가 형법 총칙상의 공모, 교사 또는 방조에 해당된다고 하더라도 변호사를 변호사 아닌 자의 공범으로 처벌할 수 없다.

① ㉠㉢㉤
② ㉡㉣㉤
③ ㉠㉡㉢㉣
④ ㉠㉡㉣㉤

해설

④ ㉠㉡㉣㉤ 4 항목이 옳다.

㉠ [O] 허위공문서작성죄 및 그 행사죄는 공무원만이 그 주체가 될 수 있는 신분범이라 할 것이므로 신분상 공무원이 아님이 분명한 피고인들을 허위공문서작성죄 및 그 행사죄로 처벌하려면 그에 관한 특별규정이 있어야 할 것이고, 그들의 업무가 국가의 사무에 해당한다거나 그들이 소속된 영상물등급위원회의 행정기관성이 인정된다는 사정만으로는 피고인들을 처벌할 수 없다.(대법원 2009. 3. 26. 2008도93 **영등위 임직원 접수일부인 허위작성사건**)

㉡ [O] 형법 제152조 제1항과 제2항은 위증을 한 범인이 형사사건의 피고인 등을 '모해할 목적'을 가지고 있었는가 아니면 그러한 목적이 없었는가 하는 범인의 특수한 상태의 차이에 따라 범인에게 과할 형의 경중을 구별하고 있으므로 이는 바로 형법 제33조 단서 소정의 '신분관계로 인하여 형의 경중이 있는 경우'에 해당한다. (대법원 1994. 12. 23. 93도1002 **모해위증교사 사건**)

㉢ [×] 업무상의 임무라는 신분관계가 없는 자가 그러한 신분관계 있는 자와 공모하여 업무상배임죄를 저질렀다면 그러한 신분관계가 없는 공범에 대하여는 형법 제33조 단서에 따라 단순배임죄에서 정한 형으로 처단하여

야 한다. 이 경우에는 **신분관계 없는 공범에게도 형법 제33조 본문에 따라 일단 신분범인 업무상배임죄가 성립하고** 다만 과형에서만 무거운 형이 아닌 단순배임죄의 법정형이 적용된다.(대법원 2018. 8. 30. 2018 도10047 업무상배임 가담 공범사건)

ⓔ [O] 치과의사가 환자의 대량유치를 위해 치과기공사들에게 내원환자들에게 진료행위를 하도록 지시하여 동인들이 각 단독으로 발치, 주사, 투약 등의 진료행위를 하였다면 **무면허의료행위의 교사범에 해당한다.**(대법원 1986. 7. 8. 86도749 치과기공사 사건)

ⓜ [O] 변호사가 변호사 아닌 자에게 고용되어 법률사무소의 개설·운영에 관여하는 변호사법위반죄가 성립하는 데 당연히 예상될 뿐만 아니라 범죄의 성립에 없어서는 아니 되는 것인데도 변호사를 처벌하는 규정이 없는 이상, 변호사 아닌 자에게 고용되어 법률사무소의 개설·운영에 관여한 변호사의 행위가 일반적인 형법 총칙상의 공모, 교사 또는 방조에 해당된다고 하더라도 **변호사를 변호사 아닌 자의 공범으로서 처벌할 수는 없다.**(대법원 2004. 10. 28. 2004도3994 비변호사 변호사 고용사건)

324

공범과 신분에 대한 설명 중 옳은 것만을 모두 고른 것은? (다툼이 있으면 판례에 의함)

23 경찰간부 [Superlative ★★★]

ⓐ 비신분자가 신분관계로 인하여 성립될 범죄에 가공한 경우 비신분자에게 공동가공의 의사와 이에 기초한 기능적 행위지배를 통한 범죄의 실행이라는 주관적·객관적 요건이 충족되면 신분자와 공동정범이 성립한다.

ⓑ 甲이 친구 乙과 공모하여 자신의 아버지를 살해한 경우 乙은 존속살해죄의 공동정범이 성립하나 보통살인죄에 정한 형으로 처단된다.

ⓒ 도박의 습벽이 있는 甲이 도박을 하고 또한 도박의 습벽이 없는 A의 도박을 방조한 경우 甲은 상습도박죄와 도박방조죄가 성립하고 양죄는 실체적 경합관계에 있다.

ⓓ 甲이 공무원인 자신의 남편 A에게 채무변제로 받는 돈이라고 속여 A로 하여금 뇌물을 받게 한 경우 甲은 형법 제33조에 의해 수뢰죄의 간접정범으로 처벌된다.

① ㉠㉡

② ㉡㉣

③ ㉢㉣

④ ㉠㉡㉣

해설

① ㉠㉡ 2 항목이 옳다.

㉠ [O] 신분관계가 없는 사람이 신분관계로 인하여 성립될 범죄에 가공한 경우에는 신분관계가 있는 사람과 공범이 성립한다. 이 경우 신분관계가 없는 사람에게 공동가공의 의사와 이에 기초한 기능적 행위지배를 통한 범죄의 실행이라는 주관적·객관적 요건이 충족되면 공동정범으로 처벌한다.(대법원 2019. 8. 29. 2018도13792 소승 국정농단 사건 l)

ⓛ [○] 판례는 형법 제33조 본문은 진정신분범·부진정신분범의 성립을, 단서는 부진정신분범의 과형을 규정한 것이라고 해석한다. 따라서 乙이 甲과 공모하여 甲의 아버지를 살해한 경우 (甲은 존속살해죄가 성립하고) 乙도 제33조 본문에 의하여 존속살해죄가 성립하지만, 제33조 단서에 의하여 보통살인죄에 정한 형으로 처단된다.(대법원 1961. 8. 2. 61도284 참고)

ⓒ [×] 상습도박의 죄나 상습도박방조의 죄에 있어서의 상습성은 행위의 속성이 아니라 행위자의 속성으로서 도박을 반복해서 거듭하는 습벽을 말하는 것인바, 도박의 습벽이 있는 자가 타인의 도박을 방조하면 상습도박방조의 죄에 해당하는 것이며, 도박의 습벽이 있는 자가 도박을 하고 또 도박방조를 하였을 경우 **상습도박방조의 죄는 무거운 상습도박의 죄에 포괄시켜 1죄로서 처단하여야 한다.**(대법원 1984. 4. 24. 84도195) 甲은 상습도박의 포괄일죄로 처벌된다.

ⓔ [×] 공무원이 아닌 甲은 수뢰죄의 주체가 될 수 없으므로 A로 하여금 뇌물을 받게 한 경우(고의가 없는 A는 수뢰죄의 죄책을 지지 아니한다) **수뢰죄의 간접정범이 성립하지 않는다(물론 형법 제33조도 적용되지 않는다).** 甲과 A 모두 무죄이다. 더욱이 제33조는 전조(공동정범, 교사범, 방조범)를 준용하므로 제34조(간접정범)는 제33조가 적용될 여지가 없다.

325 공범과 신분에 대한 설명으로 옳은 것만을 모두 고른 것은? (다툼이 있으면 판례에 의함)

☐☐☐   17 국가9급 [Superlative ★★★]

ⓐ 신분관계로 인하여 형이 중한 경우에 신분이 있는 자가 신분이 없는 자를 교사하여 죄를 범하게 한 때에는 형법 제31조 제1항이 적용됨으로써 신분이 있는 교사범이 신분이 없는 정범과 동일하게 처벌된다.

ⓛ 형법 제33조의 '신분관계'는 남녀의 성별, 내·외국인의 구별, 친족관계, 공무원인 자격과 같은 관계 및 널리 일정한 범죄행위에 관련된 범인의 인적관계인 특수한 지위 또는 상태를 포함한다.

ⓒ 타인의 재물을 업무상 보관하는 신분관계가 없는 자가 신분관계가 있는 자와 공모하여 업무상 횡령죄를 저질렀다면 신분관계가 없는 자에 대하여는 형법 제33조 단서에 의하여 단순횡령죄에 정한 형으로 처단하여야 한다.

ⓔ 피해자를 모해할 목적으로 증인에게 위증을 교사하였다면 증인에게는 모해의 목적이 없었다고 하더라도, 교사자를 모해위증교사죄로 처단할 수 있다.

① ⓐⓛ   ② ⓛⓔ
③ ⓐⓛⓒ   ④ ⓛⓒⓔ

해설

④ ⓛⓒⓔ 3 항목이 옳다.

㉠ [×] 신분관계로 인하여 형의 경중이 있는 경우에 신분이 있는 자가 신분이 없는 자를 교사하여 죄를 범하게 한 때에는 형법 제33조 단서가 제31조 제1항에 우선하여 적용됨으로써 **신분이 있는 교사범이 신분이 없는 정범보다 중하게 처벌된다.**(대법원 1994. 12. 23. 93도1002 모해위증교사 사건)

㉡ [○] 형법 제33조 소정의 이른바 신분관계라 함은 남녀의 성별, 내외국인의 구별, 친족관계, 공무원인 자격과 같은 관계뿐만 아니라 널리 일정한 범죄행위에 관련된 범인의 인적관계인 특수한 지위 또는 상태를 지칭한다. (대법원 1994. 12. 23. 93도1002 모해위증교사 사건)

㉢ [○] 업무상횡령죄는 타인의 재물을 업무상 보관하는 자를 주체로 하는 신분범이므로, 그와 같은 신분관계가 없는 자가 신분관계가 있는 자와 공모하여 업무상횡령죄를 저질렀다면 신분관계가 없는 자에 대하여는 형법 제33조 단서에 의하여 단순횡령죄에 정한 형으로 처단하여야 한다.(대법원 2015. 2. 26. 2014도15182)

㉣ [○] (1) 형법 제152조는 위증을 한 범인이 형사사건의 피고인 등을 '모해할 목적'을 가지고 있었는가 아니면 그러한 목적이 없었는가 하는 범인의 특수한 상태의 차이에 따라 범인에게 과할 형의 경중을 구별하고 있으므로 이는 바로 형법 제33조 단서 소정의 '신분관계로 인하여 형의 경중이 있는 경우'에 해당한다. (2) 甲이 A를 모해할 목적으로 乙에게 위증을 교사한 이상, 가사 정범인 乙에게 모해의 목적이 없었다고 하더라도 형법 제33조 단서의 규정에 의하여 甲을 모해위증교사죄로 처단할 수 있다.(대법원 1994. 12. 23. 93도1002 모해위증교사 사건)

426 다음은 공범과 신분에 관한 사례이다. 옳지 않은 것은? (다툼이 있으면 판례에 의함)

□□□
25 경찰간부 [Superlative ★★★]

> ㉠ 전업주부인 甲은 공무원인 남편 乙과 공모하여 A로부터 뇌물을 받았다.
> ㉡ 甲은 친구 乙과 공모하여 甲의 직계존속인 아버지 A를 살해하였다.
> ㉢ 공무원인 甲은 전업주부인 乙을 교사하여 A로부터 뇌물을 받았다.
> ㉣ 甲은 친구 乙로 하여금 甲의 직계존속인 아버지 A를 살해하도록 교사하였다.

① ㉠ 사안에서 甲에게는 형법 제33조 본문이 적용되어 수뢰죄의 공동정범이 성립하고 수뢰죄의 법정형에 따라 처벌된다.

② ㉡ 사안에서 乙은 형법 제33조 본문에 따라 존속살해죄가 성립하지만, 과형은 제33조 단서가 적용되어 보통살인죄의 형으로 처벌된다.

③ ㉢ 사안에서 甲은 수뢰죄의 교사범이 성립하고 乙은 형법 제33조 본문이 적용되어 수뢰죄로 처벌된다.

④ ㉣ 사안에서 甲과 乙에게는 형법 제33조 단서가 적용되어 각각 존속살해죄의 교사범과 보통살인죄가 성립한다.

해설

③ [×] 통설적인 입장인 제한적 종속형식에 의할 때 정범이 구성요건에 해당하고 위법하면 공범이 성립한다. 전 업주부인 乙은 공무원이 아니므로 뇌물을 받더라도 수뢰죄의 구성요건해당성이 없고 따라서 공무원인 甲은 **수뢰교사죄의 죄책을 지지 않는다.** 경우에 따라 甲은 수뢰죄의 간접정범이 되거나 (乙과 함께) 수뢰죄의 공동 정범이 될 수 있다.

① [○] 비공무원이 공무원과 공동가공의 의사와 이를 기초로 한 기능적 행위지배를 통하여 공무원의 직무에 관하여 뇌물을 수수하는 범죄를 실행하였다면 공무원이 직접 뇌물을 받은 것과 동일하게 평가할 수 있으므로 공무원과 비공무원에게 형법 제129조 제1항에서 정한 뇌물수수죄의 **공동정범이 성립한다.**(대법원 2019. 8. 29. 2018도13792 全合 국정농단 사건 I)

② [○] 실자(實子)와 더불어 남편을 살해한 처는 존속살해죄의 공동정범이다.(대법원 1961. 8. 2. 61도284 패륜 모자 사건) 乙의 경우 형법 제33조 본문에 따라 존속살해죄가 성립하지만, 제33조 단서에 따라 보통살인죄의 형으로 처벌된다.

④ [○] '타인을 교사하여 죄를 범하게 한 자는 죄를 실행한 자와 동일한 형으로 처벌한다'고 규정한 형법 제31조 제1항은 협의의 공범의 일종인 교사범이 그 성립과 처벌에 있어서 정범에 종속한다는 일반적인 원칙을 선언한 것에 불과하고 따라서 신분관계로 인하여 형의 경중이 있는 경우에 신분이 있는 자가 신분이 없는 자를 교사하여 죄를 범하게 한 때에는 **형법 제33조 단서가 제31조 제1항에 우선하여 적용됨으로써 신분이 있는 교사범이 신분이 없는 정범보다 중하게 처벌된다.**(대법원 1994. 12. 23. 93도1002 모해위증교사 사건) 乙에게는 보통살인죄가 성립하고 그에 정한 형으로 처벌되고, 甲에게는 존속살해교사죄가 성립하고 그에 정한 형으로 처벌된다.

---

327 공범과 신분에 관한 설명 중 옳은 것은 모두 몇 개인가? (다툼이 있으면 판례에 의함)

□□□
20 경찰간부 [Core ★★]

○ 신분관계로 인하여 형의 경중이 있는 경우에 신분이 있는 자가 신분이 없는 자를 교사하여 죄를 범하게 한 때에는 형법 제33조 단서가 형법 제31조 제1항에 우선하여 적용된다.

○ 변호사가 변호사 아닌 자에게 고용되어 법률사무소의 개설·운영에 관여하는 행위는 변호사법위반죄의 방조범으로 처벌할 수 없다.

○ 업무상의 임무라는 신분관계가 없는 자가 신분관계 있는 자와 공모하여 업무상배임죄를 범한 경우, 신분관계가 없는 공범에 대하여는 업무상배임죄가 성립한다.

○ 형법 제33조 소정의 이른바 신분관계라 함은 남녀의 성별, 내·외국인의 구별, 친족관계, 공무원인 자격과 같은 관계뿐만 아니라 널리 일정한 범죄행위에 관련된 범인의 인적관계인 특수한 지위 또는 상태를 지칭하는 것이다.

○ 물건의 소유자가 아닌 사람은 형법 제33조 본문에 따라 소유자의 권리행사방해죄의 범행에 가담한 경우에 한하여 그의 공범이 될 수 있을 뿐이다. 그러나 권리행사방해죄의 공범으로 기소된 물건의 소유자에게 고의가 없는 등으로 범죄가 성립하지 않는다면 공동정범이 성립할 여지가 없다.

① 2개   ② 3개   ③ 4개   ④ 5개

해설

④ 모든 항목이 옳다.

㉠ [○] '타인을 교사하여 죄를 범하게 한 자는 죄를 실행한 자와 동일한 형으로 처벌한다'고 규정한 형법 제31조 제1항은 협의의 공범의 일종인 교사범이 그 성립과 처벌에 있어서 정범에 종속한다는 일반적인 원칙을 선언한 것에 불과하고, 따라서 신분관계로 인하여 형의 경중이 있는 경우에 신분이 있는 자가 신분이 없는 자를 교사하여 죄를 범하게 한 때에는 형법 제33조 단서가 제31조 제1항에 우선하여 적용됨으로써 신분이 있는 교사범이 신분이 없는 정범보다 중하게 처벌된다.(대법원 1994. 12. 23. 93도1002 **모해위증교사 사건**)

㉡ [○] 변호사가 변호사 아닌 자에게 고용되어 법률사무소의 개설·운영에 관여하는 행위는 범죄가 성립하는 데 당연히 예상될 뿐만 아니라 범죄의 성립에 없어서는 아니 되는 것인데도 이를 처벌하는 규정이 없는 이상, 변호사 아닌 자에게 고용되어 법률사무소의 개설·운영에 관여한 변호사의 행위가 일반적인 형법 총칙상의 공모, 교사 또는 방조에 해당된다고 하더라도 변호사를 변호사 아닌 자의 공범으로서 처벌할 수는 없다.(대법원 2004. 10. 28. 2004도3994)

> **변호사법(2018. 12. 18. 법률 제15974호로 일부개정된 것)**
>
> **제34조【변호사가 아닌 자와의 동업 금지 등】** ④ 변호사가 아닌 자는 변호사를 고용하여 법률사무소를 개설·운영하여서는 아니 된다.
>
> **제109조【벌칙】** 다음 각 호의 어느 하나에 해당하는 자는 7년 이하의 징역 또는 5천만원 이하의 벌금에 처한다. 이 경우 벌금과 징역은 병과할 수 있다.
>
> 1. <생략>
> 2. 제33조 또는 제34조를 위반한 자

㉢ [○] 업무상의 임무라는 신분관계가 없는 자가 그러한 신분관계 있는 자와 공모하여 업무상배임죄를 저질렀다면, 그러한 신분관계가 없는 공범에 대하여는 형법 제33조 단서에 따라 단순배임죄에서 정한 형으로 처단하여야 한다. 이 경우에는 신분관계 없는 공범에게도 형법 제33조 본문에 따라 일단 신분범인 업무상배임죄가 성립하고 다만 과형에서만 무거운 형이 아닌 단순배임죄의 법정형이 적용된다.(대법원 2018. 8. 30. 2018도10047)

㉣ [○] 형법 제33조 소정의 이른바 신분관계라 함은 남녀의 성별, 내외국인의 구별, 친족관계, 공무원인 자격과 같은 관계뿐만 아니라 널리 일정한 범죄행위에 관련된 범인의 인적관계인 특수한 지위 또는 상태를 지칭한다. (대법원 1994. 12. 23. 93도1002 **모해위증교사 사건**)

㉤ [○] 물건의 소유자가 아닌 사람은 형법 제33조 본문에 따라 소유자의 권리행사방해 범행에 가담한 경우에 한하여 그의 공범이 될 수 있을 뿐이다. 그러나 권리행사방해죄의 공범으로 기소된 물건의 소유자에게 고의가 없는 등으로 범죄가 성립하지 않는다면 공동정범이 성립할 여지가 없다.(대법원 2017. 5. 30. 2017도4578 **에쿠스 담보제공 사건**) 권리행사방해죄는 진정신분범이므로 신분 없는 자는 범할 수 없고, 정범이 고의가 없어 범죄 성립하지 않으면 신분 없는 자는 이에 가담하여 공동정범도 성립할 수 없다는 판례이다.

328

공범과 신분에 관한 다음 설명 중 가장 적절하지 않은 것은? (다툼이 있으면 판례에 의함)

12 경찰채용 [Essential ★]

① 의사 甲이 의사가 아닌 乙의 병원 개설행위에 공모하여 가공한 경우, 의료법위반죄의 공동정범에 해당된다.

② 공직선거법 제257조 제1항 제1호에서 규정하는 각 기부행위제한위반의 죄와 관련하여, 각 기부행위의 주체로 인정되지 아니하는 자가 기부행위의 주체자 등과 공모하여 기부행위를 한 경우, 기부행위 주체자에 해당하는 법조 위반의 공동정범으로 처벌할 수 있다.

③ 비신분자가 신분자와 공동으로 업무상 배임행위를 한 경우, 비신분자에게도 업무상배임죄가 성립하고 처벌에 있어 단순배임죄로 처벌한다는 것이 판례의 입장이다.

④ 형법 제33조 소정의 이른바 신분관계라 함은 남녀의 성별, 내·외국인의 구별, 친족관계, 공무원인 자격과 같은 관계뿐만 아니라 널리 일정한 범죄행위에 관련된 범인의 인적관계인 특수한 지위 또는 상태를 지칭하는 것이다.

해설

② [×] (1) 공직선거법 제257조 제1항 제1호에서 규정하는 각 기부행위제한위반의 죄는 공직선거법 제113조(**후보자 등의 기부행위 제한**), 제114조(**정당 및 후보자의 가족 등의 기부행위 제한**), 제115조(**제3자의 기부행위 제한**)에 각기 한정적으로 열거되어 규정하고 있는 신분관계가 있어야만 성립하는 범죄이고, 죄형법정주의의 원칙상 유추해석은 할 수 없으므로, 위 각 해당 신분관계가 없는 자의 기부행위는 위 각 해당 법조항 위반의 범죄로는 되지 않는다. (2) 또한, 각 법조항을 구분하여 기부행위의 주체 및 그 주체에 따라 기부행위제한의 요건을 각기 달리 규정한 취지는 각 기부행위의 주체자에 대하여 그 신분에 따라 각 해당법조로 처벌하려는 것이므로, **각 기부행위의 주체로 인정되지 아니하는 자가 기부행위의 주체자 등과 공모하여 기부행위를 하였다 하더라도 그 신분에 따라 각 해당법조로 처벌하여야지 기부행위 주체자에 해당하는 법조 위반의 공동정범으로 처벌할 수는 없다.**(대법원 2008. 3. 13. 2007도9507)

① [○] 의료인이 의료인이나 의료법인 아닌 자의 의료기관 개설행위에 공모하여 가공하면 의료법 제66조 제3호, 제30조 제2항[개정법 제87조 제1항 제2호, 제33조 제2항] 위반죄의 공동정범에 해당된다.(대법원 2007. 7. 26. 2005도5579 **수원중앙병원 사건**)

③ [○] 업무상배임죄는 타인의 사무를 처리하는 지위라는 점에서 보면 신분관계로 인하여 성립될 범죄이고, 업무상 타인의 사무를 처리하는 지위라는 점에서 보면 단순배임죄에 대한 가중규정으로서 신분관계로 인하여 형의 경중이 있는 경우라고 할 것이므로, 그와 같은 신분관계가 없는 자가 그러한 신분관계가 있는 자와 공모하여 업무상배임죄를 저질렀다면, 그러한 신분관계가 없는 자에 대하여는 형법 제33조 단서에 의하여 단순배임죄에 정한 형으로 처단하여야 한다.(대법원 2012. 11. 15. 2012도6676 **Q22합금 특허사건**)

④ [○] 형법 제33조 소정의 이른바 신분관계라 함은 남녀의 성별, 내외국인의 구별, 친족관계, 공무원인 자격과 같은 관계뿐만 아니라 널리 일정한 범죄행위에 관련된 범인의 인적관계인 특수한 지위 또는 상태를 지칭한다.(대법원 1994. 12. 23. 93도1002 **모해위증교사 사건**)

정답 | 328 ②

제7절 | 공범론 종합

329

교사 · 방조에 관한 설명 중 가장 적절하지 않은 것은? (다툼이 있으면 판례에 의함)

16 경찰승진 [Essential ★]

① 입영기피를 결심한 자에게 "잘 되겠지, 몸 조심하라"고 하고 악수를 나눈 행위는 입영기피의 방조행위에 해당한다.

② 절도범들로부터 지속적으로 장물을 취득하여 온 자가 절도범들에게 드라이버 1개를 사주면서 "열심히 일을 하라"라고 말한 것은 절도의 교사가 된다.

③ 교사자가 피교사자에게 피해자를 "정신 차릴 정도로 때려 주라"고 교사하였다면 이는 상해에 대한 교사로 봄이 상당하다.

④ 종범이 처벌되기 위하여는 정범의 실행의 착수가 있는 경우에만 가능하고 정범이 예비의 단계에 그친 경우에는 이를 종범으로 처벌할 수 없다.

해설

① [×] 스스로 입영기피를 결심하고 집을 나서는 乙에 대하여 이별을 안타까워 하는 뜻에서 **"잘되겠지 몸조심하라"하고 악수를 나눈 피고인 甲의 행위를** 입영기피의 범죄의사를 강화시킨 **방조행위에 해당한다고 볼 수 없다.**(대법원 1983. 4. 12. 82도43)

② [○] 피고인 甲이 乙, 丙에게 일제 드라이버 1개를 사주면서 "丙이 구속되어 도망 다니려면 돈도 필요할텐데 열심히 일을 하라(도둑질을 하라)"고 말하였다면 절도의 교사가 있었다고 보아야 한다.(대법원 1991. 5. 14. 91도542 열심히 일을 하라 사건)

③ [○] 피고인이 "피해자를 정신차릴 정도로 때려주라"고 교사하였다면 이는 상해에 대한 교사로 봄이 상당하다.(대법원 1997. 6. 24. 97도1075 정신차릴 정도로 사건)

④ [○] 정범이 실행의 착수에 이르지 아니한 예비의 단계에 그친 경우에는 이에 가공하는 행위가 예비의 공동정범이 되는 경우를 제외하고는 이를 종범으로 처벌할 수 없다.(대법원 1976. 5. 25. 75도1549 강도예비 방조사건)

330 다음 설명 중 가장 옳은 것은? (다툼이 있으면 판례에 의함)

□□□

① 피고인들이 1시간의 시간적 간격을 두고 피해자를 각 폭행하여 피해자가 사망에 이르게 되었으나, 피고인들 중 누구의 폭행행위로 피해자가 사망하였는지가 밝혀지지 않았더라도 피고인들을 모두 폭행치사죄로 처벌할 수 있다.

② 피고인이 의약품을 판매할 수 없는 甲이 판매 목적으로 의약품을 취득한다는 정을 알면서 甲에게 의약품을 공급해 준 경우 피고인을 甲의 판매목적 의약품 취득이라는 약사법위반의 공범으로 처벌할 수 있다.

③ 변호사 사무실 직원인 甲이 공무원인 乙에게 부탁을 하여 수사 중인 사건의 체포영장 발부자 명단을 누설받은 경우 甲을 공무상비밀누설교사죄로 처벌할 수 있다.

④ 변호사 아닌 甲이 변호사인 乙을 고용하여 법률사무소를 개설한 변호사법 위반죄를 저지른 경우 乙을 甲의 범죄행위에 대한 공범으로 처벌할 수 있다.

해설

① [○] 시간적 차이가 있는 독립된 상해행위나 폭행행위가 경합하여 사망의 결과가 일어나고 그 사망의 원인된 행위가 판명되지 않은 경우에는 공동정범의 예에 의하여 처벌할 것이다.(대법원 2000. 7. 28. 2000도2466)

② [×] 의약품을 판매할 수 없는 甲이 판매의 목적으로 의약품을 취득한 범행과 대향범 관계에 있는 피고인의 甲에 대한 의약품 판매행위에 대하여는 형법총칙상 공범이나 방조범 규정의 적용이 있을 수 없으므로 **피고인을 甲의 범행에 대한 방조범으로 처벌할 수 없다.**(대법원 2001. 12. 28. 2001도5158 염산날부핀 판매사건)

③ [×] 형법 제127조는 공무원 또는 공무원이었던 자가 법령에 의한 직무상 비밀을 누설하는 행위만을 처벌하고 있을 뿐 직무상 비밀을 누설받은 상대방을 처벌하는 규정이 없는 점에 비추어, **직무상 비밀을 누설받은 甲에 대하여는 공범에 관한 형법총칙 규정이 적용될 수 없다.**(대법원 2011. 4. 28. 2009도3642 체포영장발부자 명단 사건)

④ [×] 변호사가 변호사 아닌 자에게 고용되어 법률사무소의 개설·운영에 관여하는 변호사법위반죄가 성립하는데 당연히 예상될 뿐만 아니라 범죄의 성립에 없어서는 아니 되는 것인데도 변호사를 처벌하는 규정이 없는 이상, 변호사 아닌 甲에게 고용되어 법률사무소의 개설·운영에 관여한 변호사 乙의 행위가 일반적인 형법총칙상의 공모, 교사 또는 방조에 해당된다고 하더라도 **변호사 乙을 변호사 아닌 甲의 공범으로서 처벌할 수는 없다.**(대법원 2004. 10. 28. 2004도3994)

331

☐☐☐ 교사범 및 방조범에 관한 설명 중 가장 적절하지 않은 것은? (다툼이 있으면 판례에 의함)

17 경찰승진 [Essential ★]

① 형법 제127조는 공무원 또는 공무원이었던 자가 법령에 의한 직무상 비밀을 누설하는 행위만을 처벌하고 있을 뿐 직무상 비밀을 누설받은 상대방을 처벌하는 규정이 없으므로, 직무상 비밀을 누설받은 자를 공무상 비밀누설죄의 교사범 또는 방조범으로 처벌할 수 없다.

② 자기의 지휘, 감독을 받는 자를 방조하여 범죄의 결과를 발생하게 한 자는 정범에 정한 형의 장기 또는 다액에 그 2분의 1까지 가중한 형으로 처벌한다.

③ 무면허운전으로 사고를 낸 자가 동생을 경찰서에 대신 출두시켜 허위의 자백을 하게 하여 범인도피죄를 범하게 한 경우 동생이 친족간의 특례규정(형법 제151조 제2항)에 의하여 처벌을 받지 않더라도 범인도피죄의 교사범이 성립한다.

④ 효과 없는 교사는 교사자와 피교사자 모두 예비·음모에 준하여 처벌되지만, 효과 없는 방조는 처벌되지 않는다.

해설

② [×] 자기의 지휘, 감독을 받는 자를 방조하여 범죄행위의 결과를 발생하게 한 자는 **정범의 형으로 처벌한다.** (제34조 제2항)

① [○] 형법 제127조는 공무원 또는 공무원이었던 자가 법령에 의한 직무상 비밀을 누설하는 행위만을 처벌하고 있을 뿐 직무상 비밀을 누설받은 상대방을 처벌하는 규정이 없는 점에 비추어, 직무상 비밀을 누설받은 자에 대하여는 공범에 관한 형법총칙 규정이 적용될 수 없다.(대법원 2011. 4. 28. 2009도3642 **체포영장발부자 명단 사건**)

③ [○] 범인이 자신을 위하여 타인으로 하여금 허위의 자백을 하게 하여 범인도피죄를 범하게 하는 행위는 방어권의 남용으로 범인도피교사죄에 해당하는바, 이 경우 그 타인이 형법 제151조 제2항에 의하여 처벌을 받지 아니하는 친족 또는 동거 가족에 해당한다 하여 달리 볼 것은 아니다.(대법원 2006. 12. 7. 2005도3707 **동생 허위자백 사건**)

④ [○] 효과 없는 교사는 교사자와 피교사자 모두 예비·음모에 준하여 처벌되지만, 효과 없는 방조는 처벌되지 않는다.(제31조 2항)

332 정범 및 공범에 관한 설명 중 옳지 않은 것은? (다툼이 있으면 판례에 의함)

□□□

① 「형법」 제127조는 공무원 또는 공무원이었던 자가 법령에 의한 직무상 비밀을 누설하는 행위만을 처벌하고 있을 뿐 직무상 비밀을 누설받은 상대방을 처벌하는 규정이 없으므로, 직무상 비밀을 누설받은 자에 대하여는 공범에 관한 형법총칙 규정이 적용될 수 없다.

② 甲이 뇌물공여의사 없이 오로지 공무원 乙을 함정에 빠뜨릴 의사로 직무와 관련되었다는 형식을 빌려 乙에게 금품을 공여한 경우에도 乙이 그 금품을 직무와 관련하여 수수한다는 의사를 가지고 받아들이면 甲에게 뇌물공여죄가 성립하지 않는 경우라도 乙에게 뇌물수수죄가 성립한다.

③ 「폭력행위 등 처벌에 관한 법률」 제2조 제2항에서 '2명 이상이 공동하여' 죄를 범한 때라 함은 수인이 동일한 장소에서 동일한 기회에 상호 다른 사람의 범행을 인식하고 이를 이용하여 범행을 한 경우를 뜻하는 것으로서, 폭행 등의 실행범과의 공모사실은 인정되나 그와 공동하여 범행에 가담하였거나 범행장소에 있었다고 인정되지 아니하는 경우에는 공동하여 죄를 범한 때에 해당하지 아니한다.

④ 합동범은 주관적 요건으로서 공모 외에 객관적 요건으로서 현장에서의 실행행위의 분담을 요하나, 이 실행행위의 분담은 반드시 동시에 동일 장소에서 실행행위를 특정하여 분담하는 것만을 뜻하는 것이 아니라 시간적으로나 장소적으로 서로 협동관계에 있다고 볼 수 있으면 충분하다.

⑤ 간접정범이 성립하기 위해서는 처벌되지 아니하는 타인의 행위를 적극적으로 유발하고 이를 이용하여 자신의 범죄를 실현하여야 하며, 그 과정에서 타인의 의사를 부당하게 억압하여야 한다.

해설

⑤ [×] 처벌되지 아니하는 타인의 행위를 적극적으로 유발하고 이를 이용하여 자신의 범죄를 실현한 자는 간접정범의 죄책을 지게 되고, 그 과정에서 **타인의 의사를 부당하게 억압하여야만 간접정범에 해당하는 것은 아니** 다.(대법원 2008. 9. 11. 2007도7204 5오일 후원금 사건)

① [○] 형법 제127조는 공무원 또는 공무원이었던 자가 법령에 의한 직무상 비밀을 누설하는 행위만을 처벌하고 있을 뿐 직무상 비밀을 누설받은 상대방을 처벌하는 규정이 없는 점에 비추어, 직무상 비밀을 누설받은 자에 대하여는 공범에 관한 형법총칙 규정이 적용될 수 없다.(대법원 2011. 4. 28. 2009도3642 **체포영장발부자 명단 사건**)

② [○] 뇌물공여죄와 뇌물수수죄는 필요적 공범관계에 있다고 할 것이나, 필요적 공범이라는 것은 법률상 범죄의 실행이 다수인의 협력을 필요로 하는 것을 가리키는 것으로서 이러한 범죄의 성립에는 행위의 공동을 필요로 하는 것에 불과하고 반드시 협력자 전부가 책임이 있음을 필요로 하는 것은 아니므로, 오로지 공무원을 함정에 빠뜨릴 의사로 직무와 관련되었다는 형식을 빌려 그 공무원에게 금품을 공여한 경우에도 공무원이 그 금품을 직무와 관련하여 수수한다는 의사를 가지고 받아들이면 뇌물수수죄가 성립한다.(대법원 2008. 3. 13. 2007도 10804 **강종만 영광군수 사건**)

③ [○] 폭처법 제2조 제2항의 '2인 이상이 공동하여 전항 게기의 죄를 범한 때'라고 함은 그 수인간에 소위 공범 관계가 존재하는 것을 요건으로 하는 것이고 수인이 동일 장소에서 동일 기회에 상호 다른자의 범행을 인식하고 이를 이용하여 범행을 한 경우임을 요한다고 할 것이므로 폭행의 실행범과의 공모사실은 인정되나 그와

공동하여 범행에 가담하였거나 범행장소에 있었다고 인정되지 아니하는 경우에는 '공동하여' 죄를 범한 때에 해당하지 아니한다.(대법원 1990. 10. 30. 90도2022)
④ [○] 형법 제334조 제2항의 특수강도죄에 있어 실행행위의 분담은 반드시 동시에 동일장소에서 실행행위를 특정하여 분담하는 것만을 뜻하는 것이 아니라 시간적으로나 장소적으로 서로 협동관계에 있다고 볼 수 있으면 충분하다.(대법원 1992. 7. 28. 92도917 절도상경 강도실경 사건)

333 공범에 관한 다음 설명 중 틀린 것은 모두 몇 개인가? (다툼이 있으면 판례에 의함)

㉠ 우연히 만난 자리에서 서로 협력하여 공동의 범의를 실현하려는 의사가 암묵적으로 상통하여 범행에 공동가공하더라도 공동정범은 성립된다.
㉡ 결과적 가중범인 상해치사죄의 공동정범은 폭행 기타의 신체침해행위를 공동으로 할 의사가 있으면 성립되고 결과를 공동으로 할 의사는 필요 없다.
㉢ 타인을 교사하여 죄를 범하게 한 자는 죄를 실행한 자와 동일한 형으로 처벌한다.
㉣ 교사를 받은 자가 범죄의 실행을 승낙하고 실행의 착수에 이르지 아니한 때에는 교사자와 피교사자를 음모 또는 예비에 준하여 처벌한다.

① 0개　　② 1개　　③ 2개　　④ 3개

해설

① 모든 항목이 옳다.
㉠ [○] 공동정범이 성립하기 위하여는 반드시 공범자간에 사전에 모의가 있어야 하는 것은 아니며, 우연히 만난 자리에서 서로 협력하여 공동의 범의를 실현하려는 의사가 암묵적으로 상통하여 범행에 공동가공하더라도 공동정범은 성립된다.(대법원 1984. 12. 26. 82도1373 우연히 윤간사건)
㉡ [○] 결과적 가중범인 상해치사죄의 공동정범은 폭행 기타의 신체침해 행위를 공동으로 할 의사가 있으면 성립되고 결과를 공동으로 할 의사는 필요 없으며, 여러 사람이 상해의 범의로 범행 중 한 사람이 중한 상해를 가하여 피해자가 사망에 이르게 된 경우 나머지 사람들은 사망의 결과를 예견할 수 없는 때가 아닌한 상해치사의 죄책을 면할 수 없다.(대법원 2013. 4. 26. 2013도1222 술집 상해치사사건)
㉢ [○] 타인을 교사하여 죄를 범하게 한 자는 죄를 실행한 자와 동일한 형으로 처벌한다.(제31조 제1항)
㉣ [○] 교사를 받은 자가 범죄의 실행을 승낙하고 실행의 착수에 이르지 아니한 때에는 교사자와 피교사자를 음모 또는 예비에 준하여 처벌한다.(제31조 제2항)

334 공범에 관한 설명 중 옳은 것은? (다툼이 있으면 판례에 의함)

① 업무상배임죄에서 업무상 임무라는 신분 관계 없는 甲이 신분 있는 乙과 공모하여 업무상배임죄를 범한 경우 甲에게는 단순배임죄가 성립한다.

② 2인 이상의 서로 대향된 행위의 존재를 요구하는 관계인 금품 수수에서 금품공여자에 대한 처벌규정이 없다면, 금품 공여자의 행위에만 관여하여 그 공여행위를 교사·방조한 자는 금품 수수자의 범행에 대하여 공범이 되지 않는다.

③ 치과의사 甲이 치과의사면허가 없는 치과기공사 乙에게 치과진료행위를 하도록 교사한 경우 甲은 소극적 신분을 이유로 처벌되지 않는다.

④ 방조범이 성립하기 위하여 방조범과 정범 사이의 의사연락을 요하지는 않지만, 정범이 누구인지와 범행 일시, 장소, 객체 등에 대한 구체적 인식과 이러한 정범의 실행을 방조한다는 인식이 필요하다.

⑤ 甲이 범죄를 교사하였고 피교사자 乙이 실행을 승낙하고도 이후 실행의 착수를 하지 않은 경우 교사자인 甲만 예비·음모에 준하여 처벌된다.

해설

② [O] 금품 등을 공여한 자에게 따로 처벌규정이 없는 이상, 그 공여행위는 그와 대향적 행위의 존재를 필요로 하는 상대방의 범행에 대하여 공범관계가 성립되지 아니하고, 오로지 금품 등을 공여한 자의 행위에 대하여만 관여하여 그 공여행위를 교사하거나 방조한 행위도 상대방의 범행에 대하여 공범관계가 성립되지 아니한다.(대법원 2014. 1. 16. 2013도6969 새누리당 당원명부 유출사건)

변호사법(2021. 1. 5. 법률 제17828호로 일부개정된 것)

제111조【벌칙】① 공무원이 취급하는 사건 또는 사무에 관하여 청탁 또는 알선을 한다는 명목으로 금품·향응, 그 밖의 이익을 받거나 받을 것을 약속한 자 또는 제3자에게 이를 공여하게 하거나 공여하게 할 것을 약속한 자는 5년 이하의 징역 또는 1천만원 이하의 벌금에 처한다.

① [×] **신분관계가 없는 甲이** 그러한 신분관계가 있는 乙과 공모하여 **업무상배임죄를 저질렀다면** 그러한 신분관계가 없는 자에 대하여는 형법 제33조 단서에 의하여 단순배임죄에 정한 형으로 처단하여야 한다.(대법원 2012. 11. 15. 2012도6676 Q22합금 특허사건) 甲의 경우 업무상배임죄가 성립하지만, 단순배임죄에 정한 형으로 처벌된다.

③ [×] 치과의사가 환자의 대량유치를 위해 치과기공사들에게 내원환자들에게 진료행위를 하도록 지시하여 동인들이 각 단독으로 발치, 주사, 투약 등의 진료행위를 하였다면 **무면허의료행위의 교사범에 해당한다.**(대법원 1986. 7. 8. 86도749 치과기공사 사건)

④ [×] (1) 정범이 범행을 한다는 점을 알면서 그 실행행위를 용이하게 한 이상 그 행위가 간접적이거나 직접적이거나를 가리지 않으며, 이 경우 **정범이 누구에 의하여 실행되어지는가를 확지(確知)할** 필요는 없다.(대법원 1977. 9. 28. 76도4133) (2) 방조범의 경우에 정범의 고의는 **정범에 의하여 실현되는 범죄의 구체적 내용을 인식할 것을 요하는 것은 아니고** 미필적 인식 또는 예견으로 족하다.(대법원 2012. 6. 28. 2012도2628 에이스일렉트로닉스 사건)

⑤ [×] 교사를 받은 자가 범죄의 실행을 승낙하고 실행의 착수에 이르지 아니한 때에는 **교사자와 피교사자를 음모 또는 예비에 준하여 처벌한다.**(제31조 제2항) 甲, 乙 모두 예비·음모에 준하여 처벌된다.

335

□□□

甲의 죄책에 관한 설명 중 옳지 않은 것은? (다툼이 있으면 판례에 의함) 17 변호사 [Superlative ★★★]

① 甲이 자기의 형사사건에 관하여 乙을 교사하여 위증죄를 범하게 한 경우, 위증죄의 교사범이 성립한다.

② 甲이 乙을 교사하여 甲 자신이 형사처분을 받을 목적으로 수사기관에 대하여 乙이 甲에 대한 허위의 사실을 신고하도록 한 경우, 무고죄의 교사범이 성립한다.

③ 甲이 乙을 교사하여 차기의 형사사건에 관한 증거를 변조하도록 하였더라도, 乙이 甲과 공범관계에 있는 형사사건에 관한 증거를 변조한 것에 해당하여 乙이 증거변조죄로 처벌되지 않는 경우, 증거변조죄의 간접정범은 물론 교사범도 성립하지 않는다.

④ 공무원이 아닌 甲이 관공서에 허위 내용의 증명원을 제출하여 그 내용이 허위인 정을 모르는 담당 공무원 乙로부터 그 증명원 내용과 같은 증명서를 발급받은 경우, 공문서위조죄의 간접정범이 성립하지 않는다.

⑤ 무면허로 운전하다가 교통사고를 낸 甲이 동거하고 있는 동생 乙을 경찰서에 대신 출석시켜 자신을 위하여 허위의 자백을 하게 하여 범인도피죄를 범하게 한 경우, 범인도피죄의 교사범이 성립하지 않는다.

해설

⑤ [×] (1) 범인이 자신을 위하여 타인으로 하여금 허위의 자백을 하게 하여 범인도피죄를 범하게 하는 행위는 방어권의 남용으로 범인도피교사죄에 해당하는바, 이 경우 그 타인이 형법 제151조 제2항에 의하여 처벌을 받지 아니하는 친족 또는 동거 가족에 해당한다 하여 달리 볼 것은 아니다. (2) 무면허 상태로 교통사고를 낸 피고인 甲이 동생 乙에게 "네가 대신 교통사고를 내었다고 조사를 받아 달라"고 부탁하여, 이를 승낙한 乙이 경찰서에서 "내가 승용차를 운전하고 가다가 교통사고를 낸 사람이다"라고 허위 진술한 경우, **甲에 대하여 범인도피교사죄가 성립한다.**(대법원 2006. 12. 7. 2005도3707 **동생 허위자백 사건**)

① [○] 피고인이 자기의 형사사건에 관하여 허위의 진술을 하는 행위는 피고인의 형사소송에 있어서의 방어권을 인정하는 취지에서 처벌의 대상이 되지 않으나, 법률에 의하여 선서한 증인이 타인의 형사사건에 관하여 위증을 하면 위증죄가 성립되므로 자기의 형사사건에 관하여 타인을 교사하여 위증죄를 범하게 하는 것은 이러한 방어권을 남용하는 것이라고 할 것이어서 교사범의 죄책을 부담케 함이 상당하다.(대법원 2004. 1. 27. 2003도5114)

② [○] 피무고자의 교사·방조하에 제3자가 피무고자에 대한 허위의 사실을 신고한 경우에는 제3자의 행위는 무고죄의 구성요건에 해당하여 무고죄를 구성하므로, 제3자를 교사·방조한 피무고자도 교사·방조범으로서의 죄책을 부담한다.(대법원 2008. 10. 23. 2008도4852 **자기무고 방조사건**)

③ [○] 노동조합 지부장인 피고인 甲이 업무상횡령 혐의로 조합원들로부터 고발을 당하자 피고인 乙과 공동하여 조합 회계서류를 무단 폐기한 후 폐기에 정당한 근거가 있는 것처럼 乙로 하여금 조합 회의록을 조작하여 수사기관에 제출하도록 교사한 경우, 회의록의 변조·사용은 피고인들이 공범관계에 있는 문서손괴죄 형사사건에 관한 증거를 변조·사용한 것으로 볼 수 있어 乙에 대한 증거변조죄 및 변조증거사용죄가 성립하지 않으며, 피교사자인 乙이 증거변조죄 및 변조증거사용죄로 처벌되지 않은 이상 피고인 甲에 대하여 공범인 교사범은 물론 그 간접정범도 성립하지 않는다.(대법원 2011. 7. 14. 2009도13151 **노동조합 지부장 사건**)

④ [○] 어느 문서의 작성권한을 갖는 공무원이 그 문서의 기재 사항을 인식하고 그 문서를 작성할 의사로써 이에 서명날인하였다면, 설령 그 서명날인이 타인의 기망으로 착오에 빠진 결과 그 문서의 기재사항이 진실에 반함

을 알지 못한 데 기인한다고 하여도, 그 문서의 성립은 진정하며 여기에 하등 작성명의를 모용한 사실이 있다고 할 수는 없으므로, 공무원 아닌 자가 관공서에 허위 내용의 증명원을 제출하여 그 내용이 허위인 정을 모르는 담당공무원으로부터 그 증명원 내용과 같은 증명서를 발급받은 경우 공문서위조죄의 간접정범으로 의율할 수는 없다.(대법원 2001. 3. 9. 2000도938 **공사실적증명원 사건**)

336 다음 설명 중 가장 옳지 않은 것은? (다툼이 있으면 판례에 의함)
□□□
15 법원9급 [Superlative ★★★]

① 교사자가 피교사자에 대하여 상해 또는 중상해를 교사하였는데 피교사자가 이를 넘어 살인을 실행한 경우 일반적으로 교사자는 상해죄 또는 중상해죄의 죄책을 지게 되나 교사자에게 피해자의 사망이라는 결과에 대하여 과실 또는 예견가능성이 있는 때에는 상해치사죄의 죄책을 지울 수 있다.

② 교사를 받은 자가 범죄의 실행을 승낙하고 실행의 착수에 이르지 아니한 때에는 교사자와 피교사자를 음모 또는 예비에 준하여 처벌한다.

③ 방조범이 성립하기 위해서는 정범의 실행을 방조한다는 이른바 방조의 고의와 정범의 행위가 구성요건에 해당하는 행위인 점에 대한 정범의 고의가 있어야 한다.

④ 종범은 정범이 실행행위에 착수하여 범행을 하는 과정에서 이를 방조한 경우에만 성립할 뿐 정범의 실행의 착수 전에 장래의 실행행위를 미필적으로나마 예상하고 이를 용이하게 하기 위하여 방조한 경우에는 그 후 정범이 실행행위에 나아갔다고 하더라도 종범이 성립할 수 없다.

해설

④ [×] **종범은** 정범이 실행행위에 착수하여 범행을 하는 과정에서 이를 방조한 경우뿐 아니라, 정범의 실행의 착수 이전에 장래의 실행행위를 미필적으로나마 예상하고 이를 용이하게 하기 위하여 방조한 경우에도 그 후 **정범이 실행행위에 나아갔다면 성립할 수 있다.**(대법원 2013. 11. 14. 2013도7494 **대처승 보험사기사건**)

① [O] 교사자가 피교사자에 대하여 상해 또는 중상해를 교사하였는데 피교사자가 이를 넘어 살인을 실행한 경우 일반적으로 교사자는 상해죄 또는 중상해죄의 교사범이 되지만 이 경우 교사자에게 피해자의 사망이라는 결과에 대하여 과실 내지 예견가능성이 있는 때에는 상해치사죄의 교사범으로서의 죄책을 지울 수 있다.(대법원 2002. 10. 25. 2002도4089 **병신을 만들어라 사건**)

② [O] 교사를 받은 자가 범죄의 실행을 승낙하고 실행의 착수에 이르지 아니한 때에는 교사자와 피교사자를 음모 또는 예비에 준하여 처벌한다.(제31조 제2항)

③ [O] 형법상 방조행위는 정범이 범행을 한다는 정을 알면서 그 실행행위를 용이하게 하는 직접·간접의 행위를 말하므로 방조범은 정범의 실행을 방조한다는 이른바 방조의 고의와 정범의 행위가 구성요건에 해당하는 행위인 점에 대한 정범의 고의가 있어야 한다.(대법원 2012. 6. 28. 2012도2628 **에이스일렉트로닉스 사건**)

337

정범과 공범에 대한 설명으로 옳지 않은 것은? (다툼이 있는경우 판례에 의함)

① 처벌되지 아니하는 타인의 행위를 적극적으로 유발하고 이를 이용하여 자신의 범죄를 실현한 자는 간접정범의 죄책을 지게 되고, 그 과정에서 타인의 의사를 부당하게 억압하여야만 간접정범에 해당하는 것은 아니다.

② 공무원이 아닌 자는 형법 제228조(공정증서원본등의 부실기재)의 경우를 제외하고는 허위공문서작성죄의 간접정범으로 처벌할 수 없으나, 공무원과 공동하여 허위공문서작성죄를 범한 때에는 허위공문서작성죄의 공동정범의 죄책을 진다.

③ 범인이 자신을 위하여 친족으로 하여금 허위의 자백을 하게 하여 범인도피죄를 범하게 하는 행위는 범인도피교사죄에 해당한다.

④ 직무수행 중에 있는 다른 공무원이 직무수행을 거부하여 직무유기죄가 성립하는 경우, 병가 중인 공무원은 직무유기죄의 주체가 될 수 없으므로 이에 가담하더라도 직무유기죄의 공동정범의 죄책을 지지 아니한다.

해설

④ [×] 병가중인 자는 직무유기죄의 주체로 될 수는 없으나 신분이 없는 자라 하더라도 신분이 있는 자의 행위에 가공하는 경우 직무유기죄의 공동정범이 성립하므로, **병가중인 피고인들과 나머지 피고인들 사이에 직무유기의 공범관계가 인정되면 병가중인 피고인들도 직무유기죄의 공동정범으로 처벌받아야 한다.**(대법원 1997. 4. 22. 95도748 전국기관차협의회 파업사건)

① [○] 처벌되지 아니하는 타인의 행위를 적극적으로 유발하고 이를 이용하여 자신의 범죄를 실현한 자는 간접정범으로서의 죄책을 지게 되고, 그 과정에서 타인의 의사를 부당하게 억압하여야만 간접정범에 해당하게 되는 것은 아니다.(대법원 2008. 9. 11. 2007도7204 5오일 후원금 사건)

② [○] 공무원이 아닌 자는 형법 제228조(공정증서원본등의부실기재)의 경우를 제외하고는 허위공문서작성죄의 간접정범으로 처벌할 수 없으나, 공무원이 아닌 자가 공무원과 공동하여 허위공문서작성죄를 범한 때에는 공무원이 아닌 자도 형법 제33조, 제30조에 의하여 허위공문서작성죄의 공동정범이 된다.(대법원 2006. 5. 11. 2006도1663 재해대장 사건)

③ [○] 범인이 자신을 위하여 타인으로 하여금 허위의 자백을 하게 하여 범인도피죄를 범하게 하는 행위는 방어권의 남용으로 범인도피교사죄에 해당하는바, 이 경우 그 타인이 형법 제151조 제2항에 의하여 처벌을 받지 아니하는 친족 또는 동거 가족에 해당한다 하여 달리 볼 것은 아니다.(대법원 2006. 12. 7. 2005도3707 동생 허위자백 사건)

338 정범과 공범에 대한 아래 ㉠부터 ㉢까지의 설명 중 옳고 그름의 표시(○, ×)가 모두 바르게 된
□□□ 것은? (다툼이 있으면 판례에 의함)

> ㉠ 제한적 종속형식의 입장을 취하게 되면, 정범의 책임이 조각되는 경우 공범이 성립할 수 없다는 결론에 이른다.
>
> ㉡ 교사자가 피교사자에 대하여 상해 또는 중상해를 교사하였는데 피교사자가 이를 넘어 살인을 한 경우, 교사자에게 피해자의 사망이라는 결과에 대하여 고의가 없더라도 살인죄의 교사범이 된다.
>
> ㉢ 공범관계에 있어 공모는 공범자 상호간에 직접 또는 간접으로 범죄의 공동실행에 관한 암묵적인 의사의 연락이 있으면 족하고, 비록 전체의 모의과정이 없었다고 하더라도 수인 사이에 의사의 연락이 있으면 공동정범이 성립될 수 있다.
>
> ㉣ 실행의 착수 전에 장래의 실행행위를 예상하고 이를 용이하게 하는 행위를 하여 방조한 경우, 정범이 그 실행행위에 나아갔다면 종범이 성립할 수 있다.
>
> ㉤ 목적범에 있어서 목적 없는 고의 있는 도구를 이용한 경우, 피이용자에 대한 의사지배가 인정되지 않으므로 간접정범이 성립할 수 없다.

① ㉠ ○ ㉡ × ㉢ × ㉣ × ㉤ ×   ② ㉠ × ㉡ ○ ㉢ × ㉣ ○ ㉤ ×

③ ㉠ × ㉡ × ㉢ ○ ㉣ ○ ㉤ ×   ④ ㉠ × ㉡ × ㉢ ○ ㉣ ○ ㉤ ○

해설

③ 이 지문이 옳은 연결이다.

㉠ [×] 제한적 종속형식에 의할 때 정범이 구성요건에 해당하고 위법하면 공범이 성립한다. 따라서 정범이 책임이 조각되더라도 **공범이 성립할 수 있다.**

㉡ [×] 교사자가 피교사자에 대하여 상해 또는 중상해를 교사하였는데 피교사자가 이를 넘어 살인을 실행한 경우 일반적으로 교사자는 **상해죄 또는 중상해죄의 교사범이 되지만** 이 경우 교사자에게 피해자의 사망이라는 결과에 대하여 과실 내지 예견가능성이 있는 때에는 **상해치사죄의 교사범으로서의 죄책을 지울 수 있다.**(대법원 2002. 10. 25. 2002도4089 병신을 만들어라 사건)

㉢ [○] 2인 이상이 범죄에 공동가공하는 공범관계에서 공모는 법률상 어떤 정형을 요구하는 것이 아니고, 2인 이상이 공모하여 범죄에 공동가공하여 범죄를 실현하려는 의사의 결합만 있으면 되는 것으로서, 비록 전체의 모의과정이 없더라도 수인 사이에 순차적으로 또는 암묵적으로 상통하여 의사의 결합이 이루어지면 공모관계가 성립한다.(대법원 2016. 8. 29. 2016도6297)

㉣ [○] 종범은 정범이 실행행위에 착수하여 범행을 하는 과정에서 이를 방조한 경우뿐 아니라 정범의 실행의 착수 이전에 장래의 실행행위를 미필적으로나마 예상하고 이를 용이하게 하기 위하여 방조한 경우에도 그 후 정범이 실행행위에 나아갔다면 성립할 수 있다.(대법원 2013. 11. 14. 2013도7494 대척승 보험사기사건)

㉤ [×] 범죄는 어느 행위로 인하여 처벌되지 아니하는 자를 이용하여서도 이를 실행할 수 있으므로 내란죄의 경우에도 국헌문란의 목적을 가진 자가 그러한 목적이 없는 자를 이용하여 이를 실행할 수 있다.(대법원 1997. 4. 17. 96도3376 솔숭 신군부 내란사건) 판례에 의할 때 지문의 경우 간접정범이 성립할 수 있다.

339

☐☐☐ 정범과 공범에 관한 설명 중 옳은 것은? (다툼이 있으면 판례에 의함) 16 사법시험 [Superlative ★★★]

① 허위공문서작성죄의 간접정범은 공문서의 작성권한이 있는 공무원의 직무를 보좌하는 자가 그 직위를 이용하여 행사할 목적으로 허위의 내용이 기재된 문서 초안을 그 정을 모르는 상사에게 제출하여 결재하도록 하는 등의 방법에 의하여서만 가능하므로 이와 공모한 자가 공범이 되기 위해서는 공무원의 신분이 있는 자이어야 한다.

② 상해치사죄의 공동정범은 폭행 기타의 신체침해의 결과를 공동으로 할 의사가 있어야 성립하므로, 여러 사람이 상해의 범의로 범행 중 한 사람이 중한 상해를 가하여 피해자가 사망에 이르게 된 경우 나머지 사람들은 사망의 결과를 예견할 수 없었더라도 상해치사의 죄책을 면할 수 없다.

③ 사기죄의 실행행위에 직접 관여하지 아니한 사람도 공모관계가 인정되면 공모공동정범이 성립할 수 있지만, 공모자 중 사기의 기망방법을 구체적으로 몰랐던 자는 공모관계가 부정된다.

④ 교사자가 상해를 교사하였는데 피교사자가 피해자를 사망에 이르게 하였다면 일반적으로 교사자는 상해죄의 죄책을 지게 되는 것이지만, 교사자에게 피해자의 사망이라는 결과에 대하여 과실 내지 예견가능성이 있었다면 상해치사죄의 교사범이 성립한다.

⑤ 방조행위는 정범의 실행행위 중에 이를 방조하는 경우는 물론, 실행행위에 착수하기 전에 장래의 실행행위를 예상하고 이를 용이하게 하는 경우도 포함하므로 정범이 실행에 착수하지 않았더라도 방조범이 성립한다.

해설

④ [O] 교사자가 피교사자에 대하여 상해 또는 중상해를 교사하였는데 피교사자가 이를 넘어 살인을 실행한 경우 일반적으로 교사자는 상해죄 또는 중상해죄의 교사범이 되지만 이 경우 교사자에게 피해자의 사망이라는 결과에 대하여 과실 내지 예견가능성이 있는 때에는 상해치사죄의 교사범으로서의 죄책을 지울 수 있다.(대법원 2002. 10. 25. 2002도4089 **병신을 만들어라 사건**)

① [×] 공문서의 작성권한이 있는 공무원의 직무를 보좌하는 자가 그 직위를 이용하여 행사할 목적으로 허위의 내용이 기재된 문서초안을 그 정을 모르는 상사에게 제출하여 결재하도록 하는 등의 방법으로 작성권한이 있는 공무원으로 하여금 허위의 공문서를 작성하게 한 경우에는 간접정범이 성립되고 이와 **공모한 자 역시 간접정범의 공범으로서의 죄책을 면할 수 없는 것이고, 여기서 말하는 공범은 반드시 공무원의 신분이 있는 자로 한정되는 것은 아니다.**(대법원 1992. 1. 17. 91도2837 **예비군훈련확인서 사건**)

② [×] 상해치사죄의 공동정범은 폭행 기타의 신체침해 행위를 공동으로 할 의사가 있으면 성립되고 **결과를 공동으로 할 의사는 필요 없으며,** 여러 사람이 상해의 범의로 범행 중 한 사람이 중한 상해를 가하여 피해자가 사망에 이르게 된 경우 **나머지 사람들은 사망의 결과를 예견할 수 없는 때가 아닌 한 상해치사의 죄책을 면할 수 없다.**(대법원 2013. 4. 26. 2013도1222 **술집 상해치사사건**)

③ [×] 딱지어음들을 발행하여 매매한 피고인들이 이를 사용한 사기의 실행행위에 직접 관여하지 않았더라도 그 사기범행에 관하여 암묵적, 순차적으로 공모하였다고 볼 수 있다면, **딱지어음들의 전전유통경로나 중간 소지인들 및 그 기망방법을 구체적으로 몰랐더라도 사기죄의 공동정범이 된다.**(대법원 1997. 9. 12. 97도1706 **광주 어음사기단 사건**)

⑤ [×] **정범이 실행의 착수에 이르지 아니한 예비의 단계에 그친 경우에는** 이에 가공하는 행위가 예비의 공동정범이 되는 경우를 제외하고는 이를 **종범으로 처벌할 수 없다.**(대법원 1976. 5. 25. 75도1549 **강도예비 방조사건**)

340

공범에 관한 다음 설명 중 가장 옳은 것은? (다툼이 있으면 판례에 의함) 23 법원9급 [Essential ★]

① 2인 이상의 서로 대향된 행위의 존재를 필요로 하는 대향범에 대하여 공범에 관한 형법총칙 규정이 적용될 수 없는데, 이러한 법리는 해당 처벌규정의 구성요건 자체에서 2인 이상의 서로 대향적 행위의 존재를 필요로 하는 필요적 공범인 대향범에 적용됨은 물론, 구성요건상으로는 단독으로 실행할 수 있는 형식으로 되어 있더라도 그 구성요건이 대향범의 형태로 실행되는 경우에도 적용된다고 보아야 한다.

② 형사소송법 제253조 제2항(공범의 1인에 대한 시효정지는 다른 공범자에 대하여 효력이 미친다)에서 말하는 '공범'에는 뇌물공여죄와 뇌물수수죄 사이와 같은 대향범 관계도 포함된다.

③ 2인 이상이 서로의 의사연락 아래 과실행위를 하여 범죄가 되는 결과를 발생하게 하였더라도 과실범의 공동정범은 성립하지 않는다.

④ 피고인이 포괄일죄의 관계에 있는 범행의 일부를 실행한 후 공범관계에서 이탈하였으나 다른 공범자에 의하여 나머지 범행이 이루어진 경우 피고인은 관여하지 않은 부분에 대하여도 죄책을 부담한다.

해설

④ [○] 피고인이 포괄일죄의 관계에 있는 범행의 일부를 실행한 후 공범관계에서 이탈하였으나 다른 공범자에 의하여 나머지 범행이 이루어진 경우 피고인이 관여하지 않은 부분에 대하여도 죄책을 부담한다.(대법원 2011. 1. 13. 2010도9927 시세조종 중 이탈사건)

① [×] 2인 이상의 서로 대향된 행위의 존재를 필요로 하는 대향범에 대하여 공범에 관한 형법 총칙 규정이 적용될 수 없다. 이러한 법리는 해당 처벌규정의 구성요건 자체에서 2인 이상의 서로 대향적 행위의 존재를 필요로 하는 필요적 공범인 대향범을 전제로 한다. **구성요건상으로는 단독으로 실행할 수 있는 형식으로 되어 있는데 단지 구성요건이 대향범의 형태로 실행되는 경우에도 대향범에 관한 법리가 적용된다고 볼 수는 없다.** (대법원 2022. 6. 22. 2020도7866 대마 매매대금 입금사건)

② [×] 대향범 관계에 있는 자 사이에서는 각자 상대방의 범행에 대하여 형법 총칙의 공범규정이 적용되지 아니하므로 **형사소송법 제253조 제2항에서 말하는 '공범'에는 뇌물공여죄와 뇌물수수죄 사이와 같은 대향범 관계에 있는 자는 포함되지 않는다.**(대법원 2015. 2. 12. 2012도4842 제3자뇌물교부 공범사건)

③ [×] 공동정범은 고의범이나 과실범을 불문하고 의사의 연락이 있는 경우면 성립하는 것으로서 2인 이상이 서로의 의사연락 아래 과실행위를 하여 범죄되는 결과를 발생하게 하면 **과실범의 공동정범이 성립하는 것이다.**(대법원 1994. 5. 24. 94도660 구포역 열차전복 사건)

341 공범에 관한 설명 중 옳은 것은? (다툼이 있으면 판례에 의함)
☐☐☐

15 사법시험 [Superlative ★★★]

① 甲이 친구인 乙을 교사하여 乙 자신의 아버지를 살해하게 한 경우, 乙에게는 존속살인죄의 정범이, 甲에게는 보통살인죄의 교사범이 각각 성립한다.

② 甲이 정범의 횡령행위를 방조할 의사로 행위한 경우, 그 정범이 방조행위를 인식하지 못했더라도 甲에게 횡령죄의 방조범이 성립하지만 정범의 실행행위가 없다면 그렇지 않다.

③ 대향범은 2인 이상의 서로 대향된 행위의 존재를 필요로 하는 필요적 공범으로서, 대향범간에는 공범에 관한 형법총칙 규정이 적용된다.

④ 절도를 모의한 3인 가운데 2인이 시간적·장소적으로 협동관계를 이루어 절도의 실행행위를 한 경우, 모의에는 주도적으로 참여하였으나 현장에서 실행행위를 분담하지 않은 자에 대해서는 합동절도의 공동정범이 성립하지 않는다.

⑤ 뇌물공여죄가 성립하기 위해서는 뇌물을 공여하는 일방의 행위와 그 뇌물을 받아들이는 상대방의 행위가 필요하고 나아가 상대방에게 뇌물수수죄가 성립해야 한다.

해설

② [○] 정범이 방조행위를 인식하지 못한 편면적 방조도 가능하다는 것이 통설의 입장이다. 다만, 정범의 실행행위가 없는 경우 방조범은 성립할 수 없다.(대법원 2007. 11. 29. 2007도8050 몰게임 사건 참고)

① [×] 부진정신분범에 있어 신분관계가 없는 자가 신분관계가 있는 자의 범죄에 가공하면 신분이 없는 자도 형법 제33조 본문에 의하여 부진정신분범이 성립하지만, 제33조 단서에 의하여 중한 형으로 벌하지 아니한다.(대법원 2012. 11. 15. 2012도6676 Q22합금 특허사건, 대법원 1961. 8. 2. 61도284 참고) 따라서 지문의 경우 (乙은 존속살해죄의 정범이고) 甲은 존속살해죄의 교사범이지만 형법 제33조 단서에 의하여 보통살인죄로 처벌된다.

③ [×] 대향범은 대립적 범죄로서 2인 이상의 서로 대향된 행위의 존재를 필요로 하는 필요적 공범관계에 있는 범죄로, 대향범간에는 공범에 관한 형법 총칙규정이 적용되지 아니한다.(대법원 2011. 10. 13. 2011도6287 타미플루 구매사건)

④ [×] 3인 이상의 범인이 합동절도의 범행을 공모한 후 적어도 2인 이상의 범인이 범행 현장에서 시간적, 장소적으로 협동관계를 이루어 절도의 실행행위를 분담하여 절도 범행을 한 경우에, 그 공모에는 참여하였으나 현장에서 절도의 실행행위를 직접 분담하지 아니한 다른 범인에 대하여도 그가 현장에서 절도 범행을 실행한 위 2인 이상의 범인의 행위를 자기 의사의 수단으로 하여 합동절도의 범행을 하였다고 평가할 수 있는 정범성의 표지를 갖추고 있는 한 합동절도의 공동정범으로 인정할 수 있다.(대법원 2011. 5. 13. 2011도2021 사납금 절취사건)

⑤ [×] 뇌물공여죄가 성립하기 위하여는 뇌물을 공여하는 행위와 상대방 측에서 금전적으로 가치가 있는 그 물품 등을 받아들이는 행위가 필요할 뿐 반드시 상대방 측에서 뇌물수수죄가 성립하여야 하는 것은 아니다.(대법원 2013. 11. 28. 2013도9003 광주 총인처리시설 입찰비리사건)

342 다음의 설명 중 가장 적절하지 않은 것은? (다툼이 있으면 판례에 의함) 22 경찰승진 [Core ★★]

□□□

① 공범과 신분에 관하여 신분관계로 인하여 범죄가 성립하는 경우를 진정신분범, 신분관계로 형이 가중되거나 감경되는 경우를 부진정신분범이라 한다.

② 甲이 乙을 교사하여 乙의 아버지를 살해하게 한 경우 甲에게는 보통살인죄의 교사범이 성립한다.

③ 부진정 부작위범에 있어서 작위의무는 법령, 법률행위, 선행행위로 인한 경우는 물론 신의성실의 원칙이나 사회상규 혹은 조리상 작위의무가 기대되는 경우에도 인정된다.

④ 부진정 결과적가중범은 예견가능한 결과를 예견하지 못한 경우뿐만 아니라 그 결과를 예견하거나 고의가 있는 경우까지도 포함하는 것이므로 공무원의 적법한 직무집행을 방해하는 집단행위의 과정에서 일부 집단원이 고의로 공무원에게 살상을 가한 경우 다른 집단원에게 그 사상의 결과가 예견가능한 것이었다면 다른 집단원도 특수공무방해치사상의 책임을 면할 수 없다.

해설

② [×] 부진정신분범에 있어 신분관계가 없는 자가 신분관계가 있는 자의 범죄에 가공하면 신분이 없는 자도 형법 제33조 본문에 의하여 부진정신분범이 성립하지만, 제33조 단서에 의하여 중한 형으로 벌하지 아니한다.(대법원 2012. 11. 15. 2012도6676 Q22합금 특허사건 참고) 따라서 지문의 경우 (乙은 존속살해죄의 정범이고) **甲에게는 존속살해죄의 교사범이 성립하지만 형법 제33조 단서에 의하여 보통살인교사죄에 정한 형으로 처벌된다.**

① [○] 통설의 입장으로 옳은 설명이다.

③ [○] 부진정 부작위범에 있어서 작위의무는 법령, 법률행위, 선행행위로 인한 경우는 물론 신의성실의 원칙이나 사회상규 혹은 조리상 작위의무가 기대되는 경우에도 인정된다.(대법원 2015. 11. 12. 2015도6809 全合 세월호 사건)

④ [○] 부진정 결과적가중범은 예견가능한 결과를 예견하지 못한 경우뿐만 아니라 그 결과를 예견하거나 고의가 있는 경우까지도 포함하는 것이므로 공무원의 적법한 직무집행을 방해하는 집단행위의 과정에서 일부 집단원이 고의로 공무원에게 살상을 가한 경우 다른 집단원에게 그 사상의 결과가 예견가능한 것이었다면 다른 집단원도 특수공무방해치사상의 책임을 면할 수 없다.(대법원 1990. 6. 26. 90도765 동의대 참사사건 II)

343 교사범과 종범에 대한 설명으로 옳지 않은 것은? (다툼이 있으면 판례에 의함)

22 국가7급 [Essential ★]

① 교사자의 교사행위는 정범의 범죄를 결의하게 할 수 있는 것이면 그 수단에는 제한이 없으며, 명시적이고 직접적인 방법에 의할 것을 필요로 하지 않는다.

② 교사범이 성립함에는 정범의 범죄행위가 인정되는 것이 그 전제요건이 되는데, 이는 공범의 종속성에 연유하는 것은 아니다.

③ 방조행위가 정범의 실행에 대하여 간접적인 경우에도 그 실행행위를 용이하게 하였다면 종범이 될 수 있고, 간접적으로 정범을 방조하는 경우 방조자는 정범이 범행한다는 점을 알고 있어야 하지만 정범이 누구인지를 확실히 알 필요는 없다.

④ 종범에 대한 선고형이 정범보다 가볍지 않다고 하더라도 그것만으로는 위법이라고 할 수 없다.

해설

② [×] 정범의 성립은 교사범, 방조범의 구성요건의 일부를 형성하고 교사범, 방조범이 성립함에는 먼저 정범의 범죄행위가 인정되는 것이 그 전제요건이 되는 것은 **공범의 종속성에 연유하는 당연한 귀결이다.**(대법원 2020. 5. 28. 2016도2518 **이유불비 사기방조판결 사건**) 정범이 없는 공범(교사범과 방조범)은 존재할 수 없는데, 이것을 공범의 종속성이라고 한다.

① [○] 교사자의 교사행위는 정범에게 범죄의 결의를 가지게 하는 것을 말하는 것으로서 그 범죄를 결의하게 할 수 있는 것이면 그 수단에는 아무런 제한이 없고, 반드시 명시적·직접적 방법에 의할 것을 요하지도 않는다.(대법원 2000. 2. 25. 99도1252 **남원 협박교사사건**)

③ [○] 정범이 범행을 한다는 점을 알면서 그 실행행위를 용이하게 한 이상 그 행위가 간접적이거나 직접적이거나를 가리지 않으며, 이 경우 정범이 누구에 의하여 실행되어지는가를 확지(確知)할 필요는 없다.(대법원 1977. 9. 28. 76도4133)

④ [○] 형법 제32조 제2항은 "종범의 형은 정범의 형보다 감경한다"라고 규정하고 있으나, 여기서 '감경한다'는 것은 법정형을 정범보다 감경한다는 것이지 선고형을 감경한다는 것이 아니므로 종범에 대한 선고형이 정범보다 가볍지 않다 하더라도 위법이라 할 수 없다.(대법원 2015. 8. 27. 2015도8408 **동일한 선고형 종범사건**)

344 교사범과 방조범에 대한 설명으로 옳지 않은 것만을 모두 고르면? (다툼이 있으면 판례에 의함)

□□□
14 국가9급 [Superlative ★★★]

> ⑦ 입영기피를 결심한 자에게 "잘 되겠지, 몸 조심하라"라고 한 행위는 입영기피의 방조행위에 해당한다.
>
> ⓒ 절도범들로부터 지속적으로 장물을 취득하여 온 자가 절도범들에게 드라이버 1개를 사주면서 "열심히 일을 하라."라고 말한 것은 절도의 교사가 된다.
>
> ⓒ 甲의 지시를 받은 乙이 의사와 공모하여 허위진단서를 작성한 경우, 甲과 의사가 서로 대면한 사실이 없더라도 甲은 허위진단서작성죄의 교사범이 될 수 있다.
>
> ⓔ 미성년자 여부의 판단과 클럽 출입허용 여부를 2층 출입구에서 주인이 결정하게 되어 있었던 경우, 웨이터가 손님들을 출입구로 단순히 안내하였을 뿐이라면 웨이터에게는 미성년자를 출입시킨 행위 또는 그 방조행위가 인정되지 않는다.
>
> ⓜ 간호보조원의 무면허 진료행위 후 의사가 이를 알면서 진료부에 기재하는 행위는 정범의 사실행위 종료 후의 단순한 사후행위에 불과하다고 볼 수 없고 무면허 의료행위의 방조에 해당한다.

① ⑦

② ⑦ⓜ

③ ⑦ⓒⓜ

④ ⓒⓒⓔⓜ

해설

① ⑦ 항목만 옳지 않다.

⑦ [×] 이미 스스로 입영기피를 결심하고 집을 나서는 자에게 피고인이 이별을 안타까와하는 뜻에서 잘 되겠지 몸조심하라 하고 악수를 나눈 행위는 입영기피의 범죄의사를 강화시킨 **방조행위에 해당한다고 볼 수 없다.**(대법원 1983. 4. 12. 82도43)

ⓒ [○] 피고인 甲이 乙, 丙에게 일제 드라이버 1개를 사주면서 "丙이 구속되어 도망 다니려면 돈도 필요할텐데 열심히 일을 하라(도둑질을 하라)"고 말하였다면 절도의 교사가 있었다고 보아야 한다.(대법원 1991. 5. 14. 91도542 **열심히 일을 하라 사건**)

ⓒ [○] 피고인으로부터 교사를 받은 자가 피고인이 교사한대로 의사와 공모하여 허위진단서를 작성하였다면 형법 제33조에 의하여 피고인은 허위진단서작성의 교사죄의 죄책을 면할 길이 없다.(대법원 1967. 1. 24. 66도1586)

ⓔ [○] 웨이터인 피고인들은 손님들을 단순히 출입구로 안내를 하였을 뿐 미성년자인 여부의 판단과 출입허용 여부는 2층 출입구에서 주인이 결정하게 되어 있었다면 피고인들의 안내행위가 곧 미성년자를 클럽에 출입시킨 행위 또는 그 방조행위로 볼 수 없다.(대법원 1984. 8. 21. 84도781 **대구 디스코클럽 화재사건**)

ⓜ [○] 진료부는 환자의 계속적인 진료에 참고로 공하여지는 진료상황부이므로 간호보조원의 무면허 진료행위가 있은 후에 이를 의사가 진료부에다 기재하는 행위는 정범의 실행행위종료 후의 단순한 사후행위에 불과하다고 볼 수 없고 무면허 의료행위의 방조에 해당한다.(대법원 1982. 4. 27. 82도122)

345

□□□ 공범에 대한 설명 중 옳은 것(○)과 옳지 않은 것(×)을 순서대로 바르게 나열한 것은? (다툼이 있으면 판례에 의함)

15 국가9급 [Superlative ★★★]

> ○ 정범의 실행착수 이전에 장래 실행행위를 미필적으로나마 예상하고 이를 용이하게 하기 위하여 방조한 경우에도 그 후 정범이 실행행위에 나아갔다면 종범이 성립할 수 있다.
>
> ○ 법원의 입찰사건에 관한 제반 업무를 담당하는 공무원이 자신이 맡고 있는 입찰사건의 입찰보증금이 사무원에 의해 계속적으로 횡령되고 있는 사실을 알았고, 이를 제지하고 즉시 상관에게 보고하는 등 결과발생을 쉽게 방지할 수 있음에도 불구하고 그 횡령행위를 방지하지 않은 경우 업무상횡령죄의 공동정범이 성립한다.
>
> ○ 강도의 공범자 중 1인이 강도의 기회에 피해자를 살해하였다면 그는 강도살인기수의 죄책을 지는 것이고 다른 공범자는 고의의 공동이 없었더라도 피해자의 사망이 예견 가능했다면 강도치사의 죄책을 진다.
>
> ○ 내란죄와 같은 목적범의 경우 '국헌문란의 목적'을 가진 자가 그러한 목적이 없는 자를 이용하여 내란죄를 실행할 수는 없다.

<table>
<tr><td></td><td>㉠ ㉡ ㉢ ㉣</td><td></td><td>㉠ ㉡ ㉢ ㉣</td></tr>
<tr><td>①</td><td>○ × ○ ○</td><td>②</td><td>○ × ○ ×</td></tr>
<tr><td>③</td><td>○ ○ × ○</td><td>④</td><td>× ○ × ○</td></tr>
</table>

해설

② 이 지문이 옳은 연결이다.

㉠ [○] 종범은 정범이 실행행위에 착수하여 범행을 하는 과정에서 이를 방조한 경우뿐 아니라 정범의 실행의 착수 이전에 장래의 실행행위를 미필적으로나마 예상하고 이를 용이하게 하기 위하여 방조한 경우에도 그 후 정범이 실행행위에 나아갔다면 성립할 수 있다.(대법원 2013. 11. 14. 2013도7494 대처승 보험사기사건)

㉡ [×] 공무원이 그 사무원의 횡령범행을 방조 용인한 것은 작위에 의한 법익 침해와 동등한 형법적 가치가 있는 것이므로 **업무상횡령죄의 방조범으로 처벌된다.**(대법원 1996. 9. 6. 95도2551 입찰보증금횡령 방치사건)

㉢ [○] 강도의 공범자 중 1인이 강도의 기회에 피해자에게 폭행 또는 상해를 가하여 살해한 경우, 다른 공모자가 살인의 공모를 하지 아니하였다고 하여도 그 살인행위나 치사의 결과를 예견할 수 없었던 경우가 아니면 강도치사죄의 죄책을 면할 수 없다.(대법원 1991. 11. 12. 91도2156 퍽치기 살해사건)

㉣ [×] 범죄는 어느 행위로 인하여 처벌되지 아니하는 자를 이용하여서도 이를 실행할 수 있으므로 내란죄의 경우에도 국헌문란의 목적을 가진 자가 그러한 목적이 없는 자를 이용하여 이를 실행할 수 있다.(대법원 1997. 4. 17. 96도3376 손습 신군부 내란사건)

제6장 특수한 범죄유형

제1절 | 부작위범

346 부작위범에 대한 설명으로 옳은 것만을 모두 고르면? (다툼이 있으면 판례에 의함)

14 국가9급 [Core ★★]

□□□

> 형법 제18조의 부작위범이 되기 위해서는 ㉠ 법익침해의 결과발생을 방지할 법적인 작위의무를 지고 있는 자가 그 의무를 이행하지 아니한 경우에, ㉡ 그 부작위가 작위에 의한 법익침해와 동등한 형법적 가치가 있는 것이어야 하며, ㉢ 법적인 작위의무는 법령, 법률행위, 선행행위로 인한 경우는 물론이고 조리상 작위의무가 기대되는 경우에도 인정된다. 한편 ㉣ 어떤 행위가 작위적 성격과 부작위적 성격을 동시에 갖는 경우에는 이는 작위에 의한 범죄로 봄이 원칙이다.

① ㉠㉡
② ㉢㉣
③ ㉣
④ ㉠㉡㉢㉣

해설

④ 모든 항목이 옳다.(대법원 2008. 2. 28. 2007도9354 짝퉁 법무사 사건, 대법원 2004. 6. 24. 2002도995 보라매병원 사건 참고)

정답 | 345 ②   346 ④

347

□□□ **부작위범에 관한 설명 중 옳은 것은? (다툼이 있으면 판례에 의함)**

19 경찰채용 [Core ★★]

① 부작위에 의한 교사와 방조 모두 불가능하다.

② 「형법」 제319조 제2항의 퇴거불응죄는 부진정부작위범이다.

③ 파업은 그 자체로 부작위가 아니라 작위적 행위이다.

④ 작위의무는 법적 의무로서 사회상규 혹은 조리상 작위의무가 기대되는 경우에는 부정된다.

해설

③ [○] 쟁의행위로서 파업도 단순히 근로계약에 따른 노무의 제공을 거부하는 부작위에 그치지 아니하고 이를 넘어서 사용자에게 압력을 가하여 근로자의 주장을 관철하고자 집단적으로 노무제공을 중단하는 실력행사이므로, 업무방해죄에서 말하는 위력에 해당하는 요소를 포함하고 있다.(대법원 2012. 1. 27. 2009도8917 알리안츠생명 파업사건)

① [×] 부작위에 의한 교사는 불가능하지만, **부작위에 의한 방조는 가능하다.** 형법상 방조행위는 정범의 실행을 용이하게 하는 직접, 간접의 모든 행위를 가리키는 것으로서 작위에 의한 경우뿐만 아니라 부작위에 의하여도 성립된다.(대법원 2006. 4. 28. 2003도4128 음란만화판매 방치사건Ⅱ)

② [×] 퇴거불응죄는 부작위에 의한 부작위범이므로 **진정부작위범이다.**(제319조 제2항)

④ [×] 부작위범에서 말하는 작위의무는 **법령, 법률행위, 선행행위**로 인한 경우는 물론 기타 **신의성실의 원칙이나 사회상규 혹은 조리상 작위의무가 기대되는 경우에도 인정된다.**(대법원 2008. 2. 28. 2007도9354 **짝퉁 법무사 사건**)

348 부작위범에 대한 설명으로 옳지 않은 것은? (다툼이 있으면 판례에 의함)   17 국가9급 [Essential ★]

□□□

① 어떤 범죄가 작위와 동시에 부작위에 의하여도 실현될 수 있는 경우, 행위자가 작위에 의하여 타인의 법익을 침해하고 침해 상태를 부작위에 의해 유지하였더라도 작위에 의한 범죄로 봄이 원칙이다.

② 익사직전의 아이에 대한 보증인 지위가 인정되더라도 구조가 불가능한 상황에서는 부작위범이 성립할 수 없다.

③ 부작위범에 있어서 작위의무는 윤리적 의무가 아니라 법적 의무이므로 사회상규 혹은 조리에 의한 작위의무는 발생하지 않는다.

④ 기망행위라는 특정한 행위방법을 요건으로 하는 사기죄의 경우에는 부작위에 의한 기망행위가 작위의 기망행위와 동등한 의미를 가진다고 판단될 때 부작위에 의한 사기죄가 성립된다.

해설

③ [×] 부작위범에 있어서 작위의무는 법령, 법률행위, 선행행위로 인한 경우는 물론, **신의성실의 원칙이나 사회상규 혹은 조리상 작위의무가 기대되는 경우에도 인정된다.**(대법원 2015. 11. 12. 2015도6809 全合 **세월호 사건**)

① [O] 어떠한 범죄가 적극적 작위에 의하여 이루어질 수 있음은 물론 결과의 발생을 방지하지 아니하는 소극적 부작위에 의하여도 실현될 수 있는 경우에, 행위자가 자신의 신체적 활동이나 물리적·화학적 작용을 통하여 적극적으로 타인의 법익 상황을 악화시킴으로써 결국 그 타인의 법익을 침해하기에 이르렀다면 이는 작위에 의한 범죄로 봄이 원칙이고, 작위에 의하여 악화된 법익 상황을 다시 되돌이키지 아니한 점에 주목하여 이를 부작위범으로 볼 것은 아니다.(대법원 2004. 6. 24. 2002도995 **보라매병원 사건**)

② [O] 살인죄와 같은 부진정 부작위범의 경우에는 (중략) 작위의무의 이행으로 결과발생을 쉽게 방지할 수 있어야 그 부작위로 인한 법익침해가 작위에 의한 법익침해와 동등한 형법적 가치가 있는 것으로서 범죄의 실행행위로 평가될 수 있다.(대법원 2015. 11. 12. 2015도6809 全合 **세월호 사건**) 지문과 같이 구조가 불가능한 상황에서는(개별적 행위가능성이 없는 경우에는) 부작위범이 성립할 수 없다.

④ [O] 부진정부작위범의 성립요건인 '행위의 동가치성'을 설명한 것으로 옳은 지문이다.

349

다음 부작위범에 대한 설명 중 가장 적절하지 않은 것은? (다툼이 있으면 판례에 의함)

22 경찰간부 [Core ★★]

① 형법 제18조에서 말하는 부작위는 법적 기대라는 규범적 가치판단 요소에 의하여 사회적 중요성을 가지는 사람의 행태가 되어 법적 의미에서 작위와 함께 행위의 기본 형태를 이루게 되므로 특정한 행위를 하지 아니하는 부작위가 형법적으로 부작위로서의 의미를 가지기 위해서는, 보호법익의 주체에게 해당 구성요건적 결과발생의 위험이 있는 상황에서 행위자가 구성요건의 실현을 회피하기 위하여 요구되는 행위를 현실적·물리적으로 행할 수 있었음에도 하지 아니하였다고 평가될 수 있어야 한다.

② 이른바 부진정 부작위범의 경우에는 보호법익의 주체가 법익에 대한 침해위협에 대처할 보호능력이 없고, 부작위행위자에게 침해위협으로부터 법익을 보호해 주어야 할 법적 작위의무가 있을 뿐 아니라, 부작위행위자가 그러한 보호적 지위에서 법익침해를 일으키는 사태를 지배하고 있어 작위의무의 이행으로 결과발생을 쉽게 방지할 수 있어야 부작위로 인한 법익침해가 작위에 의한 법익침해와 동등한 형법적 가치가 있는 것으로서 범죄의 실행행위로 평가될 수 있다. 다만 여기서의 작위의무는 법령, 법률행위, 선행행위로 인한 경우는 물론, 신의성실의 원칙이나 사회상규 혹은 조리상 작위의무가 기대되는 경우에도 인정된다.

③ 항해 중이던 선박의 1등 항해사 乙, 2등 항해사 丙이 배가 좌현으로 기울어져 멈춘 후 침몰하고 있는 상황에서 피해자인 승객 등이 안내방송 등을 믿고 대피하지 않은 채 선내에 대기하고 있음에도 아무런 구조조치를 취하지 않고 퇴선함으로써 배에 남아있던 피해자들을 익사하게 한 사안에서, 그 후 승객 등이 사망할 가능성이 크지만 사망해도 어쩔 수 없다는 의사, 즉 결과발생을 인식·용인하였고, 이러한 乙, 丙의 부작위는 작위에 의한 살인의 실행행위와 동일하게 평가할 수 있는 점, 선장인 甲의 부작위에 의한 살인행위에 암묵적, 순차적으로 공모 가담한 공동정범이라고 보아야 하는 점 등을 종합할 때, 乙, 丙은 부작위에 의한 살인 및 살인미수죄의 공동정범으로서의 죄책을 면할 수 없다.

④ 丁이 피해자가 공사대금을 지급하지 않자 공사대금을 받을 목적으로 자신의 공사를 위하여 쌓아 두었던 건축자재를 공사 완료 후에도 치우지 않은 행위가 위력으로써 피해자의 추가 공사 업무를 방해하는 업무방해죄의 실행행위로서 피해자의 업무에 대하여 하는 적극적인 방해행위와 동등한 형법적 가치를 가진다고 볼 수는 없다.

해설

③ [×] 1등 항해사 乙, 2등 항해사 丙이 간부 선원들로서 선장 甲을 보좌하여 승객 등을 구조하여야 할 지위에 있음에도 별다른 구조조치를 취하지 아니한 채 사태를 방관하여 결과적으로 선내 대기 중이던 승객 등이 탈출에 실패하여 사망에 이르게 한 잘못은 있으나, **그러한 부작위를 작위에 의한 살인의 실행행위와 동일하게 평가하기 어렵고 또한 살인의 미필적 고의로 선장 甲의 부작위에 의한 살인행위에 공모 가담하였다고 단정하기도 어려우므로** 乙, 丙에 대해 부작위에 의한 살인의 고의를 인정하기 어렵다.(대법원 2015. 11. 12. 2015도6809 全合 **세월호 사건**) 세월호 선장만 살인죄의 죄책을 지고, 항해사와 기관장 등은 유기치사죄의 죄책을 진다.

① [○] 자연적 의미에서의 부작위는 거동성이 있는 작위와 본질적으로 구별되는 무(無)에 지나지 아니하지만, 형법 제18조에서 말하는 부작위는 법적 기대라는 규범적 가치판단 요소에 의하여 사회적 중요성을 가지는 사람의 행태가 되어 법적 의미에서 작위와 함께 행위의 기본 형태를 이루게 되는 것이므로, 특정한 행위를 하지 아니하는 부작위가 형법적으로 부작위로서의 의미를 가지기 위해서는 보호법익의 주체에게 해당 구성요건적 결과발생의 위험이 있는 상황에서 행위자가 구성요건의 실현을 회피하기 위하여 요구되는 행위를 현실적·물리적으로 행할 수 있었음에도 하지 아니하였다고 평가될 수 있어야 한다.(대법원 2015. 11. 12. 2015도6809 全合 **세월호 사건**)

② [○] 살인죄와 같이 일반적으로 작위를 내용으로 하는 범죄를 부작위에 의하여 범하는 이른바 부진정 부작위범의 경우에는 보호법익의 주체가 그 법익에 대한 침해위협에 대처할 보호능력이 없고, 부작위행위자에게 그 침해위협으로부터 법익을 보호해 주어야 할 법적 작위의무가 있을 뿐 아니라, 부작위행위자가 그러한 보호적 지위에서 법익침해를 일으키는 사태를 지배하고 있어 그 작위의무의 이행으로 결과발생을 쉽게 방지할 수 있어야 그 부작위로 인한 법익침해가 작위에 의한 법익침해와 동등한 형법적 가치가 있는 것으로서 범죄의 실행행위로 평가될 수 있다. 다만 여기서의 작위의무는 법령, 법률행위, 선행행위로 인한 경우는 물론, 신의성실의 원칙이나 사회상규 혹은 조리상 작위의무가 기대되는 경우에도 인정된다.(대법원 2015. 11. 12. 2015도6809 全合 **세월호 사건**)

④ [○] 비록 피고인이 공사대금을 받을 목적으로 건축자재를 치우지 않았다고 하더라도, 피고인이 자신의 공사를 위하여 쌓아 두었던 건축자재를 공사 완료 후에 단순히 치우지 않은 행위는 위력으로써 피해자의 추가 공사 업무를 방해하는 업무방해죄의 실행행위로서 피해자의 업무에 대하여 하는 적극적인 방해행위와 동등한 형법적 가치를 가진다고 볼 수는 없다.(대법원 2017. 12. 22. 2017도13211 **건축자재 방치 사건**)

정답 | 349 ③

350

□□□

(가)와 (나)에 관한 설명으로 가장 적절하지 않은 것은? (다툼이 있으면 판례에 의함)

22 경찰채용 [Core ★★]

> (가) 일정한 기간 내에 잘못된 상태를 바로 잡으라는 행정청의 지시를 이행하지 않았다는 것을
> 구성요건으로 하는 범죄
> (나) 형법 제250조 제1항의 살인죄와 같이 그 규정 형식으로 보아 작위를 내용으로 하는 범죄를
> 부작위에 의하여 범하는 범죄

① (가)와 (나)의 구별에 있어 형식설에 의할 경우 형법 제103조 제1항의 전시군수계약불이행죄
와 형법 제116조의 다중불해산죄는 (가)의 경우에 해당한다.

② 유기죄에서의 보호의무를 법률상·계약상 보호의무로 국한하는 입장에 따르면 (나)에서의 보
호의무는 유기죄의 보호의무보다 넓게 된다.

③ (나)는 고의에 의해서는 물론 과실범 처벌규정이 있는 한 과실에 의해서도 성립가능하다.

④ (나)의 요건으로 행위정형의 동가치성을 요구하는 것은 형사처벌을 확장하는 기능을 한다.

해설

(가) 이는 진정부작위범을 말하고, (나) 이는 부진정부작위범을 말한다.

(가) 일정한 기간 내에 잘못된 상태를 바로잡으라는 행정청의 지시를 이행하지 않았다는 것을 구성요건으로 하는
범죄는 이른바 진정부작위범이다.(대법원 1994. 4. 26. 93도1731 **관리소장 미교체 사건**)

(나) 살인죄와 같이 일반적으로 작위를 내용으로 하는 범죄를 부작위에 의하여 범하는 이른바 부진정부작위범의
경우에는 (중략) 그 부작위로 인한 법익침해가 작위에 의한 법익침해와 동등한 형법적 가치가 있는 것으로서
범죄의 실행행위로 평가될 수 있다.(대법원 2015. 11. 12. 2015도6809 全合 **세월호 사건**)

④ [×] 업무방해죄와 같이 작위를 내용으로 하는 범죄를 부작위에 의하여 범하는 부진정부작위범이 성립하기 위
해서는 부작위를 실행행위로서의 작위와 동일시할 수 있어야 한다.(대법원 2017. 12. 22. 2017도13211 **건축
자재 방치 사건**) 부진정부작위범의 성립요건으로 행위정형의 동가치성을 요구하는 것은 **형사처벌을 축소하는
기능을 한다.** 행위정형의 동가치성이 없다면 부진정부작위범이 성립하지 않기 때문이다.

① [O] 형식설은 구성요건의 형식이 중요할 뿐 결과발생 여부 중점을 두지 않으므로 "~ 아니한 자"를 처벌한다
면 진정부작위범이고, "~ 한 자"를 처벌한다면 부진정부작위범이다. 형식설에 의할 경우 전시군수계약불이행죄
와 다중불해산죄는 진정부작위범에 해당한다.

> **형법(2020. 12. 8. 법률 제17571호로 일부개정된 것)**
>
> 제103조【전시군수계약불이행】① 전쟁 또는 사변에 있어서 정당한 이유없이 정부에 대한 군수품 또는 군용
> 공작물에 관한 계약을 이행하지 아니한 자는 10년 이하의 징역에 처한다.
> 제116조【다중불해산】폭행, 협박 또는 손괴의 행위를 할 목적으로 다중이 집합하여 그를 단속할 권한이 있
> 는 공무원으로부터 3회 이상의 해산명령을 받고 해산하지 아니한 자는 2년 이하의 징역이나 금고 또는
> 300만원 이하의 벌금에 처한다.

② [O] (1) 유기죄는 법률상 또는 계약상의 보호의무 있는 자만을 그 주체로 규정하고 있으므로 유기죄의 죄책을 인정하려면 그 구성요건이 요구하는 법률상, 계약상의 보호의무를 밝혀야 한다.(대법원 1977. 1. 11. 76도 3419 **일정거리 동행사건**) (2) 살인죄와 같이 일반적으로 작위를 내용으로 하는 범죄를 부작위에 의하여 범하는 이른바 부진정 부작위범의 경우 작위의무는 법령, 법률행위, 선행행위로 인한 경우는 물론, 신의성실의 원칙이나 사회상규 혹은 조리상 작위의무가 기대되는 경우에도 인정된다.(대법원 2015. 11. 12. 2015도6809 **순천 세월호 사건**) 부진정부작위범의 성립을 위한 작위의무의 발생근거는 유기죄의 성립을 위한 보호의무의 발생근거보다 그 범위가 넓다.

③ [O] 고의에 의해서는 물론 과실범 처벌규정이 있는 한 과실에 의한 부진정부작위범도 얼마든지 성립할 수 있다(이른바 망각범).

---

351 다음 중 부작위범에 대한 설명으로 옳은 것은 모두 몇 개인가? (다툼이 있으면 판례에 의함)

☐☐☐

20 해경채용 [Superlative ★★★]

> ㉠ 부작위범에 대한 교사·방조는 가능하지만, 부작위에 의한 교사·방조는 불가능하다.
>
> ㉡ 진정부작위범과 부진정부작위범의 구별에 관한 학설 중 실질설은 거동범에 대하여는 부진정부작위범이 성립할 여지가 없다고 보는 반면에, 형식설은 결과범은 물론 거동범에 대하여도 부진정부작위범이 성립할 수 있다고 본다.
>
> ㉢ 타인의 범죄행위를 인식하면서도 그것을 방지해야 할 직무상의 의무가 있는 자가 방지조치를 취하지 아니하여 타인의 실행행위를 용이하게 하는 경우에는 부작위에 의한 공동정범이 성립된다.
>
> ㉣ 자기의 아들이 바다에 빠져 허우적거리고 있음을 알고도 망나니 같은 아들에 대해서는 구조의무가 없다고 생각하고 구조하지 않은 경우를 환각범이라 한다.
>
> ㉤ 보증인의무를 구성요건요소로 이해하는 견해에 의하면 부진정부작위범의 구성요건해당성은 위법성을 징표하지 못하며, 구성요건해당성의 범위가 부당하게 확대될 우려가 있다.
>
> ㉥ 부진정부작위범은 부진정신분범에 해당한다.

① 1개   ② 2개

③ 3개   ④ 4개

정답 | 350 ④   351 ①

해설

① ㉡ 항목만 옳다.

㉠ [×] (1) 정범인 부작위범에게 보증인 지위가 인정되는 한, 보증인 지위가 없는 자도 교사범이나 방조범이 모두 성립할 수 있다. (2) 부작위에 의한 교사는 불가능하지만, **부작위에 의한 방조는 가능하다.** 형법상 방조행위는 정범의 실행을 용이하게 하는 직접, 간접의 모든 행위를 가리키는 것으로서 작위에 의한 경우뿐만 아니라 부작위에 의하여도 성립된다.(대법원 2006. 4. 28. 2003도4128 음란만화판매 방치사건Ⅱ)

㉡ [○] (1) 실질설은 진정부작위범은 거동범의 형태로 규정되어 있고, 부진정부작위범은 결과범의 형태로 나타난다고 하므로, 거동범에 대하여는 부진정부작위범이 성립할 수 없다. (2) 형식설은 구성요건의 형식이 중요할 뿐 결과발생 여부 중점을 두지 않으므로(~을 하지 않은 자 또는 ~의 요구에 응하지 않은 자를 처벌한다면 진정부작위범이고, ~를 한 자를 처벌한다면 부진정부작위범이다), 결과범은 물론 거동범에 대하여도 부진정부작위범이 성립할 수 있다.

㉢ [×] **형법상 방조는** 작위에 의하여 정범의 실행을 용이하게 하는 경우는 물론, 직무상의 의무가 있는 자가정범의 범죄행위를 인식하면서도 그것을 방지하여야 할 제반 조치를 취하지 아니하는 **부작위로 인하여 정범의 실행행위를 용이하게 하는 경우에도 성립된다.**(대법원 1996. 9. 6. 95도2551 입찰보증금횡령 방치사건) 지문의 경우 부작위에 의한 '방조범'이 성립된다.

㉣ [×] 통설인 이분설(二分說)에 의할 때 보증의무는 위법성 요소이므로, 이에 대하여 착오를 일으킨 경우(구조의무가 있는데 구조의무가 없다고 착오를 일으킨 경우)는 환각범이 아니라 **금지의 착오에 해당한다.** 착오에 정당한 이유가 없는 경우 살인죄로 처벌될 수 있다.

㉤ [×] '부진정부작위범의 구성요건해당성의 범위가 부당하게 확대될 우려가 있다'는 것은 **보증인지위와 보증인의무를 위법성요소로 보는 견해에 대한 비판이다.** 보증인의무를 구성요건요소로 이해하는 견해에 의하면 구성요건해당성이 인정되는 행위가 축소되게 된다.

㉥ [×] **부진정부작위범은** 보증인지위에 있는 자만이 주체가 되는 '진정'신분범적인 성격이 있을 뿐 이를 '부진정' 신분범이라고는 할 수 없다.

352 부작위범에 관한 설명 중 옳지 않은 것은 모두 몇 개인가? (다툼이 있으면 판례에 의함)

22 경찰채용 [Superlative ★★★]

○ 압류된 골프장 시설을 보관하는 회사의 대표이사 甲이 그 압류시설의 사용 및 봉인의 훼손을 방지할 수 있는 적절한 조치 없이 골프장 개장 및 압류시설 작동을 의도적으로 묵인 또는 방치하여 봉인이 훼손되게 한 경우 甲에게는 부작위에 의한 공무상표시무효죄가 성립한다.

ⓛ 국가연구개발사업의 연구책임자 甲이 처음부터 소속 학생 연구원들에게 학생연구비를 개별 지급할 의사 없이 공동관리계좌를 관리하면서 사실상 그 처분권을 가질 의도하에 이를 숨기고 산학협력단에 연구비를 신청하여 지급받은 경우 甲의 행위는 산학협력단에 대한 관계에 있어서 기망에 의한 편취행위에 해당한다.

ⓒ 위치추적 전자장치의 피부착자 甲이 그 장치의 구성 부분인 휴대용 추적장치를 분실한 후 3일이 경과하도록 보호관찰소에 분실신고를 하지 않고 돌아다닌 경우 분실을 넘어서서 상당한 기간 동안 휴대용 추적장치가 없는 상태를 방치한 부작위는 「전자장치 부착 등에 관한 법률」 제38조에 따른 전자장치의 효용을 해한 행위에 해당하지 아니한다.

ⓔ 甲은 법무사가 아님에도 자신이 법무사로 소개되거나 호칭되는 상황에서 자신이 법무사가 아니라는 사실을 밝히지 않은 채 법무사 행세를 계속하면서 근저당권설정계약서를 작성해 준 경우 甲에게는 부작위에 의한 법무사법위반(법무사가 아닌 자에 대한 금지)죄가 성립한다.

ⓜ 대출자금으로 빌딩을 경락받았으나 분양이 저조하여 자금 조달에 실패한 甲과 乙은 수분양자들과 사이에 대출금으로 충당되는 중도금을 제외한 계약금과 잔금의 지급을 유예하고 1년의 위탁기간 후 재매입하기로 하는 등의 비정상적인 이면약정을 체결하고 점포를 분양하였음에도, 금융기관에 대해서는 그러한 이면약정의 내용을 감춘 채 분양중도금의 집단적 대출을 교섭하여 중도금 대출 명목으로 금원을 지급받은 경우 甲과 乙의 행위는 사기죄의 요건으로서의 부작위에 의한 기망에 해당하지 아니한다.

① 1개
② 2개
③ 3개
④ 4개

해설

② ⓒⓜ 2 항목이 옳지 않다.

○ [O] 압류시설의 보관자 지위에 있는 회사로서는 압류시설을 선량한 관리자로서 보관할 주의의무가 있다할 것이고, 그 대표이사로서 압류시설이 위치한 골프장의 개장 및 운영 전반에 걸친 포괄적 권한과 의무를 지닌 피고인으로서는 회사의 대외적 의무사항이 준수될 수 있도록 적절한 조치를 취할 위임계약 혹은 조리상의 작위의무가 존재한다고 보아야 할 것인데, (중략) 그럼에도 피고인이 그러한 조치 없이 골프장 개장 및 압류시설 작동을 의도적으로 묵인 내지 방치함으로써 예견된 결과를 유발한 경우에는 부작위에 의한 공무상표시무효죄의 성립을 인정할 수 있다.(대법원 2005. 7. 22. 2005도3034 **경기컨트리클럽** 사건)

ⓒ [○] 연구책임자가 처음부터 소속 학생연구원들에 대한 개별 지급의사 없이 공동관리계좌를 관리하면서 사실상 그 처분권을 가질 의도하에 이를 숨기고 산학협력단에 연구비를 신청하여 이를 지급받았다면 이는 산학협력단에 대한 관계에 있어 기망에 의한 편취행위에 해당한다.(대법원 2021. 9. 9. 2021도8468 **학생연구비 편취 사건**)

ⓒ [×] (1) 전자장치 부착법 제38조는 위치추적 전자장치(이하 '전자장치'라 한다)의 피부착자가 부착기간 중 전자장치를 신체에서 임의로 분리·손상, 전파 방해 또는 수신자료의 변조, 그 밖의 방법으로 그 효용을 해한 행위를 처벌하고 있는데, 그 효용을 해하는 행위는 전자장치를 부착하게 하여 위치를 추적하도록 한 전자장치의 실질적인 효용을 해하는 행위를 말하는 것으로서 전자장치 자체의 기능을 직접적으로 해하는 행위뿐 아니라 전자장치의 효용이 정상적으로 발휘될 수 없도록 하는 행위도 포함되며, 부작위라고 하더라도 고의적으로 그 효용이 정상적으로 발휘될 수 없도록 한 경우에는 처벌된다고 해석된다. (2) 원심이 유지한 제1심판결은 피고인이 2011. 8. 13.경 술을 마시다가 전자장치의 구성 부분인 휴대용 추적장치를 분실한 후 2011. 8. 16.경까지 보호관찰소에 분실신고도 하지 아니한 채 선배와 함께 낚시를 하러 다니는 등의 행위를 함으로써 전자장치의 효용을 해하였다고 판단하였다. **피고인이 휴대용 추적장치의 분실을 넘어서서 상당한 기간 동안 휴대용 추적장치가 없는 상태를 임의로 방치하여 전자장치의 효용이 정상적으로 발휘될 수 없는 상태를 이룬 행위를 전자장치의 효용을 해한 행위로 본 제1심의 판단에 전자장치 부착법을 위반한 위법이 있다고 할 수 없다.**(대법원 2012. 8. 17. 2012도5862 **추적장치 분실사건**)

ⓔ [○] 피고인은 계약 당사자가 아니므로 적어도 공소외 5와 사이에 등기위임장이나 근저당권설정계약서를 작성함에 있어 자신이 법무사가 아님을 밝힐 계약상 또는 조리상의 법적인 작위의무가 있다고 할 것임에도, 이를 밝히지 아니한 채 공소외 6 법무사 행세를 하면서 등기위임장 및 근저당권설정계약서를 작성함으로써 자신이 공소외 6 법무사로 호칭되도록 계속 방치한 것은 작위에 의하여 법무사의 명칭을 사용한 경우와 동등한 형법적 가치가 있는 것으로 볼 수 있다.(대법원 2008. 2. 28. 2007도9354 **짝퉁 법무사 사건**)

ⓜ [×] 피고인들은 대출시 피해 저축은행들에게 비정상적인 약정의 내용을 알릴 신의칙상 의무가 있다고 할 것이고 따라서 피고인들이 **대출 저축은행들에게 위 약정의 내용을 알리지 않은 것은 사기죄의 요건으로서의 부작위에 의한 기망에 해당한다.**(대법원 2006. 2. 23. 2005도8645 **1,234억원 사기대출사건**)

353 부작위범에 대한 설명으로 옳지 않은 것은? (다툼이 있으면 판례에 의함) 22 국가9급 [Essential ★]

□□□

① 자기의 행위로 인하여 위험발생의 원인을 야기한 자가 그 위험 발생을 방지하지 아니한 때에는 그 발생된 결과에 의하여 처벌된다.

② 형법 제18조에서 규정한 부작위는 법적 기대라는 규범적 가치판단 요소에 의해 사회적 중요성을 가지는 사람의 행태이다.

③ 부작위에 의한 업무방해죄가 성립하기 위해서는 그 부작위를 실행행위로서의 작위와 동일시할 수 있어야 하는바, 피고인이 일부러 건축자재를 피해자의 토지 위에 쌓아 두어 공사 현장을 막은 것이 아니고 당초 자신의 공사를 위해 쌓아 두었던 건축자재를 공사대금을 받을 목적으로 공사 완료 후 치우지 않은 경우는 위력으로써 피해자의 추가 공사 업무를 방해하는 업무방해죄의 실행행위로서 피해자의 업무에 대한 적극적인 방해행위와 동등한 형법적 가치를 가진다.

④ 퇴거불응죄는 부작위가 처음부터 구성요건적 행위로 예정되어 있는 경우로 진정부작위범에 해당한다.

해설

③ [×] (1) 업무방해죄와 같이 작위를 내용으로 하는 범죄를 부작위에 의하여 범하는 부진정부작위범이 성립하기 위해서는 부작위를 실행행위로서의 작위와 동일시할 수 있어야 한다. (2) 비록 피고인이 공사대금을 받을 목적으로 건축자재를 치우지 않았다고 하더라도, 피고인이 자신의 공사를 위하여 쌓아 두었던 **건축자재를 공사 완료 후에 단순히 치우지 않은 행위는 위력으로써 피해자의 추가 공사 업무를 방해하는 업무방해죄의 실행행위로서 피해자의 업무에 대하여 하는 적극적인 방해행위와 동등한 형법적 가치를 가진다고 볼 수는 없다.**(대법원 2017. 12. 22. 2017도13211 건축자재 방치 사건)

① [O] 위험의 발생을 방지할 의무가 있거나 자기의 행위로 인하여 위험발생의 원인을 야기한 자가 그 위험발생을 방지하지 아니한 때에는 그 발생된 결과에 의하여 처벌한다.(제18조)

② [O] 자연적 의미에서의 부작위는 거동성이 있는 작위와 본질적으로 구별되는 무(無)에 지나지 아니하지만, 형법 제18조에서 말하는 부작위는 법적 기대라는 규범적 가치판단 요소에 의하여 사회적 중요성을 가지는 사람의 행태가 되어 법적 의미에서 작위와 함께 행위의 기본 형태를 이루게 되는 것이므로 특정한 행위를 하지 아니하는 부작위가 형법적으로 부작위로서의 의미를 가지기 위해서는 보호법익의 주체에게 해당 구성요건적 결과발생의 위험이 있는 상황에서 행위자가 구성요건의 실현을 회피하기 위하여 요구되는 행위를 현실적·물리적으로 행할 수 있었음에도 하지 아니하였다고 평가될 수 있어야 한다.(대법원 2015. 11. 12. 2015도6809 수습 세월호 사건)

④ [O] 퇴거요구를 받고 응하지 아니한 자도 전항의 형과 같다.(제319조 제2항) 퇴거불응죄는 진정부작위범에 해당한다.

354 부작위범에 관한 설명으로 가장 적절하지 않은 것은? (다툼이 있으면 판례에 의함)

□□□

24 경찰채용 [Essential ★]

① 보험계약 체결 당시 이미 발생한 교통사고 등으로 생긴 '요추, 경추, 사지' 부분의 질환과 관련하여 입·통원치료를 받고 있었을 뿐 아니라 그러한 기왕증으로 인해 유사한 상해나 질병으로 보통의 경우보다 입원치료를 더 받게 될 개연성이 농후하다는 사정을 인식하고 있었음에도 자신의 과거 병력과 치료이력을 모두 묵비한 채 보험계약을 체결하였다면 부작위에 의한 기망에 해당한다.

② 경찰공무원이 지명수배 중인 범인을 발견하고도 직무상 의무에 따른 적절한 조치를 취하지 아니하고 오히려 범인을 도피하게 하는 행위를 하였다면 그 직무위배의 위법상태는 범인도피행위 속에 포함되어 있다고 보아야 할 것이므로 이와 같은 경우에는 작위범인 범인도피죄만이 성립하고 부작위범인 직무유기죄는 따로 성립하지 아니한다.

③ 甲이 휴대폰 녹음기능을 작동시킨 상태로 A의 휴대폰에 전화를 걸어 약 8분간의 전화통화를 마친 후 바로 전화를 끊지 않고 A가 먼저 전화 끊기를 기다리던 중 B의 목소리가 들려오자 A가 실수로 통화종료 버튼을 누르지 아니한 상태를 이용하여 A와 B가 나누는 대화를 몰래 청취·녹음하였다면 甲의 행위는 부작위에 의한 통신비밀보호법위반죄에 해당한다.

④ 공사업자 甲이 A의 토지 위에 자신의 공사를 위해 쌓아 두었던 건축자재를 공사 완료 후 단순히 치우지 않은 것에 불과하다면 이러한 행위가 A의 추가 공사 업무에 대한 적극적인 방해행위와 동등한 형법적 가치를 가진다고 볼 수 없다.

해설

③ [×] 한겨레신문 기자인 피고인 甲이 휴대폰의 녹음기능을 작동시킨 상태로 정수장학회 이사장 A에게 전화를 걸어 약 8분간의 전화통화를 마친 후 예우차원에서 A가 전화를 먼저 끊기를 기다리던 중, 문화방송 기획홍보본부장 B가 A와 인사를 나누면서 전략기획부장 C를 소개하는 목소리가 휴대폰을 통해 들려오고, 때마침 A가 실수로 휴대폰의 통화종료 버튼을 누르지 아니한 채 이를 탁자 위에 놓아두자, 통화연결 상태에 있는 자신의 휴대폰을 이용하여 대화를 몰래 청취하고 녹음한 경우 甲은 대화에 원래부터 참여하지 아니한 제3자이므로 휴대폰을 이용하여 대화를 청취·녹음하는 행위는 **작위에 의한 통신비밀보호법 제3조 위반행위에 해당한다.**(대법원 2016. 5. 12. 2013도15616 정수장학회 비밀회동 사건)

① [○] 원심은, 피고인은 보험계약 체결 당시 이미 발생한 교통사고 등으로 생긴 '요추, 경추, 사지' 부분의 질환과 관련하여 입·통원치료를 받고 있었을 뿐 아니라 그러한 기왕증으로 인해 향후 추가 입원치료를 받거나 유사한 상해나 질병으로 보통의 경우보다 입원치료를 더 받게 될 개연성이 농후하다는 사정을 인식하고 있었음에도 자신의 과거 병력과 치료이력을 모두 묵비한 채 보험계약을 체결함으로써 피해회사로부터 보험금을 편취하였다는 취지로 판단하여 사기의 공소사실을 유죄로 인정하였는바, 원심의 판단은 정당한 것으로 수긍이 된다.(대법원 2017. 4. 26. 2017도1405 과거 치료전력 묵비사건) 상법상 고지의무위반이고, 형법(정확히는 보험사기방지 특별법)상 기망행위에 해당한다.

② [○] 경찰공무원이 지명수배 중인 범인을 발견하고도 직무상 의무에 따른 적절한 조치를 취하지 아니하고 오히려 범인을 도피하게 하는 행위를 하였다면 그 직무위배의 위법상태는 범인도피행위 속에 포함되어 있다고

보아야 할 것이므로 이와 같은 경우에는 작위범인 범인도피죄만이 성립하고 부작위범인 직무유기죄는 따로 성립하지 아니한다.(대법원 2017. 3. 15. 2015도1456 조폭 도피 경찰관 사건)

④ [O] 비록 피고인이 공사대금을 받을 목적으로 건축자재를 치우지 않았다고 하더라도 피고인이 자신의 공사를 위하여 쌓아 두었던 건축자재를 공사 완료 후에 단순히 치우지 않은 행위는 위력으로써 피해자의 추가 공사 업무를 방해하는 업무방해죄의 실행행위로서 피해자의 업무에 대하여 하는 적극적인 방해행위와 동등한 형법적 가치를 가진다고 볼 수는 없다.(대법원 2017. 12. 22. 2017도13211 건축자재 방치 사건)

355

다음 중 부작위범에 대한 설명으로 옳지 않은 것은 모두 몇 개인가? (다툼이 있는 경우 판례에 의함)

19 해경채용 [Core ★★]

㉠ 부진정부작위범은 작위범에 비해 불법의 정도가 가벼우므로, 형법은 이를 임의적 감경사유로 규정하고 있다.

㉡ 부진정부작위범에 있어서 그 부작위가 작위에 의한 법익침해와 동등한 형법적 가치가 있는 것이어서 그 범죄의 실행행위로 평가될 만한 것이라면 작위에 의한 실행행위와 동일하게 부작위범으로 처벌할 수 있다.

㉢ 부작위범 사이의 공동정범은 다수의 부작위범에게 공통된 의무가 부여되어 있고, 그 의무를 공통으로 이행할 수 있을 때에만 성립한다.

㉣ 과실에 의한 부진정부작위범의 성립은 불가능하지만 부작위범에 대한 과실에 의한 교사와 방조는 가능하다.

㉤ 부작위범을 도구로 이용한 간접정범도 가능하다.

㉥ 부작위에 의한 방조범과 부작위범에 대한 교사범은 보증인적 지위에 있는 자로 한정된다.

① 1개　　② 2개　　③ 3개　　④ 4개

해설

③ ㉠㉣㉥ 3 항목이 옳지 않다.

㉠ [×] 입법론으로 거론될 수는 있으나, 현행 형법은 부진정부작위범을 **임의적 감경사유로 규정하고 있지 않다.**

㉡ [O] 형법상 부작위범이 인정되기 위해서는 형법이 금지하고 있는 법익침해의 결과발생을 방지할 법적인 작위의무를 지고 있는 자가 그 의무를 이행함으로써 결과발생을 쉽게 방지할 수 있었음에도 불구하고 그 결과의 발생을 용인하고 이를 방관한 채 그 의무를 이행하지 아니한 경우에, 그 부작위가 작위에 의한 법익침해와 동등한 형법적 가치가 있는 것이어서 그 범죄의 실행행위로 평가될 만한 것이라면 작위에 의한 실행행위와 동일하게 부작위범으로 처벌할 수 있고, 여기서 작위의무는 법령, 법률행위, 선행행위로 인한 경우는 물론, 기타 신의성실의 원칙이나 사회상규 혹은 조리상 작위의무가 기대되는 경우에도 인정된다.(대법원 2008. 2. 28. 2007도9354 짝퉁 법무사 사건)

ⓒ [O] 부작위범 사이의 공동정범은 다수의 부작위범에게 공통된 의무가 부여되어 있고 그 의무를 공통으로 이행할 수 있을 때에만 성립한다.(대법원 2009. 2. 12. 2008도9476 **세경대학교 사건**)

ⓔ [×] 과실에 의한 부진정부작위범의 성립은 가능하지만(이른바 망각범), 교사범이나 방조범은 고의범이므로 과실에 의한 교사·방조범은 가능하지 않다.

ⓜ [O] 부작위범을 도구로 이용하는 간접정범도 성립할 수 있다. 예를 들어 자신이 아이임을 모르고 있는 아이의 모(母)를 속여 아이를 굶겨 죽게 한 경우 살인죄의 간접정범이 성립한다.

ⓗ [×] 방조하는 자에게 **보증인지위가** 인정되는 **한 부작위에 의한 방조는 가능하다.**(대법원 2006. 4. 28. 2003도4128 **음란만화판매 방치사건Ⅱ** 참고) 정범인 부작위범에게 보증인지위가 인정되는 한 **보증인지위가 없는 자도 교사범이 될 수 있다는 것이 통설의 입장이다.**

356 부작위범에 관한 설명 중 가장 적절하지 않은 것은? (다툼이 있으면 판례에 의함)

□□□

17 경찰승진 [Essential ★]

① 진정부작위범과 부진정부작위범의 구별에 관한 학설 중 실질설은 거동범에 대하여는 부진정부작위범이 성립할 여지가 없다고 보는 반면에, 형식설은 결과범은 물론 거동범에 대하여도 부진정부작위범이 성립할 수 있다고 본다.

② 부작위에 의한 방조범이 보증인 지위에 있는 자로 한정되는 반면, 부작위범에 대한 교사범은 보증인 지위에 있는 자로 한정되지 않는다.

③ 보증인 지위와 보증인의무를 모두 부진정부작위범의 구성요건요소로 이해하는 견해에 따르면 부진정부작위범의 구성요건해당성이 지나치게 확대된다.

④ 하나의 행위가 작위범과 부작위범의 구성요건을 동시에 충족하는 경우도 있다.

해설

③ [×] '부진정부작위범의 구성요건해당성의 범위가 부당하게 확대될 우려가 있다'는 **보증인지위와 보증인의무를 위법성요소로 보는 견해에 대한 비판이다.**

① [O] (1) 실질설은 진정부작위범은 거동범의 형태로 규정되어 있고, 부진정부작위범은 결과범의 형태로 나타난다고 하므로, 거동범에 대하여는 부진정부작위범이 성립할 수 없다. (2) 형식설은 구성요건의 형식이 중요할 뿐 결과발생 여부에 중점을 두지 않으므로, 결과범은 물론 거동범에 대하여도 부진정부작위범이 성립할 수 있다.

② [O] 방조하는 자에게 보증인지위가 인정되는 한 부작위에 의한 방조는 가능하다.(대법원 2006. 4. 28. 2003도4128 **음란만화판매 방치사건** 참고) 정범인 부작위범에게 보증인지위가 인정되는 한 보증인지위가 없는 자도 교사범이 될 수 있다는 것이 통설의 입장이다.

④ [O] 하나의 행위가 얼마든지 작위범과 부작위범을 동시에 충족할 수는 있다. 작위범인 범인도피죄가 성립하면서 부작위범인 직무유기죄가 성립할 수 있다.

357

형법상 부작위범에 관한 설명 중 가장 적절하지 않은 것은? (다툼이 있으면 판례에 의함)

15 경찰승진 [Essential ★]

① 피고인이 조카인 피해자(10세)를 살해할 것을 마음먹고 저수지로 데리고 가서 미끄러지기 쉬운 제방 쪽으로 유인하여 함께 걷다가 피해자가 물에 빠지자 그를 구호하지 아니하여 피해자를 익사하게 한 경우 피고인에게는 부작위에 의한 살인죄가 성립한다.

② 일반 거래의 경험칙상 상대방이 그 사실을 알았다면 당해 법률행위를 하지 않았을 것이 명백한 경우에는 신의칙에 비추어 그 사실을 고지할 법률상 의무가 인정된다.

③ 구 도로교통법 제50조의 교통사고 운전자의 사상자 구호조치의무는 위법한 선행행위의 경우에만 작위의무를 인정한 것이라고 할 수 있다.

④ 의사 甲이 특정시술을 받으면 아들을 낳을 수 있을 것이라는 착오에 빠져있는 피해자들에게 그 시술의 효과와 원리에 관하여 사실대로 고지하지 아니한 채 아들을 낳을 수 있는 시술인 것처럼 가장하여 일련의 시술과 처방을 행한 경우 부작위에 의한 사기죄가 성립한다.

해설

③ [×] 도로교통법 제54조 제1항, 제2항이 규정한 **교통사고 발생 시의 구호조치의무 및 신고의무는** 교통사고의 결과가 피해자의 구호 및 교통질서의 회복을 위한 조치가 필요한 상황인 이상 그 의무는 교통사고를 발생시킨 당해 차량의 **운전자에게 그 사고 발생에 있어서 고의·과실 혹은 유책·위법의 유무에** 관계없이 부과된 의무라고 해석함이 타당하고, 당해 사고의 발생에 귀책사유가 없는 경우에도 위 의무가 없다 할 수 없다.(대법원 2015. 10. 15. 2015도12451)

① [○] 피고인이 조카인 피해자(10세)를 살해할 것을 마음먹고 저수지로 데리고 가서 미끄러지기 쉬운 제방쪽으로 유인하여 함께 걷다가 피해자가 물에 빠지자 그를 구호하지 아니하여 피해자를 익사하게 한 경우, 피해자가 물에 빠진 후에 피고인이 살해의 범의를 가지고 그를 구호하지 아니한 채 그가 익사하는 것을 용인하고 방관한 행위(부작위)는 피고인이 그를 직접 물에 빠뜨려 익사시키는 행위와 다름없다고 형법상 평가될 만한 살인의 실행행위라고 보는 것이 상당하다.(대법원 1992. 2. 11. 91도2951 **저수지 조카 살해사건**)

② [○] 사기죄의 요건으로서의 기망은 널리 재산상의 거래관계에 있어 서로 지켜야 할 신의와 성실의 의무를 저버리는 모든 적극적 또는 소극적 행위를 말하는 것이고, 그 중 소극적 행위로서의 부작위에 의한 기망은 법률상 고지의무 있는 자가 일정한 사실에 관하여 상대방이 착오에 빠져 있음을 알면서도 그 사실을 고지하지 아니함을 말하는 것으로서, 일반거래의 경험칙상 상대방이 그 사실을 알았더라면 당해 법률행위를 하지 않았을 것이 명백한 경우에는 신의칙에 비추어 그 사실을 고지할 법률상 의무가 인정된다.(대법원 2015. 10. 29. 2014도5939 **서울시 공무원 간첩사건**)

④ [○] 피고인이 피해자들에게 시술 등의 전체가 아들 낳기에 필요한 것처럼 사실과 달리 설명하거나 병원에 내원할 때에 이미 피고인으로부터 어떠한 시술을 받으면 아들을 낳을 수 있을 것이라는 착오에 빠져 있는 피해자들에게 사실대로 설명하지 아니한 채 마치 시술 등의 전체가 아들 낳기에 필요한 것처럼 시술 등을 행하고 피해자들로부터 의료수가 및 약값의 명목으로 금원을 교부받은 경우 사기죄에 해당하고, 위와 같은 시술에 앞서 피해자들로부터 시술 결과 아들을 낳지 못하여도 하등 이의를 제기하지 않는다는 내용의 시술서약서를 받았다고 하더라도 이는 기망행위의 수단에 불과하여 사기죄의 성립에 아무런 영향이 없다.(대법원 2000. 1. 28. 99도2884 **아들낳기 비법 사건**)

358

□□□

부작위범에 관한 설명 중 옳은 것은? (다툼이 있으면 판례에 의함) 19 변호사 [Core ★★]

① 교통사고의 결과가 피해자의 구호 및 교통질서의 회복을 위한 조치가 필요한 상황인 이상 「도로교통법」 제54조 제1항, 제2항이 규정한 교통사고 발생 시의 구호조치의무 및 신고의무는 교통사고를 발생시킨 당해 차량의 운전자에게 그 사고 발생에 있어서 고의·과실 혹은 유책·위법의 유무에 관계없이 부과된 의무이다.

② 보증인지위와 보증인의무의 체계적 지위를 구별하는 이분설에 따를 때 보증인지위와 보증인의무에 대한 착오는 구성요건적 착오에 해당한다.

③ 부작위범에 대한 교사범은 보증인지위에 있는 자로 한정된다.

④ 부작위범을 도구로 이용한 간접정범은 불가능하다.

⑤ 「민법」상 부부간의 부양의무에 근거한 법률상 보호의무인 작위의무는 법률상 부부의 경우에 한정되므로 사실혼 관계에서는 인정될 여지가 없다.

해설

① [○] 도로교통법 제54조 제1항, 제2항이 규정한 교통사고 발생 시의 구호조치의무 및 신고의무는 교통사고의 결과가 피해자의 구호 및 교통질서의 회복을 위한 조치가 필요한 상황인 이상 그 의무는 교통사고를 발생시킨 당해 차량의 운전자에게 그 사고 발생에 있어서 고의·과실 혹은 유책·위법의 유무에 관계없이 부과된 의무라고 해석함이 타당하고, 당해 사고의 발생에 귀책사유가 없는 경우에도 위 의무가 없다 할 수 없다.(대법원 2015. 10. 15. 2015도12451)

② [×] 보증인지위와 보증의무를 구분하는 이분설에 의할 때 보증인지위에 관한 착오는 구성요건의 착오가 되고, **보증의무에 관한 착오는 위법성(금지)의 착오가 된다.**

③ [×] 정범인 부작위범에게 보증인 지위가 인정되는 한, **보증인 지위가 없는 자도** 부작위범에 대한 **교사범이 성립할 수 있다.**

④ [×] **부작위범을 도구로 이용하는 간접정범도 성립할 수 있다.** 예를 들어 자신이 아이임을 모르고 있는 아이의 모(母)를 속여 아이를 굶겨 죽게한 경우 살인죄의 간접정범이 성립한다.

⑤ [×] 형법 제271조 제1항에서 말하는 법률상 보호의무 가운데는 민법 제826조 제1항에 근거한 부부간의 부양의무도 포함되며, 나아가 법률상 부부는 아니지만 사실혼 관계에 있는 경우에도 위와 같은 법률상 보호의무의 존재를 긍정하여야 하지만, 사실혼에 해당하여 법률혼에 준하는 보호를 받기 위하여는 단순한 동거 또는 간헐적인 정교관계를 맺고 있다는 사정만으로는 부족하고, 그 당사자 사이에 주관적으로 혼인의 의사가 있고 객관적으로도 사회관념상 가족질서적인 면에서 부부공동생활을 인정할 만한 혼인생활의 실체가 존재하여야 한다.(대법원 2008. 2. 14. 2007도3952 필로폰에 쩔은 내연녀 사망사건)

359 다음 사례에 대한 설명으로 옳지 않은 것은? (다툼이 있으면 판례에 의함)

□□□

> 선장인 甲은 배가 기울어져 있고 승객 등이 안내방송 등을 믿고 대피하지 않은 채 선내에서 그대로 대기하고 있는 상태에서 배가 더 기울면 밖으로 빠져나오지 못하고 익사할 수 있다는 사실을 알았음에도 승객 등에 대한 구조조치를 취하지 아니한 채 퇴선하였고, 그 결과 선내에 남아 있던 승객 수백 명이 익사하였다.

① 甲의 부작위가 작위적 방법에 의한 구성요건의 실현과 동등한 형법적 가치가 있는 것으로 평가될 수 없다 하더라도 보증인 지위가 인정되면 부작위에 의한 살인죄가 성립할 수 있다.

② 작위의무는 법령, 법률행위, 선행행위로 인한 경우는 물론 신의성실의 원칙이나 사회상규 혹은 조리상 작위의무가 기대되는 경우에도 인정된다.

③ 위 사안에서 甲이 선장이라 하더라도 침몰과 같은 위급상황에서는 승객을 구할 작위의무가 없다고 착오한 경우 이분설(이원설)에 의하면 금지착오가 된다.

④ 甲에게 살인죄가 성립하기 위해서는 구성요건의 실현을 회피하기 위하여 요구되는 행위를 현실적·물리적으로 행할 수 있었음에도 하지 아니하였다고 평가될 수 있어야 한다.

해설

① [×] 피고인의 이러한 퇴선조치의 불이행은 승객 등을 적극적으로 물에 빠뜨려 익사시키는 행위와 다름이 없어 작위에 의한 살인의 실행행위와 동일하게 평가할 수 있고, 승객 등의 사망 또는 상해의 결과는 작위행위에 의해 결과가 발생한 것과 규범적으로 동일한 가치가 있다고 할 것이다.(대법원 2015. 11. 12. 2015도 6809 숖슖 세월호 사건) 甲에게 보증인 지위가 인정되더라도 그의 부작위가 작위적 방법에 의한 구성요건의 실현과 동등한 형법적 가치가 있는 것으로 평가될 수 없는 경우에는 부작위에 의한 살인죄가 성립할 수 없다.

②④ [O] (1) 살인죄와 같이 일반적으로 작위를 내용으로 하는 범죄를 부작위에 의하여 범하는 이른바 부진정 부작위범의 경우에는 보호법익의 주체가 그 법익에 대한 침해위협에 대처할 보호능력이 없고, 부작위행위자에게 그 침해위협으로부터 법익을 보호해 주어야 할 법적 작위의무가 있을 뿐 아니라 부작위행위자가 그러한 보호적 지위에서 법익침해를 일으키는 사태를 지배하고 있어 그 작위의무의 이행으로 결과발생을 쉽게 방지할 수 있어야 그 부작위로 인한 법익침해가 작위에 의한 법익침해와 동등한 형법적 가치가 있는 것으로서 범죄의 실행행위로 평가될 수 있다. 다만 여기서의 작위의무는 법령, 법률행위, 선행행위로 인한 경우는 물론, 신의성실의 원칙이나 사회상규 혹은 조리상 작위의무가 기대되는 경우에도 인정된다. (2) 세월호가 침몰해 가는 상태에서 선장인 피고인이 선내 대기 중인 승객 등에 대한 퇴선조치 없이 갑판부 선원들과 함께 해경 경비정으로 퇴선하였을 뿐 아니라 퇴선 이후에도 아무런 조치를 취하지 아니하여 승객 등이 스스로 세월호에서 탈출하는 것이 불가능하게 되는 결과가 초래되어 많은 승객 등이 사망한 경우 피고인의 이러한 퇴선조치의 불이행은 승객 등을 적극적으로 물에 빠뜨려 익사시키는 행위와 다름이 없어 작위에 의한 살인의 실행행위와 동일하게 평가할 수 있고, 승객 등의 사망 또는 상해의 결과는 작위행위에 의해 결과가 발생한 것과 규범적으로 동일한 가치가 있다고 할 것이다.(대법원 2015. 11. 12. 2015도6809 숖슖 세월호 사건)

③ [O] 보증인 지위와 보증의무를 구분하는 이분설에 의할 때 보증인 지위에 관한 착오는 구성요건의 착오가 되고, 보증의무에 관한 착오는 금지의 착오가 된다.

360

□□□ 부작위범에 관한 설명 중 옳은 것(○)과 옳지 않은 것(×)을 올바르게 조합한 것은? (다툼이 있으면 판례에 의함)

21 변호사 [Superlative ★★★]

> ㉠ 부진정부작위범에서의 보증인지위와 보증의무를 구별하는 입장에 의하면, 보증의무가 존재하지 아니하는 것으로 착오한 경우는 법률의 착오로 취급된다.
> ㉡ 임대인이 임대차계약을 체결하면서 임차인에게 임대목적물이 경매진행 중인 사실을 알리지 않은 경우 임차인이 등기부를 확인 또는 열람하는 것이 가능하였다면 임대인에게 사기죄가 성립하지 않는다.
> ㉢ 진정부작위범과 부진정부작위범 모두 작위의무가 법적으로 인정되더라도 작위의무를 이행하는 것이 사실상 불가능한 상황이었다면 부작위범이 성립할 수 없다.
> ㉣ 부진정부작위범의 요건으로 행위태양의 동가치성을 요구하는 것은 부진정부작위범의 형사처벌을 확장하는 기능을 한다.
> ㉤ 의사가 수술 후 치료를 계속하지 않으면 환자가 사망할 수 있음을 알면서도 보호자의 강력한 요청으로 치료를 중단하고 퇴원을 허용하여 보호자의 방치로 환자가 사망한 경우, 그 의사에게는 부작위에 의한 살인방조죄가 성립한다.

① ㉠ ○ ㉡ × ㉢ ○ ㉣ × ㉤ ×
② ㉠ × ㉡ ○ ㉢ × ㉣ ○ ㉤ ×
③ ㉠ ○ ㉡ ○ ㉢ × ㉣ × ㉤ ×
④ ㉠ × ㉡ ○ ㉢ × ㉣ ○ ㉤ ○
⑤ ㉠ ○ ㉡ × ㉢ ○ ㉣ ○ ㉤ ○

해설

① 이 지문이 옳은 연결이다.
㉠ [○] 보증인 지위와 보증인 의무를 구별하는 이분설에 따르면 '보증인 지위'는 구성요건요소이지만, 보증인 지위에서 파생된 '보증인 의무(작위의무)'는 위법성 요소이다. 따라서 보증인 지위에 대한 착오는 구성요건의 착오가 되지만, 보증인 의무에 대한 착오는 금지의 착오(법률의 착오)가 된다.
㉡ [×] 피해자가 임대차계약 당시 임차할 여관건물에 관하여 법원의 경매개시결정에 따른 경매절차가 이미 진행 중인 사실을 알았더라면 그 건물에 관한 임대차계약을 체결하지 않았을 것임이 명백한 이상, 피고인은 신의칙상 **피해자에게 이를 고지할 의무가 있다 할 것이고, 피해자 스스로 건물에 관한 등기부를 확인 또는 열람하는 것이 가능하다고 하여 결론을 달리 할 것은 아니다.**(대법원 1998. 12. 8. 98도3263 경매진행 묵비사건) 항목의 경우 사기죄가 성립한다.
㉢ [○] 특정한 행위를 하지 아니하는 부작위가 형법적으로 부작위로서의 의미를 가지기 위해서는 보호법익의 주체에게 해당 구성요건적 결과발생의 위험이 있는 상황에서 행위자가 구성요건의 실현을 회피하기 위하여 요구되는 행위를 현실적·물리적으로 행할 수 있었음에도 하지 아니하였다고 평가될 수 있어야 한다.(대법원 2015. 11. 12. 2015도6809 솔숨 세월호 사건) 작위의무를 이행하는 것이 사실상 불가능한 상황이었다면(이 경우 '행위' 자체를 인정할 수 없다) 부작위범이 성립할 수 없다.
㉣ [×] 업무방해죄와 같이 작위를 내용으로 하는 범죄를 부작위에 의하여 범하는 부진정부작위범이 성립하기 위해서는 부작위를 실행행위로서의 작위와 동일시할 수 있어야 한다.(대법원 2017. 12. 22. 2017도13211 건축자재 방치 사건) 행위태양의 동가치성을 요구하는 것은 **부진정부작위범의 형사처벌을 축소하는 기능을 한다**(동가치성이 없으면 부작위범은 성립할 수 없기 때문이다).

ⓔ [×] (1) 행위자가 자신의 신체적 활동이나 물리적·화학적 작용을 통하여 적극적으로 타인의 법익 상황을 악화시킴으로써 결국 그 타인의 법익을 침해하기에 이르렀다면 이는 **작위에 의한 범죄로 봄이 원칙**이고, 작위에 의하여 악화된 법익 상황을 다시 되돌이키지 아니한 점에 주목하여 이를 부작위범으로 볼 것은 아니다. (2) 환자의 보호자가 치료위탁계약을 해지하고 환자를 퇴원시켜 달라고 요구하여 이에 응하기 위하여 담당의사가 인공호흡장치를 제거한 결과 환자가 호흡곤란으로 사망하게 된 경우, 당해 의사는 **작위에 의한 살인방조의 죄책을 진다.**(대법원 2004. 6. 24. 2002도995 **보라매병원 사건**)

361 부작위범에 대한 설명으로 옳은 것은? (다툼이 있으면 판례에 의함)　16 국가9급 [Core ★★]

□□□

① 보호자의 간청에 따라 치료를 요하는 환자에 대하여 치료중단 및 퇴원을 허용하는 조치를 취함으로써 환자를 사망에 이르게 한 담당 전문의와 주치의에게는 부작위에 의한 살인죄의 공동정범이 성립한다.
② 부작위범의 작위의무에는 법적인 의무뿐만 아니라 도덕상 의무와 종교상 의무도 포함된다.
③ 인터넷 포털사이트 내 오락채널 총괄팀장과 오락채널 내 만화사업의 운영 직원은 콘텐츠 제공업체들이 게재하는 음란만화의 삭제를 요구할 조리상의 의무가 있다.
④ 토지에 대하여 도시계획이 입안되어 있어 장차 협의매수되거나 수용될 것이라는 사정을 매수인에게 고지하지 아니하고 토지를 매도한 매도인에게는 신의칙상 고지의무가 없으므로 부작위에 의한 사기죄가 성립하지 않는다.

해설

③ [○] 인터넷 포털사이트 내 오락채널 총괄팀장과 오락채널 내 만화사업의 운영 직원인 피고인들이 콘텐츠 제공업체들에 의하여 성인만화방에 음란만화들이 지속적으로 게재되고 있다는 사실을 알면서도 이를 그대로 방치한 경우 전기통신기본법위반죄의 방조범에 해당한다.(대법원 2006. 4. 28. 2003도4128 **음란만화판매 방치사건**)
① [×] 환자의 보호자가 치료위탁계약을 해지하고 환자를 퇴원시켜 달라고 요구하여 이에 응하기 위하여 담당의사가 인공호흡장치를 제거한 결과 환자가 호흡곤란으로 사망하게 된 경우, 당해 의사는 **작위에 의한 살인방조의 죄책을 진다.**(대법원 2004. 6. 24. 2002도995 **보라매병원 사건**)
② [×] 부작위범에 있어 **작위의무는 법적인 의무이어야 하므로 단순한 도덕상 또는 종교상의 의무는 포함되지 않으나** 작위의무가 법적인 의무인 한 성문법이건 불문법이건 상관이 없고 또 공법이건 사법이건 불문하므로 법령, 법률행위, 선행행위로 인한 경우는 물론이고 기타 신의성실의 원칙이나 사회상규 혹은 조리상 작위의무가 기대되는 경우에도 법적인 작위의무는 있다.(대법원 1996. 9. 6. 95도2551 **입찰보증금횡령 방치사건**)
④ [×] 피고인이 토지에 대하여 도시계획이 입안되어 있어 **장차 토지가 정주시(井州市)에 의하여 협의매수되거나 수용될 것이라는 점을 알고 있었으므로 이러한 사정을 모르고 토지를 매수하려는 피해자에게 위와 같은 사정을 고지할 신의칙상 의무가 있고, 따라서 이러한 사정을 고지하지 아니한 피고인의 행위는 부작위에 의한 사기죄를 구성한다.**(대법원 1993. 7. 13. 93도14 **토지수용예정 묵비사건**)

정답 | 360 ① 361 ③

362

부작위범에 대한 다음 설명 중 적절한 것만을 모두 고른 것은? (다툼이 있으면 판례에 의함)

□□□

21 경찰채용 [Essential ★]

> ㉠ 작위는 물론 부작위에 의하여도 실현될 수 있는 범죄의 경우, 행위자가 자신의 신체적 활동이나 물리적·화학적 작용을 통하여 적극적으로 타인의 법익 상황을 악화시킴으로써 결국 그 타인의 법익을 침해하기에 이르렀다면 이는 작위에 의한 범죄로 봄이 원칙이다.
> ㉡ 부진정부작위범의 작위의무는 법령, 법률행위, 선행행위로 인한 경우에 발생하고 사회상규 혹은 조리로부터는 법적 작위의무가 발생하지 않는다.
> ㉢ 부진정부작위범에서의 고의는 자신의 부작위가 작위와 동가치하다는 점에 대한 인식을 필요로 하므로, 작위의무자의 예견 또는 인식 등이 불확정적인 미필적 고의로는 부진정부작위범의 고의가 인정되지 않는다.
> ㉣ 「형법」상 방조는 작위에 의하여 정범의 실행을 용이하게 하는 경우는 물론, 직무상의 의무가 있는 자가 정범의 범죄행위를 인식하면서도 그것을 방지하여야 할 제반 조치를 취하지 아니하는 부작위로 인하여 정범의 실행행위를 용이하게 하는 경우에도 성립된다.

① ㉠㉡   ② ㉠㉣   ③ ㉡㉢   ④ ㉢㉣

해설

② ㉠㉣ 2 항목이 옳다.
㉠ [○] 행위자가 자신의 신체적 활동이나 물리적·화학적 작용을 통하여 적극적으로 타인의 법익 상황을 악화시킴으로써 결국 그 타인의 법익을 침해하기에 이르렀다면 이는 작위에 의한 범죄로 봄이 원칙이고, 작위에 의하여 악화된 법익 상황을 다시 되돌이키지 아니한 점에 주목하여 이를 부작위범으로 볼 것은 아니다.(대법원 2004. 6. 24. 2002도995 **보라매병원** 사건)
㉡ [×] **부진정부작위범에서 작위의무는 법령, 법률행위, 선행행위로 인한 경우는 물론, 신의성실의 원칙이나 사회상규 혹은 조리상 작위의무가 기대되는 경우에도 인정된다.**(대법원 2015. 11. 12. 2015도6809 **순승 세월호사건**)
㉢ [×] 부진정 부작위범의 고의는 반드시 구성요건적 결과발생에 대한 목적이나 계획적인 범행 의도가 있어야 하는 것은 아니고 법익침해의 결과발생을 방지할 법적 작위의무를 가지고 있는 자가 그 의무를 이행함으로써 그 결과발생을 쉽게 방지할 수 있었음을 예견하고도 결과발생을 용인하고 이를 방관한 채 그 의무를 이행하지 아니한다는 인식을 하면 족하며, 이러한 **작위의무자의 예견 또는 인식 등은 확정적인 경우는 물론 불확정적인 경우이더라도 미필적 고의로 인정될 수 있다.**(대법원 2015. 11. 12. 2015도6809 순승 세월호사건)
㉣ [○] 형법상 방조는 작위에 의하여 정범의 실행을 용이하게 하는 경우는 물론, 직무상의 의무가 있는 자가 정범의 범죄행위를 인식하면서도 그것을 방지하여야 할 제반 조치를 취하지 아니하는 부작위로 인하여 정범의 실행행위를 용이하게 하는 경우에도 성립된다.(대법원 1996. 9. 6. 95도2551 **입찰보증금횡령 방치사건**)

363

☐☐☐

부작위범에 관한 다음 설명 중 가장 옳지 않은 것은? (다툼이 있으면 판례에 의함)

13 법원9급 [Superlative ★★★]

① 부작위범 사이의 공동정범은 다수의 부작위범에게 공통된 의무가 부여되어 있고 그 의무를 공통으로 이행할 수 있을 때에만 성립한다.

② 압류된 골프장시설을 보관하는 회사의 대표이사가 위 압류시설의 사용 및 봉인의 훼손을 방지할 수 있는 적절한 조치 없이 골프장을 개장하게 하여 봉인이 훼손되게 한 경우, 부작위에 의한 공무상표시무효죄에 해당한다.

③ 법무사가 아닌 사람이 법무사로 소개되거나 호칭되는 데에도 자신이 법무사가 아니라는 사실을 밝히지 않은 채 법무사 행세를 계속하면서 근저당권설정계약서를 작성하였다면, 부작위에 의한 법무사법위반죄에 해당한다.

④ 입찰업무를 담당하는 공무원이 부하직원의 입찰보증금 횡령사실을 알고도 이를 방지할 조치를 취하지 아니하고 묵인한 경우, 이는 작위에 의한 법익침해와 동등한 형법적 가치가 있으므로 부작위에 의한 업무상횡령죄의 정범이 성립한다.

해설

④ [×] 자신의 작위의무를 이행함으로써 결과 발생을 쉽게 방지할 수 있는 공무원이 그 사무원의 새로운 횡령범행을 방조 용인한 것을 작위에 의한 법익 침해와 동등한 형법적 가치가 있는 것이 아니라고 볼 수는 없으므로 **업무상횡령의 방조에 해당한다.**(대법원 1996. 9. 6. 95도2551 **입찰보증금횡령 방치사건**)

① [○] 부작위범 사이의 공동정범은 다수의 부작위범에게 공통된 의무가 부여되어 있고 그 의무를 공통으로 이행할 수 있을 때에만 성립한다.(대법원 2009. 2. 12. 2008도9476 **세경대학교 사건**)

② [○] 압류된 골프장시설을 보관하는 회사의 대표이사인 피고인이 압류시설의 사용 및 봉인의 훼손을 방지할 수 있는 적절한 조치 없이 골프장을 개장하게 하여 봉인이 훼손되게 한 경우, 부작위에 의한 공무상표시 무효죄가 성립한다.(대법원 2005. 7. 22. 2005도3034 **경기컨트리클럽 사건**)

③ [○] 법무사가 아닌 사람이 법무사로 소개되거나 호칭되는 데에도 자신이 법무사가 아니라는 사실을 밝히지 않은 채 법무사 행세를 계속하면서 등기위임장 및 근저당권설정계약서를 작성한 경우 부작위에 의한 법무사법 제3조 제2항 위반죄가 성립한다.(대법원 2008. 2. 28. 2007도9354 **짝퉁 법무사 사건**)

364

□□□ 다음 설명 중 옳지 않은 것은? (다툼이 있으면 판례에 의함)

15 경찰간부 [Core ★★]

① 규범적으로 요구 또는 기대된 일정한 동작을 하지 아니한다는 소극적 태도로서 부작위는 작위와 함께 형법상 행위의 한 유형으로서, 부작위가 작위에 의한 법익침해와 동등한 형법적 가치가 있는 것이어서 그 범죄의 실행행위로 평가될 만한 것이어야 부작위범으로 처벌된다.

② 하나의 행위가 직무유기죄와 허위공문서작성 및 동행사죄의 구성요건을 동시에 충족하는 경우, 공소제기권자는 재량에 의하여 작위범인 허위공문서작성·행사죄로 공소를 제기하지 않고 부작위범인 직무유기죄로만 공소제기할 수 있다.

③ 행위자가 자신의 신체적 활동이나 물리적·화학적 작용을 통하여 적극적으로 타인의 법익상황을 악화시킴으로써 결국 그 타인의 법익을 침해하기에 이르렀다면, 이는 작위에 의한 범죄로 봄이 원칙이다.

④ 생존가능성이 있는 환자를 보호자의 요구로 치료중단하고 퇴원을 지시하여 사망하게 한 의사의 경우에는 행위 전체를 규범적으로 평가할 때 치료중단이라는 행위수행에 비난의 중점이 있기 때문에 부작위범으로 평가된다.

해설

④ [×] 환자의 보호자가 치료위탁계약을 해지하고 환자를 퇴원시켜 달라고 요구하여 이에 응하기 위하여 담당의사가 인공호흡장치를 제거한 결과 환자가 호흡곤란으로 사망하게 된 경우, 당해 의사는 **작위에 의한 살인방조의 죄책을 진다.**(대법원 2004. 6. 24. 2002도995 **보라매병원 사건**)

① [O] 자연적 의미에서의 부작위는 거동성이 있는 작위와 본질적으로 구별되는 무(無)에 지나지 아니하지만, 형법 제18조에서 말하는 부작위는 법적 기대라는 규범적 가치판단 요소에 의하여 사회적 중요성을 가지는 사람의 행태가 되어 법적 의미에서 작위와 함께 행위의 기본 형태를 이루게 되는 것이므로, 특정한 행위를 하지 아니하는 부작위가 형법적으로 부작위로서의 의미를 가지기 위해서는 보호법익의 주체에게 해당 구성요건적 결과발생의 위험이 있는 상황에서 행위자가 구성요건의 실현을 회피하기 위하여 요구되는 행위를 현실적·물리적으로 행할 수 있었음에도 하지 아니하였다고 평가될 수 있어야 한다.(대법원 2015. 11. 12. 2015도6809 **순슴 세월호 사건**)

② [O] 하나의 행위가 부작위범인 직무유기죄와 작위범인 허위공문서작성·행사죄의 구성요건을 동시에 충족하는 경우, 공소제기권자는 재량에 의하여 작위범인 허위공문서작성·행사죄로 공소를 제기하지 않고 부작위범인 직무유기죄로만 공소를 제기할 수 있다.(대법원 2008. 2. 14. 2005도4202 **불법체류 조선족 훈방사건**)

③ [O] 어떠한 범죄가 적극적 작위에 의하여 이루어질 수 있음은 물론 결과의 발생을 방지하지 아니하는 소극적 부작위에 의하여도 실현될 수 있는 경우에, 행위자가 자신의 신체적 활동이나 물리적·화학적 작용을 통하여 적극적으로 타인의 법익 상황을 악화시킴으로써 결국 그 타인의 법익을 침해하기에 이르렀다면 이는 작위에 의한 범죄로 봄이 원칙이고, 작위에 의하여 악화된 법익 상황을 다시 되돌이키지 아니한 점에 주목하여 이를 부작위범으로 볼 것은 아니다.(대법원 2004. 6. 24. 2002도995 **보라매병원 사건**)

365 다음 설명 중 옳지 않은 것만을 모두 고른 것은? (다툼이 있으면 판례에 의함) 14 국가7급 [Core ★★]

□□□

⊙ 甲이 자신의 아들 乙이 익사하는 것을 보았으나 乙이 아닌 다른 아이인 줄 알고 남의 자식을 구할 의무는 없다고 생각하여 구조하지 않은 경우 이분설에 따르면 보증인 의무에 대한 착오로 금지착오에 해당한다.

⊙ 부작위범의 작위의무는 법령·법률행위·선행행위뿐만 아니라 신의성실의 원칙이나 사회상규혹은 조리에 의하여 발생한다.

© 도로교통법 제54조 제1항의 사고운전자의 구호조치 의무와 같이 적법한 선행행위에 의해서도 작위의무가 발생할 수 있다.

② 부작위범에 대한 교사·방조는 가능하지만 부작위에 의한 교사·방조는 불가능하다.

① ⊙©   ② ⊙②

③ ©©   ④ ©②

해설

② ⊙② 2 항목이 옳지 않다.

⊙ [×] 지문은 '보증인 지위'에 대한 착오 사례로써 (보증인.지위는 구성요건요소로, 보증의무는 위법성요소로 보는) 이분설에 의할 때 **구성요건의 착오에 해당한다.**

© [O] 형법상 부작위범이 인정되기 위해서는 형법이 금지하고 있는 법익침해의 결과발생을 방지할 법적인 작위의무를 지고 있는 자가 그 의무를 이행함으로써 결과발생을 쉽게 방지할 수 있었음에도 불구하고 그 결과의 발생을 용인하고 이를 방관한 채 그 의무를 이행하지 아니한 경우에, 그 부작위가 작위에 의한 법익침해와 동등한 형법적 가치가 있는 것이어서 그 범죄의 실행행위로 평가될 만한 것이라면 작위에 의한 실행행위와 동일하게 부작위범으로 처벌할 수 있고, 여기서 작위의무는 법령, 법률행위, 선행행위로 인한 경우는 물론, 기타 신의성실의 원칙이나 사회상규 혹은 조리상 작위의무가 기대되는 경우에도 인정된다.(대법원 2008. 2. 28. 2007도9354 **짝퉁 법무사 사건**)

© [O] 도로교통법 제54조 제1항, 제2항이 규정한 교통사고 발생 시의 구호조치의무 및 신고의무는 교통사고의 결과가 피해자의 구호 및 교통질서의 회복을 위한 조치가 필요한 상황인 이상 그 의무는 교통사고를 발생시킨 당해 차량의 운전자에게 그 사고 발생에 있어서 고의·과실 혹은 유책·위법의 유무에 관계없이 부과된 의무라고 해석함이 타당하고, 당해 사고의 발생에 귀책사유가 없는 경우에도 위 의무가 없다 할 수 없다.(대법원 2015. 10. 15. 2015도12451)

② [×] 부작위범에 대한 교사·방조와 **부작위에 의한 방조는 가능하다.**(대법원 2006. 4. 28. 2003도4128 **음란만화판매 방치사건**) 부작위에 의한 교사만 불가능이다.

366

부작위범에 관한 설명으로 옳은 것을 모두 고른 것은? (다툼이 있으면 판례에 의함)

19 경찰채용 [Superlative ★★★]

⊙ 형법은 부작위범의 성립요건을 별도로 규정하고 있다.
ⓛ 진정부작위범은 그 속성상 미수가 불가능하며, 형법도 진정부작위범의 미수에 대한 처벌규정을 두고 있지 않다.
ⓒ 부진정부작위범의 구성요건인 보증인적 지위(작위의무)는 신의칙이나 조리에 의해서도 발생한다.
ⓔ 부진정부작위범을 작위범과 동일하게 평가하기 위해서는 보증인적 지위 외에 부작위와 작위의 동가치성(상응성)을 요하며, 이는 형법이 명문으로 규정하고 있다.
ⓜ 부작위범의 공동정범은 성립할 수 있으나, 부작위에 의한 교사범은 성립할 수 없다.

① ⊙ⓛⓔ
② ⊙ⓒⓜ
③ ⓛⓒⓔ
④ ⓒⓔⓜ

해설

② ⊙ⓒⓜ 3 항목이 옳다.
⊙ [○] 형법 제18조는 "부작위범"이라는 표제하에 "위험의 발생을 방지할 의무가 있거나 자기의 행위로 인하여 위험발생의 원인을 야기한 자가 그 위험발생을 방지하지 아니한 때에는 그 발생된 결과에 의하여 처벌한다"라고 규정하고 있다.
ⓛ [×] 퇴거불응죄(제319조 제2항)와 집합명령위반죄(제145조 제2항)는 진정부작위범이지만 형법상 미수범 처벌규정이 존재한다.(제322조, 제149조)
ⓒ [○] 부진정부작위범에서 작위의무는 법령, 법률행위, 선행행위로 인한 경우는 물론, 신의성실의 원칙이나 사회상규 혹은 조리상 작위의무가 기대되는 경우에도 인정된다.(대법원 2015. 11. 12. 2015도6809 손승 세월호사건)
ⓔ [×] 형법에는 부작위와 작위의 동가치성(상응성)에 관한 규정이 없다. 이는 학설과 판례가 인정하고 있을 뿐이다.
ⓜ [○] 부작위 사이의 공동정범은 다수의 부작위범에게 공통된 의무가 부여되어 있고 그 의무를 공통으로 이행할 수 있을 때에만 성립한다.(대법원 2009. 2. 12. 2008도9476 세경대학교 사건) 교사는 정범에게 범죄의 결의를 일으키게 하는 것이므로 부작위에 의한 교사범은 성립할 수 없다. 즉, 부작위범의 공동정범은 성립할 수 있지만, 부작위에 의한 교사범은 성립할 수 없다.

367 부작위범에 관한 다음 설명 중 적절하지 않은 것으로만 묶인 것은? (다툼이 있으면 판례에 의함)

13 경찰승진 [Core ★★]

> ㉠ 진정부작위범의 미수는 불가능하나 형법상 예외적으로 처벌규정이 있으며, 부진정부작위범 의 경우는 미수가 인정된다.
> ㉡ 부작위범에서의 작위의무는 법적인 의무이어야 하므로 신의성실의 원칙이나 사회상규 혹은 조리상 작위의무는 여기에 포함되지 않는다.
> ㉢ 매매에 있어서 제3자가 매도인을 상대로 대지 및 지상건물에 대한 명도소송을 제기하여 계속 중이고 점유이전금지가처분까지 되어 있는 사실을 매수인이 알았다면 거래의 경험칙상 이 대지를 매수하지 아니하였을 것이 명백한 경우, 매도인은 이와 같은 소송관계를 매수인에게 고지할 법률상 의무가 있다.
> ㉣ 의사가 중환자실에서 인공호흡기를 부착하고 치료를 받던 환자의 처의 요청에 따라 치료를 중단하고 퇴원조치를 하여 그 환자가 집에서 사망한 경우, 그 의사의 행위는 부작위에 의한 살인죄의 방조범이 성립한다.

① ㉠㉢
② ㉡㉢
③ ㉡㉣
④ ㉢㉣

해설

③ ㉡㉣ 2 항목이 옳지 않다.
㉠ [○] 퇴거불응죄(제319조 제2항)와 집합명령위반죄(제145조 제2항)는 진정부작위범이지만 형법상 미수범 처벌규정이 존재한다.(제322조, 제149조) 부진정부작위범은 얼마든지 미수가 인정될 수 있다. 살인을 부작위로 했으나 살아난 경우 살인미수죄가 성립한다.
㉡ [×] 작위의무는 법령, 법률행위, 선행행위로 인한 경우는 물론 기타 **신의성실의 원칙이나 사회상규 혹은 조 리상 작위의무가 기대되는 경우에도 인정된다.**(대법원 2008. 2. 28. 2007도9354 **짝퉁 법무사 사건**)
㉢ [○] 제3자가 매도인을 상대로 대지 및 지상건물에 대한 명도소송을 제기하여 계속 중이고 점유이전금지가 처분까지 되어 있는 사실을 매수인이 알았다면 거래의 경험칙상 대지를 매수하지 아니하였을 것이 분명하므로 신의성실의 원칙에 따라 매도인은 위와 같은 소송관계를 매수인에게 고지할 법률상 의무가 있고 따라서 매도인 의 이러한 불고지는 기망행위에 해당한다.(대법원 1985. 3. 26. 84도301 **명도소송 묵비사건**)
㉣ [×] 행위자가 자신의 신체적 활동이나 물리적ㆍ화학적 작용을 통하여 적극적으로 타인의 법익 상황을 악화시 킴으로써 결국 그 타인의 법익을 침해하기에 이르렀다면, 이는 작위에 의한 범죄로 봄이 원칙이고, 작위에 의하 여 악화된 법익 상황을 다시 되돌이키지 아니한 점에 주목하여 이를 부작위범으로 볼 것은 아니므로 (중략) 그 의사의 행위는 **작위에 의한 살인 방조에 해당한다.**(대법원 2004. 6. 24. 2002도995 **보라매병원 사건**)

368
□□□ 부작위범에 관한 다음 설명 중 가장 적절하지 않은 것은? (다툼이 있으면 판례에 의함)

16 경찰채용 [Core ★★]

① 甲이 자신의 토지에 대하여 여객정류장시설 또는 유통업무설비시설을 설치하는 도시계획이 입안되어 있어 장차 위 토지가 수용될 것이라는 점을 알고 있으면서도, 이러한 사정을 모르고 위 토지를 매수하려는 乙에게 그 사정을 고지하지 아니하고 매도한 경우 甲에게는 乙에 대한 부작위에 의한 사기죄가 성립한다.

② 매수인이 매도인에게 매매잔금을 지급함에 있어 착오에 빠져 지급해야 할 금액을 초과하는 돈을 교부하는 경우, 매도인이 매매잔금을 받은 후 비로소 그 사실을 알게 되었음에도 불구하고 그 사실을 매수인에게 알리고 초과금액을 되돌려 주지 않은 경우에는 부작위에 의한 사기죄가 성립한다.

③ 출판사 경영자가 출고현황표를 조작하는 방법으로 실제출판부수를 속여 작가에게 인세의 일부만을 지급한 사안에서, 작가가 나머지 인세에 대한 청구권의 존재 자체를 알지 못하는 착오에 빠져 이를 행사하지 아니한 것이 사기죄에 있어 부작위에 의한 처분행위에 해당한다.

④ 형법이 금지하고 있는 법익침해의 결과발생을 방지할 법적인 작위의무를 지고 있는 자가 그 의무를 이행함으로써 결과발생을 쉽게 방지할 수 있었음에도 불구하고 그 결과의 발생을 용인하고 이를 방관한 채 그 의무를 이행하지 아니한 경우에, 그 부작위가 작위에 의한 법익침해와 동등한 형법적 가치가 있는 것이어서 그 범죄의 실행행위로 평가될 만한 것이라면, 작위에 의한 실행행위와 동일하게 부작위범으로 처벌할 수 있다.

해설

② [×] 매수인이 매도인에게 착오에 빠져 지급해야 할 금액을 초과하는 돈을 교부하였고 **매수인이 그 사실을 매매잔금을 건네받은 후에 비로소 알게 된 경우**, 주고받는 행위는 이미 종료되어 버린 후이므로 매수인의 착오 상태를 제거하기 위하여 그 사실을 고지하여야 할 법률상 의무의 불이행은 더 이상 초과된 금액 편취의 수단으로서의 의미는 없으므로 **교부하는 돈을 그대로 받은 행위는 점유이탈물횡령죄가 될 수 있음은 별론으로 하고 사기죄를 구성할 수는 없다.**(대법원 2004. 5. 27. 2003도4531 **진돈사기 사건**)

① [○] 피고인이 토지에 대하여 도시계획이 입안되어 있어 장차 토지가 정주시(井州市)에 의하여 협의매수되거나 수용될 것이라는 점을 알고 있었으므로 이러한 사정을 모르고 토지를 매수하려는 피해자에게 위와 같은 사정을 고지할 신의칙상 의무가 있고, 따라서 이러한 사정을 고지하지 아니한 피고인의 행위는 부작위에 의한 사기죄를 구성한다.(대법원 1993. 7. 13. 93도14 **토지수용예정 묵비사건**)

③ [○] 피고인들이 출판부수의 1/3 정도만 기재한 출고현황표를 피해자 A에게 송부함으로써 A로 하여금 출고현황표에 기재된 부수가 실제 출판부수에 해당한다고 믿게 한 다음 실제 출판부수의 1/3 정도에 해당하는 인세만을 지급하고 그 차액을 지급하지 않은 경우, 비록 A가 이미 지급받은 인세를 초과하는 부분의 나머지 인세지급청구권을 명시적으로 포기하거나 또는 출판사의 채무를 면제하지는 아니하였다 하더라도, A는 피고인들의 기망행위에 의하여 그 청구권의 존재 자체를 알지 못하는 착오에 빠진 결과 이를 행사하지 못하는 상태에 이른 만큼 이는 부작위에 의한 처분행위에 해당하여 사기죄가 성립한다.(대법원 2007. 7. 12. 2005도9221 **인세 사건**)

④ [○] 형법상 부작위범이 인정되기 위해서는 형법이 금지하고 있는 법익침해의 결과발생을 방지할 법적인 작위 의무를 지고 있는 자가 그 의무를 이행함으로써 결과발생을 쉽게 방지할 수 있었음에도 불구하고 그 결과의 발생을 용인하고 이를 방관한 채 그 의무를 이행하지 아니한 경우에, 그 부작위가 작위에 의한 법익침해와 동등 한 형법적 가치가 있는 것이어서 그 범죄의 실행행위로 평가될 만한 것이라면 작위에 의한 실행행위와 동일하 게 부작위범으로 처벌할 수 있고, 여기서 작위의무는 법령, 법률행위, 선행행위로 인한 경우는 물론, 기타 신의 성실의 원칙이나 사회상규 혹은 조리상 작위의무가 기대되는 경우에도 인정된다.(대법원 2008. 2. 28. 2007 도9354 **짝퉁 법무사 사건**)

제2절 | 과실범

369 과실범에 관한 다음 설명 중 가장 적절하지 않은 것은? (다툼이 있으면 판례에 의함)

□□□

13 경찰승진 [Essential ★]

① 현행 형법에는 과실범의 미수를 처벌하는 규정이 없다.

② 형법 제10조 제3항(원인에 있어서 자유로운 행위)은 고의에 의한 원인에 있어서의 자유로운 행위만을 규정하며, 과실에 의한 원인에 있어서의 자유로운 행위까지 포함하는 것은 아니다.

③ 폭발물사용죄는 과실범 처벌규정이 없으나, 폭발성물건파열죄는 과실범 처벌규정이 있다.

④ 업무상과실장물취득죄는 단순과실장물취득죄보다 형이 가중되는 가중적 구성요건이 아니며 부진정신분범이 아니다.

해설

② [×] **형법 제10조 제3항**은 '위험의 발생을 예견하고 자의로 심신장애를 야기한 자의 행위에는 전2항의 규정 을 적용하지 아니한다'고 규정하고 있는바, 이 규정은 **고의에 의한 원인에 있어서의 자유로운 행위만이 아니 라 과실에 의한 원인에 있어서의 자유로운 행위까지도 포함하는 것으로서** 위험의 발생을 예견할 수 있었는데 도 자의로 심신장애를 야기한 경우도 그 적용 대상이 된다.(대법원 1992. 7. 28. 92도999 **음주만취후 운전사건Ⅰ**)

① [○] 형법에는 과실범의 미수를 처벌하는 규정이 없다.

③ [○] 과실로 제172조 제1항, 제172조의2 제1항, 제173조 제1항과 제2항의 죄를 범한 자는 5년 이하의 금고 또는 1천500만원 이하의 벌금에 처한다.(제173조의2) 폭발물사용죄는 과실범 처벌규정이 없다.

④ [○] 과실장물죄의 경우 단순과실장물죄는 없고, '업무상'과실장물죄와 '중'과실장물죄만 있을 뿐이므로 옳은 지문이다.

370

□□□ 과실범에 관한 설명 중 가장 적절하지 않은 것은? (다툼이 있으면 판례에 의함)

14 경찰승진 [Essential ★]

① 공동정범은 고의범이나 과실범을 불문하고 의사의 연결이 있는 경우이면 그 성립을 인정할 수 있다.

② 고속국도를 주행하는 차량의 운전자는 도로 양측에 휴게소가 있다하더라도 동 도로상에 보행자가 있을 것을 예상하여 감속 등 조치를 할 주의의무는 없다.

③ 술을 마시고 찜질방에 들어온 甲이 찜질방 직원 몰래 후문으로 나가 술을 더 마신 다음 후문으로 다시 들어와 발한실(發汗室)에서 잠을 자다가 사망한 경우 찜질방 직원 및 영업주에게 몰래 후문으로 출입하는 모든 자를 통제·관리하여야 할 업무상 주의의무가 있다고 보기 어렵다.

④ 과실일수죄는 형법상 처벌규정이 있으나 과실교통방해죄는 형법상 처벌규정이 없다.

해설

④ [×] 과실일수죄는 물론 **과실교통방해죄도 형법상 처벌규정이 있다.**(제181조, 제189조)

① [○] 공동정범은 고의범이나 과실범을 불문하고 의사의 연락이 있는 경우면 성립하는 것으로서 2인 이상이 서로의 의사연락 아래 과실행위를 하여 범죄되는 결과를 발생하게 하면 과실범의 공동정범이 성립한다.(대법원 1994. 5. 24. 94도660 **구포역 열차전복 사건**)

② [○] 고속국도에서는 보행으로 통행, 횡단하거나 출입하는 것이 금지되어 있으므로 고속국도를 주행하는 차량의 운전자는 도로양측에 휴게소가 있는 경우에도 도로상에 보행자가 있음을 예상하여 감속등 조치를 할 주의의무가 있다 할 수 없다.(대법원 1977. 6. 28. 77도403)

③ [○] 행정상의 단속을 주안으로 하는 법규라 하더라도 명문규정이 있거나 해석상 과실범도 벌할 뜻이 명확한 경우를 제외하고는 형법의 원칙에 따라 고의가 있어야 벌할 수 있다.(대법원 2010. 2. 11. 2009도9807 **발한실사건**)

371
□□□ **과실범에 대한 설명으로 옳은 것은? (다툼이 있으면 판례에 의함)**

① 과실범은 주의의무의 존재를 전제로 한 과실행위를 의미하므로 교통사고 사망사고를 낸 자가 신호준수의무라는 주의규정을 고의로 위반하였다면 사망의 결과에 대하여 과실범은 성립할 수 없다.

② 의료행위와 환자에게 발생한 상해·사망 등 결과 사이에 인과관계가 인정되는 경우에는 업무 상과실로 평가할 수 있는 행위의 존재 또는 그 업무상 과실의 내용을 구체적으로 증명할 필요 없이 개연성만으로 족하다.

③ 수인이 각자 분리수거장 방향으로 담배꽁초를 던져 버리고 현장을 떠남으로써 공동의 과실이 경합되어 화재가 발생한 경우 적어도 각 과실이 화재의 발생에 대하여 하나의 조건이 된 이상은 그 공동적 원인을 제공한 사람들은 실화죄의 공동정범의 책임을 면할 수 없다.

④ 과실범에 있어서의 비난가능성의 지적 요소란 결과발생의 가능성에 대한 인식으로서 인식 있는 과실은 이와 같은 인식이 있고, 인식 없는 과실은 이에 대한 인식 자체도 없는 경우이나 인식 없는 과실도 규범적 실재로서의 과실책임이 있음은 인식 있는 과실과 같다.

⑤ 과실에 의한 간접정범이 성립할 수 없음은 물론이며, 과실범에 대한 간접정범도 성립할 수 없다.

해설

④ [○] 과실범에 있어서는 비난가능성의 지적 요소란 결과발생의 가능성에 대한 인식으로서 인식있는 과실에는 이와 같은 인식이 있고, **인식없는 과실**에는 이에 대한 인식 자체도 없는 경우이나 전자에 있어서 책임이 발생함은 물론 후자에 있어서도 그 **결과발생을 인식하지 못하였다**는데에 대한 부주의, 즉 규범적 실재로서의 과실 **책임이 있다.**(대법원 1984. 2. 28. 83도3007 대구금호호텔 방화사건)

① [×] 교통사고 사망사고를 낸 자가 신호준수의무라는 주의규정을 고의로 위반하였더라도 **사망의 결과에 대하여 과실범이 성립할 수 있다.** 예를 들어 운전자가 신호를 무시하고 불법 좌회전을 하다가 교통사고를 일으켜 다른 사람을 사망하게 한 경우 업무상과실치사죄가 성립할 수 있다.

② [×] 의료행위와 환자에게 발생한 상해·사망 등 결과 사이에 인과관계가 인정되는 경우에도 검사가 공소사실에 기재한 바와 같은 **업무상과실로 평가할 수 있는 행위의 존재 또는 그 업무상과실의 내용을 구체적으로 증명하지 못하였다면** 의료행위로 인하여 환자에게 상해·사망 등 결과가 발생하였다는 사정만으로 **의사의 업무상과실을 추정하거나 단순한 가능성·개연성 등 막연한 사정을 근거로 함부로 이를 인정할 수는 없다.**(대법원 2023. 1. 12. 2022도11163 황색포도상구균 감염사건)

③ [×] 실화죄에 있어서 공동의 과실이 경합되어 화재가 발생한 경우 적어도 각 과실이 화재의 발생에 대하여 하나의 조건이 된 이상은 그 공동적 원인을 제공한 사람들은 **각자 실화죄의 책임을 면할 수 없다.**(대법원 2023. 3. 9. 2022도16120 **분리수거장 담배꽁초 사건**) 원심법원인 대구지방법원은 "과실범의 공동정범은 행위자들 사이에 공동의 목표와 의사연락이 있는 경우에 성립하는 것인바, 함께 담배를 피웠을 뿐인 피고인들에게는 '공동의 목표'가 있었다고 보기 어려워 위와 같은 **공동정범의 법리가 적용될 수는 없다고 봄이 타당하므로**

과실범의 공동정범으로 형법 제30조를 적용한 주위적 공소사실에 관한 검사의 주장은 이유 없다."라고 판시하였고(대구지방법원 2022. 11. 18. 2020노3595) 대법원은 암묵리에 원심의 판단을 수긍하였다.
⑤ [×] 과실에 의한 간접정범은 성립할 수 없지만(과실에 의하여 의사지배를 한다는 것은 상상하기 어렵다) **과실범에 대한 간접정범은 성립할 수 있다.**(제34조 제1항)

372

과실범에 관한 다음 설명 중 옳지 않은 것은 모두 몇 개인가? (다툼이 있으면 판례에 의함)

23 법원행시 [Superlative ★★★]

㉠ '당한 자'라는 문언은 타인이 어떠한 행위를 하여 그로부터 위해 등을 입는 것을 뜻하고 스스로 어떠한 행위를 한 자를 포함하는 개념이 아니다. 형사법은 고의범과 과실범을 구분하여 구성요건을 정하고 있는데, 위와 같은 문언은 과실범을 처벌하는 경우에 사용하는 것으로 볼 수 있다.

㉡ 업무상과실치사상죄에서의 업무는 허가받은 적법한 업무이어야 하므로 골재채취업무가 허가받은 적법한 업무가 아닐 경우에는 업무상과실치사상죄에 있어서의 업무에 해당하지 않는다.

㉢ 운전자가 차를 세워 시동을 끄고 1단 기어가 들어가 있는 상태에서 시동열쇠를 끼워놓은 채 11세 남짓한 어린이를 조수석에 남겨두고 차에서 내려온 동안 동인이 시동열쇠를 돌리며 악셀러레이터 페달을 밟아 차량이 진행하여 사고가 발생한 경우, 비록 동인의 행위가 사고의 직접적인 원인이었다 할지라도 그 경우 운전자로서는 위 어린이를 먼저 하차시키던가 운전기기를 만지지 않도록 주의를 주거나 손브레이크를 채운 뒤 시동열쇠를 빼는 등 사고를 미리 막을 수 있는 제반조치를 취할 업무상 주의의무가 있다 할 것이어서 이를 게을리 한 과실은 사고 결과와 법률상의 인과관계가 있다.

㉣ 내과의사가 신경과 전문의에 대한 협의진료 결과 피해자의 증세와 관련하여 신경과 영역에서 이상이 없다는 회신을 받았고, 그 회신 전후의 진료 경과에 비추어 그 회신 내용에 의문을 품을 만한 사정이 있다고 보이지 않자 그 회신을 신뢰하여 뇌혈관계통 질환의 가능성을 염두에 두지 않고 내과 영역의 진료 행위를 계속하다가 피해자의 증세가 호전되기에 이르자 퇴원하도록 조치한 경우 피해자의 지주막하출혈을 발견하지 못한 데 대하여 내과의사의 업무상과실을 인정할 수 없다.

㉤ 골프경기를 하던 중 골프공을 쳐서 아무도 예상하지 못한 자신의 등 뒤편으로 보내어 등 뒤에 있던 경기보조원(캐디)에게 상해를 입힌 경우에는 주의의무를 현저히 위반하여 사회적 상당성의 범위를 벗어난 행위로서 과실치상죄가 성립한다.

① 1개   ② 2개   ③ 3개   ④ 4개   ⑤ 5개

해설

① ㉡ 항목만 옳지 않다.

㉠ [O] '당한 자'라는 문언은 타인이 어떠한 행위를 하여 그로부터 위해 등을 입는 것을 뜻하고 스스로 어떠한 행위를 한 자를 포함하는 개념이 아니다. 형사법은 고의범과 과실범을 구분하여 구성요건을 정하고 있는데, 위와 같은 문언은 과실범을 처벌하는 경우에 사용하는 것으로 볼 수 있다.(대법원 2022. 3. 17. 2019도9044 **어린이집 CCTV 하드디스크 은닉사건**)

㉡ [×] **골재채취 허가여부는** 골재채취업무가 업무상과실치사상죄에 있어서의 **업무에 해당하는 사실에 아무런 소장이 없다.**(대법원 1985. 6. 11. 84도2527 **옹명이 익사사건**)

㉢ [O] 운전자가 차를 세워 시동을 끄고 1단 기어가 들어가 있는 상태에서 시동열쇠를 끼워놓은 채 11세 남짓한 어린이를 조수석에 남겨두고 차에서 내려온 동안 동인이 시동열쇠를 돌리며 악셀러레이터 페달을 밟아 차량이 진행하여 사고가 발생한 경우 운전자로서는 어린이를 먼저 하차시키던가 운전기기를 만지지 않도록 주의를 주거나 손브레이크를 채운 뒤 시동열쇠를 빼는 등 사고를 미리 막을 수 있는 제반조치를 취할 업무상 주의의무가 있다 할 것이어서 이를 게을리 한 과실은 사고결과와 법률상의 인과관계가 있다고 봄이 상당하다.(대법원 1986. 7. 8. 86도1048 **조수석 아들 사건**)

㉣ [O] 내과의사가 신경과 전문의에 대한 협의진료 결과 피해자의 증세와 관련하여 신경과 영역에서 이상이 없다는 회신을 받았고, 그 회신 전후의 진료 경과에 비추어 그 회신 내용에 의문을 품을 만한 사정이 있다고 보이지 않자 그 회신을 신뢰하여 뇌혈관계통 질환의 가능성을 염두에 두지 않고 내과 영역의 진료 행위를 계속하다가 피해자의 증세가 호전되기에 이르자 퇴원하도록 조치한 경우 내과의사인 피고인들이 피해자를 진료함에 있어서 지주막하출혈을 발견하지 못한 데 대하여 업무상과실이 있었다고 단정하기는 어렵다.(대법원 2003. 1. 10. 2001도3292 **지주막하출혈 식물인간 사건**)

㉤ [O] (1) 운동경기에 참가하는 자가 경기규칙을 준수하는 중에 또는 그 경기의 성격상 당연히 예상되는 정도의 경미한 규칙위반 속에 제3자에게 상해의 결과를 발생시킨 것으로서, 사회적 상당성의 범위를 벗어나지 아니하는 행위라면 과실치상죄가 성립하지 않는다. (2) 그러나 골프경기를 하던 중 골프공을 쳐서 아무도 예상하지 못한 자신의 등 뒤편으로 보내어 등 뒤에 있던 경기보조원(캐디)에게 상해를 입힌 경우에는 주의의무를 현저히 위반하여 사회적 상당성의 범위를 벗어난 행위로서 과실치상죄가 성립한다.(대법원 2008. 10. 23. 2008도6940 **골프공 캐디강타 사건**)

정답 | 372 ①

373

□□□

과실범에 관한 설명 중 가장 적절하지 않은 것은? (다툼이 있으면 판례에 의함)

17 경찰승진 [Essential ★]

① 형법상 과실범의 미수를 처벌하는 규정은 존재하지 않는다.

② 행정상의 단속을 주 내용으로 하는 법규라고 하더라도 '명문규정이 있거나 해석상 과실범도 벌할 뜻이 명확한 경우'를 제외하고는 형법의 원칙에 따라 고의가 있어야 벌할 수 있다.

③ 공사현장 감독인이 공사의 발주자에 의하여 현장감독에 임명된 것이 아니고, 건설업법상 요구되는 현장건설기술자의 자격도 없다면 업무상 과실책임을 물을 수 없다.

④ 택시운전기사가 심야에 밀집된 주택 사이의 좁은 골목길이자 직각으로 구부러져 가파른 비탈길의 내리막에서 그다지 속도를 줄이지 않고 진행하다가 내리막에 누워 있던 피해자의 몸통 부위를 택시 바퀴로 역과하여 그 자리에서 사망에 이르게 한 경우 그에게 업무상 주의의무 위반을 인정할 수 있다.

해설

③ [×] 피고인이 사업 당시 **공사현장 감독인인 이상** 그 공사의 원래의 발주자의 직원이 아니고 또 발주자에 의하여 현장감독에 임명된 것도 아니며, 건설업법상 요구되는 현장건설기술자의 자격도 없다는 등의 사유는 **업무상 과실책임을 물음에 아무런 영향도 미칠 수 없다.**(대법원 1983. 6. 14. 82도2713 **천제연 구름다리붕괴사건**)

① [○] 형법에는 과실범의 미수를 처벌하는 규정이 없다.

② [○] 행정상의 단속을 주안으로 하는 법규라 하더라도 명문규정이 있거나 해석상 과실범도 벌할 뜻이 명확한 경우를 제외하고는 형법의 원칙에 따라 고의가 있어야 벌할 수 있다.(대법원 2010. 2. 11. 2009도9807 **발한 실사건**)

④ [○] 택시 운전자인 피고인이 심야에 밀집된 주택 사이의 좁은 골목길이자 직각으로 구부러져 가파른 비탈길의 내리막에 누워 있던 피해자의 몸통 부위를 택시 바퀴로 역과하여 그 자리에서 사망에 이르게 하고 도주한 경우, 피고인으로서는 평소보다 더욱 속도를 줄이고 전방 좌우를 면밀히 주시하여 안전하게 운전함으로써 사고를 미연에 방지할 주의의무가 있었는데도, 이를 게을리한 채 그다지 속도를 줄이지 아니한 상태로 만연히 진행하던 중 전방 도로에 누워 있던 피해자를 발견하지 못하여 사고를 일으켰으므로 피고인에게는 업무상 주의의무를 위반한 잘못이 있다.(대법원 2011. 5. 26. 2010도17506 **좁은 골목길 사건**)

374 과실에 대한 설명으로 가장 적절한 것은? (다툼이 있으면 판례에 의함)

□□□
① 의료사고에서 의사에게 과실이 있다고 하기 위하여는 의사가 결과발생을 예견할 수 있고 또 회피할 수 있었는데도 이를 예견하지 못하거나 회피하지 못하였음이 인정되어야 하며, 과실의 유무를 판단할 때에는 구체적인 경우 당해 행위자가 기울일 수 있었던 주의정도를 표준으로 한다.

② 과실범에 관한 이른바 신뢰의 원칙은 상대방이 이미 비정상적인 행태를 보이고 있는 경우에는 적용될 여지가 없는 것이고, 이는 행위자가 경계의무를 게을리하는 바람에 상대방의 비정상적인 행태를 미리 인식하지 못한 경우에도 마찬가지이다.

③ 고속국도에서는 보행으로 통행, 횡단하거나 출입하는 것이 금지되어 있지만, 도로양측에 휴게소가 있는 경우에는 고속국도를 주행하는 차량의 운전자는 동 도로상에 보행자가 있음을 예상하여 감속 등 조치를 할 주의의무가 있다 할 것이다.

④ 피고인이 성냥불로 담배를 붙인 다음 그 성냥불이 꺼진 것을 확인하지 아니한 채 휴지가 들어 있는 플라스틱 휴지통에 던진 것으로는 「형법」 제171조 중실화죄에 있어 중대한 과실이 있는 경우에 해당한다고 할 수 없다.

해설

② [○] 과실범에 관한 이른바 신뢰의 원칙은 상대방이 이미 비정상적인 행태를 보이고 있는 경우에는 적용될 여지가 없는 것이고, 이는 행위자가 경계의무를 게을리하는 바람에 상대방의 비정상적인 행태를 미리 인식하지 못한 경우에도 마찬가지이다.(대법원 2009. 4. 23. 2008도11921 **삼성1호-허베이호 충돌 기름유출사건**)

① [×] 의료사고에서 의사에게 과실이 있다고 하기 위하여는 의사가 결과 발생을 예견할 수 있고 또 회피할 수 있었는데도 이를 예견하지 못하거나 회피하지 못하였음이 인정되어야 하며, **과실의 유무를 판단할 때에는 같은 업무와 직종에 종사하는 일반적 보통인의 주의정도를 표준으로 하고,** 사고 당시의 일반적인 의학의 수준과 의료환경 및 조건, 의료행위의 특수성 등을 고려하여야 한다. 이러한 법리는 한의사의 경우에도 마찬가지이다.(대법원 2014. 7. 24. 2013도16101 **당뇨병환자 침시술 사건**)

③ [×] 고속국도에서는 보행으로 통행, 횡단하거나 출입하는 것이 금지되어 있으므로 고속국도를 주행하는 차량의 운전자는 도로양측에 휴게소가 있는 경우에도 **도로상에 보행자가 있음을 예상하여 감속등 조치를 할 주의의무가 있다 할 수 없다.**(대법원 1977. 6. 28. 77도403)

④ [×] 피고인이 성냥불로 담배를 붙인 다음 그 성냥불이 꺼진 것을 확인하지 아니한 채 휴지가 들어 있는 플라스틱 휴지통에 던진 것은 **중대한 과실이 있는 경우에 해당한다.**(대법원 1993. 7. 27. 93도135)

375

□□□

과실범에 대한 설명으로 가장 적절한 것은? (다툼이 있으면 판례에 의함)   22 경찰승진 [Core ★★]

① 甲이 사업당시 공사현장감독자이기는 하였으나 해당 공사의 발주자에 의하여 현장감독에 임명된 것이 아니고 구 건설업법상 요구되는 현장건설기술자의 자격도 없었다면 비록 그의 현장감독 부주의로 인하여 근로자가 다쳤다고 하더라도 甲에게 업무상 과실책임을 물을 수 없다.

② 의사가 설명의무를 위반한 채 의료행위를 하였다가 환자에게 사망의 결과가 발생한 경우 의사에게 업무상 과실로 인한 형사책임을 지우기 위하여 의사의 설명의무위반과 환자의 사망 사이에 상당인과관계가 존재할 필요는 없다.

③ 의료사고에서 의사의 과실을 인정하기 위해서는 의사가 결과발생을 예견할 수 있었음에도 이를 예견하지 못하였고 결과발생을 회피할 수 있었음에도 이를 회피하지 못한 과실이 검토되어야 하고, 과실의 유무를 판단할 때에는 같은 업무와 직무에 종사하는 보통인의 주의정도를 표준으로 하여야 한다.

④ 법인 대표자의 법규위반행위에 대한 법인의 책임은 법인 자신의 법규위반행위로 평가될 수 있는 행위에 대한 법인의 직접책임으로서의 성격을 가지지만, 대표자의 과실에 의한 위반행위에 대하여는 법인 자신의 과실에 의한 책임이라고 할 수 없다.

해설

③ [○] 의료사고에서 의사의 과실을 인정하기 위해서는 의사가 결과발생을 예견할 수 있었음에도 이를 예견하지 못하였고 결과발생을 회피할 수 있었음에도 이를 회피하지 못한 과실이 검토되어야 하고, 과실의 유무를 판단할 때에는 같은 업무와 직무에 종사하는 보통인의 주의정도를 표준으로 하여야 한다.(대법원 2014. 5. 29. 2013도14079 **프리어 파편 사건**)

① [×] 피고인이 사업 당시 **공사현장 감독인인 이상** 그 공사의 원래의 발주자의 직원이 아니고 또 발주자에 의하여 현장감독에 임명된 것도 아니며, 건설업법상 요구되는 현장건설기술자의 자격도 없다는 등의 사유는 **업무상과실책임을 물음에 아무런 영향도 미칠 수 없다.**(대법원 1983. 6. 14. 82도2713 **천제연 구름다리 붕괴사건**)

② [×] 의사가 설명의무를 위반한 채 의료행위를 하였다가 환자에게 상해 또는 사망의 결과가 발생한 경우 의사에게 업무상 과실로 인한 형사책임을 지우기 위해서는 **의사의 설명의무 위반과 환자의 상해 또는 사망 사이에 상당인과관계가 존재하여야 한다.**(대법원 2015. 6. 24. 2014도11315 **간경변증환자 화상치료 수술사건**)

④ [×] '법인의 대표자가 그 법인의 업무에 관하여 (중략) 위반행위를 한 때에는 그 법인에 대하여도 해당 조의 벌금형을 과한다'라는 구 농산물품질관리법 제37조는 (법인 대표자의 법규위반행위에 대한 법인의 책임은, 법인 자신의 법규위반행위로 평가될 수 있는 행위에 대한 법인의 직접책임으로서 **대표자의 고의에 의한 위반행위에 대하여는 법인 자신의 고의에 의한 책임을, 대표자의 과실에 의한 위반행위에 대하여는 법인 자신의 과실에 의한 책임을 부담하는 것이므로)** 대표자의 책임을 요건으로 하여 법인을 처벌하므로 책임주의원칙에 반하지 아니한다.(헌법재판소 2010. 7. 29. 2009헌가25)

376 과실범에 대한 설명으로 가장 적절하지 않은 것은? (다툼이 있으면 판례에 의함)

☐☐☐

20 경찰채용 [Essential ★]

① 함께 술을 마신 후 만취된 피해자를 촛불이 켜져 있는 방안에 혼자 눕혀 놓고 촛불을 끄지 않고 나오는 바람에 화재가 발생하여 피해자가 사망한 경우, 화재가 발생할 것은 예상할 수 없으므로 과실치사의 책임을 물을 수 없다.

② 육교 밑 차도를 주행하는 자동차 운전자가 전방 보도 위에 서 있는 피해자를 발견했다 하더라도 육교를 눈앞에 둔 피해자가 특히 차도로 뛰어들 거동이나 기색을 보이지 않는 한 일반적으로 차도로 뛰어들어오리라고 예견하기 어렵다.

③ 고령의 간경변증 환자인 피해자에게 화상 치료를 위한 가피절제술과 피부이식수술을 실시하기 전에 출혈과 혈액량 감소로 신부전이 발생하여 생명이 위험할 수 있다는 점에 대해 피해자와 피해자의 보호자에게 설명을 하지 아니한 채 수술을 실시한 과실로 인하여 환자가 사망한 경우, 의사에게 업무상 과실로 인한 형사책임을 지우기 위해서는 의사의 설명의무 위반과 환자의 사망 사이에 상당인과관계가 존재하여야 한다.

④ 과실범의 불법은 객관적 주의의무위반을 통한 행위반가치 및 구성요건적 결과 발생을 통한 결과반가치에서 찾을 수 있다.

해설

① [×] 함께 술을 마신 후 만취된 피해자를 촛불이 켜져 있는 방안에 혼자 눕혀 놓고 촛불을 끄지 않고 나오는 바람에 화재가 발생하여 피해자가 사망한 경우 **과실치사책임이 인정된다.**(대법원 1994. 8. 26. 94도1291 **자취방 실화사건**)

② [○] 각종 차량의 내왕이 번잡하고 보행자의 횡단이 금지되어 있는 육교 밑 차도를 주행하는 자동차운전자가 전방 보도 위에 서 있는 피해자를 발견했다 하더라도 육교를 눈앞에 둔 동인이 특히 차도로 뛰어들 거동이나 기색을 보이지 않는 한 일반적으로 동인이 차도로 뛰어들어오리라고 예견하기 어려운 것이므로, 이러한 경우 운전자로서는 일반보행자들이 교통관계법규를 지켜 차도를 횡단하지 아니하고 육교를 이용하여 횡단할 것을 신뢰하여 운행하면 족하다 할 것이고 불의에 뛰어드는 보행자를 예상하여 이를 사전에 방지해야 할 조치를 취할 업무상 주의의무는 없다.(대법원 1985. 9. 10. 84도1572)

③ [○] 의사가 설명의무를 위반한 채 의료행위를 하였다가 환자에게 상해 또는 사망의 결과가 발생한 경우 의사에게 업무상 과실로 인한 형사책임을 지우기 위해서는 의사의 설명의무 위반과 환자의 상해 또는 사망 사이에 상당인과관계가 존재하여야 한다.(대법원 2015. 6. 24. 2014도11315 **간경변증환자 화상치료 수술사건**)

④ [○] 옳은 설명이다.

377

□□□ 다음 설명 중 옳지 않은 것은 모두 몇 개인가? (다툼이 있으면 판례에 의함) 21 해경간부 [Core ★★]

> ㉠ 골프경기를 하던 중 골프공을 쳐서 아무도 예상하지 못한 자신의 등 뒤편으로 보내어 등 뒤에 있던 경기보조원(캐디)에게 상해를 입힌 경우에는 주의의무를 현저히 위반하여 사회적 상당성의 범위를 벗어난 행위로서 중과실치상죄가 성립한다.
>
> ㉡ 원칙적으로 도급인에게는 수급인의 업무와 관련하여 사고방지에 필요한 안전조치를 취할 주의의무가 없으나, 법령에 의하여 도급인에게 수급인의 업무에 관하여 구체적인 관리·감독의무 등이 부여되어 있거나 도급인이 공사의 시공이나 개별 작업에 관하여 구체적으로 지시·감독하였다는 등의 특별한 사정이 있는 경우에는 도급인에게도 수급인의 업무와 관련하여 사고방지에 필요한 안전조치를 취할 주의의무가 있다.
>
> ㉢ 술을 마시고 찜질방에 들어온 甲이 찜질방 직원 몰래 후문으로 나가 술을 더 마신 다음 후문으로 다시 들어와 발한실에서 잠을 자다가 사망한 경우, 위 찜질방 직원 및 영업주가 공중위생업자로서의 업무상 주의의무를 위반하였다고 볼 수 없다.
>
> ㉣ 음식 배달을 위하여 식당의 여닫이 출입문을 밀다가 출입문 밖에 서있던 피해자의 발뒷꿈치를 충격하여 상해를 입힌 경우 업무상과실치상죄가 성립한다.
>
> ㉤ 담임교사가 유리창을 청소할 때는 교실 안쪽에서 닦을 수 있는 유리창만을 닦도록 지시하였는데도 유독 피해자만이 수업시간이 끝나자마자 베란다로 넘어 갔다가 밑으로 떨어져 사망한 경우 업무상과실치사죄가 성립한다.

① 2개   ② 3개   ③ 4개   ④ 5개

해설

② ㉠㉣㉤ 3 항목이 옳지 않다.

㉠ [×] 골프경기를 하던 중 골프공을 쳐서 아무도 예상하지 못한 자신의 등 뒤편으로 보내어 등 뒤에 있던 경기보조원(캐디)에게 상해를 입힌 경우에는 주의의무를 현저히 위반하여 사회적 상당성의 범위를 벗어난 행위로서 **과실치상죄가 성립한다.**(대법원 2008. 10. 23. 2008도6940 **골프공 캐디강타 사건**)

㉡ [○] 도급계약의 경우 원칙적으로 도급인에게는 수급인의 업무와 관련하여 사고방지에 필요한 안전조치를 취할 주의의무가 없으나, 법령에 의하여 도급인에게 수급인의 업무에 관하여 구체적인 관리·감독의무 등이 부여되어 있거나 도급인이 공사의 시공이나 개별 작업에 관하여 구체적으로 지시·감독하였다는 등의 특별한 사정이 있는 경우에는 도급인에게도 수급인의 업무와 관련하여 사고방지에 필요한 안전조치를 취할 주의의무가 있다.(대법원 2016. 3. 24. 2015도8621)

㉢ [○] 술을 마시고 찜질방에 들어온 甲이 찜질방 직원 몰래 후문으로 나가 술을 더 마신 다음 후문으로 다시 들어와 발한실(發汗室)에서 잠을 자다가 사망한 경우 찜질방 직원 및 영업주에게 손님이 몰래 후문으로 나가 술을 더 마시고 들어올 경우까지 예상하여 직원을 추가로 배치하거나 후문으로 출입하는 모든 자를 통제·관리하여야 할 업무상 주의의무가 있다고 보기 어렵다.(대법원 2010. 2. 11. 2009도9807 **발한실 사건**)

㉣ [×] 식당(분식점)의 운영자인 피고인이 식당 밖에서 당겨 열도록 표시되어 있는 **출입문을 열고 음식 배달차 밖으로 나가던 중 이웃 가게 손님으로 마침 식당 출입문 앞쪽 길가에 서 있던 피해자의 오른발 뒤꿈치 부위를 출입문 모서리 부분으로 충격하여 상해를 입게 한 행위는,** 비록 식당의 운영과 관련한 업무상 행위로는 볼 수 있다 하더라도 달리 위 사고가 출입문 자체의 설치 혹은 관리상의 하자에 기인하거나 영업자로서 사고발생과 관련한 별도의 주의의무를 부과할 만한 사정이 존재하지 않는 이상 **피고인이 그 업무상 하여야 할 구체적이고도 직접적인 주의의무를 위반한 때에 해당한다고 보기 어렵고,** 오히려 위와 같이 출입문을 여닫는 행

위는 음식을 배달하기 위한 경우 이외에도 일상생활에서 얼마든지 자연적으로 행하여질 수 있는 일이라는 점에서 단순히 일상생활상의 주의의무를 위반한 경우에 불과하다.(대법원 2009. 10. 29. 2009도5753 식당 여닫이문 사건) 업무상과실치상죄가 아니라 단순과실치상죄가 성립한다.
ⓒ [×] 담임교사가 학교방침에 따라 학생들에게 교실청소를 시켜왔고 유리창을 청소할 때는 교실안쪽에서 닦을 수 있는 유리창만을 닦도록 지시하였는데도, 유독 피해자만이 수업시간이 끝나자마자 베란다로 넘어갔다가 밑으로 떨어져 사망하였다면 담임교사에게 어떤 과실책임을 물을 수 없다.(대법원 1989. 3. 28. 89도108 유리창 청소 사건)

378 다음 설명 중 옳지 않은 것은 모두 몇 개인가? (다툼이 있으면 판례에 의함) 20 경찰간부 [Core ★★]

□□□

> ㉠ 정당한 사유 없이 입영에 불응하는 사람을 처벌하는 병역법 제88조의 범죄에서 '정당한 사유'는 위법성조각사유이다.
> ㉡ 공사현장 감독인이 공사의 발주자에 의하여 현장감독에 임명된 것이 아니고, 「건설업법」상 요구되는 현장건설 기술자의 자격도 없다면 업무상 과실책임을 물을 수 없다.
> ㉢ 의료사고에서 의사의 과실을 인정하기 위한 요건과 판단 기준은 한의사의 그것과 다르다.
> ㉣ 행정상의 단속을 주안으로 하는 법규의 위반행위는 과실범 처벌규정은 없으나 해석상 과실범도 벌할 듯이 명확한 경우에도 형법의 원칙에 따라 고의가 있어야 벌할 수 있다.

① 1개   ② 2개   ③ 3개   ④ 4개

해설

④ 모든 항목이 옳지 않다.
㉠ [×] 병역법 제88조 제1항은 현역입영 또는 소집통지서를 받고도 '정당한 사유' 없이 이에 응하지 않은 사람을 처벌하는데, 여기에서 '정당한 사유'는 구성요건해당성을 조각하는 사유로서 위법성조각사유인 정당행위나 책임조각사유인 기대불가능성과는 구별된다.(대법원 2018. 11. 1. 2016도10912 순수 종교적 병역거부사건Ⅰ)
㉡ [×] 피고인이 사업 당시 공사현장 감독인인 이상 그 공사의 원래의 발주자의 직원이 아니고 또 발주자에 의하여 현장감독에 임명된 것도 아니며, 건설업법상 요구되는 현장건설기술자의 자격도 없다는 등의 사유는 업무상과실책임을 물음에 아무런 영향도 미칠 수 없다.(대법원 1983. 6. 14. 82도2713 천제연 구름다리 붕괴사건)
㉢ [×] 의료사고에 있어서 의사의 과실을 인정하기 위해서는 의사가 결과발생을 예견할 수 있었음에도 불구하고 그 결과발생을 예견하지 못하였고 그 결과발생을 회피할 수 있었음에도 불구하고 그 결과발생을 회피하지 못한 과실이 검토되어야 하고, 그 과실의 유무를 판단함에는 같은 업무와 직무에 종사하는 보통인의 주의정도를 표준으로 하여야 하며, 이에는 사고 당시의 일반적인 의학의 수준과 의료환경 및 조건, 의료행위의 특수성 등이 고려되어야 하고, 이러한 법리는 한의사의 경우에도 마찬가지이다.(대법원 2011. 4. 14. 2010도10104 봉침 사건)
㉣ [×] 행정상의 단속을 주안으로 하는 법규라 하더라도 명문규정이 있거나 해석상 과실범도 벌할 듯이 명확한 경우를 제외하고는 형법의 원칙에 따라 고의가 있어야 벌할 수 있다.(대법원 2010. 2. 11. 2009도9807 발한실 사건) 따라서 해석상 과실범도 벌할 듯이 명확한 경우에는 고의가 없더라도 과실범으로 처벌할 수 있다.

379

□□□ 과실범에 대한 설명으로 옳지 않은 것은? (다툼이 있으면 판례에 의함)

① 의사가 업무상 과실로 인한 형사책임을 지기 위해서는 피해자의 상해와 의사의 설명의무 사이에 상당인과관계가 존재하여야 한다.

② 의료사고에서 의사에게 과실이 있다고 하기 위해서는 결과 발생을 예견할 수 있고 또 회피할 수 있었는데도 이를 예견하지 못하거나 회피하지 못하였음이 인정되어야 한다.

③ 행위자의 주의의무 위반행위가 결과발생에 유일하거나 직접적인 원인일 필요는 없으며, 설령 피해자의 주의의무위반이 개입되어 있더라도 인과관계는 단절되지 않는다.

④ 안전배려 내지 안전관리 사무에 계속적으로 종사하여 사회 생활면에서 하나의 지위로서의 계속성을 가지지는 않았지만 건물의 소유자로서 건물을 비정기적으로 수리하거나 건물의 일부분을 임대한 경우라면 업무상과실치상죄에 있어서의 '업무'가 인정된다.

해설

④ [×] (1) 업무상과실치상죄에 있어서의 '업무'란 사람의 사회생활면에 있어서의 하나의 지위로서 계속적으로 종사하는 사무를 말하고, 여기에는 수행하는 직무 자체가 위험성을 갖기 때문에 안전배려를 의무의 내용으로 하는 경우는 물론 사람의 생명·신체의 위험을 방지하는 것을 의무내용으로 하는 업무도 포함된다. (2) 따라서 안전배려 내지 안전관리 사무에 계속적으로 종사하여 위와 같은 지위로서의 계속성을 가지지 아니한 채 단지 건물의 소유자로서 건물을 비정기적으로 수리하거나 건물의 일부분을 임대하였다는 사정만으로는 **업무상과실치상죄에 있어서의 '업무'로 인정될 수 없다.**(대법원 2009. 5. 28. 2009도1040 서예학원 화재사건)

① [○] 의사가 설명의무를 위반한 채 의료행위를 하였고 피해자에게 상해가 발생하였다고 하더라도, 의사가 업무상 과실로 인한 형사책임을 지기 위해서는 피해자의 상해와 의사의 설명의무 위반 내지 승낙취득 과정에서의 잘못 사이에 상당인과관계가 존재하여야 하고, 이는 한의사의 경우에도 마찬가지이다.(대법원 2011. 4. 14. 2010도10104 봉침 사건)

② [○] 의료사고에 있어 의료종사자의 과실을 인정하기 위해서는 의료종사자가 결과발생을 예견할 수 있고 또 회피할 수 있었음에도 불구하고 이를 예견하거나 회피하지 못한 과실이 인정되어야 하고, 그러한 과실의 유무를 판단함에는 같은 업무와 직무에 종사하는 보통인의 주의 정도를 표준으로 하여야 하며, 이에는 사고당시의 일반적인 의학의 수준과 의료 환경 및 조건, 의료행위의 특수성 등이 고려되어야 한다.(대법원 2014. 5. 29. 2013도14079 프리어 파편 사건)

③ [○] 교통방해치사상죄는 결과적 가중범이므로, 위 죄가 성립하려면 교통방해 행위와 사상의 결과 사이에 상당인과관계가 있어야 하고 행위시에 결과의 발생을 예견할 수 있어야 한다. 그리고 교통방해 행위가 피해자의 사상이라는 결과를 발생하게 한 유일하거나 직접적인 원인이 된 경우만이 아니라, 그 행위와 결과 사이에 피해자나 제3자의 과실 등 다른 사실이 개재된 때에도 그와 같은 사실이 통상 예견될 수 있는 것이라면 상당인과관계를 인정할 수 있다.(대법원 2014. 7. 24. 2014도6206 고속도로 급제동 정차사건)

380 과실범에 대한 설명으로 가장 적절하지 않은 것은? (다툼이 있으면 판례에 의함)

□□□

① 골프 카트 운전자는 골프 카트 출발 전에 승객들에게 안전손잡이를 잡도록 고지하고 승객이 안전 손잡이를 잡은 것을 확인하고 출발하여야 할 업무상 주의의무가 있다.

② 의료사고에 있어서 의사의 과실 유무를 판단할 때에는 같은 업무와 직종에 종사하는 일반적 보통인의 주의 정도를 표준으로 하여야 하며, 이때 사고 당시의 일반적인 의학의 수준과 의료 환경 및 조건, 의료행위의 특수성 등을 고려하여야 한다.

③ 도급인이 수급인에게 공사의 시공이나 개별 작업에 관하여 구체적으로 지시·감독하였더라도, 법령에 의하여 도급인에게 구체적인 관리·감독의무가 부여되어 있지 않다면 도급인에게는 수급인의 업무와 관련하여 사고방지에 필요한 안전조치를 해야 할 주의의무가 없다.

④ 교통이 빈번한 간선도로에서 횡단보도의 보행자 신호등이 적색으로 표시된 경우 운전자는 보행자가 동 적색신호를 무시하고 갑자기 뛰어나올 가능성에 대비하여 운전하여야 할 업무상 주의의무는 없다.

해설

③ [×] 도급계약의 경우 원칙적으로 도급인에게는 수급인의 업무와 관련하여 사고방지에 필요한 안전조치를 취할 주의의무가 없으나, 법령에 의하여 도급인에게 수급인의 업무에 관하여 구체적인 관리·감독의무 등이 부여되어 있거나 **도급인이 공사의 시공이나 개별 작업에 관하여 구체적으로 지시·감독하였다는 등의 특별한 사정이 있는 경우에는 도급인에게도 수급인의 업무와 관련하여 사고방지에 필요한 안전조치를 취할 주의의무가 있다.**(대법원 2016. 3. 24. 2015도8621)

① [O] 골프 카트는 안전벨트나 골프 카트 좌우에 문 등이 없고 개방되어 있어 승객이 떨어져 사고를 당할 위험이 커, 골프 카트 운전업무에 종사하는 자로서는 골프 카트 출발 전에는 승객들에게 안전 손잡이를 잡도록 고지하고 승객이 안전 손잡이를 잡은 것을 확인하고 출발하여야 하고, 우회전이나 좌회전을 하는 경우에도 골프 카트의 좌우가 개방되어 있어 승객들이 떨어져서 다칠 우려가 있으므로 충분히 서행하면서 안전하게 좌회전이나 우회전을 하여야 할 업무상 주의의무가 있다.(대법원 2010. 7. 22. 2010도1911 **골프장카트 난폭운전 사건**)

② [O] 의료사고에 있어 의료종사자의 과실을 인정하기 위해서는 의료종사자가 결과발생을 예견할 수 있고 또 회피할 수 있었음에도 불구하고 이를 예견하거나 회피하지 못한 과실이 인정되어야 하고, 그러한 과실의 유무를 판단함에는 같은 업무와 직무에 종사하는 보통인의 주의 정도를 표준으로 하여야 하며, 이에는 사고 당시의 일반적인 의학의 수준과 의료 환경 및 조건, 의료행위의 특수성 등이 고려되어야 한다.(대법원 2014. 5. 29. 2013도14079 **프리어 파편 사건**)

④ [O] 교통이 빈번한 간선도로에서 횡단보도의 보행자 신호등이 적색으로 표시된 경우 자동차운전자에게 보행자가 적색신호를 무시하고 갑자기 뛰어 나오리라는 것까지 미리 예견하여 운전하여야 할 업무상 주의의무는 없다.(대법원 1985. 11. 12. 85도1893)

정답 | 379 ④   380 ③

381

□□□

각 사례에서 甲에게 과실범이 성립하는 경우는? (다툼이 있으면 판례에 의함) 12 경찰간부 [Essential ★]

① 甲은 고속도로를 야간 운행하던 중 갑자기 고속도로를 무단횡단하기 위해 뛰어든 보행자를 미처 피하지 못하고 충격하여 사망에 이르게 하였다

② 병원 인턴인 甲이 응급실로 이송되어 온 익수(溺水) 환자 A를 담당의사의 지시에 따라 구급차에 태워 다른 병원으로 이송하던 중 산소통의 산소잔량을 체크하지 않은 과실로 인하여 산소 공급이 중단된 결과 A를 폐부종 등으로 사망에 이르게 하였다.

③ 甲은 A골프장에서 골프경기를 하던 중 골프공을 쳐서 아무도 예상하지 못한 자신의 등 뒤 8m 정도 떨어져 있던 경기 보조원(캐디)을 골프공으로 맞혀 상해를 입혔다.

④ 산부인과 의사 甲은 30대 중반의 초산모 乙에 대해서 제왕절개 수술을 하였는데, 乙은 수술 후 호흡곤란이나 현기증 등의 증세를 나타내다가 폐색전증으로 사망하였지만, 甲은 폐색전증을 예견하지 못하고 그에 대한 조치를 취하지 않았다. 호흡곤란이나 현기증 등은 폐색전증의 증상과 징후의 하나이기는 하지만 이러한 호흡곤란이나 현기증 등은 수술 후 나타날 수 있는 흔한 증상 중의 하나였다.

해설

③ [○] (1) 골프와 같은 개인 운동경기에 참가하는 자는 자신의 행동으로 인해 다른 사람이 다칠 수도 있으므로, 경기 규칙을 준수하고 주위를 살펴 상해의 결과가 발생하는 것을 미연에 방지해야 할 주의의무가 있다. 이러한 주의의무는 경기보조원에 대하여도 마찬가지로 부담한다. (2) 골프경기를 하던 중 골프공을 쳐서 아무도 예상하지 못한 자신의 등 뒤편으로 보내어 등 뒤에 있던 경기보조원(캐디)에게 상해를 입힌 경우에는 주의의무를 현저히 위반하여 사회적 상당성의 범위를 벗어난 행위로서 과실치상죄가 성립한다.(대법원 2008. 10. 23. 2008도6940 골프공 캐디강타 사건)

① [×] 피고인이 1차로에서 2차로로 진로를 변경하여 고속버스를 추월한 직후에, 피해자 등이 30~40m 전방에서 **고속도로를 무단횡단**하기 위하여 2차로로 갑자기 뛰어들어 피해자 등을 충격하게 된 경우, 피고인이 피해자 등의 무단횡단을 미리 예상할 수 있었다고 할 수 없고, 피고인에게 고속버스와의 안전거리를 확보하지 아니한 채 진행하다가 고속버스의 우측으로 제한최고속도를 시속 20km 초과하여 추월한 잘못이 있더라도, **피고인의 위와 같은 잘못과 사고결과와의 사이에 상당인과관계가 있다고 할 수도 없다.**(대법원 2000. 9. 5. 2000도2671)

② [×] **병원 인턴인 피고인**이, 응급실로 이송되어 온 익수(溺水)환자 A를 담당의사의 지시에 따라 구급차에 태워 다른 병원으로 이송하던 중 **산소통의 산소잔량을 체크하지 않아 산소 공급이 중단되어 A가 폐부종 등으로 사망**하였더라도, 담당 의사로부터 이송 도중 환자에 대한 앰부 배깅(ambu bagging)과 진정제 투여업무만을 지시받은 피고인에게 일반적으로 구급차 탑승 전 또는 이송 도중 **구급차에 비치되어 있는 산소통의 산소잔량을 확인할 주의의무가 있다고 보기는 어렵고**, 피고인이 산소부족 상태를 안 후에 취한 조치(즉시 심폐소생술을 시행하는 한편 가장 가까운 병원으로 구급차를 운행하도록 한 조치)에 어떠한 업무상 주의의무 위반이 있었다고 볼 수 없다.(대법원 2011. 9. 8. 2009도13959 산소잔량 미확인 사건)

④ [×] 산부인과 의사 甲은 30대 중반의 초산모 乙에 대해서 제왕절개 수술을 하였는데 乙이 수술 후 호흡곤란이나 현기증 등의 증세를 나타내다가 폐색전증으로 사망한 경우, 제왕절개술로 분만한 산모에게서 수술 후 발생할 수 있는 호흡곤란이나 현기증 등만으로 폐색전증을 예상하여 이를 진단하는 것은 지극히 어려울 뿐만 아니라 폐색전증의 가능성은 고령·제왕절개술의 출산 후 증가하지만 전체 임산부 중 폐색전증의 발생 가능성 자체는 극히 낮으므로 甲이 폐색전증을 예견하지 못한 것에 어떠한 잘못이 있었다고 볼 수 없고, 따라서 이와 같이 폐색전증을 의심하기 어려운 상황에서 폐색전증을 확진하기 위하여 폐혈관조영술을 일반적으로 실시하여야 할 의무가 있다고 단정할 수도 없다.(대법원 2006. 10. 26. 2004도486 제왕절개 산모 사망사건)

382 □□□ 도로교통에 있어서 주의의무에 관한 다음 설명 중 가장 옳지 않은 것은? (다툼이 있으면 판례에 의함)

12 법원9급 [Core ★★]

① 앞차를 뒤따라 진행하는 차량의 운전사는 앞차에 의하여 전방의 시야가 가리는 관계상 앞차의 어떠한 돌발적인 운전 또는 사고에 의하여서라도 자기 차량에 연쇄적인 사고가 일어나지 않도록 앞차와의 충분한 안전거리를 유지하고 진로 전방 좌우를 잘 살펴 진로의 안전을 확인하면서 진행할 주의의무가 있다.

② 교차로에서 진행신호에 따라 진행하는 운전자는 맞은 편에서 다른 차량이 신호를 무시하고 자기 앞을 가로질러 좌회전할 경우를 예상하여 사고의 발생을 방지해야 할 주의의무가 없다.

③ 자동차전용도로를 운행 중인 자동차운전자에게는 진행차량 사이를 뚫고 횡단하는 보행자가 있을 것을 예상하여 전방주시를 할 의무가 있다.

④ 차량의 운전자는 횡단보도의 신호가 적색인 상태에서 반대 차선 상에 정지하여 있는 차량의 뒤로 보행자가 건너오는 사태를 예상하여야 할 주의의무가 없다.

해설

③ [×] 자동차전용도로를 운행중인 자동차운전사들에게 반대차선에서 진행차량 사이를 뚫고 횡단하는 보행자들이 있을 것까지 예상하여 **전방주시를 할 의무가 있다고 보기는 어렵다.**(대법원 1990. 1. 23. 89도1395)

① [○] (1) 앞차를 뒤따라 진행하는 차량의 운전사는 앞차에 의하여 전방의 시야가 가리는 관계상 앞차의 어떠한 돌발적인 운전 또는 사고에 의하여서라도 자기 차량에 연쇄적인 사고가 일어나지 않도록 앞차와의 충분한 안전거리를 유지하고 진로 전방 좌우를 잘 살펴 진로의 안전을 확인하면서 진행할 주의의무가 있다. (2) 피고인이 차량을 운전하고 편도 2차선 도로 중 2차로를 시속 약 60km의 속도로 선행 차량과 약 30m가량의 간격을 유지한 채 진행하다가 선행차량에 역과(轢過)된 채 진행 도로상에 누워있는 피해자를 뒤늦게 발견하고 급제동을 할 겨를도 없이 이를 그대로 역과하여 피해자가 사망한 경우, 사고에 관하여 피고인에게 업무상 과실이 없다고 할 수 없고 피고인 차량의 역과와 피해자의 사망 사이에 인과관계가 인정된다.(대법원 2001. 12. 11. 2001도5005 피고인 나중에 꽝 사건!)

② [○] 교차로를 녹색등화에 따라 직진하는 차량의 운전자는 특별한 사정이 없는 이상, 다른 차량들도 교통법규를 준수하고 충돌을 피하기 위하여 적절한 조치를 취할 것으로 믿고 운전하면 족하고, 다른 차량이 신호를 위반하고 직진하는 차량의 앞을 가로 질러 좌회전할 경우까지를 예상하여 그에 따른 사고발생을 미연에 방지할 특별한 조치까지 강구할 업무상의 주의의무는 없다.(대법원 1985. 1. 22. 84도1493)

④ [○] 차량의 운전자로서는 횡단보도의 신호가 적색인 상태에서 반대차선상에 정지하여 있는 차량의 뒤로 보행자가 건너오지 않을 것이라고 신뢰하는 것이 당연하고 그렇지 아니할 사태까지 예상하여 그에 대한 주의의무를 다하여야 한다고는 할 수 없다.(대법원 1993. 2. 23. 92도2077)

정답 | 381 ③   382 ③

383 다음 중 업무상과실치사상죄에 관한 설명으로 가장 옳은 것은? (다툼이 있으면 판례에 의함)

□□□

20 해경승진 [Core ★★]

① 업무상과실치상죄는 반의사불벌죄이지만, 업무상과실치사죄는 반의사불벌죄가 아니다.

② 건물의 소유자로서 건물을 비정기적으로 수리하거나 건물의 일부분을 임대하였다는 사정만으로는 업무상과실치상죄에 있어서의 '업무'로 보기 어렵다.

③ 의료사고에서 의료종사자의 과실을 인정하기 위해서는 의료종사자가 결과발생을 예견할 수 있고 또 회피할 수 있었는데도 이를 예견하거나 회피하지 못한 과실이 인정되어야 하고, 그러한 과실 유무를 판단할 때에는 일반인의 주의 정도를 표준으로 하여야 한다.

④ 업무상과실치사상죄의 공동정범은 성립할 수 없다.

해설

② [O] (1) 업무상과실치상죄에 있어서의 '업무'란 사람의 사회생활면에 있어서의 하나의 지위로서 계속적으로 종사하는 사무를 말하고, 여기에는 수행하는 직무 자체가 위험성을 갖기 때문에 안전배려를 의무의 내용으로 하는 경우는 물론 사람의 생명·신체의 위험을 방지하는 것을 의무내용으로 하는 업무도 포함된다. (2) 따라서 안전배려 내지 안전관리 사무에 계속적으로 종사하여 위와 같은 지위로서의 계속성을 가지지 아니한 채 단지 건물의 소유자로서 건물을 비정기적으로 수리하거나 건물의 일부분을 임대하였다는 사정만으로는 업무상과실치상죄에 있어서의 '업무'로 인정될 수 없다.(대법원 2009. 5. 28. 2009도1040 서예학원 화재사건)

① [×] 업무상과실치상죄와 업무상과실치사죄 **모두 반의사불벌죄가** 아니다.

③ [×] 의료사고에서 의료종사자의 과실을 인정하기 위해서는 의료종사자가 결과발생을 예견할 수 있고 또 회피할 수 있었는데도 이를 예견하거나 회피하지 못한 과실이 인정되어야 하고, 그러한 과실 유무를 판단할 때에는 **같은 업무와 직무에 종사하는 보통인의 주의 정도를 표준으로 하여야 한다.**(대법원 2014. 5. 29. 2013도14079 프리어 파편 사건)

④ [×] 공동정범은 고의범이나 과실범을 불문하고 의사의 연락이 있는 경우면 성립하는 것으로서 2인 이상이 서로의 의사연락 아래 과실행위를 하여 범죄되는 결과를 발생하게 하면 **과실범의 공동정범이 성립하는 것이다.**(대법원 1994. 5. 24. 94도660 구포역 열차전복 사건)

384 과실범의 신뢰의 원칙에 관한 설명 중 옳지 않은 것은? (다툼이 있으면 판례에 의함)

16 사법시험 [Superlative ★★★]

① 보행자의 횡단이 금지되어 있는 육교 밑 차도를 주행하는 운전자는 차도에 보행자가 뛰어들 것을 예상하여 감속 조치를 취할 업무상 주의의무가 있다.

② 중앙선이 표시되어 있지 아니한 비포장도로라고 하더라도 승용차가 넉넉히 서로 마주보고 진행할 수 있는 정도의 너비가 되는 도로라면 특별한 사정이 없는 한 마주 오는 차가 중앙이나 좌측 부분으로 진행하여 올 것까지 예상하여 적절한 조치를 취할 업무상 주의의무가 없다.

③ 반대방향에서 오는 차량이 이미 중앙선을 침범하여 비정상적인 운행을 하고 있음을 목격한 경우에는 자기의 진행전방에 돌입할 가능성을 예견하여 주의깊게 운행할 업무상 주의의무가 있다.

④ 고속국도를 주행하는 운전자는 도로 양측에 휴게소가 있는 경우라도 도로를 무단횡단하는 보행자가 있음을 예상하여 감속 등의 조치를 취할 업무상 주의의무가 없다.

⑤ 환자의 주치의 겸 정형외과 전공의인 의사는 같은 과 수련의가 당해 환자에 대하여 한 처방이 적절한 것인지의 여부를 확인하고 감독해야 할 업무상 주의의무가 있다.

해설

① [×] 각종 차량의 내왕이 번잡하고 보행자의 횡단이 금지되어 있는 육교밑 차도를 주행하는 자동차운전자가 **전방 보도위에 서있는 피해자를 발견했다** 하더라도 육교를 눈앞에 둔 동인이 특히 차도로 뛰어들 거동이나 기색을 보이지 않는 한 **일반적으로 동인이 차도로 뛰어들어 오리라고 예견하기 어려운 것이므로**, 이러한 경우 운전자로서는 일반보행자들이 교통관계법규를 지켜 차도를 횡단하지 아니하고 육교를 이용하여 횡단할 것을 신뢰하여 운행하면 족하다 할 것이고 **불의에 뛰어드는 보행자를 예상하여 이를 사전에 방지해야 할 조치를 취할 업무상 주의의무는 없다.**(대법원 1985. 9. 10. 84도1572)

② [○] 중앙선이 표시되어 있지 아니한 비포장도로라고 하더라도 승용차가 넉넉히 서로 마주보고 진행할 수 있는 정도의 너비가 되는 도로를 정상적으로 진행하고 있는 자동차의 운전자로서는, 특별한 사정이 없는 한 마주 오는 차도 교통법규(도로교통법 제12조 제3항 등)를 지켜 도로의 중앙으로부터 우측부분을 통행할 것으로 신뢰하는 것이 보통이므로 마주 오는 차가 도로의 중앙이나 좌측부분으로 진행하여 올 것까지 예상하여 특별한 조치를 강구하여야 할 업무상 주의의무는 없는 것이 원칙이다.(대법원 1992. 7. 28. 92도1137)

③ [○] 침범금지의 황색중앙선이 설치된 도로에서 자기 차선을 따라 운행하는 자동차운전수는 반대방향에서 오는 차량이 이미 중앙선을 침범하여 비정상적인 운행을 하고 있음을 목격한 경우에는 자기의 진행전방에 돌입할 가능성을 예견하여 그 차량의 동태를 주의깊게 살피면서 속도를 줄여 피행하는 등 적절한 조치를 취함으로써 사고발생을 미연에 방지할 업무상 주의의무가 있다.(대법원 1986. 2. 25. 85도2651)

④ [○] 고속국도에서는 보행으로 통행, 횡단하거나 출입하는 것이 금지되어 있으므로 고속국도를 주행하는 차량의 운전자는 도로양측에 휴게소가 있는 경우에도 도로상에 보행자가 있음을 예상하여 감속등 조치를 할 주의의무가 있다 할 수 없다.(대법원 1977. 6. 28. 77도403)

⑤ [○] 피고인 甲이 피해자의 주치의 겸 병원 정형외과 전공의로서, 같은 과의 수련의인 乙이 피고인 甲의 담당 환자인 피해자에 대하여 한 처방이 적절한 것인지의 여부를 확인하고 감독하여야 할 업무상 주의의무가 있음에도 불구하고, 위 의무를 소홀히 한 나머지 피해자가 乙의 잘못된 처방으로 인하여 상해를 입게 되었다면, 피고인 甲은 업무상과실치상죄의 죄책을 져야 한다.(대법원 2007. 2. 22. 2005도9229)

385

□□□ 과실에 관한 다음 설명 중 가장 옳지 않은 것은? (다툼이 있으면 판례에 의함)

16 법원행시 [Superlative ★★★]

① 중과실은 중대한 주의의무 위반을 뜻하는바, 피고인 정도의 연령이나 경험, 지식을 가진 사람으로써는 약간의 주의를 기울이더라도 쉽게 예견할 수 있음에도 그러한 결과에 대해 주의를 다하지 않은 것은 중대한 과실에 해당한다.

② 의료사고에 있어 의사의 과실을 인정하기 위해서는 의사가 결과발생을 예견할 수 있었음에도 불구하고 그 결과발생을 예견하지 못하였고 그 결과발생을 회피할 수 있었음에도 불구하고 그 결과발생을 회피하지 못한 과실이 검토되어야 하고, 그 과실의 유무를 판단함에는 같은 업무와 직무에 종사하는 일반적 보통인의 주의 정도를 표준으로 하여야 한다.

③ 임차인이 자신의 비용으로 설치·사용하던 가스설비의 휴즈콕크를 아무런 조치 없이 제거하고 이사를 간 후 가스공급을 개별적으로 차단할 수 있는 주밸브가 열려져 가스가 유입되어 폭발사고가 발생한 경우, 평균인의 관점에서 객관적으로 볼 때 충분히 예상할 수 있으므로 임차인의 과실과 가스폭발사고 사이의 상당인과관계를 인정할 수 있다.

④ 신뢰의 원칙이란 과실범에서 주의의무규칙을 준수하는 사람은 다른 참여자들도 그렇게 하리라는 것을 신뢰한 행위결과로 구성요건 결과가 발생하더라도 과실행위가 되지 않는다는 것이다.

⑤ 중앙선이 표시되어 있지 아니한 비포장도로에서는 승용차가 마주보고 진행할 수 있는 정도의 너비가 되는 도로라고 하더라도 마주 오는 차가 도로의 중앙이나 좌측부분으로 진행하여 올 것을 예상하여 필요한 조치를 강구하여야 할 업무상 주의의무가 있는 것이 원칙이다.

해설

⑤ [×] 중앙선이 표시되어 있지 아니한 비포장도로라고 하더라도 승용차가 넉넉히 서로 마주보고 진행할 수 있는 정도의 너비가 되는 도로를 정상적으로 진행하고 있는 자동차의 운전자로서는, 특별한 사정이 없는 한 마주 오는 차도 교통법규(도로교통법 제12조 제3항 등)를 지켜 도로의 중앙으로부터 우측부분을 통행할 것으로 신뢰하는 것이 보통이므로 **마주 오는 차가 도로의 중앙이나 좌측부분으로 진행하여 올 것까지 예상하여 특별한 조치를 강구하여야 할 업무상 주의의무는 없는 것이 원칙이다.**(대법원 1992. 7. 28. 92도1137)

① [○] 중과실은 행위자가 극히 근소한 주의를 함으로써 결과발생을 인식할 수 있음에도 불구하고 부주의로서 이를 인식하지 못한 경우를 말하는 것이고 경과실과의 구별은 구체적인 경우에 사회통념을 고려하여 결정될 문제이다.(대법원 1960. 3. 9. 59도761)

② [○] 의료사고에 있어 의료종사자의 과실을 인정하기 위해서는 의료종사자가 결과발생을 예견할 수 있고 또 회피할 수 있었음에도 불구하고 이를 예견하거나 회피하지 못한 과실이 인정되어야 하고, 그러한 과실의 유무를 판단함에는 같은 업무와 직무에 종사하는 보통인의 주의 정도를 표준으로 하여야 하며, 이에는 사고 당시의 일반적인 의학의 수준과 의료 환경 및 조건, 의료행위의 특수성 등이 고려되어야 한다.(대법원 2014. 5. 29. 2013도14079 **프리어 파편 사건**)

③ [○] 임차인이 자신의 비용으로 설치·사용하던 가스설비의 휴즈콕크를 아무런 조치 없이 제거하고 이사를 간 후 가스공급을 개별적으로 차단할 수 있는 주밸브가 열려져 가스가 유입되어 폭발사고가 발생한 경우, 휴즈콕크를 제거하면서 그 제거부분에 아무런 조치를 하지 않고 방치하면 주밸브가 열리는 경우 유입되는 가스를

막을 아무런 안전장치가 없어 가스 유출로 인한 대형사고의 가능성이 있다는 것은 평균인의 관점에서 객관적으로 볼 때 충분히 예견할 수 있으므로 임차인의 과실과 가스폭발사고 사이의 상당인과관계가 인정된다.(대법원 2001. 6. 1. 99도5086 대전 LPG 폭발사건)

④ [O] 신뢰의 원칙에 관한 일반적인 설명으로 옳은 지문이다.

---

386 다음 사례에서 **甲**에게 중과실이 인정되는 것만을 모두 고른 것은? (다툼이 있으면 판례에 의함)

17 국가7급 [Core ★★]

> ㉠ 甲이 성냥불로 담배를 붙인 다음 불이 꺼진 것을 확인하지 아니한 채 그 성냥불을 휴지가 들어 있는 플라스틱 휴지통에 던져 화재가 발생한 경우
> ㉡ 총기의 위험성을 잘 알고 있는 경찰관 甲, 乙, 丙이 함께 술을 마셔 모두 만취된 상태에서 乙과 丙이 갑자기 총을 들어 자신들의 머리에 대고 쏘는, 소위 '러시안 룰렛 게임'을 하기에 甲이 "장난치지 말라"며 말로 만류하던 중 순식간에 乙이 자신이 쏜 총에 맞아 사망한 경우
> ㉢ 甲이 평상시와 마찬가지로 연탄아궁이에 불을 피워놓고 연탄아궁이로부터 80cm 떨어진 곳에 스폰지요·솜 등을 쌓아놓고 퇴근하였는데, 스폰지요·솜 등이 연탄아궁이 쪽으로 넘어지면서 훈소현상에 의하여 점포를 떠난 지 4시간 이상이 지난 뒤 화재가 발생한 경우
> ㉣ 목사 甲이 안수기도를 한다면서 84세의 노인과 11세의 여자아이를 바닥에 눕혀놓고 "마귀야 물러가라", "왜 안 나가느냐" 등 소리를 치면서 손으로 배와 가슴 부분을 세게 때리고 누르는 등의 행위를 20~30분간 반복하여 이들을 사망케 한 경우

① ㉠㉢   ② ㉠㉣   ③ ㉡㉢   ④ ㉡㉣

해설

② ㉠㉣ 2 항목의 경우 甲에게 중과실이 인정된다.

㉠ [O] 피고인이 성냥불로 담배를 붙인 다음 그 성냥불이 꺼진 것을 확인하지 아니한 채 휴지가 들어 있는 플라스틱 휴지통에 던진 것은 중대한 과실이 있는 경우에 해당한다.(대법원 1993. 7. 27. 93도135)

㉡ [×] 사고는 피고인 甲 등이 "장난치지 말라"며 말로 丙을 만류하던 중에 순식간에 일어난 사고여서 음주 만취하여 주의능력이 상당히 저하된 상태에 있던 피고인 甲 등으로서는 미처 물리력으로 이를 제지할 여유도 없었던 것이므로, 경찰관이라는 신분상의 조건을 고려하더라도 **피고인 甲 등이 러시안 룰렛 게임을 즉시 물리력으로 제지하지 못하였다 한들 그것만으로는 丙의 과실과 더불어 중과실치사죄의 형사상 책임을 지울 만한 위법한 주의의무위반이 있었다고 평가할 수 없다.**(대법원 1992. 3. 10. 91도3172 러시안 룰렛 사건)
丙은 중과실치사죄의 죄책을 지지만, 甲 등은 중과실치사죄의 죄책을 지지 아니한다.

㉢ [×] 설사 피고인이 쌓아둔 스폰지요, 솜 등이 연탄아궁이 쪽으로 넘어졌기 때문에 화재가 발생한 것이라고 하더라도 사회통념상 피고인의 중대한 과실로 인하여 화재가 발생한 것이라고 평가하기도 어렵다. 피고인이

연탄아궁이로부터 80cm 떨어진 곳에 비닐로 포장한 스폰지요, 솜 등을 끈으로 묶지 않은 채 쌓아두었다고 하더라도, 피고인이 아주 작은 주의만 기울였더라면 그것들이 연탄아궁이 쪽으로 쉽게 넘어지고 또 그로 인하여 훈소현상(불꽃없이 연기만 내면서 타는 현상)에 의한 화재가 발생할 것을 예견할 수 있었다고 보기는 어렵기 때문이다(피고인은 평상시에도 화재가 발생한 날의 경우와 마찬가지로 연탄아궁이에 불을 피워놓은 채 스폰지요, 솜들을 쌓아두고 귀가한 것으로 보이는바, 이와 같은 점포의 관리상황과 피고인이 점포를 떠난지 4시간 이상이 지난뒤에 화재가 발생한 점 등에 비추어 보면, 화재의 발생에 관하여 **피고인에게 과실이 있었다고 하더라도 이를 중대한 과실로 평가하기는 어렵다**).(대법원 1989. 1. 17. 88도643)

ⓔ [○] 고령의 여자 노인이나 나이 어린 연약한 여자아이들은 약간의 물리력을 가하더라도 골절이나 타박상을 당하기 쉽고, 더욱이 배나 가슴 등에 그와 같은 상처가 생기면 치명적 결과가 올 수 있다는 것은 피고인 정도의 연령이나 경험 지식을 가진 사람으로서는 약간의 주의만 하더라도 쉽게 예견할 수 있을 것임에도 불구하고, 그와 같은 예견될 수 있는 결과에 대해서 주의를 다하지 않아 사람을 죽음으로까지 가게 한 행위는 중대한 과실이라고 하지 않을 수 없다.(대법원 1997. 4. 22. 97도538 **마귀야 물러가라 사건**)

387 과실범에 대한 설명으로 가장 적절하지 않은 것은? (다툼이 있으면 판례에 의함)
□□□

17 경찰채용 [Essential ★]

① 고속국도를 주행하는 차량의 운전자는 도로양측에 휴게소가 있는 경우에도 동 도로상에 보행자가 있음을 예상하여 감속 등 조치를 할 주의의무가 있다 할 수 없다.

② 과실일수죄는 형법상 처벌규정이 있으나 과실교통방해죄는 형법상 처벌규정이 없다.

③ 의사가 설명의무를 위반한 채 의료행위를 하여 피해자에게 상해가 발생하였다고 하더라도, 업무상 과실로 인한 형사책임을 지기 위해서는 피해자의 상해와 의사의 설명의무 위반 내지 승낙취득 과정의 잘못 사이에 상당인과관계가 존재하여야 한다.

④ 의료과오사건에 있어서 의사의 과실 유무를 판단함에는 같은 업무와 직무에 종사하는 일반적 보통인의 주의 정도를 표준으로 하여야 하며, 이때 사고 당시의 일반적인 의학의 수준과 의료 환경 및 조건, 의료행위의 특수성 등을 고려하여야 한다.

해설

② [×] 과실일수죄와 과실교통방해죄 **모두 형법상 처벌규정이 있다**.(제181조, 제189조)

① [○] 고속국도에서는 보행으로 통행, 횡단하거나 출입하는 것이 금지되어 있으므로 고속국도를 주행하는 차량의 운전자는 도로양측에 휴게소가 있는 경우에도 도로상에 보행자가 있음을 예상하여 감속등 조치를 할 주의의무가 있다 할 수 없다.(대법원 1977. 6. 28. 77도403)

③ [○] 의사가 설명의무를 위반한 채 의료행위를 하였고 피해자에게 상해가 발생하였다고 하더라도, 의사가 업무상 과실로 인한 형사책임을 지기 위해서는 피해자의 상해와 의사의 설명의무 위반 내지 승낙취득 과정에서의 잘못 사이에 상당인과관계가 존재하여야 하고, 이는 한의사의 경우에도 마찬가지이다.(대법원 2011. 4. 14. 2010도10104 **봉침 사건**)

④ [○] 의료사고에 있어 의료종사자의 과실을 인정하기 위해서는 의료종사자가 결과발생을 예견할 수 있고 또 회피할 수 있었음에도 불구하고 이를 예견하거나 회피하지 못한 과실이 인정되어야 하고, 그러한 과실의 유무를 판단함에는 같은 업무와 직무에 종사하는 보통인의 주의 정도를 표준으로 하여야 하며, 이에는 사고 당시의 일반적인 의학의 수준과 의료 환경 및 조건, 의료행위의 특수성 등이 고려되어야 한다.(대법원 2014. 5. 29. 2013도14079 프리어 파편 사건)

388

□□□

甲의 행위를 과실범으로 처벌할 수 없는 경우만을 모두 고른 것은? (다툼이 있으면 판례에 의함)

14 국가7급 [Core ★★]

㉠ 후행차량 운전자 甲이 선행차량에 이어 피해자를 연속하여 역과하는 과정에서 피해자가 사망한 경우

㉡ 의사 甲이 간호사에게 환자에 대한 수혈을 맡겼는데, 간호사가 다른 환자에게 수혈할 혈액을 당해 환자에게 잘못 수혈하여 환자가 사망한 경우

㉢ 안내원이 없는 시내버스의 운전사 甲이 버스정류장에서 일단의 승객을 하차시킨 후 통상적으로 버스를 출발시키던 중 뒤늦게 버스 뒤편 좌석에서 일어나 앞쪽으로 걸어 나오던 피해자가 균형을 잃고 넘어진 경우

㉣ 정신병동의 당직간호사 甲이 당직을 하던 중 그 정신병동에 입원 중인 환자가 완전감금병동의 화장실 창문을 열고 탈출하려다가 떨어져 사망한 경우

㉤ 고속도로상을 운행하는 자동차운전자 甲이 고속도로를 횡단하려는 피해자를 그 차의 제동거리 밖에서 발견하였지만 제때에 제동하지 않아 피해자를 추돌하여 사망한 경우

---

① ㉠㉡ ② ㉢㉣ ③ ㉠㉢㉤ ④ ㉡㉣㉤

해설

② ㉢㉣ 2 항목은 과실범으로 처벌할 수 없다. ㉠㉡㉤ 3 항목은 주의의무와 인과관계가 인정되어 과실범으로 처벌할 수 있다.

㉠ (1) 앞차를 뒤따라 진행하는 차량의 운전사는 앞차에 의하여 전방의 시야가 가리는 관계상 앞차의 어떠한 돌발적인 운전 또는 사고에 의하여서라도 자기 차량에 연쇄적인 사고가 일어나지 않도록 앞차와의 충분한 안전거리를 유지하고 진로 전방 좌우를 잘 살펴 진로의 안전을 확인하면서 진행할 주의의무가 있다. (2) 피고인이 차량을 운전하고 편도 2차선 도로 중 2차로를 시속 약 60km의 속도로 선행 차량과 약 30m가량의 간격을 유지한 채 진행하다가 선행차량에 역과(轢過)된 채 진행 도로상에 누워있는 피해자를 뒤늦게 발견하고 급제동을 할 겨를도 없이 이를 그대로 역과하여 피해자가 사망한 경우, 사고에 관하여 피고인에게 업무상 과실이 없다고 할 수 없고 피고인 차량의 역과와 피해자의 사망 사이에 인과관계가 인정된다.(대법원 2001. 12. 11. 2001도 5005 피고인 나중에 꽝 사건 I)

ⓒ 병원내과 인턴인 피고인이 간호사에게 하여금 단독으로 환자 A에 대한 수혈을 하도록 내버려두었고, 간호사가 혈액봉지의 라벨을 확인하지 아니하여 B에게 수혈할 혈액봉지를 A에 대한 혈액봉지로 오인하고서, 혈액형이 비형인 A에 대하여 에이형 농축적혈구를 수혈함으로써 A가 수혈부작용 등으로 사망한 경우, 피고인은 과실책임을 면할 수 없다.(대법원 1998. 2. 27. 97도2812 B형 환자 A형 수혈사건)

ⓒ 운전사로서는 승객이 하차한 후 다른 움직임이 없으면 차를 출발시키는 것이 통례이고 특별한 사정이 없는 한 착석한 승객 중 더 내릴 손님이 있는지, **출발 도중 넘어질 우려가 있는 승객이 있는지 등의 여부를 일일이 확인하여야 할 주의의무가 없다.**(대법원 1992. 4. 28. 92도56)

ⓔ 단순히 창문 시정장치의 시정여부를 확인하는 것을 넘어 이를 설치 관리하는 일까지 간호사의 업무로 보기는 어렵고 또한 피고인이 피해자가 화장실에 가는 시간을 기록하여 두고 10여 분 후에 간호보조사로부터 피해자가 병실 침대에 없다는 보고를 받은 즉시 그를 찾아 나섰다면 **환자동태 관찰의무를 게을리 한 것이라고 단정할 수 없다.**(대법원 1992. 4. 28. 91도1346 정신병원 탈출사건)

ⓜ 고속도로상을 운행하는 자동차운전자는 통상의 경우 보행인이 그 도로의 중앙방면으로 갑자기 뛰어드는 일이 없으리라는 신뢰하에서 운행하는 것이지만, 도로를 횡단하려는 피해자를 그 차의 제동거리 밖에서 발견하였다면 피해자가 반대 차선의 교행차량 때문에 도로를 완전히 횡단하지 못하고 진행차선 쪽에서 멈추거나 다시 되돌아 나가는 경우를 예견해야 하는 것이다.(대법원 1981. 3. 24. 80도3305)

389 업무상과실치사상죄에 관한 다음 설명 중 가장 적절하지 않은 것은? (다툼이 있으면 판례에 의함)

□□□
12 경찰채용 [Essential ★]

① 골프장의 경기보조원이 골프 카트에 승객을 태우고 진행하기 전에 안전 손잡이를 잡도록 고지하지도 않고, 또한 승객들이 안전 손잡이를 잡았는지 확인하지도 않은 상태에서 만연히 출발하였으며, 각도 70°가 넘는 우로 굽은 길을 속도를 충분히 줄이지 않고 급하게 우회전하여 상해를 입게 한 경우 업무상 과실이 인정된다.

② 시공회사의 상무이사인 현장소장이 현장에서 공사감독을 전담하였고 사장은 그와 같은 감독을 하게 되어 있지 않았더라도, 사장으로서는 그 공사의 진행에 관하여 직접적인 지휘·감독을 받지 않는 회사직원 혹은 고용한 노무자들이 공사시행상의 안전수칙을 위반하여 사고를 저지를 경우에 대비하여 각개의 개별작업에 대하여 세부적인 안전대책을 강구하여야 하는 구체적이고 직접적인 주의의무가 있다.

③ 화물차를 주차하고 적재함에 적재된 토마토 상자를 운반하던 중 적재된 상자 일부가 떨어지면서 지나가던 피해자에게 상해를 입힌 경우, 교통사고처리특례법에 정한 '교통사고'에 해당하지 않아 업무상과실치상죄가 성립한다.

④ 단지 건물의 소유자로서 건물을 비정기적으로 수리하거나 건물의 일부분을 임대하였다는 사정만으로는 업무상과실치상죄에 있어서의 '업무'로 보기 어렵다.

해설

② [×] 시공회사의 상무이사인 현장소장이 현장에서의 공사감독을 전담하였고 사장은 그와 같은 감독을 하게 되어 있지 않았다면, **사장으로서는** 직접적인 지휘·감독을 받지 않는 회사직원 혹은 고용한 노무자들이 공사시행상의 안전수칙을 위반하여 사고를 저지를지 모른다고 하여 이에 대비하여 **각개의 개별작업에 대하여 일일이 세부적인 안전대책을 강구하여야 하는 구체적이고 직접적인 주의의무가 있다고 하기 어렵다.**(대법원 1989. 11. 24. 89도1618)

① [O] 골프 카트는 안전벨트나 골프 카트 좌우에 문 등이 없고 개방되어 있어 승객이 떨어져 사고를 당할 위험이 커, 골프 카트 운전업무에 종사하는 자로서는 골프 카트 출발 전에는 승객들에게 안전 손잡이를 잡도록 고지하고 승객이 안전 손잡이를 잡은 것을 확인하고 출발하여야 하고, 우회전이나 좌회전을 하는 경우에도 골프 카트의 좌우가 개방되어 있어 승객들이 떨어져서 다칠 우려가 있으므로 충분히 서행하면서 안전하게 좌회전이나 우회전을 하여야 할 업무상 주의의무가 있다.(대법원 2010. 7. 22. 2010도1911 **골프장카트 난폭운전 사건**)

③ [O] 피고인이 자신이 운영하는 식품가게 앞에서 1ton 포터 화물차의 적재함에 실려 있던 토마토 상자를 하역하여 가게 안으로 운반하던 중, 화물차에 적재되어 있던 토마토 상자 일부가 무너져 내리도록 방치한 과실로 가게 앞을 지나가던 피해자의 머리 위로 상자가 떨어지게 하여 골절상 등을 입게 한 경우, 업무상과실치상죄가 성립한다.(대법원 2009. 7. 9. 2009도2390 **토마토상자 사건**)

④ [O] 안전배려 내지 안전관리 사무에 계속적으로 종사하여 사회생활면에서 하나의 지위로서의 계속성을 가지지 아니한 채 단지 건물의 소유자로서 건물을 비정기적으로 수리하거나 건물의 일부분을 임대하였다는 사정만으로는 업무상과실치상죄에 있어서의 '업무'로 보기 어렵다.(대법원 2009. 5. 28. 2009도1040 **서예학원 화재 사건**)

---

390 업무상 과실치사상의 죄에 관한 설명 중 가장 적절하지 않은 것은? (다툼이 있으면 판례에 의함)

□□□

12 경찰승진 [Essential ★]

① 업무상 과실치사상죄에 있어서의 업무란 사람의 사회생활면에 있어서의 하나의 지위로서 계속적으로 종사하는 사무를 말하고, 여기에는 수행하는 직무 자체가 위험성을 갖기 때문에 안전배려를 의무의 내용으로 하는 경우는 물론 사람의 생명·신체의 위험을 방지하는 것을 의무의 내용으로 하는 업무도 포함된다.

② 공사감리자가 관계 법령과 계약에 따른 감리업무를 소홀히 하여 건축물 붕괴 등으로 인하여 사상의 결과가 발생한 경우에는 업무상 과실치사상의 죄책을 면할 수 없다.

③ 화물차를 주차하고 적재함에 적재된 토마토 상자를 운반하던 중 적재된 상자 일부가 떨어지면서 지나가던 피해자에게 상해를 입힌 경우, 교통사고처리특례법에 정한 '교통사고'에 해당하지 않아 업무상 과실치상죄(형법 제268조)가 성립하지 않는다.

④ 버스 운전사에게는 전날 밤에 주차해 둔 버스를 그 다음날 아침에 출발하기에 앞서 차체 밑에 장애물이 있는지 여부를 확인하여야 할 주의의무가 있다.

정답 | 389 ② 390 ③

해설

③ [×] 화물차를 주차하고 적재함에 적재된 토마토 상자를 운반하던 중 적재된 상자 일부가 떨어지면서 지나가던 피해자에게 상해를 입힌 경우, 교통사고처리특례법에 정한 '교통사고'에 해당하지 않아 **업무상과실치상죄가 성립한다.**(대법원 2009. 7. 9. 2009도2390 **토마토상자 사건**)

① [○] (1) 업무상과실치상죄에 있어서의 '업무'란 사람의 사회생활면에 있어서의 하나의 지위로서 계속적으로 종사하는 사무를 말하고, 여기에는 수행하는 직무 자체가 위험성을 갖기 때문에 안전배려를 의무의 내용으로 하는 경우는 물론 사람의 생명·신체의 위험을 방지하는 것을 의무내용으로 하는 업무도 포함된다. (2) 따라서 안전배려 내지 안전관리 사무에 계속적으로 종사하여 위와 같은 지위로서의 계속성을 가지지 아니한 채 단지 건물의 소유자로서 건물을 비정기적으로 수리하거나 건물의 일부분을 임대하였다는 사정만으로는 업무상과실치상죄에 있어서의 '업무'로 인정될 수 없다.(대법원 2009. 5. 28. 2009도1040 **서예학원 화재사건**)

② [○] 공사감리자가 관계 법령과 계약에 따른 감리업무를 소홀히 하여 건축물 붕괴 등으로 인하여 사상의 결과가 발생한 경우에는 업무상과실치사상의 죄책을 면할 수 없다.(대법원 2010. 6. 24. 2010도2615 **이천 물류센터 붕괴사건**)

④ [○] 버스운전사에게 전날 밤에 주차해둔 버스를 그 다음날 아침에 출발하기에 앞서 차체 밑에 장애물이 있는지 여부를 확인하여야 할 주의의무가 있다.(대법원 1988. 9. 27. 88도833)

391

甲의 행위를 과실범으로 처벌할 수 있는 경우만을 모두 고른 것은? (다툼이 있으면 판례에 의함)

□□□

16 국가7급 [Core ★★]

> ㉠ 산부인과 의사 甲이 제왕절개수술을 시행 중 태반조기 박리를 발견하고도 피해자의 출혈 여부 관찰을 간호사에게 지시하였다가 대량출혈 증상을 조기에 발견하지 못하고 수술 후 약 45분이 지나 대량출혈을 확인하고 전원 조치하였으나 전원을 지체하여 피해자로 하여금 신속한 수혈 등의 조치를 받지 못하게 하여 피해자가 사망한 경우
>
> ㉡ 산후조리원에 입소한 신생아가 계속하여 잦은 설사 등의 이상증세를 보임에도 불구하고, 산후조리원의 신생아 집단관리를 맡은 책임자인 甲이 의사 등의 진찰을 받도록 하지 않아 신생아가 사망한 경우
>
> ㉢ 의사들의 주의의무 위반과 처방체계상의 문제점으로 인하여 수술 후 회복과정에 있는 환자에게 인공호흡 준비를 갖추지 않은 상태에서는 사용할 수 없는 약제가 잘못 처방되었음에도 불구하고, 종합병원의 간호사 甲이 환자에 대한 투약 과정 및 그 이후의 경과관찰 등의 직무수행을 위하여 처방 약제의 기본적인 약효나 부작용 및 주사 투약에 따르는 주의사항 등을 미리 확인·숙지하였다면 과실로 처방된 것임을 알 수 있었음에도 그대로 주사하여 환자가 의식불명 상태에 이르게 된 경우
>
> ㉣ 병원 인턴 甲이 응급실로 이송되어 온 익수환자를 담당의사의 지시에 따라 구급차에 태워 다른 병원으로 이송하던 중 산소통의 산소잔량을 체크하지 않아 산소 공급이 중단된 결과 환자를 폐부종 등으로 사망에 이르게 한 경우

① ㉠㉣　　　　② ㉡㉢　　　　③ ㉠㉡㉢　　　　④ ㉠㉡㉢㉣

해설

③ ㉠㉡㉢ 3 항목의 경우 甲의 행위를 과실범으로 처벌할 수 있다.

㉠ [○] 의사인 피고인의 전원(轉院)지체 등의 과실(전원을 지체하여 피해자로 하여금 신속한 수혈 등의 조치를 받지 못하게 한 과실과 피해자가 고혈압환자이고 수술 후 대량출혈이 있었던 사정을 설명하지 않은 과실)로 **피해자에 대한 신속한 수혈 등의 조치가 지연된 이상 피해자의 사망과 피고인의 과실 사이에는 인과관계를 부정하기 어렵다.**(대법원 2010. 4. 29. 2009도7070 뒤늦은 전원 사건)

㉡ [○] 산후조리원에 입소한 신생아가 출생 후 10일 이상이 경과하도록 계속하여 수유량 및 체중이 지나치게 감소하고 잦은 설사 등의 이상증세를 보임에도 불구하고 **산후조리원의 신생아 집단관리를 맡은 책임자가 의사나 한의사 등의 진찰을 받도록 하지 않아 신생아가 탈수 내지 괴사성 장염으로 사망한 경우**, 집단관리 책임자가 산모에게 신생아의 이상증세를 즉시 알리고 적절한 조치를 구하여 산모의 지시를 따른 것만으로는 **업무상 주의의무를 다하였다고 볼 수 없다.**(대법원 2007. 11. 16. 2005도1796 산후조리원 신생아 사망사건)

㉢ [○] 종합병원 간호사인 피고인이 **베큐로니움의 약효 등을 확인하지 않음으로 인해 그 투약의 위험성을 인식하지 못함으로써 처방내용을 재확인할 기회를 놓친 채 그대로 이를 주사 투약한 점에서** (의사의 처방을 기계적으로 실행하기에 앞서 당해 처방의 경위와 내용을 관련자에게 재확인함으로써 그 실행으로 인한 위험을 방지할) **주의의무를 위반한 과실이 인정되고,** 이를 투약함으로써 그 약효 내지 부작용으로 인하여 피해자에게 상해가 발생한 이상 그와 같은 결과는 피고인의 주의의무 위반과 상당인과관계가 있다고 할 것이며, 피해자의 상해 발생에 피고인 외에도 다른 사람들의 과실이 주로 작용하였다는 사정이 있다 하여 피고인의 책임을 면제할 사유가 된다고 할 수 없다.(대법원 2009. 12. 24. 2005도8980 베큐로니움 투약사건)

㉣ [×] 병원 인턴인 피고인이, 응급실로 이송되어 온 익수(溺水)환자 A를 담당의사의 지시에 따라 구급차에 태워 다른 병원으로 이송하던 중 산소통의 산소잔량을 체크하지 않아 산소 공급이 중단되어 A가 폐부종 등으로 사망하였더라도, 담당 의사로부터 이송 도중 환자에 대한 앰부 배깅(ambu bagging)과 진정제 투여 업무만을 지시받은 피고인에게 일반적으로 구급차 탑승 전 또는 이송 도중 구급차에 비치되어 있는 산소통의 산소잔량을 확인할 주의의무가 있다고 보기는 어렵고, 피고인이 산소부족 상태를 안 후에 취한 조치(즉시 심폐소생술을 시행하는 한편 가장 가까운 병원으로 구급차를 운행하도록 한 조치)에 어떠한 업무상 주의의무 위반이 있었다고 볼 수 없다.(대법원 2011. 9. 8. 2009도13959 산소잔량 미확인 사건)

392

□□□

과실범에 관한 설명 중 옳지 않은 것은? (다툼이 있으면 판례에 의함)   14 사법시험 [Core ★★]

① 인턴이 응급실로 이송되어 온 환자를, 담당의사로부터 이송 도중 환자에 대한 앰부 배깅 (ambu bagging)과 진정제 투여 업무만을 지시받고, 구급차에 태워 다른 병원으로 이송하던 중 산소통의 산소잔량을 체크하지 않아 산소 공급이 중단된 결과 환자가 폐부종 등으로 사망에 이르게 된 경우 특별한 사정이 없는 한 인턴에게 업무상 과실이 인정되지 않는다.

② 택시운전기사가 심야에 밀집된 주택 사이의 좁은 골목길이자 직각으로 구부러져 가파른 비탈길의 내리막에서 그다지 속도를 줄이지 않고 진행하다가 내리막에 누워 있던 피해자의 몸통 부위를 택시 바퀴로 역과하여 그 자리에서 사망에 이르게 한 경우 그에게 업무상 주의의무 위반을 인정할 수 없다.

③ 의사의 과실을 인정하려면 결과발생을 예견할 수 있고 또 회피할 수 있었음에도 이를 하지 못한 점이 인정되어야 하며, 의사의 과실 유무를 판단함에는 동일 업종에 종사하는 일반적 보통인의 주의정도를 표준으로 하여, 사고 당시의 일반적인 의학 수준과 의료 환경 및 조건 등을 고려하여야 한다.

④ 골프경기를 하던 중 골프공을 쳐서 아무도 예상하지 못한 자신의 등 뒤편으로 보내어 경기보조원에게 상해를 입힌 행위는 사회적 상당성의 범위를 벗어난 행위로서 과실치상죄가 성립한다.

⑤ A가 처음 찜질방에 들어갈 당시에는 목욕장의 정상적 이용이 곤란한 정도로 술이 취한 상태는 아니었지만 그 이후 후문으로 나가 술을 더 마신 다음 찜질방 직원 몰래 후문으로 다시 들어와 발한실에서 잠을 자다가 사망하였다면 찜질방 직원에게 업무상 과실이 인정되지는 않는다.

해설

② [×] 피고인으로서는 평소보다 더욱 속도를 줄이고 전방 좌우를 면밀히 주시하여 안전하게 운전함으로써 사고를 미연에 방지할 주의의무가 있었는데도, 이를 게을리한 채 그다지 속도를 줄이지 아니한 상태로 만연히 진행하던 중 전방 도로에 누워 있던 피해자를 발견하지 못하여 사고를 일으켰으므로 **피고인에게는 업무상 주의의무를 위반한 잘못이 있었다고 보아야 한다.**(대법원 2011. 5. 26. 2010도17506 좁은 골목길 사건)

① [○] 담당 의사로부터 이송 도중 환자에 대한 앰부 배깅(ambu bagging)과 진정제 투여 업무만을 지시받은 피고인에게 일반적으로 구급차 탑승 전 또는 이송 도중 구급차에 비치되어 있는 산소통의 산소잔량을 확인할 주의의무가 있다고 보기는 어렵고, 피고인이 산소부족 상태를 안 후에 취한 조치(즉시 심폐소생술을 시행하는 한편 가장 가까운 병원으로 구급차를 운행하도록 한 조치)에 어떠한 업무상 주의의무 위반이 있었다고 볼 수 없다.(대법원 2011. 9. 8. 2009도13959 산소잔량 미확인 사건)

③ [○] 의료사고에서 의사에게 과실이 있다고 하기 위하여는 의사가 결과 발생을 예견할 수 있고 또 회피할 수 있었는데도 이를 예견하지 못하거나 회피하지 못하였음이 인정되어야 하며, 과실의 유무를 판단할 때에는 같은 업무와 직종에 종사하는 일반적 보통인의 주의정도를 표준으로 하고, 사고 당시의 일반적인 의학의 수준과 의료 환경 및 조건, 의료행위의 특수성 등을 고려하여야 한다.(대법원 2014. 5. 29. 2013도14079 프리어 파편 사건)

④ [○] (1) 골프와 같은 개인 운동경기에 참가하는 자는 자신의 행동으로 인해 다른 사람이 다칠 수도 있으므로, 경기 규칙을 준수하고 주위를 살펴 상해의 결과가 발생하는 것을 미연에 방지해야 할 주의의무가 있다. 이러한 주의의무는 경기보조원에 대하여도 마찬가지로 부담한다. (2) 골프경기를 하던 중 골프공을 쳐서 아무도 예상하지 못한 자신의 등 뒤편으로 보내어 등 뒤에 있던 경기보조원(캐디)에게 상해를 입힌 경우에는 주의의무를 현저히 위반하여 사회적 상당성의 범위를 벗어난 행위로서 과실치상죄가 성립한다.(대법원 2008. 10. 23. 2008도6940 골프공 캐디강타 사건)

⑤ [O] 피해자가 처음 찜질방에 들어갈 당시 술에 만취하여 목욕장의 정상적 이용이 곤란한 상태였다고 단정하기 어렵고, 찜질방 직원 및 영업주에게 손님이 몰래 후문으로 나가 술을 더 마시고 들어올 경우까지 예상하여 직원을 추가로 배치하거나 후문으로 출입하는 모든 자를 통제 · 관리하여야 할 업무상 주의의무가 있다고 보기 어렵다.(대법원 2010. 2. 11. 2009도9807 **발한실** 사건)

393

□ □ □

과실범에 관한 다음 설명 중 가장 옳지 않은 것은? (다툼이 있으면 판례에 의함)

24 법원행시 [Core ★★]

① 과실범은 법률에 특별한 규정이 있는 경우에 한하여 처벌되며 형벌법규의 성질상 과실범을 처벌하는 특별규정은 그 명문에 의하여 명백, 명료하여야 한다.

② 군형법 제74조에 규정된 군용물분실죄는 같은 조에서 정한 군용에 공하는 물건을 보관할 책임이 있는 자가 선량한 보관자로서의 주의의무를 게을리 하여 그의 의사에 의하지 않고 물건의 소지를 상실하는 소위 과실범을 말한다.

③ 과실범에 있어서의 비난가능성의 지적 요소란 결과발생의 가능성에 대한 인식으로서 인식 있는 과실에는 이와 같은 인식이 있고, 인식 없는 과실에는 이에 대한 인식 자체도 없는 경우인데, 과실책임이 발생하는 것은 전자이고, 후자에 대하여는 그 결과발생을 인식하지 못하였다는 데에 대한 부주의가 있다고 하더라도 과실책임을 물을 수 없다.

④ 행정상의 단속을 주안으로 하는 법규라 하더라도 명문규정이 있거나 해석상 과실범도 벌할 뜻이 명확한 경우를 제외하고는 형법의 원칙에 따라 고의가 있어야만 벌할 수 있다.

⑤ 2인 이상이 서로의 의사연락 아래 과실행위를 하여 범죄되는 결과를 발생하게 하면 과실범의 공동정범이 성립한다.

해설

③ [×] 과실범에 있어서는 비난가능성의 지적 요소란 결과발생의 가능성에 대한 인식으로서 인식있는 과실에는 이와 같은 인식이 있고, 인식 없는 과실에는 이에 대한 인식 자체도 없는 경우이나 전자에 있어서 책임이 발생함은 물론 후자에 있어서도 그 **결과발생을 인식하지 못하였다는데에 대한 부주의**, 즉 **규범적 실재로서의 과실책임이 있다.**(대법원 1984. 2. 28. 83도3007 **대구금호텔** 방화사건)

① [O] 과실범은 법률에 특별한 규정이 있는 경우에 한하여 처벌되며 형벌법규의 성질상 **과실범을 처벌하는 특별규정은 그 명문에 의하여 명백, 명료하여야 한다.**(대법원 1983. 12. 13. 83도2467 **과실통신설비손괴** 사건)

정답 | 392 ② 393 ③

394

□□□

교통사고와 의료사고에 대한 설명으로 가장 적절하지 않은 것은? (다툼이 있으면 판례에 의함)

18 경찰승진 [Essential ★]

① 비가 내려 노면이 미끄러운 고속도로의 주행선을 진행하던 추월선상의 A 차량이 갑자기 甲의 차선으로 들어왔고, 甲이 A 차량을 피하다가 빗길에 미끄러져 중앙분리대를 넘어가 반대편 추월선상의 B 차량과 충돌하여, B 차량의 운전자가 사망하였다면 甲의 업무상 과실이 인정되지 않는다.

② 야간 당직간호사가 담당 환자의 심근경색 증상을 당직의사에게 제대로 보고하지 않아 당직의사가 필요한 조치를 취하지 못한 채 환자가 사망한 경우, 당직간호사에게 업무상 과실이 인정된다.

③ 피해자를 감시하도록 업무를 인계받지 않은 간호사 A가 자기 환자의 회복처치에 전념하고 있었다면 회복실에 다른 간호사가 남아 있지 않은 경우에도 회복실 내의 모든 환자에 대하여 적극적, 계속적으로 주시, 점검을 할 의무가 있다고 할 수 없다.

④ 교차로를 녹색등화에 따라 직진하는 차량의 운전자는 다른 차량이 신호를 위반하고 직진하는 차량의 앞을 가로질러 좌회전할 경우까지를 예상하여 그에 따른 사고발생을 미연에 방지할 업무상의 주의의무는 없다.

해설

상태를 보고하였다면 그 결과 발생을 방지할 수 있었다고 보이므로 甲의 업무상 주의의무 위반행위와 피해자의 사망 사이에 인과관계가 인정되지만, 乙에 대하여는 통상의 능력을 갖춘 의사로서 심근경색 또는 패혈증의 결과발생을 예견하고 이를 회피할 수 있었음에도 그러한 주의의무를 게을리하였다고 단정하기 어렵다.(대법원 2007. 9. 20. 2006도294 **당직 의사·간호사 사건**)

③ [○] 피해자를 감시하도록 업무를 인계받지 않은 간호사가 자기 환자의 회복처치에 전념하고 있었다면 회복실에 다른 간호사가 남아있지 않은 경우에도 다른 환자의 이상증세가 인식될 수 있는 상황에서라야 이에 대한 조치를 할 의무가 있다고 보일 뿐 회복실 내의 모든 환자에 대하여 적극적, 계속적으로 주시, 점검을 할 의무가 있다고 할 수 없다.(대법원 1994. 4. 26. 92도3283 **마취회복실 간호사 사건**)

④ [○] (ㅏ)자형 삼거리의 교차로를 녹색등화에 따라 직진하는 차량의 운전자는 특별한 사정이 없는 한 다른 차량들도 교통법규를 준수하고 충돌을 피하기 위하여 적절한 조치를 취할 것으로 믿고 운전하면 족하고, 대향차선 위의 다른 차량이 신호를 위반하고 직진하는 자기 차량의 앞을 가로질러 좌회전할 경우까지 예상하여 그에 따른 사고발생을 미리 방지하기 위한 주의의무는 없고, 직진차량 운전자가 사고지점을 통과할 무렵 제한속도를 위반하여 과속운전한 잘못이 있었다 하더라도 그러한 잘못과 교통사고의 발생과의 사이에 상당인과관계가 있다고 볼 수 없다.(대법원 1993. 1. 15. 92도2579)

395

과실치사상의 죄에 관한 설명으로 가장 적절하지 않은 것은? (다툼이 있으면 판례에 의함)

23 경찰채용 [Essential ★]

① 4층 건물의 2층 내부 벽면에 설치된 분전반을 통해 3층과 4층으로 가설된 전선이 합선으로 단락되어 화재가 나 상해가 발생한 사안에서, 단지 4층 건물의 소유자로서 위 건물 2층을 임대하였다는 사정만으로는 업무상과실치상죄에 있어서의 '업무'로 보기 어렵다.

② 고속도로를 무단횡단하는 보행자를 충격하여 사고를 발생시킨 경우라도 운전자가 상당한 거리에서 보행자의 무단횡단을 미리 예상할 수 있는 사정이 있었고, 그에 따라 즉시 감속하거나 급제동하는 등의 조치를 취하였다면 보행자와의 충돌을 피할 수 있었다는 등의 특별한 사정이 인정되는 경우에는 자동차 운전자의 과실을 인정할 수 있다.

③ 야간 당직간호사가 담당 환자의 심근경색 증상을 당직의사에게 제대로 보고하지 않음으로써 당직의사가 필요한 조치를 취하지 못한 채 환자가 사망하였다면 병원의 야간당직 운영체계상 당직의사에게도 업무상 과실이 있다.

④ 의사가 환자에 대하여 주된 의사의 지위에서 진료하는 경우라도 자신은 환자의 수술이나 시술에 전념하고 마취과 의사로 하여금 마취와 환자 감시 등을 담당토록 하는 경우처럼 서로 대등한 지위에서 각자의 의료영역을 나누어 환자 진료의 일부를 분담하였다면, 진료를 분담받은 다른 의사의 전적인 과실로 환자에게 발생한 결과에 대하여는 주된 의사의 책임을 인정할 수 없다.

정답 | 394 ① 395 ③

해설

③ [×] 야간 당직간호사인 피고인 甲이 피해자가 심근경색을 의심할 수 있는 증상을 계속 보이고 있었고 피해자 가족으로부터도 의사를 불러달라는 요청을 수차 받았는데도 당직 의사인 피고인 乙에게 제대로 알리지 않음으로써 즉시 필요한 조치를 취하지 못하게 한 업무상 과실로 피해자가 사망한 경우 자신이 적절한 조치를 취하지 아니할 경우 피해자 사망이라는 결과가 발생할 수 있으리라는 점도 예견할 수 있었으며, 적절한 시기에 乙에게 피해자의 상태를 보고하였다면 그 결과 발생을 방지할 수 있었다고 보이므로 甲의 업무상 주의의무 위반행위와 피해자의 사망 사이에 인과관계가 인정되지만, **乙에 대하여는 통상의 능력을 갖춘 의사로서 심근경색 또는 패혈증의 결과발생을 예견하고 이를 회피할 수 있었음에도 그러한 주의의무를 게을리하였다고 단정하기 어렵다.**(대법원 2007. 9. 20. 2006도294 당직 의사·간호사 사건)

① [○] 업무상과실치상죄에 있어서의 '업무'란 사람의 사회생활면에서 하나의 지위로서 계속적으로 종사하는 사무를 말하고, 여기에는 수행하는 직무 자체가 위험성을 갖기 때문에 안전배려를 의무의 내용으로 하는 경우는 물론 사람의 생명·신체의 위험을 방지하는 것을 의무내용으로 하는 업무도 포함되는데, 안전배려 내지 안전관리 사무에 계속적으로 종사하여 위와 같은 지위로서의 계속성을 가지지 아니한 채 단지 **건물의 소유자로서 건물을 비정기적으로 수리하거나 건물의 일부분을 임대하였다는 사정만으로는 업무상과실치상죄에 있어서의 '업무'로 보기 어렵다.**(대법원 2009. 5. 28. 2009도1040 서예학원 화재사건)

② [○] 고속도로를 운행하는 자동차의 운전자로서는 일반적인 경우에 고속도로를 횡단하는 보행자가 있을 것까지 예견하여 보행자와의 충돌사고를 예방하기 위하여 급정차 등의 조치를 취할 수 있도록 대비하면서 운전할 주의의무가 없고, 다만 고속도로를 무단횡단하는 보행자를 충격하여 사고를 발생시킨 경우라도 운전자가 상당한 거리에서 보행자의 무단횡단을 미리 예상할 수 있는 사정이 있었고, 그에 따라 즉시 감속하거나 급제동하는 등의 조치를 취하였다면 보행자와의 충돌을 피할 수 있었다는 등의 특별한 사정이 인정되는 경우에만 자동차 운전자의 과실이 인정될 수 있다.(대법원 2000. 9. 5. 2000도2671 고속도로 무단횡단자 사건)

④ [○] 의사가 환자에 대하여 주된 의사의 지위에서 진료하는 경우라도, 자신은 환자의 수술이나 시술에 전념하고 마취과 의사로 하여금 마취와 환자 감시 등을 담당토록 하거나, 특정 의료영역에 관한 진료 도중 환자에게 나타난 문제점이 자신이 맡은 의료영역 내지 전공과목에 관한 것이 아니라 그에 선행하거나 병행하여 이루어진 다른 의사의 의료영역 내지 전공과목에 속하는 등의 사유로 다른 의사에게 그 관련된 협의진료를 의뢰한 경우처럼 서로 대등한 지위에서 각자의 의료영역을 나누어 환자 진료의 일부를 분담하였다면, 진료를 분담받은 다른 의사의 전적인 과실로 환자에게 발생한 결과에 대하여는 책임을 인정할 수 없다.(대법원 2022. 12. 1. 2022도1499 부분 장폐색 환자 사건)

396

□□□

다음 사례 중 甲에게 업무상 과실이 인정되는 것은 모두 몇 개인가? (다툼이 있으면 판례에 의함)

22 경찰채용 [Core ★★]

○ 지하철 공사구간 현장안전업무 담당자 甲은 공사현장에 인접한 기존의 횡단보도 표시선 안쪽으로 돌출된 강철빔 주위에 라바콘 3개를 설치하고 신호수 1명을 배치하였는데, A가 그 횡단보도를 건너면서 강철빔에 부딪혀 상해를 입은 경우

○ 병원 인턴 甲은 응급실로 이송되어 온 익수환자 A를 담당의사 乙의 지시(이송 도중 A에 대한 앰부 배깅과 진정제 투여 업무만을 지시)에 따라 구급차에 태워 다른 병원으로 이송하던 중 산소통의 산소잔량을 체크하지 않아 산소 공급이 중단되어 A가 폐부종 등으로 사망한 경우

○ 골프장의 경기보조원 甲은 골프 카트에 A를 태우면서 출발에 앞서 안전 손잡이를 잡도록 고지하지 않고, 이를 잡았는지 확인하지도 않은 채 출발 후 각도 70°가 넘는 우로 굽은 길에서 속도를 줄이지 않고 급하게 우회전하여 A가 골프카트에서 떨어져 상해를 입은 경우

○ 담당 의사가 췌장 종양 제거수술 직후의 환자 A에 대하여 1시간 간격으로 4회 활력징후를 측정하라고 지시하였는데, 일반병실에 근무하는 간호사 甲이 중환자실이 아닌 일반 병실에서는 그러할 필요가 없다고 생각하여 2회만 측정한 채 3회차 이후 이를 측정하지 않았고, 甲과 근무를 교대한 간호사 乙 역시 자신의 근무시간 내 4회차 측정시각까지 이를 측정하지 아니하여, A는 그 시각으로부터 약 10분 후 심폐정지 상태에 빠졌다가 이후 약 3시간이 지나 과다출혈로 사망한 경우

○ 건축자재인 철판 수백 장의 운반을 의뢰한 생산자 甲이 절단면이 날카롭고 무거운 철판을 묶기에 매우 부적합한 폴리에스터 끈을 사용하여 철판 묶음 작업을 한 탓에 철판쏠림현상이 발생하였고, 이로 인하여 철판을 차에서 내리는 과정에서 철판이 쏟아져 내려 화물차 운전자 A가 사망한 경우

① 1개 ② 2개 ③ 3개 ④ 4개

해설

③ ○○○ 3 항목의 경우 업무상 과실이 인정된다.

○ 피고인이 안전조치를 취하여야 할 업무상 주의의무를 위반하였다고 보기 어렵고, 일부 도로 지점에서 기존의 횡단보도 표시선이 제대로 지워지지 않고 드러나 있었다거나 라바콘을 3개만 설치하고 신호수 1명을 배치하는 외에 별다른 조치를 취하지 아니하였다고 하더라도 그것과 사고 발생 사이에 상당인과관계에 있다고 보기도 어렵다.(대법원 2014. 4. 10. 2012도11361 차관아파트 교차로 사건)

○ 병원 인턴인 피고인이, 응급실로 이송되어 온 익수(溺水)환자 A를 담당의사의 지시에 따라 구급차에 태워 다른 병원으로 이송하던 중 산소통의 산소잔량을 체크하지 않아 산소 공급이 중단되어 A가 폐부종 등으로 사망하였더라도, 담당 의사로부터 이송 도중 환자에 대한 앰부 배깅(ambu bagging)과 진정제 투여 업무만을 지시받은 피고인에게 일반적으로 구급차 탑승 전 또는 이송 도중 구급차에 비치되어 있는 산소통의 산소잔량을 확인할 주의의무가 있다고 보기는 어렵고, 피고인이 산소부족 상태를 안 후에 취한 조치(즉시 심폐소생술을 시행하는 한편 가장 가까운 병원으로 구급차를 운행하도록 한 조치)에 어떠한 업무상 주의의무 위반이 있었다고 볼 수 없다.(대법원 2011. 9. 8. 2009도13959 산소잔량 미확인 사건)

정답 | 396 ③

ⓒ 골프 카트는 안전벨트나 골프 카트 좌우에 문 등이 없고 개방되어 있어 승객이 떨어져 사고를 당할 위험이 커, 골프 카트 운전업무에 종사하는 자로서는 **골프 카트 출발 전에는 승객들에게 안전 손잡이를 잡도록 고지하고 승객이 안전 손잡이를 잡은 것을 확인하고 출발하여야 하고**, 우회전이나 좌회전을 하는 경우에도 골프 카트의 좌우가 개방되어 있어 승객들이 떨어져서 다칠 우려가 있으므로 **충분히 서행하면서 안전하게 좌회전이나 우회전을 하여야 할 업무상 주의의무가 있다.**(대법원 2010. 7. 22. 2010도1911 골프장카트 난폭운전사건) 甲은 업무상과실치상죄, 정확히는 교통사고처리특례법위반죄의 죄책을 진다.

ⓔ 담당 의사가 췌장 종양 제거수술 직후의 환자에 대하여 1시간 간격으로 4회 활력징후를 측정하라고 지시를 하였는데, **간호사 甲이 2회만 측정한 채 3회차 이후 활력징후를 측정하지 않았고, 甲과 근무교대한 간호사 乙 역시 자신의 근무시간 내 4회차 측정시각까지 활력징후를 측정하지 아니하였으며**, 환자는 그 시각으로부터 약 10분 후 심폐정지상태에 빠졌다가 이후 약 3시간이 지나 과다출혈로 사망한 경우 1시간 간격으로 활력징후를 측정하였더라면 출혈을 조기에 발견하여 수혈, 수술 등 치료를 받고 환자가 사망하지 않았을 가능성이 충분하다고 보일 뿐 아니라, 甲과 乙은 의사의 지시를 수행할 의무가 있음에도 3회차 측정시각 이후 4회차 측정시각까지 활력징후를 측정하지 아니한 **업무상과실이 있다고 보아야 한다.**(대법원 2010. 10. 28. 2008도8606 4회측정 무시 간호사들 사건)

ⓜ 피고인들은 수백 장의 철판의 운반을 의뢰하면서 이들 철판이 운반 과정에서 서로 흐트러지지 않도록 적절한 단위로 나누어 받침목 등과 함께 서로 단단히 묶는 등의 작업을 소홀히 하는 잘못을 범하였고, 그러한 주의의무 위반과 철판 하차 과정에서 철판이 쏟아져 내려 피해자가 사망에 이르게 된 사고 사이에는 **상당인과관계가 있다.**(대법원 2009. 7. 23. 2009도3219 철판 압사 사건)

397

업무상 과실치사상죄에 대한 다음의 설명 중 옳지 않은 것은 모두 몇 개인가? (다툼이 있으면 판례에 의함)

16 경찰간부 [Core ★★]

ⓐ 수술도중에 수술용 메스가 부러지자 담당의사가 부러진 메스조각을 찾아 제거하려고 노력을 다하였으나 찾지 못하자 메스조각의 정확한 위치와 이동상황을 파악한 후 재수술을 할 생각으로 수술부위를 봉합한 경우에 담당의사의 업무상과실을 인정할 수 없다.

ⓑ 야간 당직간호사가 담당 환자의 심근경색증상을 당직의사에게 제대로 보고하지 않아 당직의사가 필요한 조치를 취하지 못한 채 환자가 사망한 경우 당직간호사에게 업무상 과실을 인정할 수 없다.

ⓒ 내과의사가 신경과 전문의에 대한 협의진료 결과와 환자에 대한 진료경과 등을 신뢰하여 뇌혈관계통 질환의 가능성을 염두에 두지 않고 내과 영역의 진료행위를 계속하다가 환자의 뇌지주막하출혈을 발견하지 못하여 식물인간 상태에 이르게 한 경우 내과의사의 업무상 과실이 인정된다.

ⓓ 교사가 징계목적으로 학생들의 손바닥을 때리기 위해 회초리를 들어 올리는 순간 이를 구경하기 위해 옆으로 고개를 돌려 일어나는 다른 학생의 눈을 찔러 그로 하여금 우안 실명의 상해를 입게 한 경우 업무상 과실치상죄에 해당한다.

ⓔ 건설회사가 건설공사 중 타워크레인의 설치작업을 전문업자에게 도급주어 타워크레인 설치작업을 하던 중 발생한 사고에 대하여 건설회사의 현장대리인에게 업무상 과실이 인정된다.

① 1개 　　② 2개 　　③ 3개 　　④ 4개

해설

④ ⓛⓒⓔⓜ 4 항목이 옳지 않다.

ⓐ [○] 요추 척추후궁절제 수술도중에 수술용 메스가 부러지자 담당의사가 부러진 메스조각(3×5㎜)을 찾아 제거하기 위한 최선의 노력을 다하였으나 찾지 못하여 부러진 메스조각을 그대로 둔 채 수술부위를 봉합한 경우, 같은 수술과정에서 메스 끝이 부러지는 일이 흔히 있고, 부러진 메스가 쉽게 발견되지 않을 경우 수술과정에서 무리하게 제거하려고 하면 부가적인 손상을 줄 우려가 있어 일단 봉합한 후에 재수술을 통하여 제거하거나 그대로 두는 경우가 있는 점에 비추어 담당의사의 과실을 인정할 수 없다.(대법원 1999. 12. 10. 99도3711 부러진 메스 사건)

ⓛ [×] 야간 당직간호사인 피고인 甲은 피해자가 심근경색을 의심할 수 있는 증상을 계속 보이고 있었고 피해자 가족으로부터도 의사를 불러달라는 요청을 수차 받았는데도 당직 의사인 피고인 乙에게 제대로 알리지 않음으로써 즉시 필요한 조치를 취하지 못하게 한 **업무상 과실**이 인정되고, 자신이 적절한 조치를 취하지 아니할 경우 피해자 사망이라는 결과가 발생할 수 있으리라는 점도 예견할 수 있었으며, **적절한 시기에 乙에게 피해자의 상태를 보고하였다면 그 결과 발생을 방지할 수 있었다고 보이므로 甲의 업무상 주의의무 위반행위와 피해자의 사망 사이에 인과관계가 인정되지만**, 乙에 대하여는 통상의 능력을 갖춘 의사로서 심근경색 또는 패혈증의 결과발생을 예견하고 이를 회피할 수 있었음에도 그러한 주의의무를 게을리하였다고 단정하기 어렵다.(대법원 2007. 9. 20. 2006도294 당직 의사·간호사 사건)

ⓒ [×] 내과의사가 **신경과 전문의에 대한 협의진료 결과 피해자의 증세와 관련하여 신경과 영역에서 이상이 없다는 회신을 받았고**, 그 회신 전후의 진료 경과에 비추어 그 회신 내용에 의문을 품을 만한 사정이 있다고 보이지 않자 그 회신을 신뢰하여 **뇌혈관계통 질환의 가능성**을 염두에 두지 않고 내과 영역의 진료 행위를 **계속하다가** 피해자의 증세가 호전되기에 이르자 퇴원하도록 조치한 경우, 내과의사인 피고인들이 피해자를 진료함에 있어서 지주막하출혈을 발견하지 못한 데 대하여 **업무상과실이 있었다고 단정하기는 어렵다.**(대법원 2003. 1. 10. 2001도3292 지주막하출혈 식물인간 사건)

ⓔ [×] 교사가 회초리로 학생들의 손바닥을 때리기 위해 **회초리를 들어올리는 순간 이를 구경하기 위해 옆으로 고개를 돌려 일어나는 다른 학생의 눈을 찔러 우안실명의 상해를 입게 한 경우**, 직접 징계당하는 학생의 옆에 있는 다른 학생이 징계 당하는 것을 구경하기 위하여 고개를 돌려 뒤에서 다가선다던가 옆자리에서 일어나는 것까지 예견할 수는 없다고 할 것이고 교사가 매질하는 경우에 반드시 한 사람씩 불러내어서 해야할 주의의무가 있다고도 할 수 없어 교사의 행위를 업무상 과실치상죄에 문의할 수는 없다.(대법원 1985. 7. 9. 84도822 회초리 실명 사건)

ⓜ [×] 건설회사가 건설공사 중 **타워크레인의 설치작업을 전문업자에게 도급주어** 타워크레인 설치작업을 하던 중 발생한 사고에 대하여 **건설회사의 현장대리인에게 업무상과실치사상의 죄책을 물을 수 없다.**(대법원 2005. 9. 9. 2005도3108 타워크레인 설치사건)

정답 | 397 ④

398

□□□

다음 사례 중 甲에게 중과실이 인정되는 것만을 모두 고르면? (다툼이 있으면 판례에 의함)

19 국가9급 [Core ★★]

㉠ 甲이 성냥불로 담배에 불을 붙인 다음 그 성냥불이 꺼진 것을 확인하지 아니한 채 휴지가 들어 있는 플라스틱 휴지통에 던져 화재가 발생한 경우

㉡ 임차인이 甲으로부터 임차하여 사용하던 방의 문에 약간의 틈이 있다거나 연통 등 가스배출시설에 사소한 결함이 있는 정도의 하자로 인해 임차인이 그 방에서 연탄가스에 중독되어 사망한 경우

㉢ 甲이 84세 노인과 11세 아이를 상대로 안수기도를 하면서 피해자들의 배와 가슴 부분을 세게 때리고 누르는 행위를 노인에게는 약 20분간, 아이에게는 약 30분간 반복하여 사망하게 한 경우

㉣ 전기에 관한 전문지식이 없는 호텔오락실의 경영자 甲이 그 오락실 천정에 형광등을 설치하는 공사를 하면서 그 호텔의 전기보안담당자에게 아무런 통고를 하지 아니한 채 무자격전기기술자로 하여금 전기공사를 하게 하여 화재가 발생한 경우

---

① ㉠㉢　　　　　② ㉡㉢　　　　　③ ㉠㉡㉣　　　　　④ ㉠㉢㉣

해설

① ㉠㉢ 2 항목의 경우 중대한 과실이 인정된다.

㉠ [○] 피고인이 성냥불로 담배를 붙인 다음 그 성냥불이 꺼진 것을 확인하지 아니한 채 휴지가 들어 있는 플라스틱 휴지통에 던진 것은 중대한 과실이 있는 경우에 해당한다.(대법원 1993. 7. 27. 93도135)

㉡ [×] 임차인이 사용하던 방문에 약간의 틈이 있다거나 연통 등 까스배출시설에 결함이 있는 정도의 하자는 임대차 목적물인 방을 사용할 수 없을 정도의 파손상태라고 볼 수 없고 이는 **임차인의 통상의 수선 및 관리의무에 속하는 것이므로** 임차인이 그 방에서 연탄까스에 중독되어 사망하였더라도 사고는 임차인이 그 의무를 게을리 함으로써 발생한 것으로서 **임대인에게 중과실치사의 죄책을 물을 수 없다.**(대법원 1986. 6. 24. 85도2070)

㉢ [○] 고령의 여자 노인이나 나이 어린 연약한 여자아이들은 약간의 물리력을 가하더라도 골절이나 타박상을 당하기 쉽고, 더욱이 배나 가슴 등에 그와 같은 상처가 생기면 치명적 결과가 올 수 있다는 것은 피고인 정도의 연령이나 경험 지식을 가진 사람으로서는 약간의 주의만 하더라도 쉽게 예견할 수 있을 것임에도 불구하고, 그와 같은 예견될 수 있는 결과에 대해서 주의를 다하지 않아 사람을 죽음으로까지 가게 한 행위는 중대한 과실이라고 하지 않을 수 없다.(대법원 1997. 4. 22. 97도538 마귀야 물러가라 사건)

㉣ [×] 호텔오락실의 경영자가 오락실 천정에 형광등을 설치하는 공사를 하면서 **호텔의 전기보안담당자에게 아무런 통고를 하지 아니한 채 무자격전기기술자로 하여금 전기공사를 하게 하였더라도,** 전기에 관한 전문지식이 없는 오락실경영자로서는, 시공자가 조인터박스를 설치하지 아니하고 형광등을 천정에 바짝 붙여 부착시키는 등 부실하게 공사를 하였거나 또는 전기보안담당자가 전기공사사실을 통고받지 못하여 전기설비에 이상이 있는지 여부를 점검하지 못함으로써 위와 같은 부실공사가 그대로 방치되고 그로 인하여 전선의 합선에 의한 방화가 발생할 것 등을 쉽게 예견할 수 있었다고 보기는 어려우므로 오락실경영자에게 위와 같은 과실이 있었더라도 **사회통념상 이를 화재발생에 관한 중대한 과실이라고 평가하기는 어렵다.**(대법원 1989. 10. 13. 89도204 동양관광호텔오락실 화재사건)

제3절 | 결과적 가중범

399 결과적 가중범과 관련하여 옳은 것(○)과 틀린 것(×)을 올바르게 조합한 것은? (다툼이 있으면
☐☐☐ 판례에 의함)

13 경찰승진 [Core ★★]

> ㉠ 우리 형법은 결과적 가중범의 미수를 처벌하는 규정을 두고 있다.
> ㉡ 결과적가중범에 대한 교사 또는 방조는 불가능하다.
> ㉢ 부진정결과적 가중범은 중한 결과를 과실로 야기한 경우뿐만 아니라 고의에 의한 경우에도
> 성립한다.

① ㉠ ○ ㉡ ○ ㉢ ○
② ㉠ ○ ㉡ × ㉢ ○
③ ㉠ × ㉡ × ㉢ ○
④ ㉠ ○ ㉡ × ㉢ ×

해설

② 이 지문이 옳은 연결이다.
㉠ [○] 인질치사상죄, 강도치사상죄 및 해상강도치사상죄 등에 미수범 처벌규정이 있다.(제324조의5, 제342조)
㉡ [×] 기본범죄에 대한 교사 · 방조자에게 중한 결과에 대한 과실(예견가능성)이 있으면 **결과적 가중범에 대한
교사 · 방조가 성립할 수 있다.**(대법원 2002. 10. 25. 2002도4089 병신을 만들어라 사건 참고)
㉢ [○] 통설과 판례의 입장이다.(대법원 1996. 4. 26. 96도485 아버지 · 동생 방화살해사건 참고)

400 결과적 가중범에 대한 설명으로 옳지 않은 것은? (다툼이 있으면 판례에 의함)

23 국가9급 [Core ★★]

① 부진정결과적 가중범의 경우에 중한 결과에 대한 고의범과 결과적 가중범의 법정형이 같은 경우에는 결과적 가중범만 성립하지만, 중한 결과에 대한 고의범의 법정형이 결과적 가중범보다 중한 경우에는 결과적 가중범과 중한 결과에 대한 고의범은 상상적 경합관계에 있다.

② 사람이 현존하는 건조물을 방화하는 집단행위의 과정에서 일부 집단원만이 고의행위로 살상을 가한 경우 다른 집단원이 그 결과를 예견할 수 있었더라도 현존건조물방화치사상죄의 죄책을 인정할 수 없다.

③ 결과적 가중범에 있어서 중한 결과를 같이 발생시킬 의사가 없었더라도 행위를 공동으로 할 의사가 있고 중한 결과가 예견가능한 것이었다면 결과적 가중범의 공동정범이 성립한다.

④ 조문형식상 결과적 가중범에 대한 미수범 처벌규정이 있더라도 이는 결합범에만 적용되고, 결과적 가중범의 경우에는 중한 결과가 발생한 이상 기본범죄가 미수에 그쳐도 결과적 가중범의 기수범이 된다.

해설

② [×] 현존건조물방화치상죄와 같은 부진정결과적가중범은 예견가능한 결과를 예견하지 못한 경우뿐만 아니라 그 결과를 예견하거나 고의가 있는 경우까지도 포함하는 것이므로 사람이 현존하는 건조물을 방화하는 집단행위의 과정에서 일부 집단원이 고의행위로 살상을 가한 경우에도 **다른 집단원에게 그 사상의 결과가 예견가능한 것이었다면 다른 집단원도 그 결과에 대하여 현존건조물방화치사상의 책임을 면할 수 없다.**(대법원 1996. 4. 12. 96도215 서울지방노동청 습격사건)

① [○] 부진정결과적가중범에 있어서, 고의로 중한 결과를 발생하게 한 행위가 별도의 구성요건에 해당하고 그 고의범에 대하여 결과적가중범에 정한 형보다 더 무겁게 처벌하는 규정이 있는 경우에는 그 고의범과 결과적가중범이 상상적 경합관계에 있지만, 고의범에 대하여 더 무겁게 처벌하는 규정이 없는 경우에는 결과적가중범이 고의범에 대하여 특별관계에 있다고 해석되므로 결과적가중범만 성립하고 이와 법조경합의 관계에 있는 고의범에 대하여는 별도로 죄를 구성한다고 볼 수 없다.(대법원 2008. 11. 27. 2008도7311 **음주단속경찰관 치상사건**)

③ [○] 결과적 가중범의 공동정범은 기본행위를 공동으로 할 의사가 있으면 성립하고, 결과를 공동으로 할 의사는 필요 없으며, 그 결과의 발생을 예견할 수 있으면 족하다.(대법원 2005. 5. 26. 2005도945 서울지검 가혹행위 사건)

④ [○] 통설적 해석이다.

401 다음 설명 중 가장 적절하지 않은 것은? (다툼이 있으면 판례에 의함) 16 경찰채용 [Core ★★]

□□□

① 형법 제144조 제2항 특수공무집행방해치상죄는 그 결과에 대한 예견가능성이 있었음에도 불구하고 예견하지 못한 경우뿐만 아니라 고의가 있는 경우까지도 포함하는 부진정결과적 가중범이다.

② 결과적 가중범인 상해치사죄의 공동정범은 폭행 기타의 신체침해행위를 공동으로 할 의사가 있으면 성립되고 결과를 공동으로 할 의사는 필요 없으며, 여러 사람이 상해의 범의로 범행 중 한사람이 중한 상해를 가하여 피해자가 사망에 이르게 된 경우 나머지 사람들은 사망의 결과를 예견할 수 없는 때가 아닌 한 상해치사의 죄책을 면할 수 없다.

③ 형법 제168조 연소죄는 결과적 가중범에 해당한다.

④ 형법 제15조 제2항은 결과적 가중범은 기본범죄와 무거운 결과 사이의 인과관계에 대해서만 규정하고 있을 뿐, 예견가능성을 명시적으로 요구하고 있지는 않다.

해설

④ [×] (1) 결과 때문에 형이 무거워지는 죄의 경우에 **그 결과의 발생을 예견할 수 없었을 때에는** 무거운 죄로 벌하지 아니한다.(제15조 제2항) (2) 형법 제15조 제2항이 규정하고 있는 이른바 결과적 가중범은 행위자가 행위시에 **그 결과의 발생을 예견할 수 없을 때에는** 비록 그 행위와 결과 사이에 인과관계가 있다 하더라도 중한 죄로 벌할 수 없다.(대법원 1988. 4. 12. 88도178 **이해할 수 없는 술집아가씨 사건**)

① [○] 특수공무집행방해치상죄는 원래 결과적가중범이기는 하지만, 이는 중한 결과에 대하여 예견가능성이 있었음에 불구하고 예견하지 못한 경우에 벌하는 진정결과적가중범이 아니라 그 결과에 대한 예견가능성이 있었음에도 불구하고 예견하지 못한 경우뿐만 아니라 고의가 있는 경우까지도 포함하는 부진정결과적 가중범이다. (대법원 1995. 1. 20. 94도2842)

② [○] 결과적 가중범인 상해치사죄의 공동정범은 폭행 기타의 신체침해 행위를 공동으로 할 의사가 있으면 성립되고 결과를 공동으로 할 의사는 필요 없으며, 여러 사람이 상해의 범의로 범행 중 한 사람이 중한 상해를 가하여 피해자가 사망에 이르게 된 경우 나머지 사람들은 사망의 결과를 예견할 수 없는 때가 아닌한 상해치사의 죄책을 면할 수 없다.(대법원 2013. 4. 26. 2013도1222 **술집 상해치사사건**)

③ [○] 연소죄는 자기 소유 건조물 또는 물건에 대한 방화가 확대되어 현주건조물이나 공용 또는 타인 소유 건조물·물건을 연소한 때에 성립하는 진정결과적가중범이다.(제168조)

402

□□□ 다음 설명 중 옳은 것을 모두 고른 것은? (다툼이 있으면 판례에 의함)   21 변호사 [Core ★★]

> ㉠ 선행 교통사고와 후행 교통사고 중 어느 쪽이 원인이 되어 피해자가 사망에 이르게 되었는지 밝혀지지 않은 경우, 후행 교통사고를 일으킨 사람의 과실과 피해자의 사망 사이에 인과관계가 인정되기 위해서는 후행 교통사고를 일으킨 사람이 주의의무를 게을리하지 않았다면 피해자가 사망에 이르지 않았을 것이라는 사실이 증명되어야 한다.
>
> ㉡ 결과적 가중범의 미수범 규정이 있는 경우 기본범죄가 미수에 그친 때에는 결과적 가중범의 미수범이 성립된다.
>
> ㉢ 결과적 가중범의 공동정범이 성립하기 위해서는 고의의 기본범죄를 공동으로 할 의사와 함께 과실에 의한 중한 결과를 공동으로 할 의사가 필요하다.
>
> ㉣ 절도를 교사하였는데 피교사자가 강간을 실행한 경우, 교사자에게 피교사자의 강간행위에 대한 예견가능성이 있는 때에는 강간죄의 교사범으로서의 죄책을 지울 수 있다.
>
> ㉤ 부진정결과적 가중범은 기본범죄가 고의범인 경우에는 물론이고 과실범인 경우에도 인정되는 개념이다.

① ㉠   ② ㉠㉡   ③ ㉠㉤

④ ㉢㉣㉤   ⑤ ㉡㉢㉣㉤

해설

① ㉠ 항목만 옳다.

㉠ [O] 선행 교통사고와 후행 교통사고 중 어느 쪽이 원인이 되어 피해자가 사망에 이르게 되었는지 밝혀지지 않은 경우 후행 교통사고를 일으킨 사람의 과실과 피해자의 사망 사이에 인과관계가 인정되기 위해서는 후행 교통사고를 일으킨 사람이 주의의무를 게을리하지 않았다면 피해자가 사망에 이르지 않았을 것이라는 사실이 입증되어야 하고, 그 입증책임은 검사에게 있다.(대법원 2007. 10. 26. 2005도8822 선행사고 후행사고 사건)

㉡ [×] 중한 결과가 발생하였다면 기본범죄가 미수에 그친 경우라도 **결과적 가중범의 기수범이 성립한다.**(대법원 2008. 4. 24. 2007도10058 호원대 강의실 사건, 대법원 1999. 4. 9. 99도519, 대법원 1988. 6. 28. 88도820 되는게 없는 하루 사건 등)

㉢ [×] 결과적 가중범의 공동정범은 **기본행위를 공동으로 할 의사가 있으면 성립하고, 결과를 공동으로 할 의사는 필요 없으며** 그 결과의 발생을 예견할 수 있으면 족하다.(대법원 2005. 5. 26. 2005도945 서울지검 가혹행위 사건)

㉣ [×] 교사범이란 정범인 피교사자로 하여금 범죄를 결의하게 하여 그 **죄를 범하게 한 때에 성립한다.**(대법원 2013. 9. 12. 2012도2744 약혼녀 낙태강요 사건) 지문과 같이 **교사한 내용과 실행한 내용이 질적으로 다른 경우 교사범은 성립하지 않는다.**

㉤ [×] 부진정결과적 가중범은 고의에 의한 기본범죄에 기하여 **중한 결과를 과실뿐만 아니라 고의로 발생시킨 경우를 말한다**(고의+과실 또는 고의+고의의 결합형태).

403 결과적 가중범에 대한 설명으로 옳지 않은 것은? (다툼이 있으면 판례에 의함)

☐☐☐

16 국가9급 [Superlative ★★★]

① 피해자의 재물을 강취한 후, 그를 살해할 목적으로 현주건조물에 방화하여 사망에 이르게 한 경우 강도살인죄와 현주건조물방화치사죄의 상상적 경합이 된다.

② 결과적 가중범은 행위자가 행위 시에 그 결과의 발생을 예견할 수 없을 때에는 비록 그 행위와 결과 사이에 인과관계가 있다 하더라도 중한 죄로 벌할 수 없다.

③ 과실에 의하여 동일한 결과가 야기된 경우보다도 결과적 가중범을 가중하는 이유는, 고의의 기본범죄 안에 내재되어 있는 전형적인 잠재적 위험이 실현되어 과실범보다 결과반가치가 크기 때문이다.

④ 피고인과 피해자가 여관에 투숙하여 별다른 저항이나 마찰 없이 성관계를 가진 후 피고인이 잠시 나간 사이에 피해자가 방문을 잠그고 구조요청을 한 후라면 피고인의 방문 흔드는 소리에 겁을 먹고 탈출하다가 상해를 입을 것이라고 예견할 수 없다.

해설

> ③ [×] 결과적 가중범을 과실범보다 중하게 처벌하는 이유는, **고의의 기본범죄 안에 내포되어 있는 잠재적 위험이 실현되어 중한 결과가 발생하였다는 점에서** 과실범보다 (결과반가치는 동일하지만) **행위반가치가 크기 때문이다.**
>
> ① [O] 피고인들이 피해자들의 재물을 강취한 후 그들을 살해할 목적으로 현주건조물에 방화하여 사망에 이르게 한 경우, 피고인들의 행위는 강도살인죄와 현주건조물방화치사죄에 모두 해당하고 두 죄는 상상적 경합범관계에 있다.(대법원 1998. 12. 8. 98도3416 **강도 방화살인사건**)
>
> ② [O] 형법 제15조 제2항이 규정하고 있는 이른바 결과적 가중범은 행위자가 행위시에 그 결과의 발생을 예견할 수 없을 때에는 비록 그 행위와 결과 사이에 인과관계가 있다 하더라도 중한 죄로 벌할 수 없다.(대법원 1988. 4. 12. 88도178 **이해할 수 없는 술집아가씨 사건**)
>
> ④ [O] 피고인과 피해자가 여관에 투숙하여 별다른 저항이나 마찰없이 성행위를 한 후, 피고인이 잠시 방밖으로 나간 사이에 피해자가 방문을 안에서 잠그고 구내전화를 통하여 여관종업원에게 구조요청까지 한 후라면 일반 경험칙상 이러한 상황 아래에서 피해자가 피고인의 방문 흔드는 소리에 겁을 먹고 강간을 모면하기 위하여 3층에서 창문을 넘어 탈출하다가 상해를 입을 것이라고 예견할 수는 없다고 볼 것이므로 이를 강간치상죄로 처단할 수 없다.(대법원 1985. 10. 8. 85도1537 **미군부대 동료 사건**)

404

□□□

결과적가중범에 관한 설명으로 옳은 것은 모두 몇 개인가? (다툼이 있으면 판례에 의함)

24 경찰승진 [Superlative ★★★]

○ 기본범죄를 통하여 고의로 중한 결과를 발생하게 한 경우에 가중처벌하는 부진정결과적가중범에서, 고의범에 대하여 더 무겁게 처벌하는 규정이 없는 경우에는 결과적가중범이 고의범에 대하여 특별관계에 있으므로 결과적가중범만 성립하고 이와 실체적 경합의 관계에 있는 고의범에 대하여는 별도로 죄를 구성하지 않는다.

○ 결과적가중범은 중한 결과가 발생하여야 성립되는 범죄이므로 형법에는 결과적가중범의 미수를 처벌하는 규정을 두고 있지 않다.

○ 甲의 구타행위로 상해를 입은 피해자가 정신을 잃고 빈사상태에 빠지자 사망한 것으로 오인하고, 자신의 행위를 은폐하고 피해자가 자살한 것처럼 가장하기 위하여 피해자를 베란다 아래의 바닥으로 떨어뜨려 사망케 하였다면 甲의 행위는 포괄하여 단일의 상해치사죄에 해당한다.

○ 형법상 부진정결과적가중범은 중한 결과를 야기한 기본범죄가 고의범인 경우에만 인정되고 과실범의 경우에는 인정되지 않는 개념이다.

○ 결과적가중범이 성립하려면 행위와 결과 사이에 상당인과관계가 있어야 하고 행위 시에 결과의 발생을 예견할 수 있어야 하는데, 그러한 예견가능성은 행위자를 기준으로 판단되어야 하며 일반인을 기준으로 객관적으로 판단해야 하는 것은 아니다.

① 1개   ② 2개   ③ 3개   ④ 4개

해설

② ㉢㉣ 2 항목이 옳다.

○ [×] 부진정결과적가중범에 있어서, 고의로 중한 결과를 발생하게 한 행위가 별도의 구성요건에 해당하고 그 고의범에 대하여 결과적가중범에 정한 형보다 더 무겁게 처벌하는 규정이 있는 경우에는 그 고의범과 결과적가중범이 상상적 경합관계에 있지만, 고의범에 대하여 더 무겁게 처벌하는 규정이 없는 경우에는 결과적가중범이 고의범에 대하여 특별관계에 있다고 해석되므로 결과적가중범만 성립하고 **이와 법조경합의 관계에 있는** 고의범에 대하여는 별도로 죄를 구성한다고 볼 수 없다.(대법원 2008. 11. 27. 2008도7311 음주단속경찰관 치상 사건)

○ [×] 형법에는 결과적 가중범인 인질치사상죄, 강도치사상죄와 해상강도치사상죄에 **미수범을 처벌하는 규정을 두고 있다.**(제324조의5, 제342조)

○ [○] 피고인이 피해자에게 우측 흉골골절 및 늑골골절상 등의 상해를 가함으로써 피해자가 바닥에 쓰러진 채 정신을 잃고 빈사상태에 빠지자, 피해자가 사망한 것으로 오인하고, 피고인의 행위를 은폐하고 피해자가 자살한 것처럼 가장하기 위하여 피해자를 베란다 밑 약 13m 아래의 바닥으로 떨어뜨려 뇌손상 및 뇌출혈 등으로 사망에 이르게 하였다면 피고인의 행위는 **포괄하여 단일의 상해치사죄에 해당한다.**(대법원 1994. 11. 4. 94도2361 낙산비치호텔 사건)

○ [○] 부진정결과적 가중범은 (기본범죄는 언제나 고의범이고) 중한 결과에 대하여 **과실이 있는 경우뿐만 아니라 고의가 있는 경우에도 성립하는 범죄**를 말한다.(대법원 1983. 1. 18. 82도2341 은봉암 사건 참고) 예를 들어 형법에는 실화치사죄(失火致死罪)는 존재하지 않는다.

○ [×] 결과적 가중범인 교통방해치사상죄에 있어 **중한 결과에 대한 예견가능성은 일반인을 기준으로 객관적으로 판단되어야 한다.**(대법원 2014. 7. 24. 2014도6206 고속도로 급제동 정차사건)

405 결과적 가중범에 관한 설명 중 옳은 것(○)과 옳지 않은 것(×)을 바르게 표시한 것은? (다툼이 있으면 판례에 의함)

22 경찰간부 [Superlative ★★★]

⊙ 기본범죄를 통하여 고의로 중한 결과를 발생하게 한 경우에 가중처벌하는 부진정결과적가중범에서, 고의로 중한 결과를 발생하게 한 행위가 별도의 구성요건에 해당하고 그 고의범에 대하여 결과적가중범에 정한 형보다 더 무겁게 처벌하는 규정이 있는 경우에는 그 고의범과 결과적가중범이 상상적 경합관계에 있지만, 위와 같이 고의범에 대하여 더 무겁게 처벌하는 규정이 없는 경우에는 결과적가중범이 고의범에 대하여 특별관계에 있으므로 결과적가중범만 성립하고 이와 법조경합의 관계에 있는 고의범에 대하여는 별도로 죄를 구성하지 않는다.

○ 음주로 인한 특정범죄가중처벌 등에 관한 법률 위반(위험운전치사상)죄는 도로교통법위반(음주운전)죄를 기본범죄로 하는 결과적 가중범으로 그 행위유형과 보호법익을 모두 포함하고 있으므로 특정범죄가중처벌 등에 관한 법률 위반(위험운전치사상)죄가 성립하면 도로교통법위반(음주운전)죄는 이에 흡수된다.

© 결과적가중범의 공동정범은 기본행위를 공동으로 할 의사가 있으면 성립하고 결과를 공동으로 할 의사는 필요 없다. 특수공무집행방해치상죄는 단체 또는 다중의 위력을 보이거나 위험한 물건을 휴대하고 직무를 집행하는 공무원에 대하여 폭행·협박을 하여 공무원을 사상에 이르게 한 경우에 성립하는 결과적가중범으로서 행위자가 그 결과를 의도할 필요는 없고 그 결과의 발생을 예견할 수 있으면 족하다.

② 특정범죄가중처벌 등에 관한 법률 제5조의10 제2항은 운전자에 대한 폭행·협박으로 인하여 교통사고의 발생 등과 같은 구체적 위험을 초래하는 중간 매개원인이 유발되고 그 결과로써 불특정 다중에게 상해나 사망의 결과를 발생시킨 경우에만 적용될 수 있을 뿐, 교통사고 등의 발생 없이 직접적으로 운전자에 대한 상해의 결과만을 발생시킨 경우에는 적용되지 아니한다.

⑩ 형법 제188조에 규정된 교통방해에 의한 치사상죄는 결과적 가중범이므로 위 죄가 성립하려면 교통방해 행위와 사상(死傷)의 결과 사이에 상당인과관계가 있어야 하고 행위시에 결과의 발생을 예견할 수 있어야 한다. 그리고 교통방해 행위가 피해자의 사상이라는 결과를 발생하게 한 유일하거나 직접적인 원인이 된 경우만이 아니라 그 행위와 결과 사이에 피해자나 제3자의 과실 등 다른 사실이 개재된 때에도 그와 같은 사실이 통상 예견될 수 있는 것이라면 상당인과관계를 인정할 수 있다.

① ⊙ ○ ○ × © ○ ② × ⑩ ○
② ⊙ ○ ○ × © × ② ○ ⑩ ×
③ ⊙ × ○ ○ © ○ ② × ⑩ ○
④ ⊙ × ○ ○ © × ② ○ ⑩ ×

해설

① 이 지문이 옳은 연결이다.

㉠ [○] 부진정결과적가중범에 있어서, 고의로 중한 결과를 발생하게 한 행위가 별도의 구성요건에 해당하고 그 고의범에 대하여 결과적가중범에 정한 형보다 더 무겁게 처벌하는 규정이 있는 경우에는 그 고의범과 결과적가중범이 상상적 경합관계에 있지만, 고의범에 대하여 더 무겁게 처벌하는 규정이 없는 경우에는 결과적가중범이 고의범에 대하여 특별관계에 있다고 해석되므로 결과적가중범만 성립하고 이와 법조경합의 관계에 있는 고의범에 대하여는 별도로 죄를 구성한다고 볼 수 없다.(대법원 2008. 11. 27. 2008도7311 음주단속경찰관 치상사건)

㉡ [×] 음주로 인한 특가법위반(위험운전치사상)죄와 도로교통법 위반(음주운전)죄는 입법 취지와 보호법익 및 적용 영역을 달리하는 별개의 범죄로서 양 죄가 모두 성립하는 경우 두 죄는 실체적 경합관계에 있다.(대법원 2008. 11. 13. 2008도7143 음주 택시운전 사건)

㉢ [○] 결과적가중범의 공동정범은 기본행위를 공동으로 할 의사가 있으면 성립하고 결과를 공동으로 할 의사는 필요 없는바, 특수공무집행방해치상죄는 단체 또는 다중의 위력을 보이거나 위험한 물건을 휴대하고 직무를 집행하는 공무원에 대하여 폭행·협박을 하여 공무원을 사상에 이르게 한 경우에 성립하는 결과적가중범으로서 행위자가 그 결과를 의도할 필요는 없고 그 결과의 발생을 예견할 수 있으면 족하다.(대법원 2012. 5. 24. 2010도11381 망원 송전탑 + 이화여대 사건)

㉣ [×] 특가법 제5조의10 제2항은 제1항의 죄(운행 중인 자동차의 운전자 폭행·협박)를 범하여 사람을 상해나 사망이라는 중한 결과에 이르게 한 경우 제1항에 정한 형보다 중한 형으로 처벌하는 결과적 가중범 규정으로 해석할 수 있고, 운행 중인 자동차의 운전자를 폭행하거나 협박하여 운전자나 승객 또는 보행자 등을 상해나 사망에 이르게 하였다면 이로써 특가법 제5조의10 제2항의 구성요건을 충족한다.(대법원 2015. 3. 26. 2014도13345 그랜저 운전자 폭행사건) 교통사고 등의 발생 없이 직접적으로 운전자에 대한 상해의 결과만 발생시킨 경우에도 특가법 제5조의10 제2항의 죄가 성립한다.

㉤ [○] 교통방해치사상죄는 결과적 가중범이므로, 위 죄가 성립하려면 교통방해 행위와 사상의 결과 사이에 상당 인과관계가 있어야 하고 행위시에 결과의 발생을 예견할 수 있어야 한다. 그리고 교통방해 행위가 피해자의 사상이라는 결과를 발생하게 한 유일하거나 직접적인 원인이 된 경우만이 아니라, 그 행위와 결과 사이에 피해자나 제3자의 과실 등 다른 사실이 개재된 때에도 그와 같은 사실이 통상 예견될 수 있는 것이라면 상당인과관계를 인정할 수 있다.(대법원 2014. 7. 24. 2014도6206 고속도로 급제동 정차사건)

406

□□□ **결과적 가중범에 대한 설명으로 옳은 것은? (다툼이 있으면 판례에 의함)** 21 경찰간부 [Essential ★]

① 상해치사죄의 공동정범은 폭행 기타의 신체침해 행위를 공동으로 할 의사뿐만 아니라 결과를 공동으로 할 의사가 있어야 성립한다.

② 결과적 가중범은 과실로 인한 중한 결과가 발생하여야 성립하는 범죄이므로 형법에는 결과적 가중범의 미수를 처벌하는 규정이 존재하지 않는다.

③ 상해를 교사하였는데 피교사자가 이를 넘어 살인을 한 경우 교사자에게 사망이라는 결과에 대하여 과실 내지 예견가능성이 있는 때에는 상해치사죄의 교사범이 성립할 수 있다.

④ 피고인들이 피해자들의 재물을 강취한 후 그들을 살해할 목적으로 현주건조물에 방화하여 사망에 이르게 한 경우, 피고인들의 행위는 강도살인죄와 현주건조물방화치사죄에 모두 해당하고 그 두 죄는 실체적 경합범관계에 있다.

해설

③ [O] 교사자가 피교사자에 대하여 상해 또는 중상해를 교사하였는데 피교사자가 이를 넘어 살인을 실행한 경우 일반적으로 교사자는 상해죄 또는 중상해죄의 교사범이 되지만 이 경우 교사자에게 피해자의 사망이라는 결과에 대하여 과실 내지 예견가능성이 있는 때에는 상해치사죄의 교사범으로서의 죄책을 지울 수 있다.(대법원 2002. 10. 25. 2002도4089 **병신을 만들어라 사건**)

① [×] 결과적 가중범의 공동정범은 **기본행위를 공동으로 할 의사가 있으면 성립하고, 결과를 공동으로 할 의사는 필요 없으며,** 그 결과의 발생을 예견할 수 있으면 족하다.(대법원 2005. 5. 26. 2005도945 **서울지검 가혹행위 사건**)

② [×] 형법에는 결과적 가중범인 인질치사상죄, 강도치사상죄와 해상강도치사상죄에 **미수범을 처벌하는 규정을 두고 있다.**(제324조의5, 제342조)

④ [×] 피고인이 재물을 강취한 후 피해자를 살해할 목적으로 현주건조물에 방화하여 소사(燒死)하게 한 경우 강도살인죄와 현주건조물방화치사죄는 **상상적 경합관계에 있다.**(대법원 1998. 12. 8. 98도3416 **강도 방화 살인사건**)

정답 | 406 ③

407

☐☐☐ 결과적가중범에 대한 설명으로 옳지 않은 것은? (다툼이 있으면 판례에 의함)

15 국가9급 [Superlative ★★★]

① 중한 결과에 대한 과실은 기본범죄(기본적 구성요건)의 실행 시에 존재해야 하므로 강간 후에 살해의 고의가 생겨 피해자를 살해한 경우에는 강간치사죄가 될 수 없다.

② 부진정결과적가중범에 있어서, 고의로 중한 결과를 발생하게 한 행위가 별도의 구성요건에 해당하고 그 고의범에 대하여 결과적가중범에 정한 형보다 더 무겁게 처벌하는 규정이 없는 경우에는 그 기본범죄와 결과적가중범이 상상적 경합관계에 있다고 보아야 하며, 규정이 있는 경우에는 결과적가중범이 고의범에 대하여 특별관계에 있다고 보아야 한다.

③ 상해의 고의로 가격한 피해자가 의식을 잃고 쓰러지자 사망한 것으로 오인하고 범행을 감추고 자살로 가장하기 위해 베란다 밖으로 떨어뜨려 사망케 한 경우 상해치사죄가 성립한다.

④ 형법 제188조에 규정된 교통방해에 의한 치사상죄는 결과적 가중범이므로, 위 죄가 성립하려면 교통방해 행위와 사상의 결과 사이에 상당인과관계가 있어야 하고 행위 시에 결과의 발생을 예견할 수 있어야 한다.

해설

② [×] 부진정결과적가중범에 있어서, 고의로 중한 결과를 발생하게 한 행위가 별도의 구성요건에 해당하고 그 고의범에 대하여 결과적가중범에 정한 형보다 **더 무겁게 처벌하는 규정이 있는 경우**에는 그 고의범과 **결과적 가중범은 상상적 경합관계에 있지만**, 고의범에 대하여 더 무겁게 처벌하는 규정이 없는 경우에는 **결과적 가중범이 고의범에 대하여 특별관계에 있다고 해석**되므로 결과적가중범만 성립하고 이와 법조경합의 관계에 있는 고의범에 대하여는 별도로 죄를 구성한다고 볼 수 없다.(대법원 2008. 11. 27. 2008도7311 **음주단속경 찰관 치상사건**)

① [○] 결과적가중범에서 중한 결과에 대한 과실(예견가능성)은 기본범죄의 실행 시에 존재하여야 한다. 강간 후에 살해의 고의가 생겨 피해자를 살해한 경우 (강간살인죄 또는 강간죄와 살인죄의 경합범은 성립할 수 있어 도) 강간치사죄는 성립하지 아니한다.

③ [○] 피고인이 피해자에게 우측 흉골골절 및 늑골골절상 등의 상해를 가함으로써 피해자가 바닥에 쓰러진 채 정신을 잃고 빈사상태에 빠지자, 피해자가 사망한 것으로 오인하고, 피고인의 행위를 은폐하고 피해자가 자살 한 것처럼 가장하기 위하여 피해자를 베란다 밑 약 13m 아래의 바닥으로 떨어뜨려 뇌손상 및 뇌출혈 등으로 사망에 이르게 하였다면 피고인의 행위는 포괄하여 단일의 상해치사죄에 해당한다.(대법원 1994. 11. 4. 94도 2361 **낙산비치호텔 사건**)

④ [○] 교통방해치사상죄는 결과적 가중범이므로, 위 죄가 성립하려면 교통방해 행위와 사상의 결과 사이에 상당 인과관계가 있어야 하고 행위시에 결과의 발생을 예견할 수 있어야 한다. 그리고 교통방해 행위가 피해자의 사상이라는 결과를 발생하게 한 유일하거나 직접적인 원인이 된 경우만이 아니라, 그 행위와 결과 사이에 피해 자나 제3자의 과실 등 다른 사실이 개재된 때에도 그와 같은 사실이 통상 예견될 수 있는 것이라면 상당인과관 계를 인정할 수 있다.(대법원 2014. 7. 24. 2014도6206 **고속도로 급제동 정차사건**)

408 결과적가중범에 대한 설명으로 옳은 것은? (다툼이 있으면 판례에 의함)

□□□

① 직무를 집행하는 공무원에 대하여 위험한 물건을 휴대하여 고의로 상해를 가한 경우, 특수공무집행방해치상죄 외에 폭력행위 등 처벌에 관한 법률 위반(집단·흉기 등 상해)죄를 구성한다.

② 진정결과적 가중범의 예로는 연소죄·중체포·중감금죄가 있고, 부진정결과적 가중범의 예로는 현주건조물방화치사상죄, 특수공무집행방해치사상죄, 중유기죄, 중손괴죄 등이 있다.

③ 甲이 乙에게 피해자를 상해할 것을 교사하였는데 피해자를 살해한 경우, 원칙적으로 甲은 상해죄의 교사범이 되나 甲에게 피해자의 사망에 대하여 과실 또는 예견가능성이 있는 때에는 상해치사죄의 교사범으로서 죄책을 진다.

④ 결과적 가중범은 행위자가 행위시에 그 결과의 발생을 예견할 수 없을 때에도 그 행위가 결과 사이에 상당인과관계가 있다고 하면 중한 죄로 벌하여야 한다.

해설

③ [○] 교사자가 피교사자에 대하여 상해 또는 중상해를 교사하였는데 피교사자가 이를 넘어 살인을 실행한 경우 일반적으로 교사자는 상해죄 또는 중상해죄의 교사범이 되지만 이 경우 교사자에게 피해자의 사망이라는 결과에 대하여 과실 내지 예견가능성이 있는 때에는 상해치사죄의 교사범으로서의 죄책을 지을 수 있다.(대법원 2002. 10. 25. 2002도4089 **병신을 만들어라 사건**)

① [×] (1) 부진정결과적가중범에서, 고의범에 대하여 더 무겁게 처벌하는 규정이 없는 경우에는 결과적가중범이 고의범에 대하여 특별관계에 있으므로 결과적가중범만 성립하고 이와 법조경합의 관계에 있는 고의범에 대하여는 별도로 죄를 구성하지 않는다. (2) 직무를 집행하는 공무원에 대하여 위험한 물건을 휴대하여 고의로 상해를 가한 경우 **특수공무집행방해치상죄만 성립할 뿐 별도로 폭처법위반(집단·흉기 등 상해)죄를 구성하지 않는다.**(대법원 2008. 11. 27. 2008도7311 **음주단속경찰관 치상사건**)

② [×] 중체포·중감금죄는 **결과적 가중범이 아니다.**(제277조)

④ [×] 행위자가 행위시에 그 결과의 발생을 예견할 수 없었을 때에는 **중한 죄로 벌할 수 없다.**(제15조 제2항)

409

결과적 가중범에 대한 설명으로 옳은 것만을 모두 고르면? (다툼이 있으면 판례에 의함)

□□□

14 국가9급 [Superlative ★★★]

> ⊙ 甲이 음주단속을 피하기 위하여 경찰관의 하차요구에 불응하고 승용차를 계속 진행하는 과정에서 단속 경찰관이 자동차 범퍼에 부딪혀 전치 6주의 상해를 입었다면, 甲에게는 특수공무집행방해치상죄와 폭력행위 등 처벌에 관한 법률 위반(집단·흉기 등 상해)죄의 상상적 경합범이 성립한다.
> ⓛ 여러 사람이 상해의 범의로 범행 중 한 사람이 중한 상해를 가하여 피해자가 사망에 이르게 된 경우, 나머지 사람들은 사망의 결과를 예견할 수 없는 때라도 상해치사죄의 책임을 진다.
> ⓒ 폭행치사죄는 결과적 가중범으로서 사망의 결과에 대한 예견가능성, 즉 과실이 있어야 하는 것 외에, 폭행과 사망의 결과 사이에 인과관계가 있어야 한다.
> ⓔ 강간이 미수에 그쳤으나 그 과정에서 상해의 결과가 발생하였다면 강간치상죄의 기수가 성립한다.

① ⊙ⓛ   ② ⓛⓒ   ③ ⓒⓔ   ④ ⊙ⓔ

해설

③ ⓒⓔ 2 항목이 옳다.

⊙ [×] (1) 부진정결과적가중범에서, 고의범에 대하여 더 무겁게 처벌하는 규정이 없는 경우에는 결과적가중범이 고의범에 대하여 특별관계에 있으므로 결과적가중범만 성립하고 이와 법조경합의 관계에 있는 고의범에 대하여는 별도로 죄를 구성하지 않는다. (2) 직무를 집행하는 공무원에 대하여 위험한 물건을 휴대하여 고의로 상해를 가한 경우 **특수공무집행방해치상죄만 성립할 뿐 별도로 폭처법위반(집단·흉기 등 상해)죄를 구성하지 않는다.**(대법원 2008. 11. 27. 2008도7311 음주단속경찰관 치상사건)

ⓛ [×] 여러 사람이 상해의 범의로 범행 중 한 사람이 중한 상해를 가하여 피해자가 사망에 이르게 된 경우 나머지 사람들은 **사망의 결과를 예견할 수 없는 때가 아닌 한** 상해치사의 죄책을 면할 수 없다.(대법원 2013. 4. 26. 2013도1222 술집 상해치사사건) 나머지 사람들이 사망의 결과를 예견할 수 없는 때라면 상해치사죄의 죄책은 지지 아니한다.

ⓒ [○] 폭행치사죄는 결과적 가중범으로서 폭행과 사망의 결과 사이에 인과관계가 있는 외에 사망의 결과에 대한 예견가능성 즉 과실이 있어야 하고, 이러한 예견가능성의 유무는 폭행의 정도와 피해자의 대응상태 등 구체적 상황을 살펴서 엄격하게 가려야 한다.(대법원 2010. 5. 27. 2010도2680 생일빵 사건)

ⓔ [○] 강간이 미수에 그친 경우라도 그로 인하여 피해자가 상해를 입었으면 강간치상죄가 성립하는 것이고, 강간치상죄에 있어 상해의 결과는 강간의 수단으로 사용한 폭행으로부터 발생한 경우뿐만 아니라 간음행위 그 자체로부터 발생한 경우나 강간에 수반하는 행위에서 발생한 경우도 포함된다.(대법원 2003. 5. 30. 2003도1256 아빠야 사건)

410 결과적 가중범에 관한 설명 중 옳지 않은 것은? (다툼이 있으면 판례에 의함)

15 사법시험 [Superlative ★★★]

① 「형법」 규정이 강간치사상죄의 주체에 강간미수범을 포함하고 있으므로 기본범죄인 강간이 미수에 그쳤더라도 이로 인해 사상의 결과가 발생한 경우, 강간치사상죄의 기수가 성립한다.

② 해상강도치사죄의 경우 이 죄의 미수를 인정하는 견해에 따르면 해상강도치사죄의 미수는 해상강도행위가 미수에 그친 경우에 성립한다.

③ 군대의 하급자인 A가 상급자인 B에게 무례한 행동을 하자 甲은 B가 A를 교육시킨다는 정도로 가볍게 생각하고 B에게 각목을 건네주었는데, B가 각목으로 A를 폭행하자 이를 제지하기 위해 애를 썼지만 A가 사망한 경우, 甲의 방조책임은 A의 사망에 미치지 않는다.

④ 누군지 모르는 자의 폭행으로 부상을 입고 공원 의자에 누워있던 A를 甲이 밀어 땅바닥에 떨어지게 함으로써 A가 사망하는 결과가 발생하였다면 그 사망의 원인행위가 판명되지 않았더라도 甲을 폭행치사죄로 처벌할 수 있다.

⑤ 甲은 공장에서 동료 A와 말다툼을 하던 중 A에게 삿대질을 하였는데 이를 피하고자 A 자신이 두어 걸음 뒷걸음치다가 회전 중이던 십자형 스빙기계 철받침대에 걸려 넘어져 머리를 시멘트 바닥에 부딪혀 두개골절로 사망한 경우, 甲에게 폭행치사죄의 책임을 물을 수 있다.

해설

⑤ [×] 피고인이 삿대질하는 것을 피하고자 피해자 자신이 두어걸음 뒷걸음치다가 회전 중이던 십자형 스빙기계 철받침대에 걸려 넘어진 정도라면, 당시 바닥에 위와 같은 장애물이 있어서 뒷걸음치면 장애물에 걸려 넘어질 수 있다는 것까지는 예견할 수 있었다고 하더라도 머리를 바닥에 부딪쳐 두개골절로 사망한다는 것은 예견하기 어려운 결과라고 하지 않을 수 없으므로 **폭행치사죄의 책임을 물을 수 없다.**(대법원 1990. 9. 25. 90도1596 삿대질 사건)

① [○] 강간이 미수에 그친 경우라도 강간의 수단이 된 폭행에 의하여 사상의 결과가 발생한 경우 강간치사상죄가 성립한다.(대법원 1986. 6. 10. 86도887, 대법원 1995. 5. 12. 95도425 속셈학원 원장 사건)

② [○] 해상강도치사죄와 같은 부진정결과적가중범의 경우에도 형법 규정에 의하여 미수범이 성립할 수 있다는 견해에 의하면 기본범죄인 해상강도가 미수인 상태에서 중한 결과가 발생하면 해상강도치사미수죄가 성립한다고 한다.

③ [○] 피고인 甲은 B가 취중에 상급자에게 무례한 행동을 하는 A를 교육시킨다는 정도로 가볍게 생각하고 각목을 건네주었던 것이고, 그 후에도 양인 사이에서 폭행을 제지하려고 애쓴 사실이 인정되므로 (甲으로서는 A가 B의 폭행으로 사망할 것으로 예견할 수 있었다고 볼 수 없으므로 특수폭행치사의 방조죄는 성립하지 않고) 특수폭행의 방조죄가 성립한다.(대법원 1998. 9. 4. 98도2061)

④ [○] 시간적 차이가 있는 독립된 상해행위나 폭행행위가 경합하여 사망의 결과가 일어나고 그 사망의 원인된 행위가 판명되지 않은 경우에는 공동정범의 예에 의하여 처벌할 것이므로, 2시간 남짓한 시간적 간격을 두고 피고인이 두번째의 가해행위를 한 후, 피해자가 사망하였고 그 사망의 원인을 알 수 없더라도 피고인을 폭행치사죄의 동시범으로 처벌할 수 있다.(대법원 2000. 7. 28. 2000도2466)

411

☐☐☐ 결과적 가중범에 대한 설명으로 가장 옳은 것은? (다툼이 있으면 판례에 의함)

19 경찰간부 [Essential ★]

① 중체포·감금죄는 사람을 체포·감금하여 생명에 위협을 야기한 경우 성립하는 결과적 가중범이다.

② 기본범죄를 통하여 고의로 중한 결과를 발생하게 한 경우에 가중처벌하는 부진정결과적 가중범에서, 고의로 중한 결과를 발생하게 한 행위가 별도의 구성요건에 해당하고 그 고의범에 대하여 결과적가중범에 정한 형보다 더 무겁게 처벌하는 규정이 있는 경우에는 그 고의범과 결과적가중범이 실체적 경합관계에 있다.

③ 형법 제15조 제2항 결과적 가중범은 기본범죄와 중한 결과 사이의 인과관계에 대해서만 규정하고 있을 뿐, 예견가능성을 명시적으로 요구하고 있지는 않다.

④ 해상강도치사상죄, 현주건조물일수치사상죄, 강도치사상죄, 인질치사상죄 모두 형법상 미수범 처벌규정이 있다.

해설

④ [○] 해상강도치사상죄(제342조), 현주건조물일수치사상죄(제182조), 강도치사상죄(제342조), 인질치사상죄(제324조의5) 모두 형법상 미수범 처벌규정이 있다.

① [×] 중체포·감금죄는 사람을 체포 또는 감금하여 **가혹한 행위를 가한 경우에** 성립한다.(제277조)

② [×] 부진정결과적가중범에 있어서, 고의로 중한 결과를 발생하게 한 행위가 별도의 구성요건에 해당하고 그 고의범에 대하여 결과적가중범에 정한 형보다 더 무겁게 처벌하는 규정이 있는 경우에는 **그 고의범과 결과적가중범은 상상적 경합관계에 있다.**(대법원 2008. 11. 27. 2008도7311 음주단속경찰관 치상사건)

③ [×] (1) 결과로 인하여 형이 중할 죄에 있어서 **그 결과의 발생을 예견할 수 없었을 때에는** 중한 죄로 벌하지 아니한다.(제15조 제2항) (2) 형법 제15조 제2항이 규정하고 있는 이른바 결과적 가중범은 행위자가 행위 시에 **그 결과의 발생을 예견할 수 없을 때에는** 비록 그 행위와 결과 사이에 인과관계가 있다 하더라도 중한 죄로 벌할 수 없다.(대법원 1988. 4. 12. 88도178 **이해할 수 없는 술집아가씨 사건**)

412

결과적 가중범, 과실범 등에 대한 다음 설명 중 틀린 것은? (다툼이 있으면 판례에 의함)

① 피고인들이 피해자들의 재물을 강취한 후 그들을 살해할 목적으로 현주건조물에 방화하여 사망에 이르게 한 경우 피고인들의 행위는 강도살인죄와 현주건조물방화치사죄에 모두 해당하고 그 두 죄는 상상적 경합범관계에 있다.

② 피고인의 구타행위로 상해를 입은 피해자가 정신을 잃고 빈사상태에 빠지자 사망한 것으로 오인하고, 자신의 행위를 은폐하고 피해자가 자살한 것처럼 가장하기 위하여 피해자를 베란다 아래의 바닥으로 떨어뜨려 사망케 하였다면, 피고인의 행위는 포괄하여 단일의 상해치사죄에 해당한다.

③ 피고인이 자신이 경영하는 속셈학원의 강사로 피해자를 채용하고 학습교재를 설명하겠다는 구실로 호텔 객실로 유인하여 강간하려 하자, 피해자가 완강히 반항하던 중 피고인이 대실시간 연장을 위해 전화하는 사이에 객실 창문을 통해 탈출하려다가 지상에 추락하여 사망한 경우, 피고인의 강간미수행위와 피해자의 사망과의 사이에 상당인과관계가 있다고 보기 어려워 피고인에 대하여 강간치사죄가 성립하지 않는다.

④ 결과적 가중범인 상해치사죄의 공동정범은 폭행 기타의 신체침해 행위를 공동으로 할 의사가 있으면 성립되고 결과를 공동으로 할 의사는 필요 없으며, 여러 사람이 상해의 범의로 범행 중 한 사람이 중한 상해를 가하여 피해자가 사망에 이르게 된 경우 나머지 사람들은 사망의 결과를 예견할 수 없는 때가 아닌 한 상해치사의 죄책을 면할 수 없다.

⑤ 형법 제30조의 '2인 이상이 공동하여 죄를 범한 때'의 '죄'에는 고의범뿐만 아니라 과실범도 포함되고, 업무상과실치사상죄의 공소시효는 피해자들이 사상에 이른 결과가 발생함으로써 그 범죄행위가 종료한 때로부터 진행한다.

해설

> ③ [×] 피고인이 자신이 경영하는 속셈학원의 강사로 피해자를 채용하고 학습교재를 설명하겠다는 구실로 유인하여 호텔 객실에 감금한 후 강간하려 하자, 피해자가 완강히 반항하던 중 피고인이 대실시간 연장을 위해 전화하는 사이에 객실 창문을 통해 탈출하려다가 지상에 추락하여 사망한 경우, **피고인의 강간미수행위와 피해자의 사망과의 사이에 상당인과관계가 있으므로 피고인을 강간치사죄로 처단할 수 있다.**(대법원 1995. 5. 12. 95도425 속셈학원 원장 사건)
>
> ① [○] 피고인이 재물을 강취한 후 피해자를 살해할 목적으로 현주건조물에 방화하여 소사(燒死)하게 한 경우 강도살인죄와 현주건조물방화치사죄는 상상적 경합관계에 있다.(대법원 1998. 12. 8. 98도3416 강도 방화살인 사건)

② [O] 피고인의 구타행위로 상해를 입은 피해자가 정신을 잃고 빈사상태에 빠지자 사망한 것으로 오인하고, 자신의 행위를 은폐하고 피해자가 자살한 것처럼 가장하기 위하여 피해자를 베란다 아래의 바닥으로 떨어뜨려 사망케 하였다면 포괄하여 단일의 상해치사죄에 해당한다.(대법원 1994. 11. 4. 94도2361 낙산비치호텔 사건)

④ [O] 결과적 가중범인 상해치사죄의 공동정범은 폭행 기타의 신체침해 행위를 공동으로 할 의사가 있으면 성립되고 결과를 공동으로 할 의사는 필요 없으며, 여러 사람이 상해의 범의로 범행 중 한 사람이 중한 상해를 가하여 피해자가 사망에 이르게 된 경우 나머지 사람들은 사망의 결과를 예견할 수 없는 때가 아닌 한 상해치사의 죄책을 면할 수 없다.(대법원 2013. 4. 26. 2013도1222 술집 상해치사사건)

⑤ [O] (1) 형법 제30조 소정의 '2인 이상이 공동하여 죄를 범한 때'의 '죄'에는 고의범뿐만 아니라 과실범도 포함되는 것이다. (2) 공소시효의 기산점에 관하여 규정한 형사소송법 제252조 제1항 소정의 '범죄행위'에는 당해 범죄의 결과까지도 포함되는 취지로 해석함이 상당하므로 업무상과실치사상죄의 공소시효는 피해자들이 사상에 이른 결과가 발생함으로써 그 범죄행위가 종료한 때로부터 진행한다.(대법원 1994. 3. 22. 94도35 우암아파트 붕괴사건)

413

□□□ 과실범과 결과적 가중범에 관한 설명 중 옳은 것을 모두 고른 것은? (다툼이 있으면 판례에 의함)

24 변호사 [Core ★★]

㉠ 형법상 특수공무집행방해치상죄는 중한 결과에 대한 예견가능성이 있었음에도 불구하고 예견하지 못한 경우뿐만 아니라 고의가 있는 경우까지도 포함하는 부진정 결과적 가중범이다.

㉡ 과실범에 있어서의 인식 없는 과실은 결과 발생의 가능성에 대한 인식 자체도 없는 경우로 그 결과 발생을 인식하지 못하였다는 데에 대한 부주의, 즉 규범적 실재로서의 과실 책임이 있다고 할 것이다.

㉢ 건설회사가 건설공사 중 타워크레인의 설치작업을 전문업자에게 도급을 주어 타워크레인 설치작업을 하던 중 발생한 사고에 대하여, 건설회사의 현장대리인 甲에게 타워크레인의 설치작업을 관리하고 통제할 실질적인 지휘·감독 권한이 없었다면 업무상 주의의무를 위반한 과실이 있다고 볼 수 없다.

㉣ 甲이 A에 대한 살인의 고의로 A가 자고 있는 집에 불을 놓아 불이 A의 집 안방 천장까지 붙었으나 A가 잠에서 깨어 집 밖으로 빠져나오는 바람에 살인의 목적을 달성하지 못하였다면 甲은 현주건조물방화치사죄의 미수범으로 처벌된다.

㉤ 상해를 교사하였는데 피교사자가 이를 넘어 살인을 실행한 경우 교사자는 상해죄에 대한 교사범이 되는 것이고, 다만 이 경우 교사자에게 피해자의 사망이라는 결과에 대하여 과실 내지 예견가능성이 있는 때에는 상해죄의 교사범과 과실치사죄의 상상적 경합범이 된다.

① ㉠㉡㉢   ② ㉠㉡㉤   ③ ㉡㉢㉣

④ ㉠㉡㉢㉣   ⑤ ㉠㉢㉣㉤

해설

① ㉠㉡㉢ 3 항목이 옳다.

㉠ [○] 특수공무집행방해치상죄는 원래 결과적가중범이기는 하지만 이는 중한 결과에 대하여 예견가능성이 있었음에 불구하고 예견하지 못한 경우에 벌하는 진정결과적가중범이 아니라 그 **결과에 대한 예견가능성이 있었음에도 불구하고 예견하지 못한 경우뿐만 아니라 고의가 있는 경우까지도 포함하는 부진정결과적가중범이다.**(대법원 1995. 1. 20. 94도2842 위험한 물건 휴대 특수공집방치상 사건)

㉡ [○] 과실범에 있어서는 비난가능성의 지적 요소란 결과발생의 가능성에 대한 인식으로서 인식있는 과실에는 이와 같은 인식이 있고, **인식없는 과실**에는 이에 대한 인식 자체도 없는 경우이나 전자에 있어서 책임이 발생함은 물론 후자에 있어서도 그 **결과발생을 인식하지 못하였다는데에 대한 부주의, 즉 규범적 실재로서의 과실책임이 있다.**(대법원 1984. 2. 28. 83도3007 대구금호호텔 방화사건)

㉢ [○] 건설회사가 건설공사 중 타워크레인의 설치작업을 전문업자에게 도급주어 타워크레인 설치작업을 하던 중 발생한 사고에 대하여 **건설회사의 현장대리인에게 업무상과실치사상의 죄책을 물을 수 없다.**(대법원 2005. 9. 9. 2005도3108 타워크레인 설치사건)

㉣ [×] 형법상 **현주건조물방화치사미수죄는 존재하지 않는다.** 甲이 A를 살해할 고의로 방화를 하였으나 A가 사망하지 않았다면 甲은 현주건조물방화죄와 살인미수죄의 상상적 경합범의 죄책을 진다.

㉤ [×] 교사자가 피교사자에 대하여 상해 또는 중상해를 교사하였는데 피교사자가 이를 넘어 살인을 실행한 경우 일반적으로 교사자는 상해죄 또는 중상해죄의 교사범이 되지만 이 경우 교사자에게 피해자의 **사망이라는 결과에 대하여 과실 내지 예견가능성이 있는 때에는 상해치사죄의 교사범으로서의 죄책을 지울 수 있다.**(대법원 2002. 10. 25. 2002도4089 병신을 만들어라 사건)

414 법조경합의 한 형태로서 '행위자가 특정한 죄를 범하면 비록 논리 필연적인 것은 아니지만 일반
□□□ 적·전형적으로 다른 구성요건을 충족하고 이때 그 구성요건의 불법이나 책임 내용이 주된 범죄
에 비하여 경미하기 때문에 처벌이 별도로 고려되지 않는 경우'에 해당하는 것은? (다툼이 있으면
판례에 의함)

13 국가9급 [Superlative ★★★]

① 동일한 피해자에 대한 폭행행위가 업무방해의 수단이 된 경우의 폭행죄와 업무방해죄

② 공갈의 수단으로 협박을 한 경우의 공갈죄와 협박죄

③ 감금행위가 강간의 수단이 된 경우의 감금죄와 강간죄

④ 강취한 신용카드를 자기의 신용카드인 양 가맹점의 점주를 기망하여 점주로부터 주류 등을
제공받아 취득한 경우의 사기죄와 신용카드부정사용죄

해설

② [○] 설문은 법조경합의 한 형태인 **흡수관계에 관한 설명이다.**(대법원 2012. 10. 11. 2012도1895 화성택시
연합회사건) 협박은 공갈죄에 흡수되어 별죄를 구성하지 아니한다.(대법원 1996. 9. 24. 96도2151)

① [×] 피해자에 대한 폭행행위가 동일한 피해자에 대한 업무방해죄의 수단이 되었다고 하더라도 그러한 폭행행
위가 이른바 '불가벌적 수반행위'에 해당하여 업무방해죄에 대하여 흡수관계에 있다고 볼 수는 없다.(대법원
2012. 10. 11. 2012도1895 화성택시연합회 사건) 양자는 상상적 경합관계에 있다.

③ [×] 감금행위가 강간죄나 강도죄의 수단이 된 경우에도 감금죄는 강간죄나 강도죄에 흡수되지 아니하고 별죄
를 구성한다.(대법원 1997. 1. 21. 96도2715 강취 신용카드 술집결제사건)

④ [×] 피고인이 강취한 신용카드를 가지고 자신이 신용카드의 정당한 소지인인양 가맹점의 점주를 속이고 점주
로부터 주류 등을 제공받아 이를 취득한 것이라면 신용카드부정사용죄와 별도로 사기죄가 성립한다.(대법원
1997. 1. 21. 96도2715 강취 신용카드 술집결제사건)

415 죄수(罪數)결정 기준에 관한 설명으로 가장 적절한 것은? (다툼이 있으면 판례에 의함)

☐☐☐

20 경찰채용 [Superlative ★★★]

① 행위표준설은 죄수의 판단을 위한 기본요소를 행위자의 행위에서 구하여 행위가 하나일 때 하나의 죄를, 행위가 다수일 때 수개의 죄를 인정하는 견해로 판례는 연속범의 경우 이 견해를 취하고 있다.

② 법익표준설은 한 사람의 행위자가 실현시킨 범죄실현의 과정에서 몇 개의 보호법익이 침해 또는 위태롭게 되었는가를 기준으로 죄의 개수를 인정하는 견해로 판례는 강간, 공갈죄의 경우 이 견해를 취하고 있다.

③ 의사표준설은 행위자가 실현하려는 범죄의사의 개수에 따라서 죄의 개수를 결정하려는 견해로 행위자에게 1개의 범죄의사가 있으면 1죄를, 수개의 범죄의사가 있으면 수개의 죄를 각각 인정하게 되며, 판례는 연속범의 경우를 제외하고는 원칙적으로 이 견해를 취하고 있다.

④ 구성요건표준설은 구성요건에 해당하는 회수를 기준으로 죄수를 결정하는 견해로 죄수의 결정은 법률적인 구성요건충족의 문제로 해석하여 구성요건을 1회 충족하면 일죄이고, 수개의 구성요건에 해당하면 수죄를 인정하게 되며, 판례는 조세포탈범의 죄수는 위반사실의 구성요건 충족 회수를 기준으로 1죄가 성립하는 것이 원칙이라고 하여 이 견해를 따르는 경우도 있다.

해설

④ [○] 판례는 조세포탈범의 경우 구성요건표준설을 취한다고 볼 수 있다.
  ※ 조세포탈범의 죄수는 위반사실의 구성요건 충족 회수를 기준으로 1죄가 성립하는 것이 원칙이다.(대법원 2001. 3. 13. 2000도4880, 대법원 2000. 4. 20. 99도3822 全合 등)

① [×] 연속범은 수개의 행위가 단일한 범죄의사에 의하여 시간적·장소적으로 접속되고 피해법익이 동일한 경우를 말한다. 행위표준설은 연속범을 수죄로 처벌하겠지만, 판례는 아래와 같이 연속범을 포괄일죄로 처벌하고 있으므로(물론 모두 다 그런 것은 아니다) **판례가 연속범의 경우 행위표준설을 취하고 있다고 단정할 수 없다.**
  ※ 뇌물을 여러 차례에 걸쳐 수수함으로써 그 행위가 여러 개이더라도 그것이 단일하고 계속적 범의에 의하여 이루어지고 동일법익을 침해한 때에는 포괄일죄로 처벌함이 상당하다.(대법원 1999. 1. 29. 98도3584 서울대교수 수뢰사건)

② [×] 아래에서 보듯이 강간죄나 공갈죄의 경우 판례가 행위표준설이나 의사표준설을 취하는 것으로 보이므로(물론 모두 다 그런 것은 아니다) **판례가 강간, 공갈죄의 경우 법익표준설을 취하고 있다고 단정할 수 없다.**
  ※ (1) 피해자를 1회 강간하여 상처를 입게 한 후 약 1시간 후에 장소를 옮겨 같은 피해자를 다시 1회 강간한 행위는 그 범행시간과 장소를 달리하고 있을 뿐만 아니라 **별개의 범의에서** 이루어진 행위로서 실체적 경합범에 해당한다.(대법원 1987. 5. 12. 87도694 1시간뒤 한번더 사건) (2) 미성년자의제강간죄 또는 미성년자의제강제추행죄는 행위시마다 1개의 범죄가 성립한다.(대법원 1982. 12. 14. 82도2442)
  ※ 예금주인 현금카드 소유자를 협박하여 카드를 갈취한 다음 피해자의 승낙에 의하여 현금카드를 사용할 권한을 부여받아 현금자동지급기에서 현금을 인출한 행위는 모두 피해자의 예금을 갈취하고자 하는 피고인의 단일하고 계속된 범의 아래에서 이루어진 일련의 행위로서 포괄하여 하나의 공갈죄를 구성하므로, 현금자동

정답 | 414 ②   415 ④

지급기에서 피해자의 예금을 인출한 행위를 현금카드 갈취행위와 분리하여 따로 절도죄로 처단할 수는 없다.(대법원 1996. 9. 20. 95도1728 갈취 현금카드 사건)
③ [×] 판례는 (연속범의 경우를 제외한 다른 범죄의 경우) 원칙적으로 의사표준설을 취하는 것이 아니라, 각 사건마다 구체적·개별적으로 죄수를 판단하고 있다.

416 죄수결정의 기준에 관한 설명 중 학설과 판례가 옳게 연결된 것은? (다툼이 있으면 판례에 의함)

□□□
23 경대편입 [Core ★★]

① 구성요건표준설 – 무면허운전으로 인한 「도로교통법」 위반죄에 있어서는 어느 날에 운전을 시작하여 다음날까지 동일한 기회에 일련의 과정에서 계속 운전을 한 경우 등 특별한 경우를 제외하고는 사회통념상 운전한 날을 기준으로 운전한 날마다 1개의 운전행위가 있다고 보는 것이 상당하므로 운전한 날마다 무면허운전으로 인한 「도로교통법」 위반의 1죄가 성립한다.

② 법익표준설 – 수인의 피해자에 대하여 각별로 기망행위를 하여 각각 재물을 편취한 경우에는 범의가 단일하고 범행방법이 동일하더라도 각 피해자의 피해법익은 독립한 것이므로 이를 포괄일죄로 파악할 수 없고 피해자별로 독립한 사기죄가 성립된다.

③ 행위표준설 – 강도가 시간적으로 접착된 상황에서 가족을 이루는 수인에게 폭행·협박을 가하여 집안에 있는 재물을 탈취한 경우 그 재물은 가족의 공동점유 아래 있는 것으로서 이를 탈취하는 행위는 그 소유자가 누구인지에 불구하고 단일한 강도죄의 죄책을 진다.

④ 행위표준설 – 뇌물을 여러 차례에 걸쳐 수수함으로써 그 행위가 여러 개이더라도 그것이 단일하고 계속적 범의에 의하여 이루어지고 동일법익을 침해한 때에는 포괄일죄로 처벌함이 상당하다.

⑤ 의사표준설 – 예금통장과 인장을 절취한 행위와 예금환급금수령증을 위조한 행위는 각각 별개의 범죄구성요건을 충족하는 각 독립된 행위라 할 것이므로 이를 경합범으로 인정처단한 것은 정당하다.

해설

② [○] 대법원 2013. 1. 24. 2012도10629 부산저축은행 회장 사건 법익표준설을 취한 듯한 판례이다.
① [×] 대법원 2002. 7. 23. 2001도6281 이틀 무면허운전 사건 행위표준설을 취한 듯한 판례이다.
③ [×] 대법원 1996. 7. 30. 96도1285 부부로부터 강취사건 법익표준설을 취한 듯한 판례이다.
④ [×] 대법원 1999. 1. 29. 98도3584 서울대교수 수뢰사건 의사표준설을 취한 듯한 판례이다.
⑤ [×] 대법원 1968. 12. 24. 68도1510 저금환급금수령증 위조·행사 사건 구성요건표준설을 취한 듯한 판례이다.

417 (가)와 (나) 사례에 관한 죄수의 기초이론에 따른 설명 중 가장 적절하지 않은 것은?

> (가) 공무원 甲은 직무와 관련하여 乙로부터 매월 1일 100만원씩 10회에 걸쳐 뇌물을 수수하였다.
> (나) 甲이 A를 살해하기 위하여 A의 음료수에 치사량의 독약을 한 번 넣고 가버린 후 그 음료수
> 를 나누어 마신 A와 그의 비서가 사망하였다.

① 자연적 행위표준설에 따르면 (가)는 수죄, (나)는 일죄가 된다.
② 법익표준설에 따르면 (나)는 전속적 법익인 생명을 침해한 것으로 법익주체마다 1개의 죄가
성립한다.
③ (가)에서 구성요건표준설로는 甲의 10회에 걸친 뇌물수수 행위가 일죄인지 수죄인지 명확하
게 결정할 수 없다는 비판이 있다.
④ 의사표준설에 따르면 (가)의 경우 甲이 10회의 뇌물수수 과정에서 단일한 범의를 가졌는지를
불문하고 일죄가 된다.

해설

> ④ [×] 의사표준설은 죄수는 행위자의 범죄의사(범의)의 수에 따라 결정하는데, 이 학설에 의할 때 (가) 이 경우
> **甲이 단일한 범의를 가졌다면 일죄이지만, 별개의 범의를 가졌다면 수죄**가 된다.
> ① [O] 자연적 행위표준설에 의할 때 (가) 이 경우는 행위가 10개이므로 수죄가 되고 (나) 이 경우는 행위가
> 1개이므로 일죄가 된다.
> ② [O] 법익표준설에 의할 때 (나) 이 경우는 전속적 법익인 생명을 침해한 것으로 법익주체마다 1개의 죄가
> 성립한다(즉, A에 대한 살인죄와 그 비서에 대한 살인죄가 모두 성립한다).
> ③ [O] 구성요건표준설에 의할 때 (가) 이 경우 구성요건을 일회 충족한 것인지 아니면 수회 충족한 것인지 구분
> 하기 어렵다는 비판을 받는다.

418

□□□

포괄일죄에 관한 설명으로 가장 적절하지 않은 것은? (다툼이 있으면 판례에 의함)

24 경찰간부 [Core ★★]

① 연속범은 개별적인 행위가 범죄의 요소인 구성요건에 해당하고 위법·유책해야 하며, 동일한 법익의 침해가 있어야 성립되므로 피해법익의 동일성에 따라 보호법익을 같이 하는 횡령, 배임 등의 행위와 사기의 행위는 포괄일죄를 구성한다.

② 집합범은 다수의 동종의 행위가 동일한 의사에 의하여 반복될 것이 당해 구성요건에서 당연히 예상되는 범죄를 말하며, 집합법의 종류로는 영업범과 상습범이 있다.

③ 접속범은 동일한 법익에 대하여 수개의 구성요건적 행위가 불가분하게 접속하여 행하여지는 범행형태로 같은 기회에 하나의 행위로 여러 개의 영업비밀을 취득하였다면 이는 일죄로 평가된다.

④ 결합범은 개별적으로 독립된 범죄의 구성요건에 해당하는 수개의 행위가 결합하여 일죄를 구성하는 경우로 결합범 자체는 1개의 범죄완성을 위한 수개 행위의 결합이고, 수개 행위의 불법내용을 함께 평가하는 것이므로 포괄일죄가 된다.

해설

① [×] 포괄일죄라 함은 각기 따로 존재하는 수개의 행위가 한 개의 구성요건을 한번 충족하는 경우를 말하므로 **구성요건을 달리하고 있는 횡령, 배임 등의 행위와 사기의 행위는 포괄일죄를 구성할 수 없다.**(대법원 1988. 2. 9. 87도58 사기죄 확정판결 주장사건)

②④ [○] 통설의 입장으로 옳은 설명이다.

③ [○] 같은 기회에 하나의 행위로 여러 개의 영업비밀을 취득한 행위는 부정경쟁방지법 제18조 제2항 위반죄의 일죄로 평가되어야 한다.(대법원 2009. 4. 9. 2006도9022 클라인포스트 기술 유출사건)

419 포괄일죄에 대한 설명으로 옳은 것은? (다툼이 있으면 판례에 의함)

□□□

① 수인의 피해자에 대하여 각 피해자별로 기망행위를 하여 각각 재물을 편취한 경우에도 그 범의가 단일하고 범행방법이 동일한 경우에는 사기죄의 포괄일죄가 성립한다.

② 동일한 저작권자의 여러 개의 저작물에 대한 침해행위가 단일하고 동일한 범의 아래 행하여졌다면 저작권법 위반의 포괄일죄가 성립한다.

③ 폭력행위 등 처벌에 관한 법률 제4조 제1항에서는 그 법에 규정된 범죄행위를 목적으로 하는 단체를 구성하거나 이에 가입하는 행위 또는 구성원으로 활동하는 행위를 처벌하도록 규정하고 있으므로, 범죄단체를 구성하거나 이에 가입한 자가 나아가 구성원으로 활동하는 경우에는 폭력행위 등 처벌에 관한 법률 위반의 포괄일죄가 성립한다.

④ 비의료인이 의료기관을 개설하여 운영하는 도중 개설자 명의를 다른 의료인으로 변경한 경우에는 그 범의가 단일하고 범행 방법이 종전과 동일하므로 의료법 위반의 포괄일죄가 성립한다.

해설

③ [○] 범죄단체의 구성이나 가입은 범죄행위의 실행 여부와 관계없이 범죄단체 구성원으로서의 활동을 예정하는 것이고, 범죄단체 구성원으로서의 활동은 범죄단체의 구성이나 가입을 당연히 전제로 하는 것이므로, 범죄단체를 구성하거나 이에 가입한 자가 더 나아가 구성원으로 활동하는 경우 이는 포괄일죄의 관계에 있다.(대법원 2015. 9. 10. 2015도7081)

① [×] 사기죄에 있어서 수인의 피해자에 대하여 각 피해자별로 기망행위를 하여 각각 재물을 편취한 경우에 그 범의가 단일하고 범행방법이 동일하다고 하더라도 **포괄일죄가 성립하는 것이 아니라 피해자별로 1개씩의 죄가 성립한다.**(대법원 1993. 6. 22. 93도743 **아파트 분양사기 사건**)

② [×] 저작재산권 침해행위는 저작권자가 같더라도 저작물별로 침해되는 법익이 다르므로 **각각의 저작물에 대한 침해행위는 원칙적으로 각 별개의 죄를 구성한다.**(대법원 2013. 9. 26. 2011도1435 **파일공유사이트 사건**)

④ [×] 비의료인이 의료기관을 개설하여 운영하는 도중 개설자 명의를 다른 의료인 등으로 변경한 경우 그 범의가 단일하다거나 범행방법이 종전과 동일하다고 보기 어려우므로 **개설자 명의별로 별개의 범죄가 성립하고 각 죄는 실체적 경합범의 관계에 있다.**(대법원 2018. 11. 29. 2018도10779 **사무장 치과의원 사건**)

정답 | 418 ① **419** ③

420

□□□

판례가 일죄로 인정한 것만을 모두 고른 것은?

24 경대편입 [Superlative ★★★]

> ㉠ 타인의 부동산을 보관 중인 자가 그 부동산에 근저당권설정등기를 마침으로써 횡령행위가 기수에 이른 후 해당 부동산을 매각한 경우
>
> ㉡ 장물보관 의뢰를 받은 자가 그 정을 알면서 이를 보관하고 있다가 임의로 처분한 경우
>
> ㉢ 대마를 절취하여 그 대마를 흡입할 목적으로 소지하는 경우
>
> ㉣ 회사의 사무를 처리하는 자가 회사로 하여금 자신의 채무에 관하여 연대보증채무를 부담하게 한 다음, 회사의 자금을 보관하는 자의 지위에서 이를 임의로 인출하여 위 회사가 부담하게 된 연대보증채무의 변제에 사용한 경우
>
> ㉤ 수 개의 등록상표에 대하여 상표권 침해행위가 각각 등록 상표별로 수 차례 계속하여 이루어진 경우
>
> ㉥ 음주상태로 자동차를 운전하다가 제1차 사고를 내고 그대로 진행하여 제2차 사고를 낸 후 음주측정을 받아 도로교통법위반(음주운전)죄가 된 경우(단, 음주운전죄 외의 다른 범죄 성립은 논외로 함)

① ㉡㉥　　　　　　　　② ㉣㉤　　　　　　　　③ ㉠㉢㉣

④ ㉠㉣㉥　　　　　　　⑤ ㉡㉤㉥

해설

① ㉡㉥ 2 항목의 경우 판례가 일죄로 인정하였다.

㉠ [×] 타인의 부동산을 보관 중인 자가 그 부동산에 근저당권설정등기를 경료함으로써 일단 횡령행위가 기수에 이르렀다 하더라도 그 후 해당 부동산을 매각함으로써 기존의 근저당권과 관계없이 법익침해의 결과를 발생시켰다면, 이는 그 근저당권으로 인해 당연히 예상될 수 있는 범위를 넘어 새로운 법익침해의 위험을 추가시키거나 법익침해의 결과를 발생시킨 것이므로 불가벌적 사후행위로 볼 수 없고 **별도로 횡령죄를 구성한다.**(대법원 2013. 2. 21. 2010도10500 숭숭 종중회의 총무 횡령사건)

㉡ [○] 절도범인으로부터 장물보관 의뢰를 받은 자가 그 정을 알면서 이를 인도받아 보관하고 있다가 임의 처분하였다 하여도 장물보관죄가 성립하는 때에는 이미 그 소유자의 소유물 추구권을 침해하였으므로 그 후의 횡령행위는 불가벌적 사후행위에 불과하여 **별도로 횡령죄가 성립하지 않는다.**(대법원 2004. 4. 9. 2003도8219 고려청자 사건)

㉢ [×] 대마취급자가 아닌 자가 절취한 대마를 흡입할 목적으로 소지하는 행위는 절도죄의 보호법익과는 다른 새로운 법익을 침해하는 행위이므로 절도죄의 불가벌적 사후행위로서 절도죄에 포괄흡수된다고 할 수 없고 절도죄 외에 별개의 죄를 구성한다고 할 것이며, 절도죄와 무허가대마소지죄는 **경합범의 관계에 있다.**(대법원 1999. 4. 13. 98도3619 대마 절취사건)

㉣ [×] 회사에 대한 관계에서 타인의 사무를 처리하는 자가 임무에 위배하여 회사로 하여금 자신의 채무에 관하여 연대보증채무를 부담하게 한 다음, 회사의 금전을 보관하는 자의 지위에서 자신의 채무를 변제하려는 의사로 회사의 자금을 임의로 인출한 후 개인채무의 변제에 사용한 행위는 **연대보증채무 부담으로 인한 배임죄와 다른 새로운 보호법익을 침해하는 것으로서 배임 범행의 불가벌적 사후행위가 되는 것이 아니라 별죄인 횡령죄를 구성한다고 보아야** 하며, 횡령행위로 인출한 자금이 선행 임무위배행위로 인하여 회사가 부담하게 된 연대보증채무의 변제에 사용되었다 하더라도 달리 볼 것은 아니다.(대법원 2011. 4. 14. 2011도277 브로딘미디어 사건)

ⓔ [×] 수개의 등록상표에 대하여 상표권침해 행위가 계속하여 행하여진 경우에는 등록상표 1개마다 포괄하여 1개의 범죄가 성립하므로 특별한 사정이 없는 한 상표권자 및 표장이 동일하다는 이유로 **등록상표를 달리하는 수개의 상표권침해 행위를 포괄하여 하나의 죄가 성립하는 것으로 볼 수 없다.**(대법원 2013. 7. 25. 2011 도12482 ABERCROMBIE 사건)

ⓕ [○] 혈중알콜농도 0.05%[24년 현재 0.03% 이상] 이상의 음주상태로 동일한 차량을 일정기간 계속하여 운전하다가 1회 음주측정을 받았다면 이러한 음주운전행위는 동일 죄명에 해당하는 연속된 행위로서 단일하고 계속된 범의하에 일정기간 계속하여 행하고 그 피해법익도 동일한 경우이므로 **포괄일죄에 해당한다.**(대법원 2007. 7. 26. 2007도4404 목포 음주운전 사건)

421 다음 중 상상적 경합관계에 해당하는 경우는? (다툼이 있으면 판례에 의함)

15 경찰간부 [Superlative ★★★]

① 강도범행의 실행에 착수하였으나 강취할 만한 재물이 없어 미수에 그치자, 그 자리에서 항거불능의 상태에 빠진 피해자를 간음할 것을 결의하고 실행에 착수하였으나 역시 미수에 그쳤지만 반항을 억압하기 위한 폭행으로 피해자에게 상해를 입힌 경우, 강도강간미수죄와 강도치상죄

② A에게 수표금액을 지급할 의사나 능력이 없는 상태에서 부도가 예상되는 당좌수표를 발행하여 주고 A로부터 금원을 차용하였으며, 그 당좌수표가 지급기일에 부도처리된 경우, 사기죄와 부정수표단속법위반죄

③ 초병이 일단 그 수소를 이탈한 후 다시 부대에 복귀하기 전에 별도로 군무를 기피할 목적을 일으켜 그 직무를 이탈한 경우, 초병의 수소이탈죄와 군무이탈죄

④ 위조통화를 행사하여 재물을 불법영득한 경우, 위조통화행사죄와 사기죄

해설

① [○] 강도가 재물강취의 뜻을 재물의 부재로 이루지 못한 채 미수에 그쳤으나 그 자리에서 항거불능의 상태에 빠진 피해자를 간음할 것을 결의하고 실행에 착수했으나 역시 미수에 그쳤더라도 반항을 억압하기 위한 폭행으로 피해자에게 상해를 입힌 경우에는 강도강간미수죄와 강도치상죄가 성립되고 이는 상상적 경합관계가 성립된다.(대법원 1988. 6. 28. 88도820 되는게 없는 하루 사건)

② [×] 피고인이 금원을 편취함에 있어 피해자에게 당좌수표를 발행 교부하였고 그 당좌수표가 부도되어 부정수표단속법 위반으로 처벌된 바 있다 하더라도 **사기죄의 성립에는 아무런 소장이 없다.**(대법원 1983. 11. 22. 83도2495) 양 범죄는 실체적 경합범 관계에 있다.

정답 | 420 ① 　 421 ①

③ [×] 초병이 일단 수소를 이탈하면 그 이탈행위와 동시에 수소이탈죄는 완성되고, 그 후 다시 부대에 복귀하기 전이라도 별도로 군무를 기피할 목적을 일으켜 직무를 이탈하였다면 초병의 수소이탈죄와 군무이탈죄가 각각 독립하여 성립하고, 두 죄는 **실체적 경합범의 관계**에 있다.(대법원 1981. 10. 13. 81도2397)

④ [×] 위조통화를 행사하여 재물을 불법영득한 때에는 **위조통화행사죄와 사기죄**의 양죄가 성립되는 것이다.(대법원 1979. 7. 10. 79도840)

422 다음 설명 중 가장 옳지 않은 것은? (다툼이 있으면 판례에 의함)
16 법원9급 [Superlative ★★★]

① 공무원이 골재채취허가 과정에 협조해 달라는 청탁과 함께 동일인으로부터 20일 사이에 3차례에 걸쳐 다른 장소에서 금품을 교부받은 경우, 단일 범의에 의하여 행해진 계속된 행위라고 볼 수 있고, 피해법익 또한 동일하므로 포괄하여 일죄를 구성한다.

② 건축공무원이 약 4개월 사이에 10회에 걸쳐 동일한 건설회사의 대표이사, 상무이사, 공사현장 소장으로부터 동일 명목으로 뇌물을 받았다면 단일 범의에 의하여 행해진 계속된 행위라고 볼 수 없으므로 수죄의 뇌물수수죄가 성립한다.

③ 등기소 조사계장이 동일 법무사로부터 그가 신청하는 등기신청사건을 신속히 처리해 달라는 부탁조로 1건당 얼마씩 이른바 급행료를 받은 경우, 단일한 범의의 계속 아래 일정한 기간 동종행위를 같은 장소에서 반복한 것으로 볼 수 있어 일죄이다.

④ 형법 제133조 제2항의 제3자뇌물취득죄는 제133조 제1항의 증뢰자로부터 교부받은 금품을 수뢰할 사람에게 전달하였는지 여부에 관계없이 제3자가 그 정을 알면서 금품을 교부받음으로써 성립하며, 나아가 제3자가 그 금품을 수뢰할 사람에게 전달하였다 하더라도 별도로 뇌물공여죄가 성립하는 것은 아니다.

해설

② [×] 원심이 공무원 甲이 1974. 12. 27.부터 1975. 5. 초순까지의 약 4개월여 사이에 10회에 걸쳐 건설회사 대표이사 乙 및 상무이사로서 공사현장 소장인 丙으로부터 뇌물을 받은 것을 **포괄일죄로 하여 특가법 제2조 제1항 제2호, 형법 제129조 제1항을 적용 처벌한 1심 조처를 그대로 유지한 조치는 정당하다.**(대법원 1979. 8. 14. 79도1393)

① [○] 피고인이 3회에 걸쳐서 동일 증뢰자로 부터 동일한 직무에 관하여 동일한 명목으로 금품을 받은 경우, 비록 그 금품의 수수가 20여 일의 기간에 걸쳐 이루어졌더라도 단일범의하에 이루어진 계속된 행위라고 볼 수 있고 피해법익 또한 동일한 경우이므로 위 소위는 포괄하여 일죄만을 구성한다.(대법원 1983. 11. 8. 83도711)

③ [○] 피고인이 1977. 4. 15.경 사무실에서 원심 공동피고인으로부터 아파트보존등기신청사건을 접수처리함에 있어서 신속히 처리해 달라는 부탁조로 금원을 교부받은 것을 비롯하여 같은 해 9. 10.경까지 전후 7회에 걸쳐 각종 등기사건을 접수처리하면서 같은 공동피고인으로부터 같은 명목으로 도합 금 828,000원을 교부받아 그

직무에 관하여 뇌물을 수수한 것이라면, 이는 피고인이 뇌물수수의 단일한 범의의 계속하에 일정기간 동종행위를 같은 장소에서 반복한 것이 분명하므로 피고인의 수회에 걸친 뇌물수수행위는 포괄일죄를 구성한다.(대법원 1982. 10. 26. 81도1409)

④ [○] 형법 제133조 제2항의 제3자의 증뇌물전달죄는 제3자가 증뢰자로부터 교부받은 금품을 수뢰할 사람에게 전달하였는지의 여부에 관계 없이 제3자가 그 정을 알면서 금품을 교부받음으로써 성립하는 것이며, 나아가 제3자가 그 교부받은 금품을 수뢰할 사람에게 전달하였다고 하여 증뇌물전달죄 외에 별도로 뇌물공여죄가 성립하는 것은 아니다.(대법원 1997. 9. 5. 97도1572)

423 죄수에 대한 설명으로 가장 적절한 것은? (다툼이 있으면 판례에 의함)   22 경찰간부 [Core ★★]
□□□

① 공무원인 의사가 공무소의 명의로 허위진단서를 작성한 경우 허위진단서작성죄와 허위공문서작성죄의 상상적 경합에 해당한다.

② 금융회사 등의 임직원의 직무에 속하는 사항에 관하여 알선할 의사와 능력이 없음에도 알선을 한다고 기망하고 이에 속은 피해자로부터 알선을 한다는 명목으로 금품 등을 수수한 경우 사기죄와 특정경제범죄 가중처벌 등에 관한 법률위반죄에 각 해당하고 두 죄는 실체적 경합의 관계에 있다.

③ 공무원이 직무관련자에게 제3자와 계약을 체결하도록 요구하여 계약체결을 하게 한 행위가 제3자뇌물수수죄의 구성요건과 직권남용권리행사방해죄의 구성요건에 모두 해당하는 경우 제3자뇌물수수죄와 직권남용권리행사방해죄가 각각 성립하고 양 죄는 상상적 경합관계에 있다.

④ 유사수신행위의 규제에 관한 법률 제3조에서 금지하고 있는 유사수신행위가 별도로 사기죄의 구성요건도 충족하는 경우 유사수신행위의 규제에 관한 법률 위반죄와 사기죄가 각각 성립하고 양 죄는 상상적 경합관계에 있다.

해설

③ [○] 공무원이 직무관련자에게 제3자와 계약을 체결하도록 요구하여 그 계약 체결을 하게 한 행위가 제3자뇌물수수죄의 구성요건과 직권남용죄의 구성요건에 모두 해당하는 경우에는 제3자뇌물수수죄와 직권남용죄가 각각 성립하고, 두 죄는 상상적 경합관계에 있게 된다.(대법원 2017. 3. 15. 2016도19659 **이천시 건축민원담당 공무원 사건**)

① [×] 공무원인 의사가 공무소의 명의로 허위진단서를 작성한 경우에는 허위공문서작성죄만이 성립하고 **허위진단서작성죄는 별도로 성립하지 않는다.**(대법원 2004. 4. 9. 2003도7762 **국립병원 내과과장 사건**)

② [×] 피고인이 금융회사 등의 임직원의 직무에 속하는 사항에 관하여 알선할 의사와 능력이 없음에도 알선을 한다고 기망하고 피해자로부터 알선을 한다는 명목으로 금품 등을 수수하였다면, 이러한 피고인의 행위는 **사기 죄와 특경법 제7조(알선수재) 위반죄에 각 해당하고 두 죄는 상상적 경합의 관계에 있다.**(대법원 2012. 6. 28. 2012도3927 금융자문 사기사건)

④ [×] 유사수신법 제3조에서 금지하고 있는 **유사수신행위** 그 자체에는 기망행위가 포함되어 있지 않고, 이러한 법률 위반죄와 **특경법위반(사기)죄는** 그 구성요건을 달리하는 별개의 범죄로서 양 죄는 **실체적 경합관계로 봄이 상당하다.**(대법원 2008. 2. 29. 2007도10414)

424 죄수론에 관한 설명으로 옳지 않은 것을 모두 고른 것은? (다툼이 있으면 판례에 의함)

□□□

24 경찰승진 [Core ★★]

㉠ 피해자에 대한 폭행행위가 동일한 피해자에 대한 업무방해죄의 수단이 되었다고 하더라도 그러한 폭행행위가 이른바 '불가벌적 수반행위'에 해당하여 업무방해죄에 대하여 흡수관계에 있다고 볼 수는 없다.

㉡ 형법 제37조 후단, 제39조 제1항의 문언과 입법취지 등에 비추어 보면, 아직 판결을 받지 않은 죄가 이미 판결이 확정된 죄와 동시에 판결할 수 없었던 경우라 하더라도 형법 제39조 제1항에 따라 동시에 판결할 경우와 형평을 고려하여 형을 선고하거나 그 형을 감경 또는 면제할 수 있다고 해석함이 타당하다.

㉢ 피해신고를 받고 출동한 두 명의 경찰관에게 욕설을 하면서 순차로 폭행을 하여 경찰관의 정당한 직무집행을 방해한 경우 포괄하여 하나의 공무집행방해죄가 성립한다.

㉣ 상습사기죄에 있어서의 사기행위의 습벽은 행위자의 사기 습벽의 발현으로 인정되는 한 동종의 수법에 의한 사기범행의 습벽만을 의미하는 것이 아니라 이종의 수법에 의한 사기 범행을 포괄하는 사기의 습벽도 포함한다.

① ㉠㉡   ② ㉡㉢

③ ㉢㉣   ④ ㉡㉢㉣

해설

② ㉡㉢ 2 항목이 옳지 않다.

㉠ [O] 업무방해죄와 폭행죄는 구성요건과 보호법익을 달리하고 있고, 업무방해죄의 성립에 일반적·전형적으로 사람에 대한 폭행행위를 수반하는 것은 아니며, 폭행행위가 업무방해죄에 비하여 별도로 고려되지 않을 만큼 경미한 것이라고 할 수도 없으므로, 설령 피해자에 대한 폭행행위가 동일한 피해자에 대한 업무방해죄의 수단이 되었다고 하더라도 그러한 폭행행위가 이른바 '불가벌적 수반행위'에 해당하여 업무방해죄에 대하여 흡수관계에 있다고 볼 수는 없다.(대법원 2012. 10. 11. 2012도1895 화성택시연합회 사건)

ⓛ [×] 아직 판결을 받지 아니한 죄가 이미 판결이 확정된 죄와 동시에 판결할 수 없었던 경우에는 형법 제39조 제1항에 따라 **동시에 판결할 경우와 형평을 고려하여 형을 선고하거나 그 형을 감경 또는 면제할 수 없다.** (대법원 2021. 10. 14. 2021도8719 동시판결 × 선거범죄 사건)

ⓒ [×] 동일한 공무를 집행하는 여럿의 공무원에 대하여 폭행 · 협박 행위를 한 경우에는 공무를 집행하는 **공무원의 수에 따라 여럿의 공무집행방해죄가 성립하고,** 위와 같은 폭행 · 협박 행위가 동일한 장소에서 동일한 기회에 이루어진 것으로서 여럿의 공무집행방해죄는 **상상적 경합의 관계에 있다.**(대법원 2009. 6. 25. 2009도3505 경찰관 2명 폭행사건)

ⓔ [○] 상습사기죄에 있어서의 상습성이라 함은 반복하여 사기행위를 하는 습벽으로서 행위자의 속성을 말하고, 여기서 말하는 사기행위의 습벽은 행위자의 사기습벽의 발현으로 인정되는 한 **동종의 수법에 의한 사기범행의 습벽만을 의미하는 것이 아니라 이종의 수법에 의한 사기범행을 포괄하는 사기의 습벽도 포함한다.**(대법원 1999. 11. 26. 99도3929 삼성자동차카드 사건)

425 죄수론에 대한 설명 중 옳지 않은 것을 모두 고른 것은? (다툼이 있으면 판례에 의함)

□□□

23 경찰승진 [Core ★★]

㉠ 공무원 甲이 A를 기망하여 그로부터 뇌물을 수수한 경우 수뢰죄와 사기죄는 구성요건을 달리하는 별개의 범죄로서 서로 보호법익을 달리하고 있으므로 양죄는 실체적 경합범의 관계에 있다.
㉡ 甲이 공무원이 취급하는 사건에 관하여 청탁 또는 알선을 할 의사와 능력이 없음에도 청탁 또는 알선을 한다고 A를 기망하여 금품을 교부받은 경우 사기죄와 변호사법위반죄는 상상적 경합범의 관계에 있다.
㉢ 甲이 A로부터 수수한 메스암페타민을 장소를 이동하여 투약하고서 잔량을 은닉하는 방법으로 소지한 행위는 그 소지의 경위나 태양에 비추어 볼 때 당초의 수수행위에 수반되는 필연적 결과로 볼 수 있으므로 향정신성의약품 수수죄만 성립하고 별도로 그 소지죄는 성립하지 않는다.
㉣ 甲이 음주의 영향으로 정상적인 운전이 곤란한 상태에서 자동차를 운전하여 사람을 상해에 이르게 함과 동시에 다른 사람의 재물을 손괴한 경우 특정범죄가중처벌 등에 관한 법률 위반(위험운전치사상)죄 외에 업무상과실 재물손괴로 인한 도로교통법위반죄가 성립하고, 양죄는 실체적 경합관계에 있다.
㉤ 甲이 음주상태로 자동차를 운전하다가 제1차 사고를 내고 그대로 진행하여 제2차 사고를 낸 경우 제1차 사고 당시의 음주운전으로 인한 도로교통법위반(음주운전)죄와 제2차 사고 당시의 음주운전으로 인한 도로교통법위반(음주운전)죄는 포괄일죄의 관계에 있다.

① ㉠㉡㉣ ② ㉠㉢㉣ ③ ㉠㉢㉤ ④ ㉡㉢㉣㉤

정답 | 424 ② 425 ②

해설

② ㉠㉢㉣ 3 항목이 옳지 않다.

㉠ [×] 뇌물을 수수함에 있어서 공여자를 기망한 점이 있다 하여도 뇌물수수죄, 뇌물공여죄의 성립에는 영향이 없고, 이 경우 뇌물을 수수한 공무원에 대하여는 한 개의 행위가 뇌물죄와 사기죄의 각 구성요건에 해당하므로 **상상적 경합으로 처단하여야 한다.**(대법원 2015. 10. 29. 2015도12838 **돈을 빌려달라 사건**)

㉡ [○] 공무원이 취급하는 사건에 관하여 청탁 또는 알선을 할 의사와 능력이 없음에도 청탁 또는 알선을 한다고 기망하고 이에 속은 피해자로부터 청탁자금 명목으로 금품을 받았다면 이러한 피고인의 행위는 사기죄와 변호사법 제111조 위반죄에 각 해당하고 두 죄는 상상적 경합의 관계에 있다.(대법원 2007. 5. 10. 2007도2372 **공무원 청탁 기망사건**)

㉢ [×] 수수한 메스암페타민을 장소를 이동하여 투약하고서 잔량을 은닉하는 방법으로 소지한 행위는 그 소지의 경위나 태양에 비추어 볼 때 당초의 수수행위에 수반되는 필연적 결과로 볼 수는 없고, **사회통념상 수수행위와는 독립한 별개의 행위를 구성한다.**(대법원 1999. 8. 20. 99도1744)

㉣ [×] 음주 또는 약물의 영향으로 정상적인 운전이 곤란한 상태에서 자동차를 운전하여 사람을 상해에 이르게 함과 동시에 다른 사람의 재물을 손괴한 때에는 특가법위반(위험운전치사상)죄 외에 업무상과실 재물손괴로 인한 도로교통법위반죄가 성립하고, **두 죄는 상상적 경합관계에 있다.**(대법원 2010. 1. 14. 2009도10845 **영주 휴천동 사고사건**)

㉤ [○] (1) 혈중알콜농도 0.05%[24년 현재 0.03%] 이상의 음주상태로 동일한 차량을 일정기간 계속하여 운전하다가 1회 음주측정을 받았다면 이러한 음주운전행위는 동일 죄명에 해당하는 연속된 행위로서 단일하고 계속된 범의하에 일정기간 계속하여 행하고 그 피해법익도 동일한 경우이므로 포괄일죄에 해당한다. (2) 음주상태로 자동차를 운전하다가 제1차 사고를 내고 그대로 진행하여 제2차 사고를 낸 후 음주측정을 받아 도로교통법위반(음주운전)죄로 약식명령을 받아 확정되었는데, 그 후 제1차 사고 당시의 음주운전으로 기소된 경우 위 공소사실은 약식명령이 확정된 도로교통법위반(음주운전)죄와 포괄일죄 관계에 있다.(대법원 2007. 7. 26. 2007도4404 **목포 음주운전 사건**)

426 다음 중 실체법상 일죄가 아닌 것은? (다툼이 있으면 판례에 의함)

☐☐☐

① 하나의 사건에 관하여 한 번 선서한 증인이 같은 기일에 여러 가지 사실에 관하여 기억에 반하는 허위의 진술을 한 경우의 위증죄

② 불특정 다수의 피해자들을 상대로 동일한 방식으로 사기분양을 하여 그들로부터 분양대금을 편취한 경우의 사기죄

③ 혈중알콜농도 0.123%의 음주상태로 자동차를 운전하다가 제1차 사고를 내고 그대로 진행하여 제2차 사고를 낸 경우의 도로교통법 위반(음주운전)죄

④ 단일하고 계속된 범의 아래 동일한 뇌물공여자로부터 뇌물을 반복하여 수령하고 그 피해법익이 동일한 경우의 수뢰죄

⑤ 동일한 폭행·협박으로 피해자의 항거가 불능하거나 현저히 곤란한 상태가 계속되는 상태에서 피해자를 수회에 걸쳐 간음하였고, 피고인의 의사 및 범행 시각과 장소로 보아 수회의 간음행위를 하나의 계속된 행위로 볼 수 있는 경우의 강간죄

해설

② [×] 사기죄에 있어서 수인의 피해자에 대하여 각 피해자별로 기망행위를 하여 각각 재물을 편취한 경우에 그 범의가 단일하고 범행방법이 동일하다고 하더라도 포괄일죄가 성립하는 것이 아니라 **피해자별로 1개씩의 죄가 성립한다.**(대법원 1993. 6. 22. 93도743 **아파트 분양사기** 사건)

① [〇] 하나의 사건에 관하여 한 번 선서한 증인이 같은 기일에 여러 가지 사실에 관하여 기억에 반하는 허위의 진술을 한 경우 이는 하나의 범죄의사에 의하여 계속하여 허위의 진술을 한 것으로서 포괄하여 1개의 위증죄를 구성한다.(대법원 2007. 3. 15. 2006도9463)

③ [〇] 혈중알콜농도 0.05% 이상의 음주상태로 동일한 차량을 일정기간 계속하여 운전하다가 1회 음주측정을 받았다면 이러한 음주운전행위는 동일 죄명에 해당하는 연속된 행위로서 단일하고 계속된 범의하에 일정기간 계속하여 행하고 그 피해법익도 동일한 경우이므로 포괄일죄에 해당한다.(대법원 2007. 7. 26. 2007도4404 **목포음주운전** 사건)

④ [〇] 뇌물수수죄에 있어서 단일하고 계속된 범의하에 동종의 범행을 일정 기간 반복하여 행하고 그 피해법익도 동일한 경우에는 각 범행을 통틀어 포괄일죄로 볼 것이다.(대법원 2011. 6. 10. 2011도4260 **수방사 공사담당관** 사건)

⑤ [〇] 피해자를 위협하여 항거불능케 한 후 1회 간음하고 200m쯤 오다가 다시 1회 간음한 경우 강간죄의 단순일죄가 성립한다.(대법원 1970. 9. 29. 70도1516 **연달아 한번더** 사건)

427

포괄일죄에 관한 다음 설명 중 가장 옳지 않은 것은? (다툼이 있는 경우 판례에 의함)

18 법원9급 [Essential ★]

① 같은 심급에서 선서는 한 번 하고 그 최초 한 선서의 효력을 유지시킨 후 증언하였더라도, 변론기일을 달리하여 수차 증인으로 나가 수 개의 허위진술을 하면 각 증인신문기일별로 위증죄의 경합범이 될 뿐 위증죄의 포괄일죄에 해당하지 않는다.

② 음주상태로 자동차를 운전하다가 제1차 사고를 내고 그대로 진행하여 제2차 사고를 낸 경우, 제1차 사고시의 음주운전죄와 제2차 사고시의 음주운전죄는 포괄일죄에 해당한다.

③ 사기죄에 있어서 동일한 피해자에 대하여 수회에 걸쳐 기망행위를 하여 금원을 편취한 경우, 그 범의가 단일하고 범행 방법이 동일하다면 사기죄의 포괄일죄만이 성립한다.

④ 뇌물을 여러 차례에 걸쳐 수수함으로써 그 행위가 여러 개이더라도 그것이 단일하고 계속적 범의에 의하여 이루어지고 동일법익을 침해한 때에는 포괄일죄로 처벌함이 상당하다.

해설

① [×] 같은 심급에서 변론기일을 달리하여 수차 증인으로 나가 수 개의 허위진술을 하더라도 최초 한 선서의 효력을 유지시킨 후 증언한 이상 **1개의 위증죄를 구성함에** 그친다.(대법원 2007. 3. 15. 2006도9463)

② [○] 혈중알콜농도 0.05% 이상의 음주상태로 동일한 차량을 일정기간 계속하여 운전하다가 1회 음주측정을 받았다면 이러한 음주운전행위는 동일 죄명에 해당하는 연속된 행위로서 단일하고 계속된 범의하에 일정기간 계속하여 행하고 그 피해법익도 동일한 경우이므로 포괄일죄에 해당한다.(대법원 2007. 7. 26. 2007도4404 목포 음주운전 사건)

③ [○] 사기죄는 편취의 의사로 기망행위를 개시한 때에 실행에 착수한 것으로 보아야 하므로, 사기도박에서도 사기적인 방법으로 도금을 편취하려고 하는 자가 상대방에게 도박에 참가할 것을 권유하는 등 기망행위를 개시한 때에 실행의 착수가 있는 것으로 보아야 하고, 그 후에 사기도박을 숨기기 위하여 정상적인 도박을 하였더라도 이는 사기죄의 실행행위에 포함된다.(대법원 2015. 10. 29. 2015도10948 해외원정 사기도박단 사건)

④ [○] 수뢰자가 자기앞수표를 뇌물로 받아 이를 소비한 후 자기앞수표 상당액을 증뢰자에게 반환하였다 하더라도 수뢰자로부터 그 가액을 추징하여야 한다.(대법원 1999. 1. 29. 98도3584 서울대교수 수뢰사건)

428 다음 사례 중 포괄일죄에 해당하는 경우를 모두 고른 것은? (다툼이 있으면 판례에 의함)

□□□

㉠ 甲이 컴퓨터로 음란 동영상을 제공하는 행위를 하였다가 동영상이 저장되어 있던 서버 컴퓨터 2대를 압수당한 이후 다시 장비를 갖추어 영업을 재개한 경우

㉡ 하나의 사건에 관하여 한 번 선서한 증인 甲이 같은 기일에 여러 가지 사실에 관하여 기억에 반하는 허위의 진술을 한 경우

㉢ 甲이 1개의 기망행위에 의하여 다수의 피해자로부터 각각 재산상 이익을 편취한 경우

㉣ 은행장 甲이 乙로부터 정식이사가 될 수 있도록 도와달라는 부탁을 받고 1년 동안 12회에 걸쳐 그 사례금 명목으로 합계 1억 2,000만원을 교부받은 경우

① ㉠㉡
② ㉠㉢
③ ㉡㉣
④ ㉢㉣

해설

③ ㉡㉣ 2 항목이 포괄일죄에 해당한다.

㉠ [×] 컴퓨터로 음란 동영상을 제공한 제1범죄행위로 서버컴퓨터가 압수된 이후 다시 장비를 갖추어 동종의 제2범죄행위를 한 경우, 피고인에게 범의의 갱신이 있어 제1범죄행위는 제2범죄행위와 실체적 경합관계에 있다.(대법원 2005. 9. 30. 2005도4051 라이브클럽 PC방 사건)

㉡ [○] 하나의 사건에 관하여 한 번 선서한 증인이 같은 기일에 여러 가지 사실에 관하여 기억에 반하는 허위의 진술을 한 경우 이는 하나의 범죄의사에 의하여 계속하여 허위의 진술을 한 것으로서 **포괄하여 1개의 위증죄를 구성한다.**(대법원 2007. 3. 15. 2006도9463)

㉢ [×] 1개의 기망행위에 의하여 다수의 피해자로부터 각각 재산상 이익을 편취한 경우에는 피해자별로 수 개의 사기죄가 성립하고, 그 사이에는 상상적 경합의 관계에 있다.(대법원 2015. 4. 23. 2014도16980 파주시 만우리 임야사건)

㉣ [○] (1) 금융기관 임직원이 그 직무에 관하여 여러 차례 금품을 수수한 경우에 그것이 단일하고도 계속된 범의 아래 일정기간 반복하여 이루어진 것이고 그 피해법익도 동일한 경우에는 각 범행을 통틀어 **포괄일죄로 볼 것이다.** (2) 원심이, 피고인이 甲으로부터 정식 이사가 될 수 있도록 도와달라는 부탁을 받고 1997년 3월경부터 1998년 6월 초순경까지 사이에 12회에 걸쳐 그 사례금 명목으로 합계 1억 2,000만원을 교부받은 사실을 인정한 다음, 이는 금융기관의 임직원이 그 직무에 관하여 금품을 수수한 것으로서 포괄하여 특경법 제5조 제4항 제1호에 해당한다고 판단한 조치는 정당하다.(대법원 2000. 6. 27. 2000도1155 경기은행 부도사건)

429 포괄일죄에 대한 설명으로 옳은 것은? (다툼이 있으면 판례에 의함)   24 국가9급 [Core ★★]

□□□

① 국가정보원 직원이 동일한 사안에 관한 일련의 직무집행 과정에서 단일하고 계속된 범의로 일정 기간 계속하여 저지른 직권남용 행위에 대하여는 설령 그 상대방이 수인이라고 하더라도 직권남용권리행사방해죄의 포괄일죄가 성립할 수 있다.

② 행정소송사건의 같은 심급이라도 변론기일을 달리하여 수차 증인으로 나가 수 개의 허위진술을 하였다면 최초에 한 선서의 효력을 유지시킨 후 증언하였다고 하더라도 수 개의 위증죄가 성립한다.

③ 같은 날 무면허운전 행위를 여러 차례 반복하였다면 그 범의의 단일성 내지 계속성이 인정되지 않거나 범행방법 등이 동일하지 않은 경우라도 각 무면허운전 행위를 통틀어 포괄일죄로 처단하여야 한다.

④ 포괄일죄로 되는 개개의 범죄행위가 법 개정의 전후에 걸쳐서 행하여진 경우에는 신·구법의 법정형의 경중을 비교하여 행위자에게 유리한 법을 적용하여 포괄일죄로 처단하여야 한다.

해설

① [○] 직권남용권리행사방해죄는 국가기능의 공정한 행사라는 국가적 법익을 보호하는 데 주된 목적이 있으므로 공무원이 동일한 사안에 관한 일련의 직무집행 과정에서 단일하고 계속된 범의로 일정 기간 계속하여 저지른 직권남용행위에 대하여는 설령 그 **상대방이 여러 명이더라도 포괄일죄가 성립할 수 있다.** 다만 개별 사안에서 포괄일죄의 성립 여부는 직무집행 대상의 동일 여부, 범행의 태양과 동기, 각 범행 사이의 시간적 간격, 범의의 단절이나 갱신 여부 등을 세밀하게 살펴 판단하여야 한다.(대법원 2021. 9. 9. 2021도2030 배득식 기무사령관 사건)

② [×] 행정소송사건의 같은 심급에서 변론기일을 달리하여 수차 증인으로 나가 수 개의 허위진술을 하더라도 최초 한 선서의 효력을 유지시킨 후 증언한 이상 **1개의 위증죄를 구성함에 그친다.**(대법원 2007. 3. 15. 2006도9463 1차·3차변론기일 위증 사건)

③ [×] 같은 날 무면허운전 행위를 여러 차례 반복한 경우라도 그 범의의 단일성 내지 계속성이 인정되지 않거나 범행방법 등이 동일하지 않은 경우 각 **무면허운전 범행은 실체적 경합 관계에 있다고 볼 수 있으나,** 그와 같은 특별한 사정이 없다면 각 무면허운전 행위는 동일 죄명에 해당하는 수 개의 동종 행위가 동일한 의사에 의하여 반복되거나 접속·연속하여 행하여진 것으로 봄이 상당하고 그로 인한 피해법익도 동일한 이상 각 무면허운전 행위를 통틀어 포괄일죄로 처단하여야 한다.(대법원 2022. 10. 27. 2022도8806 식사 전후 무면허운전 사건)

④ [×] 포괄일죄로 되는 개개의 범죄행위가 법 개정의 전후에 걸쳐서 행하여진 경우 신·**구법의 법정형에 대한 경중을 비교하여 볼 필요도 없이** 범죄실행 종료 시의 법이라고 할 수 있는 **신법을 적용하여 포괄일죄로 처단하여야 한다.**(대법원 2022. 9. 16. 2019도19067 미스터피자 사건)

430
□□□

죄수에 대한 설명이다. 아래 ㉠부터 ㉣까지의 설명 중 옳고 그름의 표시(○, ×)가 바르게 된 것은? (다툼이 있으면 판례에 의함)

22 경찰승진 [Core ★★]

> ㉠ 보이스피싱 범죄의 범인 甲이 A를 기망하여 A의 돈을 사기이용계좌로 이체받아 인출한 경우 – 사기죄는 성립하나 이체받은 돈의 인출행위는 불가벌적 사후행위로 횡령죄 불성립
>
> ㉡ 절도범인으로부터 장물보관의뢰를 받은 甲이 이후에 해당 장물을 임의처분한 경우 – 장물보관죄는 성립하나 장물의 임의처분행위는 불가벌적 사후행위로 횡령죄 불성립
>
> ㉢ 컴퓨터로 음란 동영상을 제공한 제1범죄행위로 서버컴퓨터가 압수된 이후 다시 장비를 갖추어 동종의 제2범죄행위를 한 경우 – 제1행위(음란 동영상 제공)에 대한 범죄는 성립하나 제2행위(음란 동영상 제공)는 불가벌적 사후행위로 범죄 불성립
>
> ㉣ 열차승차권을 절취한 甲이 그 승차권을 자기의 것인 양 속여 창구직원으로부터 환불받은 경우 – 절도죄는 성립하나 기망하여 환불받은 행위는 불가벌적 사후행위로 사기죄불성립

① ㉠ ○ ㉡ ○ ㉢ × ㉣ ○   ② ㉠ × ㉡ ○ ㉢ × ㉣ ×

③ ㉠ ○ ㉡ ○ ㉢ × ㉣ ×   ④ ㉠ × ㉡ × ㉢ ○ ㉣ ○

해설

① 이 지문이 옳은 연결이다.

㉠ [○] 전기통신금융사기(이른바 보이스피싱 범죄)의 범인이 피해자를 기망하여 피해자의 돈을 사기이용계좌로 송금·이체받은 후 그 계좌에서 현금을 인출하였다고 하더라도 이는 사기의 피해자에 대하여 따로 횡령죄를 구성하지 아니한다.(대법원 2017. 5. 31. 2017도3045 **보이스피싱 사건 I**)

㉡ [○] 절도범인으로부터 장물보관 의뢰를 받은 자가 그 정을 알면서 이를 인도받아 보관하고 있다가 임의처분 하였다 하여도 장물보관죄가 성립하는 때에는 이미 그 소유자의 소유물 추구권을 침해하였으므로 그 후의 횡령 행위는 불가벌적 사후행위에 불과하여 별도로 횡령죄가 성립하지 않는다.(대법원 2004. 4. 9. 2003도8219 **고려청자 사건**)

㉢ [×] 컴퓨터로 음란 동영상을 제공한 제1범죄행위로 서버컴퓨터가 압수된 이후 다시 장비를 갖추어 동종의 제2범죄행위를 한 경우, 피고인에게 범의의 갱신이 있어 제1범죄행위는 제2범죄행위와 **실체적 경합관계에 있다.**(대법원 2005. 9. 30. 2005도4051 **라이브클럽 PC방 사건**)

㉣ [○] 열차승차권은 그 자체에 권리가 화체되어 있는 무기명증권이므로 이를 사용하여 승차하거나 권면가액으로 양도할 수 있고 매입금액의 환불을 받을 수 있는 것으로서, 열차승차권을 절취한 자가 환불을 받음에 있어 비록 기망행위가 수반한다 하더라도 절도죄 외에 따로 사기죄가 성립하지 아니한다.(대법원 1975. 8. 29. 75 도1996 **열차승차권 사건**)

431

☐☐☐ 포괄일죄에 관한 다음 설명 중 가장 옳지 않은 것은? (다툼이 있으면 판례에 의함)

21 법원9급 [Core ★★]

① 포괄일죄로 되는 개개의 범죄행위가 법 개정의 전후에 걸쳐서 행하여진 경우, 범죄 실행종료 시의 법이라고 할 수 있는 신법을 적용한다.

② 포괄일죄의 중간에 다른 종류의 확정판결이 끼어 있는 경우에는 그 확정판결 때문에 포괄적 범죄가 둘로 나뉘는 것이고, 이를 그 확정판결 후의 범죄로서 다룰 것은 아니다.

③ 범죄단체를 구성하거나 이에 가입한 자가 더 나아가 구성원으로 활동하는 경우 이는 포괄일죄 의 관계에 있다.

④ 포괄일죄에 있어서는 그 죄의 일부를 구성하는 개개의 행위에 대하여 구체적으로 특정하지 않더라도 그 전체 범행의 시기와 종기, 범행방법, 범행횟수 또는 피해액의 합계 및 피해자나 상대방을 명시하면 이로써 그 범죄사실은 특정된다.

해설

② [×] 포괄일죄로 되는 개개의 범죄행위가 다른 종류의 죄의 확정판결의 전후에 걸쳐서 행하여진 경우에는 그 죄는 2죄로 분리되지 않고 확정판결 후인 최종의 범죄행위시에 완성되는 것이다.(대법원 2015. 9. 10. 2015도7081)

① [○] 포괄일죄로 되는 개개의 범죄행위가 법 개정의 전후에 걸쳐서 행하여진 경우에는 신·구법의 법정형에 대한 경중을 비교하여 볼 필요도 없이 범죄 실행 종료시의 법이라고 할 수 있는 '신법'을 적용하여 포괄일죄로 처단하여야 한다.(대법원 2009. 4. 9. 2009도321 게임법 개정 사건)

③ [○] 범죄단체의 구성이나 가입은 범죄행위의 실행 여부와 관계없이 범죄단체 구성원으로서의 활동을 예정하는 것이고, 범죄단체 구성원으로서의 활동은 범죄단체의 구성이나 가입을 당연히 전제로 하는 것이므로, 범죄 단체를 구성하거나 이에 가입한 자가 더 나아가 구성원으로 활동하는 경우 이는 포괄일죄의 관계에 있다.(대법 원 2015. 9. 10. 2015도7081)

④ [○] 포괄일죄에 있어서는 그 일죄의 일부를 구성하는 개개의 행위에 대하여 구체적으로 특정되지 아니하더라 도 그 전체범행의 시기와 종기, 범행방법, 범행횟수 또는 피해액의 합계 및 피해자나 상대방을 명시하면 이로써 그 범죄사실은 특정되는 것이므로, 포괄일죄인 상습사기의 공소사실에 있어서 그 범행의 모든 피해자들 (12,239명)의 성명이 명시되지 않았다 하여 범죄사실이 특정되지 아니하였다고 볼 수 없다.(대법원 1990. 6. 26. 90도833 종친회 사칭 족보판매사건)

432 죄수에 대한 설명으로 가장 적절한 것은? (다툼이 있으면 판례에 의함) 18 경찰승진 [Core ★★]

① 甲이 치료받은 다음 날 오전 병원 앞에서 허위사실이 기재된 현수막을 설치하고 허위사실을 기재한 유인물을 불특정 다수에게 배포한 경우, 판례는 허위사실 유포에 의한 업무방해죄와 허위사실적시에 의한 명예훼손죄를 실체적 경합관계로 본다.

② 피해자에 대한 폭행행위가 동일한 피해자에 대한 업무방해죄의 수단이 되는 경우, 업무방해죄가 성립하기 위해서는 일반적으로 사람에 대한 폭행행위를 수반하므로 폭행행위는 업무방해죄의 불가벌적 수반행위에 해당한다.

③ 피고인이 당초부터 피해자를 기망하여 약속어음을 교부받은 경우에는 그 교부받은 즉시 사기죄가 성립하고 그 후 이를 피해자에 대한 피고인의 채권의 변제에 충당하였다 하더라도 불가벌적 사후행위가 됨에 그칠 뿐, 별도로 횡령죄를 구성하지 않는다.

④ 업무상 과실로 장물을 보관하다가 임의로 처분한 행위는 별도의 횡령죄를 구성한다.

해설

③ [○] 피고인이 당초부터 피해자를 기망하여 약속어음을 교부받은 경우에는 그 교부받은 즉시 사기죄가 성립하고 그 후 이를 피해자에 대한 피고인의 채권의 변제에 충당하였다 하더라도 불가벌적 사후행위가 됨에 그칠 뿐, 별도로 횡령죄를 구성하지 않는다.(대법원 1983. 4. 26. 82도3079)

① [×] 허위사실을 유포한 1개의 행위가 허위사실 유포에 의한 업무방해죄 뿐 아니라 허위사실적시에 의한 명예훼손죄에도 해당하는 경우 그 2개의 죄는 **상상적 경합관계에 있다.**(대법원 2007. 11. 15. 2007도7140 병원비방사건)

② [×] 업무방해죄와 폭행죄는 구성요건과 보호법익을 달리하고 있고, 업무방해죄의 성립에 일반적 · 전형적으로 사람에 대한 폭행행위를 수반하는 것은 아니며, 폭행행위가 업무방해죄에 비하여 별도로 고려되지 않을 만큼 경미한 것이라고 할 수도 없으므로, 설령 피해자에 대한 폭행행위가 동일한 피해자에 대한 업무방해죄의 수단이 되었다고 하더라도 그러한 폭행행위가 이른바 '불가벌적 수반행위'에 해당하여 업무방해죄에 대하여 흡수관계에 있다고 볼 수는 없다.(대법원 2012. 10. 11. 2012도1895 화성택시연합회 사건) 양 범죄는 상상적 경합범 관계에 있다.

④ [×] 절도범인으로부터 **장물보관 의뢰**를 받은 자가 그 정을 알면서 이를 인도받아 보관하고 있다가 임의로 처분하였다 하여도 장물보관죄가 성립하는 때에는 이미 그 소유자의 소유물 추구권을 침해하였으므로 그 후의 횡령행위는 불가벌적 사후행위에 불과하여 **별도로 횡령죄가 성립하지 않는다.**(대법원 2004. 4. 9. 2003도8219 고려청자 사건)

433 다음 설명 중 가장 적절하지 않은 것은? (다툼이 있으면 판례에 의함)   13 경찰채용 [Essential ★]
□□□

① 강도가 강도범행을 하는 기회에 수 명의 피해자에게 각 폭행을 가하여 각 상해를 입힌 경우에는 각 피해자별로 수 개의 강도상해죄가 성립하며 이들은 실체적 경합범의 관계에 있다.

② 포괄일죄로 되는 개개의 범죄행위가 다른 종류의 죄의 확정판결의 전후에 걸쳐서 행하여진 경우에는 그 죄는 2죄로 분리되지 않고 확정판결 후인 최종의 범죄행위시에 완성되는 것이다.

③ 2개의 인터넷 파일공유 사이트를 운영하는 피고인들이 이를 통해 저작재산권 대상인 디지털 콘텐츠가 불법 유통되고 있음을 알면서도 회원들로 하여금 불법 디지털 콘텐츠를 업로드하게 한 후 이를 다운로드하게 함으로써 저작재산권 침해를 방조한 경우 위 사이트를 통해 유통된 다수 저작권자의 다수 저작물에 대한 범행 전체가 하나의 포괄일죄를 구성한다.

④ 위조통화를 행사하여 재물을 불법영득한 때에는 위조통화행사죄와 사기죄의 양죄가 성립된다.

해설

③ [×] 피고인들의 **각 방조행위는 원칙적으로 서로 경합범 관계에 있고**, 다만 동일한 저작물에 대한 수회의 침해행위에 대한 각 방조행위가 포괄하여 하나의 범죄가 성립할 여지가 있을 뿐이다.(대법원 2013. 9. 26. 2011도1435 **파일공유사이트 사건**)

① [○] 강도가 한 개의 강도범행을 하는 기회에 수명의 피해자에게 폭행을 가하여 각 상해를 입힌 경우에는 피해자별로 수개의 강도상해죄가 성립하며 이들은 실체적 경합범의 관계에 있다.(대법원 1987. 5. 26. 87도527)

② [○] 포괄일죄로 되는 개개의 범죄행위가 다른 종류의 죄의 확정판결의 전후에 걸쳐서 행하여진 경우에는 그 죄는 2죄로 분리되지 않고 확정판결 후인 최종의 범죄행위시에 완성되는 것이다.(대법원 2015. 9. 10. 2015도7081)

④ [○] 위조통화를 행사하여 재물을 불법영득한 때에는 위조통화행사죄와 사기죄의 양죄가 성립되는 것이다.(대법원 1979. 7. 10. 79도840)

434
□□□
죄수에 관한 설명 중 옳은 것(○)과 옳지 않은 것(×)을 올바르게 조합한 것은? (다툼이 있으면 판례에 의함)

24 변호사 [Superlative ★★★]

㉠ 수인의 피해자에 대하여 1개의 기망행위를 통해 각각 재물을 편취한 경우에는 범의가 단일하고 범행방법이 동일하더라도 피해자별로 독립한 사기죄가 성립하고 각 사기죄는 상상적 경합 관계에 있다.

㉡ 절도범인으로부터 장물보관 의뢰를 받은 자가 그 정을 알면서 이를 인도받아 보관하고 있다가 임의처분한 경우 이러한 횡령행위는 장물죄의 불가벌적 사후행위에 불과하여 별도의 횡령죄가 성립하지 않는다.

㉢ 회사 명의의 합의서를 임의로 작성·교부한 행위에 의해 회사에 재산상 손해를 가하였다면, 사문서위조죄 및 그 행사죄와 업무상배임죄는 실체적 경합관계에 있다.

㉣ 2인 이상의 작성명의인이 연명으로 서명·날인한 문서를 하나의 행위로 위조한 때에는 작성명의인의 수에 해당하는 문서위조죄의 상상적 경합범에 해당한다.

㉤ 유죄의 확정판결을 받은 사람이 그 후 별개의 후행범죄를 저질렀는데 유죄의 확정판결에 대하여 재심이 개시된 경우 후행범죄와 재심판결이 확정된 선행범죄 사이에는 형법 제37조 후단에서 정한 경합범이 성립한다.

---

① ㉠ ○ ㉡ × ㉢ × ㉣ ○ ㉤ ○   ② ㉠ ○ ㉡ ○ ㉢ ○ ㉣ × ㉤ ×

③ ㉠ ○ ㉡ ○ ㉢ × ㉣ ○ ㉤ ×   ④ ㉠ × ㉡ ○ ㉢ ○ ㉣ ○ ㉤ ○

⑤ ㉠ × ㉡ × ㉢ × ㉣ × ㉤ ○

해설

③ 이 지문이 옳은 연결이다.

㉠ [○] **1개의 기망행위에 의하여 다수의 피해자로부터 각각 재산상 이익을 편취한 경우에는 피해자별로 수 개의 사기죄가 성립하고, 그 사이에는 상상적 경합의 관계에 있다.**(대법원 2015. 4. 23. 2014도16980 파주시 만우리 임야사건)

㉡ [○] 절도범인으로부터 장물보관 의뢰를 받은 자가 그 정을 알면서 이를 인도받아 보관하고 있다가 임의 처분하였다 하여도 장물보관죄가 성립하는 때에는 이미 그 소유자의 소유물 추구권을 침해하였으므로 그 후의 횡령행위는 **불가벌적 사후행위에 불과하여 별도로 횡령죄가 성립하지 않는다.**(대법원 2004. 4. 9. 2003도8219 고려청자 사건)

㉢ [×] 약식명령이 확정된 사문서위조 및 그 행사죄의 범죄사실과 피고인이 동일한 합의서를 임의로 작성·교부하여 회사에 재산상 손해를 가하였다는 공소사실은 **상상적 경합관계에 있다.**(대법원 2009. 4. 9. 2008도5634 5억 대신 10억 사건)

㉣ [○] 문서에 2인 이상의 작성명의인이 있을 때에는 각 명의자마다 1개의 문서가 성립되므로 2인 이상의 연명으로 된 문서를 위조한 때에는 **작성명의인의 수대로 수개의 문서위조죄가 성립하고 이 수개의 문서위조죄는 상상적 경합범에 해당한다.**(대법원 1987. 7. 21. 87도564 동의서 위조사건)

정답 | 433 ③   434 ③

ⓒ [×] 유죄의 확정판결을 받은 사람이 그 후 별개의 후행범죄를 저질렀는데 유죄의 확정판결에 대하여 재심이 개시된 경우 후행범죄가 그 재심대상판결에 대한 재심판결 확정 전에 범하여졌다 하더라도 (아직 판결을 받지 아니한 후행범죄는 재심심판절차에서 재심대상이 된 선행범죄와 함께 심리하여 동시에 판결할 수 없었으므로) 아직 판결을 받지 아니한 후행범죄와 재심판결이 확정된 선행범죄 사이에는 **형법 제37조 후단 경합범이 성립하지 않는다.**(대법원 2019. 6. 20. 2018도20698 全合 재심판결의 확정력 사건)

435 다음 <보기 1>의 (   ) 속에 들어갈 죄수관계에 부합하는 사례를 <보기 2>에서 모두 고른 것
□□□ 은? (다툼이 있으면 판례에 의함) 21 해경간부 [Core ★★]

<보기 1>
강도범인이 체포를 면탈할 목적으로 경찰관에게 폭행을 가한 때에는 강도죄와 공무집행방해죄가 성립하고 두 죄는 (   )의 관계에 있다.

<보기 2>
㉠ 이미 절취한(이 부분은 논외로 함) 피해자 명의의 신용카드를 부정사용하여 현금자동인출기에서 현금을 인출하고 그 현금을 취득까지 한 경우
㉡ 비의료인이 의료기관을 개설하여 운영하는 도중 개설자 명의를 다른 의료인 등으로 변경한 경우
㉢ 강도가 재물을 강취한 후 현주건조물에 방화하여 피해자들을 사망에 이르게 한 경우
㉣ 범죄피해신고를 받고 출동한 두 명의 경찰관에게 욕설을 하면서 순차로 폭행하여 신고처리 및 수사업무에 관한 정당한 직무집행을 방해한 경우, 두 경찰관에 대한 공무집행방해죄

① ㉠㉡ ② ㉡㉢
③ ㉢㉣ ④ ㉡㉣

해설

① ㉠㉡ 2 항목이 죄수관계에 부합하는 사례이다.
<보기 1> 강도범인이 체포를 면탈할 목적으로 경찰관에게 폭행을 가한 때에는 강도죄와 공무집행방해죄는 **실체적 경합관계에 있고 상상적 경합관계에 있는 것이 아니다.**(대법원 1992. 7. 28. 92도917 절도상경 강도실경 사건)
<보기 2>
㉠ 피해자 명의의 신용카드를 부정사용하여 현금자동인출기에서 현금을 인출하고 그 현금을 취득까지 한 행위는 신용카드업법 제25조 제1항[24년 현재 여신전문금융업법 제70조 제1항 제3호·제4호]의 부정사용죄에 해당할 뿐 아니라 현금자동인출기 관리자의 의사에 반하여 그의 지배를 배제하고 그 현금을 자기의 지배하에 옮겨 놓는 것이 되므로 별도로 절도죄를 구성하고, 양 죄는 실체적 경합관계에 있다.(대법원 1995. 7. 28. 95도997 옆집 신용카드 사건)

ⓛ 비의료인이 의료기관을 개설하여 운영하는 도중 개설자 명의를 다른 의료인 등으로 변경한 경우 그 범의가 단일하다거나 범행방법이 종전과 동일하다고 보기 어려우므로 개설자 명의별로 별개의 범죄가 성립하고 각 죄는 실체적 경합범의 관계에 있다.(대법원 2018. 11. 29. 2018도10779 **사무장 치과의원** 사건)

ⓒ 피고인들이 피해자들의 재물을 강취한 후 그들을 살해할 목적으로 현주건조물에 방화하여 사망에 이르게 한 경우, 피고인들의 행위는 강도살인죄와 현주건조물방화치사죄에 모두 해당하고 두 죄는 상상적 경합범관계에 있다.(대법원 1998. 12. 8. 98도3416 **강도 방화살인사건**)

ⓔ 동일한 공무를 집행하는 여럿의 공무원에 대하여 폭행·협박 행위를 한 경우에는 공무를 집행하는 공무원의 수에 따라 여럿의 공무집행방해죄가 성립하고, 위와 같은 폭행·협박 행위가 동일한 장소에서 동일한 기회에 이루어진 것으로서 사회관념상 1개의 행위로 평가되는 경우에는 여럿의 공무집행방해죄는 상상적 경합의 관계에 있다.(대법원 2009. 6. 25. 2009도3505 **경찰관 2명 폭행사건**)

436

다음 설명 중 가장 옳지 않은 것은? (다툼이 있으면 판례에 의함)　　20 법원9급 [Core ★★]

① 동일한 공무를 집행하는 여럿의 공무원에 대하여 폭행, 협박행위를 한 경우에는 공무를 집행하는 공무원의 수에 따라 여럿의 공무집행방해죄가 성립하고, 위와 같은 폭행, 협박행위가 동일한 장소에서 동일한 기회에 이루어진 것으로서 사회관념상 1개의 행위로 평가되는 경우에는 여럿의 공무집행방해죄는 상상적 경합의 관계에 있다.

② 음주로 인한 특정범죄가중처벌 등에 관한 법률 위반(위험운전치사상)죄와 도로교통법 위반(음주운전)죄는 입법 취지와 보호법익 및 적용영역을 달리하는 별개의 범죄이므로 1개의 행위에 관하여 양 죄의 각 구성요건이 모두 구비된 때에는 서로 법조경합의 관계로 볼 것이 아니라 상상적 경합관계로 봄이 상당하다.

③ 공무원인 의사가 공무소의 명의로 허위진단서를 작성한 경우에는 허위공문서작성죄만이 성립하고 허위진단서작성죄는 별도로 성립하지 않는다.

④ 강도가 한 개의 강도 범행을 하는 기회에 수명의 피해자에게 각 폭행을 가하여 각 상해를 입힌 경우에는 각 피해자별로 수개의 강도상해죄가 성립하고 이들은 실체적 경합범의 관계에 있다.

해설

② [×] 음주로 인한 특가법 위반(위험운전치사상)죄와 도로교통법 위반(음주운전)죄는 입법 취지와 보호법익 및 적용 영역을 달리하는 별개의 범죄로서 양 죄가 모두 성립하는 경우 **두 죄는 실체적 경합관계에 있다.**(대법원 2008. 11. 13. 2008도7143 **음주 택시운전 사건**)

정답 ┃ 435 ① 　 436 ②

① [○] 동일한 공무를 집행하는 여럿의 공무원에 대하여 폭행·협박 행위를 한 경우에는 공무를 집행하는 공무원의 수에 따라 여럿의 공무집행방해죄가 성립하고, 위와 같은 폭행·협박 행위가 동일한 장소에서 동일한 기회에 이루어진 것으로서 사회관념상 1개의 행위로 평가되는 경우에는 여럿의 공무집행방해죄는 상상적 경합의 관계에 있다.(대법원 2009. 6. 25. 2009도3505 **경찰관 2명 폭행사건**)

③ [○] 허위진단서작성죄의 대상은 공무원이 아닌 의사가 사문서로서 진단서를 작성한 경우에 한정되고, 공무원인 의사가 공무소의 명의로 허위진단서를 작성한 경우에는 허위공문서작성죄만이 성립하고 허위진단서작성죄는 별도로 성립하지 않는다.(대법원 2004. 4. 9. 2003도7762 **국립병원 내과과장 사건**)

④ [○] 강도가 한 개의 강도범행을 하는 기회에 수명의 피해자에게 폭행을 가하여 각 상해를 입힌 경우에는 피해자별로 수개의 강도상해죄가 성립하며 이들은 실체적 경합범의 관계에 있다.(대법원 1987. 5. 26. 87도527)

437 죄수에 관한 다음 설명 중 가장 옳지 않은 것은? (다툼이 있으면 판례에 의함)

□□□
23 법원행시 [Core ★★]

① 강도가 재물강취의 뜻을 재물의 부재로 이루지 못한 채 미수에 그쳤으나 그 자리에서 항거불능의 상태에 빠진 피해자를 간음할 것을 결의하고 실행에 착수했으나 역시 미수에 그쳤더라도 반항을 억압하기 위한 폭행으로 피해자에게 상해를 입힌 경우에는 강도강간미수죄와 강간치상죄가 성립되고 이들은 상상적 경합관계에 있다.

② 상습절도 등의 범행을 한 자가 추가로 자동차등불법사용의 범행을 한 경우에 그것이 절도 습벽의 발현이라고 보이는 이상 상습절도 등의 죄만 성립하고 이와 별개로 자동차등불법사용죄는 성립하지 않는다.

③ 강도가 한 개의 강도범행을 하는 기회에 수명의 피해자에게 각 폭행을 가하여 각 상해를 입힌 경우에는 각 피해자별로 수개의 강도상해죄가 성립하며 이들은 실체적 경합범의 관계에 있다.

④ 무면허운전으로 인한 도로교통법위반죄는 운전한 날마다 무면허운전으로 인한 도로교통법위반의 1죄가 성립한다고 할 것이지만, 같은 날 무면허운전 행위를 여러 차례 반복한 경우라도 그 범의의 단일성 내지 계속성이 인정되지 않거나 범행 방법 등이 동일하지 않은 경우 각 무면허운전 범행은 실체적 경합관계에 있다고 볼 수 있다.

⑤ 감금행위가 강간미수죄의 수단이 되었다 하여 감금행위는 강간미수죄에 흡수되어 범죄를 구성하지 않는다고 할 수는 없다.

해설

① [×] 강도가 재물강취의 뜻을 재물의 부재로 이루지 못한 채 미수에 그쳤으나 그 자리에서 항거불능의 상태에 빠진 피해자를 간음할 것을 결의하고 실행에 착수했으나 역시 미수에 그쳤더라도 반항을 억압하기 위한 폭행으로 피해자에게 상해를 입힌 경우에는 **강도강간미수죄와 강도치상죄가 성립되고** 이는 **상상적 경합관계가 성립된다.**(대법원 1988. 6. 28. 88도820 **되는게 없는 하루 사건**)

② [○] 상습절도 등의 범행을 한 자가 추가로 자동차등불법사용의 범행을 한 경우에 그것이 절도 습벽의 발현이라고 보이는 이상 자동차등불법사용의 범행은 상습절도 등의 죄에 흡수되어 1죄만이 성립하고 이와 별개로 자동차등불법사용죄는 성립하지 않는다.(대법원 2002. 4. 26. 2002도429 **광천동 소나타 무단운전 사건**)

③ [○] 강도가 한 개의 강도범행을 하는 기회에 수명의 피해자에게 폭행을 가하여 각 상해를 입힌 경우에는 피해자별로 수개의 강도상해죄가 성립하며 이들은 실체적 경합범의 관계에 있다.(대법원 1987. 5. 26. 87도527 **강도상해 포괄일죄 → 실경 사건**)

④ [○] 무면허운전으로 인한 도로교통법 위반죄에 관해서는 어느 날에 운전을 시작하여 다음 날까지 동일한 기회에 일련의 과정에서 계속 운전을 한 경우 등 특별한 경우를 제외하고는 사회통념상 운전한 날을 기준으로 운전한 날마다 1개의 운전행위가 있다고 보는 것이 상당하므로 운전한 날마다 무면허운전으로 인한 도로교통법 위반의 1죄가 성립한다. 한편 같은 날 무면허운전 행위를 여러 차례 반복한 경우라도 그 범의의 단일성 내지 계속성이 인정되지 않거나 범행 방법 등이 동일하지 않은 경우 각 무면허운전 범행은 실체적 경합 관계에 있다고 볼 수 있으나, 그와 같은 특별한 사정이 없다면 각 무면허운전 행위는 동일 죄명에 해당하는 수 개의 동종 행위가 동일한 의사에 의하여 반복되거나 접속·연속하여 행하여진 것으로 봄이 상당하고 그로 인한 피해법익도 동일한 이상, 각 무면허운전 행위를 통틀어 포괄일죄로 처단하여야 한다.(대법원 2022. 10. 27. 2022도8806 **식사 전후 무면허운전 사건**)

⑤ [○] 강간죄의 성립에 언제나 직접적으로 또 필요한 수단으로서 감금행위를 수반하는 것은 아니므로 감금행위가 강간미수죄의 수단이 되었다 하여 감금행위는 강간미수죄에 흡수되어 범죄를 구성하지 않는다고 할 수는 없는 것이고, 그때에는 감금죄와 강간미수죄는 상상적 경합관계에 있다.(대법원 1983. 4. 26. 83도323 **조개트럭 사건**)

정답 | 437 ①

438 죄수에 대한 설명 중 가장 옳지 않은 것은? (다툼이 있으면 판례에 의함) 19 경찰간부 [Core ★★]

① 1개의 행위에 관하여 사기죄와 업무상배임죄의 각 구성요건이 모두 구비된 경우 양죄는 상상적 경합관계에 있다.

② 강도범이 체포를 면탈할 목적으로 경찰관에게 폭행을 가한 경우 강도죄와 공무집행방해죄는 실체적 경합관계에 있다.

③ 수수한 메스암페타민을 장소를 이동하여 투약하고서 잔량을 은닉하는 방법으로 소지한 경우 구 향정신성의약품관리법의 향정신성의약품수수죄 외에 별도로 그 소지죄가 성립한다.

④ 물품을 수입하는 무역업자가 그 물품을 같은 해에 3차례에 걸쳐 수입하면서 그때마다 과세가격 또는 관세율을 허위로 신고하여 관세를 포탈하였다면 포괄하여 1개의 관세포탈죄를 구성한다.

해설

④ [×] 수입물품의 수입신고를 하면서 과세가격 또는 관세율 등을 허위로 신고하여 수입하는 경우에는 그 수입신고시마다 당해 수입물품에 대한 정당한 관세의 확보라는 법익이 침해되어 별도로 구성요건이 충족되는 것이므로 **각각의 허위 수입신고시마다 1개의 죄가 성립한다.**(대법원 2000. 11. 10. 99도782) 지문의 경우 3개의 관세포탈죄가 성립하고, 이들은 실체적 경합범의 관계에 있다.

① [○] 1개의 행위에 관하여 사기죄와 업무상배임죄의 각 구성요건이 모두 구비된 때에는 양 죄를 법조경합관계로 볼 것이 아니라 상상적 경합관계로 보아야 하고, 나아가 업무상배임죄가 아닌 단순배임죄라고 하여 양 죄의 관계를 달리 보아야 할 이유도 없다.(대법원 2002. 7. 18. 2002도669 全合 **배사배사 사건**)

② [○] 절도범인이 체포를 면탈할 목적으로 경찰관에게 폭행·협박을 가한 때에는 준강도죄와 공무집행방해죄를 구성하고 양죄는 상상적 경합관계에 있으나, 강도범인이 체포를 면탈할 목적으로 경찰관에게 폭행을 가한 때에는 강도죄와 공무집행방해죄는 실체적 경합관계에 있고 상상적 경합관계에 있는 것이 아니다.(대법원 1992. 7. 28. 92도917 **절도상경 강도실경 사건**)

③ [○] 수수한 메스암페타민을 장소를 이동하여 투약하고서 잔량을 은닉하는 방법으로 소지한 행위는 그 소지의 경위나 태양에 비추어 볼 때 당초의 수수행위에 수반되는 필연적 결과로 볼 수는 없고, 사회통념상 수수행위와는 독립한 별개의 행위를 구성한다.(대법원 1999. 8. 20. 99도1744)

439 죄수에 대한 설명 중 가장 적절하지 않은 것은? (다툼이 있으면 판례에 의함)

20 경찰채용 [Superlative ★★★]

① 영리를 목적으로 무면허 의료행위를 업으로 하는 자가 반복적으로 여러 개의 무면허 의료행위를 단일하고 계속된 범의 아래 일정기간 계속하여 행하고 그 피해법익도 동일하다면 이들 각 행위들은 하나의 포괄일죄의 관계에 있다.

② 공직선거법 제106조 제1항 소정의 호별방문죄에 있어서 각집의 방문이 '연속적'인 것으로 인정되기 위해서는 반드시 집을 중단 없이 방문하여야 하거나 동일한 일시 및 기회에 각 집을 방문하여야 하는 것은 아니므로 甲, 乙, 丙의 집을 각 3개월, 7개월 기간을 두고 방문한 행위는 포괄일죄의 관계에 있다.

③ 타인의 부동산을 보관 중인 자가 불법영득의사를 가지고 그 부동산에 근저당권설정등기를 경료함으로써 일단 횡령행위가 기수에 이른 경우, 그 후 같은 부동산에 별개의 근저당권을 설정하는 행위는 특별한 사정이 없는 한 불가벌적 사후행위로 볼 수 없고, 별도의 횡령죄가 성립한다.

④ 범죄피해신고를 받고 출동한 두 명의 경찰관에게 욕설을 하면서 차례로 폭행을 하여 신고처리 및 수사 업무에 관한 정당한 직무집행을 방해한 사안에서 위 폭행·협박 행위는 동일한 장소에서 동일한 기회에 이루어진 것으로서 사회관념상 1개의 행위로 평가되므로 두 개의 공무집행방해죄는 상상적 경합의 관계에 있다.

해설

② [×] 공직선거법 제106조 제1항 소정의 호별방문죄에 있어서 각 집의 방문이 '연속적'인 것으로 인정되기 위해서는 반드시 집집을 중단 없이 방문하여야 하거나 동일한 일시 및 기회에 각 집을 방문하여야 하는 것은 아니지만, 각 방문행위 사이에는 어느 정도의 시간적 근접성이 있어야 할 것이고, **이러한 시간적 근접성이 없다면 '연속적'인 것으로 인정될 수는 없다.**(대법원 2007. 3. 15. 2006도9042) 지문의 경우 집을 방문한 행위 사이에 시간적 근접성이 있다고 보기는 어려워 포괄하여 호별방문죄를 구성한다고 할 수 없다.(대법원 2007. 3. 15. 2006도9042 참고)

① [○] 영리를 목적으로 무면허 의료행위를 업으로 하는 자가 반복적으로 여러 개의 무면허 의료행위를 단일하고 계속된 범의 아래 일정 기간 계속하여 행하고 그 피해법익도 동일한 경우라면 이들 각 행위를 통틀어 포괄일죄로 처단하여야 한다.(대법원 2014. 1. 16. 2013도11649 **불법 필러시술 사건**)

③ [○] 타인의 부동산을 보관 중인 자가 그 부동산에 근저당권설정등기를 경료함으로써 일단 횡령행위가 기수에 이르렀다 하더라도 그 후 같은 부동산에 별개의 근저당권을 설정하여 새로운 법익침해의 위험을 추가함으로써 법익침해의 위험을 증가시키거나 해당 부동산을 매각함으로써 기존의 근저당권과 관계없이 법익침해의 결과를 발생시켰다면, 이는 근저당권으로 인해 당연히 예상될 수 있는 범위를 넘어 새로운 법익침해의 위험을 추가시키거나 법익침해의 결과를 발생시킨 것이므로 특별한 사정이 없는 한 불가벌적 사후행위로 볼 수 없고, 별도로 횡령죄를 구성한다.(대법원 2015. 1. 29. 2014도12022)

④ [○] 동일한 공무를 집행하는 여럿의 공무원에 대하여 폭행·협박 행위를 한 경우에는 공무를 집행하는 공무원의 수에 따라 여럿의 공무집행방해죄가 성립하고, 위와 같은 폭행·협박 행위가 동일한 장소에서 동일한 기회에 이루어진 것으로서 사회관념상 1개의 행위로 평가되는 경우에는 여럿의 공무집행방해죄는 상상적 경합의 관계에 있다.(대법원 2009. 6. 25. 2009도3505 **경찰관 2명 폭행사건**)

440 다음 중 죄수에 대한 설명으로 옳은 것은 모두 몇 개인가? (다툼이 있으면 판례에 의함)

□□□
21 해경승진 [Core ★★]

> ㉠ 계속적으로 무면허운전을 할 의사를 가지고 여러 날에 걸쳐 수차례 무면허운전행위를 반복하였다면, 무면허운전으로 인한 도로교통법위반의 포괄일죄가 성립한다.
>
> ㉡ 「공직선거법」 제106조 제1항 소정의 호별방문죄에 있어서 각 집의 방문이 '연속적'인 것으로 인정되기 위해서는, 반드시 집을 중단 없이 방문하여야 하거나 동일한 일시 및 기회에 각 집을 방문해야 하는 것은 아니므로 甲, 乙, 丙의 집을 각 4개월, 6개월 기간을 두고 방문한 행위는 포괄일죄의 관계에 있다.
>
> ㉢ 범죄의 상습성이란 범죄자의 어떤 버릇이나 경향을 의미하는 것으로서, 행위자의 특성을 이루는 성질이 아닌 행위의 본질을 이루는 성질을 의미한다.
>
> ㉣ 시험을 관리하는 공무원이 돈을 받고 시험문제를 알려준 경우, 공무상비밀누설죄와 수뢰후부정처사죄가 성립하고 양 죄는 상상적 경합관계에 있다.
>
> ㉤ 특수폭행죄, 아편흡식죄, 부당이득죄의 경우 상습범을 그 죄의 2분의 1까지 가중처벌한다.

① 5개 ② 4개
③ 3개 ④ 2개

해설

④ ㉣㉤ 2 항목이 옳다.

㉠ [×] 무면허운전으로 인한 도로교통법위반죄는 특별한 경우를 제외하고는 운전한 날마다 1죄가 성립한다고 보아야 할 것이고, 비록 계속적으로 무면허운전을 할 의사를 가지고 여러 날에 걸쳐 무면허운전행위를 반복하였다 하더라도 이를 **포괄하여 일죄로 볼 수는 없다.**(대법원 2002. 7. 23. 2001도6281 **이틀 무면허운전사건**)

㉡ [×] (1) 공직선거법 제106조 제1항 소정의 호별방문죄에 있어서 각 집의 방문이 '연속적'인 것으로 인정되기 위해서는 반드시 집을 중단 없이 방문하여야 하거나 동일한 일시 및 기회에 각 집을 방문하여야 하는 것은 아니지만, **각 방문행위 사이에는 어느 정도의 시간적 근접성이 있어야 할 것이고, 이러한 시간적 근접성이 없다면 '연속적'인 것으로 인정될 수는 없다.** (2) 피고인이 甲의 집을 방문한 것은 乙의 집을 방문한 때로부터 3개월 또는 4개월 전이고, 丙의 집을 방문한 것은 乙의 집을 방문한 때로부터 다시 6개월 또는 7개월 후로서 시간적 간격이 매우 크므로 甲, 丙의 집을 각 방문한 행위와 乙의 집을 방문한 행위 사이에 시간적 근접성이 있다고 보기는 어렵다. 따라서 **甲, 丙의 집을 각 방문한 행위는 乙의 집을 방문한 행위와 포괄하여 호별방문죄를 구성한다고 할 수 없고,** 甲, 丙의 집을 각 방문한 행위는 각 한 집만을 방문한 것이어서 그 행위만으로 각각 호별방문죄가 성립한다고 할 수도 없다.(대법원 2007. 3. 15. 2006도9042)

㉢ [×] 범죄에 있어서의 상습이란 범죄자의 어떤 버릇, 범죄의 경향을 의미하는 것으로서 **행위의 본질을 이루는 성질이 아니고 행위자의 특성을 이루는 성질을 의미하는 것이다.**(대법원 2006. 5. 11. 2004도6176 **7급공무원 부부싸움 사건**)

㉣ [○] 시험 문제를 타인에게 알려준 것이 수뢰후부정처사죄에 있어 '부정한 행위'이므로 양 범죄는 상상적 경합범 관계에 있다.(대법원 2001. 2. 9. 2000도1216 **도시계획도 변조사건**)

㉤ [○] 특수폭행죄(제261조, 제264조), 아편흡식죄(제201조 제1항, 제203조), 부당이득죄(제349조, 제351조)

441 다음 중 일죄가 성립하는 경우는? (다툼이 있으면 판례에 의함)

16 법원행시 [Superlative ★★★]

① 변호사 아닌 피고인이 당사자와 내용을 달리하는 법률사건에 관한 법률사무를 다수 수임하여 이를 처리하는 대가로 수수료를 수취하여 변호사법위반죄를 범한 경우

② 피고인이 부동산 공유자인 피해자 3명을 상대로 부동산을 매수할 것처럼 행세하며 근저당권을 먼저 설정하여 주면 이를 담보로 매매대금을 마련하여 지급하겠다고 기망하여, 이에 속은 위 피해자들이 공유하는 부동산의 각 공유지분에 관하여 근저당권을 설정하게 함으로써 재산상 이익을 편취한 경우

③ 작가협회 회원인 피고인이 타인의 명의를 도용하여 작가협회 교육원장을 비방하는 내용의 호소문을 작성한 후 이를 작가협회 회원들에게 우편으로 송달한 경우

④ 은행장인 피고인이 甲으로부터 정식 이사가 될 수 있도록 도와달라는 부탁을 받고 1년 동안 12회에 걸쳐 그 사례금 명목으로 합계 1억 2,000만원을 교부받은 경우

⑤ 컴퓨터로 음란 동영상을 제공한 행위를 하였다가 음란 동영상이 저장되어 있던 서버컴퓨터가 압수된 이후 다시 장비를 갖추어 동종의 범죄행위를 저지른 경우

해설

④ [○] (1) 금융기관 임직원이 그 직무에 관하여 여러 차례 금품을 수수한 경우에 그것이 단일하고도 계속된 범의 아래 일정기간 반복하여 이루어진 것이고 그 피해법익도 동일한 경우에는 **각 범행을 통틀어 포괄일죄로 볼 것이다.** (2) 원심이, 피고인이 甲으로부터 정식 이사가 될 수 있도록 도와달라는 부탁을 받고 1997년 3월경부터 1998년 6월 초순경까지 사이에 12회에 걸쳐 그 사례금 명목으로 합계 1억 2,000만원을 교부받은 사실을 인정한 다음, 이는 금융기관의 임직원이 그 직무에 관하여 금품을 수수한 것으로서 포괄하여 특경법 제5조 제4항 제1호에 해당한다고 판단한 조치는 정당하다.(대법원 2000. 6. 27. 2000도1155 **경기은행 부도 사건**)

① [×] 변호사가 아닌 사람이 각기 다른 법률사건에 관한 법률사무를 취급하여 저지르는 변호사법 제109조 제1항 위반의 범행은 특별한 사정이 없는 한 실체적 경합범이 되는 것이지 포괄일죄가 되는 것이 아니다.(대법원 2015. 1. 15. 2011도14198 **사무장 2550건 수임사건**)

② [×] 각 피해자의 피해법익은 독립한 것이므로 피해자별로 독립한 사기죄가 성립하고, 피고인 등이 같은 일시, 장소에서 피해자들로부터 각 재산상 이익을 편취한 행위는 사회관념상 1개의 행위로 평가할 수 있으므로 각 사기죄 사이에는 상상적 경합의 관계에 있다.(대법원 2015. 4. 23. 2014도16980 **파주시 만우리 임야사건**)

③ [×] 방송작가협회 회원이 타인의 명의를 도용하여 협회 교육원장을 비방하는 내용의 호소문을 작성한 후 이를 협회 회원들에게 우편으로 송달한 경우, 사문서위조죄와 명예훼손죄가 성립하고 이는 실체적 경합관계에 있다.(대법원 2009. 4. 23. 2008도8527 **방송작가협회 사건**)

⑤ [×] 컴퓨터로 음란 동영상을 제공한 제1범죄행위로 서버컴퓨터가 압수된 이후 다시 장비를 갖추어 동종의 제2범죄행위를 하고 제2범죄행위로 인하여 약식명령을 받아 확정된 경우, 피고인에게 범의의 갱신이 있어 제1범죄행위는 약식명령이 확정된 제2범죄행위와 실체적 경합관계에 있다.(대법원 2005. 9. 30. 2005도4051 **라이브클럽 PC방 사건**)

442

□□□

죄수에 관한 다음 설명 중 옳은 것은 모두 몇 개인가? (다툼이 있으면 판례에 의함)

19 법원행시 [Superlative ★★★]

> ㉠ 강도가 시간적으로 접착된 상황에서 가족을 이루는 수인에게 폭행·협박을 가하여 집안에 있는 재물을 탈취한 경우 그 재물은 가족의 공동점유 아래 있는 것으로서, 이를 탈취하는 행위는 그 소유자가 누구인지에 불구하고 단일한 강도죄의 죄책을 진다.
>
> ㉡ 수인의 피해자에 대하여 각별로 기망행위를 하여 각각 재물을 편취한 경우에는 범의가 단일하고 범행방법이 동일하더라도 각 피해자의 피해법익은 독립한 것이므로 이를 포괄일죄로 파악할 수 없고 피해자별로 독립한 사기죄가 성립된다.
>
> ㉢ 뇌물을 여러 차례에 걸쳐 수수함으로써 그 행위가 여러 개이더라도 그것이 단일하고 계속적 범의에 의하여 이루어지고 동일법익을 침해한 때에는 포괄일죄로 처벌함이 상당하다.
>
> ㉣ 미성년자의제강간죄 또는 미성년자의제강제추행죄는 행위시마다 1개의 범죄가 성립한다.
>
> ㉤ 비의료인이 의료기관을 개설하여 운영하는 도중 의료시설과 의료진을 그 동일성을 상실할 정도로 변경하지 않은 채 단지 개설자 명의만을 다른 의료인 등으로 변경한 경우, 의료기관을 새로 개설하였다고 보기 어려우므로 개설자 명의변경 전후로 의료법위반죄의 포괄일죄로 보아야 한다.

① 1개 ② 2개 ③ 3개 ④ 4개 ⑤ 5개

해설

④ ㉠㉡㉢㉣ 4 항목이 옳다.

㉠ [○] 강도가 시간적으로 접착된 상황에서 가족을 이루는 수인에게 폭행·협박을 가하여 집안에 있는 재물을 탈취한 경우 그 재물은 가족의 공동점유 아래 있는 것으로서, 이를 탈취하는 행위는 그 소유자가 누구인지에 불구하고 단일한 강도죄의 죄책을 진다.(대법원 1996. 7. 30. 96도1285)

㉡ [○] 사기죄에서 수인의 피해자에 대하여 각 피해자별로 기망행위를 하여 각각 재물을 편취한 경우에 그 범의가 단일하고 범행방법이 동일하다고 하더라도 포괄일죄가 성립하는 것이 아니라 피해자별로 1개씩의 죄가 성립한다.(대법원 2013. 1. 24. 2012도10629 박연호 부산저축은행 회장 사건)

㉢ [○] 뇌물을 여러 차례에 걸쳐 수수함으로써 그 행위가 여러 개이더라도 그것이 단일하고 계속적 범의에 의하여 이루어지고 동일법익을 침해한 때에는 포괄일죄로 처벌함이 상당하다.(대법원 1999. 1. 29. 98도3584 서울대교수 수뢰사건)

㉣ [○] 미성년자의제강간죄 또는 미성년자의제강제추행죄는 행위시마다 1개의 범죄가 성립한다.(대법원 1982. 12. 14. 82도2442)

㉤ [×] (1) 비의료인이 의료기관을 개설하여 운영하는 도중 개설자 명의를 다른 의료인 등으로 변경한 경우 그 범의가 단일하다거나 범행방법이 종전과 동일하다고 보기 어려우므로 개설자 명의별로 별개의 범죄가 성립하고 각 죄는 실체적 경합범의 관계에 있다. (2) 피고인 甲이 ○○치과의원 △△점에 대하여 乙 명의로 개설신고를 하고 운영한 기간, 그 후 개설자 명의를 丙, 丁, 戊로 순차로 변경하면서 각 그들 명의로 운영한 기간 동안 각 개설자 명의별로 포괄하여 일죄가 성립하고, 각 개설자 명의별 범죄는 실체적 경합범의 관계에 있다. 또한 피고인 甲이 ○○치과의원 □□점에 대하여 乙 명의로 개설 신고를 하고 운영한 기간, 그 후 개설자 명의를 乙로 변경하고 운영한 기간 동안 각 개설자 명의별로 포괄하여 일죄가 성립하고, 각 개설자 명의별 범죄는 실체적 경합범의 관계에 있다.(대법원 2018. 11. 29. 2018도10779 사무장 치과의원사건)

443

□□□ 죄수에 관한 설명으로 가장 적절한 것은? (다툼이 있으면 판례에 의함)　22 경찰채용 [Essential ★]

① 예금주인 현금카드 소유자를 협박하여 그 카드를 갈취한 다음 피해자의 승낙에 의하여 현금카드를 사용할 권한을 부여받아 이를 이용하여 현금자동지급기에서 현금을 인출한 행위는 공갈죄와는 별도로 절도죄를 구성한다.

② 음주로 인한 특정범죄 가중처벌 등에 관한 법률 위반(위험운전치사상)죄는 중한 형태의 도로교통법위반(음주운전)죄를 기본범죄로 하는 결과적 가중범으로 그 행위유형과 보호법익을 이미 모두 포함하고 있으므로 특정범죄 가중처벌 등에 관한 법률 위반(위험운전치사상)죄가 성립하면 도로교통법위반(음주운전)죄는 이에 흡수되어 따로 성립하지 아니한다.

③ 공무원이 직무관련자에게 제3자와 계약을 체결하도록 요구하여 계약체결을 하게 한 행위가 제3자뇌물수수죄의 구성요건과 직권남용권리행사방해죄의 구성요건에 모두 해당하는 경우에는 제3자뇌물수수죄와 직권남용권리행사방해죄가 각각 성립하고 두 죄는 상상적 경합관계에 있다.

④ 업무방해죄와 폭행죄의 관계에 있어 피해자에 대한 폭행행위가 동일한 피해자에 대한 업무방해죄의 수단이 된 경우 그러한 폭행행위는 이른바 불가벌적 수반행위에 해당하여 업무방해죄에 대하여 흡수관계에 있다.

해설

③ [○] 공무원이 직무관련자에게 제3자와 계약을 체결하도록 요구하여 계약체결을 하게 한 행위가 제3자뇌물수수죄의 구성요건과 직권남용권리행사방해죄의 구성요건에 모두 해당하는 경우에는 제3자뇌물수수죄와 직권남용권리행사방해죄가 각각 성립하고 두 죄는 상상적 경합관계에 있다.(대법원 2017. 3. 15. 2016도19659 이천시 건축민원 담당 공무원 사건)

① [×] 예금주인 현금카드 소유자를 협박하여 카드를 갈취한 다음 피해자의 승낙에 의하여 현금카드를 사용할 권한을 부여받아 현금자동지급기에서 현금을 인출한 행위는 모두 피해자의 예금을 갈취하고자 하는 피고인의 단일하고 계속된 범의 아래에서 이루어진 일련의 행위로서 **포괄하여 하나의 공갈죄를 구성하므로**, 현금자동지급기에서 피해자의 예금을 인출한 행위를 현금카드 갈취행위와 분리하여 따로 **절도죄로 처단할 수는 없다.**(대법원 1996. 9. 20. 95도1728 갈취 현금카드 사건)

② [×] 음주로 인한 특가법위반(위험운전치사상)죄와 도로교통법위반(음주운전)죄는 입법 취지와 보호법익 및 적용 영역을 달리하는 별개의 범죄로서 두 죄는 **실체적 경합관계에 있다.**(대법원 2008. 11. 13. 2008도7143 음주 택시운전 사건)

④ [×] 업무방해죄와 폭행죄는 구성요건과 보호법익을 달리하고 있고, 업무방해죄의 성립에 일반적 · 전형적으로 사람에 대한 폭행행위를 수반하는 것은 아니며, 폭행행위가 업무방해죄에 비하여 별도로 고려되지 않을 만큼 경미한 것이라고 할 수도 없으므로, 설령 피해자에 대한 폭행행위가 동일한 피해자에 대한 업무방해죄의 수단이 되었다고 하더라도 그러한 **폭행행위가 이른바 '불가벌적 수반행위'에 해당하여 업무방해죄에 대하여 흡수관계에 있다고 볼 수는 없다.**(대법원 2012. 10. 11. 2012도1895 화성택시연합회 사건) 양 죄는 상상적 경합범의 관계에 있다.

444

□□□

죄수에 관한 설명으로 가장 적절한 것은? (다툼이 있으면 판례에 의함) 24 경찰채용 [Core ★★]

① 甲이 피해자의 주거에 침입하여 강간하려다 미수에 그침과 동시에 자기의 형사사건의 수사 또는 재판과 관련하여 수사 단서를 제공하고 진술한 것에 대한 보복 목적으로 그를 폭행한 경우 특정범죄 가중처벌 등에 관한 법률위반(보복범죄등)죄 및 성폭력범죄의 처벌 등에 관한 특례법위반(주거침입강간등)죄가 각 성립하고 두 죄가 상상적 경합관계에 있다.

② 절도범인으로부터 장물보관을 의뢰받은 甲이 그 정을 알면서 이를 인도받아 보관하고 있다가 A로부터 금원을 차용하면서 보관 중이던 장물을 담보로 제공한 경우 장물보관죄와 횡령죄가 각 성립하고 두 죄는 실체적 경합관계에 있다.

③ 甲이 보이스피싱 사기 범죄단체에 가입한 후 사기범죄의 피해자들로부터 돈을 편취하는 등 그 구성원으로서 활동한 경우 범죄단체 가입행위 또는 범죄단체 구성원으로서 활동하는 행위와 사기행위는 법조경합 중 흡수관계에 있으므로 목적된 범죄인 사기죄만 성립한다.

④ 甲이 2010. 11. 15. X회사 사무실에서 부부인 피해자 A와 B에게 '토지를 매수하여 분필한 후 이를 분양해서 원금 및 수익금을 지급하겠다.'면서 기망한 후 공동재산인 건물을 매도하여 돈을 마련한 피해자들로부터 A의 예금계좌에서 1억 원, B의 예금계좌에서 4억 원을 송금받아 편취한 경우 각 피해자의 피해법익의 동일성에 대하여 예금계좌에 예치된 금전에 관한 권리등 민사상 권리귀속관계 등을 고려하여 판단할 때 이를 포괄일죄로 볼 수 없다.

해설

① [○] 원심은, 피고인이 강간 범행 과정에서 한 폭행행위는 단순한 폭행이 아니라 보복의 목적을 가지고 한 것으로서 특정범죄 가중처벌 등에 관한 법률 제5조의9 제2항의 구성요건에 해당하는데, 그것이 성폭력범죄의 처벌 등에 관한 특례법 위반(주거침입강간등)죄의 구성요건에 완전히 포섭되지 않는 점, 특정범죄 가중처벌 등에 관한 법률 위반(보복범죄등)죄가 범죄 신고자 등의 보호 외에 국가의 형사사법 기능을 보호법익으로 하는 죄인 데 반하여 강간죄는 개인의 성적 자기결정권을 보호법익으로 하는 죄로서 양죄는 그 보호법익을 달리하는 점 등에 비추어 볼 때, 특정범죄 가중처벌 등에 관한 법률 위반(보복범죄등)죄가 성폭력범죄의 처벌 등에 관한 특례법 위반(주거침입강간등)죄에 흡수되는 법조경합의 관계에 있다고 볼 수 없고 양죄는 **상상적 경합관계에 있다고 판단하였는바, 원심의 판단은 정당한 것으로 수긍할 수 있다.**(대법원 2012. 3. 15. 2012도544 보복강간 사건)

② [×] 절도범인으로부터 장물보관 의뢰를 받은 자가 그 정을 알면서 이를 인도받아 보관하고 있다가 임의 처분하였다 하여도 장물보관죄가 성립하는 때에는 이미 그 소유자의 소유물 추구권을 침해하였으므로 그 후의 횡령행위는 불가벌적 사후행위에 불과하여 **별도로 횡령죄가 성립하지 않는다.**(대법원 2004. 4. 9. 2003도8219 고려청자 사건)

③ [×] 피고인이 보이스피싱 사기 범죄단체에 가입한 후 사기범죄의 피해자들로부터 돈을 편취하는 등 그 구성원으로서 활동한 경우 **범죄단체 가입행위 또는 범죄단체 구성원으로서 활동하는 행위와 사기행위는 각각 별개의 범죄구성요건을 충족하는 독립된 행위이고 서로 보호법익도 달라 법조경합 관계로 목적된 범죄인 사기죄만 성립하는 것은 아니다.**(대법원 2017. 10. 26. 2017도8600 보이스피싱 조직 사건) 양 범죄는 실체적 경합범 관계로 해석된다.

④ [×] 피고인의 피해자들에 대한 기망행위는 공통으로 이루어졌고, 피해자들도 노후 대비를 위한 자산 증식이라

는 공통의 목적 아래 공동재산의 매도대금을 재원으로 삼아 공통으로 투자 결정에 이르렀다. 또한 각 피해자의 송금 내역 및 송금 합계액, 근저당권의 채권최고액 등에 비추어 볼 때, 피고인 역시 피해자들이 부부로서 공통의 이해관계를 가진다는 인식 아래 피해자들의 투자금 전체에 관하여 편의상 피해자 공소외 1에게 사후적으로 담보를 설정해 주었던 것으로 보인다. 이처럼 기망행위의 공통성, 기망행위에 이르게 된 경위, 재산 교부에 관한 의사결정의 공통성, 재산의 형성·유지 과정, 재산 교부의 목적 및 방법, 기망행위 이후의 정황 등 모든 사정을 고려하여 보면 **피해자들에 대한 사기죄의 피해법익은 동일하다고 평가될 수 있으므로 이들에 대한 사기죄는 포괄일죄를 구성한다.**(대법원 2023. 12. 21. 2023도13514 **양평군 임야 투자사기 사건**)

---

445 죄수에 관한 다음 설명 중 옳은 것은? (다툼이 있으면 판례에 의함)   12 경찰간부 [Essential ★]

① 컴퓨터로 음란동영상을 제공하는 행위를 하였다가 음란동영상이 저장되어 있던 서버컴퓨터 2대를 압수당한 후 새로운 장비와 프로그램을 갖추어 다시 동일한 행위를 저지를 경우 정보통신망 이용촉진 및 정보보호 등에 관한 법률 위반죄의 포괄일죄가 성립한다.

② 범죄피해신고를 받고 출동한 두 명의 경찰관에게 욕설을 하면서 순차로 폭행을 하여 신고처리 및 수사업무에 관한 정당한 직무집행을 방해한 경우, 두 경찰관에 대한 공무집행방해죄는 실체적 경합관계에 있다.

③ 훈련병이 상관으로부터 집총을 하고 군사교육을 받으라는 명령을 수회 받고도 그때마다 이를 거부한 경우에는 집총거부의사가 단일하고 계속된 것이며 피해법익이 동일하므로 항명죄의 포괄일죄가 성립한다.

④ 다수의 계(契)를 조직하여 수인의 계원들을 개별적으로 기망하여 계불입금을 편취한 경우, 각 피해자별로 독립하여 사기죄가 성립하고, 그 사기죄 상호간은 실체적 경합범 관계에 있다.

해설

④ [○] 여러 사람의 피해자에 대하여 따로 기망행위를 하여 각각 재물을 편취한 경우에는 비록 범의가 단일하고 범행방법이 동일하더라도 각 피해자의 피해법익은 독립한 것이므로 그 전체가 포괄일죄로 되지 아니하고 피해자별로 독립한 여러 개의 사기죄가 성립하고, 그 사기죄 상호간은 실체적 경합범 관계에 있다.(대법원 2010. 4. 29. 2010도2810 **사기계 사건**)

① [×] 컴퓨터로 음란 동영상을 제공한 제1범죄행위로 서버컴퓨터가 압수된 이후 다시 장비를 갖추어 동종의 제2범죄행위를 한 경우, 피고인에게 범의의 갱신이 있어 제1범죄행위는 제2범죄행위와 **실체적 경합관계에 있다.**(대법원 2005. 9. 30. 2005도4051 **라이브클럽 PC방 사건**)

② [×] 동일한 장소에서 동일한 기회에 이루어진 폭행 행위는 사회관념상 1개의 행위로 평가하는 것이 상당하므로 위 공무집행방해죄는 **상상적 경합의 관계에 있다.**(대법원 2009. 6. 25. 2009도3505 **경찰관 2명 폭행사건**)

---

③ [×] 상관으로부터 집총을 하고 군사교육을 받으라는 명령을 수회 받고도 그때마다 이를 거부한 경우에는 **그 명령 횟수만큼의 항명죄가 즉시 성립하는 것이지**, 집총거부의 의사가 단일하고 계속된 것이며 피해법익이 동일하다고 하여 수회의 명령거부행위에 대하여 하나의 항명죄만 성립한다고 할 수는 없다.(대법원 1992. 9. 14. 92도1534 여호와의 증인 훈련병 사건)

446

□□□

죄수에 대한 설명으로 가장 적절하지 않은 것은? (다툼이 있으면 판례에 의함)

21 경찰채용 [Core ★★]

① 형법 제131조 제1항 수뢰후부정처사죄에 있어서 단일하고도 계속된 범의 아래 일정 기간 반복하여 일련의 뇌물수수 행위와 부정한 행위가 행하여졌고 뇌물수수 행위와 부정한 행위 사이에 인과관계가 인정되며 피해법익도 동일한 경우에는 최후의 부정한 행위 이후에 저질러진 뇌물수수 행위도 최후의 부정한 행위 이전의 뇌물수수 행위 및 부정한 행위와 함께 수뢰후부정처사죄의 포괄일죄가 된다.

② 미성년자를 약취한 후 강간 목적으로 가혹한 행위 및 상해를 가하고 나아가 강간 및 살인미수를 범한 경우에는 약취한 미성년자에 대한 상해 등으로 인한 특정범죄가중처벌등에 관한법률위반죄와 미성년자에 대한 강간 및 살인미수행위로 인한 성폭력범죄의처벌등에 관한특례법위반죄가 성립하고, 상해의 결과가 피해자에 대한 강간 및 살인미수행위 과정에서 발생한 것이라면 각 죄는 상상적 경합 관계에 있다.

③ 공무원이 직무관련자에게 제3자와 계약을 체결하도록 요구하여 계약을 체결하게 한 행위가 제3자뇌물수수죄와 직권남용권리행사방해죄의 구성요건에 모두 해당하는 경우에 제3자뇌물수수죄와 직권남용권리행사방해죄는 상상적 경합 관계에 있다.

④ 택시운전을 방해하는 과정에서 택시운전사를 폭행한 경우에는 피해자에 대한 폭행행위가 동일한 피해자에 대한 업무방해죄의 수단이 되었다 하더라도 그 폭행행위를 불가벌적 수반행위라 볼 수 없다.

해설

② [×] 미성년자인 피해자를 약취한 후에 강간을 목적으로 피해자에게 가혹한 행위 및 상해를 가하고 나아가 강간 및 살인미수를 범하였다면, 이에 대하여는 **약취한 미성년자에 대한 상해 등으로 인한 특가법위반죄 및 미성년자인 피해자에 대한 강간 및 살인미수행위로 인한 성폭법위반죄가 각 성립하고**, 설령 상해의 결과가 피해자에 대한 강간 및 살인미수행위 과정에서 발생한 것이라 하더라도 각 죄는 **실체적 경합범 관계에 있다**. (대법원 2014. 2. 27. 2013도12301 고종석 사건Ⅱ)

① [○] 수뢰후부정처사죄를 정한 형법 제131조 제1항에서 '형법 제129조 및 제130조의 죄를 범하여'란 반드시 뇌물수수 등의 행위가 완료된 이후에 부정한 행위가 이루어져야 함을 의미하는 것은 아니고, 결합범 또는 결과

적 가중범 등에서의 기본행위와 마찬가지로 뇌물수수 등의 행위를 하는 중에 부정한 행위를 한 경우도 포함하는 것으로 보아야 한다. 따라서 단일하고도 계속된 범의 아래 일정 기간 반복하여 일련의 뇌물수수 행위와 부정한 행위가 행하여졌고 그 뇌물수수 행위와 부정한 행위 사이에 인과관계가 인정되며 피해법익도 동일하다면, 최후의 부정한 행위 이후에 저질러진 뇌물수수 행위도 최후의 부정한 행위 이전의 뇌물수수 행위 및 부정한 행위와 함께 수뢰후부정처사죄의 포괄일죄로 처벌함이 타당하다.(대법원 2021. 2. 4. 2020도12103 **가습기살균제 내부정보 유출 사건**)

③ [○] 공무원이 직무관련자에게 제3자와 계약을 체결하도록 요구하여 그 계약 체결을 하게 한 행위가 제3자뇌물수수죄의 구성요건과 직권남용죄의 구성요건에 모두 해당하는 경우에는 제3자뇌물수수죄와 직권남용죄가 각각 성립하고, 두 죄는 상상적 경합관계에 있게 된다.(대법원 2017. 3. 15. 2016도19659 **이천시 건축민원 담당 공무원 사건**)

④ [○] 업무방해죄와 폭행죄는 구성요건과 보호법익을 달리하고 있고, 업무방해죄의 성립에 일반적 · 전형적으로 사람에 대한 폭행행위를 수반하는 것은 아니며, 폭행행위가 업무방해죄에 비하여 별도로 고려되지 않을 만큼 경미한 것이라고 할 수도 없으므로, 설령 피해자에 대한 폭행행위가 동일한 피해자에 대한 업무방해죄의 수단이 되었다고 하더라도 그러한 폭행행위가 이른바 '불가벌적 수반행위'에 해당하여 업무방해죄에 대하여 흡수관계에 있다고 볼 수는 없다.(대법원 2012. 10. 11. 2012도1895 **화성택시연합회 사건**)

---

447 포괄일죄에 관한 다음 설명 중 가장 옳지 않은 것은? (다툼이 있으면 판례에 의함)

□□□
15 법원9급 [Core ★★]

① 영리를 목적으로 무면허 의료행위를 업으로 하는 자가 반복적으로 여러 개의 무면허 의료행위를 단일하고 계속된 범의 아래 일정 기간 계속하여 행하고 그 피해법익도 동일하다면 이들 각 행위를 포괄일죄로 처단하여야 한다.

② 포괄일죄의 관계에 있는 범행일부에 관하여 약식명령이 확정된 경우, 약식명령의 발령시를 기준으로 하여 그 전의 범행에 대하여는 면소의 판결을 하여야 하고, 그 이후의 범행에 대하여서만 일개의 범죄로 처벌하여야 한다.

③ 타인의 사무를 처리하는 자가 여러 사람으로부터 그 직무에 관하여 각각 부정한 청탁을 받고 그들로부터 각각 금품을 수수한 경우에 그 청탁이 동종의 것이라면 그 전체를 배임수재의 포괄일죄로 보아야 한다.

④ 수 개의 업무상 배임행위가 있더라도 피해법익이 단일하고 범죄의 태양이 동일할 뿐만 아니라, 그 수개의 배임행위가 단일한 범의에 기한 일련의 행위라고 볼 수 있는 경우에는 그 수개의 배임행위는 포괄하여 일죄를 구성한다.

정답 | 446 ② 447 ③

해설

③ [×] 타인의 사무를 처리하는 자가 여러 사람으로부터 각각 부정한 청탁을 받고 그들로부터 각각 금품을 수수한 경우에는 비록 그 청탁이 동종의 것이라고 하더라도 단일하고 계속된 범의 아래 이루어진 범행으로 보기어려워 그 전체를 **포괄일죄로 볼 수 없다.**(대법원 2008. 12. 11. 2008도6987 **주말부킹권 부정판매사건**)

① [○] 영리를 목적으로 무면허 의료행위를 업으로 하는 자가 반복적으로 여러 개의 무면허 의료행위를 단일하고 계속된 범의 아래 일정 기간 계속하여 행하고 그 피해법익도 동일한 경우라면 이들 각 행위를 통틀어 포괄일죄로 처단하여야 한다.(대법원 2014. 1. 16. 2013도11649 **불법 필러시술 사건**)

② [○] 포괄일죄의 관계에 있는 범행의 일부에 대하여 약식명령이 확정된 경우에는 그 약식명령의 발령시를 기준으로 하여 그 이전에 이루어진 범행에 대하여는 면소의 판결을 선고하여야 한다.(대법원 2013. 6. 13. 2013도4737 **크릴새우 판매대금 횡령사건**)

④ [○] 수 개의 업무상 배임행위가 있더라도 피해법익이 단일하고 범죄의 태양이 동일할 뿐만 아니라, 그 수 개의 배임행위가 단일한 범의에 기한 일련의 행위라고 볼 수 있는 경우에는 그 수 개의 배임행위는 포괄하여 일죄를 구성한다.(대법원 2014. 6. 26. 2014도753 **김찬경 미래저축은행 회장 사건**)

448 다음의 설명 중 가장 옳지 않은 것은? (다툼이 있으면 판례에 의함)

□□□ 12 법원9급 [Essential ★]

① 동일 죄명에 해당하는 수 개의 행위를 단일하고 계속된 범의 하에 일정기간 계속하여 행하고 그 피해법익도 동일한 경우에는 이들 각 행위를 통틀어 포괄일죄로 처단하여야 할 것이나, 범의의 단일성과 계속성이 인정되지 아니하거나 범행방법이 동일하지 않은 경우에는 각 범행은 실체적 경합범에 해당한다.

② 형법 제131조 제1항의 수뢰후부정처사에 있어서 공무원이 수뢰후 행한 부정행위가 공도화 변조 및 동행사죄의 구성요건을 충족하는 경우, 수뢰후부정처사죄 외에 별도로 공도화변조 및 동행사죄가 성립하고 이들 죄와 수뢰후부정처사죄는 각각 상상적 경합관계에 있다.

③ 사기죄에 있어서 수인의 피해자에 대하여 각 피해자별로 기망행위를 하여 각각 재물을 편취한 경우에 그 범의가 단일하고 범행방법이 동일하다고 하더라도, 피해자별로 1개씩의 죄가 성립한다.

④ 피고인이 여관에서 종업원을 칼로 찔러 상해를 가하고 객실로 끌고 들어가는 등 폭행·협박을 하고 있던 중, 마침 다른 방에서 나오던 여관의 주인도 같은 방에 밀어 넣은 후, 주인으로부터 금품을 강취하고 1층 안내실에서 종업원 소유의 현금을 꺼내간 경우, 여관 종업원과 주인에 대한 각 강도행위가 각별로 강도죄를 구성하고, 위 두 죄는 실체적 경합범 관계에 있다.

해설

④ [×] 여관 종업원과 주인에 대한 각 강도행위가 각별로 강도죄를 구성하되 피고인이 피해자인 종업원과 주인을 폭행·협박한 행위는 법률상 1개의 행위로 평가되는 것이 상당하므로 위 2죄는 **상상적 경합범 관계에 있다.**(대법원 1991. 6. 25. 91도643 **서대문 화성장 강도사건**)

① [○] 동일 죄명에 해당하는 수 개의 행위를 단일하고 계속된 범의 하에 일정기간 계속하여 행하고 그 피해법익도 동일한 경우에는 이들 각 행위를 통틀어 포괄일죄로 처단하여야 할 것이나, 범의의 단일성과 계속성이 인정되지 아니하거나 범행방법이 동일하지 않은 경우에는 각 범행은 실체적 경합범에 해당한다.(대법원 2013. 11. 28. 2013도10467 **사설 HTS 개설사건Ⅱ**)

② [○] 수뢰후부정처사죄에 있어서 공무원이 수뢰후 행한 부정행위가 공도화변조 및 동행사죄와 같이 보호법익을 달리하는 별개 범죄의 구성요건을 충족하는 경우에는 수뢰후부정처사죄 외에 별도로 공도화변조 및 동행사죄가 성립하고 이들 죄와 수뢰후부정처사죄는 각각 상상적 경합 관계에 있다.(대법원 2001. 2. 9. 2000도1216 **도시계획도 변조사건**)

③ [○] 사기죄에 있어서 수인의 피해자에 대하여 각 피해자별로 기망행위를 하여 각각 재물을 편취한 경우에 그 범의가 단일하고 범행방법이 동일하다고 하더라도 포괄일죄가 성립하는 것이 아니라 피해자별로 1개씩의 죄가 성립한다.(대법원 2013. 1. 24. 2012도10629 **박연호 부산저축은행 회장 사건**)

449 죄수 및 경합에 관한 설명 중 옳은 것은? (다툼이 있으면 판례에 의함) 19 경찰채용 [Superlative ★★★]

□□□

① 허위공문서작성죄와 동행사죄가 수뢰후부정처사죄와 각각 상상적 경합관계에 있을지라도 허위공문서작성죄와 동행사죄 상호 간은 실체적 경합범관계에 있으므로 따로이 경합가중을 해야 한다.

② 감금행위가 단순히 강도상해 범행의 수단이 되는 데 그치지 아니하고 강도상해의 범행이 끝난 뒤에도 계속된 경우에는 1개의 행위가 감금죄와 강도상해죄에 해당하는 경우라고 볼 수 있다.

③ 건물관리인이 건물주로부터 월세임대차계약 체결업무를 위임받고도 임차인들을 속여 전세임대차계약을 체결하고 그 보증금을 편취한 경우, 사기죄와 업무상배임죄의 상상적 경합관계에 해당한다.

④ 신용협동조합의 전무가 그 조합의 담당직원을 기망하여 예금인출금 또는 대출금 명목으로 금원을 교부받은 경우, 사기죄와 업무상배임죄의 상상적 경합관계에 해당한다.

해설

④ [○] 1개의 행위에 관하여 사기죄와 업무상배임죄의 각 구성요건이 모두 구비된 때에는 양 죄를 법조경합관계로 볼 것이 아니라 상상적 경합관계로 봄이 상당하다.(대법원 2002. 7. 18. 2002도669 **슬슬 배사배사사건**)

정답 | 448 ④   449 ④

① [×] 허위공문서작성죄와 동행사죄가 수뢰후부정처사죄와 각각 상상적 경합관계에 있을 때에는 허위공문서작성죄와 동행사죄 상호간은 실체적 경합범관계에 있다고 할지라도 상상적 경합범 관계에 있는 수뢰후 부정처사죄와 대비하여 가장 중한 죄에 정한 형으로 처단하면 족하고 따로 경합범 가중을 할 필요가 없다.(대법원 1983. 7. 26. 83도1378 예비군중대장 사건)

② [×] 감금행위가 단순히 강도상해 범행의 수단이 되는 데 그치지 아니하고 강도상해의 범행이 끝난 뒤에도 계속된 경우에는 감금죄와 강도상해죄는 **실체적 경합범에 해당한다.**(대법원 2003. 1. 10. 2002도4380 월드컵경기장까지 사건)

③ [×] 피고인이 전세임대계약을 체결할 권한이 없음에도 임차인들을 속이고 전세임대차계약을 체결하여 임차인들로부터 전세보증금 명목으로 돈을 교부받은 행위는 **사기죄에 해당**하고, 전세임대차계약이 아닌 월세임대차계약을 체결하여야 할 업무상 임무를 위반하여 전세임대차계약을 체결하여 건물주로 하여금 전세보증금반환 채무를 부담하게 한 행위는 사기죄와 별도로 업무상배임죄에 해당한다. 나아가 각 죄는 서로 구성요건 및 그 행위의 태양과 보호법익을 달리하고 있어 상상적 경합범의 관계가 아니라 실체적 경합범의 관계에 있다.(대법원 2010. 11. 11. 2010도10690 월세 대신 전세 사건)

450

□□□

죄수에 관한 다음 설명 중 가장 옳지 않은 것은? (다툼이 있으면 판례에 의함) 13 법원9급 [Core ★★]

① 채권자들에 의한 복수의 강제집행이 예상되는 경우 재산을 은닉 또는 허위양도함으로써 채권자들을 해하였다면 채권자별로 각각 강제집행면탈죄가 성립하고, 상호 상상적 경합범의 관계에 있다.

② 피해자를 1회 강간하여 상처를 입게 한 후 약 1시간 후에 장소를 옮겨 같은 피해자를 다시 1회 강간한 행위는 그 범행시간과 장소를 달리하고 있을 뿐만 아니라 각 별개의 범의에서 이루어진 행위로서 형법 제37조 전단의 실체적 경합범에 해당한다.

③ 소송사건의 같은 심급에서 변론기일을 달리하여 수차 증인으로 나가 수 개의 허위진술을 한 경우에는 최초 한 선서의 효력을 유지시킨 후 증언을 하더라도 각 진술마다 수 개의 위증죄를 구성한다.

④ 절도범이 甲의 집에 침입하여 그 집의 방안에서 그 소유의 재물을 절취하고 그 무렵 그 집에 세들어 사는 乙의 방에 침입하여 재물을 절취하려다 미수에 그쳤다면 위 두 범죄는 그 범행장소와 물품의 관리자를 달리하고 있어서 별개의 범죄를 구성한다.

해설

③ [×] 같은 심급에서 변론기일을 달리하여 수차 증인으로 나가 수 개의 허위진술을 하더라도 최초 한 선서의 효력을 유지시킨 후 증언한 이상 **1개의 위증죄를 구성함**에 그친다.(대법원 2007. 3. 15. 2006도9463)

① [○] 채권자들에 의한 복수의 강제집행이 예상되는 경우 재산을 은닉 또는 허위양도함으로써 채권자들을 해하였다면 채권자별로 각각 강제집행면탈죄가 성립하고, 상호 상상적 경합범의 관계에 있다.(대법원 2011. 12. 8. 2010도4129 전주 삼천동 건물 허위양도사건)

② [○] 피해자를 1회 강간하여 상처를 입게 한 후 약 1시간 후에 장소를 옮겨 같은 피해자를 다시 1회 강간한 행위는 그 범행시간과 장소를 달리하고 있을 뿐만 아니라 각 별개의 범의에서 이루어진 행위로서 형법 제37조 전단의 실체적 경합범에 해당한다.(대법원 1987. 5. 12. 87도694 1시간뒤 한번더 사건)

④ [○] 절도범이 甲의 집에 침입하여 그 집의 방안에서 재물을 절취하고 그 무렵 그 집에 세들어 사는 乙의 방에 침입하여 재물을 절취하려다 미수에 그쳤다면 두 범죄는 범행장소와 물품의 관리자를 달리하고 있어서 별개의 범죄를 구성한다.(대법원 1989. 8. 8. 89도664)

451

□□□

죄수(罪數)에 대한 설명으로 가장 적절하지 않은 것은? (다툼이 있으면 판례에 의함)

19 경찰승진 [Core ★★]

① 채권자들에 의한 복수의 강제집행이 예상되는 경우 재산을 은닉 또는 허위양도함으로써 채권자들을 해하였다면 채권자별로 각각 강제집행면탈죄가 성립하고, 상호 상상적 경합범의 관계에 있다.

② 경찰관이 압수물을 범죄 혐의의 입증에 사용하도록 하는 등의 적절한 조치를 취하지 않은 채 부하직원에게 지시하여 피압수자에게 돌려준 경우, 작위범인 증거인멸죄만이 성립하고 부작위범인 직무유기죄는 따로 성립하지 아니한다.

③ 범죄 피해 신고를 받고 출동한 두 명의 경찰관에게 욕설을 하면서 순차로 폭행을 하여 신고처리 및 수사업무에 관한 정당한 직무집행을 방해한 경우, 두 경찰관에 대한 공무집행방해죄는 상상적 경합관계에 있다.

④ 편취한 약속어음을 그와 같은 사실을 모르는 제3자에게 편취사실을 숨기고 할인받은 경우, 그 약속어음을 취득한 제3자가 선의이고 약속어음의 발행인이나 배서인이 어음금을 지급할 의사와 능력이 있었다면 제3자에 대한 별도의 사기죄는 성립하지 않는다.

해설

④ [×] **편취한 약속어음을 그와 같은 사실을 모르는 제3자에게 편취사실을 숨기고 할인받는 행위**는 당초의 어음편취와는 별개의 새로운 법익을 침해하는 행위로서 기망행위와 할인금의 교부행위 사이에 상당인과관계가 있어 **새로운 사기죄를 구성한다 할 것**이고, 설령 그 약속어음을 취득한 제3자가 선의이고 약속어음의 발행인이나 배서인이 어음금을 지급할 의사와 능력이 있었다 하더라도 이러한 사정은 사기죄의 성립에 영향이 없다. (대법원 2005. 9. 30. 2005도5236)

① [○] 채권자들에 의한 복수의 강제집행이 예상되는 경우 재산을 은닉 또는 허위양도함으로써 채권자들을 해하였다면 채권자별로 각각 강제집행면탈죄가 성립하고, 상호 상상적 경합범의 관계에 있다.(대법원 2011. 12. 8. 2010도4129 전주 삼천동 건물 허위양도사건)

② [O] 경찰서 방범과장이 부하직원으로부터 음비법위반 혐의로 오락실을 단속하여 증거물로 오락기의 변조 기판을 압수하여 보관중임을 보고받았음에도, 압수물을 수사계에 인계하고 검찰에 송치하여 범죄 혐의의 입증에 사용하도록 하는 등의 적절한 조치를 취하지 않고, 오히려 부하직원에게 압수한 변조 기판을 돌려주라고 지시하여 오락실 업주에게 이를 돌려준 경우, 작위범인 증거인멸죄만이 성립하고 부작위범인 직무유기(거부)죄는 따로 성립하지 아니한다.(대법원 2006. 10. 19. 2005도3909 송습 **변조기판 환부사건**)

③ [O] 동일한 공무를 집행하는 여럿의 공무원에 대하여 폭행·협박 행위를 한 경우에는 공무를 집행하는 공무원의 수에 따라 여럿의 공무집행방해죄가 성립하고, 폭행·협박 행위가 동일한 장소에서 동일한 기회에 이루어진 것으로서 여럿의 공무집행방해죄는 상상적 경합의 관계에 있다.(대법원 2009. 6. 25. 2009도3505 **경찰관 2명 폭행사건**)

452 죄수관계에 관한 다음 설명 중 가장 옳지 않은 것은? (다툼이 있으면 판례에 의함)

☐☐☐

22 법원행시 [Superlative ★★★]

① '피고인이 성명불상자와 공모하여 2018. 12. 21.부터 2019. 1. 30.까지 피해자들에게 합동수사본부에서 사건을 접수하고 보이스피싱 범죄에 재산을 보호해 주겠으니 예금을 인출하여 보내달라는 취지로 거짓말하여 이에 속은 피해자들로부터 총 8회에 걸쳐 합계 2억 6,700만원을 편취하였다'는 범죄사실과 '피고인이 2018. 8.경 보이스피싱 범죄를 목적으로 범죄단체를 조직하고, 甲, 乙은 2018. 8.경 위 범죄단체에 가입하였으며, 피고인과 甲, 乙은 범죄단체 조직 내 역할을 수행하면서 체크카드 등 접근매체를 편취하거나 대량 문자발송 사이트를 개설하는 등의 방법으로 범죄단체 활동을 하였다'는 범죄사실은 상상적 경합범 관계에 있다.

② 사기의 수단으로 발행한 수표가 지급거절된 경우 부정수표단속법위반죄와 사기죄는 그 행위의 태양과 보호법익을 달리하므로 실체적 경합범의 관계에 있다.

③ 구 아동·청소년의 성보호에 관한 법률(2020. 6. 2. 법률 제17338호로 개정되기 전의 것) 상 아동·청소년이용음란물을 제작한 자가 그 음란물을 소지하게 되는 경우 아동·청소년 이용음란물소지죄는 아동·청소년이용음란물제작죄에 흡수되나, 아동·청소년이용음란물을 제작한 자가 제작에 수반된 소지행위를 벗어나 사회통념상 새로운 소지가 있었다고 평가할 수 있는 별도의 소지행위를 개시하였다면 이는 아동·청소년이용음란물제작죄와 별개의 아동·청소년이용음란물소지죄에 해당한다.

④ 형법상 직권남용권리행사방해죄는 국가기능의 공정한 행사라는 국가적 법익을 보호하는 데 주된 목적이 있고, 직권남용으로 인한 국가정보원법 위반죄도 마찬가지이다. 따라서 국가정보원 직원이 동일한 사안에 관한 일련의 직무집행 과정에서 단일하고 계속된 범의로 일정 기간 계속하여 저지른 직권남용행위에 대하여는 설령 그 상대방이 수인이라고 하더라도 포괄일죄가 성립할 수 있다.

⑤ 보건범죄 단속에 관한 특별조치법(이하 '보건범죄단속법'이라 한다) 제3조 제1항 제2호의 '연간'은 역법상의 한 해인 1. 1.부터 12. 31.까지의 1년간을 의미한다. 하지만 동일 죄명에 해당하는 수개의 행위를 단일하고 계속된 범의 하에 일정기간 계속하여 행하고 그 피해법익도 동일한 경우에는 이들 각 행위를 통틀어 포괄일죄로 처단하여야 한다. 여러 해 동안 수회에 걸쳐 이루어진 부정의약품 제조·판매행위 등을 포괄일죄에 해당한다고 보는 이상, 그 기간 중 어느 일정 연도의 연간 소매가격이 보건범죄단속법 제3조 제1항 제2호에서 정한 1천만원을 넘은 경우에는 다른 연도의 연간 소매가격이 위 금액에 미달한다고 하더라도 그 전체를 보건범죄단속법 제3조 제1항 제2호 위반의 포괄일죄로 처단함이 타당하다. 이러한 법리는 여러 해 동안 수회에 걸쳐 이루어진 부정의약품 제조·판매행위 등의 연간 소매가격이 모두 1천만원을 넘는 경우에도 마찬가지이다.

해설

① [×] 사기 공소사실과 범죄단체 공소사실은 범행일시, 행위태양, 공모관계 등 범죄사실의 내용이 다르고, 그 죄질에도 현저한 차이가 있어 **위 두 공소사실은 동일성이 없다.**(대법원 2020. 12. 24. 2020도10814) 양 범죄사실은 실체적 경합범 관계에 있다.

② [○] 사기의 수단으로 발행한 수표가 지급거절된 경우 부정수표단속법위반죄와 사기죄는 그 행위의 태양과 보호법익을 달리하므로 실체적 경합범의 관계에 있다.(대법원 2004. 6. 25. 2004도1751 **성형사출기 사건**)

③ [○] 아동·청소년이용음란물을 제작한 자가 그 음란물을 소지하게 되는 경우 청소년성보호법 위반(음란물소지)죄는 청소년성보호법 위반(음란물제작·배포등)죄에 흡수된다고 봄이 타당하다. 다만 아동·청소년 이용음란물을 제작한 자가 제작에 수반된 소지행위를 벗어나 사회통념상 새로운 소지가 있었다고 평가할 수 있는 별도의 소지행위를 개시하였다면 이는 청소년성보호법 위반(음란물제작·배포등)죄와 별개의 청소년성보호법 위반(음란물소지)죄에 해당한다.(대법원 2021. 7. 8. 2021도2993 **음란물 제작 및 소지 사건**)

④ [○] 직권남용권리행사방해죄는 국가기능의 공정한 행사라는 국가적 법익을 보호하는 데 주된 목적이 있으므로 공무원이 동일한 사안에 관한 일련의 직무집행 과정에서 단일하고 계속된 범의로 일정 기간 계속하여 저지른 직권남용행위에 대하여는 설령 그 상대방이 여러 명이더라도 포괄일죄가 성립할 수 있다. 다만 개별 사안에서 포괄일죄의 성립 여부는 직무집행 대상의 동일 여부, 범행의 태양과 동기, 각 범행 사이의 시간적 간격, 범의의 단절이나 갱신 여부 등을 세밀하게 살펴 판단하여야 한다.(대법원 2021. 9. 9. 2021도2030 **배득식 기무사령관 사건**)

⑤ [○] 보건범죄단속법 제3조 제1항 제2호의 '연간'은 역법상의 한 해인 1. 1.부터 12. 31.까지의 1년간을 의미한다. 하지만 동일 죄명에 해당하는 수 개의 행위를 단일하고 계속된 범의하에 일정기간 계속하여 행하고 그 피해법익도 동일한 경우에는 이들 각 행위를 통틀어 포괄일죄로 처단하여야 한다. 여러 해 동안 수회에 걸쳐 이루어진 부정의약품 제조·판매행위 등을 포괄일죄에 해당한다고 보는 이상, 그 기간 중 어느 일정 연도의 연간 소매가격이 보건범죄단속법 제3조 제1항 제2호에서 정한 1천만원을 넘은 경우에는 다른 연도의 연간 소매가격이 위 금액에 미달한다고 하더라도 그 전체를 보건범죄단속법 제3조 제1항 제2호 위반의 포괄일죄로 처단함이 타당하다. 이러한 법리는 여러 해 동안 수회에 걸쳐 이루어진 부정의약품 제조·판매행위 등의 연간 소매가격이 모두 1천만원을 넘는 경우에도 마찬가지이다.(대법원 2021. 1. 14. 2020도10979 **다이어트한약 사건**)

정답 | 452 ①

453

□□□ 다음 상상적 경합에 관한 설명 중 옳은 것은 모두 몇 개인가? (다툼이 있으면 판례에 의함)

12 경찰채용 [Essential ★]

> ㉠ 범죄피해 신고를 받고 출동한 두 명의 경찰관에게 욕설을 하면서 차례로 폭행을 하여 신고처리 및 수사 업무에 관한 정당한 직무집행을 방해한 사안에서, 동일한 장소에서 동일한 기회에 이루어진 각 공무집행방해죄는 상상적 경합의 관계에 있다.
> ㉡ 피고인 등이 피해자들을 유인하여 사기도박을 하여 도금을 편취한 행위는 사회관념상 1개의 행위로 평가함이 상당하므로, 피해자들에 대한 각 사기죄는 상상적 경합의 관계에 있다.
> ㉢ 피고인이 승용차를 운전하던 중 음주단속을 피하기 위하여 위험한 물건인 승용차로 단속경찰관을 들이받아 위 경찰관의 공무집행을 방해하고 위 경찰관에게 상해를 입게 하였다면 피고인의 행위는 폭력행위등처벌에관한법률위반(집단·흉기등상해)죄와 특수공무집행방해치상죄를 구성하고 두 죄는 상상적 경합관계에 해당한다.
> ㉣ 신용협동조합의 전무인 피고인이 조합의 담당직원을 기망하여 예금 인출금 또는 대출금 명목으로 금원을 교부받은 행위는 사기죄와 업무상배임죄를 구성하며 양 죄는 상상적 경합관계로 봄이 상당하다.

① 1개

② 2개

③ 3개

④ 4개

해설

> ③ ㉠㉡㉣ 3 항목이 옳다.
> ㉠ [○] 동일한 공무를 집행하는 여럿의 공무원에 대하여 폭행·협박 행위를 한 경우에는 공무를 집행하는 공무원의 수에 따라 여럿의 공무집행방해죄가 성립하고, 위와 같은 폭행·협박 행위가 동일한 장소에서 동일한 기회에 이루어진 것으로서 사회관념상 1개의 행위로 평가되는 경우에는 여럿의 공무집행방해죄는 상상적 경합의 관계에 있다.(대법원 2009. 6. 25. 2009도3505 **경찰관 2명 폭행사건**)
> ㉡ [○] 사기도박에 있어 1개의 기망행위에 의하여 여러 피해자로부터 각각 재물을 편취한 경우에는 피해자별로 수개의 사기죄가 성립하고, 그 사이에는 상상적 경합의 관계에 있다.(대법원 2011. 1. 13. 2010도9330 **보령 사기도박사건**)
> ㉢ [×] (1) 부진정결과적가중범에서, 고의범에 대하여 더 무겁게 처벌하는 규정이 없는 경우에는 결과적가중범이 고의범에 대하여 특별관계에 있으므로 결과적가중범만 성립하고 이와 법조경합의 관계에 있는 고의범에 대하여는 별도로 죄를 구성하지 않는다. (2) 직무를 집행하는 공무원에 대하여 위험한 물건을 휴대하여 고의로 상해를 가한 경우 **특수공무집행방해치상죄만 성립할 뿐 별도로 폭처법위반(집단·흉기 등 상해)죄를 구성하지 않는다.**(대법원 2008. 11. 27. 2008도7311 **음주단속경찰관 치상사건**)
> ㉣ [○] 1개의 행위에 관하여 사기죄와 업무상배임죄의 각 구성요건이 모두 구비된 때에는 양 죄를 법조경합관계로 볼 것이 아니라 상상적 경합관계로 보아야 하고, 나아가 업무상배임죄가 아닌 단순배임죄라고 하여 양 죄의 관계를 달리 보아야 할 이유도 없다.(대법원 2002. 7. 18. 2002도669 **숲슴 배사배사 사건**)

454 상상적 경합에 대한 설명 중 옳은 것만을 모두 고르면? (다툼이 있으면 판례에 의함)

20 국가7급 [Core ★★]

> ⊙ 공무원인 의사가 공무소의 명의로 허위진단서를 작성한 경우, 허위공문서작성죄와 허위진단서작성죄가 성립하고 양 죄는 상상적 경합관계에 있다.
>
> ⓛ 사문서를 위조하고 그 위조된 사문서를 행사한 경우, 사문서위조죄와 위조사문서행사죄가 성립하고 양 죄는 상상적 경합관계에 있다.
>
> ⓒ 시험을 관리하는 공무원이 돈을 받고 시험문제를 알려준 경우, 공무상비밀누설죄와 수뢰후부정처사죄가 성립하고 양 죄는 상상적 경합관계에 있다.
>
> ② 경찰관이 압수물을 범죄 혐의의 입증에 사용하도록 하는 등의 적절한 조치를 취하지 아니하고 오히려 피압수자에게 돌려주어 증거를 인멸한 경우, 증거인멸죄와 직무유기죄가 성립하고 양 죄는 상상적 경합관계에 있다.
>
> ⓜ 배임행위에 사기행위가 수반되어 1개의 행위에 관하여 사기죄와 배임죄의 각 구성요건이 구비된 때에는 양 죄는 상상적 경합관계에 있다.

① ⓒⓜ

② ⊙ⓛ②

③ ⊙ⓒⓜ

④ ⓒ②ⓜ

해설

① ⓒⓜ 2 항목이 옳다.

⊙ [×] 공무원인 의사가 공무소의 명의로 허위진단서를 작성한 경우에는 **허위공문서작성죄만이 성립하고 허위진단서작성죄는 별도로 성립하지 않는다.**(대법원 2004. 4. 9. 2003도7762 국립병원 내과과장 사건)

ⓛ [×] 피고인이 예금통장을 강취하고 예금자 명의의 예금청구서를 위조한 다음 이를 은행원에게 제출·행사하여 예금인출금 명목의 금원을 교부받았다면 **강도, 사문서위조, 동행사, 사기의 각 범죄가 성립하고 이들은 실체적 경합관계에 있다.**(대법원 1991. 9. 10. 91도1722) 사문서위조죄와 위조사문서행사죄는 실체적 경합범의 관계에 있다.

ⓒ [○] 시험 문제를 타인에게 알려준 것이 수뢰후부정처사죄에 있어 '부정한 행위'이므로 양 범죄는 상상적 경합범 관계에 있다.(대법원 2001. 2. 9. 2000도1216 도시계획도 변조사건 참고)

② 경찰서 방범과장이 부하직원으로부터 음비법위반 혐의로 오락실을 단속하여 증거물로 오락기의 변조 기판을 압수하여 보관중임을 보고받았음에도, 압수물을 수사계에 인계하고 검찰에 송치하여 범죄 혐의의 입증에 사용하도록 하는 등의 적절한 조치를 취하지 않고, 오히려 부하직원에게 압수한 변조 기판을 돌려주라고 지시하여 오락실 업주에게 이를 돌려준 경우, 작위범인 증거인멸죄만이 성립하고 부작위범인 직무유기(거부)죄는 따로 성립하지 아니한다.(대법원 2006. 10. 19. 2005도3909 숙습 변조기판 환부사건)

ⓜ [○] 1개의 행위에 관하여 사기죄와 업무상배임죄의 각 구성요건이 모두 구비된 때에는 양 죄를 법조경합관계로 볼 것이 아니라 상상적 경합관계로 보아야 하고, 나아가 업무상배임죄가 아닌 단순배임죄라고 하여 양 죄의 관계를 달리 보아야 할 이유도 없다.(대법원 2002. 7. 18. 2002도669 숙습 배사배사 사건)

455

□□□ 일죄와 수죄에 관한 다음 설명 중 가장 적절하지 않은 것은? (다툼이 있으면 판례에 의함)

12 경찰채용 [Core ★★]

① 상습성을 갖춘 자가 여러 개의 죄를 반복하여 저지른 경우에는 각 죄를 별죄로 보아 경합범으로 처단할 것이 아니라 그 모두를 포괄하여 상습범이라고 하는 하나의 죄로 처단하는 것이 상습범의 본질 또는 상습범 가중처벌규정의 입법취지에 부합한다.

② 저작권법은 상습으로 제136조 제1항의 죄를 저지른 경우를 가중처벌한다는 규정을 따로 두고 있지 않으므로, 수회에 걸쳐 제136조 제1항의 죄를 범한 것이 상습성의 발현에 따른 것이라고 하더라도, 이는 원칙적으로 경합범으로 보아야 하는 것이지 하나의 죄로 처단되는 상습범으로 볼 것은 아니다.

③ 사기죄에서 수인의 피해자에 대하여 각 피해자별로 기망행위를 하여 각각 재물을 편취한 경우에 그 범의가 단일하고 범행방법이 동일하다고 하더라도 포괄일죄가 성립하는 것이 아니라 피해자별로 1개씩의 죄가 성립하는 것으로 보아야 한다. 이는 피해자들이 하나의 동업체를 구성하는 등으로 피해 법익이 동일하다고 볼 수 있는 사정이 있는 경우에도 마찬가지이다.

④ 상상적 경합은 1개의 행위가 실질적으로 수개의 구성요건을 충족하는 경우를 말하고 법조경합은 1개의 행위가 외관상 수개의 죄의 구성요건에 해당하는 것처럼 보이나 실질적으로 일죄만을 구성하는 경우를 말하며, 실질적으로 일죄인가 또는 수죄인가는 구성요건적 평가와 보호법익의 측면에서 고찰하여 판단하여야 한다.

해설

③ [×] 피해자들이 하나의 동업체를 구성하는 등으로 피해 법익이 동일하다고 볼 수 있는 사정이 있는 경우에는 피해자가 복수이더라도 이들에 대한 **사기죄를 포괄하여 일죄로 볼 수도 있다.**(대법원 2011. 4. 14. 2011도769)

① [○] 상습성을 갖춘 자가 여러 개의 죄를 반복하여 저지른 경우에는 각 죄를 별죄로 보아 경합범으로 처단할 것이 아니라 그 모두를 포괄하여 상습범이라고 하는 하나의 죄로 처단하는 것이 상습범의 본질 또는 상습범 가중처벌규정의 입법취지에 부합한다.(대법원 2004. 9. 16. 2001도3206 全合 **신공항구조물공사 관련 편취사건**)

② [○] 저작권법은 제140조 본문에서 저작재산권 침해로 인한 제136조 제1항의 죄를 친고죄로 규정하면서, 제140조 단서 제1호에서 영리를 위하여 상습적으로 위와 같은 범행을 한 경우에는 고소가 없어도 공소를 제기할 수 있다고 규정하고 있으나, 상습으로 제136조 제1항의 죄를 저지른 경우를 가중처벌한다는 규정은 따로 두고 있지 않다. 따라서 수회에 걸쳐 구 저작권법 제136조 제1항의 죄를 범한 것이 상습성의 발현에 따른 것이라고 하더라도, 이는 원칙적으로 경합범으로 보아야 하는 것이지 하나의 죄로 처단되는 상습범으로 볼 것은 아니다. (대법원 2013. 9. 26. 2011도1435 **파일공유사이트 사건**)

④ [○] 상상적 경합은 1개의 행위가 실질적으로 여러 개의 구성요건을 충족하는 경우를 말하고, 법조경합은 1개의 행위가 외관상 여러 개의 죄의 구성요건에 해당하는 것처럼 보이나 실질적으로 1죄만을 구성하는 경우를 말하며, 실질적으로 1죄인가 또는 수죄인가는 구성요건적 평가와 보호법익의 측면에서 고찰하여 판단하여야 한다.(대법원 2014. 1. 23. 2013도12064)

456 죄수에 관한 설명으로 옳은 것은 모두 몇 개인가? (다툼이 있으면 판례에 의함)

13 법원행시 [Superlative ★★★]

> ㉠ 미성년자의제강간죄 또는 미성년자의제강제추행죄는 행위시마다 1개의 범죄가 성립한다.
> ㉡ 위조통화를 행사하여 재물을 불법영득한 때에는 위조통화행사죄와 사기죄의 양 죄는 경합범의 관계에 있다.
> ㉢ 뇌물을 여러 차례에 걸쳐 수수함으로써 그 행위가 여러 개이더라도 그것이 단일하고 계속적 범의에 의하여 이루어지고 동일법익을 침해한 때에는 포괄일죄로 처벌함이 상당하다.
> ㉣ 강도가 시간적으로 접착된 상황에서 가족을 이루는 수인에게 폭행·협박을 가하여 집안에 있는 재물을 탈취한 경우 그 재물은 가족의 공동점유 아래 있는 것으로서, 이를 탈취하는 행위는 그 소유자가 누구인지에 불구하고 단일한 강도죄의 죄책을 진다.

① 0개 ② 1개 ③ 2개
④ 3개 ⑤ 4개

해설

> ⑤ 모든 항목이 옳다.
> ㉠ [○] 미성년자의제강간죄 또는 미성년자의제강제추행죄는 행위시마다 1개의 범죄가 성립한다.(대법원 1982. 12. 14. 82도2442)
> ㉡ [○] 위조통화를 행사하여 재물을 불법영득한 때에는 위조통화행사죄와 사기죄의 양죄가 성립하고 이들은 실체적 경합관계에 있다.(대법원 1979. 7. 10. 79도840)
> ㉢ [○] 뇌물을 여러 차례에 걸쳐 수수함으로써 그 행위가 여러 개이더라도 그것이 단일하고 계속적 범의에 의하여 이루어지고 동일법익을 침해한 때에는 포괄일죄로 처벌함이 상당하다.(대법원 1999. 1. 29. 98도3584 서울대교수 수뢰사건)
> ㉣ [○] 강도가 시간적으로 접착된 상황에서 가족을 이루는 수인에게 폭행·협박을 가하여 집안에 있는 재물을 탈취한 경우 그 재물은 가족의 공동점유 아래 있는 것으로서, 이를 탈취하는 행위는 그 소유자가 누구인지에 불구하고 단일한 강도죄의 죄책을 진다.(대법원 1996. 7. 30. 96도1285)

정답 | 455 ③ 456 ⑤

457

□□□

죄수에 관한 설명으로 옳은 것은 모두 몇 개인가? (다툼이 있으면 판례에 의함)

23 경찰채용 [Core ★★]

㉠ 강도범인이 체포를 면탈할 목적으로 경찰관에게 폭행을 가한 때에는 강도죄와 공무집행방해죄는 상상적 경합관계에 있다.

㉡ 피고인들이 피해자들의 재물을 강취한 후 그들을 살해할 목적으로 현주건조물에 방화하여 사망에 이르게 한 경우 피고인들의 행위는 강도살인죄와 현주건조물방화치사죄에 모두 해당하고 그 두 죄는 실체적 경합관계에 있다.

㉢ 「폭력행위 등 처벌에 관한 법률」 제4조 제1항은 그 법에 규정된 범죄행위를 목적으로 하는 단체를 구성하거나 이에 가입하는 행위(범죄단체구성·가입죄) 또는 구성원으로 활동하는 행위(범죄단체 활동죄)를 처벌하도록 정하고 있는데 범죄단체를 구성하거나 이에 가입한 자가 더 나아가 구성원으로 활동하는 경우 각 행위는 실체적 경합관계에 있다.

㉣ 범죄단체 등에 소속된 조직원이 저지른 폭력행위 등 처벌에 관한 법률 위반(단체 등의 공동강요)죄 등의 개별적 범행과 동법 위반(단체 등의 활동)죄는 범행의 목적이나 행위 등 측면에서 일부 중첩되는 부분이 있고, 이에 특별한 사정이 없는 한 법률상 1개의 행위로 평가되어 실체적 경합이 아닌 상상적 경합관계에 있다고 보아야 한다.

① 0개   ② 1개   ③ 2개   ④ 3개

해설

① 모든 항목이 옳지 않다.

㉠ [×] 강도범인이 체포를 면탈할 목적으로 경찰관에게 폭행을 가한 때에는 강도죄와 공무집행방해죄는 **실체적 경합관계에 있고 상상적 경합관계에 있는 것이 아니다.**(대법원 1992. 7. 28. 92도917 절도상경 강도실경 사건)

㉡ [×] 피고인이 재물을 강취한 후 피해자를 살해할 목적으로 현주건조물에 방화하여 소사(燒死)하게 한 경우 강도살인죄와 현주건조물방화치사죄는 **상상적 경합관계에 있다.**(대법원 1998. 12. 8. 98도3416 강도 방화 살인사건)

㉢ [×] 범죄단체의 구성이나 가입은 범죄행위의 실행 여부와 관계없이 범죄단체 구성원으로서의 활동을 예정하는 것이고, 범죄단체 구성원으로서의 활동은 범죄단체의 구성이나 가입을 당연히 전제로 하는 것이므로 **범죄단체를 구성하거나 이에 가입한 자가 더 나아가 구성원으로 활동하는 경우 이는 포괄일죄의 관계에 있다.**(대법원 2015. 9. 10. 2015도7081 보이스피싱조직 가입·활동 사건)

㉣ [×] 범죄단체 등에 소속된 조직원이 저지른 폭처법위반(단체 등의 공동강요)죄 등의 개별적 범행과 폭처법위반(단체 등의 활동)죄는 범행의 목적이나 행위 등 측면에서 일부 중첩되는 부분이 있더라도 일반적으로 구성요건을 달리하는 별개의 범죄로서 범행의 상대방, 범행 수단 내지 방법, 결과 등이 다를 뿐만 아니라 그 보호법익이 일치한다고 볼 수 없다. 또한 폭처법위반(단체 등의 구성·활동)죄와 위 개별적 범행은 특별한 사정이 없는 한 법률상 1개의 행위로 평가되는 경우로 보기 어려워 **상상적 경합이 아닌 실체적 경합관계에 있다고 보아야 한다.**(대법원 2022. 9. 7. 2022도6993 텔레그램 성착취 사건)

458 죄수에 대한 설명으로 옳은 것을 모두 고른 것은? (다툼이 있으면 판례에 의함)

> ㉠ 피고인이 강취한 현금카드를 사용하여 현금자동지급기에서 현금을 인출한 행위는 강도죄와
> 는 별도로 절도죄가 성립한다.
> ㉡ 열차승차권을 절취한 자가 역직원에게 자기의 소유인 양 속여 현금과 교환한 경우에 절도죄
> 외에 사기죄가 성립한다.
> ㉢ 전기통신금융사기(이른바 보이스피싱 범죄)의 범인이 피해자를 기망하여 피해자의 자금을 사
> 기이용계좌로 송금·이체받은 후 사기이용계좌에서 현금을 인출한 행위는 사기의 피해자에
> 대하여 별도의 횡령죄를 구성한다.
> ㉣ 乙 종중으로부터 토지를 명의신탁받아 보관 중이던 甲이 개인 채무 변제에 사용할 목적으로
> 위 토지에 근저당권을 설정한 후에 다시 위 토지를 丙에게 매도한 경우, 甲의 토지 매도행위는
> 별도의 횡령죄를 구성한다.

① ㉠㉡   ② ㉡㉢   ③ ㉠㉣   ④ ㉢㉣

해설

③ ㉠㉣ 2 항목이 옳다.
㉠ [○] 강도죄는 공갈죄와는 달리 피해자의 반항을 억압할 정도로 강력한 정도의 폭행·협박을 수단으로 재물을
탈취하여야 성립하므로, 피해자로부터 현금카드를 강취하였다고 인정되는 경우에는 피해자로부터 현금카드의
사용에 관한 승낙의 의사표시가 있었다고 볼 여지가 없다. 따라서 강취한 현금카드를 사용하여 현금자동지급기
에서 예금을 인출한 행위는 피해자의 승낙에 기한 것이라고 할 수 없으므로 현금자동지급기 관리자의 의사에
반하여 그의 지배를 배제하고 그 현금을 자기의 지배하에 옮겨 놓는 것이 되어서 강도죄와는 별도로 절도죄를
구성한다.(대법원 2007. 5. 10. 2007도1375 강취 현금카드 사건)
㉡ [×] 열차승차권은 그 자체에 권리가 화체되어 있는 무기명증권이므로 이를 사용하여 승차하거나 권면가액으
로 양도할 수 있고 매입금액의 환불을 받을 수 있는 것으로서, **열차승차권을 절취한 자가 환불을 받음에 있어
비록 기망행위가 수반한다 하더라도 절도죄 외에 따로 사기죄가 성립하지 아니한다.**(대법원 1975. 8. 29.
75도1996 열차승차권 사건)
㉢ [×] 전기통신금융사기(이른바 보이스피싱 범죄)의 범인이 피해자를 기망하여 피해자의 돈을 사기이용계좌로
송금·이체받은 후 그 계좌에서 현금을 인출하였다고 하더라도 이는 **사기의 피해자에 대하여 따로 횡령죄를
구성하지 아니한다.** 그리고 이러한 법리는 사기범행에 이용되리라는 사정을 알고서도 자신 명의 계좌의 접근
매체를 양도함으로써 사기범행을 방조한 종범이 사기이용계좌로 송금된 피해자의 돈을 임의로 인출한 경우에
도 마찬가지로 적용된다.(대법원 2017. 5. 31. 2017도3045 보이스피싱 사건Ⅰ)
㉣ [○] 타인의 부동산을 보관 중인 자가 그 부동산에 근저당권설정등기를 경료함으로써 일단 횡령행위가 기수에
이르렀다 하더라도 그 후 해당 부동산을 매각함으로써 기존의 근저당권과 관계없이 법익침해의 결과를 발생시
켰다면, 이는 근저당권으로 인해 당연히 예상될 수 있는 범위를 넘어 새로운 법익침해의 위험을 추가시키거나
법익침해의 결과를 발생시킨 것이므로 불가벌적 사후행위로 볼 수 없고 별도로 횡령죄를 구성한다.(대법원
2013. 2. 21. 2010도10500 숫승 종중회의 총무 횡령사건)

정답 | 457 ① 458 ③

459

□□□

다음 설명 중 가장 적절한 것은? (다툼이 있으면 판례에 의함)   16 경찰채용 [Essential ★]

① 甲이 승용차를 운전하던 중 음주단속을 피하기 위하여 위험한 물건인 승용차로 단속경찰관을 들이받아 위 경찰관의 공무집행을 방해하고 위 경찰관에게 상해를 입게 하였다면 甲의 행위는 폭력행위등처벌에관한법률위반(집단·흉기 등 상해)죄와 특수공무집행방해치상죄를 구성하고 두 죄는 상상적 경합관계에 해당한다.

② 계속적으로 무면허운전을 할 의사를 가지고 여러 날에 걸쳐 무면허운전행위를 반복하였다면 이를 포괄일죄로 보아야 한다.

③ 부정한 이익을 얻을 목적으로 타인의 영업비밀이 담긴 CD를 절취하여 그 영업비밀을 부정사용한 경우, 영업비밀의 부정사용행위는 절도죄의 불가벌적 사후행위에 해당한다.

④ 저작권법은 상습으로 동법 제136조 제1항의 죄를 저지른 경우를 가중처벌한다는 규정은 따로 두고 있지 않다. 따라서 수회에 걸쳐 저작권법 제136조 제1항의 죄를 범한 것이 상습성의 발현에 따른 것이라고 하더라도, 이는 원칙적으로 경합범으로 보아야 하는 것이지 하나의 죄로 처단되는 상습범으로 볼 것은 아니다.

해설

④ [○] 저작권법은 제140조 본문에서 저작재산권 침해로 인한 제136조 제1항의 죄를 친고죄로 규정하면서, 제140조 단서 제1호에서 영리를 위하여 상습적으로 위와 같은 범행을 한 경우에는 고소가 없어도 공소를 제기할 수 있다고 규정하고 있으나, 상습으로 제136조 제1항의 죄를 저지른 경우를 가중처벌한다는 규정은 따로 두고 있지 않다. 따라서 수회에 걸쳐 구 저작권법 제136조 제1항의 죄를 범한 것이 상습성의 발현에 따른 것이라고 하더라도, 이는 원칙적으로 경합범으로 보아야 하는 것이지 하나의 죄로 처단되는 상습범으로 볼 것은 아니다. (대법원 2013. 9. 26. 2011도1435 파일공유사이트 사건)

① [×] 피고인이 승용차를 운전하던 중 음주단속을 피하기 위하여 위험한 물건인 승용차로 단속 경찰관을 들이받아 경찰관의 공무집행을 방해하고 경찰관에게 상해를 입게 한 경우, **특수공무집행방해치상죄만 성립할 뿐** 이와는 별도로 폭처법위반(집단·흉기등상해)죄를 구성하지 않는다.(대법원 2008. 11. 27. 2008도7311 **음주단속경찰관 치상사건**)

② [×] 무면허운전으로 인한 도로교통법위반죄에 있어서는 운전한 날을 기준으로 운전한 날마다 1개의 운전행위가 있다고 보는 것이 상당하므로 운전한 날마다 무면허운전으로 인한 도로교통법위반의 1죄가 성립한다고 보아야 하고, 비록 계속적으로 무면허운전을 할 의사를 가지고 **여러 날에 걸쳐 무면허운전행위를 반복하였다 하더라도 이를 포괄하여 일죄로 볼 수는 없다.**(대법원 2002. 7. 23. 2001도6281 **이틀 무면허운전사건**)

③ [×] 영업비밀이 담겨 있는 타인의 재물을 절취한 후 그 영업비밀을 사용하는 경우, 영업비밀의 부정사용행위는 새로운 법익의 침해로 보아야 하므로 위와 같은 **부정사용행위가 절도범행의 불가벌적 사후행위가 되는 것은 아니다.**(대법원 2008. 9. 11. 2008도5364 **단가리스트 CD 사건**)

460 죄수에 관한 설명 중 가장 적절하지 않은 것은? (다툼이 있으면 판례에 의함)

☐☐☐

12 경찰승진 [Essential ★]

① 강간죄의 성립에 언제나 직접적으로 또 필요한 수단으로서 감금행위를 수반하는 것은 아니므로 감금행위가 강간미수죄의 수단이 되었다 하여 감금행위가 강간미수죄에 흡수되어 범죄를 구성하지 않는다고 할 수는 없지만, 이 경우 중한 죄인 강간미수죄가 친고죄로서 고소가 취소되었다 하더라도 경한 감금죄에 대하여는 아무런 영향을 미치지 않는다.

② 상상적 경합의 관계에 있는 사기죄와 변호사법위반죄에 대하여 형이 더 무거운 사기죄에 정한 형으로 처벌하기로 하면서도, 필요적 몰수·추징에 관한 변호사법의 규정을 적용하는 것은 위법하다.

③ 포괄일죄의 관계에 있는 범행 일부에 관하여 약식명령이 확정된 경우, 약식명령의 발령시를 기준으로 하여 그 전의 범행에 대하여는 면소의 판결을 하여야 하고, 그 이후의 범행에 대하여서만 일개의 범죄로 처벌하여야 한다.

④ 공무원인 의사가 공무소의 명의로 허위진단서를 작성한 경우 허위공문서작성죄만이 성립하고 허위진단서작성죄는 별도로 성립하지 않는다.

해설

② [×] (1) 형법 제40조가 규정하는 1개의 행위가 수개의 죄에 해당하는 경우에는 '가장 중한 죄에 정한 형으로 처벌한다' 함은 그 수개의 죄명 중 가장 중한 형을 규정한 법조에 의하여 처단한다는 취지와 함께 다른 법조의 최하한의 형보다 가볍게 처단할 수는 없다는 취지, 즉 **각 법조의 상한과 하한을 모두 중한 형의 범위 내에서 처단한다**는 것을 포함하는 것으로 새겨야 할 것이다. (2) 원심이 같은 취지에서, 상상적 경합의 관계에 있는 사기죄와 변호사법 위반죄에 대하여 형이 더 무거운 **사기죄에 정한 형으로 처벌하기로 하면서도, 구 변호사법 제116조, 제111조에 의하여 그 상당액을 추징한 것은 옳다.**(대법원 2006. 1. 27. 2005도8704 **장군관사부지 공매사건**)

① [○] 강간죄의 성립에는 언제나 필요한 수단으로 감금행위를 수반하는 것은 아니므로 감금행위가 강간미수죄의 목적을 달하려고 일정한 장소에 인치하기 위한 수단이 되었다 하여 감금행위가 강간미수죄에 흡수되어 범죄를 구성하지 않는다고 할 수 없다.(대법원 1984. 8. 21. 84도1550) 다만, 현재는 강간(미수)죄는 친고죄가 아님을 주의하여야 한다.

③ [○] 포괄일죄의 관계에 있는 범행 일부에 관하여 약식명령이 확정된 경우, 약식명령의 발령시를 기준으로 하여 그 전의 범행에 대하여는 면소의 판결을 하여야 하고, 그 이후의 범행에 대하여서만 일개의 범죄로 처벌하여야 한다.(대법원 2013. 6. 13. 2013도4737 **크릴새우 판매대금 횡령사건**)

④ [○] 허위진단서작성죄의 대상은 공무원이 아닌 의사가 사문서로서 진단서를 작성한 경우에 한정되고, 공무원인 의사가 공무소의 명의로 허위진단서를 작성한 경우에는 허위공문서작성죄만이 성립하고 허위진단서작성죄는 별도로 성립하지 않는다.(대법원 2004. 4. 9. 2003도7762 **국립병원 내과과장 사건**)

정답 | 459 ④   460 ②

461

□□□ 죄수에 관한 다음 설명 중 옳은 것(○)과 틀린 것(×)을 올바르게 조합한 것은? (다툼이 있으면 판례에 의함)

13 경찰승진 [Core ★★]

> ㉠ 상상적 경합은 1개의 행위가 실질적으로 수개의 구성요건을 충족하는 경우를 말하고, 법조경합은 1개의 행위가 외관상 수개의 죄의 구성요건에 해당하는 것처럼 보이나 실질적으로 1죄만을 구성하는 경우를 말하며, 실질적으로 1죄인가 수죄인가는 보호법익과는 관계없이 구성요건적 평가의 측면을 고찰하여 판단하여야 한다.
> ㉡ 상습성이 있는 자가 같은 종류의 죄를 반복하여 저질렀다 하더라도 상습범을 별도의 범죄유형으로 처벌하는 규정이 없는 한, 각 죄는 원칙적으로 별개의 범죄로서 경합범으로 처단하여야 한다.
> ㉢ 단일하고 계속된 범의 아래 같은 장소에서 반복하여 여러 사람으로부터 계불입금을 편취한 경우, 피해자의 수에 관계없이 사기죄의 포괄일죄가 성립한다.
> ㉣ 피고인이 여관에서 종업원을 칼로 찔러 상해를 가하고 객실로 끌고 들어가는 등 폭행·협박을 하고 있던 중, 마침 다른 방에서 나오던 여관의 주인도 같은 방에 밀어 넣은 후, 주인으로부터 금품을 강취하고 1층 안내실에서 종업원 소유의 현금을 꺼내 갔다면, 여관종업원과 주인에 대한 각 강도행위는 실체적 경합범의 관계에 있다.

① ㉠ ○ ㉡ × ㉢ × ㉣ ○   ② ㉠ ○ ㉡ ○ ㉢ ○ ㉣ ×

③ ㉠ × ㉡ ○ ㉢ × ㉣ ○   ④ ㉠ × ㉡ ○ ㉢ × ㉣ ×

해설

> ④ 이 지문이 옳은 연결이다.
> ㉠ [×] 상상적 경합은 1개의 행위가 실질적으로 여러 개의 구성요건을 충족하는 경우를 말하고, 법조경합은 1개의 행위가 외관상 여러 개의 죄의 구성요건에 해당하는 것처럼 보이나 실질적으로 1죄만을 구성하는 경우를 말하며, 실질적으로 **1죄인가 또는 수죄인가는 구성요건적 평가와 보호법익의 측면에서 고찰하여 판단하여야 한다.**(대법원 2014. 1. 23. 2013도12064)
> ㉡ [○] 저작권법은 제140조 본문에서 저작재산권 침해로 인한 제136조 제1항의 죄를 친고죄로 규정하면서, 제140조 단서 제1호에서 영리를 위하여 상습적으로 위와 같은 범행을 한 경우에는 고소가 없어도 공소를 제기할 수 있다고 규정하고 있으나, 상습으로 제136조 제1항의 죄를 저지른 경우를 가중처벌한다는 규정은 따로 두고 있지 않다. 따라서 수회에 걸쳐 구 저작권법 제136조 제1항의 죄를 범한 것이 상습성의 발현에 따른 것이라고 하더라도, 이는 원칙적으로 경합범으로 보아야 하는 것이지 하나의 죄로 처단되는 상습범으로 볼 것은 아니다. (대법원 2013. 9. 26. 2011도1435 파일공유사이트 사건)
> ㉢ [×] 단일하고 계속된 범의 아래 같은 장소에서 반복하여 여러 사람으로부터 계불입금을 편취한 소위는 **피해자별로 포괄하여 1개의 사기죄가 성립**하고 이들 포괄일죄 상호간은 상상적 경합관계에 있다.(대법원 1990. 1. 25. 89도252)
> ㉣ [×] 여관 종업원과 주인에 대한 각 강도행위가 각별로 강도죄를 구성하되 피고인이 피해자인 종업원과 주인을 폭행·협박한 행위는 법률상 1개의 행위로 평가되는 것이 상당하므로 위 2죄는 상상적 경합범 관계에 있다.(대법원 1991. 6. 25. 91도643 서대문 화성장 강도사건)

462 죄수에 관한 설명 중 옳지 않은 것은? (다툼이 있으면 판례에 의함)

☐☐☐
① 공무원이 취급하는 사건에 관하여 청탁 또는 알선을 할 의사와 능력이 없음에도 청탁 또는 알선을 한다고 기망하고 금품을 교부받은 경우에는 사기죄와 변호사법위반죄가 성립하고 두 죄는 실체적 경합 관계에 있다.

② 본인에 대한 배임행위가 본인 이외의 제3자에 대한 사기죄를 구성한다 하더라도 그로 인하여 본인에게 손해가 생긴 때에는 사기죄와 함께 배임죄가 성립하고 두 죄는 실체적 경합 관계에 있다.

③ 강도가 한 개의 강도범행을 하는 기회에 수명의 피해자에게 각 폭행을 가하여 각 상해를 입힌 경우에는 각 피해자별로 수개의 강도상해죄가 성립하며 이들은 실체적 경합 관계에 있다.

④ 상습성이 있는 자가 같은 종류의 죄를 반복하여 저질렀다 하더라도 상습범을 별도의 범죄유형으로 처벌하는 규정이 없는 한 각 죄는 원칙적으로 실체적 경합범으로 처단된다.

⑤ 공무원이 직무관련자에게 제3자와 계약을 체결하도록 요구하여 계약 체결을 하게 한 행위가 제3자뇌물수수죄와 직권남용권리행사방해죄의 구성요건에 모두 해당하는 경우에는 제3자뇌물수수죄와 직권남용권리행사방해죄가 각각 성립하고 두 죄는 상상적 경합 관계에 있다.

해설

① [×] 공무원이 취급하는 사건에 관하여 청탁 또는 알선을 한다고 기망하고 금품을 교부받은 경우, 사기죄와 변호사법위반죄가 **상상적 경합의 관계에 있다.**(대법원 2007. 5. 10. 2007도2372)

> **변호사법(2018. 12. 18. 법률 제15974호로 일부개정된 것)**
>
> 제111조【벌칙】① 공무원이 취급하는 사건 또는 사무에 관하여 청탁 또는 알선을 한다는 명목으로 금품·향응, 그 밖의 이익을 받거나 받을 것을 약속한 자 또는 제3자에게 이를 공여하게 하거나 공여하게 할 것을 약속한 자는 5년 이하의 징역 또는 1천만원 이하의 벌금에 처한다. 이 경우 벌금과 징역은 병과할 수 있다.

② [○] 본인에 대한 배임행위가 본인 이외의 제3자에 대한 사기죄를 구성한다 하더라도 그로 인하여 본인에게 손해가 생긴 때에는 사기죄와 함께 배임죄가 성립한다.(대법원 2010. 11. 11. 2010도10690 월세 대신 전세 사건)

③ [○] 강도가 한 개의 강도범행을 하는 기회에 수명의 피해자에게 폭행을 가하여 각 상해를 입힌 경우에는 피해자별로 수개의 강도상해죄가 성립하며 이들은 실체적 경합범의 관계에 있다.(대법원 1987. 5. 26. 87도527)

④ [○] 상습범이라 함은 어느 기본적 구성요건에 해당하는 행위를 한 자가 그 범죄행위를 반복하여 저지르는 습벽, 즉 상습성이라는 행위자적 속성을 갖추었다고 인정되는 경우에 이를 가중처벌 사유로 삼고 있는 범죄유형을 가리키는 것이므로, 상습성이 있는 자가 같은 종류의 죄를 반복하여 저질렀다 하더라도 상습범을 별도의 범죄유형으로 처벌하는 규정이 없는 한 그 각 죄는 원칙적으로 별개의 범죄로서 경합범으로 처단할 것이다.(대법원 2012. 5. 10. 2011도12131 럭키폴더 사건)

⑤ [○] 공무원이 직무관련자에게 제3자와 계약을 체결하도록 요구하여 그 계약 체결을 하게 한 행위가 제3자뇌물수수죄의 구성요건과 직권남용죄의 구성요건에 모두 해당하는 경우에는 제3자뇌물수수죄와 직권남용죄가 각각 성립하고, 두 죄는 상상적 경합관계에 있게 된다.(대법원 2017. 3. 15. 2016도19659 이천시 건축민원 담당 공무원 사건)

정답 | 461 ④   462 ①

463 다음 중 죄수관계에 관한 설명으로 옳지 않은 것은 모두 몇 개인가? (다툼이 있는 경우 판례에
□□□ 의함)

19 해경채용 [Superlative ★★★]

> ○ 자동차를 절취한 후 자동차등록번호판을 떼어내는 행위는 절도범행의 불가벌적 사후행위가
> 되는 것은 아니다.
> ○ 위조통화를 행사하여 재물을 불법영득한 때에는 위조통화행사죄와 사기죄의 실체적 경합이
> 다.
> ○ 시험을 관리하는 공무원이 타인으로부터 돈을 받고 직무상 지득한 시험 문제를 타인에게 알려
> 준 경우 공무상비밀누설죄와 수뢰후부정처사죄는 상상적 경합의 관계에 있다.
> ○ 범죄피해신고를 받고 출동한 두 명의 경찰관에게 욕설을 하면서 차례로 폭행을 하여 경찰관의
> 정당한 직무집행을 방해한 경우, 각 공무집행방해죄는 상상적 경합의 관계에 있다.
> ○ 피고인이 당초부터 피해자를 기망하여 약속어음을 교부받은 경우에는 그 교부받은 즉시 사기
> 죄가 성립하고, 그 후 이를 피해자에 대한 피고인의 채권의 변제에 충당하였다 하더라도 불가
> 벌적 사후행위가 됨에 그칠 뿐, 별도로 횡령죄를 구성하지 않는다.

① 없음 ② 1개

③ 2개 ④ 3개

해설

① 모든 항목이 옳다.
○ [○] 자동차를 절취한 후 자동차등록번호판을 떼어내는 행위는 새로운 법익의 침해로 보아야 하므로 위와 같
은 번호판을 떼어내는 행위가 절도범행의 불가벌적 사후행위가 되는 것은 아니다.(대법원 2007. 9. 6. 2007도
4739 포텐샤 → 소나타 사건)
○ [○] 위조통화를 행사하여 재물을 불법영득한 때에는 위조통화행사죄와 사기죄의 양죄가 성립되는 것이다.(대
법원 1979. 7. 10. 79도840)
○ [○] 시험 문제를 타인에게 알려준 것이 수뢰후부정처사죄에 있어 '부정한 행위'이므로 양 범죄는 상상적 경합
범 관계에 있다.(대법원 2001. 2. 9. 2000도1216 도시계획도 변조사건 참고)
○ [○] 동일한 공무를 집행하는 여럿의 공무원에 대하여 폭행 · 협박 행위를 한 경우에는 공무를 집행하는 공무
원의 수에 따라 여럿의 공무집행방해죄가 성립하고, 폭행 · 협박 행위가 동일한 장소에서 동일한 기회에 이루어
진 것으로서 여럿의 공무집행방해죄는 상상적 경합의 관계에 있다.(대법원 2009. 6. 25. 2009도3505 경찰관
2명 폭행사건)
○ [○] 피고인이 당초부터 피해자를 기망하여 약속어음을 교부받은 경우에는 그 교부받은 즉시 사기죄가 성립하
고 그 후 이를 피해자에 대한 피고인의 채권의 변제에 충당하였다 하더라도 불가벌적 사후행위가 됨에 그칠
뿐, 별도로 횡령죄를 구성하지 않는다.(대법원 1983. 4. 26. 82도3079)

464 죄수에 대한 설명으로 가장 적절한 것은? (다툼이 있으면 판례에 의함)

□□□

① 경찰관이 검사로부터 범인을 검거하라는 지시를 받고서도 그 직무상의 의무에 따른 적절한 조치를 취하지 아니하고 오히려 범인에게 전화로 도피하라고 권유하여 그를 도피케 한 경우, 범인도피죄와 직무유기죄의 상상적 경합이다.

② 상습성이 있는 자가 같은 종류의 죄를 반복하여 저질렀다 하더라도 상습범을 별도의 범죄유형으로 처벌하는 규정이 없는 한, 각 죄는 원칙적으로 별개의 범죄로서 경합범으로 처단하여야 한다.

③ 사기의 수단으로 발행한 수표가 지급거절된 경우, 부정수표단속법위반죄와 사기죄는 그 행위의 태양과 보호법익을 달리하므로 상상적 경합범의 관계에 있다.

④ 편취한 약속어음을 그와 같은 사실을 모르는 제3자에게 편취사실을 숨기고 할인받은 경우, 그 약속어음을 취득한 제3자가 선의이고 약속어음의 발행인이나 배서인이 어음금을 지급할 의사와 능력이 있었다면 제3자에 대한 별도의 사기죄는 성립하지 않는다.

해설

② [○] 저작권법은 제140조 본문에서 저작재산권 침해로 인한 제136조 제1항의 죄를 친고죄로 규정하면서, 제140조 단서 제1호에서 영리를 위하여 상습적으로 위와 같은 범행을 한 경우에는 고소가 없어도 공소를 제기할 수 있다고 규정하고 있으나, 상습으로 제136조 제1항의 죄를 저지른 경우를 가중처벌한다는 규정은 따로 두고 있지 않다. 따라서 수회에 걸쳐 구 저작권법 제136조 제1항의 죄를 범한 것이 상습성의 발현에 따른 것이라고 하더라도, 이는 원칙적으로 경합범으로 보아야 하는 것이지 하나의 죄로 처단되는 상습범으로 볼 것은 아니다. (대법원 2013. 9. 26. 2011도1435 파일공유사이트 사건)

① [×] 보령경찰서 형사인 피고인 甲이 검사로부터 乙을 검거하라는 지시를 받고서도 乙에게 전화를 걸어 "형사들이 나갔으니 무조건 튀라"라고 도피하라고 권유하여 그를 도피하게 한 경우, **직무위배의 위법상태가 범인도피행위 속에 포함되어 있는 것으로 보아야 하므로 작위범인 범인도피죄만이 성립하고 부작위범인 직무유기죄는 따로 성립하지 아니한다.**(대법원 1996. 5. 10. 96도51 무조건 튀어라 사건)

③ [×] 사기의 수단으로 발행한 수표가 지급거절된 경우 부정수표단속법위반죄와 사기죄는 그 행위의 태양과 보호법익을 달리하므로 **실체적 경합범의 관계에 있다.**(대법원 2004. 6. 25. 2004도1751 성형사출기 사건)

④ [×] 편취한 약속어음을 그와 같은 사실을 모르는 제3자에게 **편취사실을 숨기고 할인받는 행위는** 당초의 어음편취와는 별개의 새로운 법익을 침해하는 행위로서 기망행위와 할인금의 교부행위 사이에 상당인과관계가 있어 새로운 사기죄를 구성한다 할 것이고, 설령 그 약속어음을 취득한 제3자가 선의이고 약속어음의 발행인이나 배서인이 어음금을 지급할 의사와 능력이 있었다 하더라도 이러한 사정은 사기죄의 성립에 영향이 없다. (대법원 2005. 9. 30. 2005도5236)

465

□□□

다음 설명 중 옳지 않은 것은 모두 몇 개인가? (다툼이 있으면 판례에 의함)

19 해경간부 [Superlative ★★★]

> ㉠ 최초 한 선서의 효력을 유지시킨 후 증언하였더라도 같은 심급에서 변론기일을 달리하여 수차 증인으로 나가 수 개의 허위진술을 하였다면 수 개의 위증죄를 구성하고 각 죄는 실체적 경합범 관계에 있다.
>
> ㉡ 포괄일죄는 그 중간에 다른 종류의 범죄에 대한 확정판결이 끼어 있어도 그 때문에 둘로 나뉘는 것이 아니라, 그 확정판결 후의 범죄로 다루어져야 한다.
>
> ㉢ 상습으로 약 4개월 동안 직계존속인 피해자를 2회 폭행하고 4회 상해를 가한 경우, 그중 법정형이 더 중한 상습존속상해죄에 나머지 행위들이 포괄되어 하나의 죄만 성립한다.
>
> ㉣ 감금행위가 강간죄의 수단이 된 경우에 감금죄는 강간죄에 흡수되지 아니하고 별죄를 구성한다.
>
> ㉤ 절도범인이 체포를 면탈할 목적으로 경찰관에게 폭행·협박을 가한 때에는 준강도죄와 공무집행방해죄가 성립하고 양 죄는 상상적 경합관계에 있다.

① 0개   ② 1개

③ 2개   ④ 3개

해설

② ㉠ 항목만 옳지 않다.

㉠ [×] 같은 심급에서 변론기일을 달리하여 수차 증인으로 나가 수 개의 허위진술을 하더라도 최초 한 선서의 효력을 유지시킨 후 증언한 이상 **1개의 위증죄를 구성함에** 그친다.(대법원 2007. 3. 15. 2006도9463)

㉡ [O] 포괄일죄로 되는 개개의 범죄행위가 다른 종류의 죄의 확정판결의 전후에 걸쳐서 행하여진 경우에는 그 죄는 2죄로 분리되지 않고 확정판결 후인 최종의 범죄행위시에 완성되는 것이다.(대법원 2015. 9. 10. 2015도7081)

㉢ [O] 직계존속인 피해자를 폭행하고, 상해를 가한 것이 존속에 대한 동일한 폭력습벽의 발현에 의한 것으로 인정되는 경우, 그중 법정형이 더 중한 상습존속상해죄에 나머지 행위들을 포괄시켜 하나의 죄만이 성립한다. (대법원 2003. 2. 28. 2002도7335 **망나니 아들 사건**)

㉣ [O] 감금행위가 강간죄나 강도죄의 수단이 된 경우에도 감금죄는 강간죄나 강도죄에 흡수되지 아니하고 별죄를 구성한다.(대법원 1997. 1. 21. 96도2715 **강취 신용카드 술집결제사건**) 2개의 범죄는 상상적 경합범의 관계에 있다고 해석된다.

㉤ [O] 절도범인이 체포를 면탈할 목적으로 경찰관에게 폭행·협박을 가한 때에는 준강도죄와 공무집행방해죄를 구성하고 양죄는 상상적 경합관계에 있다.(대법원 1992. 7. 28. 92도917 **절도상경 강도실경 사건**)

466 다음 설명 중 가장 옳은 것은? (다툼이 있으면 판례에 의함) 12 법원행시 [Superlative ★★★]

☐☐☐

① 사기의 수단으로 발행한 수표가 지급거절된 경우 부정수표단속법위반죄와 사기죄는 그 행위의 태양과 보호법익을 달리하므로 실체적 경합범의 관계에 있다.

② 피고인이 여관에서 종업원을 칼로 찔러 상해를 가하고 객실로 끌고 들어가는 등 폭행·협박을 하고 있던 중, 마침 다른 방에서 나오던 여관의 주인도 같은 방에 밀어 넣은 후, 주인으로부터 금품을 강취하고, 1층 안내실에서 종업원 소유의 현금을 꺼내 갔다면, 여관 종업원과 주인에 대한 각 강도행위가 각별로 강도죄를 구성하고 위 2죄는 실체적 경합범 관계에 있다.

③ 형법 제331조 제2항의 흉기를 휴대하거나 2인 이상이 합동하여 타인의 재물을 절취하는 특수절도의 범인이 그 범행수단으로 주거침입을 한 경우에 그 주거침입행위는 절도죄에 흡수되지 아니하고 별개로 주거침입죄를 구성하나 주거침입죄와 절도죄는 상상적 경합의 관계에 있게 된다.

④ 초병이 일단 그 수소를 이탈하면 그 이탈행위와 동시에 수소이탈죄는 완성되고, 그 후 다시 부대에 복귀하기 전이라도 별도로 군무를 기피할 목적을 일으켜 그 직무를 이탈하였다면 초병의 수소이탈죄와 군무이탈죄가 각각 독립하여 성립하고, 그 두 죄는 상상적 경합의 관계에 있다.

⑤ 강도상해 범행의 수단으로 감금행위가 이루어진 경우 감금죄는 강도상해죄에 흡수되거나 상상적 경합의 관계에 있는 것이므로, 감금행위가 강도상해 범행이 끝난 뒤에도 상당 기간 계속되었다는 사정만으로 감금죄와 강도상해죄가 실체적 경합범 관계에 있는 것은 아니다.

해설

① [○] 사기의 수단으로 발행한 수표가 지급거절된 경우 부정수표단속법위반죄와 사기죄는 그 행위의 태양과 보호법익을 달리하므로 실체적 경합범의 관계에 있다.(대법원 2004. 6. 25. 2004도1751 **성형사출기 사건**)

② [×] 피고인이 여관에서 종업원을 칼로 찔러 상해를 가하고 객실로 끌고 들어가는 등 폭행·협박을 하고 있던 중, 마침 다른 방에서 나오던 여관의 주인도 같은 방에 밀어 넣은 후 주인으로부터 금품을 강취하고, 1층 안내실에서 종업원 소유의 현금을 꺼내 갔다면, 종업원에 대한 강도상해죄와 주인에 대한 특수강도죄는 **상상적 경합범 관계에 있다.**(대법원 1991. 6. 25. 91도643 **서대문 화성장 강도사건**)

③ [×] 형법 제331조 제2항의 특수절도에 있어서 절도범인이 그 범행수단으로 주거침입을 한 경우에 그 주거침입행위는 절도죄에 흡수되지 아니하고 **별개로 주거침입죄를 구성하여 절도죄와는 실체적 경합의 관계에 있다.**(대법원 2009. 12. 24. 2009도9667 **아파트 출입문 손괴사건**)

④ [×] 초병이 일단 수소를 이탈하면 그 이탈행위와 동시에 수소이탈죄는 완성되고, 그 후 다시 부대에 복귀하기 전이라도 별도로 군무를 기피할 목적을 일으켜 그 직무를 이탈하였다면 초병의 수소이탈죄와 군무이탈죄가 각각 독립하여 성립하고, 그 두 죄는 **실체적 경합범의 관계에 있다.**(대법원 1981. 10. 13. 81도2397)

⑤ [×] 감금행위가 단순히 강도상해 범행의 수단이 되는 데 그치지 아니하고 강도상해의 범행이 끝난 뒤에도 계속된 경우에는 감금죄와 강도상해죄는 **실체적 경합범에 해당한다.**(대법원 2003. 1. 10. 2002도4380 **월드컵경기장까지 사건**)

467

□□□ 다음 중 상상적 경합 관계가 아닌 것은? (다툼이 있으면 판례에 의함)   22 법원9급 [Core ★★]

① 뇌물을 수수하면서 공여자를 기망한 경우 뇌물수수죄와 사기죄

② 수개의 접근매체를 한 번에 양도한 경우 각 전자금융거래법위반죄

③ 공무원이 취급하는 사건에 관하여 청탁 또는 알선을 할 의사와 능력이 없음에도 청탁 또는 알선을 한다고 기망하여 돈을 받은 경우 사기죄와 변호사법위반죄

④ 허위 또는 과장된 사실을 알리는 등 소비자를 유인하는 방법으로 기망하여 돈을 편취한 경우 사기죄와 방문판매업법위반죄

해설

④ [×] 방문판매법 제54조 제1항 제3호 및 제32조 제1항 제2호를 위반한 행위는 그 자체가 사기행위에 해당한다거나 사기행위를 반드시 포함한다고 할 수 없고, 방문판매법위반죄는 사기죄와 그 구성요건을 달리하는 별개의 범죄로서 서로 보호법익이 다르므로 두 죄는 법조경합 관계가 아니라 실체적 경합 관계로 봄이 상당하다. (대법원 2013. 6. 27. 2013도2510 토비스리조트 사건)

> **방문판매 등에 관한 법률(2012. 2. 17. 법률 제11324호로 전부개정되기 전의 것)**
>
> 제32조【금지행위 등】① 계속거래업자등은 다음 각호의 1에 해당하는 행위를 하여서는 아니된다.
>   1. <생략>
>   2. 허위 또는 과장된 사실을 알리거나 그 밖의 기만적인 방법으로 소비자를 유인 또는 거래하거나 계약의 해지 또는 해제를 방해하는 행위
>
> 제54조【벌칙】① 다음 각호의 1에 해당하는 자는 2년 이하의 징역 또는 5천만원 이하의 벌금에 처한다.
>   1. 및 2. <생략>
>   3. 제32조 제1항 제1호·제2호 또는 제5호의 규정에 해당하는 금지행위를 한 자

① [○] 뇌물을 수수함에 있어서 공여자를 기망한 점이 있다 하여도 뇌물수수죄, 뇌물공여죄의 성립에는 영향이 없고, 이 경우 뇌물을 수수한 공무원에 대하여는 한 개의 행위가 뇌물죄와 사기죄의 각 구성요건에 해당하므로 상상적 경합으로 처단하여야 한다.(대법원 2015. 10. 29. 2015도12838 돈을 빌려달라 사건)

② [○] 수개의 접근매체를 한꺼번에 양도한 행위는 하나의 행위로 수개의 전자금융거래법 위반죄를 범한 경우에 해당하여 각 죄는 상상적 경합관계에 있다.(대법원 2010. 3. 25. 2009도1530)

③ [○] 공무원이 취급하는 사건에 관하여 청탁 또는 알선을 할 의사와 능력이 없음에도 청탁 또는 알선을 한다고 기망하고 이에 속은 피해자로부터 청탁자금 명목으로 금품을 받았다면 이러한 피고인의 행위는 사기죄와 변호사법 제111조 위반죄에 각 해당하고 두 죄는 상상적 경합의 관계에 있다.(대법원 2007. 5. 10. 2007도2372)

468 다음 설명 중 가장 옳지 않은 것은? (다툼이 있으면 판례에 의함) 19 법원행시 [Superlative ★★★]

① 절도범인으로부터 장물보관 의뢰를 받은 자가 그 정을 알면서 이를 인도받아 보관하고 있다가 임의로 처분하였다 하더라도 장물보관죄가 성립하는 때에는 이미 그 소유자의 소유물 추구권을 침해하였으므로 그 후의 횡령행위는 불가벌적 사후행위에 불과하여 별도로 횡령죄가 성립하지 않는다.

② 강도가 재물강취의 뜻을 재물의 부재로 이루지 못한 채 미수에 그쳤으나 그 자리에 항거불능의 상태에 빠진 피해자를 간음할 것을 결의하고 실행에 착수하였으나 역시 미수에 그쳤더라도 반항을 억압하기 위한 폭행으로 피해자에게 상해를 입힌 경우에는 강도강간미수죄와 강도치상죄가 성립하고 이는 1개의 행위가 2개의 죄명에 해당되어 상상적 경합관계이다.

③ 자기가 점유하는 타인의 재물을 영득하기 위해 기망행위를 하였더라도 사기죄는 성립하지 않고 횡령죄만을 구성한다.

④ 상습범이란 상습성이라는 행위자적 속성을 갖추었다고 인정되는 경우에 이를 가중처벌하는 범죄유형을 가리키므로, 상습성이 있는 자가 같은 종류의 죄를 반복하여 저질렀다 하더라도 상습범을 별도의 범죄유형으로 처벌하는 규정이 없는 한 각 죄는 원칙적으로 별개의 범죄로서 경합범으로 처단하여야 한다.

⑤ 건물제공행위와 성매매알선행위의 경우 성매매알선행위는 건물제공행위의 결과에 해당하고 반대로 건물제공행위는 성매매알선행위에 수반되는 수단이라고 볼 수 있다. 따라서 '영업으로 성매매를 알선한 행위'와 '영업으로 성매매에 제공되는 건물을 제공한 행위'는 각각 독립된 가벌적 행위로서 별개의 죄를 구성하는 것이 아니라, 위 각 행위를 통틀어 법정형이 더 무거운 성매매알선행위의 포괄일죄를 구성한다고 보아야 한다.

해설

⑤ [×] 건물제공행위와 성매매알선행위의 경우 성매매알선행위가 건물제공행위의 필연적 결과라거나 반대로 건물제공행위가 성매매알선행위에 수반되는 필연적 수단이라고도 볼 수 없으므로 '영업으로 성매매를 알선한 행위'와 '영업으로 성매매에 제공되는 건물을 제공하는 행위'는 당해 행위 사이에서 각각 포괄일죄를 구성할 뿐, 서로 독립된 가벌적 행위로서 별개의 죄를 구성한다.(대법원 2011. 5. 6. 2010도6090 나이스 스포츠마사지 사건)

① [○] 절도범인으로부터 장물보관 의뢰를 받은 자가 그 정을 알면서 이를 인도받아 보관하고 있다가 임의 처분하였다 하여도 장물보관죄가 성립하는 때에는 이미 그 소유자의 소유물 추구권을 침해하였으므로 그 후의 횡령행위는 불가벌적 사후행위에 불과하여 별도로 횡령죄가 성립하지 않는다.(대법원 2004. 4. 9. 2003도8219 고려청자 사건)

② [○] 강도가 재물강취의 뜻을 재물의 부재로 이루지 못한 채 미수에 그쳤으나 그 자리에서 항거불능의 상태에 빠진 피해자를 간음할 것을 결의하고 실행에 착수했으나 역시 미수에 그쳤더라도 반항을 억압하기 위한 폭행으로 피해자에게 상해를 입힌 경우에는 강도강간미수죄와 강도치상죄가 성립되고 이는 상상적 경합관계가 성립된다.(대법원 1988. 6. 28. 88도820 되는게 없는 하루 사건)

정답 | 467 ④   468 ⑤

③ [○] 사기죄는 타인이 점유하는 재물을 그의 처분행위에 의하여 취득하므로써 성립하는 죄이므로, 자기가 점유하는 타인의 재물에 대하여는 이것을 영득함에 기망행위를 한다 하여도 사기죄는 성립하지 아니하고 횡령죄만을 구성한다.(대법원 1987. 12. 22. 87도2168 **횡사횡 사건Ⅱ**)

④ [○] 상습성이 있는 자가 같은 종류의 죄를 반복하여 저질렀다 하더라도 상습범을 별도의 범죄유형으로 처벌하는 규정이 없는 한 그 각 죄는 원칙적으로 별개의 범죄로서 경합범으로 처단할 것이다.(대법원 2012. 5. 10. 2011도12131 **럭키폴더 사건**)

제2절 Ⅰ 수죄의 처벌

469 다음 사례에 대한 설명으로 옳은 것은? (다툼이 있으면 판례에 의함)   17 국가9급 [Superlative ★★★]
☐☐☐

> 예비군중대장 甲이 예비군훈련을 받지 않게 해주는 대가로 乙로부터 180,000원을 교부받고 乙이 예비군훈련에 불참하였음에도 불구하고 참석한 것처럼 예비군 중대학급편성부에 '참'이라는 도장을 찍어 허위공문서를 작성하고 이를 예비군 중대 사무실에 비치한 경우, 甲에게는 수뢰후부정처사죄, 허위공문서작성죄, 허위작성공문서행사죄가 성립한다.

① 허위공문서작성죄와 허위작성공문서행사죄는 수뢰후부정처사죄와 각각 실체적 경합관계이다.

② 허위공문서작성죄와 허위작성공문서행사죄는 기능적 관점에서 목적과 수단의 관계에 있으므로 상상적 경합관계이다.

③ 가장 중한 죄인 수뢰후부정처사죄를 경합범 가중하여 처벌해야 한다.

④ 연결효과이론은 위 3가지 죄 모두를 상상적 경합관계로 인정하는 이론이다.

해설

④ [○] 허위공문서작성죄와 동행사죄가 수뢰후부정처사죄와 각각 상상적 경합관계에 있을 때에는 허위공문서작성죄와 동행사죄 상호간은 실체적 경합범관계에 있다고 할지라도 상상적 경합범 관계에 있는 수뢰후부정처사죄와 대비하여 가장 중한 죄에 정한 형으로 처단하면 족하고 따로 경합범 가중을 할 필요가 없다.(대법원 1983. 7. 26. 83도1378 **예비군중대장 사건**) 이 판례는 '효과면에서' 연결효과에 의한 상상적 경합이론을 채용한 것으로 평가되고 있다.

470 죄수(罪數)에 관한 설명으로 가장 적절하지 않은 것은? (다툼이 있으면 판례에 의함)

19 경찰채용 [Essential ★]

① 1개의 행위가 수개의 죄에 해당하는 경우에는 가장 무거운 죄에 정한 형의 장기 또는 다액의 2분의 1까지 가중한다.

② 판결이 확정되지 아니한 수개의 죄 또는 금고 이상의 형에 처한 판결이 확정된 죄와 그 판결확정전에 범한 죄를 경합범으로 한다.

③ 전기통신금융사기의 범인이 피해자를 기망하여 피해자의 돈을 사기이용계좌로 송금·이체받은 후에 사기이용계좌에서 현금을 인출한 행위는 불가벌적 사후행위로서 따로 횡령죄를 구성하지 않는다.

④ 피해자에 대한 폭행행위가 동일한 피해자에 대한 업무방해죄의 수단이 된 경우, 폭행행위가 이른바 불가벌적 수반행위에 해당하여 업무방해죄에 흡수된다고 볼 수 없다.

해설

① [×] 1개의 행위가 수개의 죄에 해당하는 경우에는 **가장 무거운 죄에 정한 형으로 처벌한다.**(제40조)

② [○] 판결이 확정되지 아니한 수개의 죄 또는 금고 이상의 형에 처한 판결이 확정된 죄와 그 판결확정전에 범한죄를 경합범으로 한다.(제37조)

③ [○] 전기통신금융사기(이른바 보이스피싱 범죄)의 범인이 피해자를 기망하여 피해자의 돈을 사기이용계좌로 송금·이체받은 후 그 계좌에서 현금을 인출하였다고 하더라도 이는 사기의 피해자에 대하여 따로 횡령죄를 구성하지 아니한다. 그리고 이러한 법리는 사기범행에 이용되리라는 사정을 알고서도 자신 명의계좌의 접근매체를 양도함으로써 사기범행을 방조한 종범이 사기이용계좌로 송금된 피해자의 돈을 임의로 인출한 경우에도 마찬가지로 적용된다.(대법원 2017. 5. 31. 2017도3045 **보이스피싱 사건Ⅰ**)

④ [○] 업무방해죄와 폭행죄는 구성요건과 보호법익을 달리하고 있고, 업무방해죄의 성립에 일반적·전형적으로 사람에 대한 폭행행위를 수반하는 것은 아니며, 폭행행위가 업무방해죄에 비하여 별도로 고려되지 않을 만큼 경미한 것이라고 할 수도 없으므로, 설령 피해자에 대한 폭행행위가 동일한 피해자에 대한 업무방해죄의 수단이 되었다고 하더라도 그러한 폭행행위가 이른바 '불가벌적 수반행위'에 해당하여 업무방해죄에 대하여 흡수관계에 있다고 볼 수는 없다.(대법원 2012. 10. 11. 2012도1895 **화성택시연합회 사건**)

471

□□□

다음 설명 중 가장 옳지 않은 것은? (다툼이 있으면 판례에 의함) 20 경찰간부 [Core ★★]

① 비의료인이 의료기관을 개설하여 운영하는 도중 개설자 명의를 다른 의료인 등으로 변경한 경우에는 그 범의가 단일하다거나 범행방법이 종전과 동일하다고 보기 어렵다. 따라서 개설자 명의별로 별개의 범죄가 성립하고 각 죄는 실체적 경합관계에 있다고 보아야 한다.

② 피고인들이, 자신들이 개설한 인터넷 사이트를 통해 회원들로 하여금 음란한 동영상을 게시하도록 하고, 다른 회원들로 하여금 이를 다운받을 수 있도록 하는 방법으로 정보통신망을 통한 음란한 영상의 배포·전시를 방조한 행위가 단일하고 계속된 범의 아래 일정기간 계속하여 이루어졌고 피해법익도 동일한 경우 방조행위는 포괄일죄 관계에 있다.

③ 동시적 경합범에서 각 죄에 정한 형이 징역과 금고인 때에는 금고의 형기만큼 징역형으로 처벌할 수 없다.

④ 형법 제37조 후단 경합범에 대하여 형법 제39조 제1항에 의하여 형을 감경할 때에도 법률상 감경에 관한 형법 제55조 제1항이 적용되어 유기징역을 감경할 때에는 그 형기의 2분의 1 미만으로는 감경할 수 없다.

해설

③ [×] 동시적 경합범의 처벌에 있어서 **징역과 금고는 동종의 형으로 간주하여 징역형으로 처벌한다.**(제38조 제2항) 동시적 경합범에서 각 죄에 정한 형이 징역과 금고인 때에는 금고의 형기만큼 징역형으로 처벌할 수 있는 경우도 있다.

① [○] (1) 비의료인이 의료기관을 개설하여 운영하는 도중 개설자 명의를 다른 의료인 등으로 변경한 경우 그 범의가 단일하다거나 범행방법이 종전과 동일하다고 보기 어려우므로 개설자 명의별로 별개의 범죄가 성립하고 각 죄는 실체적 경합범의 관계에 있다. (2) 피고인 甲이 ○○치과의원 △△점에 대하여 乙 명의로 개설신고를 하고 운영한 기간, 그 후 개설자 명의를 丙, 丁, 戊로 순차로 변경하면서 각 그들 명의로 운영한 기간 동안 각 개설자 명의별로 포괄하여 일죄가 성립하고, 각 개설자 명의별 범죄는 실체적 경합범의 관계에 있다. 또한 피고인 甲이 ○○치과의원 □□점에 대하여 乙 명의로 개설 신고를 하고 운영한 기간, 그 후 개설자 명의를 己로 변경하고 운영한 기간 동안 각 개설자 명의별로 포괄하여 일죄가 성립하고, 각 개설자 명의별 범죄는 실체적 경합범의 관계에 있다.(대법원 2018. 11. 29. 2018도10779 사무장 치과의원 사건)

② [○] 피고인들이 개설한 위디스크 사이트 회원들이 음란한 동영상을 위 사이트에 업로드하여 게시하도록 하고, 다른 회원들로 하여금 위 동영상을 다운받을 수 있도록 하는 방법으로 정보통신망을 통하여 음란한 영상을 배포, 전시하는 것을 용이하게 하여 이를 방조한 경우, 이는 단일하고 계속된 범의 아래 일정기간 계속하여 행하고 그 피해법익도 동일한 경우에 해당하므로 포괄일죄의 관계에 있다.(대법원 2010. 11. 25. 2010도1588 위디스크 사건)

④ [○] 형법 제37조 후단 경합범에 대하여 형법 제39조 제1항에 의하여 형을 감경할 때에도 법률상 감경에 관한 형법 제55조 제1항이 적용되어 유기징역을 감경할 때에는 그 형기의 2분의 1 미만으로는 감경할 수 없다. (대법원 2019. 4. 18. 2017도14609 全合 제39조 제1항 감경 사건)

472 죄수 및 형벌에 대한 설명으로 옳지 않은 것은? (다툼이 있으면 판례에 의함)

□□□

① 법조경합은 1개의 행위가 외관상 수개의 죄의 구성요건에 해당하는 것처럼 보이나 실질적으로 1죄만을 구성하는 경우이다.

② 포괄일죄인 뇌물수수 범행이 종전에 없던 벌금형을 필요적으로 병과하는 신설 조항의 시행전후에 걸쳐 행하여진 경우, 이 신설 조항에 규정된 벌금형 산정의 기준이 되는 수뢰액은 동 규정이 신설된 이후에 수수한 금액으로 한정된다.

③ 공도화변조죄와 동행사죄가 수뢰후부정처사죄와 각각 상상적 경합범 관계에 있을 때에는 공도화변조죄와 동행사죄 상호간은 실체적 경합범 관계에 있다고 할지라도 상상적 경합범 관계에 있는 수뢰후부정처사죄와 대비하여 가장 중한 죄에 정한 형으로 처단하면 족하다.

④ 아직 판결을 받지 아니한 죄가 이미 판결이 확정된 죄와 동시에 판결할 수 없었던 경우에는 형법 제39조 제1항에 따라 동시에 판결할 경우와 형평을 고려하여 형을 선고하거나 그 형을 감경 또는 면제할 수 있다.

해설

④ [×] 아직 판결을 받지 아니한 죄가 이미 판결이 확정된 죄와 동시에 판결할 수 없었던 경우에는 형법 제39조 제1항에 따라 동시에 판결할 경우와 형평을 고려하여 형을 선고하거나 그 형을 감경 또는 면제할 수 없다.(대법원 2014. 5. 16. 2013도12003 해태건설 대표 사건)

① [○] 법조경합은 1개의 행위가 외관상 여러 개의 죄의 구성요건에 해당하는 것처럼 보이지만 실질적으로는 1죄만을 구성하는 경우를 말하고, 실질적으로 1죄인가 또는 여러 죄인가는 구성요건적 평가와 보호법익의 측면에서 고찰하여 판단하여야 한다.(대법원 2014. 6. 12. 2014도1894 김선동 의원 최루탄 투척사건)

② [○] 포괄일죄인 뇌물수수 범행이 신설된 특가법 제2조 제2항(수뢰액의 2배 이상 5배 이하의 벌금형의 필요적 병과) 시행 전후에 걸쳐 행하여진 경우에 있어 벌금형 산정의 기준이 되는 수뢰액은 위 규정이 신설된 2008.12.26. 이후에 수수한 금액으로 한정된다.(대법원 2011. 6. 10. 2011도4260 수방사 공사담당관 사건)

③ [○] 공도화변조죄와 동행사죄가 수뢰후부정처사죄와 각각 상상적 경합범 관계에 있을 때에는 공도화변조죄와 동행사죄 상호간은 실체적 경합범 관계에 있다고 할지라도 상상적 경합범 관계에 있는 수뢰후부정처사죄와 대비하여 가장 중한 죄에 정한 형으로 처단하면 족하고 따로 경합범 가중을 할 필요가 없다.(대법원 2001. 2. 9. 2000도1216 도시계획도 변조사건)

473

경합범에 관한 다음 설명 중 가장 옳지 않은 것은? (다툼이 있으면 판례에 의함)

□□□

22 법원행시 [Core ★★]

① 경합범이란 판결이 확정되지 아니한 수개의 죄 또는 금고 이상의 형에 처한 판결이 확정된 죄와 그 판결확정 전에 범한 죄를 말한다.

② 아직 판결을 받지 않은 수 개의 죄가 판결 확정을 전후하여 저질러진 경우 판결 확정 전에 범한 죄를 이미 판결이 확정된 죄와 동시에 판결할 수 없었던 경우라고 하여 마치 확정된 판결이 존재하지 않는 것처럼 그 수 개의 죄 사이에 형법 제37조 전단의 경합범 관계가 성립하여 형법 제38조가 적용된다고 볼 수도 없으므로 판결 확정을 전후한 각각의 범죄에 대하여 별도로 형을 정하여 선고할 수밖에 없다.

③ 형법 제37조 후단 경합범에 대하여 형법 제39조 제1항에 의하여 형을 감경할 때에도 법률상 감경에 관한 형법 제55조 제1항이 적용되어 유기징역을 감경할 때에는 그 형기의 2분의 1 미만으로는 감경할 수 없다.

④ 유죄의 확정판결을 받은 사람이 그 후 별개의 후행범죄를 저질렀는데 유죄의 확정판결에 대하여 재심이 개시된 경우 후행범죄가 재심대상판결에 대한 재심판결 확정 전에 범하여졌다 하더라도 아직 판결을 받지 아니한 후행범죄와 재심 판결이 확정된 선행범죄 사이에는 형법 제37조 후단에서 정한 경합범 관계가 성립하지 않는다.

⑤ 형법 제37조의 후단 경합범에 대하여 심판하는 법원은 판결이 확정된 죄와 후단 경합범의 죄를 동시에 판결할 경우와 형평을 고려하여 후단 경합범의 처단형의 범위 내에서 후단 경합범의 선고형을 정할 수 있으나, 다만 그 죄와 판결이 확정된 죄에 대한 선고형의 총합이 두 죄에 대하여 형법 제38조를 적용하여 산출한 처단형의 범위 내에 속하도록 후단 경합범에 대한 형을 정하여야 하는 제한을 받는다.

해설

⑤ [×] 형법 제37조의 후단 경합범에 대하여 형을 감경 또는 면제할 것인지는 원칙적으로 그 죄에 대하여 심판하는 **법원이 재량에 따라 판단할 수 있고**, 판결이 확정된 죄와 후단 경합범의 죄에 대한 선고형의 총합이 두 죄에 대하여 **형법 제38조를 적용하여 산출한 처단형의 범위 내에 속하도록 후단 경합범에 대한 형을 정하여야 하는 제한을 받는 것은 아니다.**(대법원 2011. 9. 29. 2008도9109 탈영병 강도사건)

① [○] 판결이 확정되지 아니한 수개의 죄 또는 금고 이상의 형에 처한 판결이 확정된 죄와 그 판결확정전에 범한 죄를 경합범으로 한다.(제37조)

② [○] 아직 판결을 받지 아니한 죄가 이미 판결이 확정된 죄와 동시에 판결할 수 없었던 경우에는 형법 제37조 후단의 경합범 관계가 성립할 수 없고, 형법 제39조 제1항에 따라 동시에 판결할 경우와 형평을 고려하여 그 형을 감경 또는 면제할 수 없다. 아직 판결을 받지 아니한 수개의 죄가 판결 확정을 전후해 저질러진 경우에는 판결 확정 전에 범한 죄를 이미 판결이 확정된 죄와 동시에 판결할 수 없었던 경우라고 해서 마치 확정된 판결이 존재하지 않는 것처럼 그 수개의 죄 사이에 형법 제37조 전단의 경합범 관계가 인정되어 형법 제38조가 적용된다고 볼 수도 없으므로 판결 확정을 전후한 각각의 범죄에 대해 별도로 형을 정해 선고할 수밖에 없다. (대법원 2019. 6. 20. 2018도20698 全合 **재심판결의 확정력 사건**)

③ [○] 형법 제37조 후단 경합범에 대하여 형법 제39조 제1항에 의하여 형을 감경할 때에도 법률상 감경에 관한 형법 제55조 제1항이 적용되어 유기징역을 감경할 때에는 그 형기의 2분의 1 미만으로는 감경할 수 없다. (대법원 2019. 4. 18. 2017도14609 全合 **제39조 제1항 감경 사건**)

④ [○] 유죄의 확정판결을 받은 사람이 그 후 별개의 후행범죄를 저질렀는데 유죄의 확정판결에 대하여 재심이 개시된 경우 후행범죄가 그 재심대상판결에 대한 재심판결 확정 전에 범하여졌다 하더라도 (아직 판결을 받지 아니한 후행범죄는 재심심판절차에서 재심대상이 된 선행범죄와 함께 심리하여 동시에 판결할 수 없었으므로) 아직 판결을 받지 아니한 후행범죄와 재심판결이 확정된 선행범죄 사이에는 형법 제37조 후단 경합범이 성립하지 않는다.(대법원 2019. 6. 20. 2018도20698 全合 **재심판결의 확정력 사건**)

474

형법 제37조 후단 경합범에 관한 설명 중 옳지 않은 것은? (다툼이 있으면 판례에 의함)

22 변호사 [Core ★★]

① 후단 경합범이란 금고 이상의 형에 처한 판결이 확정된 죄와 그 판결확정 전에 범한 죄를 가리키는데, 여기서 말하는 판결에는 집행유예 판결도 포함된다.

② 확정판결이 있는 죄에 대하여 일반사면이 있는 경우는 형의 선고효력이 상실되지만 그 죄에 대한 확정판결이 있었던 사실 자체는 인정되므로 그 확정판결 이전에 범한 죄와의 관계에서 후단 경합범이 성립한다.

③ 포괄일죄로 되는 개개의 범죄행위가 다른 종류의 죄의 확정판결 전후에 걸쳐서 행하여진 경우에는 그 죄는 2죄로 분리되지 않고 확정판결 후인 최종의 범죄행위시에 완성되므로 후단 경합범에 해당하지 않는다.

④ 판결을 받지 아니한 수개의 죄가 판결확정을 전후하여 저질러진 경우 판결확정 전에 범한 죄를 이미 판결이 확정된 죄와 동시에 판결할 수 없었던 경우라면 판결확정을 전후한 각각의 범죄는 형법 제37조 후단 경합범이 아니라 전단 경합범에 해당하여 하나의 형을 선고하여야 한다.

⑤ 후단 경합범에 대하여 형법 제39조 제1항에 의하여 형을 감경할 때에도 법률상 감경에 관한 형법 제55조 제1항이 적용되어 유기징역을 감경할 때에는 그 형기의 2분의 1 미만으로는 감경할 수 없다.

정답 | 473 ⑤   474 ④

해설

④ [×] 수개의 마약법위반(향정)죄의 중간에 확정판결이 존재하여 확정판결 전후의 범죄가 서로 경합범 관계에 있지 않게 된 경우 형법 제39조 제1항에 따라 2개의 주문으로 형을 선고하여야 한다.(대법원 2010. 11. 25. 2010도10985 안동 신시장 필로폰 매매 · 투약사건)

① [○] 후단 경합범이란 금고 이상의 형에 처한 판결이 확정된 죄와 그 판결확정 전에 범한 죄를 가리키는데, 여기서 말하는 판결에는 집행유예 판결도 포함된다.(대법원 1984. 8. 21. 84모1297)

② [○] 확정판결이 있는 죄에 대하여 일반사면이 있는 경우는 형의 선고효력이 상실되지만 그 죄에 대한 확정판결이 있었던 사실 자체는 인정되므로 그 확정판결 이전에 범한 죄와의 관계에서 후단 경합범이 성립한다.(대법원 1996. 3. 8. 95도2114)

③ [○] 포괄일죄로 되는 개개의 범죄행위가 다른 종류의 죄의 확정판결 전후에 걸쳐서 행하여진 경우에는 그 죄는 2죄로 분리되지 않고 확정판결 후인 최종의 범죄행위시에 완성되므로 후단 경합범에 해당하지 않는다.(대법원 2015. 9. 10. 2015도7081)

⑤ [○] 후단 경합범에 대하여 형법 제39조 제1항에 의하여 형을 감경할 때에도 법률상 감경에 관한 형법 제55조 제1항이 적용되어 유기징역을 감경할 때에는 그 형기의 2분의 1 미만으로는 감경할 수 없다.(대법원 2019. 4. 18. 2017도14609 全合 제39조 제1항 감경 사건)

475 경합범에 관한 설명 중 옳은 것을 모두 고른 것은? (다툼이 있으면 판례에 의함)

15 변호사 [Superlative ★★★]

> ㉠ 포괄일죄의 중간에 다른 종류의 범죄에 대하여 금고 이상의 형에 처한 확정판결이 끼어 있는 경우 그 포괄일죄는 확정판결 후의 범죄로 다루어야 하므로 사후적 경합범이 되지 않는다.
> ㉡ 피고인이 A, B, C죄를 순차적으로 범하고 이 중 A죄에 대하여 벌금형에 처한 판결이 확정된 후, 그 판결확정 전에 범한 B죄와 판결확정 후에 범한 C죄가 기소된 경우 법원은 B죄와 C죄를 동시적 경합범으로 처벌할 수 없다.
> ㉢ 형법 제37조 후단 경합범의 선고형은 그 죄에 선고될 형과 판결이 확정된 죄의 선고형의 총합이 두 죄에 대하여 형법 제38조를 적용하여 산출한 처단형의 범위에서 정하여야 한다.
> ㉣ 금고 이상의 형에 처한 확정판결 전에 범한 A죄와 그 확정판결 후에 범한 B죄에 대하여는 별개의 주문으로 형을 선고해야 한다.

① ㉠㉡   ② ㉠㉣   ③ ㉡㉢   ④ ㉠㉢㉣   ⑤ ㉡㉢㉣

해설

> ② ㉠㉣ 2 항목이 옳다.
> ㉠ [O] 포괄일죄로 되는 개개의 범죄행위가 다른 종류의 죄의 확정판결의 전후에 걸쳐서 행하여진 경우에는 그 죄는 2죄로 분리되지 않고 확정판결 후인 최종의 범죄행위시에 완성되는 것이다.(대법원 2015. 9. 10. 2015도7081)
> ㉡ [×] 피고인이 벌금형의 확정 전후에 범한 B, C죄는 형법 제37조 전단의 경합범(동시적 경합범) 관계에 있으므로 그에 대하여 하나의 형을 선고하여야 한다.(대법원 2005. 7. 14. 2003도1166)
> ㉢ [×] 형법 제37조의 후단 경합범에 대하여 형을 감경 또는 면제할 것인지는 원칙적으로 그 죄에 대하여 심판하는 법원이 재량에 따라 판단할 수 있고, 판결이 확정된 죄와 후단 경합범의 죄에 대한 선고형의 총합이 두 죄에 대하여 형법 제38조를 적용하여 산출한 처단형의 범위 내에 속하도록 후단 경합범에 대한 형을 정하여야 하는 제한을 받는 것은 아니다.(대법원 2011. 9. 29. 2008도9109 탈영병 강도사건)
> ㉣ [O] 수개의 범죄들 중간에 확정판결이 존재하여 확정판결 전후의 범죄가 서로 경합범 관계에 있지 않으면 형법 제39조 제1항에 따라 2개의 주문으로 형을 선고하여야 한다.(대법원 2010. 11. 25. 2010도10985)

제 3 편

형벌론

제3편 형벌론

001

현행 형법상 형벌에 관한 다음 설명 중 가장 옳은 것은?

14 법원9급 [Core ★★]

① 금고는 최장 45년까지 선고할 수 있다.

② 구류 20일의 선고유예는 불가능하다.

③ 자격정지는 최장 20년까지 가능하다.

④ 과료는 1,000원 이상 50,000원 미만의 금전적 형벌을 가하는 재산형이다.

해설

② [○] 형법 제59조 제1항은 '1년 이하의 징역이나 금고, 자격정지 또는 벌금의 형을 선고할 경우 제51조의 사항을 참작하여 개전의 정상이 현저한 때에는 선고를 유예할 수 있다'고 규정하고 있어, 형의 선고를 유예할 수 있는 경우는 선고할 형이 1년 이하의 징역이나 금고, 자격정지 또는 벌금의 형인 경우에 한하고 구류형에 대하여는 선고를 유예할 수 없다.(대법원 1993. 6. 22. 93오1 구류3일 선고유예 사건)

① [×] 유기징역 또는 유기금고에 대하여 형을 가중하는 때에는 50년까지로 한다.(제42조)

③ [×] 자격정지는 1년 이상 15년 이하로 한다.(제44조 제1항)

④ [×] 과료는 2,000원 이상 50,000원 미만으로 한다.(제47조)

002

형의 종류와 경중에 관한 다음 설명 중 가장 옳지 않은 것은? (다툼이 있으면 판례에 의함)

20 법원행시 [Core ★★]

① 징역이 금고보다 무거운 형이나, 유기금고의 장기가 유기징역의 장기를 초과하는 때에는 금고를 중한 것으로 한다.

② 유기징역 또는 유기금고의 판결을 받은 자는 그 형의 집행이 종료하거나 면제될 때까지 공무원이 되는 자격이 정지된다. 다만, 다른 법률에 특별한 규정이 있는 경우에는 그 법률에 따른다.

③ 유기징역은 1개월 이상 30년 이하로 하고, 자격정지는 1개월 이상 15년 이하로 한다.

④ 구류는 1일 이상 30일 미만으로 한다.

⑤ 벌금은 5만원 이상으로 한다. 다만, 감경하는 경우에는 5만원 미만으로 할 수 있다.

해설

③ [×] 유기징역은 1개월 이상 30년 이하로 한다. 단, 유기징역에 대하여 형을 가중하는 때에는 50년까지로 한다.(제42조 제1항) 자격정지는 **1년** 이상 15년 이하로 한다.(제44조 제1항)

① [○] 유기금고의 장기가 유기징역의 장기를 초과하는 때에는 금고를 중한 것으로 한다.(제50조 제1항)

② [○] 징역 또는 금고는 무기 또는 유기로 하고 유기는 1개월 이상 30년 이하로 한다.(제42조) 자격의 전부 또는 일부에 대한 정지는 1년 이상 15년 이하로 한다.(제44조 제1항)

④ [○] 구류는 1일 이상 30일 미만으로 한다.(제46조)

⑤ [○] 벌금은 5만원 이상으로 한다. 다만, 감경하는 경우에는 5만원 미만으로 할 수 있다.(제45조)

---

003 다음 중 형법상 임의적 몰수의 대상인 것은?

15 경찰승진 [Core ★★]

① 유가증권위조죄에 있어서의 위조된 유가증권

② 배임수재에 의하여 취득한 재물

③ 공무원이 받은 뇌물

④ 아편에 관한 죄의 아편흡식기

해설

① [○] 형법 총칙상 **임의적 몰수의 대상이다.**(제48조)

②③④ [×] 모두 필요적 몰수의 대상이다.(② 제357조 제3항 ③ 제134조 ④ 제206조)

004
□□□

몰수의 대상에 관한 설명 중 가장 적절하지 않은 것은? (다툼이 있는 경우 판례에 의함)

19 경찰채용 [Core ★★]

① 「형법」 제48조 제1항의 '범인'에는 공범자도 포함되므로 범인 자신의 소유물은 물론 공범자의 소유물도 그 공범자의 소추 여부를 불문하고 몰수할 수 있다.

② 체포될 당시에 미처 송금하지 못하고 소지하고 있던 자기앞수표나 현금은 장차 실행하려고 한 「외국환거래법」 위반의 범행에 제공하려는 물건으로서 몰수할 수 있다.

③ 오락실업자, 상품권업자 및 환전소 운영자가 공모하여 사행성 전자식 유기기구에서 경품으로 배출된 상품권을 현금으로 환전하면서 그 수수료를 일정한 비율로 나누어 가지는 방식으로 영업을 한 경우, 환전소 운영자가 환전소에 보관하던 현금 전부가 위와 같은 상품권의 환전을 통한 범죄행위에 제공하려 하였거나 그 범행으로 인하여 취득한 물건에 해당한다.

④ 사행성 게임기는 기판과 본체가 서로 물리적으로 결합되어야만 비로소 그 기능을 발휘할 수 있는 기계로서, 피고인들이 게임기를 이용하여 손님들로 하여금 사행행위를 하게 한 경우, 게임기는 본체를 포함한 그 전부가 범죄행위에 제공된 물건으로서 몰수의 대상이 된다.

해설

② [×] 체포될 당시에 미처 송금하지 못하고 소지하고 있던 자기앞수표나 현금은 장차 실행하려고 한 외국환거래법 위반의 범행에 제공하려는 물건일 뿐, 그 이전에 범해진 외국환거래법 위반의 '범죄행위에 제공하려고 한 물건'으로는 볼 수 없으므로 몰수할 수 없다.(대법원 2008. 2. 14. 2007도10034 송금못한 수표 · 현금 사건)

① [○] 형법 제48조 제1항의 '범인' 속에는 공범자도 포함되므로 범인 자신의 소유물은 물론 공범자의 소유물도 그 공범자의 소추 여부를 불문하고 몰수할 수 있다.(대법원 2013. 5. 24. 2012도15805 안마시술소 건물 몰수사건Ⅱ)

③ [○] 오락실업자, 상품권업자 및 환전소 운영자가 공모하여 사행성 전자식 유기기구에서 경품으로 배출된 상품권을 현금으로 환전하면서 그 수수료를 일정한 비율로 나누어 가지는 방식으로 영업을 한 경우, 환전소 운영자가 환전소에 보관하던 현금 전부는 상품권의 환전을 통한 범죄행위에 제공하려 하였거나 그 범행으로 인하여 취득한 물건에 해당하여 형법 제48조 제1항 제1호 또는 제2호의 규정에 의하여 몰수의 대상되고, 환전소 운영자가 환전소 내에 보관하고 있던 현금 중 일부를 생활비 등의 용도로 소비하였다고 하여 달리 볼 것은 아니다. (대법원 2006. 10. 13. 2006도3302 환전소 현금 몰수사건)

④ [○] 사행성 게임기는 기판과 본체가 서로 물리적으로 결합되어야만 비로소 그 기능을 발휘할 수 있는 기계로서, 당국으로부터 적법하게 등급심사를 받은 것이라고 하더라도 본체를 포함한 그 전부가 범죄행위에 제공된 물건으로서 몰수의 대상이 된다.(대법원 2006. 12. 8. 2006도6400 황금성 게임기 사건)

005 몰수에 대한 설명으로 가장 옳지 않은 것은? (다툼이 있으면 판례에 의함)

14 경찰간부 [Superlative ★★★]

① 외국환거래법위반혐의로 체포될 당시에 미처 송금하지 못하고 소지하고 있던 자기앞수표나 현금은 몰수의 대상이다.

② 장물매각대금은 장물피해자가 있는 경우에는 몰수의 대상이 되지 못하고 피해자의 교부 청구 가 있으면 환부해야 한다.

③ '범인' 속에는 '공범자'도 포함되므로 범인 자신의 소유물은 물론 공범자의 소유물도 그 공범자 의 소추 여부를 불문하고 몰수할 수 있다.

④ 형법 제48조 제1항 제1호에 의한 몰수는 임의적인 것이므로 그 몰수의 요건에 해당되는 물건 이라도 이를 몰수할 것인지의 여부는 일응 법원의 재량에 맡겨져 있다 할 것이나, 형벌 일반에 적용되는 비례의 원칙에 의한 제한을 받는다.

해설

① [×] 체포될 당시에 미처 송금하지 못하고 소지하고 있던 자기앞수표나 현금은 장차 실행하려고 한 외국환거 래법 위반의 범행에 제공하려는 물건일 뿐, 그 이전에 범해진 외국환거래법 위반의 '범죄행위에 제공하려고 한 물건'으로는 볼 수 없으므로 몰수할 수 없다.(대법원 2008. 2. 14. 2007도10034 송금못한 수표 · 현금 사건)

② [○] 장물을 처분하여 그 대가로 취득한 압수물은 몰수할 것이 아니라 피해자에게 교부하여야 한다.(대법원 1969. 1. 21. 68도1672)

③ [○] 형법 제48조 제1항의 '범인' 속에는 공범자도 포함되므로 범인 자신의 소유물은 물론 공범자의 소유물도 그 공범자의 소추 여부를 불문하고 몰수할 수 있다.(대법원 2013. 5. 24. 2012도15805 안마시술소 건물 몰수사건Ⅱ)

④ [○] 형법 제48조 제1항 제1호에 의한 몰수는 임의적인 것이므로 몰수의 요건에 해당하는 물건이라도 이를 몰수할 것인지의 여부는 형벌 일반에 적용되는 비례의 원칙에 의한 제한을 받는 외에는 법원의 재량에 맡겨져 있고, 이러한 법리는 범죄수익법 제8조 제1항의 경우에도 마찬가지로 적용된다.(대법원 2013. 5. 24. 2012도 15805 안마시술소 건물 몰수사건Ⅱ)

006 몰수와 추징에 대한 설명으로 옳지 않은 것은? (다툼이 있으면 판례에 의함)

17 국가9급 [Superlative ★★★]

① 甲이 공무원 A에게 승용차 대금 명목으로 1,400만원을 뇌물로 제공하기로 약속하였다면 甲으로부터 그 뇌물로 제공하기로 약속된 승용차 대금 명목의 금품을 추징해야 한다.

② 甲이 A로 하여금 사기도박에 참여하도록 유인하기 위하여 고액의 수표를 제시해 보였다면 그 수표를 직접적으로 도박자금으로 사용하지 않았더라도 몰수할 수 있다.

③ 수뢰자가 증뢰자로부터 뇌물을 교부받아 그대로 보관하였다가 증뢰자에게 뇌물 그 자체를 반환한 경우에는 증뢰자로부터 몰수 또는 추징한다.

④ 몰수의 취지가 범죄에 의한 이득의 박탈을 그 목적으로 하는 것이고 추징도 이러한 몰수의 취지를 관철하기 위한 것인 경우에는 추징가액의 산정은 재판선고시의 가격을 기준으로 하여야 한다.

해설

① [×] (1) 몰수는 특정된 물건에 대한 것이고 추징은 본래 몰수할 수 있었음을 전제로 하는 것임에 비추어 뇌물에 공할 금품이 특정되지 않았던 것은 몰수할 수 없고 그 가액을 추징할 수도 없다. (2) **뇌물로 약속된 승용차 대금 명목의 금품은 특정되지 않아 이를 몰수할 수 없었으므로 그 가액을 추징할 수 없는 것임에도** 이를 간과하고 그 가액을 추징한 원심판결은 판결에 영향을 미친 위법을 저지른 것이다.(대법원 1996. 5. 8. 96도221)

② [○] 피해자로 하여금 사기도박에 참여하도록 유인하기 위하여 고액의 수표를 제시해 보인 경우, 수표가 직접적으로 도박자금으로 사용되지 아니하였다 할지라도 수표가 피해자로 하여금 사기도박에 참여하도록 만들기 위한 수단으로 사용된 이상 범죄행위에 제공된 물건으로 이를 몰수할 수 있고, 그렇다고 하여 피고인에게 극히 가혹한 결과가 된다고 볼 수는 없다.(대법원 2002. 9. 24. 2002도3589 **8천만원 수표 몰수사건**)

③ [○] 수뢰자가 뇌물을 그대로 보관하였다가 증뢰자에게 반환한 때에는 증뢰자로부터 몰수·추징할 것이므로 수뢰자로부터 추징함은 위법하다.(대법원 1984. 2. 28. 83도2783)

④ [○] 몰수는 범죄에 의한 이득을 박탈하는 데 그 취지가 있고, 추징도 이러한 몰수의 취지를 관철하기 위한 것인 점 등에 비추어 볼 때, 몰수할 수 없는 때에 추징하여야 할 가액은 범인이 그 물건을 보유하고 있다가 몰수의 선고를 받았더라면 잃었을 이득상당액을 의미한다고 보아야 하므로 다른 특별한 사정이 없는 한 그 가액산정은 재판선고시의 가격을 기준으로 하여야 한다.(대법원 2008. 10. 9. 2008도6944)

007 몰수와 추징에 관한 설명 중 옳지 않은 것은? (다툼이 있으면 판례에 의함)
□□□

① 공소사실이 인정되지 않는 경우에 이와 관련되지 않은 범죄사실을 법원이 인정하여 몰수·추징을 선고하는 것은 불고불리의 원칙에 위반된다.

② 수뢰자가 자기앞수표를 뇌물로 받아 이를 소비한 후 자기앞수표 상당액을 증뢰자에게 반환하였다 하더라도 뇌물 그 자체를 반환한 것은 아니므로 이를 몰수할 수 없고 수뢰자로부터 그 가액을 추징하여야 한다.

③ 범죄행위의 수행에 실질적으로 기여한 것으로 인정된다고 하더라도 실행행위의 착수 전 또는 실행행위 종료 후의 행위에 사용되었을 뿐 범죄의 실행행위 자체에 사용되지 않은 물건은 몰수·추징의 대상인 '범죄행위에 제공한 물건'에 포함될 수 없다.

④ 몰수·추징이 공소사실과 관련이 있다 하더라도 그 공소사실에 관하여 이미 공소시효가 완성된 경우에는 몰수·추징을 할 수 없다.

⑤ 甲이 공무원 직무에 속한 사항의 알선에 관하여 1억 원을 받았으나 그중 3,000만 원을 받은 취지에 따라 청탁과 관련하여 관계 공무원에게 뇌물로 공여한 경우라면 甲으로부터는 이를 제외한 나머지 7,000만원만 몰수·추징할 수 있다.

해설

③ [×] '범죄행위에 제공한 물건'은 범죄의 실행행위 자체에 사용한 물건에만 한정되는 것이 아니며, **실행행위의 착수 전의 행위 또는 실행행위의 종료 후의 행위에 사용한 물건이더라도** 그것이 범죄행위의 수행에 실질적으로 기여하였다고 인정되는 한 **범죄행위에 제공한 물건에 포함된다.**(대법원 2006. 9. 14. 2006도4075 **장물 운반 소나타 몰수사건**)

①④ [○] 형법 제49조 단서는 행위자에게 유죄의 재판을 하지 아니할 때에도 몰수의 요건이 있는 때에는 몰수만을 선고할 수 있다고 규정하고 있으므로 몰수뿐만 아니라 몰수에 갈음하는 추징도 위 규정에 근거하여 선고할 수 있다고 할 것이나 우리 법제상 공소의 제기 없이 별도로 몰수나 추징만을 선고할 수 있는 제도가 마련되어 있지 아니하므로 위 규정에 근거하여 몰수나 추징을 선고하기 위하여서는 몰수나 추징의 요건이 공소가 제기된 공소사실과 관련되어 있어야 하고, 공소사실이 인정되지 않는 경우에 이와 별개의 **공소가 제기되지 아니한 범죄사실을 법원이 인정하여 그에 관하여 몰수나 추징을 선고하는 것은 불고불리의 원칙에 위반되어 불가능하며**, 몰수나 추징이 공소사실과 관련이 있다 하더라도 그 공소사실에 관하여 이미 **공소시효가 완성되어 유죄의 선고를 할 수 없는 경우에는 몰수나 추징도 할 수 없다.**(대법원 1992. 7. 28. 92도700 **바이올린 밀수사건**)

② [○] 수뢰자가 자기앞수표를 뇌물로 받아 이를 소비한 후 자기앞수표 상당액을 증뢰자에게 반환하였다 하더라도 수뢰자로부터 그 가액을 추징하여야 한다.(대법원 1999. 1. 29. 98도3584 **서울대교수 수뢰사건**)

⑤ [○] 공무원의 직무에 속한 사항의 알선에 관하여 금품을 받고 그 금품 중의 일부를 받은 취지에 따라 청탁과 관련하여 관계 공무원에게 뇌물로 공여하거나 다른 알선행위자에게 청탁의 명목으로 교부한 경우에는 그 부분의 이익은 실질적으로 범인에게 귀속된 것이 아니어서 **이를 제외한 나머지 금품만을 몰수하거나 그 가액을 추징하여야 한다.**(대법원 2002. 6. 14. 2002도1283)

008 몰수와 추징에 대한 설명으로 옳지 않은 것은? (다툼이 있으면 판례에 의함)

23 국가9급 [Essential ★]

① 공범자의 소유물도 몰수할 수 있지만, 적어도 그 공범자가 소추되어야만 가능하다.

② 몰수는 반드시 압수되어 있는 물건에 대하여만 하는 것이 아니므로 몰수대상물건이 압수되어 있는가 하는 점 및 적법한 절차에 의하여 압수되었는가 하는 점은 몰수의 요건이 아니다.

③ 몰수를 선고하기 위해서는 몰수의 요건이 공소가 제기된 공소사실과 관련되어 있어야 하고, 공소가 제기되지 않은 별개의 범죄사실을 법원이 인정하여 그에 관하여 몰수나 추징을 선고하는 것은 허용되지 않는다.

④ 몰수하기 불가능한 때에 추징하여야 할 가액은 범인이 그 물건을 보유하고 있다가 몰수의 선고를 받았더라면 잃게 될 이득상당액을 초과하여서는 아니 된다.

해설

① [×] 형법 제48조 제1항의 '범인' 속에는 공범자도 포함되므로 범인 자신의 소유물은 물론 **공범자의 소유물도 그 공범자의 소추 여부를 불문하고 몰수할 수 있다.**(대법원 2013. 5. 24. 2012도15805 안마시술소 건물몰수 사건Ⅱ)

② [○] 몰수는 반드시 압수되어 있는 물건에 대하여만 하는 것이 아니므로 몰수대상 물건이 압수되어 있는가 하는 점 및 적법한 절차에 의하여 압수되었는가 하는 점은 몰수의 요건이 아니다.(대법원 2014. 9. 4. 2014도 3263 위법압수 게임물 몰수사건)

③ [○] 형법 제49조 단서는 "행위자에게 유죄의 재판을 아니할 때에도 몰수의 요건이 있는 때에는 몰수만을 선고할 수 있다."라고 규정하고 있으나, 우리 법제상 공소의 제기없이 별도로 몰수만을 선고할 수 있는 제도가 마련되어 있지 않으므로 위 규정에 근거하여 몰수를 선고하기 위해서는 몰수의 요건이 공소가 제기된 공소사실과 관련되어 있어야 하고, 공소가 제기되지 않은 별개의 범죄사실을 법원이 인정하여 그에 관하여 몰수나 추징을 선고하는 것은 불고불리의 원칙에 위반되어 허용되지 않는다.(대법원 2022. 11. 17. 2022도8662 2억원을 여행용 가방에 담아 사건)

④ [○] 몰수의 취지가 범죄에 의한 이득의 박탈을 목적으로 하는 것이고 추징도 이러한 몰수의 취지를 관철하기 위한 것이라는 점을 고려하면 몰수하기 불능한 때에 추징하여야 할 가액은 범인이 그 물건을 보유하고 있다가 몰수의 선고를 받았더라면 잃게 될 이득상당액을 의미하므로, 추징하여야 할 가액이 몰수의 선고를 받았더라면 잃게 될 이득상당액을 초과하여서는 아니 된다.(대법원 2017. 9. 21. 2017도8611 중국산 녹두 밀수사건)

009

□ □ □

형법 제48조 몰수 · 추징에 대한 설명으로 옳지 않은 것은? (다툼이 있으면 판례에 의함)

23 국가7급 [Essential ★]

① 몰수 또는 이에 갈음하는 추징은 부가형적 성질을 가지므로 그 주형에 대하여 선고를 유예하지 아니하면서 이에 부가할 몰수·추징에 대하여서만 선고를 유예할 수는 없다.

② 범죄실행행위의 착수 전의 행위 또는 실행행위의 종료 후에 사용한 물건이더라도 그것이 범죄행위의 수행에 실질적으로 기여하였다고 인정되는 한 몰수의 대상인 범죄행위에 제공한 물건에 포함된다.

③ 추징 가액의 산정은 특별한 사정이 없는 한 재판선고시의 가격을 기준으로 하여야 한다.

④ 피고인이 범죄행위에 이용한 웹사이트는 범죄행위에 제공된 무형의 재산에 해당하여 몰수할 수는 없지만, 범죄행위에 이용한 웹사이트 매각을 통하여 취득한 대가는 범죄행위로 인하여 생겼거나 이로 인하여 취득한 물건의 가액에 해당하므로 추징의 대상이 된다.

해설

④ [×] (1) 형법 제48조는 몰수의 대상을 '물건'으로 한정하고 있다. 이는 범죄행위에 의하여 생긴 재산 및 범죄행위의 보수로 얻은 재산을 범죄수익으로 몰수할 수 있도록 한 「범죄수익은닉의 규제 및 처벌 등에 관한 법률」이나 범죄행위로 취득한 재산상 이익의 가액을 추징할 수 있도록 한 형법 제357조 등의 규정과는 구별된다. 민법 제98조는 물건에 관하여 '유체물 및 전기 기타 관리할 수 있는 자연력'을 의미한다고 정의하는데, 형법이 민법이 정의한 '물건'과 다른 내용으로 '물건'의 개념을 정의하고 있다고 볼 만한 사정도 존재하지 아니한다. (2) 피고인이 웹사이트에 음란 사이트 링크배너와 도박사이트 홍보배너를 게시하는 등의 방식으로 운영하다가 타인에게 웹사이트를 5,000만원에 매각하고 현금으로 위 돈을 지급받은 경우 그 웹사이트는 범죄행위에 제공된 무형의 재산에 해당할 뿐 형법 제48조 제1항 제2호에서 정한 '범죄행위로 인하여 생(生)하였거나 이로 인하여 취득한 물건'에 해당하지 않으므로 웹사이트 매각을 통해 취득한 대가는 형법 제48조 제1항 제2호, 제2항이 규정한 추징의 대상에 해당하지 않는다.(대법원 2021. 10. 14. 2021도7168 웹사이트 매각대금 추징 사건)

① [○] 주형에 대하여 선고를 유예하지 아니하면서 이에 **부가할 몰수 · 추징에 대하여서만 선고를 유예할 수는 없다.**(대법원 1988. 6. 21. 88도551 범양상선 사건)

② [○] 형법 제48조 제1항 제1호의 '범죄행위에 제공한 물건'은 범죄의 실행행위 자체에 사용한 물건에만 한정되는 것이 아니며, 실행행위의 착수 전의 행위 또는 실행행위의 종료 후의 행위에 사용한 물건이더라도 그것이 **범죄행위의 수행에 실질적으로 기여하였다고 인정되는 한 범죄행위에 제공한 물건에 포함된다.**(대법원 2006. 9. 14. 2006도4075 장물운반 소나타 몰수사건)

③ [○] 몰수는 범죄에 의한 이득을 박탈하는 데 그 취지가 있고, 추징도 이러한 몰수의 취지를 관철하기 위한 것인 점 등에 비추어 볼 때, 몰수할 수 없는 때에 추징하여야 할 가액은 범인이 그 물건을 보유하고 있다가 몰수의 선고를 받았더라면 잃었을 이득상당액을 의미한다고 보아야 하므로 다른 특별한 사정이 없는 한 그 **가액산정은 재판선고시의 가격을 기준으로 하여야 한다.**(대법원 2020. 6. 11. 2020도2883 국정농단 최순실 사건 Ⅱ)

010 다음 중 몰수와 추징에 관한 설명으로 옳지 않은 것은 모두 몇 개인가? (다툼이 있으면 판례에 의함)
□□□
21 해경간부 [Core ★★]

> ⊙ 주형인 징역형의 선고를 유예할 경우에도 추징을 선고할 수 있다.
> ⓒ 공무원이 그 권한에 의하여 작성한 문서의 내용에 일부 허위기재된 부분이 있다면 몰수 대상이 된다.
> ⓒ 어떠한 물건을 '범죄행위에 제공하려고 한 물건'으로서 몰수하기 위하여는 그 물건이 유죄로 인정되는 당해 범죄행위에 제공하려고 한 물건임이 인정되어야 한다.
> ② A주식회사 대표이사인 甲이 금융기관에 청탁하여 B주식회사가 대출을 받을 수 있도록 알선행위를 하고 그 대가로 용역대금 명목의 수수료를 A주식회사 계좌를 통해 송금받아 회사재산으로 귀속시켰다면 甲이 이 수수료 중에서 개인적으로 사용한 금품에 한해 甲으로부터 몰수또는 그 가액을 추징할 수 있다.

① 1개   ② 2개

③ 3개   ④ 4개

해설

② ⓒ② 2 항목이 옳지 않다.

⊙ [○] 주형인 징역형의 선고를 유예할 경우에도 추징을 선고할 수 있다.(대법원 1990. 4. 27. 89도2291)

ⓒ [×] 공무원이 그 권한에 의하여 작성한 문서는 그 내용의 일부에 허위기재된 부분이 있다 하더라도 그 문서자체는 **공무소의 소유에 속한다(범인 이외의 자의 소유에 속하므로 몰수할 수 없다).**(대법원 1983. 6. 14. 83도808)

ⓒ [○] '범죄행위에 제공하려고 한 물건'이란 범죄행위에 사용하려고 준비하였으나 실제 사용하지 못한 물건을 의미하는바, 어떠한 물건을 '범죄행위에 제공하려고 한 물건'으로서 몰수하기 위하여는 그 물건이 유죄로 인정되는 당해 범죄행위에 제공하려고 한 물건임이 인정되어야 한다.(대법원 2008. 2. 14. 2007도10034 **송금못한 수표 · 현금 사건**)

② [×] 피고인이 주식회사의 대표이사로서 특경법 제7조(알선수재)에 해당하는 행위를 하고 당해 행위로 인한 대가로 수수료를 받았다면 **수수료에 대한 권리가 회사에 귀속된다 하더라도 행위자인 피고인으로부터 수수료로 받은 금품을 몰수 또는 그 가액을 추징할 수 있고, 이는 피고인이 개인적으로 실제 사용한 금품이 없다고 하더라도 마찬가지이다.**(대법원 2015. 1. 15. 2012도7571 **100억 대출알선사건**)

011

□□□

다음 중 몰수 또는 추징할 수 없는 것으로 가장 옳은 것은? (다툼이 있으면 판례에 의함)

23 해경승진 [Essential ★]

① 피고인이 음란물유포 인터넷사이트를 운영하면서 「정보통신망 이용촉진 및 정보보호 등에 관한 법률」 위반(음란물유포)죄와 도박개장방조죄에 의하여 비트코인(Bitcoin)을 취득한 사안에서 비트코인

② 甲 주식회사 대표이사인 피고인이 금융기관에 청탁하여 乙 주식회사가 대출을 받을 수 있도록 알선행위를 하고 그 대가로 용역대금 명목의 수수료를 甲 회사 계좌를 통해 송금받아 「특정경제범죄 가중처벌 등에 관한 법률」 위반(알선수재)죄가 인정된 사안에서 甲회사 계좌를 통해 받은 수수료

③ 압수한 밀수품이 멸실, 파손 또는 부패의 염려가 있어 형사소송법 제132조에 따라 이를 매각하고 취득한 대가

④ 피고인이 신고 없이 외국환을 해외 계좌로 송금한 사실로 체포될 당시 미처 송금하지 못하고 소지 하고 있던 각 자기앞수표 또는 현금

해설

④ [○] 체포될 당시에 미처 송금하지 못하고 소지하고 있던 자기앞수표나 현금은 장차 실행하려고 한 외국환거래법 위반의 범행에 제공하려는 물건일 뿐 그 이전에 범해진 외국환거래법 위반의 '범죄행위에 제공하려고 한 물건'으로는 볼 수 없으므로 몰수할 수 없다.(대법원 2008. 2. 14. 2007도10034 **송금못한 수표·현금 사건**)

① [×] 피고인이 범죄수익은닉규제법에 정한 중대범죄에 해당하는 정보통신망법위반(음란물유포)죄와 도박개장방조죄에 의하여 취득한 **비트코인은 재산적 가치가 있는 무형의 재산이라고 보아야 하므로 (중략) 비트코인을 몰수할 수 있다고 본 원심의 판단은 정당하다.**(대법원 2018. 5. 30. 2018도3619 **비트코인 몰수 사건**)

② [×] 피고인이 주식회사의 대표이사로서 특경법 제7조(알선수재)에 해당하는 행위를 하고 당해 행위로 인한 대가로 수수료를 받았다면 **수수료에 대한 권리가 회사에 귀속된다 하더라도 행위자인 피고인으로부터 수수료로 받은 금품을 몰수 또는 그 가액을 추징할 수 있고,** 이는 피고인이 개인적으로 실제 사용한 금품이 없다고 하더라도 마찬가지이다.(대법원 2015. 1. 15. 2012도7571 **100억 대출알선사건**)

③ [×] 관세법 제198조 제2항[24년 현재 제282조 제1항·제2항]에 따라 몰수하여야 할 압수물이 멸실, 파손 또는 부패의 염려가 있거나 보관하기에 불편하여 이를 형사소송법 제132조의 규정에 따라 매각하여 그 대가를 보관하는 경우에는 **몰수와의 관계에서는 그 대가보관금을 몰수 대상인 압수물과 동일시할 수 있다.**(대법원 1996. 11. 12. 96도2477 **대가보관금 몰수 사건**)

012 몰수와 추징에 대한 설명이다. 아래 설명 중 옳고 그름의 표시(○, ×)가 바르게 된 것은?(다툼이 있으면 판례에 의함)

22 경찰간부 [Superlative ★★★]

○ 공무원이 뇌물을 받으면서 그 취득을 위하여 상대방에게 뇌물의 가액에 상당하는 금원의 일부를 비용의 명목으로 출연하거나 그 밖에 경제적 이익을 제공한 경우 공무원이 받은 뇌물은 그 뇌물의 가액에서 위와 같은 지출액을 공제한 나머지 가액에 상당한 이익에 한정되고 이를 몰수·추징해야 하는 것이지 받은 뇌물 자체를 몰수·추징해야 하는 것은 아니다.

○ 추징의 가액산정은 재판선고시의 가격을 기준으로 하므로 경우에 따라 추징하여야 할 가액이 몰수의 선고를 받았더라면 잃게 될 이득상당액을 초과하는 것도 가능하다.

○ 금품의 무상대여를 통하여 위법한 재산상 이익을 취득한 경우 범인이 받은 부정한 이익은 그로 인한 금융이익 상당액이라 할 것이므로 추징의 대상이 되는 것은 무상으로 대여받은 금품 그 자체가 아니라 위 금융이익 상당액이라 보아야 한다.

○ 대형할인매장에서 상당한 부피의 상품을 수회 절취하여 승용차로 운반한 경우 그 승용차는 실행행위의 종료 이후 사용한 물건이므로 형법 제48조 제1항 제1호의 "범죄행위에 제공한 물건"으로 볼 수 없어 몰수의 대상이 되지 않는다.

○ 마약류관리에 관한 법률 제67조에 의한 몰수나 추징은 범죄행위로 인한 이득의 박탈을 목적으로 하는 것이 아니라 징벌적 성질의 처분이므로 그 범행으로 인하여 이득을 취득한 바 없다 하더라도 법원은 그 가액의 추징을 명하여야 하고, 그 추징의 범위에 관하여는 죄를 범한 자가 여러 사람일 때에는 각자에 대하여 그가 취급한 범위 내에서 의약품가액 전액의 추징을 명하여야 한다.

① ○ ○ ○ × ○ × ○ ○
② ○ × ○ ○ ○ ○ × ×
③ ○ ○ ○ × × ○ ○ ×
④ ○ × ○ × ○ ○ × ○

해설

④ 이 지문이 옳은 연결이다.

○ [×] 공무원이 뇌물을 받으면서 그 취득을 위하여 상대방에게 뇌물의 가액에 상당하는 금액의 일부를 비용 명목으로 출연하거나 그 밖에 경제적 이익을 제공하였다 하더라도 이는 뇌물을 받는 데 지출한 부수적 비용에 불과하다고 보아야 할 것이지, 이로 인하여 공무원이 받은 뇌물이 그 뇌물의 가액에서 위와 같은 지출액을 공제한 나머지 가액에 상당한 이익에 한정된다고 볼 수는 없다.(대법원 2014. 12. 24. 2014도10199 한수원원전 납품비리 사건) 공무원이 받은 뇌물 자체를 몰수·추징하여야 한다.

○ [×] 몰수의 취지가 범죄에 의한 이득의 박탈을 목적으로 하는 것이고 추징도 이러한 몰수의 취지를 관철하기 위한 것이라는 점을 고려하면 몰수하기 불능한 때에 추징하여야 할 가액은 범인이 그 물건을 보유하고 있다가 몰수의 선고를 받았더라면 잃게 될 이득상당액을 의미하므로 추징하여야 할 가액이 몰수의 선고를 받았더라면 잃게 될 이득상당액을 초과하여서는 아니 된다.(대법원 2017. 9. 21. 2017도8611)

○ [○] (1) 금품의 무상대여를 통하여 위법한 재산상 이익을 취득한 경우 범인이 받은 부정한 이익은 그로 인한 금융이익 상당액이라 할 것이므로 추징의 대상이 되는 것은 무상으로 대여받은 금품 그 자체가 아니라 금융이익 상당액이다. (2) 여기에서 추징의 대상이 되는 금융이익 상당액은 객관적으로 산정되어야 할 것인데, 범인이 금융기관으로부터 대출받는 등 통상적인 방법으로 자금을 차용하였을 경우 부담하게 될 대출이율을 기준으로 하거나 그 대출이율을 알 수 없는 경우에는 금품을 제공받은 피고인의 지위에 따라 민법 또는 상법에서 규정하

고 있는 법정이율을 기준으로 하여 (3) 변제기나 지연손해금에 관한 약정이 가장되어 무효라고 볼 만한 사정이 없는 한 금품수수일로부터 약정된 변제기까지 금품을 무이자로 차용하여 얻은 금융이익의 수액을 산정한 뒤 이를 추징하여야 한다. 나아가 그와 같이 약정된 변제기가 없는 경우에는, 판결 선고일 전에 실제로 차용금을 변제하였다거나 대여자의 변제 요구에 의하여 변제기가 도래하였다는 등의 특별한 사정이 없는 한, 금품수수일 로부터 판결 선고시까지 금품을 무이자로 차용하여 얻은 금융이익의 수액을 산정한 뒤 이를 추징하여야 한다. (대법원 2014. 5. 16. 2014도1547 차용금 1억8천만원 사건)

ㄹ [×] 대형할인매장에서 수회 대형할인매장에서 수회 상품을 절취하여 자신의 승용차에 싣고 간 경우, 위 승용 차는 형법 제48조 제1항 제1호에 정한 **범죄행위에 제공한 물건으로 보아 몰수할 수 있다.**(대법원 2006. 9. 14. 2006도4075 장물운반 소나타 몰수사건)

ㅁ [○] 마약법 제67조에 의한 몰수나 추징은 범죄행위로 인한 이득의 박탈을 목적으로 하는 것이 아니라 징벌적 성질의 처분이므로 그 범행으로 인하여 이득을 취득한 바 없다 하더라도 법원은 그 가액의 추징을 명하여야 하고, 죄를 범한 자가 여러 사람일 때에는 각자에 대하여 그가 취급한 범위 내에서 의약품 가액전액의 추징을 명하여야 한다.(대법원 2010. 8. 26. 2010도7251)

013 몰수와 추징에 관한 설명이다. 다음 중 가장 적절하지 않은 것은? (다툼이 있으면 판례에 의함)

□□□
15 경찰채용 [Core ★★]

① 몰수나 추징이 공소사실과 관련이 있다 하더라도 그 공소사실에 관하여 이미 공소시효가 완성 되어 유죄의 선고를 할 수 없는 경우에는 몰수나 추징도 할 수 없다.

② 몰수의 취지가 범죄에 의한 이득의 박탈을 그 목적으로 하는 것이고 추징도 이러한 몰수의 취지를 관철하기 위한 것이라는 점을 고려하면 몰수하기 불능할 때에 추징하여야 할 가액은 범인이 그 물건을 보유하고 있다가 몰수의 선고를 받았더라면 잃었을 이득 상당액을 의미한다 고 보아야 할 것이므로 그 가액 산정은 재판선고시의 가격을 기준으로 하여야 할 것이다.

③ 히로뽕을 수수하여 그 중 일부를 직접 투약한 경우에는 수수한 히로뽕의 가액뿐만 아니라 직 접 투약한 부분에 대한 가액을 별도로 추징하여야 한다.

④ 범인이 배임수재에 의하여 취득한 재물은 현행 형법상 필요적 몰수 대상이다.

해설

③ [×] 피고인을 기준으로 하여 그가 취급한 범위 내에서 의약품 가액 전액의 추징을 명하면 되는 것이지 동일한 의약품을 취급한 피고인의 일련의 행위가 별죄를 구성한다고 하여 그 행위마다 따로 그 가액을 추징하여야 하는 것은 아니므로, 히로뽕을 수수하여 그 중 일부를 직접 투약한 경우에는 수수한 히로뽕의 가액만을 추징 할 수 있고 직접 투약한 부분에 대한 가액을 별도로 추징할 수 없다.(대법원 2000. 9. 8. 2000도546)

① [○] 형법 제49조 단서는 행위자에게 유죄의 재판을 하지 아니할 때에도 몰수의 요건이 있는 때에는 몰수만을 선고할 수 있다고 규정하고 있으므로 몰수뿐만 아니라 몰수에 갈음하는 추징도 위 규정에 근거하여 선고할

수 있다고 할 것이나 우리 법제상 공소의 제기 없이 별도로 몰수나 추징만을 선고할 수 있는 제도가 마련되어 있지 아니하므로 위 규정에 근거하여 몰수나 추징을 선고하기 위하여서는 몰수나 추징의 요건이 공소가 제기된 공소사실과 관련되어 있어야 하고, 공소사실이 인정되지 않는 경우에 이와 별개의 공소가 제기되지 아니한 범죄사실을 법원이 인정하여 그에 관하여 몰수나 추징을 선고하는 것은 불고불리의 원칙에 위반되어 불가능하며, 몰수나 추징이 공소사실과 관련이 있다 하더라도 그 공소사실에 관하여 이미 공소시효가 완성되어 유죄의 선고를 할 수 없는 경우에는 몰수나 추징도 할 수 없다.(대법원 1992. 7. 28. 92도700 **바이올린 밀수사건**)

② [○] 몰수는 범죄에 의한 이득을 박탈하는 데 그 취지가 있고, 추징도 이러한 몰수의 취지를 관철하기 위한 것인 점 등에 비추어 볼 때, 몰수할 수 없는 때에 추징하여야 할 가액은 범인이 그 물건을 보유하고 있다가 몰수의 선고를 받았더라면 잃었을 이득상당액을 의미한다고 보아야 하므로 다른 특별한 사정이 없는 한 그 가액산정은 재판선고시의 가격을 기준으로 하여야 한다.(대법원 2008. 10. 9. 2008도6944)

④ [○] 범인 또는 정(情)을 아는 제3자가 취득한 제1항의 재물은 몰수한다. 그 재물을 몰수하기 불가능하거나 재산상의 이익을 취득한 때에는 그 가액을 추징한다.(제357조 제3항)

014 몰수와 추징에 대한 설명으로 가장 적절하지 않은 것은? (다툼이 있으면 판례에 의함)

☐☐☐

18 경찰채용 [Essential ★]

① 행위자에게 유죄의 재판을 아니할 때에도 몰수의 요건이 있는 때에는 몰수만을 선고할 수 있다.

② 「마약류 관리에 관한 법률」 제67조의 몰수나 추징을 선고하기 위하여는 몰수나 추징의 요건이 공소가 제기된 범죄사실과 관련되어 있어야 하므로, 법원으로서는 범죄사실에서 인정되지 아니한 사실에 관하여는 몰수나 추징을 선고할 수 없다.

③ 「형법」 제134조에 의한 필요적 몰수의 경우 뇌물에 공할 금품이 특정되지 않았던 것은 몰수할 수 없고 그 가액을 추징할 수도 없다.

④ 「형법」 제357조에 의한 필요적 몰수의 경우 배임수재자가 배임증재자로부터 받은 재물을 그대로 가지고 있다가 증재자에게 반환하였더라도 수재자로부터 이를 몰수하거나 그 가액을 추징하여야 한다.

해설

④ [×] 배임수증재죄에서 몰수의 대상으로 규정한 '범인이 취득한 재물'은 배임수재죄의 범인이 취득한 목적물이자 배임증재죄의 범인이 공여한 목적물을 가리키는 것이지 배임수재죄의 목적물만을 한정하여 가리키는 것이 아니므로, **수재자가 증재자로부터 받은 재물을 그대로 가지고 있다가 증재자에게 반환하였다면 증재자로부터 이를 몰수하거나 그 가액을 추징하여야 한다.**(대법원 2017. 4. 7. 2016도18104 **배임증재자로부터 추징사건**)

① [○] 행위자에게 유죄의 재판을 아니할 때에도 몰수의 요건이 있는 때에는 몰수만을 선고할 수 있다.(제49조)

② [○] (1) 마약류 관리에 관한 법률 제67조의 몰수나 추징을 선고하기 위하여는 몰수나 추징의 요건이 공소가 제기된 범죄사실과 관련되어 있어야 하므로, 법원으로서는 범죄사실에서 인정되지 아니한 사실에 관하여는 몰수나 추징을 선고할 수 없다. (2) 법원이 범죄사실에서 피고인이 수수한 필로폰 양을 특정할 수 없다고 판단한 경우, 그 추징의 대상이 되는 수수한 필로폰의 양을 특정할 수 없으므로 피고인에게 추징을 명할 수는 없다.(대법원 2016. 12. 15. 2016도16170)

③ [O] 형법 제134조는 뇌물에 공할 금품을 필요적으로 몰수하고 이를 몰수하기 불가능한 때에는 그 가액을 추징하도록 규정하고 있는 바, 몰수는 특정된 물건에 대한 것이고 추징은 본래 몰수할 수 있었음을 전제로 하는 것임에 비추어 뇌물에 공할 금품이 특정되지 않았던 것은 몰수할 수 없고 그 가액을 추징할 수도 없다.(대법원 2015. 10. 29. 2015도12838 **돈을 빌려달라 사건**) (同旨 대법원 1996. 5. 8. 96도221)

015 몰수와 추징에 대한 설명으로 옳은 것은? (다툼이 있으면 판례에 의함)   21 경찰간부 [Core ★★]

□□□

① 甲주식회사 대표이사가 금융기관에 청탁하여 乙주식회사의 대출을 알선하고 그 대가로 용역대금 명목의 수수료를 받아 특정경제범죄 가중처벌 등에 관한 법률 위반죄를 범한 경우, 수수료에 대한 권리는 甲회사에 귀속되기 때문에 수수료로 받은 금품을 몰수 또는 그 가액을 추징할 수 없다.

② 몰수는 범죄에 의한 이득을 박탈하는 데 그 취지가 있고 추징도 이러한 몰수의 취지를 관철하기 위한 것이라는 점에서 추징가액의 산정은 재판선고시의 가격이 기준이 된다.

③ 형법 제48조 제1항의 '범인'에 해당하는 공범자는 유죄의 죄책을 지는 자에 국한되므로, 유죄의 죄책을 지지 않는 공범자의 물건은 몰수할 수 없다.

④ 효력을 상실한 압수·수색영장에 기하여 다시 압수를 실시하여 압수해 온 물건을 몰수하였다면, 해당 몰수는 위법한 것으로 효력이 없다.

해설

② [O] 몰수는 범죄에 의한 이득을 박탈하는 데 그 취지가 있고, 추징도 이러한 몰수의 취지를 관철하기 위한 것인 점 등에 비추어 볼 때, 몰수할 수 없는 때에 추징하여야 할 가액은 범인이 그 물건을 보유하고 있다가 몰수의 선고를 받았더라면 잃었을 이득상당액을 의미한다고 보아야 하므로 다른 특별한 사정이 없는 한 그 가액산정은 재판선고시의 가격을 기준으로 하여야 한다.(대법원 2020. 6. 11. 2020도2883 **국정농단 최순실 사건 II**)

① [X] 피고인이 주식회사의 대표이사로서 특정법 제7조(알선수재)에 해당하는 행위를 하고 당해 행위로 인한 대가로 수수료를 받았다면 **수수료에 대한 권리가 회사에 귀속된다 하더라도 행위자인 피고인으로부터 수수료로 받은 금품을 몰수 또는 그 가액을 추징할 수 있고**, 이는 피고인이 개인적으로 실제 사용한 금품이 없다고 하더라도 마찬가지이다.(대법원 2015. 1. 15. 2012도7571 **100억 대출알선사건**)

③ [X] 형법 제48조 제1항의 '범인'에 해당하는 공범자는 반드시 유죄의 죄책을 지는 자에 국한된다고 볼 수 없고 공범에 해당하는 행위를 한 자이면 족하다고 할 것이어서, 이러한 자의 소유물도 형법 제48조 제1항의 '범인 이외의 자의 소유에 속하지 아니하는 물건'으로서 이를 피고인으로부터 몰수할 수 있다.(대법원 2006. 11. 23. 2006도5586 **이사 매수 실패사건**)

④ [X] 몰수대상 물건이 압수되어 있는가 하는 점 및 적법한 절차에 의하여 압수되었는가 하는 점은 몰수의 요건이 아니므로, 이미 그 집행을 종료함으로써 효력을 상실한 압수·수색영장에 기하여 다시 압수·수색을 실시하면서 몰수대상 물건을 압수한 경우 **압수 자체가 위법하게 됨은 별론으로 하고 몰수의 효력에는 영향을 미칠 수 없다**.(대법원 2003. 5. 30. 2003도705 **압수위법 몰수적법 사건**)

016 다음 <보기> 중 몰수 또는 추징할 수 있는 것은 모두 몇 개인가? (다툼이 있으면 판례에 의함)

□□□
23 해경간부 [Superlative ★★★]

> ㉠ 피고인이 음란물유포 인터넷사이트를 운영하면서「정보통신망 이용촉진 및 정보보호 등에
> 관한 법률」위반(음란물유포)죄와 도박개장방조죄에 의하여 비트코인(Bitcoin)을 취득한 사
> 안에서 비트코인
> ㉡ 甲주식회사 대표인 피고인이 금융기관에 청탁하여 乙주식회사가 대출받을 수 있도록 알선행
> 위를 하고 그 대가로 용역대금 명목의 수수료를 甲회사 계좌를 통해 송금받아「특정경제범죄가
> 중처벌 등에 관한 법률」위반(알선수재)죄가 인정된 사안에서 甲회사 계좌를 통해 받은 수수료
> ㉢ 피고인이 신고없이 외국환을 해외 계좌로 송금한 사실로 체포될 당시 미처 송금하지 못하고
> 소지하고 있던 각 자기앞수표 또는 현금
> ㉣ 범죄행위로 인하여 취득한 물건이기는 하나 판결선고 전 검찰에 의하여 압수된 후 피고인에게
> 환부된 것

① 1개   ② 2개

③ 3개   ④ 4개

해설

> ③ ㉠㉡㉣ 3 항목의 경우 몰수 또는 추징할 수 있다.
> ㉠ [○] 피고인이 범죄수익은닉규제법에 정한 중대범죄에 해당하는 정보통신망법위반(음란물유포)죄와 도박개장
> 방조죄에 의하여 취득한 비트코인은 재산적 가치가 있는 무형의 재산이라고 보아야 하므로 (중략) 비트코인
> 을 몰수할 수 있다고 본 원심의 판단은 정당하다.(대법원 2018. 5. 30. 2018도3619 비트코인 몰수 사건)
> ㉡ [○] 피고인이 주식회사의 대표이사로서 특경법 제7조(알선수재)에 해당하는 행위를 하고 당해 행위로 인한
> 대가로 수수료를 받았다면 수수료에 대한 권리가 회사에 귀속된다 하더라도 행위자인 피고인으로부터 수수
> 료로 받은 금품을 몰수 또는 그 가액을 추징할 수 있고, 이는 피고인이 개인적으로 실제 사용한 금품이 없다
> 고 하더라도 마찬가지이다.(대법원 2015. 1. 15. 2012도7571 100억 대출알선사건)
> ㉢ [×] 체포될 당시에 미처 송금하지 못하고 소지하고 있던 자기앞수표나 현금은 장차 실행하려고 한 외국환거
> 래법 위반의 범행에 제공하려는 물건일 뿐 그 이전에 범해진 외국환거래법 위반의 '범죄행위에 제공하려고 한
> 물건'으로는 볼 수 없으므로 몰수할 수 없다.(대법원 2008. 2. 14. 2007도10034 송금못한 수표·현금 사건)
> ㉣ [○] 몰수는 압수되어 있는 물건에 대해서만 하는 것이 아니므로 판결선고전 검찰에 의하여 압수된 후 피고인에
> 게 환부된 물건에 대하여도 피고인으로부터 몰수할 수 있다.(대법원 1977. 5. 24. 76도4001 일화·미화 몰수
> 사건)

017 몰수·추징에 관한 다음 설명 중 옳은 것은 모두 몇 개인가? (다툼이 있으면 판례에 의함)

> ㉠ 체포될 당시에 미처 송금하지 못하고 소지하고 있던 자기앞수표나 현금은 장차 실행하려고 한 외국환거래법 위반의 범행에 제공하려는 물건으로서 몰수할 수 있다.
> ㉡ 몰수하기 불가능한 때에 추징하여야 할 가액은 범인이 그 물건을 보유하고 있다가 몰수의 선고를 받았더라면 잃었을 이득상당액을 의미하므로, 다른 특별한 사정이 없는 한 그 가액산정은 재판선고시의 가격을 기준으로 하여야 한다.
> ㉢ 밀항단속법 제4조 제3항의 취지와 동법의 입법 목적에 비추어 보면, 밀항단속법상 몰수와 추징은 일반 형사법과 달리 범죄사실에 대한 징벌적 제재의 성격을 띠고 있으므로, 여러 사람이 공모하여 죄를 범하고도 몰수대상인 수수 또는 약속한 보수를 몰수할 수 없을 때에는 공범자 전원에 대하여 그 보수액 전부의 추징을 명하여야 한다.
> ㉣ 구(舊) 변호사법 제94조의 규정에 의한 필요적 몰수 또는 추징은 받은 금품 기타 이익을 그들로부터 박탈하여 부정한 이익을 보유하지 못하게 함에 그 목적이 있는 것이므로, 수인이 공동하여 공무원이 취급하는 사건 또는 사무에 관하여 청탁을 한다는 명목으로 받은 경우 그 금품을 분배하였더라도 각자에게 전액을 몰수하거나 그 가액을 추징하여야 한다.

① 1개　　　　　　　　　② 2개
③ 3개　　　　　　　　　④ 4개

해설

> ② ㉡㉢ 2 항목이 옳다.
> ㉠ [×] 체포될 당시에 미처 송금하지 못하고 소지하고 있던 자기앞수표나 현금은 장차 실행하려고 한 외국환거래법 위반의 범행에 제공하려는 물건일 뿐, 그 이전에 범해진 외국환거래법 위반의 '범죄행위에 제공하려고 한 물건'으로는 볼 수 없으므로 몰수할 수 없다.(대법원 2008. 2. 14. 2007도10034 송금못한 수표·현금사건)
> ㉡ [○] 몰수는 범죄에 의한 이득을 박탈하는 데 그 취지가 있고, 추징도 이러한 몰수의 취지를 관철하기 위한 것인 점 등에 비추어 볼 때, 몰수할 수 없는 때에 추징하여야 할 가액은 범인이 그 물건을 보유하고 있다가 몰수의 선고를 받았더라면 잃었을 이득상당액을 의미한다고 보아야 하므로 다른 특별한 사정이 없는 한 그 가액산정은 재판선고시의 가격을 기준으로 하여야 한다.(대법원 2008. 10. 9. 2008도6944)
> ㉢ [○] 밀항단속법상의 몰수와 추징은 일반 형사법의 경우와 달리 범죄사실에 대한 징벌적 제재의 성격을 띠고 있다고 할 것이므로, 여러 사람이 공모하여 죄를 범하고도 몰수대상인 수수 또는 약속한 보수를 몰수할 수 없을 때에는 공범자 전원에 대하여 그 보수액 전부의 추징을 명하여야 한다.(대법원 2008. 10. 9. 2008도7034 마산 밀항사건)
> ㉣ [×] 수인이 공동하여 변호사법 제90조 제2호에 규정한 죄를 범하고 교부받은 금품을 분배하는 경우에는 각자가 실제로 분배받은 금품만을 개별적으로 몰수하거나 그 가액을 추징하여야 한다.(대법원 1999. 4. 9. 98도4374 6대4 비율로 사건)

018 몰수 및 추징에 관한 다음 설명 중 가장 옳은 것은? (다툼이 있으면 판례에 의함)

23 법원행시 [Core ★★]

① 형법 제49조 단서는 "행위자에게 유죄의 재판을 아니할 때에도 몰수의 요건이 있는 때에는 몰수만을 선고할 수 있다."라고 규정하고 있으므로 공소가 제기되지 않은 별개의 범죄 사실을 법원이 인정하여 그에 관하여 몰수나 추징을 선고할 수 있다.

② 부패재산의 몰수 및 회복에 관한 특례법 제6조 제1항, 제3조 제1항, 제2조 제3호에서 정한 몰수·추징의 원인이 되는 범죄사실은 공소제기된 범죄사실에 한정되고, '범죄피해재산'은 그 공소제기된 범죄사실 피해자로부터 취득한 재산 또는 그 재산의 보유·처분에 의하여 얻은 재산에 한정되며, 그 피해자의 피해회복이 심히 곤란하다고 인정되는 경우에만 몰수·추징이 허용된다.

③ 피고인이 개설한 웹사이트에 음란 사이트 링크 배너와 도박사이트 홍보배너를 게시하는 등의 방식으로 운영하다가 성명불상자에게 이 사건 웹사이트를 50,000,000원에 매각하고 현금으로 위 돈을 지급받은 경우 이 사건 웹사이트는 각 범죄행위에 제공된 무형의 재산에 해당할 뿐만 아니라 형법 제48조 제1항 제2호에서 정한 '범죄행위로 인하여 생(生)하였거나 이로 인하여 취득한 물건'에 해당한다.

④ 특별법에서 해당 법률의 입법 목적과 취지 등을 고려하여 몰수·추징의 성격이나 그 범위 등에 관하여 형법과 달리 정한 경우에는 특별법 우선의 원칙상 특별법 규정이 적용되는 한도에서 형법 제48조의 적용이 배제되므로 특별법에 따른 몰수·추징 요건이 구비되지 않고 형법 제48조의 요건만 충족되는 경우에는 이에 따른 몰수·추징이 가능하지 않다.

⑤ 동영상과 같은 전자기록은 일정한 저장매체에 전자방식이나 자기방식에 의하여 저장된 기록에 불과하므로 형법 제48조 제1항 제2호가 정하는 '범죄행위로 인하여 생긴 물건'에 해당하지 않는다.

해설

② [○] 부패재산몰수법 제6조 제1항, 제3조 제1항, 제2조 제3호에서 정한 몰수·추징의 원인이 되는 범죄사실은 공소제기된 범죄사실에 한정되고, '범죄피해재산'은 그 공소제기된 범죄사실 피해자로부터 취득한 재산 또는 그 재산의 보유·처분에 의하여 얻은 재산에 한정되며, 그 피해자의 피해회복이 심히 곤란하다고 인정되는 경우에만 몰수·추징이 허용된다고 보아야 한다.(대법원 2022. 11. 17. 2022도8662 **2억원을 여행용 가방에 담아 사건**)

① [×] 형법 제49조 단서는 "행위자에게 유죄의 재판을 아니할 때에도 몰수의 요건이 있는 때에는 몰수만을 선고할 수 있다."라고 규정하고 있으나, 우리 법제상 공소의 제기없이 별도로 몰수만을 선고할 수 있는 제도가 마련되어 있지 않으므로, 위 규정에 근거하여 몰수를 선고하기 위해서는 몰수의 요건이 공소가 제기된 공소사실과 관련되어 있어야 하고 **공소가 제기되지 않은 별개의 범죄사실을 법원이 인정하여 그에 관하여 몰수나 추징을 선고하는 것은 불고불리의 원칙에 위반되어 허용되지 않는다.**(대법원 2022. 11. 17. 2022도8662 **2억원을 여행용 가방에 담아 사건**)

③ [×] (1) 형법 제48조는 몰수의 대상을 '물건'으로 한정하고 있다. 이는 범죄행위에 의하여 생긴 재산 및 범죄행위의 보수로 얻은 재산을 범죄수익으로 몰수할 수 있도록 한 「범죄수익은닉의 규제 및 처벌 등에 관한 법률」이나 범죄행위로 취득한 재산상 이익의 가액을 추징할 수 있도록 한 형법 제357조 등의 규정과는 구별된다.

민법 제98조는 물건에 관하여 '유체물 및 전기 기타 관리할 수 있는 자연력'을 의미한다고 정의하는데, 형법이 민법이 정의한 '물건'과 다른 내용으로 '물건'의 개념을 정의하고 있다고 볼 만한 사정도 존재하지 아니한다. (2) 피고인이 웹사이트에 음란 사이트 링크배너와 도박사이트 홍보배너를 게시하는 등의 방식으로 운영하다가 타인에게 웹사이트를 5,000만원에 매각하고 현금으로 위 돈을 지급받은 경우 **그 웹사이트는 범죄행위에 제공된 무형의 재산에 해당할 뿐** 형법 제48조 제1항 제2호에서 정한 '범죄행위로 인하여 생(生)하였거나 이로 인하여 취득한 **물건'에 해당하지 않으므로 웹사이트 매각을 통해 취득한 대가는** 형법 제48조 제1항 제2호, 제2항이 규정한 **추징의 대상에 해당하지 않는다.**(대법원 2021. 10. 14. 2021도7168 웹사이트 매각대금 추징 사건)

④ [×] 특별법에서 해당 법률의 입법 목적과 취지 등을 고려하여 몰수·추징의 성격이나 그 범위 등에 관하여 형법과 달리 정한 경우에는 특별법 우선의 원칙상 특별법 규정이 적용되는 한도에서 형법 제48조의 적용이 배제된다. 그러나 **특별법에 따른 몰수·추징 요건이 구비되지 않고 형법 제48조의 요건이 충족되는 경우에는 이에 따른 몰수·추징이 가능하다.**(대법원 2018. 7. 26. 2018도8194 옐로우씨 40대 자동진행장치 45대 사건)

⑤ [×] 전자기록은 일정한 저장매체에 전자방식이나 자기방식에 의하여 저장된 기록으로서 **저장매체를 매개로 존재하는 물건이므로** 형법 제48조 제1항 각호의 사유가 있는 때에는 **이를 몰수할 수 있다.**(대법원 2017. 10. 23. 2017도5905 강간장면 촬영사건)

019 몰수와 추징에 관한 설명 중 가장 적절하지 않은 것은? (다툼이 있으면 판례에 의함)

☐☐☐

23 경대편입 [Superlative ★★★]

① 피고인이 음란물유포 인터넷사이트를 운영하면서 「정보통신망 이용촉진 및 정보보호 등에 관한 법률」위반(음란물유포)죄와 「형법」상 도박개장방조죄에 의하여 비트코인(Bitcoin)을 취득한 행위는 「범죄수익은닉의 규제 및 처벌 등에 관한 법률」에 정한 중대범죄에 해당하며, 비트코인은 재산적 가치가 있는 무형의 재산이라고 보아야 하고, 몰수의 대상인 비트코인이 특정되어 있으므로 피고인이 취득한 비트코인을 몰수할 수 있다.

② 몰수의 취지가 범죄에 의한 이득의 박탈을 목적으로 하는 것이고 추징도 이러한 몰수의 취지를 관철하기 위한 것이라는 점을 고려하면 몰수하기 불능한 때에 추징하여야 할 가액은 범인이 그 물건을 보유하고 있다가 몰수의 선고를 받았더라면 잃게 될 이득상당액을 의미하므로 추징하여야 할 가액이 몰수의 선고를 받았더라면 잃게 될 이득상당액을 초과하여서는 아니 된다.

③ 몰수와 추징은 부가형이므로 주형 등에 부가하여 한번에 선고되고 이와 일체를 이루어 동시에 확정되어야 하고 본안에 관한 주형 등과 분리되어 이심되어서는 안 된다.

④ 피고인이 甲, 乙과 공모하여 정보통신망을 통하여 음란한 화상 또는 영상을 배포하고, 도박 사이트 홍보에 이용한 웹사이트는 범죄행위에 제공된 무형의 재산에 해당할 뿐 「형법」 제48 조 제1항 제2호에서 정한 '범죄행위로 인하여 생하였거나 이로 인하여 취득한 물건'에 해당하지 않으므로 피고인이 위 웹사이트 매각을 통해 취득한 대가는 「형법」 제48조 제1항 제2호, 제2항이 규정한 추징의 대상에 해당하지 않는다.

⑤ 범인이 알선 대가로 수수한 금품에 관하여 소득신고를 하고 이에 관하여 법인세 등 세금을 납부하였다면 이는 범인이 자신의 알선수재행위를 정당화시키기 위한 것으로 이를 추징에서 제외하여야 한다.

해설

⑤ [×] 범인이 알선 대가로 수수한 금품에 관하여 소득신고를 하고 이에 관하여 법인세 등 세금을 납부하였다고 하더라도 이는 범인이 자신의 알선수재행위를 정당화시키기 위한 것이거나 범인 자신의 독자적인 판단에 따라 소비하는 방법의 하나에 지나지 아니하므로 **이를 추징에서 제외할 것은 아니다.**(대법원 2010. 3. 25. 2009도11660 학교부지매각 알선사건)

① [○] 피고인이 범죄수익은닉규제법에 정한 중대범죄에 해당하는 정보통신망법위반(음란물유포)죄와 도박개장 방조죄에 의하여 취득한 비트코인은 재산적 가치가 있는 무형의 재산이라고 보아야 하므로 (중략) 비트코인을 몰수할 수 있다고 본 원심의 판단은 정당하다.(대법원 2018. 5. 30. 2018도3619 비트코인 몰수 사건)

② [○] 특별법에서 해당 법률의 입법 목적과 취지 등을 고려하여 몰수·추징의 성격이나 그 범위 등에 관하여 형법과 달리 정한 경우에는 특별법 우선의 원칙상 특별법 규정이 적용되는 한도에서 형법 제48조의 적용이 배제된다. 그러나 특별법에 따른 몰수·추징 요건이 구비되지 않고 형법 제48조의 요건이 충족되는 경우에는 이에 따른 몰수·추징이 가능하다.(대법원 2018. 7. 26. 2018도8194 옐로우씨 40대 자동진행장치 45대 사건)

③ [○] 관세법 제282조는 이른바 필수적 몰수 또는 추징 조항으로서 그 요건에 해당하는 한 법원은 반드시 몰수를 선고하거나 추징을 명하여야 한다. 위와 같은 몰수 또는 추징은 범죄행위로 인한 이득의 박탈을 목적으로 하는 것이 아니라 징벌적인 성질을 가지는 처분으로 부가형으로서의 성격을 띠고 있어, 피고사건 본안에 관한 판단에 따른 주형 등에 부가하여 한 번에 선고되고 이와 일체를 이루어 동시에 확정되어야 하고 본안에 관한 주형 등과 분리되어 이심되어서는 아니 되는 것이 원칙이다. 따라서 상소심에서 원심의 주형 부분을 파기하는 경우 부가형인 몰수 또는 추징 부분도 함께 파기하여야 하고, 몰수 또는 추징을 제외한 나머지 주형 부분만을 파기할 수는 없다.(대법원 2009. 6. 25. 2009도2807 중국 보따리상 밀수사건)

④ [○] 피고인이 웹사이트에 음란 사이트 링크배너와 도박사이트 홍보배너를 게시하는 등의 방식으로 운영하다가 타인에게 웹사이트를 5,000만원에 매각하고 현금으로 위 돈을 지급받은 경우 그 웹사이트는 범죄행위에 제공된 무형의 재산에 해당할 뿐 형법 제48조 제1항 제2호에서 정한 '범죄행위로 인하여 생(生)하였거나 이로 인하여 취득한 물건'에 해당하지 않으므로 웹사이트 매각을 통해 취득한 대가는 형법 제48조 제1항 제2호, 제2항이 규정한 추징의 대상에 해당하지 않는다.(대법원 2021. 10. 14. 2021도7168 웹사이트 매각대금 추징사건)

020

☐☐☐ **형벌론에 관한 설명으로 가장 적절하지 않은 것은? (다툼이 있으면 판례에 의함)**

24 경찰채용 [Core ★★]

① 과료는 판결확정일로부터 30일 내에 납입하여야 하며, 과료를 납입하지 아니한 자는 1일 이상 30일 미만의 기간 노역장에 유치하여 작업에 복무하게 한다.

② 행위자에게 유죄의 재판을 아니할 때에도 몰수의 요건이 있는 때에는 몰수만을 선고할 수 있지만, 우리 법제상 공소의 제기 없이 별도로 몰수만을 선고할 수 있는 제도는 마련되어 있지 않다.

③ 「마약류 관리에 관한 법률」 제67조에 의한 몰수나 추징은 범죄행위로 인한 이득의 박탈을 목적으로 하는 것이므로 그 범행으로 인하여 이득을 취득한 바 없다면 법원은 그 가액의 추징을 명할 수 없다.

④ 甲이 수사기관에 자진 출석하여 처음 조사를 받으면서는 돈을 차용하였을 뿐이라며 범죄사실을 부인하다가 제2회 조사를 받으면서 비로소 업무와 관련하여 돈을 수수하였다고 자백한 행위에 대하여 자수감경을 할 수 없다.

해설

③ [×] 마약법 제67조에 의한 몰수나 추징은 범죄행위로 인한 이득의 박탈을 목적으로 하는 것이 아니라 징벌적 성질의 처분이므로 그 범행으로 인하여 이득을 취득한 바 없다 하더라도 법원은 그 가액의 추징을 명하여야 하고, 죄를 범한 자가 여러 사람일 때에는 각자에 대하여 그가 취급한 범위 내에서 의약품 가액 전액의 추징을 명하여야 한다.(대법원 2010. 8. 26. 2010도7251 필로폰 매매대금 all추징 사건)

① [○] 벌금과 과료는 판결확정일로부터 30일 내에 납입하여야 한다. 단, 벌금을 선고할 때에는 동시에 그 금액을 완납할 때까지 노역장에 유치할 것을 명할 수 있다.(제69조 제1항) 벌금을 납입하지 아니한 자는 1일 이상 3년 이하, 과료를 납입하지 아니한 자는 1일 이상 30일 미만의 기간 노역장에 유치하여 작업에 복무하게 한다.(제69조 제2항)

② [○] 형법 제49조 단서는 "행위자에게 유죄의 재판을 아니할 때에도 몰수의 요건이 있는 때에는 몰수만을 선고할 수 있다."라고 규정하고 있으나, 우리 법제상 공소의 제기없이 별도로 몰수만을 선고할 수 있는 제도가 마련되어 있지 않으므로 위 규정에 근거하여 몰수를 선고하기 위해서는 몰수의 요건이 공소가 제기된 공소사실과 관련되어 있어야 하고, 공소가 제기되지 않은 별개의 범죄사실을 법원이 인정하여 그에 관하여 몰수나 추징을 선고하는 것은 불고불리의 원칙에 위반되어 허용되지 않는다.(대법원 2022. 11. 17. 2022도8662 2억원을 여행용 가방에 담아 사건)

④ [○] 피고인이 수사기관에 자진 출석하여 처음 조사를 받으면서는 돈을 차용하였을 뿐이라며 범죄사실을 부인하다가 제2회 조사를 받으면서 비로소 업무와 관련하여 돈을 수수하였다고 자백한 행위를 자수라고 할 수 없다.(대법원 2011. 12. 22. 2011도12041 코어비트 대표 사건)

정답 | 020 ③

021 몰수와 추징에 관한 다음 설명 중 판례의 내용과 부합하는 것은 모두 몇 개인가?

12 경찰간부 [Core ★★]

> ⊙ 금품의 무상차용을 통하여 위법한 재산상 이익을 취득한 경우 범인이 받은 부정한 이익은 그로 인한 금융이익 상당액이므로 추징의 대상이 되는 것은 무상으로 대여받은 금품 그 자체가 아니라 '금융이익 상당액'이다.
>
> ⓛ 체포될 당시에 미쳐 송금하지 못하고 소지하고 있던 자기앞수표나 현금은 장차 실행하려고 한 외국환거래법 위반의 범행에 제공하려는 물건으로서 몰수할 수 있다.
>
> ⓒ 공소사실이 인정되지 않거나 공소사실에 관하여 이미 공소시효가 완성되어 유죄의 선고를 할 수 없는 경우에는 몰수나 추징만을 선고할 수 있지만, 면소의 경우에는 몰수만을 선고할 수 없다.
>
> ⓡ 여러 사람이 공모하여 관세를 포탈하거나 관세장물을 알선, 운반, 취득한 경우에는 범칙자의 1인이 그 물품을 소유하거나 점유하였다면 그 물품의 범칙 당시의 국내도매가격 상당의 가액 전액을 그 물품의 소유 또는 점유사실의 유무를 불문하고 범칙자 전원으로부터 각각 추징할 수 있다.

① 1개
② 2개
③ 3개
④ 4개

해설

> ② ⊙ⓡ 2 항목이 옳다.
>
> ⊙ [○] 금품의 무상대여를 통하여 위법한 재산상 이익을 취득한 경우 범인이 받은 부정한 이익은 그로 인한 금융이익 상당액이라 할 것이므로 추징의 대상이 되는 것은 무상으로 대여받은 금품 그 자체가 아니라 금융이익 상당액이다.(대법원 2014. 5. 16. 2014도1547 **차용금 1억8천만원 사건**)
>
> ⓛ [×] 체포될 당시에 미처 송금하지 못하고 소지하고 있던 자기앞수표나 현금은 장차 실행하려고 한 외국환거래법 위반의 범행에 제공하려는 물건일 뿐, **그 이전에 범해진 외국환거래법 위반의 '범죄행위에 제공하려고 한 물건'으로는 볼 수 없으므로 몰수할 수 없다**.(대법원 2008. 2. 14. 2007도10034 **송금못한 수표 · 현금 사건**)
>
> ⓒ [×] 몰수나 추징이 공소사실과 관련이 있다 하더라도 그 공소사실에 관하여 이미 공소시효가 완성되어 유죄의 선고를 할 수 없는 경우에는 **몰수나 추징도 할 수 없다**.(대법원 1992. 7. 28. 92도700 **바이올린 밀수사건**)
>
> ⓡ [○] 관세법이 규정하고 있는 추징은 일반 형사법상의 추징과는 달리 징벌적 성격을 띠고 있어 여러 사람이 공모하여 밀수입행위를 하거나 그 밀수품을 취득, 양여, 감정한 경우에는 범칙자의 1인이 그 물품을 소유하거나 점유하였다면 그 물품의 범칙 당시의 국내도매가격 상당의 가액 전액을 그 물품의 소유 또는 점유사실의 유무를 불문하고 범칙자 전원으로부터 각각 추징할 수 있다고 할 것이고, 다만 그 공범자 또는 범칙자 중 어떤 자가 그 가액의 전액을 납부한 때에는 다른 공범자에 대하여 그 추징의 집행이 면제될 뿐이다.(대법원 2008. 1. 17. 2006도455 **다이아몬드 밀수사건**)

022 다음 설명 중 옳지 않은 것만을 모두 고르면? (다툼이 있으면 판례에 의함)

19 국가9급 [Superlative ★★★]

> ㉠ 형법상 몰수의 대상은 범죄의 실행행위 자체에 사용한 물건에만 한정되고, 실행행위 착수 전 또는 실행행위 종료 후의 행위에 사용한 물건은 이에 해당하지 않는다.
> ㉡ 하나의 죄에 대하여 징역형과 벌금형을 병과하는 경우 특별한 규정이 없더라도 징역형만을 작량감경하고 벌금형에는 작량감경을 하지 않을 수 있다.
> ㉢ 선고유예는 선고할 형이 1년 이하의 징역이나 금고, 자격정지 또는 벌금의 형인 경우에 한하고 구류형에 대하여는 선고를 유예할 수 없다.
> ㉣ 판결선고 전의 구금일수는 전부 또는 그 일부를 유기징역, 유기금고, 벌금이나 과료에 관한 유치 또는 구류에 산입한다.

① ㉠㉡
② ㉡㉢
③ ㉠㉡㉣
④ ㉠㉢㉣

해설

③ ㉠㉡㉣ 3 항목이 옳지 않다.

㉠ [×] '**범죄행위에 제공한 물건**'은 범죄의 실행행위 자체에 사용한 물건에만 한정되는 것이 아니며, 실행행위의 착수 전의 행위 또는 실행행위의 종료 후의 행위에 사용한 물건이더라도 그것이 **범죄행위의 수행에 실질적으로 기여하였다고 인정되는 한 범죄행위에 제공한 물건에 포함된다.**(대법원 2006. 9. 14. 2006도4075 **장물 운반 소나타 몰수사건**)

㉡ [×] 하나의 죄에 대하여 징역형과 벌금형을 병과하는 경우, 특별한 규정이 없는 한 **징역형에만 작량감경을 하고 벌금형에는 작량감경을 하지 않는 것은 위법하다.**(대법원 2011. 5. 26. 2011도3161)

㉢ [○] 형법 제59조 제1항은 '1년 이하의 징역이나 금고, 자격정지 또는 벌금의 형을 선고할 경우 제51조의 사항을 참작하여 개전의 정상이 현저한 때에는 선고를 유예할 수 있다'고 규정하고 있어, 형의 선고를 유예할 수 있는 경우는 선고할 형이 1년 이하의 징역이나 금고, 자격정지 또는 벌금의 형인 경우에 한하고 구류형에 대하여는 선고를 유예할 수 없다.(대법원 1993. 6. 22. 93오1 **구류3일 선고유예 사건**)

㉣ [×] 판결선고전의 구금일수는 그 **전부를** 유기징역, 유기금고, 벌금이나 과료에 관한 유치 또는 구류에 산입한다.(제57조 제1항)

023

□□□

몰수와 추징에 관한 설명으로 옳은 것은? (다툼이 있으면 판례에 의함) 25 경찰간부 [Core ★★]

> 甲은 모텔 등에서 투숙객을 대상으로 휴대전화로 동영상을 불법촬영한 후 음란물 유포 인터넷 사이트를 운영하는 乙에게 전달하였고, 이에 대해 乙은 甲의 은행계좌로 범행의 보수를 송금하였다. 乙은 인터넷 사이트 이용자에게 비트코인(Bitcoin)을 대가로 지급받는 방식으로 불법촬영된 동영상을 서비스하였다. 이후 乙은 위 인터넷 사이트를 丙에게 매각하였다.

① 甲의 휴대전화에 저장된 불법촬영 동영상은 저장매체에 전자방식이나 자기방식에 의하여 저장된 정보로서 '물건'이라고 할 수 없으므로 몰수할 수 없다.

② 甲이 계좌송금을 통해 취득한 범행의 보수는 형법 제48조 제1항 제2호, 제2항이 규정한 추징의 대상에 해당한다.

③ 乙이 음란물 유포 인터넷 사이트를 운영하면서 음란물유포죄에 의하여 취득한 비트코인(Bitcoin)은 형법뿐만 아니라 「범죄 수익은닉의 규제 및 처벌 등에 관한 법률」에 의해서도 몰수할 수 없다.

④ 乙이 음란물 유포 인터넷 사이트 매각을 통해 취득한 대가는 형법 제48조 제1항 제2호, 제2항에서 규정한 추징의 대상에 해당하지 않는다.

해설

④ [○] 피고인이 웹사이트에 음란 사이트 링크배너와 도박사이트 홍보배너를 게시하는 등의 방식으로 운영하다가 타인에게 웹사이트를 5,000만원에 매각하고 현금으로 위 돈을 지급받은 경우 그 웹사이트는 범죄행위에 제공된 무형의 재산에 해당할 뿐 형법 제48조 제1항 제2호에서 정한 '범죄행위로 인하여 생(生)하였거나 이로 인하여 취득한 **물건**'에 해당하지 않으므로 웹사이트 매각을 통해 취득한 대가는 형법 제48조 제1항 제2호, 제2항이 규정한 추징의 대상에 해당하지 않는다.(대법원 2021. 10. 14. 2021도7168 웹사이트 매각대금 추징 사건) 사이트 매각을 통해 취득한 대가는 형법 제48조 제1항 제2호, 제2항에 의하여 추징할 수 없다.

① [×] 전자기록은 일정한 저장매체에 전자방식이나 자기방식에 의하여 저장된 기록으로서 **저장매체를 매개로 존재하는 물건**이므로 형법 제48조 제1항 각호의 사유가 있는 때에는 이를 몰수할 수 있다.(대법원 2017. 10. 23. 2017도5905 강간 동영상 몰수사건) 불법촬영 동영상은 몰수할 수 있다.

② [×] 은행 계좌로 송금받는 방법으로 범행의 보수를 받는 경우 피고인은 은행에 대한 **예금채권을 취득할 뿐이어서 이를 형법 제48조 제1항 각호의 '물건'에 해당한다고 보기는 어렵다.** 따라서 피고인이 계좌송금을 통해 취득한 범행의 보수는 형법 제48조 제1항 제2호, 제2항이 규정한 추징의 대상에 해당하지 아니한다.(대법원 2023. 1. 12. 2020도2154 도박사이트 홍보대금 추징사건) 계좌송금을 통해 취득한 범행의 보수는 추징할 수 없다.

③ [×] 피고인이 범죄수익은닉규제법에 정한 중대범죄에 해당하는 정보통신망법위반(음란물유포)죄와 도박개장 방조죄에 의하여 취득한 비트코인은 재산적 가치가 있는 무형의 재산이라고 보아야 하므로 (중략) 비트코인을 몰수할 수 있다고 본 원심의 판단은 정당하다.(대법원 2018. 5. 30. 2018도3619 비트코인 몰수 사건) 물건이 아닌 비트코인은 형법에 의해서는 몰수할 수 없지만 특별법인 범죄수익은닉규제법에 의해서는 몰수할 수 있다.

024 자수에 관한 다음 설명 중 가장 옳지 않은 것은? (다툼이 있으면 판례에 의함) 13 법원행시 [Core ★★]

① 범죄사실을 부인하거나 죄의 뉘우침이 없는 자수는 그 외형은 자수일지라도 법률상 형의 감경 사유가 되는 진정한 자수라고는 할 수 없다.

② 자수서를 소지하고 수사기관에 자발적으로 출석하였으나 자수서를 제출하지 아니하고 범행사실도 부인하였고, 그 이후 구속까지 된 상태에서 자수서를 제출하고 범행사실을 시인한 것을 자수에 해당한다고 볼 수는 없다.

③ 피고인이 검찰에 자진출석하여 자수서를 제출하고 범행을 자백하였으나, 그 후 검찰 수사 및 재판과정에서 범행을 부인한 경우에는 자수라고 볼 수 없다.

④ 수사기관에 뇌물수수의 범죄사실을 자발적으로 신고하였으나 그 수뢰액을 실제보다 적게 신고함으로써 적용법조와 법정형이 달라지게 된 경우에는 자수에 해당하지 않는다.

⑤ 자수시기에 관한 특별한 규정이 없으면 범행발각이나 지명수배 여부와 관계없이 체포 전에만 자수하면 자수에 해당한다.

해설

③ [×] 피고인이 검찰의 소환에 따라 자진 출석하여 검사에게 범죄사실에 관하여 자백함으로써 형법상 자수의 효력이 발생하였다면, 그 후에 검찰이나 법정에서 범죄사실을 일부 부인하였다고 하더라도 일단 발생한 자수의 효력이 소멸하는 것은 아니다.(대법원 2002. 8. 23. 2002도46)

① [○] 죄의 뉘우침이 없는 자수는 그 외형은 자수일지라도 법률상 형의 감경사유가 되는 진정한 자수라고는 할 수 없다.(대법원 1994. 10. 14. 94도2130)

② [○] 자수서를 소지하고 수사기관에 자발적으로 출석하였으나 자수서를 제출하지 아니하고 범행사실도 부인하였다면 자수가 성립하지 아니하고, 그 이후 구속까지 된 상태에서 자수서를 제출하고 범행사실을 시인하더라도 이는 자수에 해당한다고 인정할 수 없다.(대법원 2004. 10. 14. 2003도3133)

④ [○] 수사기관에 뇌물수수의 범죄사실을 자발적으로 신고하였으나 그 수뢰액을 실제보다 적게 신고함으로써 적용법조와 법정형이 달라지게 된 경우 자수에 해당하지 아니한다.(대법원 2004. 6. 24. 2004도2003 5천 받고 3천 자수 사건)

⑤ [○] 범행발각이나 지명수배 여부와 관계없이 체포 전에만 자수하면 자수에 해당한다.(대법원 1997. 3. 20. 96도1167 순승 공직선거법 자수 사건)

025 자수에 대한 다음 설명 중 가장 적절하지 않은 것은? (다툼이 있으면 판례에 의함)
□□□
16 경찰채용 [Essential ★]

① 수사기관에 뇌물수수의 범죄사실을 자발적으로 신고하였으나 그 수뢰액을 실제보다 적게 신고함으로써 적용법조와 법정형이 달라지게 된 경우 자수가 성립하지 않는다.

② 범죄사실과 범인이 누구인가가 발각된 후라 하더라도 범인이 자발적으로 자기의 범죄사실을 수사기관에 신고한 경우에는 이를 자수로 보아야 한다.

③ 형법상 피해자의 의사에 반하여 처벌할 수 없는 죄에 있어서 피해자에게 자복한 경우에는 필요적 감면사유이다.

④ 피고인이 수사기관에 자진 출석하여 처음 조사를 받으면서는 돈을 차용하였을 뿐이라며 범죄사실을 부인하다가 제2회 조사를 받으면서 비로소 업무와 관련하여 돈을 수수하였다고 자백한 행위를 자수라고 할 수 없다.

해설

③ [×] 피해자의 의사에 반하여 처벌할 수 없는 죄에 있어서 피해자에게 자복한 때에는 **그 형을 감경 또는 면제할 수 있다.**(제52조 제2항)

① [○] 수사기관에 뇌물수수의 범죄사실을 자발적으로 신고하였으나 그 수뢰액을 실제보다 적게 신고함으로써 적용법조와 법정형이 달라지게 된 경우 자수가 성립하지 않는다.(대법원 2004. 6. 24. 2004도2003 **5천 받고 3천 자수 사건**)

② [○] 자수란 범인이 자발적으로 자신의 범죄사실을 수사기관에 신고하여 그 소추를 구하는 의사표시를 함으로써 성립하는 것으로서, 범행이 발각된 후에 수사기관에 자진 출석하여 범죄사실을 자백한 경우도 포함한다.(대법원 2011. 12. 22. 2011도12041 **박상백 코어비트 대표 사건**)

④ [○] 수사기관의 직무상의 질문 또는 조사에 응하여 범죄사실을 진술하는 것은 자백일 뿐 자수가 되는 것은 아니다.(대법원 2011. 12. 22. 2011도12041 **박상백 코어비트 대표 사건**)

026

16 법원9급 [Superlative ★★★]

다음 설명 중 가장 옳지 않은 것은? (다툼이 있으면 판례에 의함)

□□□

① 자수라 함은 범인이 스스로 수사책임이 있는 관서에 자기의 범행을 고하고 그 처분을 구하는 의사표시를 하는 것을 말하므로, 수사기관의 직무상의 질문 또는 조사에 응하여 범죄사실을 진술한 경우는 자수로 평가할 수 있다.

② 법인의 직원 또는 사용인이 위반행위를 하여 양벌규정에 의하여 법인이 처벌받는 경우, 법인에게 자수감경을 적용하기 위하여는 법인의 이사 기타 대표자가 수사책임이 있는 관서에 자수하는 경우에 한하고, 그 위반행위를 한 직원 또는 사용인이 자수한 것만으로는 형을 감경할 수 없다.

③ 법률상 감경사유가 있을 때에는 작량감경보다 우선하여야 한다.

④ 자수서를 소지하고 수사기관에 자발적으로 출석하였으나 자수서를 제출하지 아니하고 범행사실도 부인하였다면 자수가 성립하지 아니하고, 그 이후 구속까지 된 상태에서 자수서를 제출하고 범행사실을 시인한 것을 자수에 해당한다고 인정할 수 없다.

해설

① [×] 수사기관의 직무상의 질문 또는 조사에 응하여 범죄사실을 진술하는 것은 **자백일 뿐 자수가 되는 것은 아니다.**(대법원 2011. 12. 22. 2011도12041 박상백 코어비트 대표 사건)

② [○] 양벌규정에 의하여 법인이 처벌받는 경우 법인에게 자수감경에 관한 형법 규정을 적용하기 위하여는 법인의 이사 기타 대표자가 수사책임이 있는 관서에 자수한 경우에 한하고 그 위반행위를 한 직원 또는 사용인이 자수한 것만으로는 형을 감경할 수 없다.(대법원 1995. 7. 25. 95도391)

③ [○] 법률상 감경사유가 있을 때에는 작량감경보다 우선하여 하여야 할 것이고, 작량감경은 이와 같은 법률상 감경을 다하고도 그 처단형보다 낮은 형을 선고하고자 할 때에 하는 것이 옳다.(대법원 1994. 3. 8. 93도3608) (同旨 대법원 1991. 6. 11. 91도985)

④ [○] 자수서를 소지하고 수사기관에 자발적으로 출석하였으나 자수서를 제출하지 아니하고 범행사실도 부인하였다면 자수가 성립하지 아니하고, 그 이후 구속까지 된 상태에서 자수서를 제출하고 범행사실을 시인하더라도 이는 자수에 해당한다고 인정할 수 없다.(대법원 2004. 10. 14. 2003도3133)

027 다음 중 「형법」상 형의 임의적 감경·면제사유 중 임의적 감면사유는 모두 몇 개인가?

☐☐☐

21 해경간부 [Superlative ★★★]

㉠ 중지미수(제26조)   ㉡ 심신미약자(제10조 제2항)

㉢ 형법 총칙상 자수(제52조)   ㉣ 불능미수(제27조)

㉤ 과잉자구행위(제23조 제2항)

㉥ 경합범 중 판결을 받지 아니한 죄에 대하여 형을 선고하는 경우

---

① 1개   ② 2개   ③ 3개   ④ 4개

해설

④ ㉢㉣㉤㉥ 4 항목이 **임의적 감경·면제사유**이다.(㉢ 제52조 제1항 ㉣ 제27조 ㉤ 제23조 제2항 ㉥ 제39조 제1항)

㉠ 필요적 감경·면제사유이다.(제26조)

㉡ 임의적 감경사유이다.(제10조 제2항)

028 다음 <보기> 중 형을 임의적 감면할 수 있는 경우는 모두 몇 개인가? 22 해경간부 [Superlative ★★★]

☐☐☐

㉠ 자구행위가 그 정도를 초과하였지만 정황에 참작할 사유가 있는 경우

㉡ 범죄에 의하여 외국에서 형의 전부 또는 일부의 집행을 받은 경우

㉢ 피해자의 의사에 반하여 처벌할 수 없는 죄에 있어서 피해자에게 자복한 경우

㉣ 심신장애로 인하여 사물변별능력 또는 의사결정능력이 미약한 경우

㉤ 미성년자약취죄를 범한 사람이 약취된 미성년자를 안전한 장소로 풀어준 경우

㉥ 실행 수단의 착오로 인하여 결과의 발생이 불가능하지만 위험성이 인정되는 경우

---

① 1개   ② 2개   ③ 3개   ④ 4개

해설

③ ㉠㉢㉥ 3 항목이 임의적 감경 또는 면제사유이다.

㉠ 임의적 감경 또는 면제사유이다.(제23조 제2항)

㉡ 필요적 전부 또는 일부 산입사유이다.(제7조)

㉢ 임의적 감경 또는 면제사유이다.(제52조 제2항)

㉣ 임의적 감경사유이다.(제10조 제2항)

㉤ 임의적 감경사유이다.(제287조, 제295조의2)

㉥ 임의적 감경 또는 면제사유이다.(제27조)

029 형의 가중 · 감경에 대한 설명으로 옳지 않은 것은? (다툼이 있으면 판례에 의함)

19 5급승진 [Core ★★]

① 법률상 감경할 사유가 수개 있는 때에는 거듭 감경할 수 있고, 작량감경에서 1개의 죄에 정한 형이 수종(數種)인 때에는 먼저 적용할 형을 정하고 그 형을 감경한다.

② 법률상의 감경에 있어서 자격상실을 감경할 때에는 7년 이상의 자격정지로 하고, 자격정지를 감경할 때에는 그 형기의 2분의 1로 한다.

③ 법률상의 감경에서 벌금을 감경할 때의 '다액'의 2분의 1은 '금액'의 2분의 1이라고 해석하여 그 상한과 함께 하한도 2분의 1로 내려가는 것으로 해석하여야 한다.

④ 경합범 중 판결을 받지 아니한 죄가 있는 때에는 그 죄와 판결이 확정된 죄를 동시에 판결할 경우와 형평을 고려하여 그 죄에 대하여 형을 선고한다. 이 경우 그 형을 감경 또는 면제할 수 있다.

⑤ 경합범을 동시에 판결할 때 유기징역형과 벌금형을 병과하는 경우에 유기징역형에만 작량감경을 하고 벌금형에는 작량감경을 하지 아니하는 것은 위법이다.

해설

⑤ [×] 형법 제38조 제1항 제3호에 의하여 징역형과 벌금형을 병과하는 경우에는 각 형에 대한 범죄의 정상에 차이가 있을 수 있으므로 징역형에만 작량감경을 하고 벌금형에는 작량감경을 하지 아니하였다고 하여 이를 위법하다고 할 수 없다.(대법원 2006. 3. 23. 2006도1076)

① [○] 1개의 죄에 정한 형이 수종인 때에는 먼저 적용할 형을 정하고 그 형을 감경한다.(제54조) 법률상 감경할 사유가 수개 있는 때에는 거듭 감경할 수 있다.(제55조 제2항)

② [○] 자격상실을 감경할 때에는 7년 이상의 자격정지로 한다.(제55조 제1항 제4호) 자격정지를 감경할 때에는 그 형기의 2분의 1로 한다.(제55조 제1항 제5호)

③ [○] 형법 제55조 제1항 제6호의 벌금을 감경할 때의 '다액'의 2분의 1이라는 문구는 '금액'의 2분의 1이라고 해석하여 그 상한과 함께 하한도 2분의 1로 내려가는 것으로 해석하여야 한다.(대법원 1978. 4. 25. 78도246 全合)

④ [○] 경합범중 판결을 받지 아니한 죄가 있는 때에는 그 죄와 판결이 확정된 죄를 동시에 판결할 경우와 형평을 고려하여 그 죄에 대하여 형을 선고한다. 이 경우 그 형을 감경 또는 면제할 수 있다.(제39조 제1항)

030 다음 설명 중 가장 옳지 않은 것은? (다툼이 있으면 판례에 의함) 21 법원9급 [Core ★★]
□□□

① 형을 가중·감경할 사유가 경합된 때에는 형법 각칙 본조에 의한 가중 → 형법 제34조 제2항의 가중 → 누범가중 → 경합범가중 → 법률상감경 → 작량감경의 순서에 의하여야 한다.

② 형을 병과할 경우에도 형법 제59조에 따라 형의 전부 또는 일부에 대하여 그 선고를 유예할 수 있다.

③ 징역 또는 금고의 집행 중에 있는 자가 그 행상이 양호하여 개전의 정이 현저한 때에는 무기에 있어서는 20년, 유기에 있어서는 형기의 3분의 1을 경과한 후 행정처분으로 가석방을 할 수 있다.

④ 징역 또는 금고의 집행을 종료하거나 집행이 면제된 자가 피해자의 손해를 보상하고 자격정지 이상의 형을 받음이 없이 7년을 경과한 때에는 본인 또는 검사의 신청에 의하여 그 재판의 실효를 선고할 수 있다.

해설

① [×] 형을 가중·감경할 사유가 경합된 때에는 형법 각칙 본조에 의한 가중 → 형법 제34조 제2항의 가중 → 누범가중 → **법률상감경** → **경합범가중** → 작량감경의 순서에 의하여야 한다.(제56조)

② [○] 형을 병과할 경우에도 형의 전부 또는 일부에 대하여 선고를 유예할 수 있다.(제59조 제2항)

③ [○] 징역이나 금고의 집행 중에 있는 사람이 행상(行狀)이 양호하여 뉘우침이 뚜렷한 때에는 무기형은 20년, 유기형은 형기의 3분의 1이 지난 후 행정처분으로 가석방을 할 수 있다.(제72조 제1항)

④ [○] 징역 또는 금고의 집행을 종료하거나 집행이 면제된 자가 피해자의 손해를 보상하고 자격정지 이상의 형을 받음이 없이 7년을 경과한 때에는 본인 또는 검사의 신청에 의하여 그 재판의 실효를 선고할 수 있다.(제81조)

031 형법상 형의 가중, 감경 또는 면제에 관한 다음 설명 중 옳지 않은 것은 모두 몇 개인가? (다툼이
□□□ 있으면 판례에 의함)　　　　　　　　　　　　　　24 법원행시 [Superlative ★★★]

⊙ 형을 가중·감경할 사유가 경합하는 경우에는 '각칙 조문에 따른 가중, 누범 가중, 제34조
　제2항에 따른 가중, 법률상 감경, 경합범 가중, 정상참작감경'의 순서에 따른다.

ⓛ 직계혈족, 배우자, 동거친족, 동거가족 또는 그 배우자 간의 제323조(권리행사방해)의 죄는
　그 형을 감경 또는 면제한다.

ⓒ 형법 제52조 제1항 소정의 자수란 범인이 자발적으로 자신의 범죄사실을 수사기관에 신고하
　여 그 소추를 구하는 의사표시를 함으로써 성립하는 것이므로 일단 자수가 성립한 이상 자수
　의 효력은 확정적으로 발생하고 그 후에 범인이 번복하여 수사기관이나 법정에서 범행을 부인
　한다고 하더라도 일단 발생한 자수의 효력이 소멸하는 것은 아니다.

ⓔ 무기징역 또는 무기금고를 감경할 때에는 10년 이상 50년 이하의 징역 또는 금고로 한다.

ⓜ 형법 제152조(위증, 모해위증)의 죄를 범한 자가 그 공술한 사건의 재판 또는 징계처분이
　확정되기 전에 자백 또는 자수한 때에는 그 형을 감경 또는 면제하고, 제324조의2(인질강요)
　또는 제324조의3(인질상해·치상)의 죄를 범한 자 및 그 죄의 미수범이 인질을 안전한 장소로
　풀어준 때에는 그 형을 감경할 수 있다.

---

① 없음　　　　　　　② 1개　　　　　　　③ 2개
④ 3개　　　　　　　⑤ 4개

해설

③ ⊙ⓛ 2 항목이 옳지 않다.

⊙ [×] 형을 가중·감경할 사유가 경합하는 경우에는 '각칙 조문에 따른 가중, **제34조 제2항에 따른 가중, 누범
　가중**, 법률상 감경, 경합범 가중, 정상참작감경'의 순서에 따른다.(제56조)

ⓛ [×] 직계혈족, 배우자, 동거친족, 동거가족 또는 그 배우자 간의 제323조(권리행사방해)의 죄는 **그 형을 면제
　한다.**(제328조 제1항)

ⓒ [○] 형법 제52조 제1항 소정의 자수란 범인이 자발적으로 자신의 범죄사실을 수사기관에 신고하여 그 소추를
　구하는 의사표시를 함으로써 성립하는 것이므로 일단 자수가 성립한 이상 자수의 효력은 확정적으로 발생하고
　그 후에 범인이 번복하여 수사기관이나 법정에서 범행을 부인한다고 하더라도 일단 발생한 자수의 효력이 소
　멸하는 것은 아니다.(대법원 2011. 12. 22. 2011도12041 코어비트 대표 사건)

ⓔ [○] 무기징역 또는 무기금고를 감경할 때에는 10년 이상 50년 이하의 징역 또는 금고로 한다.(제55조 제1항
　제2호)

ⓜ [○] 전조의 죄를 범한 자가 그 공술한 사건의 재판 또는 징계처분이 확정되기 전에 자백 또는 자수한 때에는
　그 형을 감경 또는 면제한다.(제153조) 제324조의2 또는 제324조의3의 죄를 범한 자 및 그 죄의 미수범이
　인질을 안전한 장소로 풀어준 때에는 그 형을 감경할 수 있다.(제324조의6)

---

032 다음 설명 중 옳지 않은 것은 모두 몇 개인가? (다툼이 있으면 판례에 의함)

□□□

20 법원행시 [Superlative ★★★]

㉠ 형의 양정은 법정형 확인, 처단형 확정, 선고형 결정 등 단계로 구분된다. 법관은 형의 양정을 할 때 법정형에서 형의 가중·감경 등을 거쳐 형성된 처단형의 범위 내에서만 양형의 조건을 참작하여 선고형을 결정하여야 하고, 이는 형법 제37조 후단 경합범의 경우에도 마찬가지이다.
㉡ 형법 제56조는 형을 가중·감경할 사유가 경합된 경우 가중·감경의 순서를 '1. 각칙 본 조에 의한 가중, 2. 제34조 제2항의 가중, 3. 누범가중, 4. 법률상감경, 5. 경합범가중, 6. 작량감경' 순으로 하도록 정하고 있다.
㉢ 형의 감경에는 법률상 감경과 재판상 감경인 작량감경이 있다. 작량감경 외에 법률의 여러 조항에서 정하고 있는 감경은 모두 법률상 감경이라는 하나의 틀 안에 놓여 있다. 따라서 형법 제39조 제1항 후문에서 정한 감경도 당연히 법률상 감경에 해당한다.
㉣ 형법 제37조 후단 경합범에 대하여 형법 제39조 제1항에 의하여 형을 감경할 때에도 법률상 감경에 관한 형법 제55조 제1항이 적용되어 유기징역을 감경할 때에는 그 형기의 2분의 1 미만으로는 감경할 수 없다.
㉤ 어떠한 행위가 위법성조각사유로서 정당행위나 정당방위가 되는지 여부는 구체적인 경우에 따라 합목적적·합리적으로 가려야 하고, 또 행위의 적법 여부는 국가질서를 벗어나서 이를 가릴 수 없는 것이다.

① 1개　② 2개　③ 3개
④ 4개　⑤ 없음

해설

⑤ 모든 항목이 옳다.

㉠ [○] 형의 양정은 법정형 확인, 처단형 확정, 선고형 결정 등 단계로 구분된다. 법관은 형의 양정을 할 때 법정형에서 형의 가중·감경 등을 거쳐 형성된 처단형의 범위내에서만 양형의 조건을 참작하여 선고형을 결정하여야 하고, 이는 형법 제37조 후단 경합범의 경우에도 마찬가지이다.(대법원 2019. 4. 18. 2017도14609 전원합의체 **제39조 제1항 감경 사건**)

㉡ [○] 형을 가중·감경할 사유가 경합된 경우 가중·감경의 순서를 '1. 각칙 본조에 의한 가중, 2. 제34조 제2항의 가중, 3. 누범가중, 4. 법률상감경, 5. 경합범가중, 6. 작량감경' 순으로 한다.(제56조)

㉢ [○] 형의 감경에는 법률상 감경과 재판상 감경인 작량감경이 있다. 작량감경 외에 법률의 여러 조항에서 정하고 있는 감경은 모두 법률상 감경이라는 하나의 틀 안에 놓여 있다. 따라서 형법 제39조 제1항 후문에서 정한 감경도 당연히 법률상 감경에 해당한다.(대법원 2019. 4. 18. 2017도14609 전원합의체 **제39조 제1항 감경 사건**)

㉣ [○] 형법 제37조 후단 경합범에 대하여 형법 제39조 제1항에 의하여 형을 감경할 때에도 법률상 감경에 관한 형법 제55조 제1항이 적용되어 유기징역을 감경할 때에는 그 형기의 2분의 1 미만으로는 감경할 수 없다.(대법원 2019. 4. 18. 2017도14609 전원합의체 **제39조 제1항 감경 사건**)

㉤ [○] 어떠한 행위가 위법성조각사유로서 정당행위나 정당방위가 되는지 여부는 구체적인 경우에 따라 합목적적·합리적으로 가려야 하고 또 행위의 적법 여부는 국가질서를 벗어나서 이를 가릴 수 없다.(대법원 2018. 12. 27. 2017도15226 **메신저 대화내용 열람·복사 사건**)

033

형의 가중 · 감경에 대한 설명으로 옳지 않은 것은 모두 몇개인가? (다툼이 있으면 판례에 의함)

21 경찰채용 [Superlative ★★★]

㉠ 임의적 감경사유의 존재가 인정되고 법관이 그에 따라 징역형에 대해 법률상 감경을 하는 경우에는 법정형의 하한만 2분의 1로 감경한다.

㉡ 경합범에 대하여 형법 제38조 제1항 제3호에 의하여 징역형과 벌금형을 병과하는 경우 징역형에만 작량감경을 하고 벌금형에는 작량감경을 하지 아니하는 것은 위법하다.

㉢ 법정형에 하한이 설정된 형법 제37조 후단 경합범에 대하여 형법 제39조 제1항 후문에 따라 형을 감경할 때에는 형법 제55조 제1항이 적용되지 아니하여 유기징역의 경우에는 그 형기의 2분의 1 미만으로도 감경할 수 있다.

㉣ 절도죄로 3차례에 걸쳐 징역형을 선고받고 그 형의 집행을 종료한 후, 누범기간 내에 수회의 절도 범행을 저지른 경우에는 반복적으로 범행을 저지르는 절도 사범에 관한 법정형을 강화한 특정범죄 가중처벌 등에 관한 법률(2016. 1. 6. 법률 제13717호로 개정 · 시행) 제5조의4 제5항 제1호가 적용되므로 별도로 형법 제35조의 누범가중한 형기범위 내에서 처단형을 정할 필요는 없다.

㉤ 반복된 음주운전행위에 대해 도로교통법(2011. 6. 8. 법률 제10790호로 개정) 제148조의2 제1항 제1호를 적용하고 다시 형법 제35조에 의한 누범가중을 하는 것은 헌법상 일사부재리나 이중처벌금지에 반하지 아니한다.

① 1개

② 2개

③ 3개

④ 4개

해설

④ ㉠㉡㉢㉣ 4 항목이 옳지 않다.

㉠ [×] 유기징역형에 대한 법률상 감경을 하면서 형법 제55조 제1항 제3호에서 정한 것과 같이 장기와 단기를 모두 2분의 1로 감경하는 것이 아닌 **장기 또는 단기 중 어느 하나만을 2분의 1로 감경하는 방식이나 2분의 1보다 넓은 범위의 감경을 하는 방식 등은 죄형법정주의 원칙상 허용될 수 없다.**(대법원 2021. 1. 21. 2018 도5475 술술 임의적 감경 새로운 해석론 사건)

㉡ [×] 형법 제38조 제1항 제3호에 의하여 징역형과 벌금형을 병과하는 경우에는 각 형에 대한 범죄의 정상에 차이가 있을 수 있으므로 징역형에만 작량감경을 하고 **벌금형에는 작량감경을 하지 아니하였다고 하여 이를 위법하다고 할 수 없다.**(대법원 2006. 3. 23. 2006도1076)

㉢ [×] **형법 제37조 후단 경합범에 대하여 형법 제39조 제1항에 의하여 형을 감경할 때에도** 법률상 감경에 관한 형법 제55조 제1항이 적용되어 유기징역을 감경할 때에는 그 **형기의 2분의 1 미만으로는 감경할 수 없다.**(대법원 2019. 4. 18. 2017도14609 술술 제39조 제1항 감경 사건)

㉣ [×] 2016. 1. 6. 법률 제13717호로 개정 · 시행된 특가법 제5조의4 제5항은 "형법 제329조부터 제331조까지, 제333조부터 제336조까지 및 제340조 · 제362조의 죄 또는 그 미수죄로 세 번 이상 징역형을 받은 사람이 다시 이들 죄를 범하여 누범으로 처벌하는 경우에는 다음 각호의 구분에 따라 가중처벌한다."라고 규정

정답 | 033 ⑤   034 ④

하면서, 같은 항 제1호('이 사건 법률 규정'이라고 한다)는 '형법 제329조부터 제331조까지의 죄(미수범을 포함한다)를 범한 경우에는 2년 이상 20년 이하의 징역에 처한다'고 규정하고 있다. 이 사건 법률 규정은 그 입법 취지가 반복적으로 범행을 저지르는 절도 사범에 관한 법정형을 강화하기 위한 데 있고, 조문의 체계가 일정한 구성요건을 규정하는 형식으로 되어 있으며, 적용요건이나 효과도 형법 제35조와 달리 규정되어 있다. 이러한 이 사건 법률 규정의 입법 취지, 형식 및 형법 제35조와의 차이점 등에 비추어 보면, 이 사건 법률 규정은 형법 제35조(누범) 규정과는 별개로 '형법 제329조부터 제331조까지의 죄(미수범 포함)를 범하여 세 번 이상 징역형을 받은 사람이 그 누범 기간 중에 다시 해당 범죄를 저지른 경우에 형법보다 무거운 법정형으로 처벌한다'는 내용의 새로운 구성요건을 창설한 것으로 해석해야 한다. 따라서 **이 사건 법률 규정에 정한 형에 다시 형법 제35조의 누범가중한 형기범위 내에서 처단형을 정하여야 한다.**(대법원 2020. 5. 14. 2019도18947 특가법가중 + 누범가중 사건)

◎ [○] (2회 이상 위반한 사람으로서 다시 술에 취한 상태에서 자동차등을 운전한 사람을 가중처벌하는) 도로교통법 제148조의2 제1항 제1호를 적용하고 다시 형법 제35조에 의한 누범가중을 허용한다고 하더라도 헌법상의 일사부재리나 이중처벌금지에 반한다고 볼 수 없다.(대법원 2014. 7. 10. 2014도5868 음주 삼진아웃 사건Ⅱ)

제3절 ㅣ 누범

034

□□□

다음 설명 중 옳지 않은 것은? (다툼이 있으면 판례에 의함)   13 국가9급 [Superlative ★★★]

① 특별사면에 의하여 형의 집행이 면제된 후 3년 이내에 다시 금고 이상에 해당하는 죄를 범한 자에 대하여는 누범가중을 할 수 있다.

② 금고 이상의 형을 받고 그 형의 집행유예기간 중에 다시 금고 이상에 해당하는 죄를 범한 자에 대하여는 누범가중을 할 수 없다.

③ 상습범 중 일부 행위가 누범기간 내에 있고 나머지 행위가 누범기간 경과 후에 행하여진 경우 그 행위 전부에 대하여 누범가중을 하는 것은 위법하다.

④ 누범가중을 하기 위해서는 반드시 누범에 해당하는 전과사실과 새로이 범한 범죄 사이에 일정한 상관관계가 있어야 하는 것은 아니다.

해설

③ [×] 상습범 중 일부 소위가 누범기간 내에 이루어진 이상 나머지 소위가 누범기간 경과후에 행하여 졌더라도 **그 행위 전부가 누범관계에 있는 것이다.**(대법원 1982. 5. 25. 82도600)

① [○] 형의 선고를 받은 자가 특별사면을 받아 형의 집행을 면제받고 또 후에 복권이 되었다 하더라도 형의 선고의 효력이 상실되는 것은 아니므로 실형을 선고받아 복역타가 특별사면으로 출소한 후 3년 이내에 다시 범죄를 저지른 자에 대한 누범가중은 정당하다.(대법원 1986. 11. 11. 86도2004)

② [○] 금고 이상의 형을 받고 그 형의 집행유예 기간 중에 금고 이상에 해당하는 죄를 범하였다 하더라도 이는 누범가중의 요건을 충족시킨 것이라 할 수 없다.(대법원 1983. 8. 23. 83도1600)

④ [○] 형법 제35조가 누범에 해당하는 전과사실과 새로이 범한 범죄 사이에 일정한 상관관계가 있다고 인정되는 경우에 한하여 적용되는 것으로 제한하여 해석하여야 할 아무런 이유나 근거가 없다.(대법원 2008. 12. 24. 2006도1427)

035

누범에 대한 설명으로 옳은 것은? (다툼이 있으면 판례에 의함)

19 국가7급 [Core ★★]

① 행위책임에 형벌가중의 본질이 있는 상습범과 행위자책임에 형벌가중의 본질이 있는 누범을 단지 평면적으로 비교하여 그 경중을 가릴 수는 없다.

② 포괄일죄의 일부 범행이 누범기간 내에 이루어졌다고 하더라도 나머지 범행이 누범기간 경과 후에 이루어졌다면 선행 범죄만이 누범에 해당한다고 보아야 한다.

③ 누범을 가중 처벌하는 이유는 전범에 대하여 처벌을 받았음에도 다시 범행을 하는 경우에 전범도 후범과 일괄하여 다시 처벌한다는 것이다.

④ 누범가중의 사유가 되는 전과에 적용된 법률조항에 대하여 위헌결정이 있어 재심이 가능하다는 이유만으로 그 전과의 누범가중사유로서의 법률적 효력에 영향이 있다고 할 수는 없다.

해설

④ [O] 누범가중의 사유가 되는 전과에 적용된 법률조항에 대하여 위헌결정이 있어 재심이 가능하다는 이유만으로 그 전과의 법률적 효력에 영향이 있다고 할 수 없다.(대법원 2017. 3. 22. 2016도9032)

① [×] 상습범과 누범은 서로 다른 개념으로서 누범에 해당한다고 하여 반드시 상습범이 되는 것이 아니며, 반대로 상습범에 해당한다고 하여 반드시 누범이 되는 것도 아니다. 또한, **행위자책임에 형벌가중의 본질이 있는 상습범과 행위책임에 형벌가중의 본질이 있는 누범**을 단지 평면적으로 비교하여 그 경중을 가릴 수는 없다. (대법원 2007. 8. 23. 2007도4913)

② [×] 포괄일죄의 일부 범행이 누범기간 내에 이루어진 이상 나머지 범행이 누범기간 경과 후에 이루어졌더라도 **그 범행 전부가 누범에 해당한다.**(대법원 2012. 3. 29. 2011도14135)

③ [×] 누범을 가중 처벌하는 이유는 전범에 대한 형벌에 의하여 주어진 기왕의 경고를 무시하고 다시 범죄를 저질렀다는 점에서 비난가능성 및 책임이 높기 때문이지 전범에 대하여 처벌을 받았음에도 다시 범행을 하는 경우에 **전범도 후범과 일괄하여 다시 처벌한다는 것은 아니다.**(대법원 2014. 7. 10. 2014도5868 음주삼진 아웃 사건Ⅱ)

036 다음 <보기> 중 누범에 대한 설명 중 옳지 않은 것을 모두 고른 것은? (다툼이 있으면 판례에 의
□□□ 함)

22 해경승진 [Core ★★]

㉠ 잔형기 경과 전인 가석방기간 중에 범한 죄에 대하여는 형 집행 종료 후에 죄를 범한 경우에
해당한다고 볼 수 없으므로 누범가중을 할 수 없다.

㉡ 포괄일죄의 일부 범행이 누범 기간 내에 이루어진 이상 나머지 범행이 누범 기간 경과 후에
이루어졌더라도 그 범행 전부가 누범에 해당한다고 보아야 한다.

㉢ 형법 제35조는 누범에 대하여 형의 장기 및 단기 모두 2배까지 가중하도록 규정하고 있다.

㉣ 누범이 성립하기 위해서는 누범에 해당하는 전과사실과 새로이 범한 범죄 사이에 일정한 상관
관계가 있을 것이 요구된다.

㉤ 법정형에 유기징역과 벌금형이 선택적으로 되어 있는 경우 벌금형을 선택하여도 누범 가중을
할 수 있다.

---

① ㉠㉢㉣㉤　　　　　　　　　　　　② ㉡㉣㉤

③ ㉠㉢㉤　　　　　　　　　　　　　④ ㉢㉣㉤

해설

④ ㉢㉣㉤ 3 항목이 옳지 않다.

㉠ [○] 가석방기간 중에 범행을 저질렀다면 이를 형집행 종료후에 죄를 범한 경우에 해당한다고 볼 수 없으므로
여기에 누범가중을 할 수 없다.(대법원 1976. 9. 14. 76도2071)

㉡ [○] 포괄일죄의 일부 범행이 누범기간 내에 이루어진 이상 나머지 범행이 누범기간 경과 후에 이루어졌더라
도 그 범행 전부가 누범에 해당한다.(대법원 2012. 3. 29. 2011도14135)

㉢ [×] 누범의 형은 그 죄에 정한 형의 **장기의** 2배까지 가중한다.(제35조 제2항, 대법원 1969. 8. 19. 69도
1129)

㉣ [×] 형법 제35조가 누범에 해당하는 전과사실과 새로이 범한 범죄 사이에 **일정한 상관관계가 있다고 인정되
는 경우에 한하여 적용되는 것으로 제한하여 해석하여야 할 아무런 이유나 근거가 없다.**(대법원 2008. 12.
24. 2006도1427)

㉤ [×] 형법 제35조 제1항에 규정된 '금고 이상에 해당하는 죄'라 함은 유기금고형이나 유기징역형으로 처단할
경우에 해당하는 죄를 의미하는 것으로서 법정형 중 벌금형을 선택한 경우에는 누범가중을 할 수 없다.(대법원
1982. 9. 14. 82도1702)

037

다음 설명 중 옳은 것은 모두 몇 개인가? (다툼이 있으면 판례에 의함) 22 법원행시 [Superlative ★★★]

□□□

○ 피고인이 2016. 6. 2. 사기죄 등으로 징역 1년 및 징역 3년을 각 선고받고 2016. 9. 20. 위 판결이 확정되어 2018. 5. 27. 위 징역 3년 형의 집행을 종료하고 연이어 징역 1년 형을 복역하던 중 공무집행방해 범행을 저질렀다면 형의 집행을 종료하거나 면제를 받은 후 3년이 경과하지 않아 누범으로 처벌할 수 없다.

○ 피고인이 2014. 10. 30. 특수절도죄 등으로 징역 1년을 선고받고 2015. 9. 17. 안동교도소에서 그 형의 집행을 종료하였고, 2018. 9. 17. 01:10경 이 사건 범행을 저지른 경우 누범기간은 특수절도죄 등에 대한 형의 집행을 종료한 날인 2015. 9. 17.부터 역수상 3년이 되는 2018. 9. 16.까지이므로 이 사건 범행은 누범에 해당하지 않는다.

○ 상습범 중 일부 범행이 누범기간 내에 이루어진 이상 나머지 범행이 누범기간 경과 후에 행하여 졌더라도 그 행위 전부는 누범관계에 있다.

○ 형법 제35조 소정의 누범이 되려면 금고 이상의 형을 선고받아 그 집행이 종료되거나 면제된 후 3년 내에 다시 금고 이상에 해당하는 죄를 지어야 하고, 이 경우 다시 금고 이상에 해당하는 죄를 지었는지 여부는 그 범죄의 실행행위를 하였는지 여부를 기준으로 결정하여야 하므로 3년의 기간 내에 실행의 착수가 있으면 족하고, 그 기간 내에 기수에까지 이르러야 되는 것은 아니다.

---

① 없음 ② 1개 ③ 2개
④ 3개 ⑤ 4개

해설

③ ○○ 2 항목이 옳다.

○ [×] 금고 이상의 형을 선고받아 그 집행이 종료되거나 면제된 후 3년 내에 금고 이상에 해당하는 죄를 지은 사람은 누범으로 처벌한다.(제35조 제1항) ○ 징역 3년 형의 집행이 종료된 때부터 3년 이내에 공무집행방해 범행을 저질렀으므로 (비록 연이어 징역 1년 형을 복역하던 중이라고 하더라도) **그 범행은 누범에 해당한다.**

○ [×] 석방은 형기종료일에 하여야 한다.(제86조) 형법 제86조의 해석상 누범기간은 피고인이 출소한 다음 날인 2015. 9. 18. 00:00부터 2018. 9. 17. 24:00까지이다. 따라서 피고인이 2018. 9. 17. 01:10경 범행을 저지른 경우 **그 범행은 누범에 해당한다.**

○ [○] 상습범 중 일부 범행이 누범기간 내에 이루어진 이상 나머지 범행이 누범기간 경과 후에 행하여졌더라도 그 행위 전부는 누범관계에 있다.(대법원 1982. 5. 25. 82도600)

○ [○] 형법 제35조 소정의 누범이 되려면 금고 이상의 형을 선고받아 그 집행이 종료되거나 면제된 후 3년 내에 다시 금고 이상에 해당하는 죄를 지어야 하고, 이 경우 다시 금고 이상에 해당하는 죄를 지었는지 여부는 그 범죄의 실행행위를 하였는지 여부를 기준으로 결정하여야 하므로 3년의 기간 내에 실행의 착수가 있으면 족하고, 그 기간 내에 기수에까지 이르러야 되는 것은 아니다.(대법원 2006. 4. 7. 2005도9858 全合 **탄현면 임야 편취사건**)

제4절 | 선고유예·집행유예·가석방

038 선고유예제도에 대한 설명으로 옳은 것을 모두 고른 것은? (다툼이 있으면 판례에 의함)

☐☐☐

18 경찰채용 [Superlative ★★★]

> ⊙ 선고유예는 집행유예와 마찬가지로 법원이 유예기간을 정하여야 한다.
> ⓛ 주형에 대하여 선고를 유예하는 경우에는 그 부가할 몰수·추징에 대하여도 선고를 유예할
> 수 있으나, 그 주형에 대하여 선고를 유예하지 아니하면서 이에 부가할 몰수·추징에 대하여
> 서만 선고를 유예할 수는 없다.
> ⓒ 피고인이 범죄사실을 자백하지 않고 부인한 경우에는 선고유예의 요건 중 '개전의 정상이 현
> 저한 때'에 해당하지 않으므로 언제나 선고유예를 할 수 없다.
> ⓔ 선고유예의 실효사유인 '형의 선고유예를 받은 자가 자격정지 이상의 형에 처한 전과가 발견
> 된 때'란 형의 선고유예의 판결이 확정된 후에 전과가 발견된 경우를 말한다.

① ⊙ⓛ   ② ⓛⓔ

③ ⊙ⓒ   ④ ⓒⓔ

해설

> ② ⓛⓔ 2 항목이 옳다.
> ⊙ [×] 선고유예의 경우는 집행유예와는 달리 **법원이 유예기간을 정할 필요가 없다**. 형의 선고유예를 받은 날로
> 부터 2년을 경과한 때에는 면소된 것으로 간주한다.(제60조)
> ⓛ [○] 형법 제59조에 의하더라도 몰수는 선고유예의 대상으로 규정되어 있지 아니하고 다만 몰수 또는 이에
> 갈음하는 추징은 부가형적 성질을 띠고 있어 그 주형에 대하여 선고를 유예하는 경우에는 그 부가할 몰수 추징
> 에 대하여도 선고를 유예할 수 있으나, 그 주형에 대하여 선고를 유예하지 아니하면서 이에 부가할 몰수 추징에
> 대하여서만 선고를 유예할 수는 없다.(대법원 1988. 6. 21. 88도551 **범양상선 사건**)
> ⓒ [×] 선고유예의 요건 중 '개전의 정상이 현저한 때'라고 함은, 형을 선고하지 않더라도 피고인이 다시 범행을
> 저지르지 않으리라는 사정이 현저하게 기대되는 경우를 가리킨다고 해석할 것이고, 이와 달리 여기서의 '개전
> 의 정상이 현저한 때'가 반드시 **피고인이 죄를 깊이 뉘우치는 경우만을 뜻하는 것으로 제한하여 해석하거나**
> **피고인이 범죄사실을 자백하지 않고 부인할 경우에는 언제나 선고유예를 할 수 없다고 해석할 것은 아니**
> **다.**(대법원 2003. 2. 20. 2001도6138 솜슴 송영진 의원 사건)
> ⓔ [○] 형법 제61조 제1항에서 말하는 '형의 선고유예를 받은 자가 자격정지 이상의 형에 처한 전과가 발견된
> 때'란 형의 선고유예의 판결이 확정된 후에 비로소 위와 같은 전과가 발견된 경우를 말하고 그 판결확정 전에
> 이러한 전과가 발견된 경우에는 이를 취소할 수 없다.(대법원 2008. 2. 14. 2007모845 사기전과 간과사건)

039 집행유예에 관한 다음 설명 중 가장 적절하지 않은 것은? (다툼이 있으면 판례에 의함)

15 경찰채용 [Essential ★]

① 집행유예시 받은 사회봉사명령 또는 수강명령은 집행유예기간 내에 집행한다.

② 형의 집행유예를 선고받은 사람이 형법 제65조에 의하여 그 선고가 실효 또는 취소됨이 없이 정해진 유예기간을 무사히 경과하여 형의 선고가 효력을 잃게 되었더라도 이는 형의 선고의 법률적 효과가 없어진다는 것일 뿐, 형의 선고가 있었다는 기왕의 사실 자체까지 없어지는 것은 아니므로 형법 제59조 제1항 단행에서 정한 선고유예 결격사유인 '자격정지 이상의 형을 받은 전과가 있는 자'에 해당한다고 보아야 한다.

③ 집행유예 선고를 받은 자가 유예기간 중 고의로 범한 죄로 금고 이상의 실형을 선고받아 그 판결이 확정된 때에는 집행유예의 선고를 취소할 수 있다.

④ 하나의 자유형 중 일부에 대해서는 실형을, 나머지에 대해서는 집행유예를 선고하는 것은 허용되지 않는다.

해설

③ [×] 집행유예의 선고를 받은 자가 유예기간 중 고의로 범한 죄로 금고 이상의 실형을 선고받아 그 판결이 확정된 때에는 **집행유예의 선고는 효력을 잃는다.**(제63조)

① [○] 사회봉사명령 또는 수강명령은 집행유예 기간내에 이를 집행한다.(제62조의2 제3항)

② [○] 형의 집행유예를 선고받은 사람이 그 선고가 실효 또는 취소됨이 없이 정해진 유예기간을 무사히 경과하여 형의 선고가 효력을 잃게 되었더라도, 이는 형의 선고의 법적 효과가 없어질 뿐이고 형의 선고가 있었다는 기왕의 사실 자체까지 없어지는 것은 아니므로 그는 형법 제59조 제1항 단서에서 정한 선고유예 결격사유인 '자격정지 이상의 형을 받은 전과가 있는 자'에 해당한다.(대법원 2012. 6. 28. 2011도10570)

④ [○] 형법 제62조 제1항이 '형'의 집행을 유예할 수 있다고만 규정하고 있다고 하더라도 이는 하나의 형의 전부에 대한 집행유예에 관한 규정이라 할 것이고 또한 하나의 자유형에 대한 일부 집행유예에 관하여 그 인정을 위해서는 별도의 근거 규정이 필요하므로 하나의 자유형 중 일부에 대해서는 실형을, 나머지에 대해서는 집행유예를 선고하는 것은 허용되지 않는다.(대법원 2007. 2. 22. 2006도8555)

040 보호관찰 등에 대한 설명으로 옳지 않은 것은? (다툼이 있으면 판례에 의함) 22 국가9급 [Essential ★]

□□□

① 형의 선고를 유예할 때 재범방지를 위하여 지도 및 원호가 필요하다면 보호관찰을 받을 것을 명할 수 있다.

② 형의 집행을 유예하면서 보호관찰과 사회봉사를 함께 명할 수 있다.

③ 형의 집행을 유예하면서 내린 사회봉사명령 또는 수강명령은 집행유예기간 내에 이를 집행한다.

④ 보호관찰을 명한 집행유예를 받은 자가 준수사항을 위반하고 그 정도가 무거운 때에는 집행유예의 선고를 취소하여야 한다.

해설

④ [✕] 보호관찰이나 사회봉사 또는 수강을 명한 집행유예를 받은 자가 준수사항이나 명령을 위반하고 그 정도가 무거운 때에는 **집행유예의 선고를 취소할 수 있다.**(제64조 제2항)

① [○] 형의 선고를 유예할 때 재범방지를 위하여 지도 및 원호가 필요하다면 보호관찰을 받을 것을 명할 수 있다.(제59조의2 제1항)

② [○] 집행유예를 선고할 경우에는 형법 제62조의2 제1항에 규정된 보호관찰과 사회봉사 또는 수강을 동시에 명할 수 있다고 해석함이 상당하다.(대법원 1998. 4. 24. 98도98)

③ [○] 형의 집행을 유예하면서 내린 사회봉사명령 또는 수강명령은 집행유예기간 내에 이를 집행한다.(제62조의2 제3항)

041 집행유예와 선고유예에 관한 설명 중 가장 적절하지 않은 것은? (다툼이 있으면 판례에 의함)

□□□

12 경찰승진 [Essential ★]

① 형의 집행을 유예하면서 피고인에게 유죄로 인정된 범죄행위를 뉘우치거나 그 범죄행위를 공개하는 취지의 말이나 글을 발표하도록 하는 내용의 사회봉사명령은 위법하다.

② 주형과 부가형이 있는 경우 주형을 선고유예하면서 부가형도 선고유예할 수 있으나, 주형을 선고유예하지 않으면서 부가형만을 선고유예할 수는 없다.

③ 하나의 판결로 두 개의 자유형을 선고하는 경우 그 두 개의 자유형 중 하나의 자유형에 대하여 실형을 선고하면서 다른 자유형에 대하여 집행유예를 선고하는 것도 허용된다.

④ 집행유예의 선고를 받고 그 유예기간을 무사히 경과하면 형의 선고가 효력을 잃게 되므로 선고유예를 할 수 있다.

해설

④ [×] 형의 집행유예를 선고받은 자는 유예기간을 무사히 경과하여 형의 선고가 효력을 잃게 되었다고 하더라도 형의 선고의 법률적 효과가 없어진다는 것일 뿐, 형의 선고가 있었다는 기왕의 사실 자체까지 없어지는 것은 아니므로 형법 제59조 제1항 단서에서 정한 **선고유예 결격사유인 '자격정지 이상의 형을 받은 전과가 있는 자'에 해당한다.**(대법원 2012. 6. 28. 2011도10570)

① [○] 법원이 피고인에게 유죄로 인정된 범죄행위를 뉘우치거나 그 범죄행위를 공개하는 취지의 말이나 글을 발표하도록 하는 내용의 사회봉사를 명하고 이를 위반할 경우 집행유예의 선고를 취소할 수 있도록 함으로써 그 이행을 강제하는 것은, 헌법이 보호하는 피고인의 양심의 자유, 명예 및 인격에 대한 심각하고 중대한 침해에 해당하므로 허용될 수 없다.(대법원 2008. 4. 11. 2007도8373 **정몽구 회장 사건**)

② [○] 형법 제59조에 의하더라도 몰수는 선고유예의 대상으로 규정되어 있지 아니하고 다만 몰수 또는 이에 갈음하는 추징은 부가형적 성질을 띄고 있어 그 주형에 대하여 선고를 유예하는 경우에는 그 부가할 몰수·추징에 대하여도 선고를 유예할 수 있으나, 그 주형에 대하여 선고를 유예하지 아니하면서 이에 부가할 몰수·추징에 대하여서만 선고를 유예할 수는 없다.(대법원 1988. 6. 21. 88도551 **범양상선 사건**)

③ [○] 형법 제37조 후단의 경합범 관계에 있는 두 개의 범죄에 대하여 하나의 판결로 두 개의 자유형을 선고하는 경우 그 두 개의 자유형은 각각 별개의 형이므로 형법 제62조 제1항에 정한 집행유예의 요건에 해당하면 각 자유형에 대하여 각각 집행유예를 선고할 수 있는 것이고 또 두 개의 징역형 중 하나의 징역형에 대하여는 실형을 선고하면서 다른 징역형에 대하여 집행유예를 선고하는 것도 우리 형법상 이러한 조치를 금하는 명문의 규정이 없는 이상 허용된다.(대법원 2002. 2. 26. 2000도4637)

---

042 집행유예 및 선고유예에 관한 설명으로 가장 적절한 것은? (다툼이 있으면 판례에 의함)

24 경찰승진 [Essential ★]

① 3년 이하의 징역이나 금고의 형을 선고할 경우에 형법 제51조의 사항을 참작하여 그 정상에 참작할 만한 사유가 있는 때에는 1년 이상 5년 이하의 기간 형의 집행을 유예할 수 있지만, 500만 원 이하의 벌금형을 선고할 경우에는 집행유예를 선고할 수 없다.

② 형법 제37조 후단의 경합범 관계에 있는 두 개의 범죄에 대하여 하나의 판결로 두 개의 자유형을 선고하는 경우에 형법 제62조 제1항에 정한 집행유예의 요건에 해당하더라도 그 두 개의 징역형 중 하나의 징역형에 대하여는 실형을 선고하면서 다른 징역형에 대하여 집행유예를 선고하는 것은 허용되지 아니한다.

③ 1천만 원의 벌금형을 선고할 경우에 형법 제51조의 사항을 고려하여 뉘우치는 정상이 뚜렷하고 자격정지 이상의 형을 받은 전과가 없다면 그 형의 선고를 유예할 수 있다.

④ 법원이 집행유예 또는 선고유예를 하는 경우에 보호관찰을 받을 것을 명하거나 사회봉사 또는 수강을 명할 수 있다.

정답 | 040 ④   041 ④   042 ③

해설

③ [○] 1년 이하의 징역이나 금고, 자격정지 또는 **벌금의 형을 선고할 경우**에 제51조의 사항을 고려하여 뉘우치는 정상이 뚜렷할 때에는 그 형의 **선고를 유예할 수 있다.** 다만, 자격정지 이상의 형을 받은 전과가 있는 사람에 대해서는 예외로 한다.(제59조 제1항) 1천만원의 벌금형에 선고유예가 가능하다.

① [×] **3년 이하의 징역이나 금고 또는 500만원 이하의 벌금의 형을 선고할 경우**에 제51조의 사항을 참작하여 그 정상에 참작할 만한 사유가 있는 때에는 1년 이상 5년 이하의 기간 형의 집행을 유예할 수 있다. 다만, 금고 이상의 형을 선고한 판결이 확정된 때부터 그 집행을 종료하거나 면제된 후 3년까지의 기간에 범한 죄에 대하여 형을 선고하는 경우에는 그러하지 아니하다.(제62조 제1항)

② [×] **형법 제37조 후단의 경합범 관계에 있는** 두 개의 범죄에 대하여 **하나의 판결로 두 개의 자유형을 선고하는 경우** 그 두 개의 자유형은 각각 별개의 형이므로 형법 제62조 제1항에 정한 집행유예의 요건에 해당하면 각 자유형에 대하여 각각 집행유예를 선고할 수 있는 것이고 또 **두 개의 징역형 중 하나의 징역형에 대하여는 실형을 선고하면서 다른 징역형에 대하여 집행유예를 선고하는 것도** 우리 형법상 이러한 조치를 금하는 명문의 규정이 없는 이상 **허용된다.**(대법원 2002. 2. 26. 2000도4637 일부 실형 일부 집행유예 사건Ⅰ)

> **형법(2023. 8. 8. 법률 제19582호로 일부개정된 것)**
>
> 제37조【경합범】 판결이 확정되지 아니한 수개의 죄 또는 금고 이상의 형에 처한 판결이 확정된 죄((@죄)와 그 판결확정전에 범한 죄((ⓑ죄))를 경합범으로 한다.

④ [×] **형의 선고를 유예하는 경우**에 재범방지를 위하여 지도 및 원호가 필요한 때에는 **보호관찰을 받을 것을 명할 수 있다.**(제59조의2 제1항) 형의 집행을 유예하는 경우에는 보호관찰을 받을 것을 명하거나 사회봉사 또는 수강을 명할 수 있다.(제62조의2 제1항)

043 다음 설명 중 가장 옳지 않은 것은? (다툼이 있으면 판례에 의함)

21 법원9급 [Essential ★]

① 피고인 이외의 제3자의 소유에 속하는 물건의 경우, 몰수를 선고한 판결의 효력은 원칙적으로 몰수의 원인이 된 사실에 관하여 유죄의 판결을 받은 피고인에 대한 관계에서 그 물건을 소지하지 못하게 하는 데 그치지 않고, 그 사건에서 재판을 받지 아니한 제3자의 소유권에도 영향을 미친다.

② 형법 제37조 후단 경합범에 대하여 형법 제39조 제1항에 의하여 형을 감경할 때에도 법률상 감경에 관한 형법 제55조 제1항이 적용되어 유기징역을 감경할 때에는 그 형기의 2분의 1 미만으로는 감경할 수 없다.

③ 형사소송법 제459조가 "재판은 이 법률에 특별한 규정이 없으면 확정한 후에 집행한다."라고 규정한 취지나 집행유예 제도의 본질 등에 비추어 보면 집행유예를 함에 있어 그 집행유예기간의 시기(始期)는 집행유예를 선고한 판결 확정일로 하여야 한다.

④ 형법 제51조의 사항과 개전의 정상이 현저한지에 관한 사항은 형의 양정에 관한 법원의 재량사항에 속하므로 상고심으로서는 형사소송법 제383조 제4호에 의하여 사형·무기 또는 10년 이상의 징역·금고가 선고된 사건에서 형의 양정의 당부에 관한 상고이유를 심판하는 경우가 아닌 이상, 선고유예에 관하여 형법 제51조의 사항과 개전의 정상이 현저한지에 대한 원심판단의 당부를 심판할 수 없다.

해설

① [×] 피고인 이외의 제3자의 소유에 속하는 물건의 경우, 몰수를 선고한 판결의 효력은 원칙적으로 몰수의 원인이 된 사실에 관하여 유죄의 판결을 받은 피고인에 대한 관계에서 그 물건을 소지하지 못하게 하는 데 그치고, 그 사건에서 재판을 받지 아니한 제3자의 소유권에 어떤 영향을 미치는 것은 아니다.(대법원 2017. 9. 29. 2017모236 **자동차 가환부신청사건**)

② [○] 형법 제37조 후단 경합범에 대하여 형법 제39조 제1항에 의하여 형을 감경할 때에도 법률상 감경에 관한 형법 제55조 제1항이 적용되어 유기징역을 감경할 때에는 그 형기의 2분의 1 미만으로는 감경할 수 없다.(대법원 2019. 4. 18. 2017도14609 전합 **제39조 제1항 감경 사건**)

③ [○] 형법이 집행유예 기간의 시기(始期)에 관하여 명문의 규정을 두고 있지는 않지만, 형사소송법 제459조가 "재판은 이 법률에 특별한 규정이 없으면 확정한 후에 집행한다."라고 규정한 취지나 집행유예 제도의 본질 등에 비추어 보면 집행유예를 함에 있어 그 집행유예 기간의 시기는 집행유예를 선고한 판결 확정일로 하여야 한다.(대법원 2019. 2. 28. 2018도13382)

④ [○] 형법 제51조의 사항과 개전의 정상이 현저한지 여부에 관한 사항은 널리 형의 양정에 관한 법원의 재량 사항에 속한다고 해석되므로 상고심으로서는 형사소송법 제383조 제4호에 의하여 사형·무기 또는 10년 이상의 징역·금고가 선고된 사건에서 형의 양정의 당부에 관한 상고이유를 심판하는 경우가 아닌 이상, 선고유예에 관하여 형법 제51조의 사항과 개전의 정상이 현저한지 여부에 대한 원심 판단의 당부를 심판할 수 없고, 그 원심 판단이 현저하게 잘못되었다고 하더라도 달리 볼 것이 아니다.(대법원 2003. 2. 20. 2001도6138 전합)

044 형의 유예제도에 관한 설명 중 가장 옳지 않은 것은? (다툼이 있으면 판례에 의함)

19 경찰간부 [Essential ★]

① 형의 선고를 유예하는 경우 보호관찰이나 사회봉사를 명할 수 있다.

② 500만원의 벌금형을 선고할 경우에도 그 형의 집행을 유예할 수 있다.

③ 형의 집행을 유예하는 경우 보호관찰과 사회봉사를 명령할 수 있다.

④ 2,000만원의 벌금형을 선고할 경우에도 그 형의 선고를 유예할 수 있다.

해설

① [×] 형의 선고를 유예하는 경우 보호관찰을 받을 것을 명할 수 있을 뿐 **사회봉사를 명할 수 없다.**(제59조의2)

② [○] 3년 이하의 징역이나 금고 또는 500만원 이하의 벌금의 형을 선고할 경우에 제51조의 사항을 참작하여 그 정상에 참작할 만한 사유가 있는 때에는 1년 이상 5년 이하의 기간 형의 집행을 유예할 수 있다.
다만, 금고 이상의 형을 선고한 판결이 확정된 때부터 그 집행을 종료하거나 면제된 후 3년까지의 기간에 범한 죄에 대하여 형을 선고하는 경우에는 그러하지 아니하다.(제62조 제1항)

③ [○] 형의 집행을 유예하는 경우에는 보호관찰을 받을 것을 명하거나 사회봉사 또는 수강을 명할 수 있다.(제62조의2 제1항, 대법원 1998. 4. 24. 98도98)

④ [○] 제1년 이하의 징역이나 금고, 자격정지 또는 벌금의 형을 선고할 경우에 제51조의 사항을 참작하여 개전의 정상이 현저한 때에는 그 선고를 유예할 수 있다.(제59조 제1항)

045 형의 선고유예, 집행유예에 대한 설명 중 가장 옳지 않은 것은? (다툼이 있으면 판례에 의함)

□□□
14 경찰간부 [Core ★★]

① 형의 집행유예를 선고받은 사람이 그 선고가 실효 또는 취소됨이 없이 정해진 유예기간을 무사히 경과하여 형선고의 효력이 없어졌다고 하더라도 선고유예 결격사유인 "자격정지 이상의 형을 받은 전과가 있는 자"에 해당한다고 보아야 한다.

② 현역 군인인 성폭력범죄 피고인에게 집행유예를 선고하는 경우 위치추적전자장치의 부착을 명령할 수 없다.

③ 피고인이 별개의 사건에서 징역형의 집행유예 등을 선고받고 상고하였으나 대법원이 결정으로 상고를 기각하였는데, 그 결정일을 전후하여 피고인이 유사석유제품을 판매 및 보관하였다고 하여 구 석유및석유대체연료사업법 위반으로 기소된 사안에서, 위 상고 기각결정이 피고인의 유사석유제품 판매 및 보관 행위 시 이후에 피고인에게 고지되어 그때 위 판결이 확정되었다면 피고인의 범죄는 판결이 확정된 위 죄와 형법 제37조 후단 경합범에 해당한다.

④ 형법 제37조 후단 경합범 중 판결을 받지 아니한 죄에 대하여 형을 선고하는 경우에, 형법 제37조 후단에 규정된 '금고 이상의 형에 처한 판결이 확정된 죄'의 형도 형법 제59조 제1항 단서에서 정한 선고유예의 예외사유인 '자격정지 이상의 형을 받은 전과'에 포함되지 않는다.

해설

④ [×] 형법 제39조 제1항에 의하여 형법 제37조 후단 경합범 중 판결을 받지 아니한 죄에 대하여 형을 선고하는 경우에 있어서 형법 제37조 후단에 규정된 금고 이상의 형에 처한 판결이 확정된 죄의 형도 선고유예의 결격사유인 형법 제59조 제1항 단서에서 정한 **'자격정지 이상의 형을 받은 전과'에 포함된다.**(대법원 2010. 7. 8. 2010도931 **떡볶이 장사 방해사건**)

① [○] 형의 집행유예를 선고받은 사람이 그 선고가 실효 또는 취소됨이 없이 정해진 유예기간을 무사히 경과하여 형의 선고가 효력을 잃게 되었더라도, 이는 형의 선고의 법적 효과가 없어질 뿐이고 형의 선고가 있었다는 기왕의 사실 자체까지 없어지는 것은 아니므로 그는 형법 제59조 제1항 단서에서 정한 선고유예 결격사유인 '자격정지 이상의 형을 받은 전과가 있는 자'에 해당한다.(대법원 2012. 6. 28. 2011도10570)

② [○] 특정범죄를 범한 자에 대하여 형의 집행을 유예하는 경우에는 보호관찰을 받을 것을 명하는 때에만 전자장치를 부착할 것을 명할 수 있으므로 군법 적용 대상자에 대하여는 보호관찰을 받을 것을 명할 수 없으므로 보호관찰의 부과를 전제로 한 전자장치의 부착명령 역시 허용될 수 없다.(대법원 2012. 2. 23. 2011도8124 **강제추행 군인 사건**)

③ [○] 피고인이 별개의 사건에서 징역형의 집행유예 등을 선고받고 상고하였으나 대법원이 결정으로 상고를 기각하였는데, 그 결정일을 전후하여 피고인이 유사석유제품을 판매 및 보관하였다고 하여 석유사업법 위반으로 기소된 경우, 상고기각결정이 피고인의 유사석유제품 판매 및 보관 행위시 이후에 피고인에게 고지되어 그때 위 판결이 확정되었다면 피고인의 범죄는 판결이 확정된 위 죄와 형법 제37조 후단 경합범에 해당한다.(대법원 2012. 1. 27. 2011도15914 **대법원결정 고지전 범죄사건**)

046
□□□
다음 설명 중 가장 옳지 않은 것은? (다툼이 있으면 판례에 의함) 24 법원행시 [Core ★★]

① 형의 선고유예를 받은 날로부터 2년을 경과한 때에는 면소된 것으로 간주한다.

② 형의 선고를 유예하는 경우 보호관찰을 받을 것을 명할 수 있는데, 그 경우 보호관찰의 기간은 2년 이하의 범위에서 법원이 재량에 따라 정할 수 있다.

③ 형법 제59조 제1항은 "1년 이하의 징역이나 금고, 자격정지 또는 벌금의 형을 선고할 경우에 제51조의 사항을 고려하여 뉘우치는 정상이 뚜렷할 때에는 그 형의 선고를 유예할 수 있다. 다만, 자격정지 이상의 형을 받은 전과가 있는 사람에 대해서는 예외로 한다."라고 규정하고 있는데, 형법 제39조 제1항에 따라 형법 제37조 후단 경합범 중 판결을 받지 아니한 죄에 대하여 형을 선고하는 경우 형법 제37조 후단에 규정된 '금고 이상의 형에 처한 판결이 확정된 죄'의 형도 형법 제59조 제1항 단서에서 규정한 '자격정지 이상의 형을 받은 전과'에 포함된다.

④ 형의 집행유예를 선고받은 사람이 형법 제65조에 의하여 그 선고가 실효 또는 취소됨이 없이 정해진 유예기간을 무사히 경과하여 형의 선고가 효력을 잃게 되었더라도 이는 형의 선고의 법적 효과가 없어질 뿐이고 형의 선고가 있었다는 기왕의 사실 자체까지 없어지는 것은 아니므로 그는 형법 제59조 제1항 단서에서 정한 선고유예 결격사유인 '자격정지 이상의 형을 받은 전과가 있는 사람'에 해당한다고 보아야 한다.

⑤ 형의 선고유예를 받은 자가 유예기간 중 자격정지 이상의 형에 처한 판결이 확정되거나 자격정지 이상의 형에 처한 전과가 발견된 때에는 유예한 형을 선고한다.

해설

② [×] 형의 선고를 유예하는 경우에 재범방지를 위하여 지도 및 원호가 필요한 때에는 보호관찰을 받을 것을 명할 수 있다. 보호관찰의 기간은 **1년으로 한다.**(제59조의2 제1항·제2항)

① [○] 형의 선고유예를 받은 날로부터 2년을 경과한 때에는 면소된 것으로 간주한다.(제60조)

③ [○] 형법 제39조 제1항에 의하여 형법 제37조 후단 경합범 중 판결을 받지 아니한 죄에 대하여 형을 선고하는 경우에 있어서 형법 제37조 후단에 규정된 금고 이상의 형에 처한 판결이 확정된 죄의 형도 형법 제59조 제1항 단서에서 정한 선고유예 결격사유인 '자격정지 이상의 형을 받은 전과'에 포함된다.(대법원 2010. 7. 8. 2010도931 떡볶이 장사 방해사건)

④ [○] 형의 집행유예를 선고받은 사람이 그 선고가 실효 또는 취소됨이 없이 정해진 유예기간을 무사히 경과하여 형의 선고가 효력을 잃게 되었더라도 이는 형의 선고의 법적 효과가 없어질 뿐이고 형의 선고가 있었다는 기왕의 사실 자체까지 없어지는 것은 아니므로 그는 형법 제59조 제1항 단서에서 정한 선고유예 결격사유인 '자격정지 이상의 형을 받은 전과가 있는 자'에 해당한다.(대법원 2012. 6. 28. 2011도10570 강간상해 집행유예자 사건)

⑤ [○] 형의 선고유예를 받은 자가 유예기간 중 자격정지 이상의 형에 처한 판결이 확정되거나 자격정지 이상의 형에 처한 전과가 발견된 때에는 유예한 형을 선고한다.(제61조 제1항)

정답 | 045 ④   046 ②

047

□□□

다음 설명 중 가장 옳은 것은? (다툼이 있으면 판례에 의함) 20 법원9급 [Core ★★]

① 형법 제37조 후단의 경합범 관계에 있는 죄에 대하여 형법 제39조 제1항에 의하여 따로 형을 선고하여야 하기 때문에 하나의 판결로 두 개의 자유형을 선고하는 경우 그 두 개의 자유형은 각각 별개의 형이므로 형법 제62조 제1항에 정한 집행유예의 요건에 해당하면 그 각 자유형에 대하여 각각 집행유예를 선고할 수 있는 것이고, 또 그 두 개의 자유형 중 하나의 자유형에 대하여 실형을 선고하면서 다른 자유형에 대하여 집행유예를 선고하는 것도 허용된다.

② '사형, 무기금고, 유기징역, 벌금, 자격상실, 자격정지, 구류, 과료, 몰수'는 형이 무거운 것부터 순서대로 나열한 것이다.

③ 금고 이상의 형을 받아 그 집행을 종료하거나 면제를 받은 후 5년 내에 금고 이상에 해당하는 죄를 범한 자는 누범으로 처벌한다.

④ 몰수는 타형에 부가하여 과한다. 따라서 행위자에게 유죄의 재판을 아니할 때에는 어떤 경우에도 몰수만을 선고할 수는 없다.

해설

① [○] 형법 제37조 후단의 경합범 관계에 있는 두 개의 범죄에 대하여 하나의 판결로 두 개의 자유형을 선고하는 경우 그 두 개의 자유형은 각각 별개의 형이므로 형법 제62조 제1항에 정한 집행유예의 요건에 해당하면 각 자유형에 대하여 각각 집행유예를 선고할 수 있는 것이고 또 두 개의 징역형 중 하나의 징역형에 대하여는 실형을 선고하면서 다른 징역형에 대하여 집행유예를 선고하는 것도 우리 형법상 이러한 조치를 금하는 명문의 규정이 없는 이상 허용된다.(대법원 2002. 2. 26. 2000도4637)

② [×] '사형, 무기금고, 유기징역, **자격상실, 자격정지, 벌금,** 구류, 과료, 몰수'가 형이 무거운 것부터 순서대로 나열한 것이다.(제41조, 제50조 제1항)

③ [×] 금고 이상의 형을 받아 그 집행을 종료하거나 면제를 받은 후 **3년 내에** 금고 이상에 해당하는 죄를 범한 자는 누범으로 처벌한다.(제35조 제1항)

④ [×] 몰수는 타형에 부가하여 과한다. 단, 행위자에게 유죄의 재판을 아니할 때에도 **몰수의 요건이 있는 때에는 몰수만을 선고할 수 있다.**(제49조)

048 다음 설명 중 가장 옳은 것은? (다툼이 있으면 판례에 의함)

① 우리 형법은 집행유예기간의 시기에 관하여 명문의 규정을 두고 있지 않으므로, 법원이 집행유예기간의 시기로서 판결 확정일 이후의 시점을 선택할 수 있다.

② 집행유예의 선고를 받은 후에 그 선고가 실효 또는 취소됨이 없이 유예기간이 경과한 때에는 형의 선고의 법률적 효과가 없어지므로 선고유예를 할 수 있다.

③ 선고하는 벌금이 1억원 이상 5억원 미만인 경우에는 300일 이상, 5억원 이상 50억원 미만인 경우에는 500일 이상, 50억원 이상인 경우에는 1,000일 이상의 유치기간을 정하여야 한다.

④ 주형을 선고유예하면서 몰수나 추징도 함께 선고유예를 할 수 있고, 주형의 선고를 유예하지 아니하면서 몰수나 추징의 선고만을 유예할 수도 있다.

⑤ 형법은 '벌금을 감경할 때에는 그 다액의 2분의 1로 한다'라고 규정하고 있으므로, 그 의미가 명확한 '다액'을 '금액'으로 해석하여 벌금의 하한까지 감경할 수는 없다.

해설

③ [〇] 선고하는 벌금이 1억원 이상 5억원 미만인 경우에는 300일 이상, 5억원 이상 50억원 미만인 경우에는 500일 이상, 50억원 이상인 경우에는 1,000일 이상의 유치기간을 정하여야 한다.(제70조 제2항)

① [×] 집행유예를 함에 있어 그 집행유예기간의 시기는 집행유예를 선고한 판결 확정일로 하여야 하고 **법원이 판결 확정일 이후의 시점을 임의로 선택할 수는 없으므로**, 형법 제37조 후단의 경합범 관계에 있는 죄에 대하여 두 개의 징역형을 선고하면서 하나의 징역형에 대하여만 집행유예를 선고하고 그 집행유예기간의 시기를 다른 하나의 징역형의 집행종료일로 한 것은 위법하다.(대법원 2002. 2. 26. 2000도4637)

② [×] 형의 집행유예를 선고받은 자는 유예기간을 무사히 경과하여 형의 선고가 효력을 잃게 되었다고 하더라도 형의 선고의 법률적 효과가 없어진다는 것일 뿐, 형의 선고가 있었다는 기왕의 사실 자체까지 없어지는 것은 아니므로 형법 제59조 제1항 단서에서 정한 **선고유예 결격사유인 '자격정지 이상의 형을 받은 전과가 있는 자'에 해당한다.**(대법원 2012. 6. 28. 2011도10570)

④ [×] 주형에 대하여 선고를 유예하는 경우에는 그 부가할 몰수·추징에 대하여도 선고를 유예할 수 있으나, **주형에 대하여 선고를 유예하지 아니하면서 이에 부가할 몰수·추징에 대하여서만 선고를 유예할 수는 없다.**(대법원 1988. 6. 21. 88도551 범양상선 사건)

⑤ [×] 형법 제55조 제1항 제6호에 의하여 벌금을 감경할 때에는 그 상한과 함께 **하한도 2분의1로 내려가는 것으로 해석함이 타당하다.**(대법원 1978. 4. 25. 78도246)

049 형벌에 대한 설명으로 옳지 않은 것은? (다툼이 있으면 판례에 의함)

① 임의적 감경의 사유가 존재하고 법관이 그에 따라 징역형에 대해 법률상 감경을 하는 이상 형법 제55조 제1항 제3호에 따라 상한과 하한을 모두 2분의 1로 감경한다.

② 특수상해죄(형법 제258조의2 제1항)를 상습으로 범한 자에 대해서는 상습범 가중 규정(형법 제264조)에 따라 그 법정형의 단기와 장기를 모두 2분의 1까지 가중한다.

③ 형법은 경합범을 동시에 판결할 때 각 죄에 대하여 정한 형이 사형, 무기징역, 무기금고 외의 같은 종류의 형인 경우에 가중주의를 채택하고 있는데, 과료와 과료는 병과할 수 있다.

④ 도로교통법위반죄에 대하여 당해 법조가 정하고 있는 징역형과 벌금형 가운데에서 벌금형을 선택한 경우 피고인이 금고 이상의 형을 선고받아 그 집행이 종료된 후 3년이 경과하기 전이라면 누범가중을 할 수 있다.

해설

④ [×] 형법 제35조 제1항에 규정된 '금고 이상에 해당하는 죄'라 함은 유기금고형이나 유기징역형으로 처단할 경우에 해당하는 죄를 의미하는 것으로서 **법정형 중 벌금형을 선택한 경우에는 누범가중을 할 수 없다.**(대법원 1982. 9. 14. 82도1702 **벌금 누범가중 사건Ⅱ**)

① [○] 유기징역형에 대한 법률상 감경을 하면서 형법 제55조 제1항 제3호에서 정한 것과 같이 장기와 단기를 모두 2분의 1로 감경하는 것이 아닌 장기 또는 단기 중 어느 하나만을 2분의 1로 감경하는 방식이나 2분의 1보다 넓은 범위의 감경을 하는 방식 등은 죄형법정주의 원칙상 허용될 수 없다.(대법원 2021. 1. 21. 2018도5475 **全合 임의적 감경 새로운 해석론 사건**)

② [○] 형법은 제264조에서 상습으로 제258조의2의 죄를 범한 때에는 그 죄에 정한 형의 2분의 1까지 가중한다고 규정하고 있으므로, 상습특수상해죄(형법 제264조)를 범한 때에 특수상해죄(형법 제258조의2 제1항)에서 정한 법정형(1년 이상 10년 이하의 징역)의 단기와 장기를 모두 가중하여 1년 6개월 이상 15년 이하의 징역에 처하여야 한다.(대법원 2017. 6. 29. 2016도18194 **상습특수상해죄 사건**)

③ [○] 각 죄에 대하여 정한 형이 사형, 무기징역, 무기금고 외의 같은 종류의 형인 경우에는 가장 무거운 죄에 대하여 정한 형의 장기 또는 다액(多額)에 그 2분의 1까지 가중하되 각 죄에 대하여 정한 형의 장기 또는 다액을 합산한 형기 또는 액수를 초과할 수 없다. 다만, 과료와 과료, 몰수와 몰수는 병과(倂科)할 수 있다.(제38조 제1항 제2호)

050

☐☐☐ 형벌에 관한 설명 중 옳은 것(○)과 옳지 않은 것(×)을 올바르게 조합한 것은? (다툼이 있으면 판례에 의함)

23 변호사 [Superlative ★★★]

> ㉠ 「폭력행위 등 처벌에 관한 법률」 제2조 제3항은 2회 이상 징역형을 받은 사람에 대해서 누범으로 가중 처벌하도록 하고 있는데, 집행유예의 선고를 받은 후 그 선고가 실효 또는 취소됨이 없이 유예기간을 경과하여 형의 선고가 효력을 잃은 경우는 위 조항의 '징역형을 받은 경우'에 해당하지 않는다.
>
> ㉡ 형의 집행을 유예하는 경우에는 보호관찰과 사회봉사 또는 수강을 동시에 명할 수는 없다.
>
> ㉢ 범죄행위에 이용한 웹사이트 매각을 통해 피고인이 취득한 대가는 형법 제48조 제2항의 추징 대상이 된다.
>
> ㉣ 휴대전화로 촬영한 동영상은 일정한 저장매체에 전자방식이나 자기방식에 의하여 저장된 기록으로서 저장매체를 매개로 존재하는 물건이므로 몰수의 사유가 있는 때에는 그 전자기록을 몰수할 수 있다.
>
> ㉤ 유기징역형에 대한 법률상 감경을 하면서 형법 제55조 제1항 제3호에서 정한 것과 같이 장기와 단기를 모두 2분의 1로 감경하는 것이 아닌 장기 또는 단기 중 어느 하나만을 2분의 1로 감경하는 방식이나 2분의 1보다 넓은 범위의 감경을 하는 방식 등은 죄형법정주의 원칙상 허용될 수 없다.

① ㉠ × ㉡ × ㉢ ○ ㉣ ○ ㉤ ×

② ㉠ ○ ㉡ ○ ㉢ ○ ㉣ × ㉤ ○

③ ㉠ ○ ㉡ × ㉢ × ㉣ ○ ㉤ ○

④ ㉠ × ㉡ ○ ㉢ ○ ㉣ × ㉤ ○

⑤ ㉠ ○ ㉡ × ㉢ ○ ㉣ × ㉤ ○

해설

③ 이 지문이 옳은 연결이다.

㉠ [○] 형법 제65조는 '집행유예의 선고를 받은 후 그 선고의 실효 또는 취소됨이 없이 유예기간을 경과한 때에는 형의 선고는 효력을 잃는다'라고 규정하고 있는데, 여기서 '형의 선고가 효력을 잃는다'는 의미는 형의 실효와 마찬가지로 형의 선고에 의한 법적 효과가 장래를 향하여 소멸한다는 취지이므로 형법 제65조에 따라 형의 선고가 효력을 잃는 경우 그 전과는 폭처법 제2조 제3항에서 말하는 '징역형을 받은 경우'라고 할 수 없다.(대법원 2016. 6. 23. 2016도5032)

㉡ [×] 형법 제62조의2 제1항은 '형의 집행을 유예하는 경우에는 보호관찰을 받을 것을 명하거나 사회봉사 또는 수강을 명할 수 있다'고 규정하고 있더라도, 법원은 집행유예를 선고할 경우에는 **보호관찰과 사회봉사 또는 수강을 동시에 명할 수 있다고 해석함이 상당하다.**(대법원 1998. 4. 24. 98도98)

ⓒ [×] (1) 형법 제48조는 몰수의 대상을 '물건'으로 한정하고 있다. 이는 범죄행위에 의하여 생긴 재산 및 범죄행위의 보수로 얻은 재산을 범죄수익으로 몰수할 수 있도록 한 「범죄수익은닉의 규제 및 처벌 등에 관한 법률」이나 범죄행위로 취득한 재산상 이익의 가액을 추징할 수 있도록 한 형법 제357조 등의 규정과는 구별된다. 민법 제98조는 물건에 관하여 '유체물 및 전기 기타 관리할 수 있는 자연력'을 의미한다고 정의하는데, 형법이 민법이 정의한 '물건'과 다른 내용으로 '물건'의 개념을 정의하고 있다고 볼 만한 사정도 존재하지 아니한다. (2) 피고인이 웹사이트에 음란 사이트 링크배너와 도박사이트 홍보배너를 게시하는 등의 방식으로 운영하다가 타인에게 웹사이트를 5,000만원에 매각하고 현금으로 위 돈을 지급받은 경우 그 웹사이트는 범죄행위에 제공된 무형의 재산에 해당할 뿐 형법 제48조 제1항 제2호에서 정한 '범죄행위로 인하여 생(生)하였거나 이로 인하여 취득한 물건'에 해당하지 않으므로 웹사이트 매각을 통해 취득한 대가는 형법 제48조 제1항 제2호, 제2항이 규정한 추징의 대상에 해당하지 않는다.(대법원 2021. 10. 14. 2021도7168 웹사이트 매각대금 추징사건)

ⓔ [○] 전자기록은 일정한 저장매체에 전자방식이나 자기방식에 의하여 저장된 기록으로서 저장매체를 매개로 존재하는 물건이므로 형법 제48조 제1항 각호의 사유가 있는 때에는 이를 몰수할 수 있다.(대법원 2017. 10. 23. 2017도5905 강간장면 촬영사건)

ⓕ [○] 유기징역형에 대한 법률상 감경을 하면서 형법 제55조 제1항 제3호에서 정한 것과 같이 장기와 단기를 모두 2분의 1로 감경하는 것이 아닌 장기 또는 단기 중 어느 하나만을 2분의 1로 감경하는 방식이나 2분의 1보다 넓은 범위의 감경을 하는 방식 등은 죄형법정주의 원칙상 허용될 수 없다.(대법원 2021. 1. 21. 2018도5475 손슴 임의적 감경 새로운 해석론 사건)

051 형벌에 관한 설명 중 옳지 않은 것은? (다툼이 있으면 판례에 의함)

① 「형법」 제55조 제1항 제6호에서 벌금을 감경할 때의 다액의 2분의 1이라는 문구는 그 상한과 함께 하한도 2분의 1로 내려가는 것으로 해석하여야 한다.

② 무죄의 판결을 선고하는 경우, 피고인이 무죄판결공시 취지의 선고에 동의하지 아니하거나 피고인의 동의를 받을 수 없는 경우를 제외하고 무죄판결공시의 취지를 선고하여야 한다.

③ 500만원의 벌금형을 선고할 경우, 금고 이상의 형을 선고한 판결이 확정된 때부터 그 집행을 종료한 후 3년까지의 기간에 범한 죄가 아니고 「형법」 제51조의 사항을 참작하여 그 범죄의 정상에 참작할 만한 사유가 있더라도 그 형의 집행을 유예할 수 없다.

④ 1천만원의 벌금형을 선고할 경우, 「형법」 제51조의 사항을 참작하여 개전의 정상이 현저하고 자격정지 이상의 형을 받은 전과가 없다면, 그 선고를 유예할 수 있다.

해설

③ [×] 3년 이하의 징역이나 금고 또는 500만원 이하의 벌금의 형을 선고할 경우에 제51조의 사항을 참작하여 그 정상에 참작할 만한 사유가 있는 때에는 1년 이상 5년 이하의 기간 형의 집행을 유예할 수 있다. 다만, 금고 이상의 형을 선고한 판결이 확정된 때부터 그 집행을 종료하거나 면제된 후 3년까지의 기간에 범한 죄에 대하여 형을 선고하는 경우에는 그러하지 아니하다.(제62조 제1항) 500만원의 벌금형을 선고할 경우 다른 결격사유가 없는 한 집행유예를 선고할 수 있다.

① [○] 형법 제55조 제1항 제6호의 벌금을 감경할 때의 '다액'의 2분의 1이라는 문구는 '금액'의 2분의 1이라고 해석하여 그 상한과 함께 하한도 2분의 1로 내려가는 것으로 해석하여야 한다.(대법원 1978. 4. 25. 78도246 全合)

② [○] 피고사건에 대하여 무죄의 판결을 선고하는 경우에는 무죄판결공시의 취지를 선고하여야 한다. 다만, 무죄판결을 받은 피고인이 무죄판결공시 취지의 선고에 동의하지 아니하거나 피고인의 동의를 받을 수 없는 경우에는 그러하지 아니하다.(제58조 제2항)

④ [○] 1년 이하의 징역이나 금고, 자격정지 또는 벌금의 형을 선고할 경우에 제51조의 사항을 참작하여 개전의 정상이 현저한 때에는 그 선고를 유예할 수 있다. 단, 자격정지 이상의 형을 받은 전과가 있는 자에 대하여는 예외로 한다.(제59조 제1항)

052 다음 설명 중 가장 옳지 않은 것은? (다툼이 있으면 판례에 의함)　24 법원9급 [Superlative ★★★]

① 금고 이상의 형을 선고받아 그 집행이 종료되거나 면제된 후 3년 내에 금고 이상에 해당하는 죄를 지은 사람은 누범으로 처벌한다. 누범의 형은 그 죄에 대하여 정한 형의 장기의 2배까지 가중한다.

② 가석방기간 중에 금고 이상에 해당하는 범행을 저질렀다면 형법 제35조에서 말하는 형집행종료 후에 죄를 범한 경우에 해당하므로 누범에 해당한다.

③ 상습범 중 일부 행위가 누범기간 내에 이루어진 이상 나머지 행위가 누범기간 경과 후에 행하여졌더라도 그 행위 전부가 누범관계에 있다.

④ 특정범죄 가중처벌 등에 관한 법률 제5조의4 제5항은 "형법 제329조부터 제331조까지, 제333조부터 제336조까지 및 제340조·제362조의 죄 또는 그 미수죄로 세 번 이상 징역형을 받은 사람이 다시 이들 죄를 범하여 누범으로 처벌하는 경우에는 다음 각 호의 구분에 따라 가중처벌한다."라고 규정하면서, 같은 항 제1호는 '형법 제329조부터 제331조까지의 죄(미수범을 포함한다)를 범한 경우에는 2년 이상 20년 이하의 징역에 처한다'고 규정하고 있다. 위 처벌 규정은 형법 제35조(누범) 규정과는 별개이므로 처벌 규정에 정한 형에 다시 형법 제35조의 누범가중한 형기범위 내에서 처단형을 정하여야 한다.

해설

② [×] **가석방기간 중에 범행을 저질렀다면** 이를 형집행 종료 후에 죄를 범한 경우에 해당한다고 볼 수 없으므로 여기에 **누범가중을 할 수 없다.**(대법원 1976. 9. 14. 76도2071 가석방기간중 범죄 누범가중 사건)

① [○] 금고 이상의 형을 선고받아 그 집행이 종료되거나 면제된 후 3년 내에 금고 이상에 해당하는 죄를 지은 사람은 누범으로 처벌한다. 누범의 형은 그 죄에 대하여 정한 형의 장기의 **2배까지 가중한다.**(제35조 제1항·제2항)

③ [○] 상습범 중 일부 소위가 누범기간 내에 이루어진 이상 나머지 소위가 누범기간 경과 후에 행하여졌더라도 그 행위 **전부가 누범관계에 있는 것이다.**(대법원 1982. 5. 25. 82도600 계속되는 상습사기 사건)

④ [○] 특가법 제5조의4 제5항 제1호는 형법 제35조(누범) 규정과는 별개로 '형법 제329조부터 제331조까지의 죄(미수범 포함)를 범하여 세 번 이상 징역형을 받은 사람이 그 누범 기간 중에 다시 해당 범죄를 저지른 경우에 형법보다 무거운 법정형으로 처벌한다'는 내용의 새로운 구성요건을 창설한 것이므로 특가법 제5조의4 제5항 제1호에 정한 형에 다시 형법 제35조의 누범가중한 형기범위 내에서 처단형을 정하여야 한다.(대법원 2020. 5. 14. 2019도18947 특가법가중 + 누범가중 사건)

제5절 | 형벌론 종합

---

053 형벌에 대한 설명으로 옳지 않은 것은? (다툼이 있으면 판례에 의함)   15 국가9급 [Core ★★]
□□□
① 회사합병의 경우 피합병회사의 공·사법상 권리와 의무는 모두 합병으로 인하여 존속하는 회사에 승계되므로 양벌규정에 의한 법인의 처벌도 합병으로 인하여 존속하는 법인에 승계된다.

② 몰수하기 불능한 때에 추징하여야 할 가액의 산정은 재판선고 시의 가격을 기준으로 해야 한다.

③ 범죄행위에 제공하려고 한 물건은 범인 이외의 자의 소유에 속하지 아니하거나 범죄 후 범인 이외의 자가 정을 알면서 취득한 경우에는 이를 몰수할 수 있다.

④ "벌금을 감경할 때에는 그 다액의 2분의 1로 한다."는 규정은 그 상한액만 2분의 1로 내려간다는 것이 아니라 하한까지도 함께 내려간다고 해석하여야 한다.

해설

① [×] 양벌규정에 의한 법인의 처벌은 어디까지나 형벌의 일종으로서 행정적 제재처분이나 민사상 불법행위책임과는 성격을 달리하는 점, 형사소송법 제328조가 '피고인인 법인이 존속하지 아니하게 되었을 때'를 공소기각결정의 사유로 규정하고 있는 것은 형사책임이 승계되지 않음을 전제로 한 것이라고 볼 수 있는 점 등에 비추어 보면, 법인이 형사처벌을 면탈하기 위한 방편으로 합병제도 등을 남용하는 경우 이를 처벌하거나 형사책임을 승계시킬 수 있는 근거규정을 특별히 두고 있지 않은 현행법하에서는 합병으로 인하여 소멸한 법인이 그 종업원 등의 위법행위에 대해 양벌규정에 따라 부담하던 형사책임은 그 성질상 이전을 허용하지 않는 것으로서 **합병으로 인하여 존속하는 법인에 승계되지 않는다.**(대법원 2015. 12. 24. 2015도13946 **낙동강하구둑 입찰담합** 사건)

② [○] 몰수는 범죄에 의한 이득을 박탈하는 데 그 취지가 있고, 추징도 이러한 몰수의 취지를 관철하기 위한 것인 점 등에 비추어 볼 때, 몰수할 수 없는 때에 추징하여야 할 가액은 범인이 그 물건을 보유하고 있다가 몰수의 선고를 받았더라면 잃었을 이득상당액을 의미한다고 보아야 하므로 다른 특별한 사정이 없는 한 그 가액산정은 재판선고시의 가격을 기준으로 하여야 한다.(대법원 2008. 10. 9. 2008도6944)

③ [○] 범인이외의 자의 소유에 속하지 아니하거나 범죄 후 범인 이외의 자가 정을 알면서 취득한 다음 기재의 물건은 전부 또는 일부를 몰수할 수 있다.(제48조 제1항)

④ [○] 형법 제55조 제1항 제6호의 벌금을 감경할 때의 '다액'의 2분의 1이라는 문구는 '금액'의 2분의 1이라고 해석하여 그 상한과 함께 하한도 2분의 1로 내려가는 것으로 해석하여야 한다.(대법원 1978. 4. 25. 78도246 全合)

정답 **|** 052 ② 053 ①

054

□□□

형벌에 관한 설명으로 가장 적절한 것은? (다툼이 있으면 판례에 의함)   24 경찰채용 [Core ★★]

① 형법 제48조 제1항의 '범인'에는 공범자도 포함되므로 피고인의 소유물은 물론 공범자의 소유물도 그 공범자의 소추 여부를 불문하고 몰수할 수 있고, 여기에서의 공범자에는 공동정범, 교사범, 방조범에 해당하는 자는 포함되나 필요적 공범관계에 있는 자는 포함되지 않는다.

② 형법 제48조 제1항 제1호의 '범죄행위에 제공하려고 한 물건'은 범죄행위에 사용하려고 준비하였으나 실제 사용하지 못한 물건을 의미하며, 어떠한 물건을 '범죄행위에 제공하려고 한 물건'으로서 몰수하기 위해서는 그 물건이 유죄로 인정되는 당해 범죄행위에 제공하려고 한 물건임이 인정되어야 한다.

③ 형법은 벌금형의 집행유예는 인정하나, 벌금형의 선고유예는 인정하지 않는다.

④ 수뢰자가 뇌물로 받은 수표를 은행에 예금한 후 그 수표금액에 상당하는 금전을 찾아 증뢰자에게 반환한 경우 증뢰자로부터 그 가액을 추징하여야 한다.

해설

② [○] 형법 제48조 제1항 제1호의 '범죄행위에 제공하려고 한 물건'이란 범죄행위에 사용하려고 준비하였으나 실제 사용하지 못한 물건을 의미하는바, 어떠한 물건을 '범죄행위에 제공하려고 한 물건'으로서 몰수하기 위하여는 그 물건이 유죄로 인정되는 **당해 범죄행위에 제공하려고 한 물건임이 인정되어야 한다.**(대법원 2008. 2. 14. 2007도10034 송금못한 수표 · 현금 사건)

① [×] 형법 제48조 제1항의 '범인'에는 공범자도 포함되므로 피고인의 소유물은 물론 공범자의 소유물도 그 공범자의 소추 여부를 불문하고 몰수할 수 있는 것이고, 여기에서의 공범자에는 공동정범, 교사범, 방조범에 해당하는 자는 물론 필요적 공범관계에 있는 자도 포함된다.(대법원 2006. 11. 23. 2006도5586 이사 매수 실패사건)

③ [×] 1년 이하의 징역이나 금고, 자격정지 또는 벌금의 형을 선고할 경우에 선고유예를 선고할 수 있고, 3년 이하의 징역이나 금고 또는 500만원 이하의 벌금의 형을 선고할 경우에 집행유예를 선고할 수 있다.(제59조 제1항, 제62조 제1항)

④ [×] 뇌물로 받은 수표를 은행에 예금한 경우 그 예금행위는 뇌물의 처분행위에 해당하여 그 후 수뢰자가 그 액면에 상당하는 금전을 찾아서 증뢰자에게 반환하였다 하더라도 이를 뇌물 그 자체의 반환으로 볼 수 없으므로 이러한 경우에는 수뢰자로부터 그 가액을 추징하여야 한다.(대법원 1970. 4. 14. 69도2461 뇌물수표 예금 사건)

055 다음 설명 중 가장 옳지 않은 것은? (다툼이 있으면 판례에 의함)

① 집행유예의 요건에 관한 형법 제62조 제1항이 '형'의 집행을 유예할 수 있다고만 규정하고 있다고 하더라도, 하나의 자유형 중 일부에 대해서는 실형을, 나머지에 대해서는 집행유예를 선고하는 것은 허용되지 않는다.

② 하나의 판결로 두 개의 징역형을 선고하는 경우에 그중 하나의 징역형에 대하여만 집행유예를 선고할 수 있다.

③ 벌금과 과료는 판결확정일로부터 60일 내에 납입하여야 한다. 단, 벌금을 선고할 때에는 동시에 그 금액을 완납할 때까지 노역장에 유치할 것을 명할 수 있다.

④ 형의 선고를 유예할 수 있는 경우는 선고할 형이 1년 이하의 징역이나 금고, 자격정지 또는 벌금의 형인 경우에 한하고 구류형에 대하여는 선고를 유예할 수 없다.

해설

③ [×] 벌금과 과료는 판결확정일로부터 **30일 내에 납입하여야 한다.**(제69조 제1항)

① [O] 형법 제62조 제1항이 '형'의 집행을 유예할 수 있다고만 규정하고 있다고 하더라도 이는 하나의 형의 전부에 대한 집행유예에 관한 규정이라 할 것이고 또한 하나의 자유형에 대한 일부 집행유예에 관하여 그 인정을 위해서는 별도의 근거 규정이 필요하므로 하나의 자유형 중 일부에 대해서는 실형을, 나머지에 대해서는 집행유예를 선고하는 것은 허용되지 않는다.(대법원 2007. 2. 22. 2006도8555)

② [O] 형법 제37조 후단의 경합범 관계에 있는 두 개의 범죄에 대하여 하나의 판결로 두 개의 자유형을 선고하는 경우 그 두 개의 자유형은 각각 별개의 형이므로 형법 제62조 제1항에 정한 집행유예의 요건에 해당하면 각 자유형에 대하여 각각 집행유예를 선고할 수 있는 것이고 또 두 개의 징역형 중 하나의 징역형에 대하여는 실형을 선고하면서 다른 징역형에 대하여 집행유예를 선고하는 것도 우리 형법상 이러한 조치를 금하는 명문의 규정이 없는 이상 허용된다.(대법원 2002. 2. 26. 2000도4637)

④ [O] 형법 제59조 제1항은 '1년 이하의 징역이나 금고, 자격정지 또는 벌금의 형을 선고할 경우 제51조의 사항을 참작하여 개전의 정상이 현저한 때에는 선고를 유예할 수 있다'고 규정하고 있어, 형의 선고를 유예할 수 있는 경우는 선고할 형이 1년 이하의 징역이나 금고, 자격정지 또는 벌금의 형인 경우에 한하고 구류형에 대하여는 선고를 유예할 수 없다.(대법원 1993. 6. 22. 93오1 **구류3일 선고유예 사건**)

056 다음 <보기> 내용 중 빈칸에 들어갈 숫자들의 합은?　　23 해경간부 [Superlative ★★★]

□□□

> 「형법」 제78조【형의 시효의 기간】 시효는 형을 선고하는 재판이 확정된 후 그 집행을 받지 아니
> 하고 다음 각 호의 구분에 따른 기간이 지나면 완성된다.
> ㉠ 사형: (　　　　)년
> ㉡ 무기의 징역 또는 금고: (　　　　)년
> ㉢ 3년 이상의 징역이나 금고 또는 10년 이상 자격정지: (　　　)년
> ㉣ 3년 미만의 징역이나 금고 또는 5년 이상의 자격정지: (　　　)년

① 48　　　　　　② 57　　　　　　③ 67　　　　　　④ 95

해설

2023. 8. 8. 형법 개정으로 정답이 없다.(㉠ 삭제, ㉡ 20, ㉢ 10, ㉣ 7)

> **형법(2023. 8. 8. 법률 제19582호로 일부개정된 것)**
>
> 제78조【형의 시효의 기간】
> 1. 삭제 <2023. 8. 8.>
> 2. 무기의 징역 또는 금고: 20년
> 3. 10년 이상의 징역 또는 금고: 15년
> 4. 3년 이상의 징역이나 금고 또는 10년 이상의 자격정지: 10년
> 5. 3년 미만의 징역이나 금고 또는 5년 이상의 자격정지: 7년
> 6. 5년 미만의 자격정지, 벌금, 몰수 또는 추징: 5년
> 7. 구류 또는 과료: 1년

057 형의 시효·소멸에 관한 설명으로 가장 적절하지 않은 것은? (다툼이 있으면 판례에 의함)

□□□

24 경찰간부 [Core ★★]

① 3년 미만의 징역이나 금고 또는 5년 이상의 자격정지의 형을 선고하는 재판이 확정된 후 그
　집행을 받지 아니하고 7년의 기간이 지나면 형의 시효는 완성된다.

② 징역형의 집행유예와 벌금형의 병과를 선고받은 자에 대하여 징역형의 집행유예와 효력을 상
　실케 하는 특별사면이 있었다면 그 벌금형 역시 선고의 효력이 상실된다.

③ 형의 시효는 형의 집행이 유예나 정지 또는 가석방 기타 집행할 수 없는 기간은 진행되지 아니한다.

④ 형의 시효는 형이 확정된 후 그 형의 집행을 받지 아니한 자가 형의 집행을 면할 목적으로
　국외에 있는 기간 동안은 진행되지 아니한다.

해설

② [×] 여러 개의 형이 병과된 사람에 대하여 그 병과형 중 일부의 집행을 면제하거나 그에 대한 형의 선고의 효력을 상실케 하는 특별사면이 있은 경우 그 특별사면의 효력이 병과된 나머지 형에까지 미치는 것은 아니므로 징역형의 집행유예와 벌금형이 병과된 피고인에 대하여 징역형의 집행유예의 효력을 상실케 하는 내용의 특별사면이 그 **벌금형의 선고의 효력까지 상실케 하는 것은 아니다.**(대법원 1997. 10. 13. 96모33 벌금 2억5천 징수명령 사건)

① [○] 3년 미만의 징역이나 금고 또는 5년 이상의 자격정지의 형을 선고하는 재판이 확정된 후 그 집행을 받지 아니하고 7년의 기간이 지나면 형의 시효는 완성된다.(제78조 제5호)

③ [○] 형의 시효는 형의 집행이 유예나 정지 또는 가석방 기타 집행할 수 없는 기간은 진행되지 아니한다.(제79 조 제1항)

④ [○] 형의 시효는 형이 확정된 후 그 형의 집행을 받지 아니한 자가 형의 집행을 면할 목적으로 국외에 있는 기간 동안은 진행되지 아니한다.(제79조 제2항)

058 「형법」상 형의 시효·소멸에 대한 설명으로 가장 적절하지 않은 것은? 17 경찰채용 [Essential ★]

① 징역 또는 금고의 집행을 종료하거나 집행이 면제된 자가 피해자의 손해를 보상하고 자격정지 이상의 형을 받음이 없이 5년을 경과한 때에는 본인 또는 검사의 신청에 의하여 그 재판의 실효를 선고할 수 있다.

② 자격정지의 선고를 받은 자가 피해자의 손해를 보상하고 자격정지 이상의 형을 받음이 없이 정지 기간의 2분의 1을 경과한 때에는 본인 또는 검사의 신청에 의하여 자격의 회복을 선고할 수 있다.

③ 시효는 형이 확정된 후 그 형의 집행을 받지 아니한 자가 형의 집행을 면할 목적으로 국외에 있는 기간 동안은 진행되지 아니한다.

④ 시효는 징역, 금고와 구류에 있어서는 수형자를 체포함으로, 벌금, 과료, 몰수와 추징에 있어서는 강제처분을 개시함으로 인하여 중단된다.

해설

① [×] 징역 또는 금고의 집행을 종료하거나 집행이 면제된 자가 피해자의 손해를 보상하고 자격정지 이상의 형을 받음이 없이 7년을 경과한 때에는 본인 또는 검사의 신청에 의하여 그 재판의 실효를 선고할 수 있다.(제81조)

② [○] 자격정지의 선고를 받은 자가 피해자의 손해를 보상하고 자격정지 이상의 형을 받음이 없이 정지기간의 2분의 1을 경과한 때에는 본인 또는 검사의 신청에 의하여 자격의 회복을 선고할 수 있다.(제82조)

③ [○] 시효는 형이 확정된 후 그 형의 집행을 받지 아니한 자가 형의 집행을 면할 목적으로 국외에 있는 기간 동안은 진행되지 아니한다.(제79조 제2항)

정답 | 056 정답없음　**057** ②　**058** ①

④ [○] 시효는 사형, 징역, 금고와 구류에 있어서는 수형자를 체포함으로, 벌금, 과료, 몰수와 추징에 있어서는 강제처분을 개시함으로 인하여 중단된다.(제80조)

059

□□□

다음 설명 중 옳지 않은 것을 모두 고른 것은?

22 법원행시 [Superlative ★★★]

> ㉠ 문서, 도화, 전자기록 등 특수매체기록 또는 유가증권의 일부가 몰수의 대상이 된 경우에는 그 부분을 폐기할 수 있다.
> ㉡ 집행유예의 선고를 받은 후 형법 제62조 단행의 사유가 발각된 때에는 집행유예의 선고를 취소할 수 있다.
> ㉢ 사형은 교정시설 안에서 교수하여 집행할 수 있다.
> ㉣ 징역이나 금고의 집행 중에 있는 사람이 행상이 양호하여 뉘우침이 뚜렷한 때에는 무기형은 20년, 유기형은 형기의 4분의 1이 지난 후 행정처분으로 가석방을 할 수 있다.
> ㉤ 가석방 기간 중 고의로 지은 죄로 금고 이상의 형을 선고받아 그 판결이 확정된 경우에 가석방 처분은 효력을 잃는다.

① ㉠㉡㉢㉣　　　　　② ㉠㉡㉢㉣㉤　　　　　③ ㉠㉡㉢

④ ㉠㉡　　　　　　　⑤ ㉣㉤

해설

① ㉠㉡㉢㉣ 4 항목이 옳지 않다.

㉠ [×] 문서, 도화, 전자기록 등 특수매체기록 또는 유가증권의 일부가 몰수의 대상이 된 경우에는 **그 부분을 폐기한다.**(제48조 제3항)

㉡ [×] 집행유예의 선고를 받은 후 제62조 단행의 사유가 발각된 때에는 **집행유예의 선고를 취소한다.**(제64조 제1항)

㉢ [×] 사형은 교정시설 안에서 **교수(絞首)하여 집행한다.**(제66조)

㉣ [×] 징역이나 금고의 집행 중에 있는 사람이 행상(行狀)이 양호하여 뉘우침이 뚜렷한 때에는 무기형은 20년, 유기형은 형기의 **3분의 1이 지난 후** 행정처분으로 가석방을 할 수 있다.(제72조 제1항)

㉤ [○] 가석방 기간 중 고의로 지은 죄로 금고 이상의 형을 선고받아 그 판결이 확정된 경우에 가석방 처분은 효력을 잃는다.(제74조)

060 형벌에 대한 설명으로 옳지 않은 것은? (다툼이 있으면 판례에 의함) 　21 국가7급 [Core ★★]

□□□
① 몰수는 부가형이므로 행위자에게 몰수의 요건이 충족되었다고 하더라도 유죄의 재판을 아니할 때에는 몰수만 선고할 수는 없다.

② 주형을 선고유예할 때에는 그에 부가할 추징도 선고유예할 수 있지만, 주형을 선고유예하지 않으면서 그에 부가할 추징만 선고유예할 수는 없다.

③ 유기징역에 있어서 형기의 3분의 1을 경과한 후 행정처분으로 가석방할 수 있으며, 가석방의 기간은 남은 형기로 하되, 그 기간은 10년을 초과할 수 없다.

④ 징역형의 집행을 종료한 자가 피해자의 손해를 보상하고 자격정지 이상의 형을 받음이 없이 7년을 경과한 때에는 본인 또는 검사의 신청에 의하여 그 재판의 실효를 선고할 수 있다.

해설

① [×] 몰수는 타형에 부가하여 과한다. 단, **행위자에게 유죄의 재판을 아니할 때에도 몰수의 요건이 있는 때에는 몰수만을 선고할 수 있다.**(제49조)

② [○] 형법 제59조에 의하더라도 몰수는 선고유예의 대상으로 규정되어 있지 아니하고 다만 몰수 또는 이에 가름하는 추징은 부가형적 성질을 띄고 있어 그 주형에 대하여 선고를 유예하는 경우에는 그 부가할 몰수·추징에 대하여도 선고를 유예할 수 있으나, 그 주형에 대하여 선고를 유예하지 아니하면서 이에 부가할 몰수·추징에 대하여서만 선고를 유예할 수는 없다.(대법원 1988. 6. 21. 88도551 **범양상선 사건**)

③ [○] 유기징역에 있어서 형기의 3분의 1을 경과한 후 행정처분으로 가석방할 수 있으며, 가석방의 기간은 남은 형기로 하되, 그 기간은 10년을 초과할 수 없다.(제72조 제1항, 제73조의2 제1항)

④ [○] 징역 또는 금고의 집행을 종료하거나 집행이 면제된 자가 피해자의 손해를 보상하고 자격정지 이상의 형을 받음이 없이 7년을 경과한 때에는 본인 또는 검사의 신청에 의하여 그 재판의 실효를 선고할 수 있다.(제81조)

061
□□□

다음 설명 중 가장 옳은 것은? (다툼이 있으면 판례에 의함) 23 법원9급 [Superlative ★★★]

① 자수가 성립하였다고 하더라도 그 후에 범인이 이를 번복하여 수사기관이나 법정에서 범행을 부인하면 자수의 효력이 소멸하여 형법 제52조 제1항의 자수감경을 할 수 없다.

② 수사기관에의 신고가 자발적인 이상 그 신고의 내용이 자기의 범행을 명백히 부인하는 등의 내용으로 자기의 범행으로서 범죄성립요건을 갖추지 아니한 사실이라고 하더라도 자수는 성립한다.

③ 형법 제35조 소정의 누범이 되려면 금고 이상의 형을 받아 그 집행을 종료하거나 면제를 받은 후 3년 내에 다시 금고 이상에 해당하는 죄를 범하여야 하는데, 이 경우 다시 금고 이상에 해당하는 죄를 범하였는지 여부는 그 범죄가 기수에 이르렀는지 여부를 기준으로 결정하여야 하므로 3년의 기간 내에 기수에 이르러야 누범가중이 가능하다.

④ 집행유예가 실효되는 등의 사유로 인하여 두 개 이상의 금고형 내지 징역형을 선고받아 각 형을 연이어 집행받음에 있어 하나의 형의 집행을 마치고 또 다른 형의 집행을 받던 중 먼저 집행된 형의 집행종료일로부터 3년 내에 금고 이상에 해당하는 죄를 저지른 경우에, 집행 중인 형에 대한 관계에 있어서는 누범에 해당하지 않지만 앞서 집행을 마친 형에 대한 관계에 있어서는 누범에 해당한다.

해설

④ [○] (1) 특강법 제3조 규정의 누범기간의 기산점은 종전 특정강력범죄에 대한 형의 집행을 실제로 종료한 날로 봄이 타당하고, 비록 종전 특정강력범죄에 대하여 실형을 선고받아 그 집행을 종료한 경우보다 집행유예를 선고받았다가 그 집행유예가 실효되어 본형의 집행을 받음으로써 결과적으로 누범기간의 시점 및 종기가 더 늦어진다고 하더라도 특정강력범죄로 형을 받아 그 집행을 종료한 때로부터 3년이라는 누범기간에는 변동이 없는 이상, 종전 특정강력범죄에 대하여 집행유예를 선고받은 자가 실형을 선고받은 자보다 누범기간의 적용에 있어서 불합리하게 차별을 받는 것이라고 볼 수도 없다. (2) 원심은, 피고인이 서울지방법원에서 1997. 7. 18. 특수강도죄 등으로 징역 1년 6월에 집행유예 3년의 형을 선고받았다가 2000. 4. 27. 광주지방법원에서 폭처법위반죄로 징역 2년 6월의 형을 선고받아 2000. 5. 9. 확정됨으로써 집행유예의 선고가 실효되었고, 2003. 6. 17. 집행유예의 선고가 실효된 특정강력범죄인 특수강도죄 등에 대한 위 징역형의 집행을 최종적으로 종료한 후 3년 이내에 다시 특정강력범죄인 강도치상의 범행을 저지른 사실을 인정한 다음 강도치상의 범죄에 대하여 특강법 제3조를 적용하여 누범가중한 제1심을 그대로 유지하였는바, 원심의 판단은 정당하다.(대법원 2005. 4. 14. 2005도1258)

① [×] 일단 자수가 성립한 이상 자수의 효력은 확정적으로 발생하고 그 후에 범인이 번복하여 **수사기관이나 법정에서 범행을 부인한다고 하여 일단 발생한 자수의 효력이 소멸하는 것은 아니다.**(대법원 2011. 12. 22. 2011도12041 박상백 코어비트 대표 사건)

② [×] 수사기관에의 신고가 자발적이라고 하더라도 그 **신고의 내용이 자기의 범행을 명백히 부인하는 등의 내용으로 자기의 범행으로서 범죄성립요건을 갖추지 아니한 사실일 경우에는 자수는 성립하지 않고,** 일단 자수가 성립하지 아니한 이상 그 이후의 수사과정이나 재판과정에서 범행을 시인하였다고 하더라도 새롭게 자수가 성립할 여지는 없다.(대법원 2011. 12. 22. 2011도12041 박상백 코어비트 대표 사건)

③ [×] 누범이 되려면 금고 이상의 형을 받아 그 집행을 종료하거나 면제를 받은 후 3년 내에 다시 '금고 이상에 해당하는 죄'를 범하여야 하는바, 이 경우 다시 금고 이상에 해당하는 죄를 범하였는지 여부는 그 범죄의 실행행위를 하였는지 여부를 기준으로 결정하여야 하므로 3년의 기간 내에 실행의 착수가 있으면 족하고, 그 기간 내에 기수에까지 이르러야 되는 것은 아니다.(대법원 2006. 4. 7. 2005도9858 순슴 탄현면 임야 편취사건)

062 형법상 형(刑)에 대한 설명으로 옳은 것은?

21 국가9급 [Core ★★]

① 판결선고 후 누범인 것이 발각된 때에는 그 선고한 형을 통산하여 다시 형을 정하여야 한다. 단, 선고한 형의 집행을 종료하거나 그 집행이 면제된 후에는 예외로 한다.

② 집행유예의 선고를 받은 자가 유예기간 중 벌금 이상의 형을 선고받아 그 판결이 확정된 때에는 집행유예의 선고는 효력을 잃는다.

③ 가석방의 처분을 받은 자가 감시에 관한 규칙을 위배하거나 보호관찰의 준수사항을 위반한 때에는 가석방처분을 취소한다.

④ 징역 또는 금고의 집행을 종료하거나 집행이 면제된 자가 피해자의 손해를 보상하고 자격정지 이상의 형을 받음이 없이 7년을 경과한 때에는 본인 또는 검사의 신청에 의하여 그 재판의 실효를 선고할 수 있다.

해설

④ [○] 징역 또는 금고의 집행을 종료하거나 집행이 면제된 자가 피해자의 손해를 보상하고 자격정지 이상의 형을 받음이 없이 7년을 경과한 때에는 본인 또는 검사의 신청에 의하여 그 재판의 실효를 선고할 수 있다.(제81조)

① [×] 판결선고후 누범인 것이 발각된 때에는 그 선고한 형을 통산하여 다시 형을 정할 수 있다. 단, 선고한 형의 집행을 종료하거나 그 집행이 면제된 후에는 예외로 한다.(제36조)

② [×] 집행유예의 선고를 받은 자가 유예기간 중 고의로 범한 죄로 금고 이상의 실형을 선고받아 그 판결이 확정된 때에는 집행유예의 선고는 효력을 잃는다.(제63조)

③ [×] 가석방의 처분을 받은 자가 감시에 관한 규칙을 위배하거나 보호관찰의 준수사항을 위반하고 그 정도가 무거운 때에는 가석방처분을 취소할 수 있다.(제75조)

정답 | 061 ④   062 ④

063

☐☐☐

다음 설명 중 가장 옳지 않은 것은? (다툼이 있으면 판례에 의함)

① 피고인이 대형할인매장을 1회 방문하여 범행을 할 때마다 수 개 품목의 수십만원어치 상품을 절취하여 이를 자신의 승용차에 싣고 간 경우 그 승용차는 형법 제48조 제1항 제1호 소정의 범죄행위에 제공한 물건이므로 몰수할 수 있다.

② 체포될 당시 미처 송금하지 못하고 소지하고 있던 자기앞수표나 현금은 장차 실행하려고 한 외국환거래법 위반의 범행에 제공하려는 물건일 뿐 그 이전에 범해진 외국환거래법 위반의 범죄행위에 제공하려고 한 물건으로 볼 수 없으므로 이를 몰수할 수 없다.

③ 징역 또는 금고는 무기 또는 유기로 하고 유기는 1개월 이상 30년 이하로 한다. 단, 유기징역 또는 유기금고에 대하여 형을 가중하는 때에는 50년까지로 하고 자격의 전부 또는 일부에 대한 자격정지는 1개월 이상 15년 이하로 한다. 그리고 유기징역 또는 유기금고에 자격정지를 병과한 때에는 징역 또는 금고의 집행을 종료하거나 면제된 날로부터 정지기간을 기산한다.

④ 누범 전과는 금고 이상의 형을 받아 그 집행을 종료하거나 면제받은 후 3년 이내에 금고 이상에 해당하는 죄를 범한 경우인데 일반사면된 전과는 누범가중사유가 되지 아니하나 복권된 전과사실은 누범가중사유에 해당한다.

해설

③ [×] 자격의 전부 또는 일부에 대한 정지는 **1년 이상 15년 이하**로 한다.(제44조 제1항)

① [○] 피고인이 대형할인매장을 방문하여 범행을 할 때마다 수십만원어치 상품을 절취하여 이를 자신의 소나타 승용차에 싣고 갔고, 그 물품의 부피도 상당한 크기의 것이어서 대중교통수단을 타고 운반하기에 곤란한 수준이었으므로 승용차는 단순히 범행장소에 도착하는 데 사용한 교통수단을 넘어서 장물의 운반에 사용한 자동차라고 보아야 할 것이며, 따라서 형법 제48조 제1항 제1호 소정의 범죄행위에 제공한 물건이라고 볼 수 있다. (대법원 2006. 9. 14. 2006도4075 **장물운반 소나타 몰수사건**)

② [○] 체포될 당시에 미처 송금하지 못하고 소지하고 있던 자기앞수표나 현금은 장차 실행하려고 한 외국환거래법 위반의 범행에 제공하려는 물건일 뿐, 그 이전에 범해진 외국환거래법 위반의 '범죄행위에 제공하려고 한 물건'으로는 볼 수 없으므로 몰수할 수 없다.(대법원 2008. 2. 14. 2007도10034 **송금못한 수표 · 현금 사건**)

④ [○] (1) 일반사면령에 의하여 형의 선고의 효력이 상실된 범죄를 누범가중 사유로 하여 처벌하였음은 위법이다.(대법원 1964. 3. 31. 64도34) (2) 복권은 사면의 경우와 같이 형의 언도의 효력을 상실시키는 것이 아니고, 다만 형의 언도의 효력으로 인하여 상실 또는 정지된 자격을 회복시킴에 지나지 아니하는 것이므로 복권이 있었다고 하더라도 그 전과사실은 누범가중사유에 해당한다.(대법원 1981. 4. 14. 81도543)

064

선고유예 · 집행유예 · 가석방에 관한 설명 중 가장 적절하지 않은 것은? (다툼이 있으면 판례에 의함)

23 경찰채용 [Core ★★]

① 집행유예의 선고를 받은 후 그 선고의 실효 또는 취소됨이 없이 유예기간을 경과한 때에는 형법 제65조가 정하는 바에 따라 형의 선고는 효력을 잃는 것이고, 그와 같이 유예기간이 경과함으로써 형의 선고가 효력을 잃은 후에는 형법 제62조 단행의 사유가 발각되었다고 하더라도 그와 같은 이유로 집행유예를 취소할 수 없고 그대로 유예기간 경과의 효과가 발생한다.

② 1년 이하의 징역이나 금고, 자격정지, 벌금 또는 구류의 형을 선고할 경우에 형법 제51조의 사항을 고려하여 뉘우치는 정상이 뚜렷할 때에는 그 형의 선고를 유예할 수 있지만, 자격정지 이상의 형을 받은 전과가 있는 사람에 대해서는 그러하지 아니하다.

③ 형법 제62조의2의 규정에 의하여 보호관찰이나 사회봉사 또는 수강을 명한 집행유예를 받은 자가 준수사항이나 명령을 위반한 경우에 그 위반사실이 동시에 범죄행위로 되더라도 그 기소나 재판의 확정 여부 등 형사절차와는 별도로 법원이 「보호관찰 등에 관한 법률」에 의한 검사의 청구에 의하여 형법 제64조 제2항에 규정된 집행유예 취소의 요건에 해당하는가를 심리하여 준수 사항이나 명령 위반사실이 인정되고 위반의 정도가 무거운 때에는 집행유예를 취소할 수 있다.

④ 형법에 의하면 징역이나 금고의 집행 중에 있는 사람이 행상(行狀)이 양호하여 뉘우침이 뚜렷한 때에는 무기형은 20년, 유기형은 형기의 3분의 1이 지난 후 행정처분으로 가석방을 할 수 있다. 벌금·과료가 병과되어 있는 때에는 그 금액을 완납하여야 하며, 벌금이나 과료에 관한 노역장 유치기간에 산입된 판결선고 전 구금일수는 그에 해당하는 금액이 납입된 것으로 본다.

해설

② [×] 1년 이하의 징역이나 금고, 자격정지 또는 벌금의 형을 선고할 경우에 제51조의 사항을 고려하여 뉘우치는 정상이 뚜렷할 때에는 그 형의 선고를 유예할 수 있다. 다만, 자격정지 이상의 형을 받은 전과가 있는 사람에 대해서는 예외로 한다.(제59조 제1항) 구류형에 대하여는 선고를 유예할 수 없다.(대법원 1993. 6. 22. 93오1 구류3일 선고유예 사건)

① [〇] 집행유예의 선고를 받은 후 그 선고의 실효 또는 취소됨이 없이 유예기간을 경과한 때에는 형법 제65조가 정하는 바에 따라 형의 선고는 효력을 잃는 것이고, 그와 같이 유예기간이 경과함으로써 형의 선고가 효력을 잃은 후에는 형법 제62조 단행의 사유(집행유예 결격사유)가 발각되었다고 하더라도 그와 같은 이유로 집행유예를 취소할 수 없고 그대로 유예기간 경과의 효과가 발생한다.(대법원 1999. 1. 12. 98모151 사기죄 집행유예 기간 경과사건)

③ [〇] 형법 제62조의2의 규정에 의하여 보호관찰이나 사회봉사 또는 수강을 명한 집행유예를 받은 자가 준수사항이나 명령을 위반한 경우에 그 위반사실이 동시에 범죄행위로 되더라도 그 기소나 재판의 확정 여부 등 형사절차와는 별도로 법원이 보호관찰법에 의한 검사의 청구에 의하여 형법 제64조 제2항에 규정된 집행유예 취소

의 요건에 해당하는가를 심리하여 준수사항이나 명령 위반사실이 인정되고 위반의 정도가 무거운 때에는 집행유예를 취소할 수 있다.(대법원 1999. 3. 10. 99모33 향정신성의약품 물질을 사용하지 말 것 사건)

④ [○] 형법에 의하면 징역이나 금고의 집행 중에 있는 사람이 행상(行狀)이 양호하여 뉘우침이 뚜렷한 때에는 무기형은 20년, 유기형은 형기의 3분의 1이 지난 후 행정처분으로 가석방을 할 수 있다. 벌금·과료가 병과되어 있는 때에는 그 금액을 완납하여야 하며, 벌금이나 과료에 관한 노역장 유치기간에 산입된 판결선고 전 구금일수는 그에 해당하는 금액이 납입된 것으로 본다.(제72조 제1항·제2항, 제73조 제2항)

065 다음 설명 중 가장 옳지 않은 것은? (다툼이 있으면 판례에 의함)

20 경찰간부 [Superlative ★★★]

① 유죄의 확정판결에 대하여 재심개시결정이 확정되어 법원이 그 사건에 대하여 다시 심판을 한 후 재심의 판결을 선고하고 그 재심판결이 확정된 때에는 종전의 확정판결은 당연히 효력을 상실하므로, 누범전과가 될 수 없다.

② 형의 집행유예를 선고받은 후 형법 제65조에 의하여 그 선고가 실효 또는 취소됨이 없이 정해진 유예기간을 무사히 경과하여 형의 선고가 효력을 잃게 되는 경우에는 선고유예의 판결을 할 수 있다.

③ 집행유예의 선고를 받은 후에 그 선고가 실효 또는 취소됨이 없이 유예기간이 경과하더라도 형의 선고가 있었다는 사실 자체가 없어지는 것은 아니다.

④ 징역 또는 금고의 집행 중에 있는 자가 그 행상이 양호하여 개전의 정이 현저한 때에는 무기에 있어서는 20년, 유기에 있어서는 형기의 3분의 1을 경과한 후 행정처분으로 가석방을 할 수 있다.

해설

② [×] 집행유예를 선고받은 사람이 그 선고가 실효 또는 취소됨이 없이 정해진 유예기간을 무사히 경과하여 형의 선고가 효력을 잃게 되었더라도, 그는 **선고유예 결격사유인 '자격정지 이상의 형을 받은 전과가 있는 자'에 해당한다.**(대법원 2012. 6. 28. 2011도10570) 법원은 선고유예의 판결을 할 수 없다.

① [○] 피고인이 폭처법위반죄 등으로 징역 8월을 선고받아 판결이 확정되어 그 집행을 종료한 후 3년 내에 상해죄 등을 범하였더라도, 피고인이 확정판결에 대해 재심을 청구하여 재심개시결정이 이루어져 재심심판절차에서 징역 8월을 선고한 재심판결이 확정됨으로써 그 전의 확정판결이 효력을 상실한 경우 더 이상 상해죄 등은 확정판결에 의한 형의 집행이 끝난 후 3년 내에 이루어진 것이 아니다(누범이 아니다).(대법원 2017. 9. 21. 2017도4019)

③ [○] 형의 집행유예를 선고받은 사람이 그 선고가 실효 또는 취소됨이 없이 정해진 유예기간을 무사히 경과하여 형의 선고가 효력을 잃게 되었더라도, 이는 형의 선고의 법적 효과가 없어질 뿐이고 형의 선고가 있었다는 기왕의 사실 자체까지 없어지는 것은 아니다.(대법원 2012. 6. 28. 2011도10570) 집행유예 다음에 선고유예할 수 없다는 판례이다.

④ [○] 징역 또는 금고의 집행 중에 있는 자가 그 행상이 양호하여 개전의 정이 현저한 때에는 무기에 있어서는 20년, 유기에 있어서는 형기의 3분의 1을 경과한 후 행정처분으로 가석방을 할 수 있다.(제72조 제1항)

066 형벌에 관한 설명 중 가장 적절하지 않은 것은?

22 경찰채용 [Superlative ★★★]

① 징역 10년 형을 선고받은 甲은 그 형의 집행이 종료하거나 면제될 때까지 다른 법률에 특별한 규정이 있는 경우를 제외하고는 공무원이 되는 자격, 공법상의 선거권과 피선거권, 법률로 요건을 정한 공법상의 업무에 관한 자격이 정지된다.

② 甲에게 징역 12년 형이 확정된 후 그 집행을 받지 아니하고 15년이 경과했다면 그 기간 내에 형의 집행을 면할 목적으로 국외에 3년 동안 나가 있던 것이 확인된 경우라도 형의 시효는 완성된다.

③ 법원이 중상해죄(1년 이상 10년 이하의 징역)로 유죄가 인정된 甲에게 형의 가중·감경사유 중 형법 제10조 제2항(심신미약)과 제35조(누범)만을 적용하여 형을 선고할 경우 甲에게 선고할 수 있는 형의 최하한은 징역 6월이다.

④ 법원이 피고인 甲에게 30억 원의 벌금을 선고하는 경우 이를 납입하지 아니하는 것을 대비하여 500일 이상의 노역장 유치기간을 정하여 동시에 선고하여야 한다.

해설

② [×] 징역 12년을 선고한 재판이 확정된 후 그 집행을 받지 아니하고 15년이 지나면 형의 시효가 완성된다. (제78조 제3호) 형의 시효는 형이 확정된 후 그 형의 집행을 받지 아니한 자가 형의 집행을 면할 목적으로 국외에 있는 기간 동안은 진행되지 아니한다.(제79조 제2항) 甲에게 징역 12년의 형이 확정된 후 그 집행을 받지 아니하고 15년이 경과했더라도 그 기간 내에 형의 집행을 면할 목적으로 국외에 3년 동안 나가 있었으므로 형의 시효는 완성되지 않았다.

① [○] 유기징역 또는 유기금고의 판결을 받은 자는 그 형의 집행이 종료하거나 면제될 때까지 전항 제1호 내지 제3호에 기재된 자격(공무원이 되는 자격, 공법상의 선거권과 피선거권, 법률로 요건을 정한 공법상의 업무에 관한 자격)이 정지된다.(제43조 제2항)

③ [○] 누범 가중을 함에 있어서는 그 죄에 정한 형의 장기 2배까지 가중할 수 있는 것이고 단기에 관하여도 2배로 가중하는 것은 아니다.(대법원 1969. 8. 19. 69도1129) 형법 제55조 제1항 제3호에 따라 유기징역형을 감경할 경우에는 '단기'나 '장기'의 어느 하나만 2분의 1로 감경하는 것이 아니라 '형기', 즉 법정형의 장기와 단기를 모두 2분의 1로 감경함을 의미한다는 것은 법문상 명확하다.(대법원 2021. 1. 21. 2018도5475 숯숙임의적 감경 새로운 해석론 사건) 형법 제56조에 따라 누범가중을 하면 '1년 이상 20년 이하의 징역'이 되고 이어 심신미약 감경(법률상 감경)을 하면 처단형이 '6개월 이상 10년 이하의 징역'이 된다.
다른 가중·감경 사유가 없는 경우 법원이 甲에게 선고할 수 있는 형의 최하한은 징역 6월이다.

④ [○] 선고하는 벌금이 1억원 이상 5억원 미만인 경우에는 300일 이상, 5억원 이상 50억원 미만인 경우에는 500일 이상, 50억원 이상인 경우에는 1천일 이상의 노역장 유치기간을 정하여야 한다.(제70조 제2항) 따라서 30억원의 벌금형은 500일 이상의 노역장 유치기간을 정하여야 한다.

067 형법의 규정과 상응하는 것만을 모두 고르면?

22 국가9급 [Core ★★]

> ㉠ 벌금형의 경우에 선고유예는 물론이고 그 액수에 상관없이 집행유예를 할 수 있다.
>
> ㉡ 과료를 납입하지 아니한 자는 1일 이상 30일 미만의 기간 노역장에 유치하여 작업에 복무하게 한다.
>
> ㉢ 형을 선고받은 사람에 대해서는 시효가 완성되면 그 집행이 면제된다.
>
> ㉣ 가석방 기간 중 고의 또는 과실로 지은 죄로 금고 이상의 형의 선고를 받아 그 판결이 확정된 때에는 가석방 처분은 효력을 잃는다.
>
> ㉤ 집행유예의 선고를 받은 후 그 선고의 실효 또는 취소됨이 없이 유예기간을 경과한 때에는 형의 집행을 종료한 것으로 본다.

① ㉠㉣

② ㉡㉢

③ ㉡㉢㉤

④ ㉢㉣㉤

해설

② ㉡㉢ 2 항목이 옳다.

㉠ [×] 선고유예의 경우 벌금의 액수와 상관없이 선고유예를 할 수 있지만, 집행유예의 경우 **500만원 이하의 벌금을 선고할 때에만 집행유예를 할 수 있다.**(제59조 제1항, 제62조 제1항)

㉡ [○] 과료를 납입하지 아니한 자는 1일 이상 30일 미만의 기간 노역장에 유치하여 작업에 복무하게 한다.(제69조 제2항)

㉢ [○] 형을 선고받은 사람에 대해서는 시효가 완성되면 그 집행이 면제된다.(제77조)

㉣ [×] 가석방 기간 중 **고의로** 지은 죄로 금고 이상의 형을 선고받아 그 판결이 확정된 경우에 가석방 처분은 효력을 잃는다.(제74조)

㉤ [×] 집행유예의 선고를 받은 후 그 선고의 실효 또는 취소됨이 없이 유예기간을 경과한 때에는 **형의 선고는 효력을 잃는다.**(제65조)

068 다음 중 형의 필요적 감경 또는 면제사유에 해당하는 것을 모두 고른 것은?

24 법원행시 [Core ★★]

> ㉠ 무고죄의 재판 확정 전 자백　　　㉡ 살인죄의 실행 착수 후 중지미수
>
> ㉢ 강도죄의 심신미약　　　㉣ 장물취득죄에서 본범이 아들인 경우
>
> ㉤ 폭행죄에서 과잉방위

① ㉠㉢㉤

② ㉡㉢㉤

③ ㉠㉢㉣

④ ㉡㉣㉤

⑤ ㉠㉡㉣

해설

⑤ ㉠㉡㉣ 3 항목이 필요적 감경 또는 면제사유에 해당한다.
㉠ 필요적 감경 또는 면제사유이다.(제153조, 157조)
㉡ 필요적 감경 또는 면제사유이다.(제26조)
㉢ 임의적 감경사유이다.(제10조 제2항)
㉣ 필요적 감경 또는 면제사유이다.(제365조 제2항)
㉤ 임의적 감경 또는 면제사유이다.(제21조 제2항)

069

형벌에 대한 설명으로 옳지 않은 것은? (다툼이 있으면 판례에 의함)   23 국가9급 [Core ★★]

① 형을 가중·감경할 사유가 경합하는 경우에는 각칙 조문에 따른 가중, 형법 제34조 제2항에 따른 가중, 누범 가중, 경합범 가중, 법률상 감경, 정상참작감경의 순으로 한다.
② 판결선고전의 구금일수는 그 전부를 유기징역, 유기금고, 벌금이나 과료에 관한 유치 또는 구류에 산입한다.
③ 형을 병과할 경우에도 형의 전부 또는 일부에 대하여 선고를 유예할 수 있다.
④ 형의 선고를 유예하는 경우에 재범방지를 위하여 지도 및 원호가 필요한 때에는 보호관찰을 받을 것을 명할 수 있다.

해설

① [×] 형을 가중·감경할 사유가 경합하는 경우에는 각칙 조문에 따른 가중, 형법 제34조 제2항에 따른 가중, 누범 가중, **법률상 감경, 경합범 가중**, 정상참작감경의 순으로 한다.(제56조)
② [○] 판결선고전의 구금일수는 그 전부를 유기징역, 유기금고, 벌금이나 과료에 관한 유치 또는 구류에 산입한다.(제57조 제1항)
③ [○] 형을 병과할 경우에도 형의 전부 또는 일부에 대하여 선고를 유예할 수 있다.(제59조 제2항)
④ [○] 형의 선고를 유예하는 경우에 재범방지를 위하여 지도 및 원호가 필요한 때에는 보호관찰을 받을 것을 명할 수 있다.(제59조의2 제1항)

070

□□□ 형벌에 관한 설명 중 옳은 것(○)과 옳지 않은 것(×)을 올바르게 조합한 것은? (다툼이 있으면 판례에 의함)

22 변호사 [Superlative ★★★]

⊙ 경합범의 처벌에 관한 형법 제38조 제1항 제3호에 의하여 징역형과 벌금형을 병과하는 경우에 징역형에만 작량감경을 하고 벌금형에는 작량감경을 하지 않는 것은 위법하다.

ⓛ 2020. 7. 1. 무고죄로 징역 1년에 집행유예 2년을 선고받고 그 판결이 같은 달 9. 확정된 甲이 2021. 6. 1. 상습도박죄를 범하여 같은 해 11. 1. 유죄판결을 선고받는 경우 법원은 甲에게 상습도박죄에 대한 집행유예는 선고할 수 없다.

ⓒ 몰수에 관한 형법 제48조 제1항의 '범인'에는 공범자도 포함되므로 피고인의 소유물은 물론 공범자의 소유물도 그 공범자의 소추 여부를 불문하고 몰수할 수 있다.

ⓔ 사기도박에 참여하도록 유인하기 위하여 고액의 수표를 제시해 보인 경우라도 그 수표가 직접적으로 도박자금으로 사용되지 않았다면 몰수할 수 없다.

ⓜ 강도상해의 범행에 대하여 자수한 사안에서 법원이 자수감경을 하지 않았거나 자수감경 주장에 대한 판단을 하지 않았다고 해도 위법하다고 할 수 없다.

① ⊙ ○ ⓛ ○ ⓒ × ⓔ × ⓜ ○   ② ⊙ × ⓛ × ⓒ ○ ⓔ ○ ⓜ ×

③ ⊙ ○ ⓛ ○ ⓒ × ⓔ × ⓜ ×   ④ ⊙ × ⓛ ○ ⓒ ○ ⓔ × ⓜ ○

⑤ ⊙ × ⓛ ○ ⓒ ○ ⓔ ○ ⓜ ○

해설

④ 이 지문이 옳은 연결이다.

⊙ [×] 형법 제38조 제1항 제3호에 의하여 징역형과 벌금형을 병과하는 경우에는 각 형에 대한 범죄의 정상에 차이가 있을 수 있으므로 징역형에만 작량감경을 하고 벌금형에는 작량감경을 하지 아니하였다고 하여 이를 위법하다고 할 수 없다.(대법원 2006. 3. 23. 2006도1076) 일죄가 아니라 수죄(실체적 경합범)임을 주의하여야 한다. 그리고 현재는 작량감경이 아니라 '정상참작감경'이다.(제53조 표제 참고)

ⓛ [○] 집행유예기간 중에 범한 죄에 대하여 형을 선고할 때에 (1) 집행유예의 결격사유를 정하는 형법 제62조 제1항 단서 소정의 요건에 해당하는 경우란 이미 집행유예가 실효 또는 취소된 경우와 그 선고 시점에 미처 유예기간이 경과하지 아니하여 형 선고의 효력이 실효되지 아니한 채로 남아 있는 경우로 국한되고 (2) 집행유예가 실효 또는 취소됨이 없이 유예기간을 경과한 때에는 위 단서 소정의 요건에 해당하지 않는다고 할 것이므로 집행유예기간 중에 범한 범죄라고 할지라도 집행유예가 실효 또는 취소됨이 없이 그 유예기간이 경과한 경우에는 이에 대해 다시 집행유예의 선고가 가능하다.(대법원 2007. 7. 27. 2007도768 연달아 집행유예 사건 II) 판결선고시인 2021. 11. 1. 현재 무고죄에 대한 집행유예기간이 아직 경과하지 않았으므로 상습도박죄에 대하여 집행유예를 선고할 수 없다.

ⓒ [○] 몰수에 관한 형법 제48조 제1항의 '범인'에는 공범자도 포함되므로 피고인의 소유물은 물론 공범자의 소유물도 그 공범자의 소추 여부를 불문하고 몰수할 수 있다.(대법원 2013. 5. 24. 2012도15805 안마시술소 건물 몰수사건 II)

ⓔ [×] 피해자로 하여금 사기도박에 참여하도록 유인하기 위하여 고액의 수표를 제시해 보인 경우, 수표가 직접적으로 도박자금으로 사용되지 아니하였다 할지라도 수표가 피해자로 하여금 사기도박에 참여하도록 만들기 위한 수단으로 사용된 이상 범죄행위에 제공된 물건으로 이를 몰수할 수 있고, 그렇다고 하여 피고인에게 극히 가혹한 결과가 된다고 볼 수는 없다.(대법원 2002. 9. 24. 2002도3589 8천만원 수표 몰수사건)

ⓜ [○] 피고인이 자수하였다 하더라도 자수한 자에 대하여는 법원이 임의로 형을 감경할 수 있음에 불과한 것으로서 원심이 자수감경을 하지 아니하였다거나 자수감경 주장에 대하여 판단을 하지 아니하였다 하여 위법하다고 할 수 없다.(대법원 2013. 11. 28. 2013도9003 광주 총인처리시설 입찰비리사건)

김대환

약력

현 | 해커스 경찰학원 형법·형사소송법 강의

전 | 경찰공제회 경찰 채용 형법·형사소송법 강의
김대환 경찰학원 형법·형사소송법 강의
아모르이그잼경찰 / 메가CST 형사소송법 대표교수
경찰대학교 행정학과 졸업(16기)
용인대학교 경찰행정학과 석사 수료
사법시험 최종합격(제46회, 2004)
사법연수원 수료(제36기)

저서

갓대환 형사법 기출총정리, 해커스경찰
갓대환 형법 기출1200제, 해커스경찰
갓대환 형사소송법 기출1000제, 해커스경찰
갓대환 형법 기적의 특강, 해커스경찰
갓대환 형사소송법 기적의 특강, 해커스경찰
갓대환 형사법 전범위 모의고사, 해커스경찰
갓대환 형사법 진도별 문제풀이 1000제 2차 시험 대비, 해커스경찰
갓대환 형사법 심화문제집, 해커스경찰
갓대환 형사법 진도별 문제풀이 1000제, 해커스경찰
갓대환 형사법 핵심요약집, 해커스경찰
갓대환 형사법 기본서, 해커스경찰
갓대환 형법/형사소송법 진도별 문제풀이 500제, 해커스경찰
갓대환 핵심 요약집 형법/형사소송법, 해커스경찰
갓대환 형법/형사소송법 기본서, 해커스경찰
갓대환 형법 기출 1200제, 멘토링
갓대환 형법 기적의 특강 with 5개년 최신판례, 멘토링
갓대환 형법, 형사소송법 승진 삼삼 모의고사, 멘토링
갓대환 형법, 형사소송법 경찰 오오 모의고사, 멘토링
갓대환 형법 적중 모의고사: 시즌1, 시즌2
갓대환 형법/형사소송법 단원별 문제풀이

2025 대비 최신개정판

해커스경찰
갓대환
형사법
기출총정리 1권 | 형법총론

개정 2판 1쇄 발행 2024년 9월 2일

지은이	김대환 편저
펴낸곳	해커스패스
펴낸이	해커스경찰 출판팀

주소	서울특별시 강남구 강남대로 428 해커스경찰
고객센터	1588-4055
교재 관련 문의	gosi@hackerspass.com
	해커스경찰 사이트(police.Hackers.com) 교재 Q&A 게시판
	카카오톡 플러스 친구 [해커스경찰]
학원 강의 및 동영상강의	police.Hackers.com

ISBN	1권: 979-11-7244-332-0 (14360)
	세트: 979-11-7244-331-3 (14360)
Serial Number	02-01-01

경찰공무원 1위,
해커스경찰 police.Hackers.com

해커스경찰

· 정확한 성적 분석으로 약점 극복이 가능한 **합격예측 온라인 모의고사**(교재 내 응시권 및 해설강의 수강권 수록)
· 해커스 스타강사의 **경찰 형사법 무료 특강**
· **해커스경찰 학원 및 인강**(교재 내 인강 할인쿠폰 수록)

한경비즈니스 선정 2024 한국품질만족도 교육(온·오프라인 경찰학원) 부문 1위

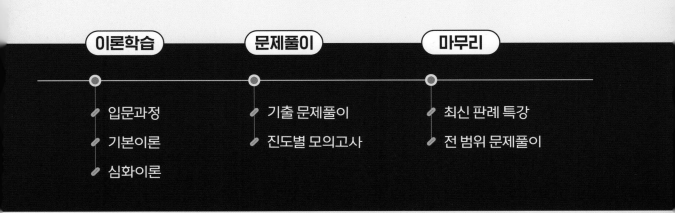

해커스경찰
갓대환
형사법
기출총정리 1권 | 형법총론

경찰공무원 합격의 확실한 해답!

해커스경찰 갓대환 형사법 교재

기본	핵심정리	기출문제풀이	예상문제풀이	마무리

| 해커스경찰 갓대환 형사법 기본서 1권 형법 | 해커스경찰 갓대환 형사법 기본서 2권 형사소송법 수사와 증거 | 해커스경찰 갓대환 형사법 기본서 3권 형사소송법 공판 | 해커스경찰 갓대환 형사법 핵심요약집 형법 | 해커스경찰 갓대환 형사법 핵심요약집 형사소송법 수사와 증거 | 해커스경찰 갓대환 형사법 핵심요약집 형사소송법 공판 | 해커스경찰 갓대환 형사법 기출총정리 (세트) | 해커스경찰 갓대환 형법 기출 1200제 (세트) | 해커스경찰 갓대환 형사소송법 기출 1000제 (세트) | 해커스경찰 갓대환 형사법 진도별 문제풀이 1000제 1차 시험 대비 | 해커스경찰 갓대환 형사법 진도별 문제풀이 1000제 2차 시험 대비 | 해커스경찰 갓대환 형사법 심화문제집 | 해커스경찰 갓대환 형법 기적의 특강 | 해커스경찰 갓대환 형사소송법 기적의 특강 | 해커스경찰 갓대환 형사법 전범위 모의고사 |

정가 **91,000** 원 (전 3권)

14360

9 791172 443320
ISBN 979-11-7244-332-0
ISBN 979-11-7244-331-3 (세트)